OS VENCEDORES

OS VEN

A **VOLTA** POR CIMA DA

Ayrton Centeno

CEDORES

GERAÇÃO ESMAGADA PELA **DITADURA DE 1964**

GERAÇÃO

Copyright © 2014 by Ayrton Centeno

1ª edição — Setembro de 2014

Grafia atualizada segundo o Acordo Ortográfico da Língua Portuguesa
de 1990, que entrou em vigor no Brasil em 2009

Editor e Publisher
Luiz Fernando Emediato

Diretora Editorial
Fernanda Emediato

Produtora Editorial e Gráfica
Priscila Hernandez

Assistentes Editoriais
Adriana Carvalho
Carla Anaya Del Matto

Capa
Raul Fernandes

Projeto Gráfico e Diagramação
Alan Maia

Preparação de Texto
Nanete Neves

Revisão
Rinaldo Milesi
Marcia Benjamim

DADOS INTERNACIONAIS DE CATALOGAÇÃO NA PUBLICAÇÃO (CIP)
(Câmara Brasileira do Livro, SP, Brasil)

Centeno, Ayrton
   Os vencedores : a volta por cima da geração
esmagada pela ditadura de 1964 / Ayrton Centeno.
-- São Paulo : Geração Editorial, 2014.

   ISBN 978-85-8130-218-8

   1. Brasil - Política e governo - 1964-1985 2. Ditadura - Brasil
3. Golpes de Estado - Brasil 4. Histórias de vida 5. Memórias
6. Militarismo - Brasil 7. Perseguições políticas 8. Repressão
política 9. Testemunhos 10. Tortura I. Título.

14-00519   CDD: 320.98108

Índices para catálogo sistemático

1. Brasil : Ditadura militar, 1964-1985 : Memórias, histórias
de vida e testemunhos : História política   320.98108

GERAÇÃO EDITORIAL

Rua Gomes Freire, 225 – Lapa
CEP: 05075-010 – São Paulo – SP
Telefax.: (+ 55 11) 3256-4444
E-mail: geracaoeditorial@geracaoeditorial.com.br
www.geracaoeditorial.com.br

Impresso no Brasil
Printed in Brazil

Muito Obrigado

Antes de tudo a Luiz Fernando Emediato, que teve a ideia, convidou-me para realizá-la e emprestou seu apoio para materializá-la. Ao Luiz Lanzetta, que nos apresentou e aproximou. Também a Willian Novaes e a todo o pessoal da Geração Editorial que, de uma forma ou de outra, ajudaram a colocar o projeto nos trilhos nas fases de concepção, captação, redação, edição e distribuição. À Cris Pozzobon que alcançou textos importantes. A todos os entrevistados e entrevistadas que cederam parte de seu tempo para contar suas memórias de alegrias ou horrores. Especialmente a Frei Betto, José Genoíno, Raul Ellwanger, Calino Pacheco Filho, Ignácio de Loyola Brandão, Nair Benedicto, José Celso Martinez Correia, José Dirceu e José de Abreu, que cederam livros e/ou compartilharam sugestões. A Tania, Lúcio, Vlad, Raquel e Carolina pela compreensão e paciência. A todos os amigos e amigas pelo estímulo.

"Na aurora, armados de uma paciência ardente, entraremos nas esplêndidas Cidades"

(Adieu/Arthur Rimbaud)

Na propaganda oficial, o futuro era a ditadura

OS VENCEDORES

FOTOS © Jean Manzon

O *"futuro que chegou"*

ÍNDICE

1 A vitória dos vencidos 15

2 Encarando a morte e a solidão 35

3 Fugindo de algo pior do que a morte 77

4 Taturana vai ao paraíso 97

5 Vítor e os muitos caminhos para o exílio 131

6 O 11 de Setembro chegou na véspera 165

7 Da VPR à Portobello Road 187

8 Das teclas da IBM aos braços do PCdoB 209

9 As muitas voltas da vida 257

10 Sartre, Glauber e Bertolucci na guerrilha 309

11 Ouviu? Estamos torturando o seu filho 343

12 Hormônio, radicalidade e felicidade 359

13 Do bangue-bangue ao *Big Bang*.. 385

14 O guerrilheiro que veio da UDN e
o último dos tenentes... 429

15 Os amores na mente, as flores no chão 471

16 Quem é vivo sempre desaparece 511

17 Vomitando o pecado, o medo e tudo mais....................... 529

18 Da rua vêm os gritos: "Vamos te matar!"......................... 551

19 A contribuição milionária de todos os erros 569

20 Manda ele pro Itamarapau! 599

21 Com a ajuda de Kafka e Marighella................................ 613

22 Parabéns.Você está preso 631

23 A gente corre e a gente morre na BR-3 647

OS VENCEDORES

24 Gaspar, Rosa, Renato e os brancaleones 667

25 Na correnteza da vida 691

26 Meio século de silêncio 703

Notas 731

Entrevistas 805

Siglas 806

Filmografia/ Videografia 809

Jornais/ Revistas/ Sítios 810

Bibliografia 812

Índice Onomástico 819

Iniciado o Processo de Encampação Das Refinarias
Além de Assinado o Decreto Desapropriador da SUPRA

O GLOBO
FUNDAÇÃO DE IRINEU MARINHO

A Direção de Capuava Vai Defender Seus Interêsses Diante do Ato do Govêrno

SÃO PAULO DE PÉ EM DEFESA DA DEMOCRACIA

O GLOBO
FUNDAÇÃO DE IRINEU MARINHO

MARTIN BORMANN VIVE NO BRASIL, AFIRMA UM SEU IRMÃO EM SANTOS

FUGIU GOULART E A DEMOCRACIA ESTÁ SENDO RESTABELECIDA
EMPOSSADO MAZZILLI NA PRESIDÊNCIA
TEXTO NA 6ª PÁGINA

O GLOBO
FUNDAÇÃO DE IRINEU MARINHO

Ressurge a Democracia!

A VEZ DO CONGRESSO

MAIS DE 800 MIL PESSOAS NA "MARCHA DA VITÓRIA"!

O GLOBO
FUNDAÇÃO DE IRINEU MARINHO

O Senado Aprova e Envia à Câmara o Projeto de Eleição do Presidente (Texto na Sexta Pág.)

A Sorte da Democracia

OS CHEFES MILITARES APRESENTAM UM ATO INSTITUCIONAL PARA QUE O PAÍS POSSA SER DESCOMUNIZADO

O GLOBO
FUNDAÇÃO DE IRINEU MARINHO

AUTOCENSURA NOS JORNAIS DE S. PAULO

MAGALHÃES PINTO QUASE FOI SEQÜESTRADO!

ALTA SEM PRECEDENTES NA BÔLSA DE VALÔRES DO RIO DE JANEIRO

Afirmou o Ministro da Guerra à Tropa: "Ao Primeiro Grito Estaremos de pé Pelo Brasil"

O BRASIL EM FESTA SAÚDA A POSSE DE CASTELO BRANCO

SERÁ CONHECIDO HOJE O NÔVO MINISTÉRIO

MÉDICOS BELGAS SABOTAM A MOBILIZAÇÃO MILITAR

O GLOBO
FUNDAÇÃO DE IRINEU MARINHO

Ponto Facultativo Apenas em Brasília

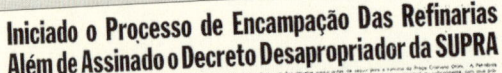

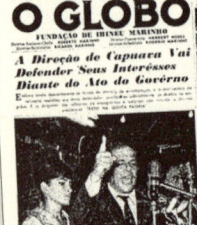

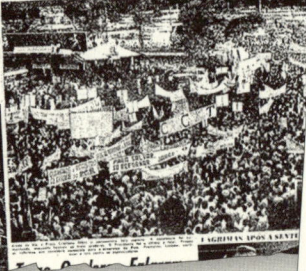

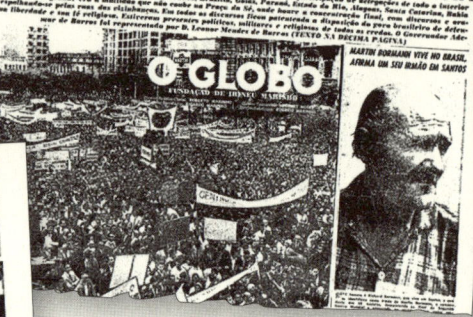

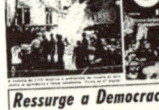

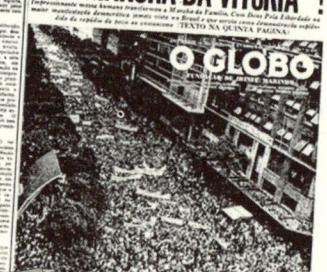

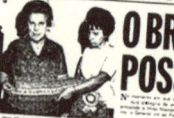

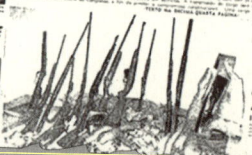

Além dos militares, a mídia colocou batalhões de manchetes marchando contra Goulart

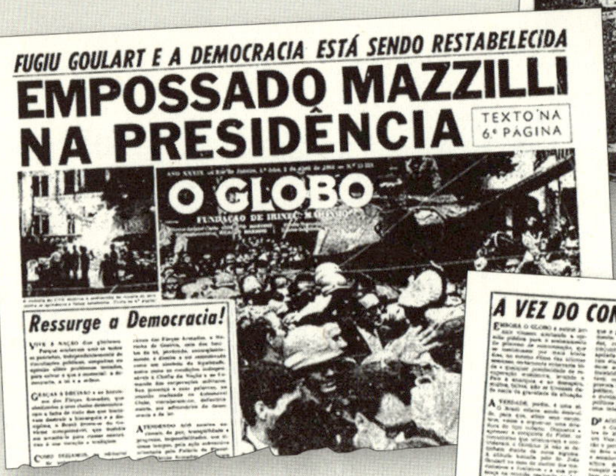

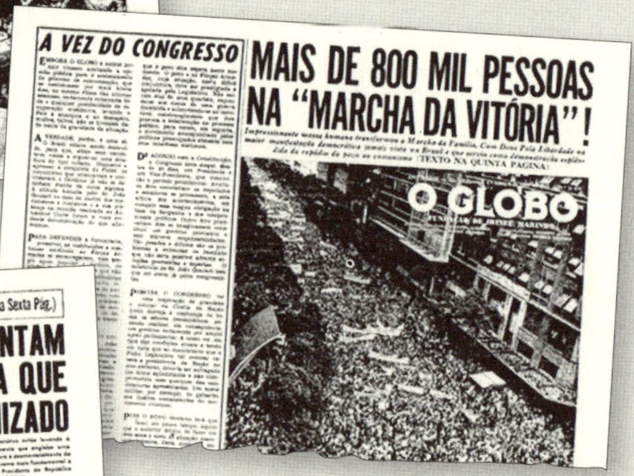

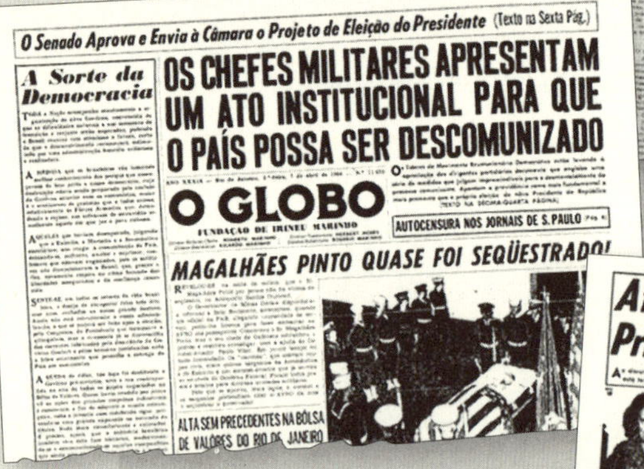

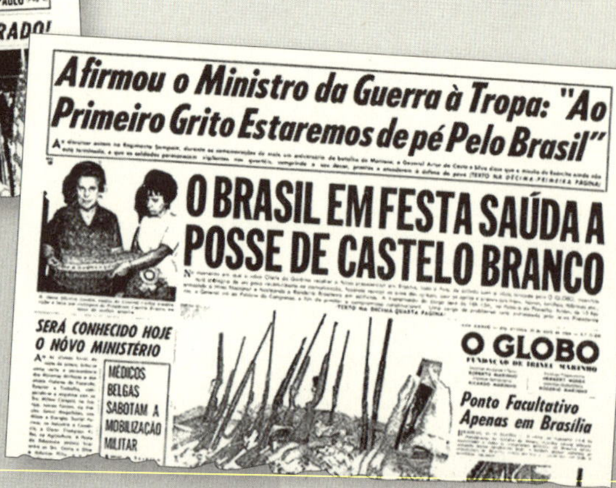

CAPÍTULO 1

A vitória dos vencidos

"Hoje nossos adversários são Excelências e nós não somos nada"
(Capitão Lisboa, do DOI-Codi)

"Tantas veces me mataron/
tantas veces me morí/
sin embargo estoy aquí/
resucitando"
(Maria Elena Walsh, em "Como la Cigarra")

Quem perdeu, ganhou. Nas últimas duas décadas, os perdedores de ontem têm governado o Brasil. Primeiro, um ex-exilado, depois um ex-preso político e, finalmente, uma mulher, ex-presa política e torturada. Quem ganhou, perdeu. Nas últimas duas décadas, os vencedores de ontem perderam poder como nunca acontecera na vida política nacional desde o advento da República, obra sem povo ou voto, fruto de um levante militar no longínquo ano de 1889.

Quem ganhou, perdeu. Quem perdeu, ganhou. Simples assim? Não, nada é tão simples. Ainda mais que os derrotados — no caso da luta armada — também contribuíram para a debacle: a avaliação equivocada da conjuntura, o vanguardismo, o isolamento, o militarismo e, na fase agônica do enfrentamento, atiçados pelo desespero e tentando somente sobreviver, devorados pelos erros: traições, infiltrações, justiçamentos e assassinatos.

Foi uma derrota devastadora infligida a algumas centenas de carbonários por um inimigo que somava 150 mil homens do exército, marinha e aeronáutica, mais toda a estrutura e o efetivo das polícias civis e militares estaduais. No cômputo geral, meio milhão de brasileiros foram investigados, 50 mil presos, 11 mil acusados, 10 mil torturados, cinco mil condenados, 10 mil exilados, 4.862 cassados — rol que abarcou presidentes, governadores, senadores, deputados, prefeitos, vereadores — e 475 mortos ou desaparecidos. Mais de 1,2 mil sindicatos sofreram intervenção, o Congresso Nacional foi fechado três vezes, juízes, militares e funcionários públicos foram acossados e demitidos. Os vencedores de então impuseram a censura, a perseguição, a cassação, o exílio, a tortura, a prisão e, não raro, a morte aos seus adversários. O que aconteceu à margem das próprias leis do arbítrio. Todos os limites foram rompidos, inclusive o da ocultação ou mesmo a destruição física dos cadáveres — práticas que ecoam o descarte das ruínas humanas nos fornos dos campos de extermínio nazistas. Onde o Estado, depois de matar a vida, também matou a morte.

Mas é possível afirmar que os vencidos de ontem, por caminhos distintos, coletivos ou individuais, derrotaram a derrota que lhes foi imposta na luta armada ou desarmada contra a ditadura, enquanto os vitoriosos de outrora habitam os subúrbios da memória nacional. Os dois percursos são melhor divisados com o distanciamento que o tempo propicia para a percepção mais clara dos fatos como se deram, como a poeira se assentou e a narrativa se decantou. Para ver, sobretudo, aquilo que cada lado fez com seu triunfo ou sua derrocada perante o olhar mordaz desta sábia senhora chamada história.

Vencedores aqui não, segundo o critério raso e restrito que incrustou a palavra nos anos de predomínio da novilíngua neoliberal, como alguém que "venceu na vida", expressão de corte arrivista, significando, quase sempre, sucesso profissional. Vencedor aqui é quem, partindo de condições difíceis ou mesmo duríssimas, se refez nas cinzas da derrota. Antes disso, muitos dos personagens tiveram de iludir a morte. Dois deles, na democracia, hoje brigam por sua biografia. Ironicamente, condenados à prisão.

"Os que perderam ontem, são hoje os vencedores". A frase é de Jacob Gorender no que talvez tenha sido a sua derradeira entrevista quando conversamos num dia morno da primavera de 2012, numa saleta

OS VENCEDORES

empanturrada de livros na Vila Pompeia, oeste paulistano. Debilitado pela carga dos noventa anos que se aproximavam, o historiador expusera esta compreensão em 2001, quando o quadro não possuía evidência tão nítida como na última década[1]. "Ninguém se envergonha — escreveu — de assinalar, no currículo, o fato de ter pertencido à ALN, à VPR ou ao PCBR. Do ponto de vista do curso histórico, os militantes de esquerda se situam entre os vencedores", reiterou o autor de *Combate nas trevas*, visão referencial sobre o período 1964-1985.

Dilma Rousseff sobreviveu a vinte e dois dias na máquina de moer carne da Operação Bandeirante, a OBAN, tétrica parceria público--privada *avant la lettre*. Amargou quase três anos de cárcere e dez anos de suspensão dos direitos políticos. Impulsionada por 55 milhões de votos, a Joana D'Arc da Subversão, como a tratam documentos da ditadura, converteu-se na primeira mulher presidente do Brasil. Luiz Inácio da Silva viu o Sindicato dos Metalúrgicos de São Bernardo e Diadema posto sob intervenção. Removido da presidência, foi encarcerado durante trinta e um dias quando o regime agonizava. Condenado a três anos e meio de prisão, tornou-se duas vezes presidente do Brasil; na segunda delas, em 2006, a bordo de 58 milhões de votos, recorde histórico no país. Fernando Henrique Cardoso, exilado no Chile e na França, foi destituído, em 1968, por razões políticas, de sua cátedra na Universidade de São Paulo (USP); viria a ser, por oito anos, presidente do Brasil.

Quem conferir o comando dos ministérios sob os dois governos Lula encontrará, pelo menos, dez ex-ministros com passagens pelos calabouços. Sete deles combatentes em organizações de luta armada contra o regime. Outros dois trancafiados por comandar greves. E um por ousar compor e cantar acordes dissonantes aos ouvidos das autoridades de plantão. Mais oito transitaram por grupos marxistas clandestinos entre 1964 e 1985. Os sindicatos foram fechados ou amordaçados e suas lideranças reprimidas. Mas Lula foi à forra: teve onze ex-sindicalistas chefiando ministérios[2]. Nos mandatos de FHC, quatro ministros haviam sido ativistas de grupos extralegais e três deles provaram o exílio³. No ministério de Dilma, quatro titulares passaram pela prisão e nove integraram siglas clandestinas ou tiveram sua formação na militância estudantil⁴.

Exército, marinha e aeronáutica são ministérios extintos. Desde 1999, as forças armadas estão subordinadas a uma pasta, a da Defesa, comandada por um civil. Há somente um militar no ministério de Dilma. Sob Costa e Silva, para comparar, oito ministros tinham origem castrense, sem contar o todo-poderoso chefe do Serviço Nacional de Informações, o SNI, com *status* ministerial, sempre um militar e sempre um possível presidente do país. Na interpretação do general Luiz Cesário da Silveira Filho, último dos cadetes da turma de 1964 a seguir para a reserva e, até 2009, chefe do Comando Militar do Leste, "afastar-nos da mais alta mesa de decisão do país foi uma estratégia política proposital", o que teria permitido "o aparelhamento do Estado brasileiro rumo à socialização (...)", queixou-se⁵.

Desde 1985, os militares estão ausentes do poder. É um hiato insólito na história republicana. Apenas entre o advento da República em 1889 e a Revolução de 1930, o brasilianista Alfred Stepan listou dezoito levantes nos quartéis⁶. De 1930 em diante, houve mais seis rebeliões, culminando com aquela que derrubou João Goulart. Em 2011, outra novidade: o governo determinou o fim das comemorações do golpe nos quartéis.

Nas eleições presidenciais de 2010, os quatro principais candidatos tinham raízes na resistência clandestina ao poder militar. E três deles vinculados a organizações que encararam a ditadura de armas na mão: Dilma Rousseff, José Serra e Plínio de Arruda Sampaio. Dilma atuando no Comando de Libertação Nacional (Colina) e na Vanguarda Armada Revolucionária — Palmares (VAR-Palmares), Serra e Plínio na Ação Popular (AP). A quarta candidata, Marina Silva, procedia do Partido Revolucionário Comunista (PRC).

Embora no subsolo da campanha eleitoral Dilma tenha sido a única a receber o epíteto de *terrorista* — exatamente o termo que a máquina ditatorial de propaganda assestava contra seus adversários situados fora do jogo político consentido — em algum momento de suas vidas todos os quatro concorrentes tiveram como meta desmantelar a ditadura por meios *ilegais*. Todos devem algo de sua formação política à militância em agrupamentos *ilícitos* que a repressão perseguia, prendia e punia. Eram, outro adjetivo do jargão punitivo do período, *subversivos*. Na descrição do *Dicionário Houaiss* — obra do cassado e portanto *subversivo* Antonio Houaiss — *subversivo* é "aquele que prega ou executa atos visando à transformação ou derrubada da ordem estabelecida (...)". Ao final do escrutínio, mais de 100 milhões de brasileiros fizeram de um deles a sua escolha. Juntos, somaram 99,7% dos votos válidos.

Em outras trincheiras do *front* eleitoral, os humilhados e ofendidos de antes tornaram-se prefeitos, deputados, senadores, governadores. Perseguidos, presos ou banidos reincorporaram-se à batalha política no bojo de partidos com espectro do centro à esquerda. Alojaram-se primeiro no Movimento Democrático Brasileiro, o MDB. Quando retornou o multipartidarismo, ingressaram sobretudo no PT, cuja ficha número um traz a assinatura de Apolônio de Carvalho, mítico guerrilheiro que afrontou o fascismo na Espanha, o nazismo na França e duas ditaduras no Brasil. Adensada pelos trabalhadores das categorias mais organizadas e as comunidades eclesiais de base, além da intelectualidade acadêmica, a sigla serviu como desaguadouro da nova esquerda, não dogmática e avessa ao socialismo soviético ou chinês. Outra parcela encontrou acolhida no PDT, PCdoB e PSB. Um punhado optou por permanecer no MDB já metamorfoseado em PMDB, de onde um bloco se desgarraria para fundar o PSDB.

Depois de 1964, ou mais notavelmente após 1968 e a edição do Ato Institucional número cinco, milhares de livros, peças, jornais, revistas, novelas de rádio e de televisão, músicas, filmes, espetáculos, eventos, cartazes e até *jingles* foram mutilados ou proibidos. Desfechado o golpe dentro do golpe, com todas as formas de expressão subjugadas, transformou-se o ofício de censor em carreira de Estado. Ignora-se a extensão do processo, retendo-se somente fragmentos do sinistro. No caso do cinema, por exemplo, sabe-se que 444 filmes brasileiros estão citados em processos de censura do antigo Departamento Estadual de Ordem Política e Social (Deops), a polícia política de São Paulo[7]. Mais de 500 livros caíram no índex da Censura Federal[8].

No palco, Shakespeare, que veio à luz 400 anos antes do general Olympio Mourão Filho colocar seus tanques a caminho do Rio no dia 31 de março, não escapou da censura. Ano em que vivemos em perigo, 1968 submeteu o teatro brasileiro ao tacão da Polícia Federal. Lá reluzia Juvêncio Façanha, general que não desperdiçava seu sobrenome: "A classe teatral só tem intelectuais, pés-sujos, desvairados e vagabundos, que entendem de tudo, menos de teatro"[9], zurrou certa vez. E intimou: "Ou vocês mudam, ou acabam".

Nem mudaram, nem acabaram. Artistas, diretores de teatro, escritores, publicitários, jornalistas, cineastas, músicos e cantores há muito retomaram o percurso estorvado ou interrompido no pós-1964.

Mesmo com demora além da conta, cumpriu-se, de alguma maneira, o vaticínio implícito na torrente de canções engajadas ou, ao menos, discordantes do *status quo*, surgidas entre 1964 e 1968. A quadra mais prolífica da MPB dos últimos cinquenta anos permitiu uma sintonia — nunca antes vista e nunca depois repetida — entre música popular e ativismo político. Entre a juventude insurgente e sua tradução por uma nova geração de letristas, entre o espírito das ruas e a expressão de suas esperanças, entre revolução e canção.

Reiterava-se, então, a promessa do "dia que vai chegar", que dissolveria uma segunda metáfora, a da "noite" e da "escuridão" opressivas. Nelas, a aurora equivalia à ressurreição.

Talvez nenhuma música entoe tão exemplarmente este mantra sessentista, embora já de 1970, quanto "Apesar de você". Mal-camuflada como dor de cotovelo de um amante ressentido, resultou em invasão da gravadora pela polícia e a destruição das cópias. Passou a circular em fitas cassete. No hino buarqueano não existe um redentor, mas uma vitória a caminho para enfim nos redimir: "Apesar de você/Amanhã há de ser/ Outro dia". Com direito até a zombar do opressor: "Você vai se amargar/Vendo o dia raiar/Sem lhe pedir licença". Mas num ponto — "Que esse dia há de vir/Antes do que você pensa" — o político quis mais do que o poeta e errou a mão.

Mas e quanto a quem "inventou esse estado/E inventou de inventar/Toda a escuridão?".

"Muitas vezes se tem dito e repetido que a Revolução é irreversível e eu sinto a razão dessa verdade na nova consciência do Brasil que nestes anos se formou." Era assim, definitivo e categórico, que o general Emílio Garrastazu Médici, terceiro dos presidentes militares, captava o 31 de Março no sexto aniversário do movimento[10].

Seu ministro do Exército, Orlando Geisel, não deixou por menos: "E a história há de registrar, em sua verdadeira dimensão, na perspectiva do amanhã, o que ela representou para os destinos do Brasil e a preservação da democracia e da paz universal"[11].

Para Geisel, a ruptura da ordem constitucional encarnara um repúdio a "uma minoria corrupta e subversiva". Erigindo um pedestal para 1964, afiançou que se tratava de uma das "grandes vitórias" e um dos "marcos indeléveis na vida dos povos".

"Montamos na crista da onda e não desceremos mais", jactou-se, no mesmo tom e no mesmo ano, o general Abdon Senna, comandante da 6ª. Região Militar.

Para não ficar atrás, o governador Paulo Pimentel, do Paraná, surfou junto: o governo militar era, sem dúvida, "irreversível". A visão do novo regime como algo que viera para ficar não era apanágio das mentes militares ou de civis, caso de Pimentel, que frequentavam os altos escalões. Antes daquele sexto aniversário, vozes na mídia manifestavam afeição pela ideia da ditadura infinita. No dia 1º de setembro de 1969, o jornal *Zero Hora*, de Porto Alegre, publicou o artigo de fundo "A preservação dos ideais", no qual exalta a "autoridade e a irreversibilidade da Revolução". Ademais, a chegada dos militares ao poder fora saudada com estrépito pela maioria da imprensa. Nela, pulsava um consenso granítico, embora excêntrico: a ditadura viera para salvar a democracia.

"Ressurge a Democracia", refulgiu o editorial de *O Globo* em seu título de 2 de abril de 1964. "Vive a nação dias gloriosos. Porque souberam unir-se todos os patriotas, independentemente de vinculações políticas, simpatias ou opinião sobre problemas isolados, para salvar o que é essencial: a democracia, a lei e a ordem", festejou. Nesta cabriola semântica, o golpe era legal, ilegais eram os legalistas: "Desde ontem se instalou no país a verdadeira legalidade", mancheteou o *Jornal do Brasil* no 1º de abril. "Lacerda anuncia volta do país à democracia", reiterou o *Correio da Manhã*. "Fugiu Goulart e a democracia está sendo restabelecida", bradou *O Globo*. "O ato de posse do presidente Castelo Branco revestiu-se do mais alto sentido democrático, tal o apoio que obteve", explicou o *Correio Braziliense* em 16 de abril. Em êxtase, *O Globo* enxertou um elemento metafísico na descrição da epopeia. Fardou Deus para entronizá-lo ao seu lado e com desfecho favorável: "Mais uma vez, o povo brasileiro foi socorrido pela Providência Divina, que lhe permitiu superar a grave crise, sem maiores sofrimentos e luto (...)".

Porém, em que pese a adesão da Providência Divina, da imprensa, da maioria dos grandes proprietários de terras, industriais, comerciantes e banqueiros e de fração hegemônica da classe política e da classe média, a revolução irreversível murchou. Enquanto Médici saía e entrava Ernesto Geisel, irmão do Orlando que elevou a ditadura à condição de patrimônio imemorial da humanidade, a retórica da revolução eterna arrefecera e iniciara-se a distensão lenta, segura e gradual para pavimentar a saída dos militares da ribalta. Um desenlace alternativo e tímido se confrontado com o discurso de poucos anos antes e a expectativa de perpetuar legado mais atraente ao imaginário nacional.

Afinal, a guerrilha fora destroçada, a Aliança Renovadora Nacional, a Arena, recebia montanhas de votos nas eleições permitidas — a ponto de seu presidente, Francelino Pereira, erguê-la ao pedestal de maior partido político do Ocidente. A economia bombava crescendo 10% ao ano, a mídia era simpática, rasgava-se a Transamazônica, nascia a maior ponte do mundo entre Rio e Niterói e a maior hidrelétrica do planeta na tríplice fronteira com o Paraguai e a Argentina. O general-presidente, com 80% de aprovação popular, aparecia distribuindo

OS VENCEDORES

sorrisos e chutando bolas, o Brasil era tricampeão mundial de futebol e ninguém segurava aquela corrente pra frente. O que deu errado?

Ex-chefe do Estado Maior do III Exército, o general Carlos Alberto da Fontoura sustentou[12] que os militares jamais poderiam ter permanecido vinte e um anos governando e sim, no máximo, cinco.

Falta de *timing*, portanto. E também talento para aproveitar uma oportunidade histórica: "Estou convencido de que se o Médici tivesse uma centelha de estadista e não fosse apenas um 'capitão de cavalaria' teria promovido a normalização ainda no fim de seu governo"[13], lastimou outro general, Octávio Costa. Cabia a ele manejar a Assessoria Especial de Relações Públicas (AERP), que maquiava a catadura do regime e turbinava a euforia nacional com o "Milagre Brasileiro".

No ocaso do governo Médici, a economia, em expansão desde 1968, perdera ímpeto. Em 1973, o combustível que alimentava a crise era o primeiro choque do petróleo. No ano seguinte, o preço do barril, antes a US$ 2,90, foi catapultado para US$ 11,65. A inflação anual mais que dobrou de 1973 para 1974: saltou de 15,5% para 34,5%. No canto do cisne do regime, em 1985, atingiria a estratosfera: 220%. A conta da importação de petróleo roía as divisas.

Quando o regime soprou suas primeiras dez velinhas, deu-se uma virada política. Criada para executar a coreografia civil do governo militar, a Arena sofreu um baque nas eleições para o Senado: elegeu apenas seis senadores para as 22 vagas em disputa. Quatro anos antes, patrolara o MDB, concebido como seu *sparring* nestes embates. Em 1970, das 46 cadeiras em disputa, os arenistas sentaram-se em 41. Somando 21% dos votos, com o MDB apanhando até dos brancos e nulos, que bateram nos 30%. Médici, não sem razão, descreveu o pleito como "uma surra". Fracasso tão acachapante que os emedebistas cogitaram dissolver o partido. A par da turbulência econômica, a segunda metade da década veria outro fenômeno: a sociedade civil começava a se organizar. E duas palavras, redemocratização e anistia, tornaram-se cada dia mais insistentes na imprensa, nas tribunas e nas conversas. Em 1979, a distensão política no plano interno coincidiu com o segundo choque do petróleo. Após a vitória da revolução islâmica, o Irã, um dos maiores exportadores mundiais, interrompeu sua produção e o preço do barril bateu nos US$ 40. Os gastos do Brasil com petróleo importado subiram de US$ 4,1 bilhões em 1978 para US$ 10,6 bilhões em 1981.

No ano seguinte, o ministro Ernane Galvêas, da Fazenda, comunicaria ao derradeiro presidente do ciclo militar que o país estava falido. João Figueiredo reagiria com um desabafo: "Largaram os Quatro Cavaleiros do Apocalipse em cima do meu governo! Eu não mereço isso! Só falta uma praga de gafanhotos!"[14].

Galvêas pediu-lhe que se acalmasse. Era possível dar um jeito. Saiu da reunião e, ao entrar no carro, saltou-lhe à vista a manchete no jornal de seu motorista: "Nuvens de gafanhotos da Bolívia invadem o Mato Grosso". Voltou, exibiu o jornal para o presidente e comunicou-lhe: "Agora não falta mais nada". Figueiredo achou graça[15].

Achou bem menos engraçado o tsunami das Diretas Já[16] atraindo as maiores multidões desde a queda do governo João Goulart. Os protestos de 1983 e 1984 eram, a seu ver, subversivos. As Diretas foram enviadas às calendas na Câmara, mas o humor do presidente azedou ainda mais com a dissidência de José Sarney, Aureliano Chaves e Antonio Carlos Magalhães, até então parceiros no Partido Democrático Social, reciclagem da antiga Arena. Acomodada na Frente Liberal, embrião do PFL, a trinca rachou o PDS ao bandear-se para a candidatura de Tancredo Neves. Em agosto de 1984, Paulo Maluf bateu o ex-ministro Mário Andreazza na convenção pedessista e levou a indicação para disputar a sucessão de Figueiredo. No colégio eleitoral, Tancredo teria 480 votos contra 180 de Maluf.

A partir de então, desatava-se um processo de volatização de eleitores no PDS que, como resposta, trocava compulsivamente de identidade. Tornava-se PPR, depois PPB e hoje é PP. Em 1986, nas primeiras eleições após a redemocratização, dos vinte e três governos estaduais em jogo não ganhou nenhum. E emplacou dois senadores em quarenta e nove cadeiras disputadas. Sua costela extraviada, o PFL, obteve melhor fortuna: um governador e sete senadores. Hoje, porém, no avatar de DEM, após sofrer no próprio couro aquilo que impôs ao vetusto PDS, também minguou: tem um governo estadual, quatro senadores e vinte e oito deputados.

Durante vinte e um anos, o direito de escolher presidentes foi exclusivo das cúpulas do Exército, Marinha e Aeronáutica. Ao Congresso, enfeitado como colégio eleitoral, cabia abençoar o ungido[17]. Pela força da reiteração, o processo adquiriu certo ar de normalidade, reproduzindo-se de tempos em tempos à semelhança dos ritos do mundo natural como o voo dos cupins, a troca da pele das serpentes ou o suceder inexorável das estações do ano embora, no caso, o clima permanecesse institucionalmente o mesmo. Assim, quando Geisel entronizou Figueiredo na condição de seu herdeiro, os civis fizeram o que lhes cabia como meros figurantes da *mise-en-scène*: ficaram observando. Porém, um deles, o maior dos poetas brasileiros, chiou. Ex-simpatizante do golpe, Carlos Drummond de Andrade informou[18] não ter sido "nem cheirado, nem sondado, nem ouvido, nem prevenido". Embora maior de idade, contribuinte, "de profissão confessável" e portador de título eleitoral advertiu não ter "nada a ver com isso que está aí, portanto sem a mínima declaração a fazer. Boa-noite".

Figueiredo seria o último. Com sua escolha, exatamente 1.649 votos, distribuídos aos vencedores em cinco eleições, definiram os rumos do país. A performance eleitoral mais modesta coube a Médici, preferido de 239 eleitores. Castello Branco recebeu a unção de 361 apoiadores, Figueiredo de 355 e Costa e Silva de 294. Geisel ostentou o desempenho mais vistoso, cativando 400 eleitores. Foi uma bela votação, mas não seria bastante para sobrepujar Luiz do Açougue, que somou 783 sufrágios em 2012. Ele se elegeu prefeito de Borá, no Oeste paulista, pelo PT, na coligação O Progresso Continua. Borá é o menor município do Brasil. E o de menor eleitorado. Tinha somente 924 eleitores em 2008 ou 0,003% do total de São Paulo. Por uma destas pilhérias da vida, 1964 foi o ano em que Borá virou município.

Enquanto estavam entretidos no seu clube privê do prazer de votar, os militares não extraíram da caserna nenhuma liderança que sobrevivesse ao regime. Andreazza, coronel da reserva, tocador de obras de olhos verdes e pele bronzeada, pinta de galã maduro da Cinecittá, talvez pudesse ser este nome. Porém naufragou no ostracismo com a derrota para Maluf.

Dois rebentos do regime, mas oriundos da vida civil, saíram-se melhor. Duas vezes prefeito paulistano e uma vez governador de São Paulo, deputado federal de três mandatos, ex-candidato à Presidência da República, Maluf não repetiria, na democracia, seu desempenho do período discricionário. Desde sempre, enrolou-se num rosário de denúncias de corrupção que lhe valeram, inclusive, uma temporada na cadeia. Fernando Collor de Mello converteu-se no filho de 1964 mais bem-sucedido eleitoralmente pós-1985. Gestado no ventre da velha Arena, virou prefeito nomeado de Maceió. Eleitor de Maluf no colégio eleitoral, pulou para o PMDB e chegou ao governo de Alagoas. Com o respaldo inicial de uma sigla nanica, o Partido da Reconstrução Nacional (PRN), subiria a rampa do Palácio do Planalto em 1990. Um *impeachment* o afastaria dois anos depois, processo desencadeado com as investigações sobre suas contas de campanha. Collor foi antecedido por outro antigo arenista, José Sarney, que aterrisou no Planalto por artes do acaso, devido à doença e a morte de Tancredo. Mas não é uma cria de 1964. Quando o regime se instalou, era um político rodado, com dez anos de atuação partidária.

Tanto Sarney quanto Collor deixaram a presidência sofrendo imponentes índices de rejeição. Sarney com 56% de ruim ou péssimo e Collor, repelido por 68% dos eleitores[19]. Nos cinquenta anos da ditadura, Sarney é senador pelo Amapá, após migrar para o PMDB de seus antigos adversários. Collor é seu colega de casa, mas pelo PTB. Maluf ocupa as cadeiras de deputado federal e de presidente do PP paulista. Os três convivem, como coadjuvantes, na espaçosa coalizão que prestigia o governo da ex-guerrilheira Dilma Rousseff.

Para Octávio Costa, as ditaduras produzem, além do "vazio da vida política", uma "safra de demagogos e de líderes populares sem substância". Em 1992, o general opinou que a única novidade política no Brasil era o retorno dos sindicatos e o surgimento do PT, que "deve agradecer aos erros dos militares no poder tudo o que hoje é", desabafou em depoimento a Maria Celina D'Araújo e Gláucio Ary Dillon Soares[20].

Flagra-se um tom que mescla lamúrias e, às vezes, desilusão ou mesmo rancor nas entrevistas dos generais. "Que fique registrado: só quem cumpre missão nesse país e quem tem amor à missão são as forças armadas. O resto é um bando de irresponsáveis!", remordeu-se o ex-ministro do Exército, Leônidas Pires Gonçalves. "Neste país tudo presta, mas o povo ainda não está à altura do país que Deus lhe deu", reverberou um acabrunhado Fontoura[21].

No papel, a ditadura finou-se na manhã de sexta-feira, 15 de março de 1985. Haveria até certa justiça poética nisso: ao mês que pariu o arbítrio tocaria atarraxar-lhe os parafusos do caixão. Na prática, não aconteceu. Não se morre de uma vez só, ao menos no Brasil das transições negociadas. No seu leito cinquentenário, a ditadura continua morrendo. O que é uma outra maneira de dizer que continua vivendo — e disso se tratará no final deste livro. Naquele dia, Figueiredo recusou-se a transmitir a faixa presidencial a Sarney e saiu do poder literalmente pela porta dos fundos. Parece justo dizer que os militares saíram do mesmo jeito que entraram.

Ao partir, Figueiredo pediu que o esquecessem. Mas, em se tratando daqueles idos de março, é importante — obrigatório até — que nada se esqueça. Sobretudo as lembranças de travo mais amargo que são as mais impressionantes desta história sem fim. Na disputa pela memória, os perdedores venceram. Rechaçaram as velhas palavras que o imaginário do autoritarismo impusera — revolução, terrorismo, subversão — e, no lugar delas, colocaram as suas: golpe, tortura, resistência. Repisada a sério anos a fio, a expressão "Revolução Redentora" é lida hoje apenas pelo viés da galhofa. Mesmo a imprensa que quase sempre perfilou-se com os militares, agora refere-se a 1964 como golpe, sem nenhuma cerimônia. Sob a ação do tempo e dos fatos, a fachada esboroou-se.

Ironicamente, aqueles que, na ditadura, se enfurnavam em *aparelhos*, usando nomes falsos e ocultando o que faziam de seus amigos, parentes e vizinhos, circulam de cara limpa na democracia e falam abertamente sobre sua militância. Em contrapartida, seus algozes, que flanavam na ditadura, buscam o anonimato na democracia e escondem seu passado. O ex-guerrilheiro Waldir e ex-ministro Franklin Martins[22] balizou a diferença entre os dois grupos: "Eu posso contar tudo o que eu fiz para os meus filhos. E quem ficou do outro lado em geral não pode contar".

Alcunhado nos porões como Capitão Lisboa, o delegado Davi dos Santos Araújo Araújo se arrependeu[23]. No ato ecumênico em memória do jornalista Vladimir Herzog, torturado até a morte no DOI-Codi em 25 de outubro de 1975, retiniram nos ouvidos dos policiais as palavras de dom Paulo Evaristo Arns. O cardeal definiu como "maldito quem mancha suas mãos com o sangue do seu irmão". E será "maldito" não somente na lembrança dos homens, mas "também no julgamento de Deus". A sucessão de infartos, cânceres, cegueiras, acidentes e outros reveses faz o Capitão Lisboa desconfiar de uma maldição carcomindo as masmorras. "Se eu soubesse que o Brasil resultaria nisso, não teria ido pra lá (o DOI-Codi). Hoje nossos adversários são Excelências e nós não somos nada[24]."

Com a palavra, novamente, o general Octávio Costa: "(...) a longo prazo, aqueles remanescentes praticamente derrotados vieram a ser os verdadeiros vitoriosos e hoje tem a sorte do país em suas mãos[25]".

Quem assaltou os céus e foi castigado por tanta audácia lambeu as feridas e retornou ao jogo político em outro tempo e de outro modo. Uma dessas trajetórias de vertigens desceu ao fundo do abismo numa tarde inesquecível de verão no centro de São Paulo.

OS VENCEDORES

Derrubado o governo, as capas de O Globo explodiram em exaltação ao golpe

Ayrton Centeno

No Estadão, o final da liberdade era a vitória das "armas libertadoras". No JB, marcha defendia o regime democrático quando ocorria o inverso

OS VENCEDORES

Dois dos arquitetos da deposição de Goulart: o governador mineiro Magalhães Pinto e o general Mourão Filho

Na capa de Veja, *o ainda candidato Médici. Para ele, como para boa parte da imprensa, a "Revolução" era "irreversível"*

Mais bem-sucedido eleitoralmente entre os presidentes militares, Geisel recebeu 400 votos. Menos do que o prefeito do menor município do país

Vanda, já Dilma, diante dos auditores militares nos tempos de chumbo. Antes, três semanas de tortura e promessas: "você vai virar um presunto e ninguém vai saber"

CAPÍTULO 2

Encarando a morte e a solidão

"Você é a Vanda?"
No final da tarde de 16 de janeiro de 1970, a ex-aluna de escola de freiras, que lera Dostoiévski e Zola aos treze anos e que sonhava em ser bailarina, ouviu a pergunta sem demonstrar maior interesse em respondê-la. Até porque não foi necessário. Quase no mesmo ritmo e velocidade da indagação, já engatilhada, veio a frase seguinte, encadeada, em tom de advertência, que explicava o interesse contido na pergunta que já não precisava mais de resposta.

"Você é a Vanda? Xii, eles tão a fim de você!"

Era um presságio nefasto. A começar pelo fato de que, sim, ela era a Vanda, embora sua documentação informasse que a portadora era, sob o mesmo rosto e a mesma foto, tanto Marina Guimarães Garcia de Castro quanto Maria Lúcia Santos. Segundo, porque sabia bem quem eram "eles" e compreendia perfeitamente o que podia esperar sabendo que "eles" estavam "a fim" dela. Nos três anos seguintes, mas especialmente nas três semanas que decorreram após a sua prisão, todas as suas piores expectativas foram confirmadas.

Quarenta anos, onze meses e catorze dias depois de ouvir o fatídico aviso, ela estava novamente entre "eles". A diferença é que, agora, mais de mil policiais e militares das três armas tinham outra missão. E se nenhum jornalista flagrou o momento em que Vanda ingressou no pátio da Operação Bandeirante[1], a OBAN, na rua Tutoia, sob uma tempestade de insultos — "mata", "terrorista", "filha da puta" — agora centenas deles perfilavam-se ali para outro registro histórico. Também estavam representados quarenta e sete países, vinte e três deles por chefes de estado. Era 1º de janeiro de 2011 e, nesse dia, a menina de vinte e dois anos identificada como Vanda passou em revista as tropas do exército, marinha e aeronáutica, foi reconhecida como comandante em chefe das forças armadas e tomou posse como a primeira mulher presidente do Brasil.

A bem dizer, não se tratava mais de Vanda. Tampouco os militares e policiais eram os mesmos, nem estavam armados das mesmas intenções daqueles que a esperavam naquele 16 de janeiro lúgubre daquele não menos lúgubre ano. Vanda não era Vanda, os militares e os policiais não eram os mesmos e tampouco o Brasil era aquele do começo dos anos 1970. Vanda, seus algozes e o país haviam sido dissolvidos pelo tempo implacável.

Vanda começou a deixar de ser Vanda ao pisar naquele boteco da rua Martins Fontes, uma continuação da Augusta, perto do antigo prédio do Estadão, São Paulo, quando a tarde ia pela metade. Embarcaria num avião para o Rio, mas inventou de parar no caminho do aeroporto. Um contato da organização falhara, não comparecera aos pontos combinados e, mesmo com esse alerta, ela decidiu checar o próximo, justamente naquele bar do prolongamento da Augusta onde botava os pés agora. Não foi a melhor ideia. Entrou, mas não deveria ter entrado.

No bar, estava sentado o companheiro Antonio Perosa. Junto à mesa dele um sujeito que — viu num relance — tinha uma arma na cintura. Perosa olhou para ela e ciciou entre dentes: "Tá tudo cercado".

Sem olhar na direção dele, caminhou até o balcão. Dentro de um vidro, ovos cozidos imersos em um líquido turvo. Pediu um... Pegou o ovo, enrolou em um papelzinho e saiu como uma freguesa qualquer fissurada

OS VENCEDORES

naquela iguaria medonha. Não funcionou. Quando começou a descer a rua, eles a juntaram bem juntada. E desatou-se a pancadaria. Soube logo que sabiam tudo a seu respeito. E havia uma recepção preparada.

Vanda nasceu Dilma no hospital São Lucas, em 14 de dezembro de 1947. Era onde as crianças da classe média nasciam na Belo Horizonte do final da década. Passou a infância na rua Sergipe, 1348, no que se chamava bairro dos Funcionários. Frequentava a praça Diogo de Vasconcelos que todo mundo conhecia como praça da Savassi. Resumia-se, então, a uma praça com uma padaria. Que ganhou o nome porque os donos eram Hugo e José Guilherme Savassi.

Na sua memória afetiva, está na Savassi, é domingo de manhã, o pai comprando frios, pão e cigarros, aquele maço alaranjado de Douradinho Extra.

Não muito longe dali descobriria uma maravilha de nome Pathé, cine Pathé, ou algo extraordinário chamado cinema. Domingo, duas da tarde no Pathé, a montanha se abria. E a nave entrava no seu interior. *Flash Gordon conquistando o mundo*. Aura, filha do imperador Ming, queria casar com Flash, namorado de Dale Arden, por sua vez cobiçada por Ming. E os seriados de capa e espada: *O gavião do deserto*, com Gilbert Roland e Mona Maris.

Depois da matinê, levava-se toda aquela fantasia para a calçada, repetindo a trama e as lutas do roteiro. E *Robinson Crusoé*. Só leria o romance, de Daniel Defoe, muito mais tarde e numa situação um tanto assemelhada à do personagem-título: na prisão.

Contudo foi antes, aos cinco anos, que a menina Dilma desfrutou de um grande assombro: viu o mar pela primeira vez. Era um dia radiante do verão de 1953 e os Rousseff, como toda a família mineira de classe média, foram buscar aquela imensidão azul e líquida no Espírito Santo, Guarapari.

O pai colocou-a sobre os ombros e seguiram para a praia. Ficou estarrecida. Primeiro, um medo pavoroso. Depois, a beleza, a absoluta beleza do mar. Foi talvez a primeira sensação que teve de que existia uma coisa muito bonita, com aquele contato que não é só visual. É físico. Deixar-se ficar no mar até as mãos enrugarem.

A partir de então, os Rousseff — o pai Pedro, a mãe Dilma Jane, os filhos Igor, Dilma e a caçula Zana — instalavam-se mais de um mês, todos os anos, no hotel Radium, praia de Areia Preta. A viagem incluía Vitória e Vila Velha. Duas coisas a deixavam, por diferentes razões, com os olhos esbugalhados: o convento de Nossa Senhora da Penha, no topo do morro, em Vila Velha, e a fábrica de chocolates Garoto. No convento, a atração estava na enorme quantidade de ex-votos: reproduções de pernas, cabeças, mãos e braços humanos em madeira. Dependurados, eram a demonstração de agradecimento dos fiéis pelas graças alcançadas. Uma criança não consegue tirar os olhos daquilo tudo. Sagradas, por motivos óbvios, eram as visitas à fábrica de chocolates.

Pouco antes, em 1951, a chegada da irmã mais nova, Zana Lívia, deflagrou uma crise. Igor, de cinco anos, e Dilma, de quatro, torceram o nariz para a novidade. No primeiro momento, brotou um ciúme incontrolável da forasteira. Dilma mais ainda porque a irmã viera enrolada num cobertor cor-de-rosa que julgava seu. Mas este sentimento logo mudou.

Os dois reavaliaram a situação e substituíram a rejeição pela piedade. Afinal, aquela coisinha era careca, tinha um barrigão e nenhum dente. Sob o rigoroso senso estético das crianças, era um bicho horroroso. Ao contrário das mães, que percebem seu bebê como o mais bonito de todos, e bem próximo dos pais que mantêm um certo distanciamento crítico inicial. Ou seja, acham feio mesmo. O que só mudará lá pelos dois ou três meses, quando toda a família se rende a eles.

Carnaval em Belo Horizonte, anos 1950, a criançada da rua se fantasiava. Dilminha sonhava em ser bailarina. Não sabia exatamente porque, mas queria ser. A vontade parava na mãe. Entendia que a filha, por ter cabelo preto, não combinava com a imagem de bailarina... E fantasiava Dilma de cigana ou bailarina húngara. Neste caso, com saia branca, fitinhas coloridas com guizos na ponta, frufrus nos braços e botinhas vermelhas.

Certo Carnaval, Dilma e uma prima repartiam o desejo de serem bailarinas. Mas uma, Dilma, estava de cigana, e a outra de holandesa. Na casa da esquina, morava uma menina, Geisa. Estava pronta para ir ao baile infantil do Minas Tênis Clube. E vestia, encantadora, uma fantasia de bailarina, toda cor-de-rosa. A prima estava incomodadíssima porque era loura e de olho azul. Ou seja, encarnava perfeitamente o personagem. Mas, ali, era uma holandesa... Então, a dupla arranjou um saco plástico, enchendo-o com água apodrecida da piscina dos Rousseff.

Maldade realizada, bailarina em prantos, as vilãs escalaram o telhado do galpão que havia nos fundos da casa da rua Sergipe e lá ficaram. Uma grande mangueira ocultava as autoras do atentado. A mãe da vítima reclamara com dona Dilma Jane e esta andava no encalço da dupla para o corretivo. Ficaram lá quietas até baixar a poeira.

Na casa dos Rousseff, era proibido falar em defunto, lobisomem, alma de outro mundo, mula sem cabeça. Também era vedado escalar muros. Mas Dilma equilibrava-se neles, mesmo naqueles crivados de cacos de vidro. Daí o apelido de *Mica*, um palito de pés arqueados. Certa vez fez besteira: na coisa de ir ao cinema e brincar depois, pendurou-se numa corda acreditando que podia balançar que nem Tarzan no cipó. O resultado foram mãos em carne viva.

A comida era macarronada, arroz de forno — arroz com frango, ervilha de latinha, pimentão. E, de sobremesa, pudim de leite e aquele doce com banana. Era um creme, com banana frita e um suspiro em cima. Ou, às vezes, ambrosia. Dilma e Igor na mesa e, debaixo dela, Pingo, um fox terrier esperto, preto e branco, pelo de arame e o cúmplice que resolvia um problema crucial: Dilma tinha ódio de carne. Não conseguia engolir. Então, fechou uma parceria perfeita com Pingo. Quando o pai passava para ver se os irmãos estavam comendo ou enrolando, os dois punham o bife na boca e mastigavam obsessivamente. Quando Pedro Rousseff virava o rosto, tiravam a carne da boca e davam pro cachorro.

Um dia, véspera de Natal, Dilma descobriu que Papai Noel não existia. Pedira ao Papai Noel uma bicicleta amarela, com uma figura do Mickey e o número catorze. Ditara a cartinha ao irmão porque ele sabia escrever. Assim, mas sabia. Dilma, Igor e o tio Mauro, irmão de Dilma Jane, mas apenas alguns anos mais velho do que a dupla, estavam na frente da casa quando estacionou uma camioneta. Apareceu Pedro e mandou os três para dentro, alegando que precisava montar algo na frente de casa. Foi quando Mauro avisou: "é mentira". E disse mais: "Querem ver o que vai acontecer?". Queriam. Escondida atrás de uma cerca viva, a trinca viu descer a bicicleta. Mauro tinha razão. Papai Noel não existia.

Antes de encontrar Dilma Jane, a vida de Pedro ou Pétar Rousseff é uma narrativa tumultuada de mudanças bruscas. Dilma conta que o avô búlgaro, temendo pelo futuro do filho Pétar na Bulgária, despachou-o para a Alemanha. Lá, estudou engenharia, formou-se, especializou-se em siderurgia de altos fornos e retornou ao seu país. Em 1929, ele fugiu para a França, deixando na Bulgária, grávida, a esposa Evdokia Yankova. Pedro nunca conheceria Lyuben, o menino que nasceria depois de sua partida[2].

No final da década de 1930, Pétar ruma para a Argentina e, durante a 2ª Guerra Mundial, troca os pampas pelo Brasil, cruzando a fronteira em Uruguaiana. Mora um tempo no Rio. Certo dia, acompanhando um amigo brasileiro, dono de fazenda, viaja à Uberaba, no Triângulo Mineiro. Ali, revela um talento incomum: o jogo de cartas. Logo, passa a ganhar dinheiro no pôquer e em qualquer outro jogo. Jogador nato, conseguia viver apenas com o dinheiro do carteado que rolava nas mesas dos reis do gado. Na cidade, conhece Dilma Jane Coimbra Silva. Nascida em Nova Friburgo, no estado do Rio, Dilma Jane mudara-se com a família para Uberaba. O namoro vai durar ano e meio com muitas idas e vindas.

A família de Dilma Jane não queria saber do casamento porque o pretendente, além do fato de ser um búlgaro que falava um português atravessado e espanholado, tratava-se de um tremendo aventureiro. Isto porque nem sabiam ainda que ele vivia do baralho... Havia também uma diferença de idade grande — vinte e três anos — entre os dois. "Minha mãe era professora primária, ainda ingênua, muito bonita", relata Dilma. "Também por isso entendiam que ela não deveria se casar com aquele urso que nem português falava direito."

Mas os dois se casaram, mudando-se para Belo Horizonte. Na capital, Pedro Rousseff trabalhou na implantação da siderúrgica Mannesmann. Para falar português, ele enfrentava o tormento dos estrangeiros com o sufixo *ão*. Na hora da pronúncia, saía *ón*. Em contrapartida, era fluente em alemão, russo e francês, além de búlgaro. Vigiava Dilma nas aulas de tênis, nos bailes, sabia de tudo. "Uma proteção absurda", qualifica.

Para compensar, fazia todas as vontades dos filhos. Se um deles adoecesse, poderia pedir qualquer coisa. Foi ele quem semeou o gosto pela música da filha mais velha. Mais do que isso: impôs-lhe aulas de piano. Ela gostava de música, mas aquilo era cansativo demais e sua vocação para pianista rigorosamente zero. Expiou um ano no teclado.

Embora exercendo uma vigilância quase obsessiva, Pedro não era repressor. Se Dilminha dissesse "Eu não quero tomar injeção", ele não aguentava mandar aplicar. Quando aparecia o homem da injeção, chispava para o colo paterno. O que deixava a mãe irada. Em última instância, ela e Igor contavam com aquele refúgio. Porém, mais cedo ou mais tarde, o querido protetor ia trabalhar e, então, Dilma Jane botava a mão nos dois e o enfermeiro fincava a agulha. Dilma: "Eu achava a minha mãe má...".

Na Belo Horizonte dos anos 1950, um dia, um menino pobre, magrinho, bateu na porta dos Rousseff. Alguém dera uma cédula a Dilma. Com pena dele, ela rasgou a nota ao meio. Ficou com a metade e deu a outra parte ao menino. Quando a mãe soube ficou uma arara. Foi a primeira vez na vida que recebeu um castigo. Pedro tentava argumentar puxando a brasa para o lado da filha: "Você não entende que ela tem bom coração?". E Dilma Jane: "Não, essa menina é burra! Como é que ela não percebe que a nota só vale inteira!".

Fora o purgatório do piano, Dilma não era obrigada a nada. A pressão maior pesava sobre Igor. Mas ela convivia com uma exasperação: o irmão sabia ler e ela não. "Eu era a burra da casa", aborrecia-se. A diferença de idade entre os dois é de apenas apenas onze meses. Mas Igor foi mais cedo ao colégio, aprendeu a ler e a escrever. E Dilma foi enviada a um jardim de infância que não alfabetizava. O irmão sentava-se na frente dela com *Reinações de Narizinho*, de Monteiro Lobato. Lia, mas não contava. Quem a acudia era a tia Dalva, de quem escutou *As caçadas de Pedrinho*, *O sítio do picapau amarelo*, *Os doze trabalhos de Hércules* e *A chave do tamanho*. Apreendia as histórias oralmente, de tanta aflição que tinha de não saber ler.

Dilma aprenderia a ler no colégio Nossa Senhora de Sion. Depois, Pedro notaria a atração da filha pela coleção "Menina e Moça", romances curtos franceses com lições morais para as jovens. Negociador, propôs um acordo que Dilma aceitou de imediato: "Você lê um dos meus e eu te dou dois dos teus". Então, aos treze anos, ganhou *Germinal*, de Emile Zola. Leu todo. Depois vieram *Humilhados e ofendidos*, de Dostoiévski, as coleções de Monteiro Lobato e de Jorge Amado. Mais *O Pai Goriot* e *O lírio do vale*, do Balzac. Neste último, o protagonista mata a mulher, deixando-a sem comer e sem beber. Um Balzac puro, sem perdão. "Meu pai conseguiu: ele inoculou em mim um amor brutal pela leitura".

Para ela, o pai foi livro. Livro e ópera. Subornou-a para ir à ópera com ele no Rio e em São Paulo. Quando o marido a convidava para assistir óperas, Dilma Jane recusava, respondendo ao marido que fosse sozinho ver aquelas "coisas chatíssimas". E o convite mudava então para a Dilma menor. Com o acréscimo de algumas vantagens. Ela aceitava porque "era passível de suborno que era uma maravilha...". A primeira ópera foi *Lucia de Lammermoor*, de Donizetti. Viu com o pai *La Traviata*, de Verdi, de todas a que Pedro mais gostava.

O período no colégio Sion abriu outra porta para a menina da rua Sergipe, e o ponto de partida da sua participação política. Mais particularmente, o Grupo Gente Nova. Formado por alunas, o GGN subia regularmente o morro do Papagaio, imediações da escola, com uma população bastante pobre. Uma colega disse a Dilma o que o grupo fazia e perguntou-lhe se queria participar. Topou. Com duas colegas e uma freira, discutia com as mulheres e os jovens da favela. Saber como estava a vida, o que podia melhorar, as possíveis soluções. Às vezes, um padre tocava violão e a conversa era mais politizada.

As irmãs do Sion haviam construído um vínculo entre o colégio e a comunidade. Se uma criança do morro estava com febre alta, a mãe pedia auxílio às freiras. Foi, para a menina, o primeiro contato mais forte com a pobreza do Brasil. Mas não chegou ao Sion sem saber como era o país. O pai descrevera a desigualdade como "um horror". Não foi, diz, como Sidarta, o Buda, que se surpreendeu com a miséria quando deixou seu palácio e olhou o mundo pela primeira vez. Pelo contrário, teve sempre uma relação de compaixão quando via uma criança com cara de fome, aquele olho comprido.

Terminado o ginásio, Dilma trocou de escola. Em 1964, ingressou no colégio Estadual Central. Antes, outra mudança, mais dramática. Estava em uma festa de casamento quando recebeu a notícia da morte do pai, derrubado por uma angina e o maço diário de Douradinho Extra. "Pra mim, foi uma tragédia", relembra. Recorda que em *As palavras*, Sartre conta que, quando morreu o pai dele, morreu o seu superego. O mesmo ela sente que ocorreu consigo. Foi como se lhe arrancassem um pedaço. A figura mais forte sai de cena. "E, aí, então, passou a ser tudo comigo. Se eu puder responder quando fiquei adulta — na verdade, a gente vai ficando adulta em vários momentos da vida — o primeiro passo foi este aí, na morte do meu pai".

Dilma Jane manteve intacta a família. Preservou o padrão de vida dos Rousseff e lutou para que a perda do chefe da casa afetasse aquele núcleo o menos possível. Mas, diante do mundo lá fora, havia uma grande fragilidade. Pedro Rousseff representava a proteção, um conhecimento mais complexo do que Dilma Jane poderia, naquele momento, oferecer. "Minha mãe é uma pessoa muito forte, a sua maneira", diz. Admira, sobretudo, a forma como Dilma Jane, com sua formação e seus valores, encararia a prisão da filha. Sem jamais chorar nas vezes que a visitou na cadeia e sem esmorecer. "Na dificuldade, ela segura a situação, especialmente quando está na conta dela. Aí, mostra a que veio."

A mudança fora feita. A mudança maior era o pai não existir mais. O resto era decorrência. E Dilma, a filha de catorze anos, entrou na vida adulta, seguiu o seu caminho. Era ela e a vida. Aos quinze, entrou na Polop.

A Organização Revolucionária Marxista Política Operária ou simplesmente Polop era fruto da fusão da ala jovem do Partido Socialista Brasileiro (PSB), mais a seção mineira da Juventude Trabalhista, dissidentes do Partido Comunista Brasileiro (PCB) e intelectuais paulistas[3].

Ao longo dos prolíficos anos 1960, o germe da Polop geraria oito novas organizações, de luta armada ou não[4].

O encontro de Dilma com a Polop, que a levaria a outros encontros e também rupturas e jogaria sua vida em torvelinho de acontecimentos, foi obra de uma colega de aula, militante da organização. As opções de engajamento no 1º clássico do colégio Estadual Central incluíam a Ação Popular (AP) e o PCdoB. Dilma descartou as duas alternativas. Havia o PCB, mas, aos olhos dos jovens de esquerda, o PCB estava liminarmente impugnado por conta de seu comportamento frente ao golpe de 1964, quando exibira em candura o que lhe faltara em cautela. E Dilma foi descobrir a Polop. Começou com as reuniões na casa de Carlos Alberto Soares de Freitas, o Beto, que mais tarde se chamaria Breno. Sentavam-se ela e mais três amigas na cama do quarto dele. Sentado numa cadeira ao lado, Beto explicava o processo da acumulação primitiva, um capítulo do primeiro volume de *O capital*, oriundo de uma tradução inglesa.

Exposição feita, a novata ficou com uma dúvida. E resolveu perguntar: "Afinal de contas, ele (Marx) é a favor ou contra o trabalhador?".

Na Polop, a formação era puxada. Não havia manuais, era necessário conhecer os mestres. Ativista antiditadura, o médico Apolo Heringer Lisboa, setenta anos, descreve o estofo político/cultural da Polop comparando-a, favoravelmente, com as organizações adversárias na disputa pelos corações e mentes da esquerda belo-horizontina dos anos 1960. "A Polop misturava de tudo. Tinha Lênin, Marx, Rosa Luxemburgo e uma pitada de Trotsky. Era o grupo mais intelectualizado. O pessoal da AP rezava o dia inteiro. Os do PCdoB só liam Mao Tsé-Tung. A Polop era um movimento iluminista[5]."

Para se tornar um militante respeitável era preciso ler muito. Então, dá-lhe livro... A turma da Polop atracava-se com *A revolução brasileira*, de Caio Prado Junior, *A formação do exército brasileiro*, de Nélson Werneck Sodré, *Quatro séculos de latifúndio*, de Alberto Passos Guimarães, mais os livros de Celso Furtado. Logo, *Revolução na revolução*, de Regis Debray, entrou no índex. E dá-lhe Lênin: *Um passo à frente, dois passos atrás*, *A questão agrária*, *O Estado e a revolução* e muito mais.

OS VENCEDORES

Discutia-se se revolução era democrática-burguesa ou socialista. Uns acenavam com o *slogan* "Anule seu voto/abaixo a farsa eleitoral". Outros defendiam uma assembleia constituinte nacional, popular e soberana. À esquerda, quase todos os agrupamentos propunham uma revolução socialista no Brasil.

A par da atividade política, os secundaristas e universitários da Belo Horizonte dos anos 1960 eram atraídos por outra militância. Independentemente da facção, frequentavam o Centro de Estudos Cinematográficos, o CEC, na avenida Augusto de Lima. Ali se misturavam estudantes, pessoal que tinha sido preso em 1964, artistas, músicos, jornalistas. Dilma estudava de manhã, um pouco à tarde e, à noite, batia ponto no CEC.

Ali descobriu *Hiroshima meu amor*, *O ano passado em Marienbad*, e também os filmes de Glauber Rocha. Nunca se esqueceu de seu "absoluto deslumbramento" com *Deus e o diabo na terra do sol*, cuja trilha incluía *As bachianas brasileiras número 5*, de Villa Lobos, para ela "a coisa mais bonita do mundo". Da época, é também *Arena conta Zumbi*. A Polop levou Zé Kéti e João do Vale para fazer o *show Opinião* no teatro Francisco Nunes. Beto azucrinou Zé Kéti e João do Vale para que deixassem cantar um novato da terra, muito promissor, um tal Bituca, que precisava de uma oportunidade para mostrar sua voz e que, em pouco tempo, o Brasil conheceria como Milton Nascimento.

Dava-se ali uma relação de cumplicidade da esquerda mineira com a estudantada e a intelectualidade. "Amigos íntimos, de esconder gente", conta Dilma. Jean-Paul Sartre estava em todas as conversas. Todo mundo tinha que conhecer o francês — mais ele do que sua mulher, Simone de Beauvoir. Lia-se *As palavras*, *O muro* e todas as peças de teatro desse autor, que também criou os personagens Mathieu e Boris de *Com a morte na alma*, da trilogia *Os caminhos da liberdade*. E lia-se Marcel Camus.

Havia fidelidade ao CEC, mas também sobrava algum tempo para os bares da vida. No percurso, o Seis às Seis que, o nome esclarece, abria quando a noite começava e fechava quando despontava a manhã. Rolava MPB e *jazz*. E mais outros como o Berimbau e a Cantina do Lucas, abrigados no edifício Maletta, na rua da Bahia, centro da capital. Mas Dilma preferia as opções noturnas de Dickson do Amaral Oliveira, então por volta de seus vinte e cinco anos, apoio da Polop, seu amigo, assim como de Beto e de Maria do Carmo Brito. O rapaz trabalhava na biblioteca do Parque Municipal. Naquele período, quando militância ainda não era sinônimo de clandestinidade, ao chegar às seis da tarde, sempre havia um grupo esperando Dickson terminar o expediente.

Atrás do Parque Municipal, havia uma porção de barzinhos de "quinta categoria". Ali, Dilma aprendeu a comer farinha com molho inglês. Ninguém tinha muito dinheiro. Pedia-se uma cerveja, um pratinho de farinha e um vidro de molho inglês. Botava-se o molho na farinha, misturava-se e ia-se catando os pedacinhos com dois palitos. Dilma e outro camarada, Helvécio Ratton, comiam a mesma coisa perto da faculdade. Virava-se a noite nos bares.

De 1962, da tentativa de golpe, a menina que ainda não era da Polop, pouco lembra. Uma percepção imprecisa, aquela coisa do medo, de que "vão faltar gêneros alimentícios". Mas em 1964 foi muito diferente. Tinha noção perfeita do que acontecera. Quem chegava no Estadual Central egressa de um colégio de freiras ficava logo esperta "porque o nível de politização do meu colégio era altíssimo".

Fundado em Ouro Preto em 1854, o Estadual Central foi a primeira escola pública de Minas. Por suas carteiras passaram Getúlio Vargas, o cartunista Henfil, o escritor Fernando Sabino e o ex-jogador Tostão. Outro aluno, o compositor Márcio Borges — Marcinho Godard, pela verve na defesa do cinema de Jean-Luc Godard — lembrou que costumava frequentar a casa dos Rousseff, de onde roubava cerveja da geladeira. Era o melhor colégio de Minas. No prédio projetado por Oscar Niemeyer, havia um ensino público de primeira qualidade. Ali, a política fervilhava.

Para Dilma, era "O Colégio!". Um lugar onde, se alguém tivesse interesse por algum assunto, abriria para o aluno uma visão esplêndida. Em poesia — atividade extracurricular — havia, por exemplo, uma longa lição sobre Carlos Drummond de Andrade. No jogral, recitava-se "E agora, José?". Havia aulas de gramática, português, inglês, espanhol, francês, literatura, história, geografia.

Na sala de aula, só havia três meninas: Dilma, Sônia Lacerda e Marina Gontijo, esta militante da AP. As três eram mais livres e ligeiras. Dois dos rapazes pertenciam à soturna Tradição, Família e Propriedade, a TFP. Ao lado dos ultraconservadores tefepês, sentava-se Sonia. Seu prazer era cruzar as pernas fazendo com que a saia subisse lá em cima. Pura provocação. Os varões da TFP enrubesciam, desviavam o rosto, não sabiam o que fazer. Era a perdição da sala. Outro aluno, Ângelo Oswaldo de Araújo Santos, que seria por três vezes prefeito de Ouro Preto, frequentava a mesma aula. Enturmara-se com as meninas e com elas aprendeu várias transgressões. Como sentar no canal da avenida São Paulo, "alto pra danar", e balançar as pernas. Um desafio para um aventureiro. "Era uma sala muito estranha, um hospício..."

Todo este universo, contudo, em breve começou a ficar para trás. Conforme aumentava a imersão na militância, primeiro na Polop, e depois no Comandos de Libertação Nacional, o Colina — junção dos dissidentes da Polop e de remanescentes do Movimento Nacionalista Revolucionário (MNR) — a convivência se distancia, os contornos das figuras e das situações não possuem mais a mesma nitidez. E aos dezessete anos, Dilma perderia todos de vista.

Aos dezenove, casou-se. Foi no dia 20 de setembro de 1967 e apenas no civil. O noivo era Cláudio Galeno de Magalhães Linhares, também militante da Polop. Seis anos mais velho, Galeno já incluíra no seu currículo revolucionário uma trombada com a ditadura. Ex-preso político, em 1964 envolvera-se nas tratativas da Polop, com o MNR para desafiar a ditadura empunhando armas. A tentativa foi abortada pela polícia ainda nas confabulações num apartamento da zona sul carioca. Adentrou a história sob a designação jocosa de "Guerrilha de Copacabana".

Dilma Jane preparou uma recepção rápida e simples, algo que, na memória da noiva, abrangia champanhe, bolo, salgadinhos, bombons trufados, melão com presunto, vinho branco e uvas. Casou-se no cartório, sem véu nem grinalda. Sob o olhar de sua geração, ainda mais da esquerda, pompa e circunstância eram coisas abomináveis.

Dilma recorda-se que, naquele dia, nem mesmo faltou à aula na Faculdade de Ciências Econômicas. E carregou toda a turma da sala para a casa da mãe.

O casório aconteceu dois dias depois do encontro da Polop, quando houve a ruptura entre os defensores do enfrentamento armado da ditadura e os adversários da ideia. Da cisão nasceriam os Comandos de Libertação Nacional (Colina), aos quais Dilma se filiaria[6]. Ela foi ao congresso com um amigo, José Aníbal Peres de Pontes, também colega de faculdade e de Polop. José Aníbal muito depois seria deputado federal e seu adversário do PSDB.

Um dos parceiros de Galeno no conluio desafortunado de Copacabana foi o sociólogo e artista gráfico Guido Rocha. Tomaram cadeia na mesma época. Guido foi o editor de Dilma em *O Piquete*, o jornal da Polop. Ele tinha "histórias preciosas", conta. Uma delas aconteceu no Rio. Um dia, ao passar pela praça Serzedelo Correia, em Copacabana, viu um nordestino todo amarrado. Num instante e sem ajuda de ninguém, o sujeito se desamarrou. Número de circo do Nordeste transportado para o Sul. Incrédulo, Guido resolveu amarrar o nordestino. Que, de novo, se libertou. Sem se convencer, amarrou o sujeito mais uma vez. E, de novo, ele se livrou. Guido decidiu então se deixar amarrar pelo nordestino para ver como era. E não conseguiu se desvencilhar...

No jornal da Polop, Guido resolveu ensinar aos trabalhadores o significado da mais-valia. Bolou uma história em quadrinhos. Para vilão, escalou um capataz de maus bofes da siderúrgica Belgo-Mineira. Pegou uma frase de *O capital* — uma citação que trata de vampiro, de troca de sangue morto por sangue vivo — e, para coroar, juntou um ponto de macumba. Tudo para explicar ao operariado como era gerada a mais-valia apropriada pelo patrão. Na historieta, havia a frase "Sou mau filho, mau marido e puxo o saco do patrão!". Foi o maior sucesso.

OS VENCEDORES

No ano seguinte, estourou a greve de Contagem, cidade industrial da Grande Belo Horizonte. Começou pelos operários do setor de trefilaria da Belgo-Mineira no dia 16 de abril de 1968 e logo se propagou para os demais setores. Recebeu a adesão dos empregados da Sociedade Brasileira de Eletrificação (SBE), da siderúrgica Mannesmann e de mais fábricas. Dezesseis mil dos 21 mil trabalhadores de Contagem cruzaram os braços. Em tempo de arrocho, ousavam reivindicar reposição salarial. A réplica foi pesada: 1,5 mil policiais ocuparam as indústrias e, empunhando a Lei de Segurança Nacional (LSN), a repressão foi à caça dos insurgentes que deflagravam a primeira greve desde 1964. Era uma mobilização por salário, mas foi encarada como algo gravíssimo. A polícia tomou as ruas da cidade, impediu as assembleias e Contagem virou uma praça de guerra. Quando veio a derrota, correu uma lista negra. Demitidos, muitos trabalhadores saiam das fábricas para ingressar simultaneamente na listagem. Fechavam-se todas as portas. "Ficavam sem ter onde caír mortos. Foi uma das coisas mais tristes que vi na minha vida...", diz Dilma.

No apagar das luzes de 1968, circulava uma certeza na maioria dos grupos de contestação ao regime: após a visita da rainha Elizabeth II, da Inglaterra, ao Brasil, em novembro daquele ano, haveria o fechamento do país. Depois das manifestações de estudantes e intelectuais — entre elas a Marcha dos 100 Mil, no Rio — que haviam conquistado parte expressiva da classe média, a insatisfação se expressava também entre os trabalhadores que, além de Minas, desfecharam a greve de Osasco, em julho do mesmo ano. A festa de 1º de Maio na praça da Sé, centro de São Paulo, terminou com o palanque oficial incendiado e com Abreu Sodré, o governador nomeado, e um grupo de pelegos corridos a pedradas. Intuía-se que, no coração do regime, os mais radicais haviam ganhado a parada.

Em 12 de novembro, depois de ouvir os hinos do Brasil e da Inglaterra e uma salva de vinte e um tiros, Elizabeth II partiu para o Chile. Àquela data, o *Informe JB* publicou uma frase autoexplicativa do deputado federal Rui Santos, vice-líder da Arena. "Depois da rainha, vai ter...", pressagiou.

Quando a monarca foi embora, ninguém mais do Colina dormiu em casa. No imaginário da esquerda brasileira estava muito presente o banho de sangue que se seguiu ao golpe da Indonésia, três anos antes[7]. Suspeitava-se que o mesmo aconteceria no Brasil e que era preciso tomar precauções.

Um belo dia, Dilma e Galeno decidem checar seu apartamento. Precisavam, pelo menos, pegar roupas e dar uma olhada no lugar. Era o número 1001, do condomínio Solar, na avenida João Pinheiro, em frente à Faculdade de Letras. Para que o porteiro não os visse, evitaram a porta da frente. Sabiam que, nos fundos, um buraco na parede dava para a rua e permitia o acesso ao edifício. Entraram na garagem, subiram para o apartamento e, como parecia tranquilo, resolveram dormir lá. Madrugada, tocou a campainha. Resolveram não abrir a porta. No apartamento, as luzes apagadas. Nenhum ruído. Pela persiana, espreitaram a movimentação na rua. O edifício estava cercado. E havia passos no corredor. Desandaram a cortar papel. Não podiam queimar documentos e anotações por causa do cheiro da fumaça. Jogá-los pela privada também não porque era impossível acionar a descarga.

O sufoco foi total, contudo o pessoal do Dops não arrombou a porta. Por duas razões, supõe hoje Dilma. "Primeiro, porque era um prédio de classe média-média. Seria um escândalo. Segundo, porque o porteiro e o síndico asseguraram aos policiais que havíamos sumido semanas atrás."

Os policiais se convenceram de que não havia ninguém ali, mas supunham que suas presas poderiam chegar a qualquer instante. Montaram uma campana. Por via das dúvidas — mesmo com aquele silêncio no 1001 — passaram quase toda a noite no corredor. Com o clarear do dia, tornou-se mais perigoso chegar à porta. Mas era preciso inspecionar o corredor. Com imenso cuidado e as pernas bem abertas, para não serem percebidas por debaixo da porta, ela foi espiar pelo olho mágico. Mas, naquela posição esdrúxula, o olho mágico ficou acima da sua cabeça... Quando perceberam que a vigilância diminuíra, escaparam por onde haviam entrado, pegaram um táxi e sumiram de vez.

Dilma ainda veria, na TV, a casa da mãe sendo vasculhada. A polícia gravava e expunha suas operações na televisão.

Trinta e um dias depois do adeus de Elizabeth II, o governo editou o Ato Institucional número 5. Dilma soube do AI-5 no dia do seu aniversário, 14 de dezembro, quando completou vinte e um anos. Deixou Belo Horizonte de ônibus e foi para o Rio. "Era uma coisa muito boa ser clandestino no Rio naquela época. Fazia ponto e discutia o tempo inteiro, mas tinha o Rio, olhava pro Rio, Rio, teu cenário é uma beleza..." Como ninguém a conhecia por ali, andava pelas ruas solta, livre e feliz.

Logo depois Dilma e Galeno tomaram rumos distintos. O casamento se esgotara. Ela falou: "Ô, Galeno, tô me separando". E acabou. Não houve briga nem cena. E em 1º de janeiro de 1970, Galeno seria um dos seis autores de uma ação espetacular: o sequestro de um avião Caravelle, da companhia Cruzeiro do Sul, para Cuba.

Dilma tinha outro companheiro, Carlos Franklin Paixão de Araújo, dez anos mais velho, egresso da dissidência gaúcha do PCB. Na clandestinidade, Dilma perdeu o contato com a família no primeiro momento. Ficou sem lenço nem documento, ao sabor de uma canção da época. Um dia encontrou-se com Beto em Ipanema "e a gente se abraçou, saiu pulando na praça General Osório". Os dois gostavam de pato com laranja. Mas o dinheiro era curto demais para o luxo. Então, na hora do almoço, pediam um prato feito e dividiam. Dois dias de PF equivaliam a um pato com laranja. "E o mundo caindo...", observa. Mas existe sempre muito disso. Lembra-se de parar diante do cinema Roxy, na avenida Nossa Senhora de Copacabana, para ver os cartazes, percorrer os teatros para conferir o que estava passando...

No começo de 1969, o Colina passou a absorver frações divergentes do PCB do Rio e do Rio Grande do Sul e o Núcleo Marxista-Leninista, da AP. Em julho, ele se une à Vanguarda Popular Revolucionária (VPR) para constituir a Vanguarda Armada Revolucionária-Palmares (VAR-Palmares).

A sigla realizaria a mais exitosa expropriação da esquerda armada: o roubo do cofre do ex-governador paulista Adhemar de Barros, recheado com US$ 2.5 milhões das propinas recebidas durante sua longa vida política.

Mas o idílio seria breve. Em setembro de 1969, durante o congresso de Teresópolis, no Rio, sobreviria a ruptura. De um lado os *militaristas*, de outro os *massistas*. Chefiados pelo ex-capitão do exército Carlos Lamarca, os *militaristas* eram favoráveis à deflagração imediata da luta armada no campo, enquanto os *massistas* apostavam mais nas tarefas de base.

Da turma dos *massistas*, Dilma granjeou a antipatia de Lamarca. Sem preparo acadêmico, forjado na rudeza da caserna, o capitão, numa conversa com o companheiro Shizuo Ozawa, o Mário Japa, considerou-a demasiado teórica, uma "intelectualoide de muito blá-blá-blá". Japa assentiu e agregou: "Estou com você e não abro...Veja as roupas dela, o modo de falar... Burguesinha...". Ex-companheira de Polop, Maria do Carmo Brito era outra que não digeria Dilma. "Essa menina é uma pernóstica e arrogante, muito assertiva, demais para a idade que tem."[8] Ao saber da recriminação, Dilma contra-atacou. Atribuiu a crítica ao fato de Maria do Carmo pertencer ao que batizara como "pântano"[9], metaforicamente uma postura de indefinição.

Embora o congresso, pelo acirramento das posições, tenha se desenrolado em uma atmosfera de formidável tensão, Antonio Roberto Espinosa, um dos companheiros de Dilma na VAR, lembrou que ela ajudou a desanuviar o clima pesado. Pediu a palavra e informou que ela e Beto ilustrariam sua exposição sobre estratégia de modo diferente. Batucando, a dupla cantou assim:

"Este é um congresso tropical/ abençoado por Lênin e confuso por natureza/ Em fevereiro/ em fevereiro, tem capitão.../ tem Juvenal...[10]"

A paródia de "País tropical", sucesso nacional de Jorge Ben, citando Lênin, Lamarca e Juvenal, o codinome de Juarez Brito, marido de Maria do Carmo, relaxou a voltagem emocional do encontro e todos gargalharam, Lamarca inclusive.

OS VENCEDORES

Pilhérias à parte, o congresso que deveria sedimentar uma organização mais potente, resultou na cissiparidade tão prosaica das esquerdas. Juarez e Maria do Carmo, Inês Etienne Romeu, velhos confrades da Colina e de Minas, juntaram-se aos *militaristas* de Lamarca. *Massista* de quatro costados, Dilma ficou com Araújo, na VAR, mesma opção de Beto e Espinosa.

Morou em Laranjeiras, Madureira, Copacabana, Ipanema e batia pés pelo Rio inteiro. Impressiona-se hoje com a capacidade "inimaginável" que uma pessoa de vinte anos tem de se movimentar. Residiu um mês, "talvez dois", com Iara Iavelberg nas imediações da avenida Princesa Isabel, em Copacabana. Breve companheira na VAR, após o cisma da organização Iara rumaria com sua paixão, Lamarca, para a nova VPR. O que nunca estremeceu a amizade entre as duas.

Iara levou-a para cortar o cabelo no cabeleireiro Jambert, dono do salão mais badalado da cidade. Dilma andava com "um cabelo de leão". E Jambert cortou e não cobrou nada porque era amigo dela. "Iara era uma pessoa de uma sensibilidade bestial." Mesmo com o rompimento, a direção da VPR procurou a direção da VAR e disse que Iara queria um encontro com Dilma. "Praça Antero de Quental, Leblon, nunca vou esquecer." Sentaram num banco e conversaram, conversaram, conversaram. Na hora da partida, Iara abriu a bolsa e tirou o presentinho para Dilma: uma coleção de lencinhos comprados na casa Sloper. Cada um com um dos naipes do baralho. "Sei que você não tem", disse.

Mulher livre, guerrilheira, porém vaidosa, precursora do feminismo naqueles anos turbulentos, Iara colecionava *affairs* e trepidava corações. Entre outros, antes de Lamarca, namorou Beto e José Dirceu. A Iara que surge da descrição de Dilma é alguém especial.

Mais conhecida por cobrar e menos por polvilhar louvores no seu entorno, Dilma, quando se trata de conceituar Iara, é outra. "Ela era ótima, ótima mesmo. Muito bonita, bem-humorada e com uma visão muito afável da vida. Para a Iara, viver não era um martírio. Tem gente que carrega a vida como um peso. Ela não." Duvida que alguém que convivesse com Iara não viesse a gostar muito dela. Tinha uma preocupação com as pessoas que chegava a ser engraçada. "De mim, cuidava dos cabelos e das roupas." Com a troca frequente de *aparelhos*, Dilma extraviara muitas das suas roupas. Das sobras, envergava uma blusa abóbora, xadrez, com bolsos, "que era um pavor". A amiga não descansou enquanto não entrou numa loja para lhe comprar outra blusa.

Aos vinte e sete anos, Iara seria sitiada e morta durante confronto com policiais do DOI-Codi. Era 1971. Quatro décadas depois, sua memória compareceu ao pronunciamento de Dilma pré-candidata à Presidência da República. "Não posso deixar de ter uma lembrança especial para aqueles que não mais estão conosco. Para aqueles que caíram pelos nossos ideais. Eles fazem parte de minha história. Mais que isso: eles são parte da história do Brasil", observou na convenção do PT, em 22 de fevereiro de 2010. No Centro de Convenções Ulysses Guimarães, em Brasília, citou "três companheiros que se foram na flor da idade". Primeiro, Carlos Alberto Soares de Freitas — "Beto, você ia adorar estar aqui conosco"; depois Maria Auxiliadora Lara Barcelos, sua amiga de VAR que, assediada pelas sequelas da tortura, se suicidou em 1974 — "Dodora, você está aqui no meu coração. Mas também aqui entre nós todos"; e Iara: "Iara, que falta fazem guerreiras como você".

O parceiro de areia das duas era Herbert Eustáquio de Carvalho, o Herbert Daniel. Companheiro de Dilma na Polop, no Colina e na VAR, Daniel também se afastou ao se engajar na recriação da VPR. Na nova organização, participaria dos sequestros dos embaixadores da Alemanha e da Suíça, chaves para a libertação de 110 presos políticos[11]. Muita gente desconfiava que Herbert era homossexual, mas ele nunca abriu. Dilma foi uma das poucas pessoas para quem ele contou isto. "Só imagino a barra que segurou na VPR..."

Muito próximo de Herbert e também veperrista, Alfredo Sirkis ilustra o drama do homossexual na luta armada: "Ninguém aceitava a homossexualidade naquela época. O Herbert só contava piada de bicha. Que eram as mais engraçadas que ele contava". Herbert, então, não admitia a condição de homossexual embora se mostrasse interessado no tema, pelo que lia e pelas coisas que dizia...

Dilma operava na retaguarda, cobrindo pontos o dia inteiro. Era inadequada para outras atividades. Desde os tempos de adolescente, carregava uma miopia de sete e meio em um olho e de nove no outro. Quando criança usava óculos. Depois, adotou as lentes de contato duras. Participou de treinamento militar em uma fazenda do Uruguai. Teve um aproveitamento medíocre mas de algo não esqueceu... Das armas, como não eram sua atividade, aprendeu pouco. Mas aprendeu a montar e a desmontar um fuzil automático leve, um FAL, no escuro, de olhos fechados. O que, afirma, ainda sabe.

No Rio, apartamentos alugados por temporada viravam *aparelhos*. Do Flamengo em diante, conseguia-se também vaga. Ou seja, alugava-se um quarto. Não era perigoso, considera. Ainda havia uma sensação imensa de liberdade na clandestinidade. Dilma nunca teve o sentimento de que iria morrer amanhã. Não pensava em morrer. "Se somos jovens não pensamos nisso, não temos noção de que a morte está ali. Existe uma sensação — talvez por isso seja tão bom ser jovem — de longevidade."

Mesmo na clandestinidade, quando se é jovem a forma de ver é diferente. Na juventude, segundo Dilma, é bem mais fácil aguentar cadeia. Até porque a resistência física, a capacidade de adaptação, a forma de se relacionar com o mundo permite isso. E a questão da vulnerabilidade? "Ninguém aprende que é vulnerável na clandestinidade. Aprende depois, mesmo, na hora do 'vamos ver'. Antes não." Cria-se rotinas, uma vida aceitável, em qualquer lugar. A adaptação vira condição de sobrevivência. E adaptar-se é, de alguma maneira, dominar alguma coisa. Seja o tempo, a forma como se distribui o tempo. Sem essa noção, perde-se referência. Por isso, na tortura, são usados capuzes. Pelo isolamento e falta absoluta de referência e de domínio. "É como se o preso fosse uma tartaruga sem o casco", diz.

Na aurora de 1970, leu *Cem anos de solidão*, de Gabriel Garcia Márquez, e viu *O homem de Kiev*, filme de John Frankenheimer. Ficou entre dois realismos, o fantástico do colombiano e de sua Macondo, e o trágico de Bernard Malamud, escritor norte-americano de origem judaica que escreveu o romance, calcado em uma história real, ponto de partida da versão cinematográfica. Nela, o ator inglês Alan Bates interpreta o biscateiro judeu Yakov Bok, suspeito do assassinato de um menino na Rússia czarista. Sufocado em uma teia de acusações incoerentes, entre elas a de que teria usado o sangue da vítima em um ritual satânico, é atirado no fundo de um cubículo e torturado. No meio dessa agonia, Yakov reivindica sua condição gritando que é "um homem". Troque-se antissemitismo por anticomunismo e o czar Nicolau II por Garrastazu Médici e o drama de Yakov Bok se tornará inquietantemente próximo.

Dilma assistiu a esse filme em São Paulo. E em dois pedaços. Primeiro, esperando para fazer um ponto; depois, de novo, aguardando para cobrir outro ponto, em outro cinema e outro dia. Duríssimo. "Muito ruim de ver especialmente considerando que dali a duas semanas você vai ser presa..."

Depois da recepção feérica na OBAN, a tortura começou. Pela palmatória. "Levei muita palmatória", contou a Luiz Maklouf Carvalho[12]. Quem comandava a OBAN era o tenente-coronel Waldyr Coelho, de apelido Linguinha, por conta da língua presa. Quem passava por ali para dar uma olhada era o capitão Maurício Lopes Lima. E os algozes eram o major Benoni de Arruda Albernaz[13] e seu substituto identificado apenas como Tomás. Albernaz tinha o cargo de chefe da equipe A de interrogadores da OBAN, em tempos onde 'interrogador' e 'torturador' funcionavam como sinônimos. "O Albernaz batia e dava soco (...). Ele começava a te interrogar. Se não gostasse das respostas, ele te dava soco. Depois da palmatória, eu fui pro pau de arara[14]."

A agressividade de Albernaz seria premiada. Em novembro do mesmo ano em que esmurrou Dilma, ele recebeu o 43º elogio de sua carreira no exército — ao rumar para a reserva tinha cinquenta e oito. "Oficial capaz, disciplinado e leal, sempre demonstrou perfeito sincronismo com a filosofia que rege o funcionamento do Comando do Exército: honestidade, trabalho e respeito ao homem", escreveu seu comandante Linguinha[15]. Mandaram que a prisioneira se despisse e ela se recusou. Arrancaram-lhe a parte de cima e a penduraram no pau-de-arara. Ouviu mais insultos. E tiraram-lhe então toda a roupa. Recebeu "muito choque, mas muito choque" a ponto de ansiar por desmaiar. Os choques eram em toda parte: pés, mãos, na parte interna das coxas, orelhas, na cabeça, nos bicos dos seios. "Botavam uma coisa assim, no bico do seio, era uma coisa que prendia, segurava. Aí cansavam de fazer isso, porque tinha que ter um envoltório, pra enrolar, e largava. Aí você se urina, você se caga todo, você...[16]"

Além dos tormentos físicos, os interrogadores carregavam no terror psicológico. Houve uma encenação de fuzilamento. E ameaças como "vou esquecer a mão em você", "você vai ficar deformada e ninguém vai te querer". Naquela solidão, sem ninguém do lado de fora saber onde a prisioneira estava e, mesmo sabendo, sem qualquer possibilidade de intervir, promessas como "você vai virar um presunto e ninguém vai saber" ganhavam dimensões de alta credibilidade e, portanto, de pavor absoluto, como ela relatou em 2001 em depoimento ao Conselho dos Direitos Humanos de Minas Gerais.

Quando não obtinha a resposta que procurava, o torturador interrompia sua tarefa e sugeria à vítima que pensasse. Dilma foi arrastada ao sanitário do primeiro andar, onde uma crosta de sangue e imundície corrompia o branco original do azulejo. Ficou em posição fetal. "Depois de apanhar, era jogada nua em um banheiro, suja de urina e fezes. Tremia de frio até que a sessão de tortura começasse novamente[17]."

Seu pior momento foi quando sofreu uma hemorragia muito grande. Teve que ser levada ao Hospital Central do Exército para se recuperar. Lá encontrou uma militante da Ação Libertadora Nacional (ALN) que lhe deu um conselho de presa antiga. Mandou-a pular no quarto "para a hemorragia não passar" e não ter que retornar à tortura[18]. "A pessoa mais esperta é um preso velho. E por quê? Porque ele se adaptou", diz. Enquanto isso, os novatos na cadeia vêm com a ingenuidade de quem nunca sofreu. E chegam experimentando, diante da crueldade, um grau absurdo de dor.

Na OBAN e, depois, em Minas, frequentou seus limites de resistência como narrou ao conselho mineiro. "Descobri pela primeira vez que estava sozinha. Encarei a morte e a solidão. Lembro-me do medo quando a minha pele tremeu."

Ao *cair*, supunha que poderia suportar o que estava por acontecer além dos muros do cárcere. Havia referências quanto ao enfrentamento da tortura, mas um tanto românticas, apesar do que havia acontecido na 2ª Guerra Mundial, quando o nazismo implantou o processo de industrialização da dor cujo objetivo era extrair informação e, em seguida, exterminar. Quando o prisioneiro pertencia à Resistência, era preciso não apenas arrancar a informação como também destruir.

A esquerda armada não estava preparada — e ninguém estava — para aguentar o que Dilma chama de tortura industrializada. Repara que lera sobre o julgamento do búlgaro Georgi Dimitrov[19], acusado de ter incendiado o Reichstag, em Berlim, em 1933. A literatura sobre a guerra do Vietnã percorria a guerra, as armadilhas, os túneis que os vietnamitas cavavam, mas ninguém esclarecia como se dava o interrogatório de um rebelde. Mesmo no caso da guerra da Argélia[20], inexistia uma informação mais clara quanto ao emprego sistemático da tortura pelas forças francesas contra os grupos argelinos pró-independência. Para ela, o pessoal de 1964 tinha sofrido uma tortura pré-AI-5 e pré-industrialização. Prevalecia, ainda, uma ideia romântica e heroica.

Apesar da tortura, Dilma sempre sustentou que não forneceu as informações que os torturadores buscavam. O que não significa que não tenha falado, até porque dizer alguma coisa, de preferência imprestável ou de pouco valor, é preciso. "A forma de resistir era dizer comigo mesma: 'Daqui a pouco eu vou contar tudo o que eu sei'." Negociava consigo mesma. Deixava um pouco mais de tempo passar. E mais um pouco. "E aí você vai indo. Você não pode imaginar que vai durar uma hora, duas. Só pode pensar no daqui a pouco. Não pode pensar na dor (...). Eu aguentei. Não disse nem onde eu morava[21]."

O antigo camarada de militância, Gilberto Vasconcelos, confirma: "Basta dizer que ela (Dilma) havia sido presa em 16 de janeiro de

1970 e tinha ponto (encontro) marcado comigo no dia 20, e não me entregou. Precisa dizer mais?".[22]

Após 22 dias sob tortura na OBAN — mais tarde DOI-Codi —, Dilma foi transferida para o Dops. Era o dia 3 de março de 1970. Dois meses e meio mais tarde, chegou a Juiz de Fora/MG. Presumivelmente para "prestar esclarecimentos" sobre processo que tramitava na 4ª. Circunscrição da Polícia Militar. Porém, mal concluiu o depoimento, foi encapuzada, interrogada e, novamente, torturada. Desta vez, seus torturadores eram um tal "doutor Medeiros" e um inspetor de nome Joaquim.

Conjeturavam que ela tinha ciência de um plano urdido para libertar Angelo Pezzuti, seu companheiro de Colina, preso em Minas. Partiam da premissa de que, no interior da estrutura policial, movia-se um agente infiltrado da guerrilha que daria fuga a Pezzuti. Dilma não tinha a menor ideia do que se tratava. Havia deixado Belo Horizonte no início de 1969 e os acontecimentos eram do começo de 1970. Ignorava as tentativas de fuga de Pezzuti. Acharam que mentia. "Talvez uma das coisas mais difíceis de você ser no interrogatório é inocente. Você não sabe nem do que se trata", depôs ao Conselho dos Direitos Humanos/MG.

Na pancadaria, sentiu que um murro lhe havia afrouxado um dente. Sua arcada girou para o outro lado, o que lhe deixou sequelas até hoje. Tomava Novalgina em gotas para passar a dor. Mais tarde, quando voltou a São Paulo, Albernaz completou o serviço com outro soco, arrancando-lhe o dente.

Este passado revisitaria Dilma muitas vezes, inclusive após o fim do arbítrio. Em 7 de maio de 2008, compareceu nas palavras do senador Agripino Maia. Líder do DEM na casa, membro do clã dos Maia, que turbinou seu poderio no Rio Grande do Norte sob os auspícios dos generais no poder, ele questionava a então chefe da Casa Civil do governo Lula durante reunião da Comissão de Infraestrutura do Senado. Queria saber se a Casa Civil havia ou não produzido um dossiê contra o ex-presidente Fernando Henrique Cardoso. Ex-prefeito biônico de Natal, dizia-se, pitorescamente, receoso do retorno "ao regime de exceção" e aludiu a uma entrevista de Dilma. Nela, a então ministra afirmara que "mentia feito doida, mentia muito" para sobreviver nos porões. Ao formular sua pergunta, Agripino deixou flutuar no recinto a insinuação de que, se Dilma mentira antes, estaria mentindo novamente. Encarapitado nessa sutileza, esporeou sua montaria e lançou-se à liça. Na réplica, mordeu a poeira.

"Sob a ditadura não se dialoga com o pau de arara, o choque elétrico e a morte.(...) Qualquer comparação entre a ditadura e a democracia brasileira só pode partir de quem não dá valor à democracia brasileira. (...) Eu tinha 19 anos, eu fiquei três anos na cadeia e eu fui barbaramente torturada, senador. Qualquer pessoa que ousar dizer a verdade para os seus interrogadores compromete a vida dos seus iguais, entrega pessoas para serem mortas. Eu me orgulho muito de ter mentido, senador. Porque mentir na tortura não é fácil. Agora, na democracia se fala a verdade. Diante da tortura quem tem coragem e dignidade fala mentira (...)."

Em julho de 1970, Dilma retornou a São Paulo. Antes de ser despachada para seu derradeiro endereço prisional, passou pelo crivo dos interrogadores no Rio de Janeiro. Presa legalizada, rumou então para o presídio Tiradentes, edificação do século XIX que servira para enjaular escravos fugidos no Império e prisioneiros políticos no Estado Novo, entre os quais o escritor Monteiro Lobato. Na ditadura de 1964, uma de suas alas, de corte arredondado, ao centro, hospedaria as mulheres. Devido a sua altura e desenho, ganhou o apelido de *Torre das Donzelas*. Na época, o Tiradentes também funcionava como masmorra para uma maioria de presos e presas comuns.

Colega de *Torre*, a fotógrafa Nair Benedicto, apoio da ALN, lembra bem daquela *donzela* novata: "Era muito magrinha, tinha mais ou menos esse corpo reto que ela tem hoje, a bunda pra dentro, sem peito". Mas com "um rosto muito bonito, cabelinho bem curto".

Seguindo uma tradição da esquerda, as prisioneiras do Tiradentes faziam leituras organizadas e, depois, se reuniam para debater as questões levantadas pelos autores. Nair percebeu algo naquela moça da VAR que, além das grades e muitos anos depois, delinearia seu perfil. Lembra-se que tinha "uma capacidade de síntese que me deixava boquiaberta". Na reunião, falava-se disso e daquilo, mas quando as vozes iam cessando Dilma intervinha. Nair: "Ela dizia quem sabe se não é isso? E pá-pá-pá... e fazia a síntese daquilo tudo...".

Já em outro *front*, o do fogão, o talento era escasso e o resultado, calamitoso. Cozinhar era uma das três obrigações do coletivo — distribuído em duplas — junto com a limpeza das celas e os trabalhos manuais. Dilma fazia dupla com a advogada Maria Aparecida Costa, a Cida, para preparar, geralmente, arroz e omelete com sardinha. "Ela era desprovida de qualquer dote para a arte do forno e fogão", contaria Cida[23], também sua companheira de cela — Cida dormia na parte baixa do beliche e Dilma, na cama de cima.

Na *Torre*, além das leituras, havia uma coleção de discos. Na vitrola, os clássicos como Vivaldi, Brahms e Beethoven, mais a MPB de Elis Regina, Caetano Veloso, Chico Buarque e Milton Nascimento, o *rock* francês de Johnny Hallyday e os *blues* de Billie Holiday. E as canções de uma banda de nome particularmente mordaz para a situação: Blood, Sweet & Tears.

Partilhava-se as pequenas alegrias e também os medos, o que ajudava a cimentar uma forte solidariedade, especialmente quando uma delas era convocada para um retorno à OBAN e à tortura. Gritava-se, prometia-se denunciar o fato, embora, no fundo, todas soubessem que de pouco adiantaria. Era uma tentativa de alentar a companheira e de não deixar que aquela violência se processasse sem protesto, como se fosse uma trivialidade.

Como Dilma militara em três estados — Minas, Rio e São Paulo — sua vida foi esquadrinhada nos três. Batizada, no processo, como *Joana D'Arc da Guerrilha* e *Papisa da Subversão*, foi condenada em todos. Em São Paulo, a pena bateu nos quatro anos. Incluindo-se um ano e um mês na justiça militar do Rio, acrescida de mais um ano em Minas, a soma foi de uma punição de seis anos e um mês de prisão.

E a cassação por dez anos dos direitos políticos. Perdera ainda os dois anos de economia cursados na UFMG depois que a reitoria puniu os estudantes envolvidos com a militância de esquerda. Em 1972, apelou ao Superior Tribunal Militar (STM) e obteve redução da pena pela metade, alegando que os três processos aludiam à mesma acusação.

Quando Dilma deixou a prisão, no final do mesmo ano, as *donzelas da Torre* entoaram a Suíte do Pescador, de Dorival Caymmi, música-tema das despedidas no Tiradentes:

"Minha jangada vai sair pro mar/
Vou trabalhar, meu bem-querer /
Se Deus quiser quando eu voltar do mar/
Um peixe bom eu vou trazer/
Meus companheiros também vão voltar/
E a Deus do céu vamos agradecer (...)"

Os primeiros tempos de liberdade, passou com a mãe em Belo Horizonte. Em 1973, mudou-se para a casa dos sogros Afrânio e Marieta, em Porto Alegre. Da casa às margens do Guaíba, era possível avistar a ilha do Presídio, no meio do rio, onde seu companheiro, Carlos Franklin Paixão de Araújo — preso em agosto de 1970 — cumpria pena.

Como perdera os dois anos de faculdade, Dilma teve que prestar novo vestibular na Universidade Federal do Rio Grande do Sul (UFRGS). Dividia-se entre o cursinho pré-vestibular e as visitas ao marido. Em junho de 1974, começou a cursar economia, o que coincide com a saída de Araújo da prisão. Em 1975, Dilma ingressou na Fundação de Economia e Estatística (FEE), do governo estadual. A FEE havia sido criada em 1974 e estava montando seu corpo técnico com sociólogos e economistas. Rudi Pratz, que acabara de voltar de um doutorado na Alemanha, foi escolhido como presidente. Colega de Dilma na FEE, o economista Calino Pacheco Filho — o Artur Mangabeira da VAR — descreve Pratz como esquerdista moderado.

"Na época, o Cézar Busatto[24], que então era de esquerda e militava no MR-8, presidia o diretório da Economia da UFRGS, e nos informou sobre a oportunidade", relata.

Dilma e Calino também haviam cursado juntos o Instituto Pré-Vestibular (IPV) beneficiados por bolsas de estudo obtidas pelo historiador Joaquim Felizardo, sobrinho de uma lenda, o secretário-geral do PCB, Luiz Carlos Prestes.

Em 1976, uma alegria: nascia Paula, a filha de Araújo e Dilma, notícia turvada por um triste fato: Zana Lívia, a irmã caçula, morria em consequência de uma infecção. Tudo isso enquanto Dilma fazia campanha eleitoral para o MDB. Em julho de 1977, um ano e quatro meses depois do nascimento da filha, concluía o curso de economia. A paraninfa da turma foi Yeda Crusius, futuramente ministra de Planejamento no governo Itamar Franco (1992-1994). Governadora do estado pelo PSDB, durante seu mandato (2006-2010) Yeda manteria uma relação glacial com a ex-aluna, então, ministra de Lula.

Dilma ganhou o diploma, mas perdeu o emprego. Seu nome surgiu na lista negra do general Sylvio Frota, que denunciava subversivos infiltrados na estrutura governamental. Ministro do Exército, Frota encarnava a linha-dura contra a distensão proposta pela facção militar no poder e almejava a presidência, desafiando o preferido da situação, João Figueiredo. Foi exonerado em 1977, mas a lista seguiu seu curso e fazendo estragos.

No rol de Frota, havia nove nomes no Rio Grande do Sul. Destes, cinco pertenciam à FEE, Dilma e Calino entre eles[25]. Calino tem uma explicação para tantas cabeças rolarem na fundação. Nas eleições para o Senado de 1974, durante o debate na TV entre o representante da Arena, Nestor Jost, e o do MDB, Paulo Brossard, o emedebista armou uma arapuca para o adversário. Quando se discutia mortalidade infantil, Brossard começou a desfiar dados e mais dados sobre a situação alarmante do estado. Jost tentou desacreditá-lo. Mas Brossard objetou-lhe que as informações vinham de seu próprio governo, mais precisamente da FEE. No dia seguinte, a polícia foi levantar a ficha dos funcionários da FEE e Carlos Alberto Tejera de Ré, o Minhoca e terceiro ex-VAR na estatal, foi logo posto no olho da rua. Os demais não perderiam por esperar.

Dilma foi ser assessora da bancada do PDT na Assembleia Legislativa/RS. Em 1982, Araújo elegeu-se deputado estadual pelo partido. Três anos mais tarde, o PDT conquistava a prefeitura de Porto Alegre e o novo prefeito, Alceu Collares, foi buscá-la para ser secretária da Fazenda. Candidato à prefeito de Porto Alegre em 1988, Araújo perdeu a eleição para Olívio Dutra (PT) e Dilma, o cargo de secretária. No ano seguinte, na primeira eleição direta para presidente da República, ela fez campanha por Leonel Brizola no primeiro turno e por Luiz Inácio Lula da Silva, no segundo. Em 1990, tornava-se diretora-geral da Câmara de Vereadores da capital gaúcha. Com a chegada de 1991, Collares, o novo governador, promoveu uma reviravolta na trajetória de Dilma, nomeando-a presidente da FEE. No retorno, catorze anos após a demissão, quem a empossou foi Walter Nique, secretário estadual de Planejamento que, a exemplo da nova presidente, também havia sido enxotado da fundação em 1977.

Secretária de Minas, Energia e Comunicações do governo Collares em 1993, Dilma permaneceu no cargo até 1995. Nesse período rompeu e depois reatou o relacionamento com Araújo, matriculando-se ainda no doutorado de economia da Unicamp. Não chegou a defender sua tese. Em 1999, abandonou o sobrenome Linhares do primeiro marido e readquiriu o de solteira: Dilma Vana Rousseff. No mesmo ano, retornou ao comando da Secretaria de Minas, Energia e Comunicações, agora na cota do PDT dentro da administração petista de Olívio Dutra, governador após bater Antonio Britto (PMDB) com o apoio do trabalhismo no segundo turno. Em 2000, Dilma acaba de vez o relacionamento com Araújo e, em 2001, o rompimento é outro: na crise entre PT e PDT, Dilma, aliada ao grupo de pedetistas com cargos de confiança no governo, opta por trocar de partido.

Com a vitória de Lula em 2002, Dilma assume o ministério de Minas e Energia. Três anos após, o bombardeio da mídia enquanto rugia a tempestade do Mensalão acabou por derrubar José Dirceu, o homem forte do governo, e pôs em xeque o presidente. Lula, então, a transferiu para a Casa Civil. Reeleito em 2006, ele mantém Dilma no posto e na gerência do Plano de Aceleração do Crescimento (PAC). E, ao chegar 2010, Dilma, novamente bancada por Lula, tornou-se a candidata do PT ao Palácio do Planalto, algo com que nunca sonhara. Mas a indicação perigou.

Começou com um exame médico de rotina no hospital Sírio-Libanês, em São Paulo. Naquele começo de 2009, o diagnóstico quase alterou a jornada para o Planalto. Na análise, foi encontrado um pequeno caroço na axila esquerda. Feita a biópsia, a análise atestou a malignidade da descoberta. Era preciso começar logo o tratamento, mesmo que a paciente estivesse sobrecarregada com os encargos da Casa Civil, de "mãe do PAC" e de futura candidata. Era preciso também compartilhar a notícia com seu padrinho político: "Eu tenho uma coisinha importante para contar", disse em telefonema ao presidente, então na Argentina, combinando um encontro na manhã seguinte, 24 de abril, na Base Aérea de Brasília[26]. Relatou a situação a Lula. Acertaram que o ministro Franklin Martins, da Comunicação Social, organizaria uma coletiva no hospital, com Dilma ao lado dos médicos, para colocar a informação na rua e barrar eventuais vazamentos e boatos. Lula acalmou-a: "Tranquila, Dilminha, tranquila. Você é forte, vai conseguir[27]".

Dilminha submeteu-se à químio e à radioterapia e raspou a cabeça antes de os cabelos começarem a cair. Adotou uma peruca. No lançamento do 3º Programa Nacional de Direitos Humanos, dia 21 de dezembro, após oito meses de aplicações, dispensou a peruca e reapareceu com os cabelos bem curtos. Os exames médicos não constataram mais a evidência do linfoma. Vencera o câncer e estava pronta para encarar o ano eleitoral.

Dez meses e 55 milhões de votos depois, o Brasil elegia sua primeira presidenta. Porém, entre o deflagrar da campanha e a noite de 31 de outubro de 2010, quando a contagem oficial do Tribunal Superior

Eleitoral (TSE) indicou uma vantagem impossível de ser desmanchada, o fogo cerrado contra a candidatura foi alimentado dia e noite com base em fatos ou factoides que, uma vez divulgados, adquiririam uma dinâmica própria, multiplicando-se nas capas dos jornalões ou no martelar do noticiário de rádio e TV. De patranhas nos subterrâneos da *internet* aos petardos de papel. Sem esquecer o sequestro dos grandes temas em favor do debate pautado pelo fundamentalismo religioso.

Naquele 1º de janeiro de 2011, a presidenta eleita usou seu discurso de posse para falar de muitas coisas: ideias, propostas, avanços, convicções. Mas, pouco antes do fecho, reapareceu a moça que se chamou Vanda: "Entreguei minha juventude ao sonho de um país justo e democrático. Suportei as adversidades mais extremas infligidas a todos que ousamos enfrentar o arbítrio. Não tenho qualquer arrependimento, tampouco ressentimento ou rancor", leu.

E, como fizera ao ser indicada candidata, recordou seus iguais na antiga jornada:

"Muitos da minha geração, que tombaram pelo caminho, não podem compartilhar a alegria deste momento. Divido com eles esta conquista, e rendo-lhes minha homenagem." Dilma sabe que a guerrilha se equivocou, como admitiu a Carvalho. Esses erros seriam dois: 1) cogitar que a ditadura submergia na crise quando, na verdade, a economia brasileira começava a decolar; e 2) subestimar o peso da barra repressiva que estava por vir. "Eles nos cercaram, desmantelaram, e uma parte mataram. Foi isso que eles fizeram conosco. Eles isolaram a gente e mataram[28]." Nada que leve à execração dos tempos idos. "Acho que a minha geração tem um grande mérito, que é o negócio da VAR-Palmares: ousar lutar, ousar vencer. (...) Eu tenho orgulho da minha geração (...). Acho que aprendemos muito. Fizemos muita bobagem, mas não é isso que nos caracteriza. O que nos caracteriza é ter ousado querer um país melhor[29]."

Primeira protagonista da luta armada a galgar o topo do poder na República, ela não emplacou a Presidência por obra da guerrilha, porém a VAR teve algo a ver com isso. É a tese de seu companheiro de armas, Antonio Roberto Espinosa: "Pode-se dizer que a VAR acabou produzindo um presidente da República. Bem ou mal, essa foi a escola da Dilma"[30]. Espinosa reconhece a obviedade de que Dilma chegou lá não por pertencer à VAR e sim ao PT e, na hora certa, estar junto a Lula. "Mas muitas das condutas que ela tem são de alguém que passou por uma escola de política num momento determinado. E que passou por essa escola, da VAR, e não pela outra, a da nova VPR[31]", pondera, ressuscitando a remota querela entre militaristas e massistas. Mais do que isso, no entanto, estabelece a discrepância entre as duas concepções de luta e exalta a escolha da jovem militante. Espinosa ignora se Dilma se tornou "madura" naquele momento ou depois, mas deduz que "isso contribuiu para o seu amadurecimento político".

Muitos revolucionários percebem a prisão como uma escola, onde é preciso fazer política o tempo todo, unir interesses e promover ações conjuntas para forjar pequenas vitórias. Sete meses depois de Dilma desembarcar na OBAN, outro personagem da sua história faria este aprendizado, percorreria a mesma *via crucis* e testaria os seus limites.

A candidata, aqui na campanha de 2010: "Eu tenho orgulho da minha geração"

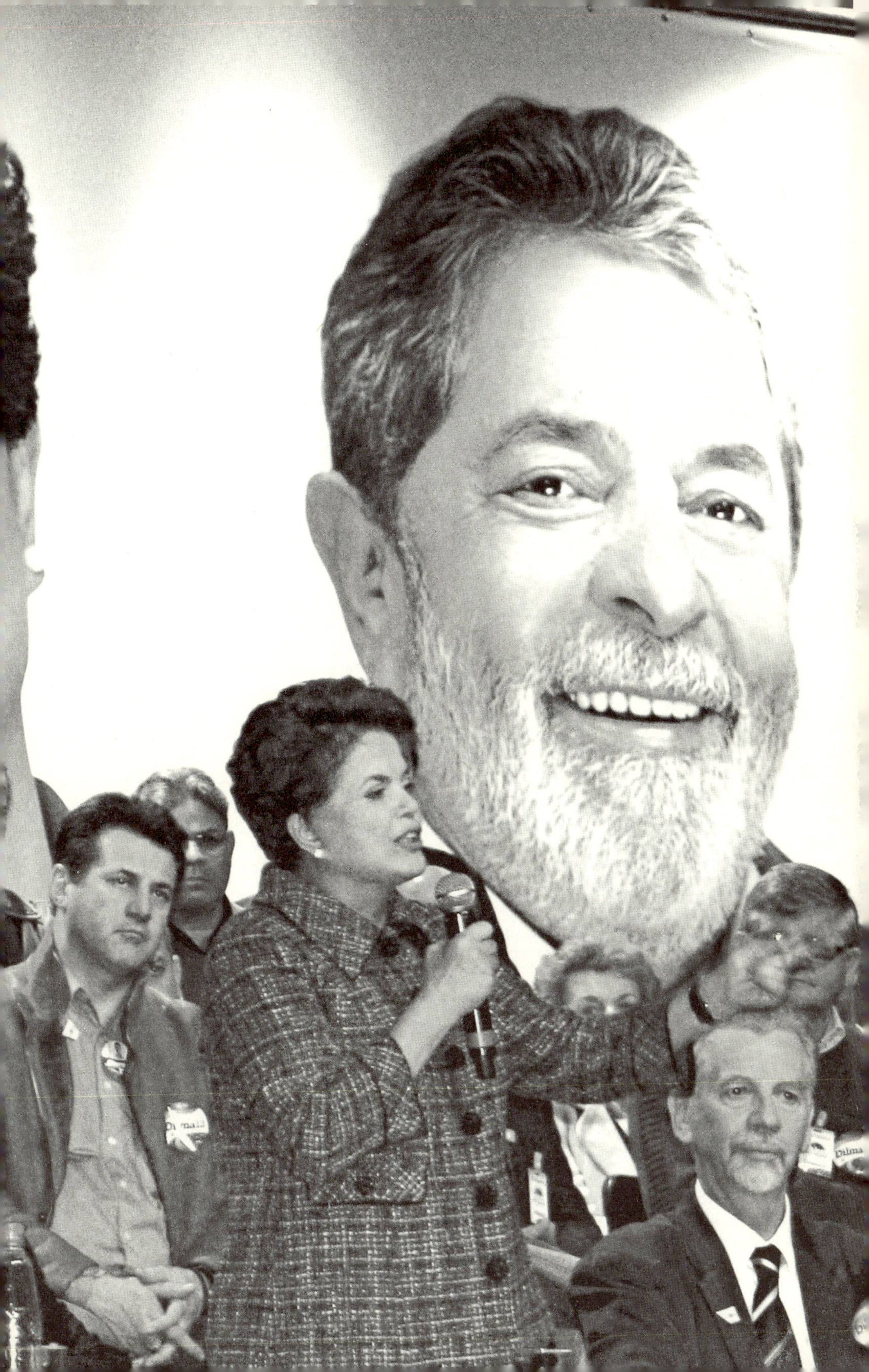
Dilma

Médici: o Nicolau II que coube à Dilma. Nos porões, ela percebeu que, pela primeira vez na vida, estava sozinha

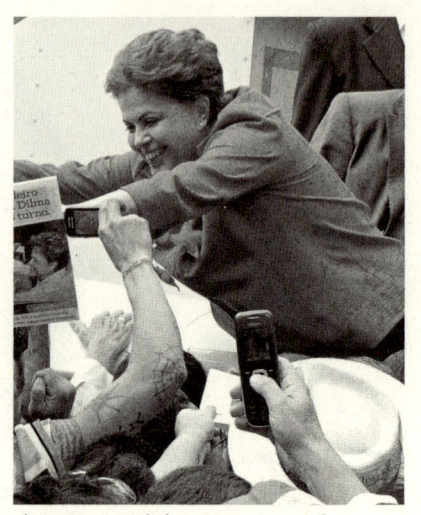

A então ex-ministra na campanha de 2010: fogo cerrado contra sua candidatura foi alimentado dia e noite com base em fatos ou factoides

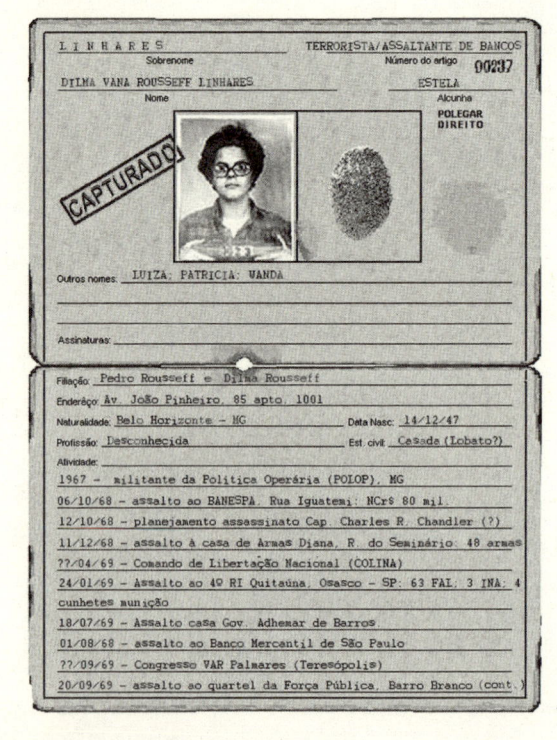

Em 2009, a Folha de S. Paulo *publicou ficha falsa de Dilma atribuindo à futura candidata ações que ela nunca praticou. O documento forjado estava em* site *de ultradireita*

OS VENCEDORES

Com a filha Paula: vitória contra o linfoma e nas eleições com 55 milhões de votos

Abraçada a dona Marisa, com Lula e Tarso Genro

Dilma em 1º. de janeiro de 2011 na rampa com o vice Michel Temer. No discurso, a lembrança dos que tombaram pelo caminho: "divido com eles esta conquista e rendo-lhes minha homenagem"

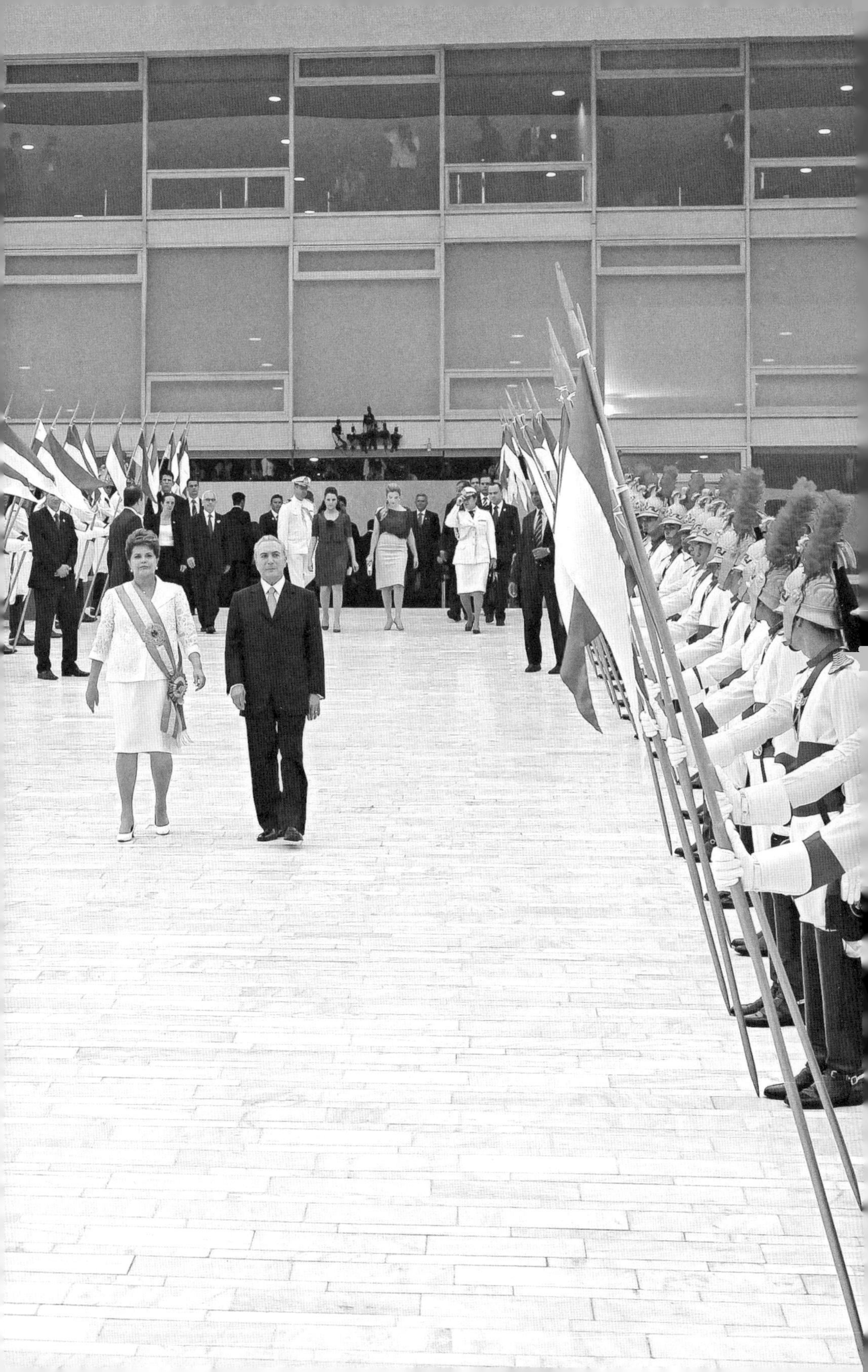

Max, da VAR, que preferiu ser atropelado, a continuar na tortura

CAPÍTULO 3

Fugindo de algo pior do que a morte

Manhã de quinta-feira, 13 de agosto, Lapa, oeste de São Paulo. Junto ao meio-fio, Max esperava o momento de morrer. Tinha planejado tudo no dia anterior e, no cruzamento das ruas Clélia e Duílio, no trânsito pesado do bairro paulistano, só faltava o impulso, o corpo no ar, o último átimo antes do abismo. Era muito simples: bastava jogar-se à frente de um entre as dezenas de carros que passavam em alta velocidade a cada minuto. Mas havia um incômodo. Que se manifestava de modo cada vez mais intenso e que o levava a hesitar. A convicção da véspera já não era mais a mesma. Dentro da sua cabeça, uma voz dizia e repetia que ele não teria coragem para se matar.

Passou-se assim o primeiro minuto. E aquela voz interior continuava implicante e desafiadora, sussurrando e derretendo a certeza. Veio o segundo e o terceiro e logo o quarto. E os carros e os minutos passavam cada vez mais velozes. E, no entanto, parecia tão fácil.

No lugar que escolhera, onde transitavam caminhões e jamantas, bastava projetar o corpo e morrer. Era fácil, mas também não era.

O ponteiro concluía agora o contorno do quinto minuto. Era o final do prazo e, a qualquer momento, os homens, impacientes e furiosos, o arrastariam dali. Era preciso decidir. E a decisão foi tomada:

não queria mais morrer. Mas, se não se entregasse aquele tumulto de ferros, fumaça e buzinas, também poderia morrer. Então, precisava saltar. Descartou os caminhões e os veículos mais pesados — "iriam me matar" — e os carros de chassi baixo — "iriam me arrebentar" — e atirou-se sob as rodas de uma Kombi verde.

Houve um alvoroço e ele só ouviu — fingia-se de morto no chão — o motorista da camionete, reclamando e dizendo: "Por que, seu moço, o senhor foi escolher logo a minha Kombi?".

Darcy da Rocha Camargo, 36 anos, vinha de Botucatu, centro-oeste paulista, para entregar documentos e recolher materiais. Quando aquele sujeito surgiu do nada e se atirou debaixo da sua perua, pensou o óbvio: "Será que eu matei o homem?". Se dependesse dos irados agentes do Deops seria mais do que uma hipótese. Disseram-lhe: "Dê a ré e termine o serviço para nós". Preferiu não[1].

Menos machucado do que imaginava — ferimentos em uma das pernas, na barriga e na cabeça — Max saiu no lucro. A começar pelo fato de que não morrera. E a seguir, por fugir de algo pior do que a morte.

Max nunca pensara em suicídio. Vinte e quatro horas antes, era a vibração da vida que tomava sua atenção, mesmo que submetida a todos os perigos. Mudou de ideia no início da manhã do dia anterior, 12 de agosto de 1970, logo depois de descer de um táxi, nas imediações do estádio Palestra Itália, na Barra Funda. Iria encontrar um companheiro, Regis, do PRT[2], defronte ao estádio do Palmeiras. Ao chegar, foi preso pela equipe do delegado Sérgio Fleury.

A emboscada poderia ser um pouco mais proveitosa do ponto de vista da repressão. Pouco tempo antes, descera do mesmo táxi que levaria Max à arapuca do Parque Antártica, a sua namorada, uma atriz famosa nos seus dezoito anos, codinome Rosa. Ela ingressara nas fileiras da VAR-Palmares e engatara um romance com Max, um dos cabeças da organização. Rosa escaparia daquela tocaia, mas seria presa e torturada no mesmo ano. O calvário de Max começou imediatamente.

Jogado na camionete Chevrolet C-14, foi imediatamente apresentado, ali mesmo, ao eletrochoque. Desembarcou na Operação

OS VENCEDORES

Bandeirante e foi direto para o pau de arara. E mais choque. Numa ponta, os fios estavam ligados num aparelho de TV. Na outra, no sexo, na boca, na língua, na ponta dos dedos das mãos e dos pés do prisioneiro. Quando trocava-se de canal, vinha a descarga terrível. Despejava-se água no corpo da vítima para intensificar a sua potência.

Frente a frente com a tortura, Max precisava ganhar tempo e ocultar o que sabia: o endereço, na Vila Maria, onde morava com seu companheiro de VAR, o cantor e compositor Raul Ellwanger. Max caiu e Raul ficou na rua. No endereço estavam documentos que eram do comando nacional. Naquela mesma noite, voltou a casa — confiando que Max não iria falar — e deu sumiço nos documentos. Durante quinze dias, Raul perambulou por São Paulo, sem dinheiro nem pra comer. "Dormia em ônibus, vendo os motoristas olharem pra mim e fazerem sinal de 'sujeira' pros cobradores" (esfrega o dorso dos dedos da mão direita na camisa, altura do peito), rememora.

Max, enquanto isso, só enxergava uma saída: morrer. Naquele dia mesmo pensou que "a coisa mais digna a fazer" era o suicídio. "Os caras se drogavam, tomavam injeções, cheiravam cocaína na nossa frente. Acho que, a não ser que fossem sádicos, não iam poder fazer aquilo que estavam fazendo."

Mas morrer não estava disponível. Era preciso um pretexto para ganhar uma chance. Inventou que tinha um ponto, ou seja, um encontro marcado com Carlos Lamarca, naquele momento o troféu mais ambicionado pelos militares. Seria na Lapa e na manhã do dia seguinte. Mas havia sido tão torturado que não podia se levantar. Foi preciso que lhe fizessem massagens nas pernas para que se recuperasse e pudesse ficar em pé no tal ponto.

Atropelado, Max foi conduzido para o Hospital das Clínicas e de lá para Hospital Geral do Exército. E prosseguiu sendo interrogado. Mas sua história batia com a de seus companheiros de VAR, Antonio Roberto Espinosa e Vanda, aliás Dilma Rousseff, aliás sua companheira de quem, até pouco tempo atrás, ignorava o nome verdadeiro.

Dilma/Vanda fora capturada, também em São Paulo e também em uma cobertura de ponto, havia sete meses.

A situação estava assim até que surgiu o major Benoni de Arruda Albernaz, chefe de uma das equipes de interrogadores da OBAN e autor de uma das mais autoexplicativas frases geradas pelo ofício da tortura sob a ditadura brasileira. Às suas vítimas costumava informar: "Quando venho para a OBAN, deixo o coração em casa[3]".

Albernaz queria torturar Max ali mesmo, no hospital. Surgiu acompanhado por uma mulher bem-vestida, com casaco de peles. No quarto, meio escuro, havia outro paciente num canto, que Max nunca soube quem era. Gemia muito. Albernaz apontou para o vulto e disse: "Esse cara vai morrer". E esclareceu: "Eu torturei ele e vou fazer o mesmo com você". Para completar, disse também que havia torturado Dilma.

Outro interrogador atalhou. Disse a Albernaz que a história do preso conferia com o que estavam falando os demais. Foi então que a mulher do casaco de peles perguntou algo surpreendente. Queria saber o que o guerrilheiro comera naquele dia. "Nada", respondeu Max, ou melhor, Carlos Franklin Paixão de Araújo, a propósito um dos dirigentes do Comando de Lutas Secundárias, da VAR-Palmares. E a acompanhante do torturador teve um gesto ainda mais espantoso: alcançou-lhe uma maçã.

Albernaz desistiu de torturá-lo. Mas avisou que voltaria no dia seguinte e não haveria moleza. A tentativa de tortura num espaço idealizado para aliviar e não propiciar a dor, só não prosperou por intervenção das freiras que trabalhavam no hospital. Ficaram indignadas com a intenção de Albernaz. Com isso, o tempo correu, o paciente se recuperou e, ao voltar para a prisão, oito dias mais tarde, suas informações já eram irrelevantes. O que não significa que a tortura houvesse sido suspensa. Levado à OBAN, os torturadores o visitavam dois dias seguidos e, no terceiro, ele recebia folga...

Do modo mais dolorido, Araújo estava aprendendo que a concepção de que os bravos resistem à tortura — muitas vezes disseminada entre a esquerda — não tinha conexão com a realidade na imensa maioria dos casos. "Sob tortura, ninguém quer continuar vivendo", diz.

Se aprendeu esta lição debaixo das piores circunstâncias, sua formação política aconteceu de maneira bem diversa. Desde meninos, ele e seus dois irmãos, Luiz Eron e Paulo, acompanharam com admiração a trajetória do pai, Afrânio Araújo, advogado militante do PCB em São Francisco de Paula. Nos anos 1950, Afrânio era um dos dois comunistas que, envoltos no nevoeiro das madrugadas, pichavam com as palavras de ordem do Partidão os muros da cidadezinha na Serra Gaúcha.

Adolescente, ingressou no PCB e, aos dezenove anos, viajou para a União Soviética como um dos representantes brasileiros no Festival Internacional da Juventude, em Moscou. No retorno, chocado com as denúncias do stalinismo apresentadas pelo primeiro-ministro Nikita Krushev, afastou-se do partido. Mas não da militância no movimento sindical e associações de bairro. Aos vinte e dois anos, numa viagem ao Nordeste, foi acolhido pelo dirigente das Ligas Camponesas, Francisco Julião, advogado e deputado federal, com quem passou a trabalhar. De retorno ao Rio Grande do Sul, juntou-se com o Movimento dos Agricultores Sem Terra (Master), próximo do brizolismo e que travava no Sul a mesma luta pela reforma agrária que as Ligas de Julião encarnavam no Nordeste.

Quando 1964 chegou, o baque foi forte. O pai Afrânio e os três filhos foram presos. Um mês mais tarde, estavam liberados. A partir da vitória do golpe, Araújo intensificou a participação sindical. O aniquilamento de uma paralisação dos trabalhadores da metalúrgica Wallig, de Porto Alegre, convenceu-o de que não havia opção fora da luta armada. "Era uma greve essencialmente econômica, os operários trabalhavam nas piores condições, de pés descalços, quase sem roupa junto aos fornos e foram reprimidos brutalmente..."

Aos poucos, aquilo que era chamado Grupo do Araújo, formado inicialmente por dissidentes do PCB, ganhou volume com a adesão de operários, seminaristas e estudantes. Aproximam-se os brizolistas desiludidos com o abandono, por seu líder, da proposta guerrilheira após o fracasso de Caparaó[4], quadros militares que se abrigavam no Movimento Nacionalista Revolucionário (MNR). Em 1968, reuniriam em torno de 100 militantes[5] concentrados principalmente na capital gaúcha e arredores. No ano anterior prosperaram conversas e atividades com os Comandos de Libertação Nacional. Maria do Carmo Brito, a Lia, e João Lucas Alves — que seria assassinado sob tortura — ambos do Colina, estiveram em Porto Alegre. Raul Ellwanger, oriundo da classe média alta, fez o que definiu de "transição atípica" para a guerrilha. Num domingo, ele reuniu quarenta pessoas no sítio do avô, Jacob Ellwanger Filho, na avenida Cavalhada, zona sul de Porto Alegre. No encontro estava *Beto* — ou *Breno*[6] —, do Colina, que ensinara as primeiras letras do marxismo à Dilma. "Era muito articulado, tinha estado em Cuba, conhecia Che Guevara. Mostrou o caminho, o que se teria que fazer, como se organizar, quem faz o jornal etc."

Quando 1969 estava começando, Araújo conseguiu um contato no Colina que, disperso pela repressão violenta que se abatera sobre o grupo em Belo Horizonte, transferira vários quadros para o Rio e tratava da fusão com a VPR. Neste processo transitório, Colina e VPR chamavam-se apenas "O." — de "Organização" — ou "Ó pontinho". Na primeira reunião, Max/Araújo conheceu Dilma/Vanda. Na segunda, iniciaram o namoro. Em seguida, Dilma terminou o casamento com Cláudio Galeno e foi viver com o novo companheiro. Em 1º de julho de 1969, no congresso de Mongaguá, no litoral paulista, decidiu-se a unificação da VPR e do Colina, engrossada pelo agrupamento do Sul. Surge a VAR.

O novato Araújo integrou a direção nacional. Os outros eram Carlos Lamarca, Cláudio Ribeiro, Juarez Guimarães de Brito e sua companheira Maria do Carmo, Antonio Roberto Espinosa e Carlos Alberto de Freitas. A fusão, teria, porém, vida fugaz.

Em setembro, no congresso realizado em Teresópolis/RJ que sacramentaria a união, houve o rompimento: de um lado, os *militaristas*, de outro, os *massistas*. Os primeiros acreditavam que, naquele momento, somente a luta armada contra a ditadura fazia sentido. Os outros, embora admitissem a guerrilha, dirigiam seu foco para as ações de aproximação e organização popular.

Araújo, junto com Espinosa, leu um documento de vinte páginas. Nele se delineava a estruturação de núcleos clandestinos de trabalhadores. Que formariam um sindicato sombra, a União Operária, incumbida de solapar os sindicatos sob intervenção ou tomados por pelegos. Era uma conversa que não agradava nem um pouco os *militaristas*. Para Raul Ellwanger, no embate, os *massistas* levavam certa vantagem. Recorda-se de "um congresso interminável, cheio de questões de ordem, onde Dilma, Beto e Herbert Daniel[7] brilhavam". Vinham do movimento estudantil, das assembleias, "eram treinadíssimos, haviam lido todos os livros, porque o Lenin isso, o Trotsky aquilo... E o Carlos (Araújo) também pela experiência com o operariado, muito pragmático".

O encontro durou vinte e seis dias, avançou outubro e desembocou num confronto que, por detalhe, não descambou da palavra para a ação. "De repente, ouvi um tiro. Houve aquele susto." Na versão de Araújo, alguém descia uma escada quando o revólver disparou e a bala quase atingiu um companheiro. Alojou-se na parede. "Também pudera, era um bando de gente armada até os dentes trancada numa casa durante semanas e semanas, discutindo sem cessar e com os nervos à flor da pele."

Um episódio narrado por Antonio Roberto Espinosa, quadro egresso da VPR, revela o clima pesado na casa de Teresópolis. Perto do final do encontro, Espinosa foi despertado às 4h30 da madrugada. Tresnoitada, orbitando em torno de canecas de café, a cúpula da ex-VPR chamava para uma reunião e ele estava convocado[8]. Seu companheiro veperrista Chizuo Osawa, o Mário Japa, clareou o estado das coisas: "Nós vamos rachar com esses pequeno-burguesinhos porque eles estão boicotando a coluna guerrilheira, estão boicotando a revolução e nós vamos retomar o nome e reconstituir a VPR[9]".

Espinosa deveria, portanto, aderir ao *racha*, o que recusou. Chamou a proposta de "tremenda besteira" e de "crime contra a revolução".

Em troca, foi xingado de "manobrista" por José Araújo de Nóbrega. Que ainda trouxe outro elemento à discussão: a morte recente — 23 de setembro — de Elias, codinome de João Domingos da Silva, companheiro de Espinosa nas greves de 1968 em Osasco e, na VAR, chefe do Grupo Tático de São Paulo. Ferido numa emboscada, morrera sob tortura no Hospital Geral do Exército, de São Paulo.

Nóbrega pegou pesado. "Você utilizava aquele 'açougueirozinho' de merda de Osasco pra comandar a gente! Aquela marionete sua. Aquele bostinha que morreu agora!" Espinosa retrucou que "ofender um companheiro que acabou de morrer é coisa de filho da puta e é isso que você é, um filho da puta[10]".

A resposta ao insulto veio sob a forma de café quente no rosto de Espinosa e este revidou da mesma maneira. No desfecho da cena, Nóbrega sacou a sua arma e Espinosa fez o mesmo, um encarando o outro. A turma do deixa-disso impediu que o verbo resvalasse para o tiroteio, mas o congresso acabou antes de acabar. Com o cisma, a VPR herdou a maior parte do arsenal e do dinheiro.

E era muito dinheiro, fruto da mais bem-sucedida ação expropriatória da luta armada no Brasil: 2,6 milhões de dólares obtidos sem nenhuma morte, nenhum ferido e nenhum tiro. Um notável lance de audácia da então recém-nascida VAR.

Tudo começou quando o estudante secundarista Gustavo Schiller, o Bicho, segredou a um colega do colégio Andrews, Vicente Bastos Ribeiro, uma *inside information* preciosa. Contou que o dinheiro das propinas recebidas ao longo da vida pelo governador paulista Adhemar de Barros estava distribuído por dez cofres no Rio.

Que Adhemar tinha fama de corrupto o Brasil inteiro sabia, tanto que seu *slogan* informal era "Rouba, mas faz". Que havia uma caixinha onde pingava noite e dia o suborno pago tanto pelos empreiteiros da construção civil quanto pelos exploradores dos jogos de azar, da prostituição e até um percentual das multas de trânsito também era de conhecimento geral. O que ninguém sabia era onde desembocava o propinoduto. Ninguém menos a VAR.

OS VENCEDORES

Bicho sabia porque era sobrinho do irmão de Ana Capriglione Benchimol, amante de Adhemar. Ana também era conhecida como Dr. Rui. Era o subterfúgio que Adhemar usava ao receber os telefonemas da amante: "Como vai, Dr. Rui?", "Obrigado, Dr. Rui", "Até logo, Dr. Rui". Nos últimos anos de vida, porém, o governador deixara de lado o recato. Um dos articuladores junto com a mulher, dona Leonor, da Marcha da Família com Deus pela Liberdade — que mobilizou o conservadorismo da classe média paulistana contra "o perigo comunista" e ajudou a precipitar o golpe militar — Adhemar mandou às favas os princípios católicos, entre eles a condenação do adultério, e circulava ostensivamente em companhia do Dr. Rui.

O ex-governador morrera na França havia quatro meses, mas sua fortuna, calculada em US$ 80 milhões, permanecia viva e em movimento no Brasil e no exterior. Bicho e um dos dez cofres moravam num casarão *art-deco* de dezesseis quartos e doze salas no bairro de Santa Tereza. Moravam ali também seus tios, o médico Aarão Benchimol e Yole Seabra Fagundes, donos do palacete. Casada com Sílvio Schiller, sua mãe, Yedda Seabra Buarque, tinha o mesmo endereço. O casal tinha três filhos, sendo Gustavo o caçula. Outros moradores da mansão eram os dois filhos e um genro dos Fagundes[11]. Certo dia, Bicho ouviu a mãe e a tia cochichando. Discutiam sobre um cofre que a irmã de Aarão deixara na casa. Havia um desconforto porque o cofre, pesando 250 quilos, continha dólares e documentos. E Adhemar tinha a fama que tinha.

Ribeiro, elo dos secundaristas com as organizações guerrilheiras, levou a notícia a Juvenal, nome de guerra de Juarez Guimarães de Brito, um dos cabeças da VAR. No congresso de Mongaguá, iniciaram-se os preparativos para o que seria chamado por Lamarca de "A Grande Ação".

"Dez homens e duas jovens — uma loura e outra morena, trajando minissaias — saltaram ontem, por volta das 17 horas, de três veículos — uma Rural, um Chevrolet preto e um Aero-Willys — em frente à mansão existente na rua Bernardino dos Santos, número 2, em Santa

Tereza e assaltaram, sob a ameaça de revólveres e metralhadoras, o palacete de onde levaram um cofre cujo conteúdo ainda é ignorado."

Em 19 de julho de 1969, o *Correio da Manhã* abria assim seu relato sobre "A Grande Ação". E prosseguia: "Encontrando apenas os empregados, os ladrões disseram pertencer à polícia e que estavam agindo 'por ordem do general'. A polícia suspeita de que a quadrilha seja dirigida por pessoa conhecida da família".

À polícia, Ana Capriglione declarou que não havia nada no cofre. Ninguém acreditou. No dia seguinte, o *Diário de Notícias* trouxe o depoimento de um dos cinco empregados do palacete, o vigia Argemiro Pereira. Ao reproduzir a voz de comando dos assaltantes, emprestou certo sabor de farsa ao episódio: "Vamos procurar armas e material de subversão que o dr. Aarão está guardando aqui!"

Dois dias se passaram e o jornal avançou um pouco mais: "Cofre com milhões teve subversivos no assalto". O vigia Argemiro foi o primeiro a encarar os "policiais", na verdade, um deles, Nóbrega, colocado na frente do grupo por ter cara de tira. De terno preto, Nóbrega sacudiu uma credencial de araque no nariz do funcionário que, desconfiado, ainda tentou conter a entrada do desconhecido. Mas o guerrilheiro foi mais rápido, meteu a sola no portão e o abriu. Dentro da casa, foi fácil dominar os seis serviçais e Silvinho, 25 anos, irmão de Gustavo. A luta agora seria: 1) achar o cofre; 2) transportá-lo.

A primeira parte foi relativamente fácil. A segunda nem tanto. Oculto sob uma escadaria no segundo andar, foi arrastado a duras penas até a borda da escada que conduzia ao térreo. Ali esperava por ele uma geringonça composta de pranchas de madeira, roldanas e cordas idealizada pelo metalúrgico Jesus Paredes Soto, trazido de Porto Alegre por indicação de Araújo.

Colocado na rampa, o cofre comportou-se bem até certo ponto, mas, como a escadaria de mármore tinha uma curva no meio, dali em diante resolveu descer por conta própria. Aos trambolhões, quebrando os degraus, estatelou-se no *hall* e deslizou até uma árvore do jardim distante vinte metros da Chevrolet C-14 que deveria carregá-lo[12]. Foi levado a muque pelo grupo até o carro e dali até o *aparelho* no largo da Taquara em Jacarepaguá. Lá, Jesus enfrentaria o segundo desafio: romper o aço a fogo e violar a caixa-forte que todos acreditavam pesar quase meia tonelada. Como se supunha que havia muitos dólares no interior, enquanto o metalúrgico usava o maçarico, um dos seus companheiros tinha que, de tempo em tempo, jogar água no cofre para impedir a torrefação das cédulas. Quinze minutos depois, o segredo estava desvendado. Havia uma montanha de dinheiro, da qual uma parte encharcada. As notas de 100 dólares foram dependuradas em um varal improvisado para secar. Juvenal/Juarez fez a contabilidade das enxutas e, depois, das molhadas. Ansioso, Darcy Rodrigues não se conteve[13]:

— Quanto, Juvenal?
— Adivinha, professor?
— Não sei, diz logo.
— Roubamos 2 milhões e 598 mil dólares!

A narrativa de Alex Polari de Alverga[14], do setor estudantil da VAR, dá uma ideia do impacto extraordinário da "Grande Ação" junto à esquerda. Reunião de secundaristas cariocas, uma jovem dirigente fala da "Operação Adhemar". Informa do sucesso e dos parabéns a todos por parte da direção nacional pela tarefa de levantamento de campo. No instante de revelar a magnitude da dinheirama, ela faz uma pausa. Um risinho, novo silêncio e a revelação da cifra. Estrugiram as palmas e os gritos. "Todos os rostos resplandeciam", rememorou Polari. No seu cálculo, era dinheiro para montar toda a infraestrutura, manter quadros e aparelhos, comprar armas e "ainda sobrar dinheiro para dez anos de guerra revolucionária".

A realidade, porém, atrapalharia o prognóstico.

Com a bolada nas mãos, a VAR não sabia como dar o passo seguinte. A organização tinha muito em dólar e quase nada em moeda brasileira, na época o cruzeiro novo. Na opulência, matava cachorro a grito. A saída foi incumbir duas militantes da VAR que não haviam participado da ação — Dilma Rousseff e Maria Auxiliadora Lara Barcelos — de converter uma pequena quantia da moeda norte-americana, algo como US$ 1 mil, numa casa de câmbio em Copacabana. Bem-vestidas, com pinta de turistas, falando inglês, a dupla foi bem-sucedida na missão. Em seguida, as duas trocaram um pouco mais em outra casa. Araújo conta que, de alguma maneira, um emissário do Bradesco chegou à VAR com uma proposta irrecusável: trocar grande parte do dinheiro com uma cotação acima da oficial. E assim foi feito.

O rumo da pecúnia extraída à maçarico do cofre de Adhemar é um dos mistérios mais enigmáticos da luta armada. Há muitas versões e muitos conflitos. Todas elas coincidem em um ponto: a entrega de US$ 1 milhão (ou US$ 900 mil ou US$ 1,2 milhão) ao embaixador da Argélia, Hafid Keramane. O embaixador era uma figura identificada com as lutas do terceiro mundo e o ex-governador de Pernambuco, Miguel Arraes, então exilado em Argel, funcionou como uma espécie de avalista no processo. Recém-saídos de uma guerra de libertação nacional, os argelinos deveriam, segundo Araújo, usar a verba para ajudar os exilados — havia muitos no exterior — que sobreviviam com dificuldade. Os dólares iriam para uma conta numerada na Suíça. Outros US$ 300 mil teriam ficado sob a guarda da dirigente Inês Etienne Romeu, que aderira à VPR, valor que teria caído para US$ 100 mil após barganha com a VAR[15].

O *racha* da VAR e a recriação da VPR tornaram ainda mais nebuloso rastrear as pegadas do dinheiro. Para agravar o quadro, aquilo que deveria significar a maioridade da luta armada transformou-se em desgraça. Caçados como subversivos, os guerrilheiros da VAR e da VPR ofereceram outro estímulo para a perseguição. Agora, militares e policiais os perseguiam, prendiam e torturavam para embolsar um tesouro não contabilizado de US$ 2,6 milhões. "Cadê o dinheiro do cofre?", passou a ser a pergunta-chave a ecoar nas masmorras.

Foi esse, diz Espinosa, o rumo dos US$ 12 mil que estavam no seu aparelho quando foi preso na rua Aquidaban, subúrbio de Lins de Vasconcelos, na zona norte do Rio. "Jamais constaram dos autos. Nunca ninguém nos interrogou sobre eles, nada..."[16]

OS VENCEDORES

No ocaso da tarde fria de maio, Max/Araújo observa a noite que toma conta de Porto Alegre. Senta-se à cabeceira da longa mesa. No outro extremo, duas grandes televisões estão ligadas, mas ele não lhes dá atenção. Parece mais refletir. Repara que o país tem o dever de dar a conhecer às famílias o destino de tantos desaparecidos. Lastima outro tipo de morte que a ditadura infligiu. "Houve companheiros que foram dobrados e levados à televisão para fazer um *mea culpa*. Foram destruídos." Da prisão, guardou ao menos uma coisa boa: "quando acabou a tortura, pude ler, pude estudar". As leituras reforçaram as primeiras convicções do menino Carlos. Daquele tempo em que, com os irmãos, seguia admirado a tarefa do pai, Afrânio, escrevendo as palavras de ordem do PCB na bruma das madrugadas de São Francisco de Paula. Para ele, a utopia era e continua sendo o socialismo. "A humanidade, mais cedo ou mais tarde, rumará ao socialismo", vaticina.

Leonel Brizola, intuiu certa vez, poderia ser o nome deste socialismo. Então, Araújo encontrou-se com o maioral do trabalhismo, ainda no exílio, em Lisboa. Ajudou a fundar o PDT, elegeu-se deputado estadual por três vezes e concorreu à prefeitura de Porto Alegre. Antes de tudo isso, em 1978, tentou convencer um líder que despontava a se aproximar com Brizola. Não deu certo. O novo personagem seguiria seu próprio caminho também incluindo uma temporada atrás das grades.

*Adhemar, aqui com Costa e Silva:
cofre sob a guarda de sua amante tinha
os 2,6 milhões que a VAR-Palmares
levou na mais exitosa expropriação
da luta armada*

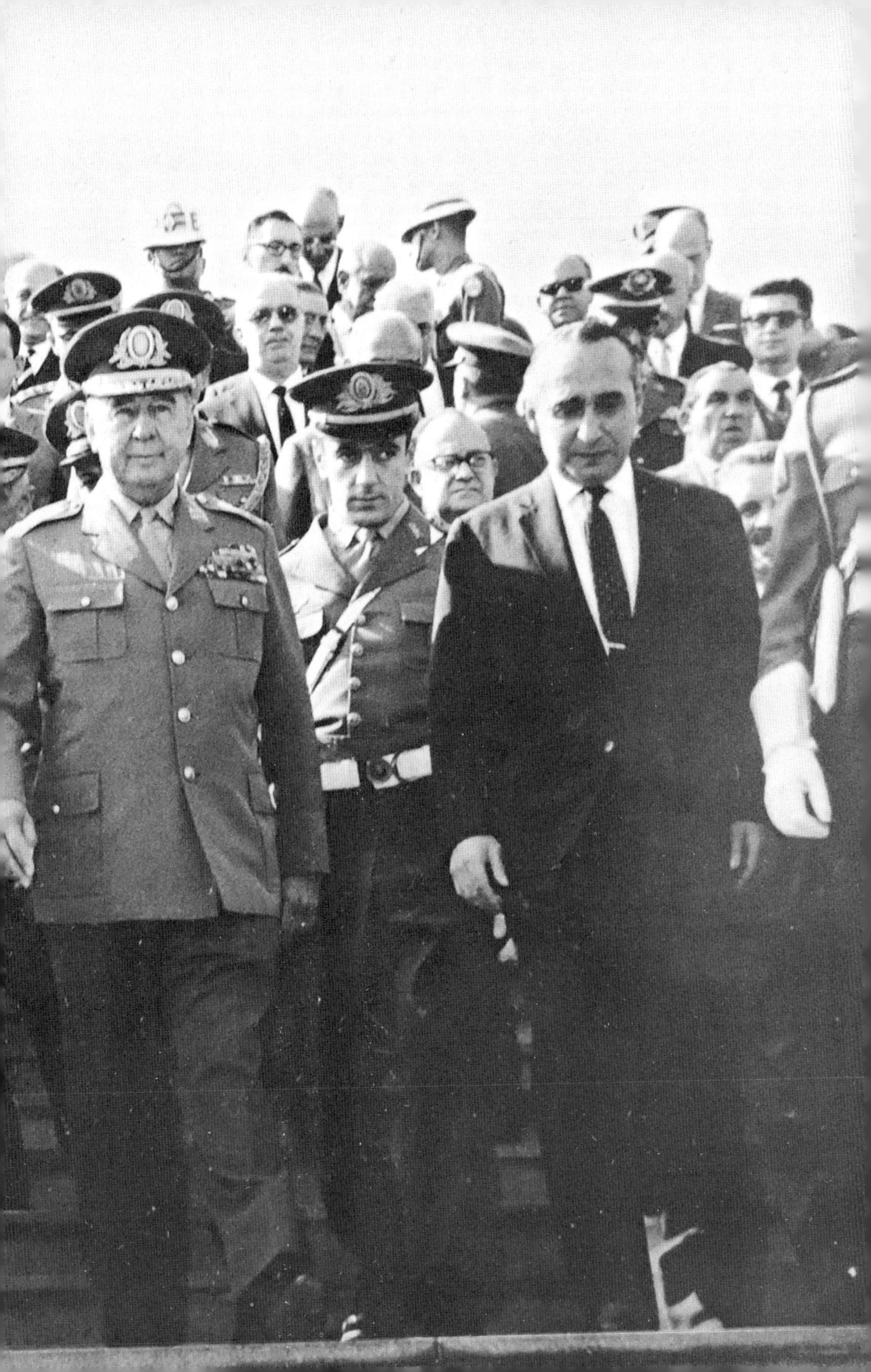

Lamarca, de quem Max foi companheiro na VAR, antes do racha no tumultuado congresso de Teresópolis. Depois da cadeia, viu em Brizola — na foto com o historiador Moniz Bandeira em Nova York — um possível caminho para o socialismo

OS VENCEDORES

Grupo de 12 invade mansão em Santa Teresa e leva cofre pesando 150 quilos

Doze pessoas, incluindo uma mulher loura e outra morena, armados, assaltaram a residência do médico Aarão Burlamaqui Benchimol, na Rua Bernardino dos Santos, n.º 2, em Santa Teresa, levando [um cofre pesa]do cêrca de 150 quilos, sem tocar, [em outros obje]tos valiosos da casa.

[Os assaltan]tes chegaram em três carros com [uma Rural —] um Aero Willys, uma Rural [Willys e um Ch]evrolet — e procuraram dar a im[pressão...]

Viúva depõe na polícia e diz que cofre roubado de Santa Teresa estava vazio

A viúva Ana Benchimol Capriglione depôs ontem para as autoridades policiais e disse que estava vazio o cofre que 15 pessoas, entre as quais duas mulheres, roubaram na semana p[assada na residên]cia do seu irmão, o médico Aarão [Ben]chimol, em Santa Teresa.

O I Exército responsabilizou[-se pelas in]vestigações em tôrno do roubo [após a ve]rificação de que os participantes [...]

QUADRILHA ASSALTA PALACE[TE]

[De]z homens e duas jo[vens] — uma loura e outra [mor]ena — trajando mini[saia], saltaram, ontem, por [vol]ta das 17h, de três ve[ícul]os — uma Rural, um [Che]vrolet, prêto, e um Ae[ro] Willys —, em frente à [man]são existente [na] Rua [...] n.º [...]

conteúdo ainda é ignorado. Encontrando apenas os empregados, os ladrões disseram pertencer à Polícia e que estavam agindo por ordem "do general". A Polícia suspeita que a quadrilha seja dirigida por pessoa conhecida da família.

A mansão assaltada é residência do professor de cardiologia, Aarão Benchimoll, que, como a espôsa, não estava em casa. Uma [...]

parte ocupa[da] do S[...] bém [...] nas s[...] Sílvio 25 an[os] quand[o] ram [...] com o ber [...] domin[go à] tarde, profes[sor] soube [...] no cof[re]

Ex-secretária de Ademar será ouvida sôbre roubo do cofre

A Sra. Gimol Capriglione Benchimol, irmã do Sr. Aarão Benchimou que teve sua mansão assaltada, anteontem, por dez homens e duas mulheres, que levaram um cofre contendo documentos, será ouvida, amanhã, pelo detetive Nélson Duarte. A Sra. Gimol, ex-secretária do ex-governador Ademar de Barros, encontra-se em São Paulo.

Os empregados da mansão da Rua Bernardino dos San[tos...] diversas vêzes, que não queriam fazer mal a ninguém.

Cofre

O cofre, que foi transportado na Rural, tinha sido levado para a mansão há dois meses. Veio de São Paulo, da residência da Sra. Gimol e segundo apurou o [detetive] Nélson Duarte, [continha do]cumentos que pert[enciam ao] ex-governador A[demar de Barros].

Suspeita-se qu[e...]

COFRE ROUBADO NÃO REVELA NADA SÔBRE ADEMAR DE BARROS

Estava vazio o cofre roubado, na noite de sexta-feira, da mansão do cardiologista Aarão Bulamaqui Benchimol, situada no n.º 2 da Rua Bernardino dos Santos, em Santa Teresa. A informação foi prestada, ontem, em depoimento, pela irmã do cardiologista, a viúva Ana Benchimol Capriglione, proprietária do [...]

A Grande Ação: a VAR carregou 2,6 milhões de dólares mas a dona da mansão disse à polícia e à imprensa que o cofre estava vazio

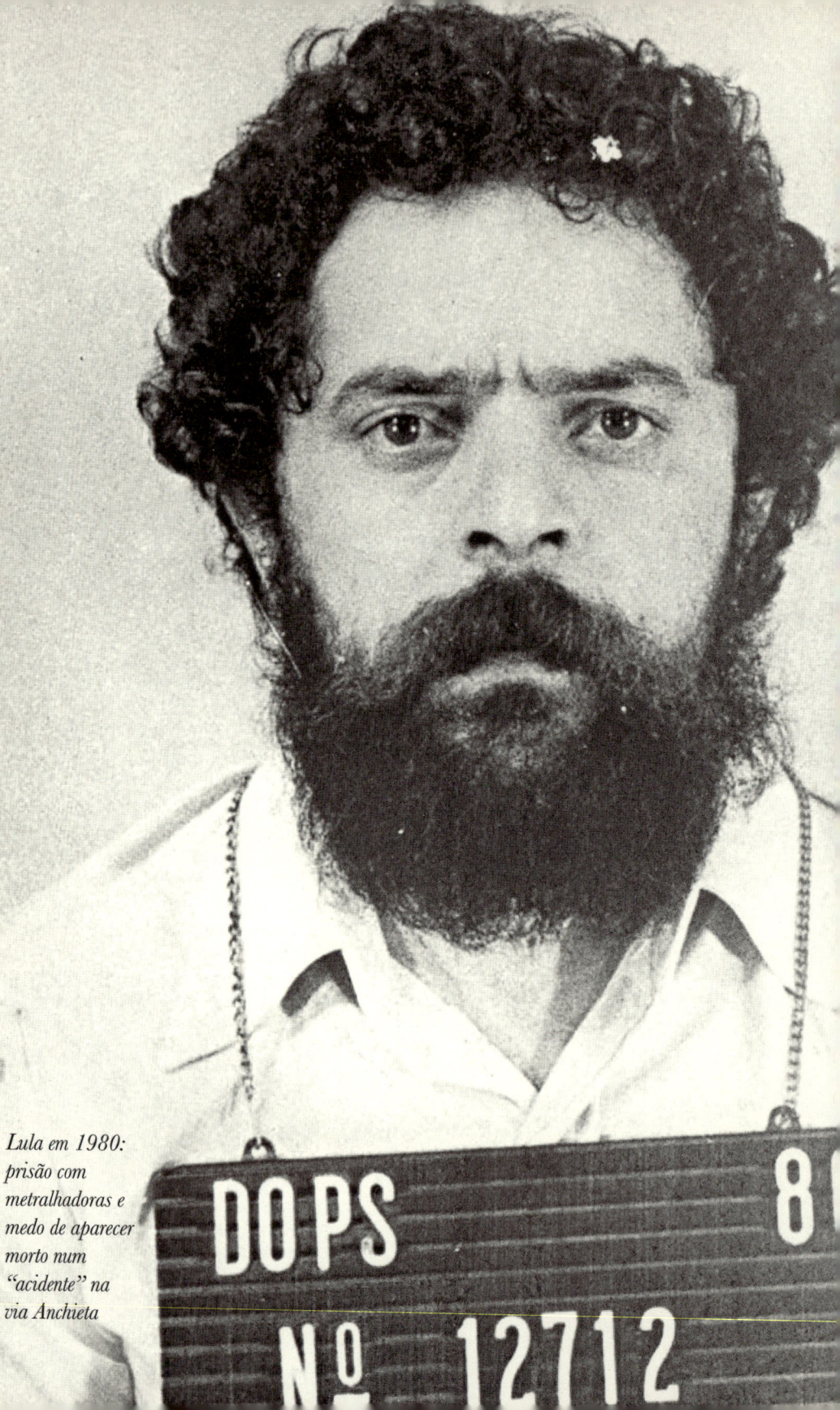

Lula em 1980: prisão com metralhadoras e medo de aparecer morto num "acidente" na via Anchieta

CAPÍTULO 4

Taturana vai ao paraíso

Sábado, começo de manhã, névoa espessa. Cinco e meia, a escuridão da madrugada, parceira da cerração, ainda se demora, tragando ruas, casas e quintais. Ouvem-se palmas na calçada. Pessoas estão no portão. Um dos moradores vai ver quem é.

"Somos do Dops."

Seis agentes armados com metralhadoras. Uma camionete Veraneio atravessada na porta da garagem para bloquear uma possível fuga. Volta rapidamente, bate na porta do quarto da frente e avisa: "Vista-se porque a polícia veio te buscar".

Assustada, a mulher sacode o marido sonolento. Alguém pergunta pelo mandado de prisão. "Está aqui o mandado", retruca um dos homens e exibe a metralhadora.

O procurado informa aos homens que irá mudar de roupa. Não, responde um policial. "Temos pressa", atalha outro. "Não, eu vou me trocar", insiste[1].

Troca de roupa calmamente, beija as crianças e engole um café. Enfiado na viatura, o preso e seus captores somem na névoa. Vendo a cerração devorando todo o entorno, suspeita do pior. Pensa que pode aparecer morto num "acidente" na via Anchieta. Pensamento que só se dissipa ao escutar, ainda no carro, seu nome citado no noticiário do rádio. Agora, sua prisão é de conhecimento público. Respira com alívio.

Jornal do Brasil, manhã do dia seguinte, 20 de abril de 1980: "Em diversos pontos da Grande São Paulo e de Santos, policiais do Dops prenderam dezessete pessoas às 6h30 de ontem. Entre os presos estavam Luiz Inácio da Silva, os juristas Dalmo de Abreu Dallari e José Carlos Dias, o engenheiro e ex-preso político Ricardo Zaratini, líderes sindicais e um acusado de pertencer à Convergência Socialista. Todos foram detidos em casa". A manchete de capa: "Dops prende juristas e líderes metalúrgicos".

À tarde e à noite, alguns dos presos foram liberados, mas a maior parte permaneceu guardada. Os restantes ocuparam a mesma cela do Departamento Estadual de Ordem Política e Social, o Deops. A prisão não foi tão surpreendente assim. Horas antes, o advogado Airton Soares até sugerira a Lula: entre no porta-malas do carro e suma. Havendo prisão, contrapôs o torneiro mecânico, melhor que fosse na sua casa.

Dois amigos, o franciscano frei Betto — que foi espiar na porta — e o deputado estadual do MDB, Geraldo Siqueira Filho, o *Geraldinho* — que queria saber do mandado — dormiam na sala de Lula, para tentar ajudá-lo ou, ao menos, testemunhar algo que pudesse ocorrer. Por trás da notícia que o metalúrgico ouvira no rádio da viatura estava Betto.

Incumbido da Pastoral Operária na região, foi ele quem avisou dom Cláudio Hummes, bispo do ABC, e dom Paulo Evaristo Arns, cardeal de São Paulo, além da mídia, sobre o que acabara de acontecer. Betto permaneceu na casa de Lula, auxiliando a família nos trinta e um dias em que o metalúrgico esteve preso.

No 1º de abril, os metalúrgicos do ABC haviam deflagrado a paralisação — greve era termo que a cautela aconselhava não usar. Cento e quarenta mil trabalhadores cruzaram os braços.

OS VENCEDORES

O último dos governos militares perdera poder. Depois do primeiro choque do petróleo, em 1973, que deixara a economia atolada, sobreviera o segundo em 1979, quando o Irã, segundo produtor mundial, fechou sua torneira após a revolução dos aiatolás. Enquanto a atividade econômica fenecia, a sociedade civil retomava lentamente sua voz e a sigla de sustentação do regime deixava de ser "o maior partido do ocidente"[2]. Se isso era verdadeiro, não era menos verdade que a ditadura não desmobilizara seu arsenal intimidatório. Não hesitou em decretar a greve ilegal e intervir nos sindicatos. Quarenta e oito horas antes do Deops ir procurá-lo com metralhadoras em São Bernardo, Lula fora destituído da presidência do Sindicato dos Metalúrgicos de São Bernardo do Campo e Diadema.

Isto no papel, porque, na vida real, manteve-se à testa da mobilização. "Vocês não podem ir para as portas das fábricas nem aceitar provocações. Não devem também entrar em confronto com a polícia", avisou *Geraldinho* na assembleia seguinte.

Era um recado de Lula aos 40 mil metalúrgicos reunidos no estádio de Vila Euclides, em São Bernardo, por ironia batizado oficialmente Arthur da Costa e Silva. À multidão, o deputado acrescentou que Lula sabia que seria preso, mas que só seu corpo seria preso. "Suas ideias continuam aqui."[3]

Dois sindicalistas — Enilson Simões de Moura, o *Alemão*, e Osmar Mendonça, o *Osmarzinho*, da comissão de salários e mobilização — chegaram à tribuna nos braços da multidão, enquanto estrugia o brado: "Arroz, feijão/ Abaixo a intervenção".

No seu nascedouro, a mitologia lulista se adensava: uma faixa que exibia numa ponta o rosto do líder metalúrgico e, na outra, a imagem de Joaquim José da Silva Xavier, o Tiradentes, contornou o estádio. Nela estava escrito: "A união faz o progresso e nós somos unidos; eles representam o povo e nunca serão esquecidos".

Murilo Macedo, ministro do Trabalho no governo João Figueiredo, avisou que Lula não retornaria à presidência do sindicato. Em entrevista ao *Jornal do Brasil*, menosprezou a hipótese de que o tratamento dado à greve e sua liderança pudesse alavancar o prestígio político do torneiro mecânico. Em 2002, Lula eleito à Presidência da República, Macedo consignou que entendia justamente o contrário: "Disse aos militares que se Lula fosse preso se tornaria um herói popular. Não me escutaram"[4].

Com o Brasil atento ao que ocorria no ABC naquele abril de 1980, um Leonel Brizola recém-retornado do exílio ajeitou as brasas para melhor tostar a costela do velho PTB, que tentava ressuscitar. Atentou que o Brasil carecia de um ministro do Trabalho à altura do momento, alguém como seu falecido cunhado João Goulart. "Ele iria pra dentro do sindicato, convivendo, assistindo, dialogando noite adentro, com sua cuia de chimarrão para ajudar os trabalhadores a encontrarem uma saída", presumiu.

Baluarte da repressão em São Paulo, o ex-secretário de Segurança Pública, coronel Erasmo Dias, vaticinou, ainda em 1980, que o metalúrgico, solto, teria carreira política resolvida. Em 2002, o coronel partilhou uma compreensão mais polêmica do episódio. Depreendia que o governo militar augurava justamente transformar Lula num messias, antevendo obter algum proveito da figura em ascensão[5].

O presságio do coronel e do ministro germinara antes daquele amanhecer nevoento. E não se resumia à jornada de um personagem. Algo mais se tensionava e contorcia para nascer. Novas palavras, percepções, sentimentos e humores afloravam como não ocorrera nos últimos quinze anos. A história se movia devagar, mas por vezes, permitindo apreender, como num *insight*, uma visão reveladora de alguma coisa que partia e de outra que chegava. O passado que ainda não havia passado e o presente que ainda não tomara conta do que era seu. As duas faces da mesma realidade contraditória compareceram, quase um ano antes, no 1º de maio de 1979:

Ó repressão porque estás tão triste/
Mas o que foi que te aconteceu?/

OS VENCEDORES

Foi o Fleury que caiu do barco/
deu dois suspiros/
e depois morreu.

Embalados pela paródia da letra de "A Jardineira", 100 mil metalúrgicos festejaram a morte de Sérgio Fleury[6]. Com a reputação de maior carniceiro do regime, o delegado morrera em circunstâncias estranhíssimas: caíra no mar quando passava de um barco para outro no píer de Ilhabela, litoral paulista. A novidade voou até o estádio de Vila Euclides onde a massa se aglomerara no feriado do Dia do Trabalho. Ao microfone, o deputado estadual do MDB, Aurélio Peres, comunicou o acontecido, rotulando-o "um presente" de 1º de maio para os trabalhadores[7].

Aquele pródigo 1979 produzira a primeira greve geral de uma categoria — a dos metalúrgicos — desde o advento da ditadura militar. Em 1968, pouco antes do fechamento trazido pelo AI-5, as paralisações de Osasco/SP e Contagem/MG, logo esmagadas, haviam alarmado o regime. Em 1979, porém, a abrangência era maior, dentro e fora da categoria. Três milhões e 200 mil trabalhadores aderiram ao movimento. Foram vinte e sete paralisações dos metalúrgicos, vinte de professores, e muitas outras de bancários, médicos e do pessoal da construção civil. O epicentro, de novo, foi a região do ABC.

Numa terça-feira, 13 de março, os metalúrgicos pararam. Lula distribuiu recomendações: não ir para as portas das fábricas, não embarcar nos ônibus das empresas, não acreditar nos boletins dos patrões nem nas informações do rádio e da televisão, não fazer passeata, não aceitar provocações – "greve não é bagunça", distinguiu[8]. "Se a gente voltar a trabalhar agora nunca mais vamos levantar a cabeça", avisou. O 13 de março não fora escolhido ao acaso. Era antevéspera da posse do quinto general, João Figueiredo, assumir o poder da República. Para Lula, configurava uma jogada estratégica. Deflagrava-se a greve num governo que não reprimira a primeira paralisação. Iniciado sob Geisel, o movimento ingressaria no governo seguinte, o de Figueiredo. Mas a resposta que veio foi diferente. Ou seja, houve um endurecimento[9].

Assembleia em Vila Euclides, sem palanque, Lula subiu numa mesa para falar. Sem sistema de som, seu discurso para 60 mil pessoas foi transmitido em ondas: a plateia mais próxima do orador repetia suas palavras para os que estavam logo atrás, estes para os que vinham a seguir e assim sucessivamente até o público mais distante.

Quatro da manhã, faltando uma hora para a entrada do primeiro turno na Volkswagen de São Bernardo, um grupo se agita no portão da montadora. Repórteres, fotógrafos, cinegrafistas, equipes de rádio e televisão. Quando estacionam os ônibus da empresa e começa o desembarque dos 10 mil peões, as lideranças sindicais tentam convencê--los a parar. Nada feito. A peonada passa direto. Com a paralisação indo para o ralo, forma-se uma barragem humana entre a Volks e a massa que avança rumo ao relógio de ponto. É um piquete insólito, arregimentado no improviso, que coloca de mãos-dadas ativistas e jornalistas. Face à cena fora dos manuais, o sindicalista Wagner Lino Alves esbraveja: "Vocês estão vendo que vergonha? Jornalistas estão fazendo o nosso papel![10]"

A cobrança funcionou e parte dos peões se interpôs entre os colegas e a empresa. E a Volks parou. No auge, o movimento reuniria 185 mil metalúrgicos em São Bernardo, Diadema, Santo André, São Caetano e arredores. Reivindicava 78% de reajuste, piso de três salários mínimos, garantia de emprego e quarenta horas semanais.

Sem demora, a Federação das Indústrias/SP (Fiesp) recorreu ao Tribunal Regional do Trabalho. O TRT concedeu 44% de reajuste e considerou a greve ilegal. Os metalúrgicos continuaram sem bater o ponto.

Lula foi jantar com o sociólogo Fernando Henrique Cardoso, nome do MDB que a categoria apoiara para o Senado nas eleições do ano anterior. FHC debulhou a conjuntura numa análise que beirou as duas horas. Não havia clima, afiançou, para medida de força. Desprezou como "absurda" a possibilidade de intervenção, reparando que seu pai, Leônidas Cardoso, era general e sugerindo saber como tais decisões são tomadas.[11] Naquela mesma madrugada, em torno das 3h30, Lula chegou ao sindicato. Ajeitou algumas almofadas no chão e caiu no sono. Mal dormira, despertou com o escarcéu. Às quatro da manhã, a peonada gritava que a polícia havia tomado conta do sindicato. Abriu a janela e viu centenas de policiais cercando o prédio, mais viaturas, carro de bombeiro, cachorros.

Sepultando a tese exposta horas antes, Murilo Macedo afastou a diretoria do sindicato. A tropa de choque, mais a cavalaria, acampou no ABC.

Limão dissolvido em limonada, a intervenção trouxe um ensinamento: é possível fazer sindicalismo sem sindicato. Quando perderam a estrutura física — prédio, máquinas, gráfica, carro — os metalúrgicos perceberam que, apesar disso, permaneciam sendo sindicato. Trabalhavam como podiam e com o que tinham. Acercaram-se da Igreja Católica, das comunidades eclesiais de base e dos movimentos sociais. Conseguiram distribuir 100 mil panfletos por dia com a ajuda dos novos aliados. Aproximaram-se de categorias profissionais de outras cidades, como a dos bancários, professores e jornalistas de Belo Horizonte. Aflorava uma nova geração de dirigentes sindicais.

As assembleias varavam a noite. Conforme iam parando, turno por turno, fábrica por fábrica, as reuniões se sucediam da meia-noite ao meio-dia. Quando o patronato propôs uma trégua de quarenta e cinco dias na greve, eles toparam. No intervalo, o movimento se revigorava e os ânimos dos grevistas se acirravam. Cogitaram que, encerrada a trégua, viria um endurecimento dos patrões, mas ocorreu o oposto. Apareceu na mesa de negociações uma proposta que agradou aos líderes: reajuste de 15%, pagamento dos dias de paralisação, nenhum desconto do Fundo de Garantia por Tempo de Serviço, o FGTS. Parecia bom. Mas a categoria pensava diferente.

Dois dirigentes defenderam o fim da greve e tomaram vaia em Vila Euclides. Lula compreendeu o problema. Naquele dia, que já definiu como "o mais triste da minha vida", apelou a um ardil de raposa de assembleia. Em vez de propor a aceitação do acordo, que considerava bom, pediu e colocou em votação um voto de confiança para a direção. Ganhou, mas a categoria ficou furiosa. Houve gente que se achou traída, que o líder havia se vendido. O ano terminou muito difícil, com a suspeita da traição. "Não tinha reunião da diretoria que eu fizesse que o pessoal não chorasse. Chorava."[12]

A ferida ficaria aberta. Em julho, quando o governo levantou a intervenção, a chaga se esgarçou. Perpassou a categoria a robusta presunção de cambalacho. A diretoria teria respaldado aquela proposta salarial em troca da sua reintegração. No momento em que o Ministério do Trabalho foi devolver a chave da sede, a direção sob suspeita chamou uma assembleia que lotou o sindicato. O presidente propôs convocar uma nova eleição que elegeria novos diretores[13]. Ninguém acatou a proposição e a reunião findou como iniciou: regada com lágrimas. "Ficamos no sindicato e começamos a ir para as portas de fábricas para recuperar o moral e o prestígio[14]."

Lula só se intrometeu entre o Luiz Inácio e o da Silva em 1982. Candidato ao governo paulista, nas primeiras eleições para governador permitidas desde 1964, valeu-se do apelido de sempre como chamariz do eleitorado. Já era Lula quando partiu aos sete anos de Vargem Comprida, município de Garanhuns, agreste pernambucano, em 1952, junto da mãe, Eurídice Ferreira de Melo, e seis irmãos. Do pai, Aristides, que o abandonou ainda no ventre materno, herdou o Inácio e o Silva. Da mãe, o afeto e as boas lembranças. José Ferreira de Melo, Frei Chico, irmão de Lula, retrata a mãe como uma pessoa que "não tinha raiva de ninguém" e que "nunca bateu nos filhos[15]".

Com o pai era outra conversa. Lula lembra que, no seu tempo de menino, nem se podia chegar perto do pai se ele estivesse conversando com outra pessoa. Queria era ficar longe com medo de apanhar. "Meu pai era muito, muito ruim."[16]

O mais moço dos filhos varões de Aristides com Eurídice elege a disposição para o trabalho como a principal virtude do pai. Mas o resto...

OS VENCEDORES

Irmão de Lula, Rubens, segundo filho mais velho da outra mulher de Aristides, apanhava de corrente. Depois da sova, Aristides o amarrava e arrastava pela rua. Lula e os demais trouxeram o meio-irmão para morar com eles receando que Aristides o matasse. Quando Rubens chegou na Vila Carioca, bairro do Ipiranga, "estava com as costas que era ferida pura, era um animal[17]...".

Em Pernambuco, a prole de Eurídice, dona Lindu, vivia numa casa de barro e madeira, chão de terra batida, três dependências: quarto, sala e cozinha. Havia uma cama e cinco redes. Dormia-se também na mesa da sala. Sobrevivia-se da agricultura.

Água escassa, chuva era sempre bem-vinda. Após o aguaceiro, os meninos recolhiam numa lata a água acumulada em bolsões do solo. Deixava-se que a terra assentasse no fundo e matava-se a sede. Água amarela, cor de barro. Na água de barreiro havia filhotes de sapo. As crianças e o gado matavam a sede na mesma água[18], rememora Genival Inácio da Silva, o Vavá, irmão de Lula: Proteína escassa, o desjejum era café preto engrossado com farinha de mandioca. Almoço feito de feijão, arroz e farinha. Carne? Coisa rara, às vezes de preá ou passarinho. A dieta do sertão incorporava insetos, herança dos índios que a vida repassou aos sertanejos. "Lembro também que a gente catava muita tanajura para comer. Aqui, tanajura chama içá. A gente fritava aquilo, colocava farinha e comia[19]", diz Lula.

Em 1945, Aristides desceu para o sul. Primeiro trabalhou no Rio. Mudou-se para Santos e arranjou emprego de ensacador no cais. Regularmente enviava dinheiro à mulher. Na mesma época em que Aristides partiu, uma prima de Lindu, Valdomira Ferreira de Góis, a Mocinha, de quinze anos, também sumiu. Não era coincidência. Aristides e Mocinha, já grávida, haviam fugido. O que não o demoveu, ao visitar a família em 1950 — e conhecer Lula já com cinco anos —, de engravidar Lindu novamente. Lula ganharia a irmã caçula Ruth, a Tiana. Ao voltar para Santos, Aristides levaria consigo Jaime, já um rapazinho aos treze anos, segundo na escadinha de doze filhos — quatro não sobreviveram — que teve com Lindu.

Ao chegar, Jaime matutou uma arapuca para o pai pulador de cerca. Escreveu uma carta, como se fosse a pedido de Aristides, analfabeto, chamando Lindu e a filharada para Santos. Ela vendeu o pouco que tinha e pagou as passagens no pau de arara. Mandou-se na carroceria do caminhão com os sete filhos, mais frango, bolacha, queijo, farinha e rapadura para a viagem e algum dinheiro que sobrou. Só não veio Lobo, o cachorro dos meninos, que ficou para trás e morreu de tristeza.

Enquanto havia sol, sacolejavam dez horas em bancos de madeira, sem encosto, trafegando em estradas de terra. Quando a noite descia, dormiam debaixo do caminhão. Treze dias se passaram e todos desembarcaram em Santos para o estupor de Aristides. Os oito, mais um irmão de Lindu, mulher e filho, encontraram guarida na casa de um compadre de Aristides, enquanto o marido flagrado dava um jeito na situação. Alugou uma nova casa para Mocinha, enquanto Lindu foi morar naquela que o casal ocupava até então. E Aristides passou a frequentar e a sustentar as duas famílias. Um dia, porém, num acesso de violência, bateu em Frei Chico, quis acertar Lula e Lindu se fartou. Alugou um barraco, pegou os filhos e largou o marido. A mudança consistia numa tina de lavar roupa, uma lata vazia de leite Mococa e uma faca.

Os Silva se dividiram entre a escola e o trabalho. Os mais velhos José Inácio, o Zé Cuia, Jaime e *Vavá* ajudavam no sustento da casa. Um conseguira emprego numa carvoaria, outro num estaleiro, o terceiro num bar. As irmãs Maria e Marinete trabalhavam como empregadas domésticas. Lula e Frei Chico estudavam e vendiam tapioca. Em 1956, a família se mudou para a Vila Carioca, zona sul de São Paulo. Arrumaram-se, do jeito que deu, em duas peças nos fundos de um bar. Treze pessoas compactadas num quarto e cozinha. Sem banheiro, porque o que podiam usar era o mesmo do boteco. Muitas bocas e comida pouca, Lindu comprava carne gorda de segunda, cozinhava e misturava com água e farinha para dar a sensação de saciedade.

OS VENCEDORES

A terceira casa dos Silva no sul já era melhor. Tinha dois quartos e cozinha. Moravam catorze pessoas entre filhos e primos. No terreno, mais três famílias. Vinte e quatro pessoas e um banheiro. Sem chuveiro. Em 1964, outra mudança, agora para o bairro operário de Ponte Preta, na divisa de São Caetano com São Paulo. Alugaram, enfim, uma casa nova. Parecia bom demais. Na primeira chuvarada veio a enchente e com ela um metro de água e lama dentro de casa. Junto com a água, ratos, baratas, fezes.

Aos dez anos, Lula era engraxate, profissão que adorava. "Com o dinheiro, comprava meia bengala de pão recheada com mortadela e mais uma Tubaína. Era uma delícia[20]." A seguir, largou a escova e a graxa e virou tintureiro. Colocava a roupa na máquina de lavar e, aos sábados, entregava os ternos. Soube que uma empresa, a fábrica de parafusos Marte, queria um menino para encaminhar ao Senai, o Serviço Nacional de Aprendizagem Industrial. "Mas aí, já foi o paraíso!"

Para o tintureiro, o Senai foi a melhor coisa que lhe aconteceu na vida. Quando, no depoimento que deu ao sítio ABC de Luta, quiseram saber porque de tanta importância, ele respondeu assim: "Por quê? Porque aí, eu fui o primeiro filho da minha mãe a ter uma profissão, eu fui o primeiro filho da minha mãe a ganhar mais que o salário mínimo, eu fui o primeiro filho da minha mãe a ter uma casa, eu fui o primeiro a ter um carro, eu fui o primeiro a ter uma televisão, eu fui o primeiro a ter uma geladeira. Tudo por conta dessa profissão, de torneiro mecânico, por causa do Senai."

Pediu aumento salarial, o patrão não deu e ele abandonou os parafusos da Marte em favor dos puxadores, trincos e segredos para cofre da metalúrgica Independência. Trabalhava à noite. Numa madrugada, o operador da prensa cochilou, o braço da máquina se fechou e comprimiu seu dedo mínimo da mão esquerda. Não havia transporte e Lula teve que esperar o dono da fábrica chegar para levá-lo ao hospital Monumento, único que atendia segurados do IAPI[21]. No hospital, o médico amputou-lhe o dedo. Ficou preocupado e com vergonha. "Passei alguns anos com complexo por estar sem dedo." Embora, num tempo de segurança do trabalho incipiente, não fosse incomum a perda de dedos entre metalúrgicos[22].

Era 1964 e tinha dezoito anos. Perdeu algo mais que só percebeu tempos depois. Quando veio o golpe militar, os mais antigos entre os colegas metalúrgicos supunham que seria "uma solução" para o país. Frei Chico, quatro anos mais velho, militante do PCB e, então, o sindicalista da família, dava o contraponto. Lula simpatizava com Brizola e Miguel Arraes, mas, no fundo, só tinha olhos e ouvidos para o Corinthians, paixão partilhada com o povo nordestino em São Paulo.

Saiu da Independência e foi para uma fábrica de frisos metálicos para automóveis, a Fris Moldu Car. Acabou no olho da rua por trocar as horas extras combinadas de um fim de semana pelo sol das praias de Santos. Encarou oito meses de desemprego. Não tinha nem para o cigarro. Catava bagana, cortava uma ponta e botava dentro do maço de Continental sem filtro para disfarçar. Com a saída da fábrica, sem um vintém, gastava a sola do sapato durante duas horas.

"Vamos pegar o ônibus, Taturana!" Taturana dava uma desculpa, falava que pegaria o próximo, deixava os companheiros sumirem e seguia andando. Muitas vezes acompanhou com o olhar sua noiva passando de ônibus. Escondia-se dela. E seguia a pé. No caminho, sentava-se no descampado onde hoje existe a favela de Heliópolis e chorava[23].

Taturana, o gracejo, veio por conta dos olhos vermelhos, ardidos da alergia contraída no chão de fábrica. Na Villares, seu novo emprego, um certo *Azeitona* arranjou uma explicação. Palpitava que o dono daquele olhar abrasado era chegado à maconha. Nas rodinhas da Villares, rolava a troça. *Azeitona* pontificava com sua erudição sobre a *cannabis*: "tem cabeça de negro, tem vassourinha, tem taturana e a taturana é a mais forte — e ele me colocou o apelido de Taturana e ficou até hoje Taturana[24]".

OS VENCEDORES

Taturana enrabichou-se pela mineira, retirante e tecelã Maria de Lurdes, filha de boias-frias e irmã de seu amigo Jacinto Ribeiro dos Santos, o *Lambari*. Casaram-se em 1969. Em 1971, Lurdes contraiu hepatite. Estava com sete meses de gravidez. Ela e o bebê morreram no hospital, algo que o então marido sempre atribuiu à negligência médica. Viúvo, teve um caso e uma filha com a enfermeira Míriam Cordeiro[25], que assombraria a campanha petista de 1989. Conheceu outra viúva e rompeu com Míriam.

Marisa, a nova namorada, perdera o marido Marcos, caminhoneiro, num assalto. Penúltima de quinze irmãos, filha de posseiros de origem italiana — Rocco e Casa — tal qual o namorado pegara cedo no batente. Aos nove anos era pajem, aos treze tirou carteira profissional de menor. Embalava bombons na fábrica de balas e *drops* Dulcora. Sete meses depois estavam casados.

Frei Chico, o sindicalista da família, explicava aos companheiros de militância operária que Lula "é novo, não gosta de sindicato, não sabe nada... mas quem sabe ele topa participar?[26]". O retrato que Frei Chico pintou para os sindicalistas Paulo Vidal Neto e Afonso Monteiro da Cruz dá ideia de quanta saliva gastou até convencer Lula a entrar na chapa do sindicato dos metalúrgicos de São Bernardo. Até que tornou-se, enfim, suplente do conselho fiscal. Era 1969. Três anos depois, com Vidal de presidente, Lula assume como primeiro secretário. Em 1975, chega à presidência. No mesmo ano, Frei Chico foi preso.

Durante muito tempo, o irmão insistira para que Lula frequentasse as reuniões secretas do Partidão. Lula sempre se recusou recorrendo a uma lógica peculiar. Argumentava que não ia em reunião clandestina por não saber se aguentaria a tortura. "Se eu não for, eu vou morrer sem abrir a boca, porque não conheço ninguém (...) Então, não me convide, não."[27]

Mas o irmão teimava. Promoveu um encontro na praça da matriz de São Bernardo entre Lula e o ex-presidente da Federação Nacional dos Marítimos e antigo assessor sindical de João Goulart, Emílio Bonfante Demaria. Perseguido pós-1964, havia sido preso e torturado.

Conforme o combinado, Lula sentou-se num banco e enfiou o rosto num jornal. Demaria acomodou-se no banco de trás, também como se tivesse lendo um jornal, e ficaram conversando de costas um para o outro, falando sobre as perspectivas das eleições de 1974. Um simulacro dos filmes de espionagem. Lula esperneou. "Por que esse cara não falou isso por telefone? Custava ele ligar para mim e falar: 'Olha, como vão ser as eleições?' Sabe, custava, Frei Chico?[28]" E definiu: conversa comigo é só no sindicato.

Frei Chico sumido, Lula e o advogado do sindicato, Almir Pazzianotto[29], bateram à porta do II Exército à cata de notícias. Tomaram um chá de banco de cinco horas. O irmão desfrutava da hospitalidade sinistra do DOI-Codi. Os interrogadores desconfiavam que Lula pertencia ao Partidão e que levara uma carta para o secretário-geral do PCB, Luís Carlos Prestes. Frei Chico conheceu a *cadeira do dragão*, braços e pernas amarrados, choque e espancamento. Descarga, água fria, e mais descarga. Sal na boca e choques no pênis. Na sua frente, torturaram um casal. Diante do marido, enfiaram uma vassoura na vagina da mulher, depois um bastão elétrico[30].

O presidente do sindicato e seu vice — Rubens Teodoro do Amaral, o *Rubão* — foram atendidos no Deops pelo delegado José Campanella. Bastou indagar por Frei Chico e Campanella apelou à simulação. Lula: "Aí, ele pegava o telefone e falava: 'O quê! Esse filho da puta é comunista? Esse filho da puta queria fazer revolução?'" Então, colocou o telefone no gancho e falou: "Você vê, senhor Luiz Inácio, como esse país é democrático, seu irmão está preso porque é comunista e o senhor em liberdade procurando informações sobre ele[31]".

Aproveitando a ocasião, perguntaram pelo paradeiro de Osvaldo Rodrigues Cavignato, assessor do sindicato e também desaparecido. O delegado passou a mão no telefone e repetiu o *show:* "O quê! Esse filho da puta desse comunista passou dois anos fazendo curso na União Soviética e não mataram ainda?[32]".

Demorou quase um mês para a família saber que o sequestrado Frei Chico estava vivo. Lula só logrou visitar o irmão na sua terceira estação do calvário, o presídio do Hipódromo, no bairro da Mooca. A prisão e a tortura transformaram a cabeça de Lula. Indignou-se com a repressão que desabou sobre pessoas que sequer exerciam um papel relevante na agitação. Começaram a se distanciar aqueles idos de 1974 quando um grupo de metalúrgicos da Ford, que cogitava uma greve, acabou dissuadido e apavorado. O primeiro-secretário ouviu Vidal adverti-los de que a paralisação poderia desembocar em trabalhadores tomando choques no ânus...

Aos poucos, porém, surgia um novo protagonismo político, tracionado pela elite operária do ABC. Veio a campanha salarial de 1977, em que os metalúrgicos reivindicavam 34,1% de reposição salarial. Não levaram nada. Mas cresceu a organização. Evidência disso foi 1978, quando as greves crepitaram. A largada foi na Scania, de São Bernardo.

No turno da manhã, mais de 3 mil funcionários bateram o ponto, mas não ligaram as máquinas. Greve com direito a batismo: "Braços cruzados, máquinas paradas". Parar naquele 12 de maio de 1978, dez anos após o AI-5, ia além de um cabo de guerra com o patronato. Implicava peitar a ditadura e seu aparato repressivo.

Para manter o sigilo, as lideranças urdiram o protesto nos banheiros da montadora. Embora presidente do sindicato, Lula só soube da greve após a deflagração. Três dias depois, deu-se um acordo e os metalúrgicos voltaram a acionar as máquinas. Na mesma semana, paradas pipocaram na Ford, Volkswagen e Mercedes-Benz. "Foi aqui, na Scania, neste pátio, que nós começamos a conquistar a redemocratização do nosso país (...)", discursaria Lula em 2007 durante o cinquentenário da fábrica[33].

Depois da Scania, pararam a Mercedes-Benz e a Ford. Na Resil, fábrica de autopeças de Diadema, a audácia ganhou uma pincelada de chacota. Receando usar o termo piquete, já *queimado*, os grevistas adotaram nova terminologia. Deram-se as mãos e cercaram a fábrica: era a "corrente pra frente", expressão que ecoava a conquista da Copa do Mundo de 1970 pelo Brasil. Quando a polícia chegou para dar um jeito no piquete que não era piquete, os agentes se apresentaram: "Somos do Dops!". Na "corrente pra frente" havia meninas de quinze anos, despolitizadas, embarcando na primeira greve da vida, que não sabiam com quem estavam se metendo. Quando ouviram falar em Dops, não tiveram dúvidas: "Que 'drops', que nada. Aqui ninguém está preocupado com 'drops'. Não vai entrar e acabou..."[34]

Quando Luiz Eulálio de Bueno Vidigal, mandachuva da Fiesp, sentou-se com o comandante do II Exército, Dilermando Monteiro, para reclamar do movimento, a primeira reação de Lula foi achar que a batalha estava perdida. Mas, intuitivamente, ligou para o general e pediu para expor as razões do outro lado. Foi recebido e bem tratado. Os metalúrgicos levaram 15% de reajuste com exceção dos desbravadores da Scania que ganharam 20%. A oposição no sindicato se diluiu e Lula foi reeleito com 98% dos votos da categoria.

Crescente em 1979, a onda cresceria mais em 1980. Depois que a direção do sindicato amanheceu na porta das fábricas para "recuperar o moral e o prestígio" trincados na paralisação anterior, deu-se a maior de todas as greves. Havia a disposição dos cabeças de deflagrar e não terminar o movimento, eliminando as suspeições de 1979. Sessenta mil metalúrgicos em Vila Euclides decidiram parar em 1º de abril, exigindo aumento de 15% nos salários, reajuste trimestral, estabilidade no emprego por doze meses e semana de quarenta horas. Logo, são 200 mil com as adesões de outras cidades do estado. Transcendendo a disputa por salários e condições de trabalho, desafiavam a legislação ditatorial que veda a greve e pune os grevistas.

Um dos poucos diretores em liberdade, o primeiro secretário e padrinho de casamento de Lula e Marisa, Nélson Campanholo, tinha que abrir as assembleias. Numa delas, na matriz de São Bernardo, perseguido pelo Dops, ocultou-se durante cinco horas na sacristia. Tiritando com uma febre de trinta e nove graus, descobriu que estava com cachumba. Mesmo assim, ficou vinte e oito dias escondido, trocando de casa a cada noite.

OS VENCEDORES

No 1º de Maio, as lideranças sindicais estavam trancafiadas, São Bernardo povoada por soldados, policiais, tanques, cães, brucutus e metralhadoras e as manifestações proibidas. Porém, quando 100 mil metalúrgicos, familiares, apoiadores, políticos e ex-exilados partiram da praça matriz de São Bernardo carregando flores e bandeirinhas do Brasil rumo ao estádio de Vila Euclides, as tropas recuaram. "Quando a gente viu que as metralhadoras baixaram, quando a gente viu os cães ferozes colocarem o rabo entre as pernas, quando a gente viu os helicópteros sumirem do céu (...) aquilo foi emocionante", resumiu o ferramenteiro Gilson Menezes[35], articulador do movimento da Scania e um dos administradores do fundo de greve de 1980, que juntou um feixe de solidariedades: Igreja, associações de bairro, favelas, oposições sindicais. Para sustentar os grevistas e suas famílias, vinham mantimentos de todo lugar: óleo de cozinha, arroz, batata, macarrão, farinha, feijão.

Para muita gente, a ditadura começou a cair naquele dia. Era o triunfo da rua sobre a caserna. Na carceragem do Deops, os diretores do sindicato talvez não tivessem a mesma impressão. Lula, por exemplo, foi levado a uma sala trevosa. Só uma lâmpada talhava a escuridão. Um policial sentou-se à frente e engatou uma parolagem esquisita[36]:

— O *Cacique* está preocupado com você.

— Quem é o *Cacique*?

— Não importa. O *Cacique* está preocupado. Ele quer terminar essa greve. E está querendo saber o que você quer.

— Mas o que eu quero está na pauta de reivindicação.

— Aquilo a gente não pode dar. O *Cacique* quer negociar.

Nesse ponto da conversa, o prisioneiro imaginava o pior. "Eu só estava me preparando para o tapa na orelha. Eu só ficava esperando o cara dizer: 'Tira a roupa, aí!'".

Não apanhou. Achou bom. Mandaram que chamasse seu advogado e trouxesse a pauta. No dia seguinte, veio a reclamação. A pauta era a mesma. Alegou que, por menos daquilo, não dava para negociar. E o sujeito:

— O *Cacique* não vai gostar disso — bufou.

Nunca se soube quem era o *Cacique*.

Dias e noites com um bando de homens espremidos num cubículo de 25 m², banheiro aberto, mas ninguém foi torturado. Houve até algumas concessões: televisão, rádio, jornal e um circulador de ar para dissipar a sovaqueira. Com dor de dente, Lula recebeu a visita de um dentista. E o delegado Romeu Tuma o liberava em algumas noites para, sob vigilância, visitar a mãe, hospitalizada e vivendo seus últimos dias, fragilizada por um câncer no útero. Recebeu nova licença para comparecer ao funeral. Havia milhares de pessoas no cemitério. Depois do enterro, amigos, colegas e parentes cercaram a viatura policial para impedi-lo de voltar ao Dops. Foi preciso convencê-los de que teria de retornar.[37]

Quando o coletivo da cela aprovou uma greve de fome visando forçar a reabertura das negociações, Lula foi voto vencido. Sub-repticiamente, escondeu um punhado de balas Paulistinha debaixo do travesseiro. Era para engambelar o estômago na madrugada. Para seu azar, Djalma Bom descobriu a falcatrua e jogou as balas na privada. Quando Tuma foi informado sobre a greve, ficou possesso. Disse que era uma deslealdade. Ameaçou cortar TV, rádio e jornal.

Pelo relato de Campanholo, que acabou também recolhido ao xadrez, Tuma temia consequências negativas que caíssem no seu colo. "Vocês não são jovens. Vá que aconteça alguma coisa aqui dentro? O que vão dizer da gente?", preocupava-se em tempo de abertura.

Quando dom Cláudio Hummes pediu o fim do jejum, os sindicalistas toparam sem piscar. A boca espumava quando Lula pensava naqueles frangos assados em televisão de cachorro. Queria encomendar logo uma fornada. Mas o médico objetou: "Trinta gramas, um copinho de suco de laranja, de mamão". Demorou três dias para chegar a hora do frango[38].

Tuma passaria outra carraspana no seu prisioneiro. Lá pelas tantas, a descontração permitia que o presidente do sindicato, ao ver um investigador exibindo um Rolex, comentasse francamente: com os vencimentos de policial, não era possível comprar um relógio daquela marca. Qualquer um percebe, disse, que estão fazendo alguma outra coisa... levando propina. E incitou-os a organizar um sindicato "senão não melhora a vida de vocês...".

De repente, do nada, entrou em andamento uma conversa que debatia a sindicalização da categoria dos investigadores. Zangado, Tuma captou no ar o assunto e invadiu a reunião esbravejando: "Não é possível! Você está preso aqui e tentando organizar os investigadores contra a polícia..."[39].

A exemplo do preso, seu carcereiro faria carreira política. "Sempre pensei que a fase de exceção, a vigência do período revolucionário, não seria duradoura", disse[40]. Tuma contou a Percival de Souza que, na época, permitiu que o arcebispo dom Paulo Evaristo Arns e o senador Teotônio Villela, do PMDB, visitassem Lula. Na visita de dom Paulo, se aborreceu. "O SNI quase estragou tudo montando um desastrado serviço de escuta para ficar sabendo o teor da conversa deles", reclamou[41].

Após trinta e um dias, a prisão foi relaxada e todos responderam ao processo em liberdade. Menos de um ano depois — 25 de fevereiro de 1981 — Lula e mais dez colegas foram julgados e condenados pela 2ª Auditoria da Justiça Militar, em São Paulo, acusados de violação da Lei de Segurança Nacional. Foram enquadrados nos artigos 36 e 42 da LSN, que tratam de "desobediência coletiva às leis" e de "propaganda subversiva". Tornaram-se também inelegíveis.

Dono do prontuário 149689, caixa 174, do Dops, Lula recebeu pena de três anos e meio de prisão. A mesma que coube aos colegas Enilson Simões de Moura, Djalma Bom e Rubens Teodoro de Arruda. Para Gilson Menezes, Osmar Santos de Mendonça, Juraci Batista Magalhães, Manoel Anísio Gomes e José Maria de Almeida a sentença indicou dois anos e meio. Wagner Lino Alves e Nelson Campanholo pegaram dois anos.

José Timóteo da Silva e José Cicote saíram absolvidos. No mesmo dia, os condenados tomaram o caminho do Deops. Porém, 24 horas mais tarde, foram soltos.

Não seria a única condenação de Lula. Ainda em 1980, uma frase dita longe do ABC arranjou-lhe outra encrenca. Em julho, numa viagem à Brasileia, no Acre, comoveu-se com o assassinato de Wilson de Souza Pinheiro. Presidente do sindicato dos trabalhadores rurais do município e da comissão provisória do PT, fora emboscado e fuzilado pelas costas. Pinheiro, quarenta e sete anos, era uma pedra na botina dos poderosos locais. Capitaneara uma coluna de 300 seringueiros para desarmar jagunços. Recolheu vinte rifles automáticos e entregou o arsenal ao exército. Numa assembleia tensa, de palpável indignação, presenciada por 4 mil pessoas, ao lado da viúva, Lula desabafou: "Chega de contar mortos. Por que só caem aqueles que estão do nosso lado? Está na hora da onça beber água".

Voltou a São Paulo e, ao chegar, recebeu a notícia: o principal suspeito da morte do seringueiro, o capataz de fazenda Nilo Sérgio de Oliveira, o Nilão, tivera o corpo perfurado por cinquenta balaços.

A frase fatídica sobre a onça, a hora e a água caíra nos ouvidos da Polícia Federal que o espreitava em toda parte. Na compreensão policial, aquilo era uma senha para a execução. Processado, tomou mais três anos e meio de prisão no Conselho da 12º Auditoria Militar, em Manaus. O juiz justificou a condenação porque o réu tinha "língua muito ferina"[42].

A polícia sabia da frase, mas quem teve a iniciativa da ação foram os fazendeiros, através da Federação de Agricultura do Acre. Seu presidente, Francisco Deógenes de Araújo, encaminhou representação à PF requerendo abertura de inquérito e indiciamento na LSN de seis pessoas, entre elas Lula e Chico Mendes, na época dirigente do PT.[43] Todos sob acusação de "incitamento à luta armada", "apologia da vingança" e ainda por incentivarem a "luta pela violência entre as classes sociais". Punidos no Acre[44] todos seriam inocentados pelo Superior Tribunal Militar (STM). Mas os militares continuariam de olho no metalúrgico mesmo após o período discricionário. Resguardadas na transição e hospedadas na democracia, as agências de inteligência da ditadura produziram 6.129 documentos referentes a Lula, espionado durante os governos de Sarney e Collor[45]. A arapongagem só parou em 1991, seis anos após Figueiredo sair pela porta dos fundos do palácio presidencial.

O ano que trouxe a dupla condenação também trouxe o Partido dos Trabalhadores, obra coletiva dos sindicalistas, com a adesão de intelectuais, setores progressistas da Igreja Católica, retornados do exílio e ex-militantes da luta armada. Que, enquanto afirmava a ascensão dos novos atores na cena política, elaborava uma crítica ao socialismo real.

Parecia esdrúxulo imaginar um partido de trabalhadores forjado de baixo para cima. A concepção começou a circular em 1978, escudada pela animação da turma do ABC e o ceticismo dos demais. Um dos encontros atraiu Fernando Henrique Cardoso, Fernando Lyra, Alceu Collares, Francisco Pinto, Almino Affonso, Jarbas Vasconcellos, todos políticos que frequentavam a chamada "ala autêntica" do PMDB. Na memória de Lula, Fernando Henrique alegou que não era possível criar um partido político de trabalhadores, que não comportava isso no Brasil[46].

FHC ponderava que, antes do partido, era necessário fortalecer o movimento sindical. Mais tarde, outros segmentos se somariam àquele núcleo. O raciocínio não era estranho aos metalúrgicos. Assemelhava-se à convicção de que, para conduzir a luta sindical, impunha-se a presença nas fábricas de quadros dos partidos tradicionais que saberiam dar a linha correta ao movimento. Os sindicalistas não recuaram da designação de "Partido dos Trabalhadores". Os políticos acabaram se afastando. Entre os metalúrgicos também havia dissonâncias. Quem tinha opção partidária anterior — PCB, PCdoB ou MR-8 — não simpatizava com o plano.

Mas a maioria, obstinada, sustentou a escolha e, no dia 10 de fevereiro de 1980, a nova legenda nasceu no Colégio Sion, em São Paulo.

Contava com o reforço de outras categorias profissionais — bancários, professores, petroleiros — e de figuras como Olívio Dutra, Jacó Bittar e Wagner Benevides. Quem frequentava a região mais à esquerda do espectro ideológico, como a Convergência Socialista, também teve seu peso. Sobre isso, Lula lembra uma lição política que recebeu de Celso Furtado. O economista observou-lhe que nunca se deve marginalizar "esses setores muito esquerdistas". Como são muito esquerdistas, tudo o que falam não se deve fazer. Mas, ensinou, também evitam inclinações à direita. É uma situação que permite "ficar no caminho do meio".

"O PT pretende ser uma real expressão política de todos os explorados pelo sistema capitalista", diz sua certidão de batismo, um manifesto de três páginas. Agrega que a sigla nascente pretende "atuar não apenas nos momentos das eleições, mas, principalmente, no dia a dia de todos os trabalhadores, pois só assim será possível construir uma nova forma de democracia". Promete lutar "pela extinção de todos os mecanismos ditatoriais", em favor das liberdades civis e "pela democratização da sociedade em todos os níveis". Militante antifascista que pegou em armas na Espanha, na França e no Brasil, Apolônio de Carvalho assina a ficha número um do partido, seguido pelo crítico de arte Mário Pedrosa, o crítico literário Antônio Cândido e o historiador Sérgio Buarque de Hollanda.

Com a Central Única dos Trabalhadores, a CUT, fundada em 1983, o PT compartilharia as raízes cravadas no solo comum do ABC. Oriunda da 1ª Conferência Nacional das Classes Trabalhadoras, a Conclat, realizada em 1981, seu primeiro presidente foi o ferramenteiro Jair Meneghelli, também metalúrgico e sucessor de Lula no sindicato.

Turbinado pelo engajamento de outras categorias, o partido estreou nas urnas em 1982. Candidato ao governo paulista, Lula fantasiou que ganharia. Recebeu mais de 1,1 milhão de votos mas terminou em quarto lugar. Fidel Castro o consolaria. Não havia na América Latina — argumentou — operário que tivesse feito mais de um milhão de votos. E, enfático: "Para com essa bobagem de que vocês perderam.

OS VENCEDORES

Vocês foram grandes vencedores. É o primeiro exemplo da história. Conta outro. Não tem[47]".

Lula vislumbrou que a derrota não fora tão aplastante e se animou para as campanhas seguintes. Em 1986, atingiu 651 mil votos e virou o deputado federal mais votado do Brasil. Passaram-se três anos antes de disputar a Presidência da República contra Fernando Collor de Mello. Perdeu, mas conquistou 31 milhões de votos. Nas duas eleições seguintes — 1994 e 1998 — foi derrotado por FHC. Chegou 2002 e, a bordo da maior votação obtida até então por um candidato à presidência — 52,7 milhões — tornou-se o 35º presidente do Brasil.

Quatro décadas antes, quando cursava o Senai para ser o primeiro filho da sua mãe a ter uma profissão, um amigo muito próximo — que ainda não era, mas seria — vivia outro momento e outra experiência. Um dia para não esquecer.

Sem palanque e sem sistema de som, o discurso de Lula avança em ondas com 60 mil metalúrgicos reproduzindo trecho por trecho para aqueles que estão mais distantes do orador

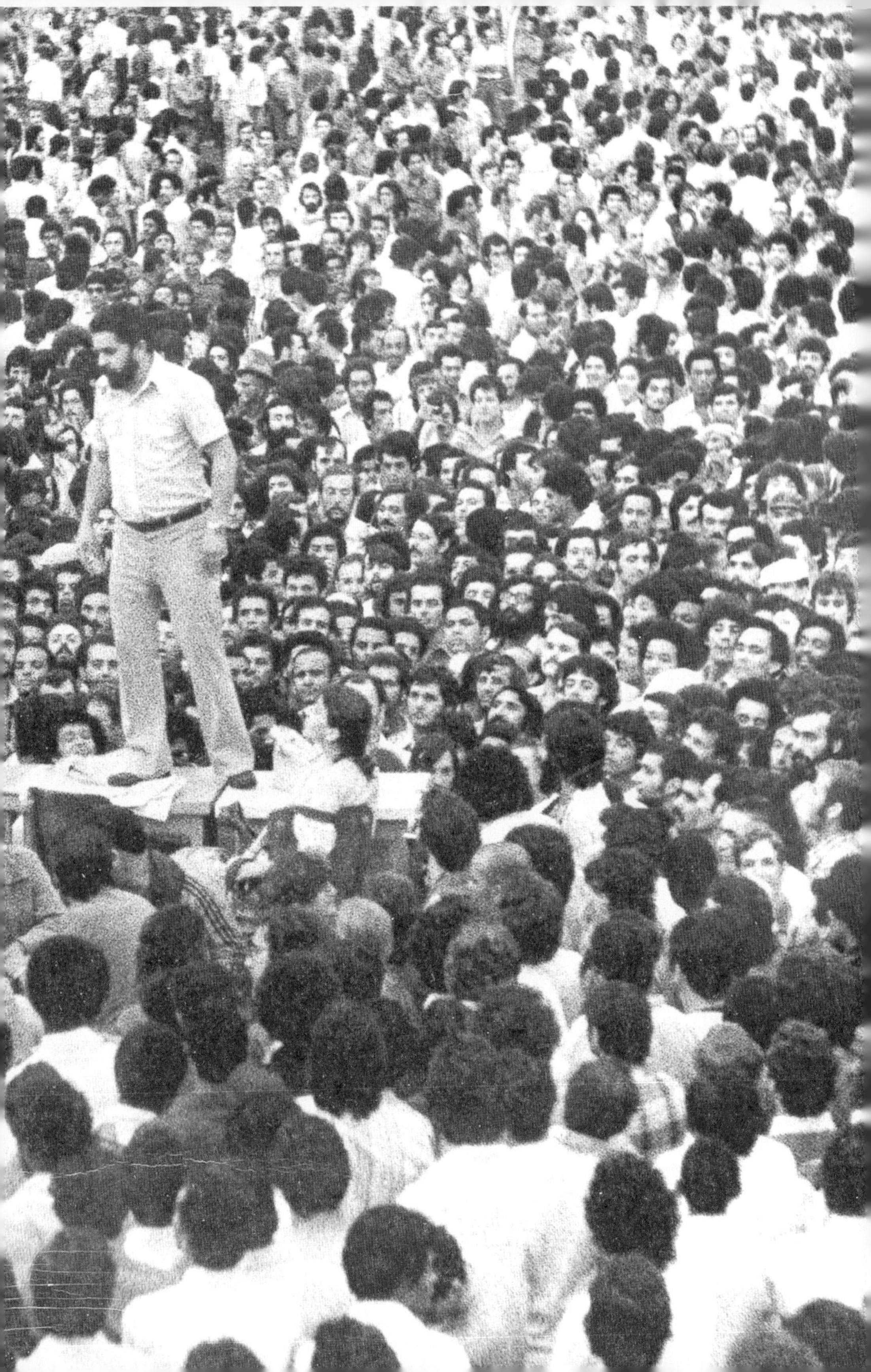

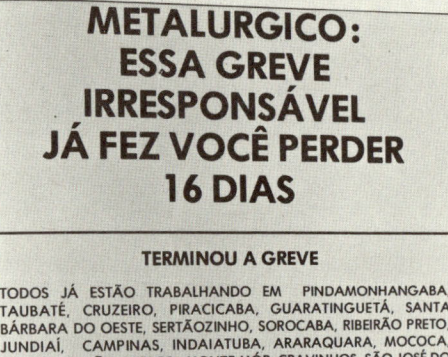

A disputa pelos corações e mentes do ABC: nos três primeiros exemplos, a mobilização da imprensa dos metalúrgicos; no último, panfleto da FIESP chamando à volta ao trabalho

OS VENCEDORES

Na campanha salarial de 1984, o aproveitamento do bordão do momento: "Diretas para o nosso bolso"

© Sindicato dos Metalúrgicos do ABC

Lula deixando a prisão em 1980. No mesmo ano e no seguinte, receberia duas condenações na Justiça Militar por, entre outras acusações, "propaganda subversiva" e incitamento à "luta pela violência entre as classes sociais". Finda a ditadura, continuaria sendo vítima da arapongagem oficial até 1991

Acima, Lula na disputa presidencial de 1989. Ao lado, cartaz da campanha de 1982, quando concorreu ao governo paulista. Fez 1,1 milhão de votos mas ficou em quarto lugar. Fidel Castro o consolou: "Para com essa bobagem de que vocês perderam"

Impulsionado por quase 53 milhões de votos Lula sobe a rampa em 2003 ao lado do vice José Alencar. Ao lado, na foto oficial como 35º. presidente do Brasil

O dominicano Carlos Alberto tomou duas cadeias: na primeira, bofetada; na segunda, Fleury

CAPÍTULO 5

Vítor e os muitos caminhos para o exílio

No dia em que o adolescente Carlos Alberto fez dezessete anos, Jânio Quadros embasbacou o país. Antes de fechar o sétimo mês de mandato, renunciou. As forças conservadoras que o haviam apoiado se sentiram apunhaladas pelas costas. Quem assumiria no seu lugar seria o vice João Goulart, do Partido Trabalhista Brasileiro (PTB) e representante do polo político oposto[1].

Guindado ao Planalto na garupa de quase seis milhões de votos, o 22º presidente do Brasil ia embora e entregava o ouro, leia-se o governo, justamente ao inimigo batido na eleição do ano anterior. A direita pintou-se para a guerra e para o golpe. Os legalistas reagiram no sul, com o governador Leonel Brizola e a adesão do III Exército. Pactuou-se que Goulart tomaria posse sob um parlamentarismo de ocasião e, portanto, castrado na sua autonomia.

Quando relembra aquele aniversário distante, Carlos Alberto não fala de bolo, velas e festa. Nunca antes daquele 25 de agosto de 1961 havia ido às ruas para desafiar a polícia. Queria convocar os estudantes para defender a posse do vice eleito.

Aquela data foi o ensaio geral para o que viria três anos depois. No dia 31 de março de 1964, Carlos Alberto Libânio Christo não estava respirando gás lacrimogênio, mas vivendo outros apuros sem saber, porém, que aqueles que encontraria em seguida seriam muito mais assustadores.

Aos dezenove anos, o dominicano Betto era um veterano das mobilizações. Ingressara no movimento estudantil aos treze. No ano em que Jânio caiu e Jango subiu, fora eleito primeiro vice-presidente da União Municipal dos Estudantes de Belo Horizonte. Militava na Juventude Estudantil Católica, a JEC, que fechara uma aliança com a estudantada do PCB. Aos quinze, lera o *Manifesto Comunista*. Desde que se politizou aos treze anos, abraçou a convicção de que o mundo não tem futuro fora do socialismo.

Cedo percebeu as agruras do subdesenvolvimento e o país como desigual. Nada disso aconteceu em casa, onde o chefe da família, jornalista e juiz, tinha outra orientação. O pai, Antonio Carlos Vieira Christo, era udenista, americanófilo, anticlerical e reacionário. A mãe, ao inverso, era uma cristã aberta.

Ao saber que o filho ingressaria na Ordem dos Dominicanos, Antonio Carlos disse-lhe que nunca mais deveria lhe dirigir a palavra. Mais tarde, quando Betto amargava o cárcere, o pai aproximou-se da Teologia da Libertação.

Quando correu a notícia do golpe contra Goulart, Betto estava no Pará. Participava, em Belém, do Congresso Latino-Americano de Estudantes. No dia 2 de abril, o encontro se dissolveu, depois da detenção de alguns integrantes. Na condição de dirigente da JEC buscou abrigo no palácio do arcebispo, dom Alberto Ramos. Quem o levou foi o bispo auxiliar dom Milton Corrêa Pereira, do clero progressista e ligado à Ação Católica. A JEC, aliás, era uma das cinco associações voltadas aos jovens sob o guarda-chuva da organização[2]. O vanguardismo de Betto gerou oposição de setores conservadores. O arcebispo estava sob pressão. Foi transferido para a casa de Lauro Cordeiro, militante da JEC que, mais tarde e já no PCdoB, morreria num acidente em Salvador, durante a clandestinidade.

OS VENCEDORES

Passou-se uma semana e Betto procurou o escritório da Varig. No bolso, uma passagem cedida pelo Ministério da Educação. A agência estava superlotada e ouviu logo a notícia ruim: não poderia viajar com aquele bilhete. Qual era o problema? Todas as passagens concedidas pelo Poder Executivo anterior estavam canceladas, informou secamente o funcionário no balcão. Ato contínuo, carimbou "Cancelada" na passagem...

Sem bilhete, sem dinheiro e ansioso para chegar no Rio, onde morava, teve uma intuição. Destacou a primeira folha da passagem. Na época, as passagens aéreas tinham uma capa. Reapresentou o bilhete a uma funcionária. Que acabara de avisar que não havia mais lugares no voo para o Rio. Quem quisesse viajar para lá, teria que fazer uma escala em Recife. Estendeu-lhe o bilhete e disse: "Não tem problema. Eu topo ir nesse avião".

Viajou e chegou ao Recife a tempo da posse de dom Hélder Câmara como arcebispo no dia 10. Menos de dois meses se passariam antes que pegasse sua primeira cadeia.

Acordou com gritos dentro do apartamento na rua das Laranjeiras, esquina com Pereira da Silva, em Laranjeiras, tradicional bairro da zona sul carioca. Era um sábado, 6 de junho e o relógio marcava seis da manhã. Oito rapazes da JEC e da Juventude Universitária Católica, a JUC, dormiam ali empilhados em beliches num imóvel da Conferência Nacional dos Bispos do Brasil (CNBB). A localização era conveniente para todos. Ficava a 500 metros da praia do Flamengo, onde funcionava a União Nacional dos Estudantes (UNE) e a União Brasileira dos Estudantes Secundaristas (UBES) e tinham seus compromissos.

Tremendo, caminhou do quarto à sala. Canos de fuzis haviam raspado as prateleiras e jogado os livros e papéis no chão. Os moradores foram encostados à parede mantendo as mãos na cabeça. Os agentes do CENIMAR, o Centro de Informações da Marinha, caçavam militantes da Ação Popular, a AP, organização da esquerda cristã que submergira na clandestinidade após a queda de Goulart. Ali havia dois equívocos: 1) os estudantes pertenciam à Ação Católica mas não à AP; 2) entre os presos havia um que se chamava Betto mas não era Betinho. Aquele Betto não era dirigente da AP. Este se chamava Herbert José de Sousa, o sociólogo Betinho, de quem o Brasil ainda debaixo da ditadura saberia notícias através de Elis Regina e da canção "O bêbado e a equilibrista", de João Bosco e Aldir Blanc — "Meu Brasil / que sonha com a volta do irmão do Henfil / de tanta gente que partiu (...)". Na década de 1990, o *irmão do Henfil*, mesmo fragilizado pela Aids, seria o dínamo da Ação da Cidadania contra a Fome e a Miséria e pela Vida.

Naquela manhã carioca, o CENIMAR queria saber do *Betinho* disponível onde estavam os outros dirigentes da AP.

— O senhor está me confundindo. Não sou o Betinho — volveu.

A réplica veio de forma não verbal: uma bofetada no lado esquerdo do rosto.

— Filho da puta! Como não é o Betinho? Você não é de Belo Horizonte?

— Sou.

— Não é da JUC?

— Não, da JEC.

— E qual a diferença, seu veado? Só falta dizer que não é da AP! Quer levar umas porradas pra refrescar a memória?[3]

Claro que Betto conhecia o Betinho que procuravam. Por sinal, fora Betinho, chefe de gabinete do ministro da Educação, Paulo de Tarso dos Santos, no governo Goulart, que lhe conseguira aquela passagem para Belém. Mas o CENIMAR acabou admitindo o *imbroglio* e deduzindo que aquele não era o Betinho de quem estava no encalço. Foram dois dias de detenção, mais quinze em prisão domiciliar, antes do processo ser arquivado e o grupo liberado com direito — o que se tornaria inconcebível logo, logo — a pedidos de desculpas.

A segunda vez em que Betto entrou na boca do monstro foi, que ninguém duvide, bem pior. *Caiu* na avenida Independência, em Porto Alegre, nos primeiros instantes de uma manhã de primavera. Era o

OS VENCEDORES

dia 9 de novembro de 1969. Os tempos entre a primeira e segunda queda seriam pródigos em experiências e emoções.

No final de 1964, ingressou na Ordem dos Frades Dominicanos. Logo adiante, dividiu-se entre seus estudos de filosofia e o jornalismo. Como *freelancer*, trabalhou na primeira etapa de *Realidade*, lançada em 1966 pela editora Abril, a mais formidável revista de reportagens que o país veria. Em 1967, virou assistente de José Celso Martinez Correia na incendiária montagem de *O Rei da Vela*, de Oswald de Andrade, encenada pelo grupo Oficina. Por essa época, foi apresentado ao professor Menezes, sujeito alto, corpulento, amulatado e com uma calvície que progredia pelos dois lados da fronte. Dos frades, Menezes queria, supostamente, saber mais sobre o processo de revitalização em curso na Igreja sob os ventos de mudança que sopravam do Concílio Vaticano II. Ao encerrar a conversa, Menezes entregou um pacote aos dominicanos. Eram alguns livros que andara escrevendo. Desfazendo o embrulho, constataram que Menezes e Carlos Marighella, chefe do Agrupamento Comunista de São Paulo, eram a mesma pessoa.

Betto se desdobraria em duas frentes: as tarefas de apoio à Ação Libertadora Nacional (ALN), segundo avatar do Agrupamento Comunista, e o jornalismo. Ainda em 1967, tornou-se crítico teatral da *Folha da Tarde*, "o vespertino das multidões", do grupo Folha da Manhã, que também editava o matutino *Folha de S.Paulo*.

Desativado em 1959, o diário retornara em 1967 para cumprir trajeto esquizofrênico e talvez único na história na imprensa brasileira. Entre 1967 e 1984, a publicação oscilou da simpatia inequívoca pelas forças que desafiavam o arbítrio — armadas ou não — à adesão descarada ao brutalismo do regime, ao ponto de carregar o epíteto tenebroso de "Diário Oficial da OBAN".

A ressurreição da *FT* visava fazer frente ao *Jornal da Tarde*, do conglomerado rival *O Estado de S. Paulo*. No auge dos revolucionários 1960, quando a juventude era a grande protagonista das transformações, o *JT* granjeava jovens leitores. Com um projeto gráfico renovador, permitia aos editores *abrir* fotos e ilustrações e conceder aos textos, sem perder o conteúdo informativo, certa reverência à literatura. A ideia inicial do *publisher* da *FT*, Octávio Frias de Oliveira, era um jornal atento ao que acontecia na música, no teatro, na literatura, no cinema e, principalmente, nas ruas do país e do mundo. E que soubesse falar com o público que acompanhava e era cúmplice daquela efervescência.

Frias estava, ideológica e politicamente, do lado oposto de tudo aquilo, mas vislumbrou ali um meio de ganhar dinheiro. Sobre isso, é elucidativo o testemunho do jornalista Carlos Brickmann à Beatriz Kushnir, autora do estudo mais minucioso sobre o papel da *Folha da Tarde* no período: "Naquela época, ele (Frias) disse, na minha frente que, em primeiro lugar, era criador de pintos, em segundo, comerciante, em terceiro, industrial, em quarto, nada, em quinto, nada, em sexto, jornalista". Era, precisou Brinkmann, "oportunismo mercadológico"[4].

No dia 19 de outubro de 1967, a *FT* reestreava nas bancas "por sua causa, leitor", que deseja "um vespertino moderno, atual, jovem e, principalmente, livre", como preconizava em editorial.

Na redação enxuta, o crítico teatral também estava incumbido, como repórter, da cobertura da agitação estudantil. Amigo e protegido do diretor Jorge Miranda Jordão, um simpatizante da ALN, Betto registrava as mobilizações priorizando a voz dos ativistas, o que fazia com que a *FT* fosse o único veículo a praticar tal audácia[5].

Ascendendo à chefia de reportagem, Betto escalou um setorista para o Deops, o que lhe permitia monitorar os deslocamentos do aparato repressivo. Que repassava aos amigos na clandestinidade. E dos companheiros da resistência vinham dicas sobre ações armadas, de modo que o jornal pudesse tapear a censura e noticiá-las em primeira mão.

Esta primeira encarnação da *FT* durou até a edição do AI-5 no apagar das luzes de 1968. O vento virava novamente de direção, e o que poderia ser um bom negócio deixou de sê-lo, com a extinção de qualquer tolerância ou veleidade democrática do regime. O vespertino de Frias ainda conservou parte da equipe e da linha editorial no alvorecer de 1969. Podia informar, em janeiro, que "vêm aí mais cassações" ou relatar as prisões na esteira do AI-5.

Logo a repressão apertaria seu torniquete nas redações. Na *FT*, colegas foram presos e um deles, Luiz Eduardo da Rocha Merlino, o Nicolau, do Partido Operário Comunista (POC), seria assassinado[6] em julho de 1971. Em março, quando o jornalista Izaías Almada, da *Folha de S.Paulo*, foi preso sob a alegação de pertencer ao "esquema de imprensa" da VPR, Betto resolveu pular fora. Deixou o jornal, a convivência dos frades dominicanos e submergiu na clandestinidade.

Betto enveredou para um lado e a *FT* para outro. A partir de julho de 1969, assumiu cara e conteúdo de um periódico de ultradireita, perturbadoramente achegado à polícia política. Um de seus editores-chefe, Antonio Aggio Jr., publicou o decálogo da *FT* em 1981. "Desarticular as agressões alienígenas e suas alianças" figurava como o primeiro mandamento. O que abonava manchetes[7] como estas: "OBAN desmantela quadrilhas do terror" (sobre a prisão de 320 inimigos do regime), "Chantagem sexual é arma do terror" (sobre a prisão de militante que, depois, se suicidou), "Eis os assassinos e inimigos do povo" (ao lado de fotos de militantes procurados), "Lamarca, o louco, é o último chefe do terror" (depois da morte, sob tortura, de Joaquim Câmara Ferreira, da ALN) e "Amor, fé e orgulho: Para sempre Brasil" (enaltecendo os desfiles militares na Semana da Pátria de 1971).

Chama a atenção a fartura do termo "terror". Também "terrorista" tornou-se moeda corrente na nomenclatura da mídia em geral, muito embora as ações da esquerda armada no Brasil não visassem a população civil, circunstância a que melhor se ajustariam os dois termos. De fato, a melhor designação para o combatente da luta armada seria a de "guerrilheiro", mas esta solução nunca agradou à caserna. A palavra evocava o vulto de Ernesto Che Guevara, morto nas profundezas da Bolívia e cuja narrativa heroica elaborava a construção de seu mito. E, como a *guerra contra o terror* também se trava na selva das representações, era preferível associar o inimigo a algo que não infundisse reverência, mas medo e repulsa, incitando a delação.

Não se sabe ainda como jornais, rádios e TVs abraçaram exclusiva ou principalmente as expressões "terror" e "terrorista" no lugar de "guerrilha" e "guerrilheiro". Há, pelo menos, duas versões, ambas levantadas pelo jornalista João Batista de Abreu. Na primeira, o regime impôs o emprego do termo "terrorista" após o AI-5. Quem a defende é o ex-editor-geral do *Jornal do Brasil*, Alberto Dines. Na outra, o *JB* teria adotado a palavra por conta própria, importando o vocábulo do Oriente Médio, inspirado pelas escaramuças entre árabes e israelenses. Secretário de redação no mesmo diário e período, José Silveira ignora se teria havido alguma ordem superior mas divergiu da solução: "O cara que assalta banco é assaltante. Terrorista é quem bota bomba para matar pessoas indiscriminadamente (...)", disse a Abreu[8].

Os *press-releases* desovados na imprensa pelos órgãos oficiais — sobre ações, capturas e mortes, por exemplo — eram trabalhados na *FT* pós-Betto de modo a ganharem a aparência de "uma verdadeira matéria jornalística", segundo Beatriz Kushnir, dando a entender que havia "um jornalista desse periódico cobrindo o fato". Mas o jornal daria um passo além.

Em 16 de abril de 1971, Joaquim Alencar de Seixas, o Roque, do Movimento Revolucionário Tiradentes (MRT), e seu filho Ivan, de dezesseis anos, foram detidos em São Paulo e surrados e supliciados um defronte ao outro. Horas mais tarde, trancafiou-se a mulher Fanny e as duas filhas de Joaquim, Ieda e Iara. A primeira acusaria[9] o Capitão Lisboa, codinome do delegado Davi dos Santos Araújo, de violentá-la duas vezes, apesar de suas súplicas para receber choques em vez daquela abjeção. No dia seguinte às prisões, voltando de um parque da cidade onde haviam sido submetidos a fuzilamento simulado, ela e Ivan vislumbraram, do interior da camionete C-14 onde estavam confinados, a capa da *Folha da Tarde* numa banca de jornais: seu pai havia sido morto trocando tiros com os agentes da lei e da ordem. Ao retornarem à sede da OBAN, na rua Tutoia, encontraram Joaquim vivo. O tiro de misericórdia ainda estava no tambor do revólver, contudo outro tiro, com papel e tinta, já fora deflagrado.

O diário vendia pouco e jamais conseguiu ombrear com os rivais de banca. O que não o atrapalhou na hora de ser aquinhoado por obra e graça da infestação de policiais e assemelhados na redação — com um cognome viperino: "O jornal de maior *tiragem* de São Paulo".

A sombra mais lúgubre que se espicha sobre a trajetória da *FT* pós-AI-5 transcende o jornalismo agradável ao regime. É de outra natureza. Cinco meses após antecipar a morte, em tiroteio de rua, daquele homem que, embora destroçado sob a tortura, ainda permanecia vivo, preso e desarmado, o *vespertino das multidões* transformou-se em alvo. Três camionetes de distribuição do conglomerado Folha da Manhã foram incendiadas, ação assumida pela ALN, advertindo ainda que mataria o dono do jornal. Na convicção da guerrilha, a empresa cedia seus veículos para os órgãos de segurança, que os usariam em armadilhas. Frias replicou com o editorial "Banditismo", realçando que inexistia clima para o terrorismo no país. Exaltou o mandato Médici como "um governo sério, responsável, respeitável", que estaria conduzindo o Brasil "pelos seguros caminhos do desenvolvimento com justiça social". O jornalzinho clandestino *Venceremos*, da ALN, chutou-lhe as canelas com o artigo "Os que mentem ao povo". Pincelou o empresário como "um fascista convicto e colaborador da repressão". Depois da troca de desaforos, mais dois atentados seriam cometidos contra as camionetes do grupo[10]. Não há registro de ataques similares visando outras empresas jornalísticas.

Na sua fuga, Betto escondeu-se primeiro na casa do parasitologista Samuel Barnsley Pessoa, sumidade da pesquisa sobre esquistossomose e leishmaniose na USP e adversário da ditadura. A seguir, abrigou-se com a família de um pastor protestante norte-americano. Três meses se passaram e se transferiu para São Leopoldo, no Rio Grande do Sul. Já era maio de 1969. No Seminário Cristo Rei, dos jesuítas, aguardaria incógnito — sob o nome *frio* de Vítor — até novembro. Aí então, contemplado com uma bolsa de estudos de teologia, partiria para a Alemanha.

Caminhou ao lado de Marighella numa das suas últimas noites em São Paulo. Percorrendo as ruas escuras do Jardim Europa, povoadas de mansões e refúgio dos bem-nascidos paulistanos, notou a ostensiva peruca do companheiro. De cor imprecisa, era um acessório feminino, de material sintético. Os fios haviam sido aparados ao redor da cabeça e o líder da maior organização armada de combate à ditadura, filho de italiano e mulata, adquiria assim um aspecto indígena. "Temi que chamasse mais a atenção do que disfarçasse."[11] Sabedor do seu destino, Marighella pediu-lhe que funcionasse como contato dos refugiados que buscavam as fronteiras com o Uruguai e a Argentina.

Betto estreou na tarefa recepcionando seu ex-chefe Jorge Miranda Jordão, que seguiria para França e Cuba. Em agosto, Jordão cruzou a fronteira na altura de Rivera e alcançou Montevidéu. Alta madrugada, despertou com a polícia no seu apartamento. Só teve tempo de jogar no vaso sanitário a mensagem de Marighella que levava para Fidel Castro. Recambiado ao Brasil, nos seus quarenta dias de prisão silenciou sobre as relações entre os dominicanos, a ALN e o esquema do sul. Décadas depois, o velho parceiro de *FT* e de apoio à ALN expressaria sua gratidão dedicando-lhe o livro *Batismo de sangue*: "Para Jorge Miranda Jordão que, no afeto, venceu o medo".

Ainda em agosto, José Roberto Arantes, o *Gustavo*, da ALN, ex-vice-presidente da UNE, valeu-se da conexão Cristo Rei e do mesmo roteiro. Em setembro, foi a vez de Romualdo e Tiago. Aylton Adalberto Mortatti, o *Romualdo*, era também da ALN, e Márcio Beck Machado, o *Tiago*, do Movimento de Libertação Popular, o Molipo. Os três sairiam ilesos do Brasil; porém, ao retornarem, todos seriam assassinados.

Era novembro e Carlos Alberto e Píter, o primeiro do MR-8 e o segundo do ALN, deram as caras em São Leopoldo. Com os dois, Betto testou um novo itinerário. O ponto de fuga não seria a divisa seca uruguaia, mas a ponte internacional sobre o rio Uruguai, em

OS VENCEDORES

Uruguaiana, que, apesar das duas designações, é rota de entrada na Argentina. Na margem oposta do largo e caudaloso Uruguai, uma cidade com o estimulante nome de Paso de Los Libres aguardaria a dupla. Funcionou. *Píter*, falsa identidade do médico Boanerges de Souza Massa, faria treinamento em Cuba e seria preso em 1972. Está desaparecido desde então. *Carlos Alberto*, nome de guerra do jornalista Franklin Martins, um dos sequestradores do embaixador Charles Burke Ellbrick, dos Estados Unidos, só voltaria ao Brasil dez anos depois, com a anistia.

Na contagem regressiva para viajar, Betto surpreendeu-se ao saber que oficiais da Marinha haviam visitado o seminário e capturado o estudante jesuíta Camilo Garcia. Eles ainda não sabiam, mas Camilo era apenas o destinatário das cartas enviadas para o dominicano escondido no Cristo Rei. Imaginavam, portanto, que a presa que tinham em mãos era o contato da ALN no sul. Disparou ao seu quarto, pegou o que pode e foi procurar outro esconderijo. Recorreu aos padres Manoel Valente e Marcelo Carvalheira, da paróquia Nossa Senhora da Piedade, no bairro Rio Branco, em Porto Alegre. Carvalheira o levou à casa da Congregação das Irmãs Missionárias de Jesus Crucificado. Era uma quarta-feira, 5 de novembro.

Doze horas antes e 850 quilômetros distante da congregação quebrou-se o silêncio de entrada da noite na carceragem do Dops paulistano.

"Olêêê, oláaá, o Marighella se fodeu foi no jantar!"

Cantando assim, *Raul Pudim*, como era conhecido o delegado Raul Ferreira, desceu ao porão para escarmentar os encarcerados. Exultante, tinha uma batina dominicana no antebraço e na mão uma bíblia. Dela, retirou fotografias recém-reveladas do cadáver do guerrilheiro estendido no banco traseiro de um fusca.

À provocação, os cristãos retrucaram entoando um canto gregoriano enquanto os comunistas puxaram "A Internacional"[12].

Em Porto Alegre, na noite seguinte à da morte de Marighella, a imagem do coronel Jaime Miranda Mariath, secretário estadual de segurança, preencheu a tela da TV Gaúcha, afiliada da Rede Globo.

Era a edição local do *Jornal Nacional*. Mariath informou que estava no encalço de frei Betto, e a família riograndense "ameaçada pela presença desse perigoso terrorista"[13] deveria ajudá-lo a descobrir o paradeiro do facínora. Ilustrando a fala de Mariath, mostrou-se a foto do foragido. Na sala com o hóspede, as irmãs se entreolharam. Era hora de partir novamente. A propriedade rural do clã Chaves Barcellos, uma das famílias mais tradicionais da cidade, no município vizinho de Viamão, seria seu novo abrigo. Outra vez, Betto mudava-se com o apoio do padre Manoel Valente.

Sexta-feira, 7 de novembro, o Dops revirou o Cristo Rei. Não achou o hóspede, mas no seu quarto encontrou livros estrangeiros e de alta periculosidade como *El Diario del Che en Bolívia* e *La Revolution Solidaire*, do francês, padre e progressista Louis-Joseph Lebret. E prendeu oito jesuítas. Estudante de teologia, o canadense Yves Chaloult teve de explicar porque diabos ele e os seus colegas tinham posters de Martin Luther King, Charles De Gaulle, Karl Marx, Mao Tsé-Tung e John Kennedy. Respondeu que eram "enfeites".

No sábado, o filho do dono foi procurá-lo. Disse-lhe que o sítio estava *queimado*,[14] mas prometeu conduzi-lo a um lugar seguro. À noite, levou-o ao casarão dos Chaves Barcellos, na confluência da avenida Independência com a rua Mostardeiro, no bairro Moinhos de Vento, o mais chique da cidade. Betto varou a noite em claro, aguardando a transferência para um apartamento vazio, como lhe assegurara seu pretenso benfeitor. Quando o domingo clareava, chegaram o coronel Renato Moreira e o major Attila Rohrsetzer[15]. O jogo estava jogado.

Transportado para o prédio do Dops, na confluência das avenidas Ipiranga e João Pessoa, foi largado numa sala. Dois guardas trouxeram um preso comum, seminu, recebido com um pontapé na barriga por um terceiro. Este último converteu um rolo de fios de cobre em chicote. Dirigindo-se ao frade, ordenou: "Vá tirando a roupa que em seguida é você[16]".

Despiu-se mas não apanhou. Encontraria uma possível explicação para o comportamento atípico dos policiais numa frase do delegado

OS VENCEDORES

Sérgio Paranhos Fleury, no Dops gaúcho. Aos colegas, Fleury avisou que Betto teria "as costas quentes". Tal sorte seria produto de conversas em Brasília do general reformado José Carlos de Campos Christo, tio do prisioneiro. Na quinta-feira, 27 de novembro de 1969, Betto voaria da base aérea de Canoas, a bordo de um C-47 da FAB, para São Paulo. Primeira parada, o Dops. Segunda, o presídio Tiradentes.

A prisão, além da pena que impunha por sua própria condição, punia pelo escárnio: Tiradentes, preso político, era nome de uma prisão política. Tiradentes, que se rebelara contra o opressor e por ele fora castigado, identificava uma instituição punitiva daqueles que, agora, rejeitavam a opressão. Quem se dedicasse a refletir e relembrar outros nomes e outras prisões encontraria um padrão inquietante se repetindo. Na Luz, ficava o Dops paulista e a escuridão dos seus propósitos. Ainda em São Paulo, as masmorras do DOI-Codi se encontravam no... Paraíso. No Rio, outro preso político, condenado à morte como Tiradentes, nomeara um complexo penitenciário. "Frei Caneca, fuzilado em Pernambuco durante uma rebelião, também virou prisão", observou Betto.

Elevado a sinônimo de "paulista", o termo "bandeirante" batizava a OBAN, Operação Bandeirante, central de repressão coordenada pelo Centro de Informações do Exército, o CIE, e instalada na encruzilhada das ruas Tutoia e Tomas Carvalhal, imediações do parque do Ibirapuera. Posta em pé com verba pública, para ela fluiu o pecúlio da prefeitura de Paulo Maluf e do governo estadual de Roberto de Abreu Sodré, ambos nomeados. Jorrou também a grana grossa — US$ 110 mil *per capita* — de filiados da Federação das Indústrias de São Paulo, a Fiesp. Além da plutocracia paulistana, adventícios graúdos como a Ford e a Volkswagen perfilavam-se entre os benfeitores. Sem contar os patrocínios, a OBAN propiciou outra confluência, a do exército com a polícia militar e, especialmente, a civil.

O convívio da turma da caserna com a truculência dos achacadores do Esquadrão da Morte remeteu a Operação Bandeirante às origens bárbaras do termo. Para Betto, os bandeirantes representam a versão no Brasil Colônia do esquadrão da morte rural. Destaque para Fernão Dias que possuía, à beira do rio Pinheiros, uma fazenda com quatro mil escravos. "Torturou e matou o próprio filho que tivera com uma índia", ilustra. Borba Gato, Raposo Tavares, nenhum deles escapa, comenta o frei, tateando o código genético da violência na biografia do país.

Betto, aliás, seria xeretado pelo Serviço Nacional de Informações, o SNI, quando iluminava justamente o lado escuro das bandeiras. "Os bandeirantes não são aqueles heróis que se apregoa (...) sua verdadeira missão era escravizar índios para o trabalho, roubá-los ou então trucidá-los", escutaram os *arapongas* que o vigiaram na palestra que deu em Caxias do Sul, registrou o informe 2559, do Comando do II Exército, de 28 de setembro de 1982.

Fora do país, o Uruguai encerraria seus dissidentes na prisão de *Libertad*, a polícia secreta chilena martirizava os adversários de Augusto Pinochet na *Colonia Dignidad*, a ditadura de 1955, uma das mais ferozes entre as seis que atormentaram a Argentina no século XX, autodenominou-se *Revolución Libertadora*, enquanto os nazistas fizeram os prisioneiros dos *Konzentrationslager*, os *KZ*, fundirem e moldarem o sarcasmo férreo de seu *Arbeit Match Frei* — O Trabalho Liberta — nos portões dos campos de concentração ou extermínio.

A *novilíngua* [língua artística do romance *1984*, de George Orwell] da ditadura brasileira ainda transmutaria torturadores, Fleury entre eles, em promotores da paz. Raro é o delegado ou oficial dado a sevícias e assassinatos que não tenha sido galardoado com a Medalha do Pacificador. Como zombaria pouca é bobagem, vale notar que a comenda — instituída em 1953 como homenagem ao patrono do Exército, o Duque de Caxias — foi cunhada para ser conferida a militares e civis que tenham prestado "assinalados serviços ao Exército, elevando o prestígio da Instituição".

Betto conheceu o Tiradentes no dia 12 de dezembro. Primeiro foi para a cela dos incomunicáveis com os demais dominicanos presos no Rio e em São Paulo. Logo, passaram todos a uma cela maior inteirando trinta e um prisioneiros políticos. Não muito longe dali, um episódio na Estrada das Lágrimas, bairro paulistano de São João Clímaco, teria repercussões no Tiradentes e na cela de Betto.

Chizuo Ozawa, o Mário Japa da VPR, acidentou-se. Socorrido, descobriu-se no carro armas e documentos importantes. Mário Japa sabia muito sobre a guerrilha rural em processo de implantação. Urgia tirá-lo das mãos da polícia antes que a tortura o fizesse falar. A resposta da VPR foi o sequestro do cônsul japonês em São Paulo, Nobuo Okuchi, com a parceria do Movimento Revolucionário Tiradentes (MRT) e da Resistência Democrática (Rede). No final da tarde de 11 de março de 1970, Okuchi foi pego em Higienópolis. Quatro dias depois, seria devolvido em troca da libertação de cinco presos políticos. "Somos menos um na cela 7", escreveu aos pais no dia 17 de março.

Quem partiu foi Otávio Angelo, da ALN. Ele e Diógenes Carvalho de Oliveira, que também estava no Tiradentes, seguiram para o México. Mesmo destino de Damaris Lucena e seus três filhos menores, da irmã franciscana Maurina Borges da Silveira e do próprio Mário Japa.

No Tiradentes, Betto reencontrou frei Tito. Cearense, caçula de onze irmãos, estudante de Filosofia da Universidade de São Paulo, Tito de Alencar Lima havia ajudado, em 1968, a conseguir o local para realização do 30º Congresso da UNE, em Ibiúna/SP. Às 3h da madrugada de 4 de novembro, mesmo dia em que Marighella seria executado na alameda Casa Branca, a equipe de Fleury invadiu o convento dos dominicanos em Perdizes, zona oeste de São Paulo. De pijama, o provincial frei Domingos Leite, foi surpreendido por um agente armado de metralhadora e intimado a acompanhá-lo. Tito foi preso também.

Naquela quadra da vida, ele se afastara da militância na ALN, apaixonara-se e estava inseguro quanto à opção pelo sacerdócio. Retomara seu nome civil, João Antonio Caldas Valença, e "queria transar" no que foi estimulado pela sua psicanalista[17]. Explicou suas dúvidas e pediu um tempo. Marighella foi flexível: "Caboclo, tudo bem. Eu compreendo e sei como é. Não se esqueça de seu compromisso com a revolução brasileira[18]".

Após a humilhação, o superior do convento foi liberado. Tito ficou nas mãos de Fleury mas, naquele momento, estava confiante. Tão confiante que o desafiou.

— Qual é o seu nome? — quis saber o inquisidor.

— Qual é o teu nome? — volveu o frade.

— Eu não sou você! Trate-me de senhor! — rugiu.

— Mas se você me trata de você, não vejo porque não fazer o mesmo[19].

Fleury centra sua curiosidade no congresso de Ibiúna. Quer saber qual o papel dos dominicanos no episódio. Tito se mantém em silêncio. Exasperado, Fleury bate-lhe na cabeça com uma palmatória. A seguir, desfere-lhe socos, pontapés e choques elétricos. Na tortura, defeca. Os torturadores esfregam-no nas fezes.

Fleury muda de assunto:

— O que você sabe de Marighella? Você, comunista de merda. Você que ajuda esses putos terroristas a fugir do país. Você e seus queridos confrades[20].

Tito foi conduzido à sala onde os freis Yves Lebauspin e Fernando de Brito e o ex-frei Maurício (João Valença), com as roupas molhadas de sangue, estavam amarrados em *cadeiras do dragão* — com assento de chapa de zinco e eletrificada — recebendo choques. Dispensou-se o mesmo tratamento ao recém-chegado. Depois da tortura, Tito sentiu-se mortificado por ter *aberto* o nome de um companheiro, Genésio Homem de Oliveira, o *Rabotchi*, da ALN.

A prisão dos dominicanos levou o frei Vincent De Couesgnongle, representante da ordem, a viajar ao Brasil. Ao saber que o francês iria ao Dops no dia 20 de novembro, o cardeal de São Paulo, dom Agnelo Rossi, quis acompanhá-lo. Eram mentalidades diferentes.

Simpático aos quartéis, dom Agnelo mantivera distância dos dominicanos que ajudavam a ALN. Couesgnongle lutara na Resistência contra o nazismo e conhecia a versão dos presos sobre o que se estava passando. Na visita, presenciada pelos policiais, Rossi atritou-se com os frades. Tito relatou-lhe o tratamento que haviam recebido no Dops e o cardeal negou-lhes amparo. Respondeu que o comportamento dos freis nada tinha a ver com cristianismo. Quanto às prisões e às torturas disse esperar resolver tudo através de um "diálogo patriótico" com o presidente[21]. Por fim, saiu-se com a frase "Peço que Deus proteja e ilumine o nosso Médici para que ele desempenhe bem a sua pesada tarefa".

Tito e os dominicanos foram transferidos para o presídio Tiradentes e dom Agnelo seria afastado, no ano seguinte, da arquidiocese de São Paulo. Chamado a Roma e submetido, segundo Betto, ao *modus operandi* do Vaticano de "promover para remover", abriu espaço para a ascensão de seu auxiliar, dom Paulo Evaristo Arns. Enquanto dom Agnelo dizia em Roma que não havia tortura no Brasil, seu substituto erigiu-se, com dom Hélder Câmara, nos dois maiores pilares da Igreja Católica na oposição à carnificina em curso.

No Tiradentes, fevereiro encontrou Tito "alegre, tranquilo, recuperado do que havia sofrido no Dops"[22], testemunhou Betto. Depois dos dias mais duros, no princípio dos anos 1970, os frades se animavam com canções, entre elas "Bella Ciao". Quem lhes ensinara fora frei Giorgio Callegari. Também trancafiado, o italiano Callegari transitara pela democracia-cristã antes de rumar à esquerda. Eles a entoavam na versão dos *partigiani*, os guerrilheiros que arrostaram o fascismo de Mussolini. Na letra, o guerrilheiro vai à luta, mas antes pede à amada para, se morrer, sepultá-lo à sombra de uma flor, fechando com estes versos:

È questo il fiore del partigiano,
o bella, ciao! bella, ciao! bella, ciao, ciao, ciao!
È questo il fiore del partigiano,
morto per la libertà![23]

As músicas ajudavam o tempo a passar e Tito, menos enredado que os demais dominicanos, apenas aguardava sua liberação. Porém, surpreendentemente, a Polícia do Exército apareceu no começo da tarde de uma terça-feira, 17 de fevereiro, e o levou.

"Assassinos, assassinos!" "Coragem, Tito!" "Firme, companheiro!"

Meia centena de presos tinha o rosto espremido no alambrado estendido entre as grades, rememorou Betto[24], citando a impotência dos parceiros de cela que entremeavam insultos com manifestações de alento a quem rumava para a tortura.

Ao chegar à Operação Bandeirante, o chefe da Equipe de Buscas do DOI-Codi, capitão Maurício Lopes Lima explicou-lhe qual era o lugar onde estava pondo os pés: "Você agora vai conhecer a sucursal do inferno".

Na verdade, era um aviso tardio. No porta-malas da perua que o conduziu até a OBAN, o prisioneiro transpusera aqueles umbrais. Um depoimento de Tito[25], redigido no mesmo mês e contrabandeado para fora dos muros da OBAN, deu voz ao seu martírio. No caminho, sob a mira dos revólveres, as torturas tiveram início: cutiladas na cabeça e no pescoço.

Os torcionários queriam, novamente, inquirir o prisioneiro sobre Ibiúna. Por meio dele, a estudantada da UNE conseguira o empréstimo do sítio onde realizou seu congresso em 1968. Tanto interesse pelo assunto provavelmente se devia menos à participação do dominicano no episódio do que a da advogada Therezinha de Jesus Zerbini. Era um esforço para implicar na empreitada o general legalista Euryale de Jesus Zerbini, casado com Therezinha. Mais tarde fundadora do Movimento Feminino pela Anistia, ela também seria presa, mas seu marido não.

Suspenso no pau de arara, nu, os pés e as mãos amarrados, Tito recebeu choques elétricos nos tendões dos pés e na cabeça. De complemento, "telefones" (tapas com as mãos em concha nos ouvidos). Foi assim horas a fio. Sem poder andar, saiu carregado por um soldado para a cela, fervilhante de baratas e pulgas. Dormiu sobre o cimento "frio e imundo".

Pela manhã, o tormento reiniciou. Ao fim da tarde, o capitão Homero César Machado avisou-lhe que, no dia seguinte, enfrentaria

OS VENCEDORES

a "equipe da pesada". Na quinta-feira, retornou à *cadeira do dragão*. "Descarregaram choques nas mãos, nos pés, nos ouvidos e na cabeça. Dois fios foram amarrados em minhas mãos e um na orelha esquerda. A cada descarga, eu estremecia todo, como se o organismo fosse se decompor", descreveu.

Remanejado para o pau de arara, não se livrou da eletricidade, agora seguida por bastonadas no peito e nas pernas. Desmaiou uma hora depois. Reanimado para continuar apanhando, quando veio a si não podia fechar as mãos de tão inchadas. Às dez da manhã, irrompeu no recinto o capitão Benoni de Arruda Albernaz, torturador de Dilma Rousseff e autor daquele esclarecimento segundo o qual seu coração ficara repousando em casa.

Albernaz confessou a Tito ter "verdadeiro pavor a padre e para matar terrorista nada me impede". Prometeu-lhe "choques o dia todo", advertindo-o que todo "Não" que dissesse, mais violento seria o choque. Queria nomes e *aparelhos*. Quando o preso respondeu "Não sei", tomou uma descarga tão forte que "houve um descontrole nas minhas funções fisiológicas". Não deixaram que se limpasse.

Em dado momento, Albernaz mudou o rumo do interrogatório. Queria saber "quais os padres que têm amantes?" Adiante, ordenou que o frade abrisse a boca: "Você vai receber a hóstia sagrada!". Enfiou-lhe um fio elétrico entre os dentes. A boca do prisioneiro tornou-se "uma ferida só". Garantiu-lhe que, se não falasse, seria "quebrado por dentro" pois "sabemos fazer as coisas sem deixar marcas visíveis".

Tito decidiu matar-se. Colocou uma lâmina de barbear na dobra do braço esquerdo e apertou-a, seccionando uma artéria. Perdeu os sentidos. Acordou no pronto-socorro do Hospital das Clínicas. Passou pelo Hospital Militar e daí retornou ao Tiradentes.

A 360 quilômetros dali, três carros manobram e preparam novidades para Tito. E vão alvoroçar o Tiradentes. Naquele dia, 7 de dezembro de 1970, um Buick escuro move-se pela rua Conde de Baependi, no subúrbio carioca de Laranjeiras, quando um Aero-Wyllis cinza, na contramão, tranca-lhe a passagem. Na traseira, um fusca azul aparece e encaixota o carrão importado. Dentro do Buick está um sujeito bonachão. A VPR acaba de sequestrar o embaixador da Suíça no Brasil. E vai trocá-lo por setenta prisioneiros políticos. Um deles será Tito.

Mas ele não quer partir. Ao mesmo tempo, sabe que, caso rejeite a oportunidade, poderá ser usado pela propaganda da ditadura. Prefere ser banido do país. Vai para o Chile. Dia 11 de janeiro de 1971, acena antes de entrar no carro que o levará ao aeroporto. Ouve o "Hino da Independência" entoado em uníssono pelos companheiros: "Brava gente brasileira!/ Longe vá temor servil:/ Ou ficar a pátria livre/ Ou morrer pelo Brasil".

No Chile, permanece algumas semanas. Tempo bastante para perenizar palavra e imagem no documentário *Brazil: Report on Torture* dos cineastas norte-americanos Haskell Wexler e Saul Landau[26] captado em Santiago com os brasileiros banidos em troca de Bucher: "Meu nome é frei Tito de Alencar Lima, tenho 25 anos de idade e sou religioso", fala para a câmera no seu espanhol mascado. Parece tranquilo. O bastante para conectar a repressão política à alcateia que, sob o disfarce da lei, opera na delinquência. Narra que foi capturado "pelo Esquadrão da Morte" e torturado por Albernaz durante vinte horas consecutivas. Denuncia que "o Brasil não é somente o país do samba, do futebol e de Pelé, mas sim um grande campeão da tortura". Debaixo da ditadura, a tortura é "a única coisa democrática" do país: todo cidadão, independentemente de classe social, está sujeito a ela.

Alvejou dois espectros dos porões que identificou como "capitão Dalmo" e "major Voldi". De ambos ouvira que "é preciso torturar os sacerdotes para que eles aprendam".

Tito foi apenas uma das vítimas do "capitão Dalmo". O nome do oficial de artilharia do exército Dalmo Lúcio Muniz Cyrillo, mais tarde coronel, aparece no Dossiê dos Mortos e Desaparecidos como autor de cinco assassinatos entre 1969 e 1972. Na OBAN, teriam morrido nas suas mãos Joaquim Seixas (MRT) e Virgílio Gomes da Silva

(ALN). No DOI-Codi paulista, os militantes Carlos Nicolau Danielli (PCdoB), Hiroaki Torigoi (Molipo) e José Julio de Araújo (ALN). O "major Voldi" seria o major Waldyr Coelho, aquele mesmo apelidado *Linguinha* e que também torturaria a Vanda da VAR-Palmares. *Linguinha*, na época da prisão de Tito, comandava a OBAN. A exemplo de Fleury, ambos receberam a Medalha do Pacificador, Coelho em 1970 e Cyrillo, em 1972.

A pena de Tito seria muito mais pesada do que a de Betto, embora ele estivesse percorrendo as ruas de Santiago, enquanto seu confrade permanecia na clausura do Tiradentes. Quando deixou o Chile foi para Roma. Sem acolhida, busca e obtém refúgio em Paris, no convento de Saint Jacques. Reencontra os dominicanos e exilados Osvaldo Rezende, Luiz Felipe Ratton e Magno Villela. Estuda teologia, escreve cartas e poemas, lê os clássicos do marxismo, planeja viver no México. "Era um sujeito alegre, gostava de tocar violão, nos domingos ia lá pra minha casa", evoca Aloysio Nunes Ferreira Filho.

Ouvia Chico Buarque, Milton Nascimento. Gostava dos Beatles. Deles, sua canção favorita era *"Here, There and Everywhere"*. Aos poucos, porém, foi-se deprimindo e isolando. O que se aguçou, sobretudo, com a queda do governo Allende, em 11 de setembro de 1973. Aloysio assistiu à deterioração, desde os primeiros sinais. Tito começou a desconfiar que havia infiltrados entre os amigos. A primeira suspeita recaiu sobre o jornalista Márcio Moreira Alves[27]. Tudo tornou-se mais dramático quando, no convento onde morava, via Fleury do outro lado da rua. "Sofreu um desmoronamento mental", diz Aloysio.

Numa noite tempestuosa, o dominicano francês Xavier Plassat deparou-se com Tito estático em meio à chuvarada. Chamou-o para abrigar-se. Respondeu-lhe que não podia. "É o Fleury. Ele me proibiu de entrar. Senão ele ainda vai me bater", justificou. "Mas ele não está por aqui, está?", reagiu Plassat, surpreso. E Tito: "Não. É justamente isso. Ele está lá dentro do convento. Vi o rosto dele refletido numa das vidraças"[28].

Exasperado, percebia no Arco do Triunfo um monumento ao pau de arara e na Torre Eiffel, um gigantesco eletrodo disparando descargas elétricas. Ratificava-se a promessa de Albernaz: se não falasse, seria "quebrado por dentro". Sentindo-se espreitado e perseguido dia e noite por Fleury e seus sequazes, Tito disse à sua irmã, Nildes, que a única solução para ele era morrer como Lázaro para ressuscitar como Jesus[29]. Morrer para viver.

A assombração que se apossara da alma do frade para espezinhá-lo até o último dos seus dias carregava, sarcasticamente, a alcunha de Papa. Também era Júpiter, o deus supremo de Roma e o gigante entre os planetas do sistema solar. Não eram apelidos postos ao acaso. Eram reverências. Espelhavam a aura que cingia o mais poderoso dos policiais, senhor da vida e da morte nos porões, que amedrontava colegas, promotores, advogados e juízes. E que contava com a cumplicidade do governador, de generais e presidentes. Tanto que, quando se abriu a hipótese de condenação do "carro-mestre"[30] da ditadura, como o chamou o general Octávio Costa, costurou-se uma legislação sob medida para o talhe do delegado: a lei Fleury[31], alinhavada na Câmara dos Deputados pelo chefe da Casa Militar, general João Batista Figueiredo.

Sérgio Fernando Paranhos Fleury era uma vocação precoce. Filho de médico legista, aos dezessete anos ingressou no Dops. Ex-segurança do *rei* Roberto Carlos, virou delegado, pavimentando uma carreira de policial astuto, atrevido e brutal. Embora bacharel, nunca teve amor ao direito ou à lei, especialmente aquela interposta ante seu objetivo. Para "comandar as matanças frias" do Esquadrão da Morte, transfigurou-se em "homicida cruel, corrompeu-se no tráfico de entorpecentes e ele próprio sujeitou-se a dopagens"[32], descreveu Hélio Bicudo, um dos poucos promotores a contrastá-lo.

Quando as organizações de esquerda desfecharam assaltos a bancos visando levantar fundos para a guerrilha rural, a caserna recrutou Fleury e sua matilha. E a ciência investigativa do Esquadrão da Morte — sequestros, tortura, desaparecimento e assassinatos — foi institucionalizada em prol da segurança nacional. Tornou-se um bem do Estado.

OS VENCEDORES

Alguns modos da nova parceria talvez causassem asco à oficialidade. Da chusma fazia parte o agente Ademar Augusto de Oliveira, o *Fininho*, que embelezava seu chaveiro com a língua de um desafeto. Nada que destoasse da caterva. A mulher do investigador Henrique Perrone[33] horrorizou-se ao encontrar um dedo no bolso do paletó do marido. Dava-se sumiço nos cadáveres mas, precavidamente, cortavam-se os dedos para dificultar a identificação. Às vezes, a amputação acontecia com o dono dos dedos ainda vivo, o que parecia mais emocionante para alguns interrogadores. Cortavam-se cabeças, costurando-as em corpos diferentes para, de novo, atrapalhar quem quisesse bisbilhotar. O investimento daria o retorno prometido, mas a promiscuidade com a pocilga salpicaria a imagem das forças armadas com um barro fétido e indelével.

Quando encontrou Tito, Fleury vivia o auge. No mês anterior, havia torturado até uma freira, Maurina Borges da Silveira. O deslize da freira fora emprestar uma sala do orfanato que dirigia em Ribeirão Preto para uma reunião de jovens. Maurina ignorava, mas os rapazes pertenciam a um grupúsculo esquerdista, as Forças Armadas de Libertação Nacional, FALN, que acabou na OBAN. No ano seguinte, o delegado trituraria até a aniquilação o militante da ALN, Eduardo Coleen Leite, o *Bacuri*. Antes de morrer, *Bacuri* perdera o movimento das pernas, sofrera queimaduras, tivera os olhos vazados, os dentes arrancados e as orelhas decepadas.

Enquanto alguns — poucos — colegas procuravam saber mais sobre o inimigo interno, lendo sobre guerrilha ou ideologias, o *Papa* preferia gibis. Deliciava-se com o enlatado norte-americano *Baretta* e o programa *Os Trapalhões* e, em algumas ocasiões, assumia o palavreado trocaletra do comediante Mussum falando *segredis* em vez de segredo[34], adornando o terror com um envólucro de vulgaridade. A resposta que deu à carta[35], publicada na Europa, da Ação dos Cristãos pela Abolição da Tortura, na qual era chamado do que era — torturador — foi tosca porém ilustrativa. Autodefiniu-se como "um realista desinteressado". Era também "a águia", ao passo que os destinatários "mulheres, adolescentes (...) um rebanho sem nome ou força" eram "imorais e obscenos". Presunçoso, classificou o amor como "praticar o bem do povo mesmo que ele a isso se oponha". Nomeou-se o representante da "verdadeira religião" e conceituou "a verdadeira democracia" como sendo "governar com mão de ferro as massas infantis e necessariamente dependentes".

Todos esses Fleurys — o caçador de subversivos, o inquisidor, o torturador, o homicida, o tira prepotente, o *Papa*, o *Júpiter*, o "realista desinteressado", mas sobretudo o perseguidor obcecado — se consorciaram para, encapsulados nas profundezas da mente, parasitarem os pensamentos do hospedeiro. Era a entidade que roía por dentro o espírito do frade exilado.

Tito trocou o convento de Saint Jacques pelo de L'Arbresle, nas imediações de Lyon, distante 460 quilômetros de Paris. Os médicos propuseram que abandonasse os estudos pelos trabalhos manuais. Tito aceitou a recomendação, mudou-se para uma pensão e arrumou um emprego de horticultor no município de Villefranche-sur-Saône. Mesmo assim continuava perturbado. Ora ria, ora chorava. Negligenciou o trabalho e foi demitido. Frei Betto[36] narra que, quando o ex-frei Michel Saillard o visitou em Villefranche, Tito confessou-lhe sua desilusão: "Já não creio em mais nada. Nem Cristo, nem Marx, nem Freud".

Vagava pelo campo, sem comer, nem beber. Numa emergência, o psiquiatra Jean-Claude Rolland foi chamado. Encontrou o paciente de vinte e oito anos com "o rosto lívido, os olhos fixos no chão e perdidos, o corpo desabitado por qualquer vida". Não falava. Decidiu interná-lo. "Nunca desaparecerá de mim a imagem estarrecedora que se apresentou", relatou Rolland. Conduziu o paciente para o quarto e ele o seguiu "com a resignação de um condenado à morte". Ao entrar, apertou-se contra a parede, ergueu as mãos para o ar, como se fosse ser executado[37].

Quando a enfermeira alcançou-lhe os antipsicóticos que atenuariam seu terror, Tito recebeu-os como "um veneno que iria pôr fim aos seus dias"[38]. Na interpretação do analista, Fleury e seus asseclas criaram, por meio da tortura, um novo personagem disponível para a autodesvalorização, autocrítica e autopunição.

No Brasil, Betto, Fernando e Yves rumariam para a Penitenciária Estadual onde já estavam muitos de seus companheiros de Tiradentes. Corriam os dias de maio de 1972. A greve de fome que fizeram não impediu a remoção. Aos novatos, uma inscrição no alto do prédio de cinco andares e diversos pavilhões, avisava: "Aqui o trabalho, a disciplina e a bondade resgatam tua falta". O novo endereço representava, para o frade, "uma fortaleza enorme, sinistra" ou um "sarcófago de cimento e ferro"[39], onde ele ocupou a cela 724 do terceiro pavilhão e recebeu o número 2405. Em junho, nova mudança. Betto foi para a Casa de Detenção. Mal chegado, foi mais uma vez transferido. Seguiu para a penitenciária regional de Presidente Venceslau, distante 610 quilômetros da capital, junto à fronteira com o Mato Grosso. Apenas tomando soro e bebendo água, em nova greve, a barriga reclamava, "saudosa de um tutu com linguiça, arroz de forno com costeleta de porco, bife a cavalo. Êta mundo bão!", escreveu para a família nas suas *Cartas da prisão*.

Em julho, enviou em outra carta, a "Oração de um Preso", que escreveu com base no texto encontrado no bolso de um judeu morto em um campo de concentração nazista. Pede a Deus para que esqueça o mal que cometeram policiais, carcereiros, torturadores e juízes contra os prisioneiros, mas que não permita que, algum dia, suas vítimas se transformem em pessoas iguais a eles.

Captou[40] a difícil aproximação dos correcionais, os *corrós* ou presos comuns. Boa parte do problema se devia à pecha de "terroristas" dos prisioneiros políticos. Bandidos e homicidas se espantariam com a dissonância entre a imagem construída e a realidade constatada. Surpreenderam-se ao ouvir de Betto que jamais pegara numa arma, mesmo descarregada.

Numa carta a uma irmã provincial, descreveu que estar na prisão por causa da justiça "não é nenhuma vergonha, mas motivo de júbilo no Evangelho de Jesus Cristo". Pelo cárcere — argumentava — passaram o próprio Jesus e seus seguidores como João Batista, Tiago, Pedro, João, Paulo, Francisco, Joana d'Arc... E o franciscano alemão Maximilian Kolbe, que aceitou morrer em Auschwitz no lugar de um prisioneiro judeu

Em 1973, ajudou a criar um grupo teatral na prisão. Com a cumplicidade do capelão, os freis implantaram ainda um curso supletivo de primeiro grau. Para espanto dos professores, sessenta e quatro *corrós* se inscreveram para as aulas noturnas de segunda a sexta ministradas pelos presos políticos. Betto e Manuel Cirillo lecionavam física e biologia; Fernando, matemática; Yves, história geral e estudos de problemas brasileiros; Maurice Politi ficou com português.

Betto seria condenado a uma pena de quatro anos de confinamento pela Justiça Militar, mais dez de suspensão dos direitos políticos. Pronunciada a sentença, seu advogado, Mário Simas, não se conteve e leu "A noite dissolve os homens", poema de Carlos Drummond de Andrade que se abre assim: "A noite desceu. Que noite!/ Já não enxergo meus irmãos/ E nem tampouco os rumores/ Que outrora me perturbavam./ A noite desceu. Nas casas, / nas ruas onde se combate,/ nos campos desfalecidos,/ a noite espalhou o medo/ e a total incompreensão".

Deixou a prisão no final de setembro de 1973. Numa de suas últimas cartas, escreveu aos pais e irmãos. Dizia que o que mais o importava era "conservar aí fora a liberdade que conquistei aqui dentro". E arrematava: "Quem quiser entender entenda".

Na França, caminhava o verão para o fim quando o frei Roland Ducret foi visitar Tito. Nenhuma voz contestou quando bateu à porta na zona rural de Villefranche. No sábado, 10 de agosto de 1974, o corpo foi descoberto. Pendia de um álamo nos arredores.

Tito estava morto, mas sua morte havia muito tempo não era novidade. Como o psiquiatra Rolland abreviou: "Tito de Alencar morreu no decorrer de suas torturas[41]".

A um de seus últimos poemas, Tito deu o título *Lasciate Ogni Speranza, Voi Ch'Entrate!* — a inscrição no arco de entrada do Inferno

OS VENCEDORES

segundo Dante Alighieri em *A Divina Comédia*. Não há perdão ou esperança para aqueles que cruzam o umbral. Antes de exorcizar de vez seus demônios, escreveu:

São noites de silêncio
Vozes que clamam num espaço infinito
Um silêncio do homem e um silêncio de Deus (...)

Depois da vida e da morte, Tito juntará sua trajetória com a de outro perseguido. O que começa a acontecer além dos Andes.

Quando Betto (segundo, a partir da esquerda) foi sentenciado a quatro anos de prisão, seu advogado citou Drummond: "A noite desceu. Nas casas, / nas ruas onde se combate, / nos campos desfalecidos, / a noite espalhou o medo / e a total incompreensão"

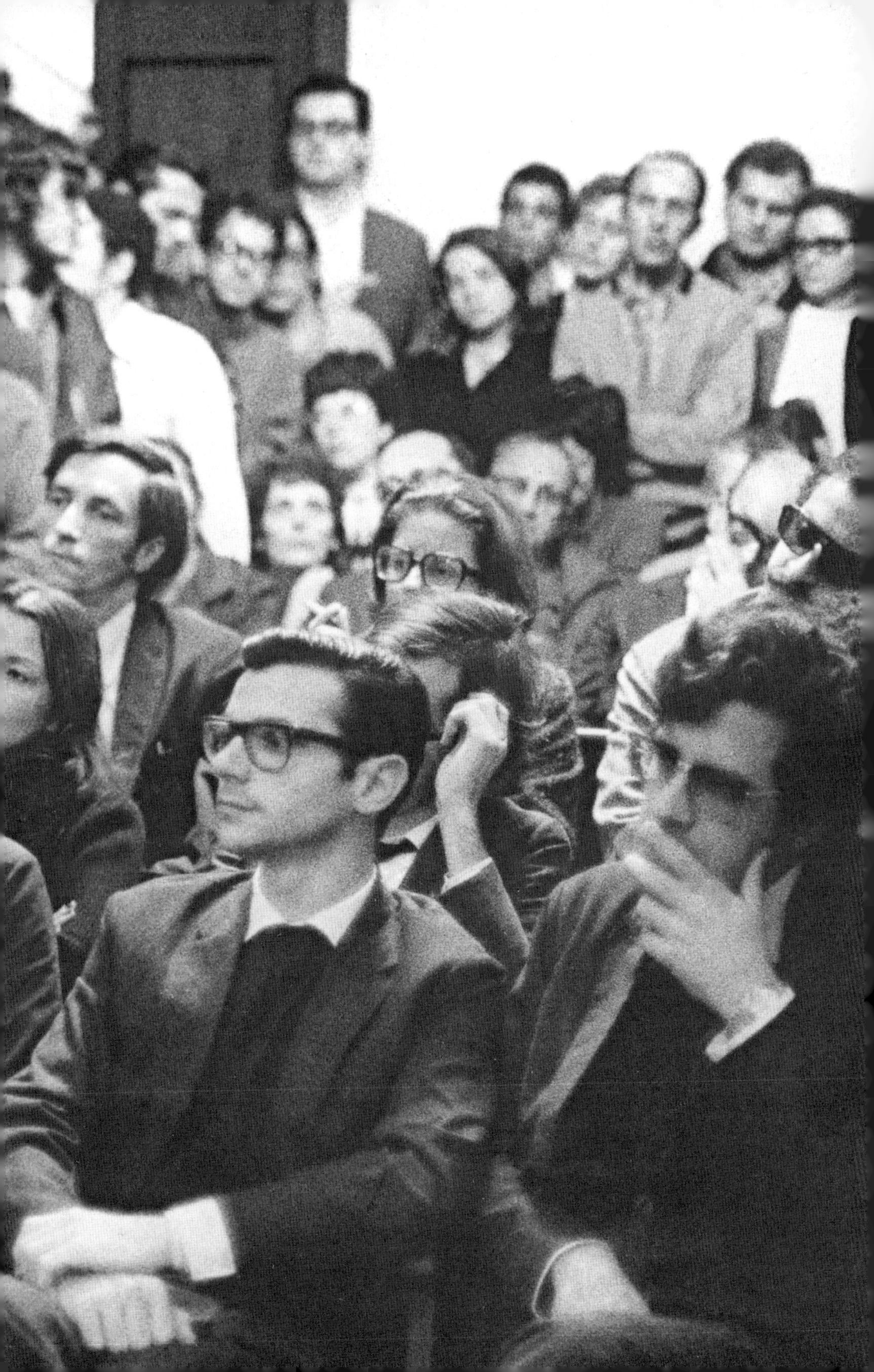

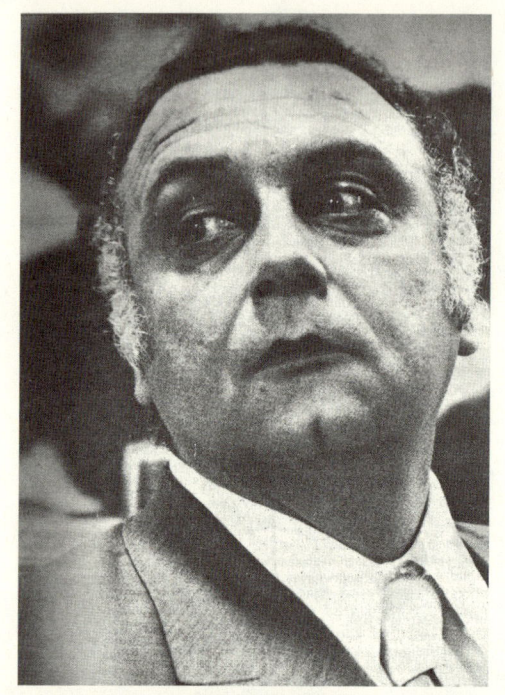

Chamado de "Papa" por seus subordinados, Fleury apresentou-se a cristãos da Europa como o representante da "verdadeira religião", definindo democracia como "governar com mão de ferro as massas infantis"

Após passar por Fleury, frei Tito nunca mais se recuperou. Na França, disse a um amigo que não acreditava em mais nada "nem Cristo, nem Marx, nem Freud"

OS VENCEDORES

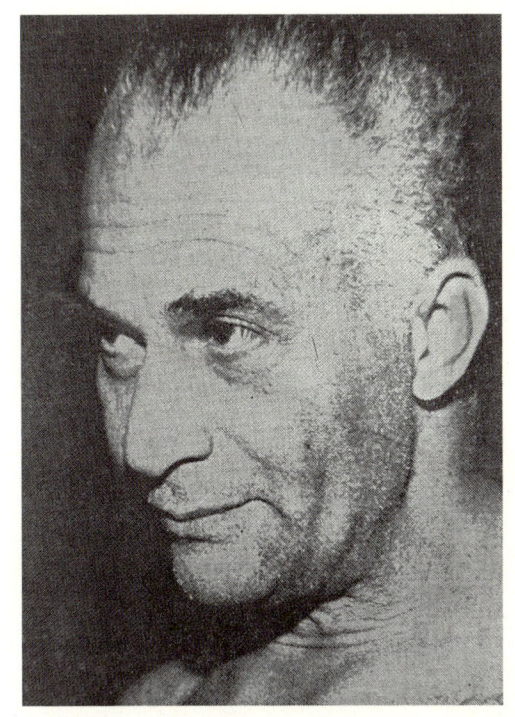

Carlos Marighella, que se apresentou como "professor Menezes" para Betto

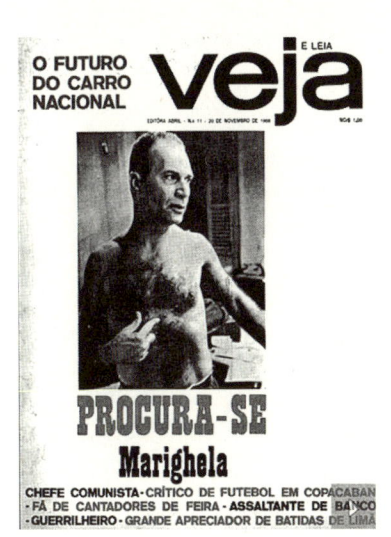

Na capa de Veja, *o chefão da ALN e homem mais procurado do país*

Afinado com a ditadura, O Globo *reproduzia nas suas manchetes o tratamento oficial dos frades como "terroristas"*

À esquerda, Helvécio, aliás Clemente, aos 21 anos, exilado em Valparaíso, Chile

CAPÍTULO 6

O 11 de Setembro chegou na véspera

A primeira imagem enquadra dezenas de jovens correndo pela calçada. Estão fugindo. Ouve-se tiros e um matraquear de metralhadora. Da bruma no fundo da rua destaca-se um veículo militar. E a câmera troca a fuga pelo novo elemento entrando em quadro. É uma toyota de carroceria aberta que avança, faz a meia--volta e estaciona junto à calçada oposta. Sete homens armados descem. Um deles, pistola na mão, vai para o meio da rua, caminha agitado para um lado e o outro, dá ordens e, naquele momento, seu olho encontra o olho mecânico que o observa. Gira, aponta a arma e dispara. A câmera recua como que procurando resguardo, vacila, mas acha novamente a toyota. Quando a reencontra, um segundo soldado na carroceria ergue o fuzil na sua direção. Não há mais tempo para nada. Resta a claridade débil no cano da arma, o estampido, a imagem que oscila, vislumbra o céu e se precipita para o chão. E tudo está acabado.

São 102 segundos que assombraram o mundo: o cinegrafista que filmou a própria morte. Leonardo Henrichsen, trinta e três anos, argentino trabalhando para uma TV da Suécia, morreu durante

El Tanquetazo, o ensaio frustrado, três meses antes do 11 de setembro de 1973, para derrubar o governo socialista de Salvador Allende. O assassinato não contaria com testemunho tão aplastante se outro fato inusitado não tivesse acontecido.

Em julho de 1973, dois dias depois do levante contra Allende, Helvécio Ratton e seus colegas da Chile Films fizeram uma descoberta: alguém, anonimamente, deixara uma câmera no saguão da empresa.

Brasileiro e exilado, Helvécio trabalhava na estatal chilena de cinema. Junto à câmera, um recado sucinto: "Revelem este filme". Atenderam ao pedido e ficaram pasmos com o material. Revelado, o conteúdo virou uma edição extra do cinejornal que a Chile Films produzia semanalmente. A exemplo do que fizera com Henrichsen, o exército desfechou uma caçada implacável ao seu derradeiro rolo de filme, confiscando cópias após invadir todos os cinemas que se atreveram a exibi-lo.

Apesar disso, aqueles poucos metros de filme atravessaram a fronteira chilena, rodaram o planeta e Henrichsen virou mártir do telejornalismo. Embora *El Tanquetazo* tivesse sido barrado pelas tropas fiéis a Allende, tendo à frente o general Carlos Prats[1], para Ratton, ex-dirigente da VAR-Palmares, o episódio foi revelador de outra maneira: aumentou o sentimento de que o panorama político, já tensionado pela fratura social da sociedade chilena, agravara-se nitidamente.

Helvécio que, na VAR, era *Clemente*, escapou do Brasil depois de uma sequência de quedas da organização em Brasília. "Eu tinha um ponto com um companheiro no hotel Nacional mas fui avisado (das quedas). Uma pessoa me informou e me salvei." Mas, perseguido, onde se esconder? Helvécio/*Clemente* escolheu Belém por duas razões. A principal delas era que lá morava uma prima distante que talvez pudesse abrigá-lo por algum tempo. A segunda devia-se ao fato de o aeroporto de Belém não possuir detectores de metal, dado essencial para acionar um eventual plano B: o sequestro de um avião para Cuba. Mas a prima o recebeu bem e ele ficou uma semana refugiado na sua casa. Enquanto isso, seu pai, Luiz Ratton, homem conservador, favorável ao golpe de 1964, mas preocupado com o filho, acionava um terceiro esquema de evasão. Que se revelou mais eficaz e seguro.

Luiz Ratton contatou um contrabandista que fazia a rota do Paraguai e pagou-lhe para colocar Helvécio do outro lado da fronteira. De Belém seguiu para o Rio e daí para Belo Horizonte, onde ficou somente dois dias. Pegou um aviãozinho que pousou em Pedro Juan Caballero, no Paraguai, barra-pesada de contrabando e narcotráfico. Ao contrabandista, o pai explicou que o filho ia buscar maconha...

Como falhou o plano de conseguir um passaporte falso em Pedro Juan Caballero e viajar ao Peru, o jeito foi usar a carteira de identidade para seguir até o Chile e juntar-se ao maior contingente de exilados do Brasil. Em Santiago, trocou a vida de militante vinte e quatro horas pelo curso de economia. Foi aluno de Marta Harnecker[2] e de Maria da Conceição Tavares. Mas logo abandonou a economia em favor da sua vocação: fazer filmes.

Longe do Chile e mais distante ainda da descoberta do cinema como profissão, pensou que seu caminho era bem outro. Aos doze anos, estava matriculado no Colégio Militar de Belo Horizonte. Possuía um tio general, Antonio Carlos Ratton, e aquilo o interessou pela carreira.

O ímpeto inicial logo arrefeceu. Era aluno da escola quando sobreveio o golpe de 1964. E o Colégio Militar seria usado "para prender e torturar pessoas", saberia mais tarde. De fato, a escola tornou-se, naqueles anos, um dos oito centros de tortura de Minas. Mas, para um jovem, havia outras contrariedades. Era preciso raspar a cabeça de quinze em quinze dias e, para sua geração, o cabelo era algo de muito simbolismo. Enquanto os jovens usavam cabelos compridos e estavam interessados nos Beatles e nos Rolling Stones, Helvécio tinha que cumprir os rituais que a disciplina militar impõe. Não quis mais ficar.

Mas o pai o convenceu a permanecer mais dois anos. Estaria então dispensado do serviço militar obrigatório, o que lhe pareceu um argumento atraente. Em 1966, matriculou-se no Colégio Universitário. Era uma escola fora do comum, de turno integral, com muitas atividades culturais, dirigida por Aluísio Pimenta que, muito depois, seria ministro[3]. Aos dezesseis anos, começou a militar. Como o chefe da família achava que o golpe fora necessário para "deter a baderna, a ameaça comunista", havia grandes brigas na hora do almoço.

Quando desembarcou no ativismo antiditadura sua praia não foi a Política Operária, a Polop, frequentada por muitos de seus companheiros de geração. Levado por outro estudante, mais velho, Apolo Heringer Lisboa, já desembarcou na dissidência da Polop. Lá encontrou seus amigos secundaristas Fernando Pimentel e João Batista dos Mares Guia, o estudante de medicina Angelo Pezzuti da Silva e Dilma Rousseff. Foi colega de Dilma e de José Aníbal na Economia da UFMG[4].

A dissidência da Polop virou Colina. Ratton ganhou a incumbência de atuar no enlace com o movimento estudantil, também participando de pichações e panfletagens. Nunca, garante, envolveu-se em ações armadas. Um choque, com mortos e feridos, entre o Colina e os órgãos de segurança precipitaria o aniquilamento da organização e a debandada dos remanescentes para o Rio de Janeiro. E Helvécio foi também.

Na madrugada de 29 de janeiro de 1969, a casa na rua Itacarambi, 120, bairro São Geraldo, região leste de Belo Horizonte, onde dormiam os militantes Afonso Celso Lana Leite, Jorge Nahas, Murilo Pezzuti da Silva, Maria José Nahas, Júlio Bittencourt, Nilo Menezes Macedo e Maurício Paiva, foi invadida pela polícia.

Dias antes, um dos cabeças do grupo, Ângelo Pezzuti da Silva, fora preso. O mesmo acontecera com outro militante, Pedro Paulo Bretas. Sob tortura, fatalmente o esconderijo seria revelado. Não se sabia apenas quanto tempo isto demoraria para acontecer. Naquela noite, apesar do risco, o grupo decidiu que só sairia do *aparelho* ao amanhecer. Para seu azar, a repressão madrugou.

Os invasores foram recebidos com fogo da metralhadora Thompson calibre 30 empunhada por Murilo, irmão de Ângelo. No tiroteio que se seguiu, morreram o subinspetor Cecildes Moreira da Silva e o guarda civil José Antunes Ferreira. O investigador José Reis de Oliveira foi ferido. Maurício Paiva foi atingido duas vezes. Rendidos, os moradores escaparam de um fuzilamento sumário no próprio local, mas não de um suplício recorrente nas delegacias e quartéis e que agora ganhava foros didáticos: os presos foram levados ao Rio para servir como cobaias em aulas de tortura.

O mestre destas lições de martírio era o tenente do exército Ailton Guimarães Jorge que, posteriormente, na crônica da contravenção, do submundo e do carnaval carioca, subiria a escada da fama montado na alcunha de Capitão Guimarães[5]. Em depoimento à auditoria militar[6], Murilo relatou que, após ser torturado nas dependências da Polícia do Exército na Vila Militar, foi novamente martirizado no pau de arara. Serviu de objeto pedagógico também na exposição do uso da palmatória de madeira e teve que permanecer em pé sobre duas latas abertas e com bordas afiadas. Tudo diante de oitenta oficiais, aplicados alunos da disciplina ministrada por Guimarães. "Na frente estava instalado um telão em que se projetavam desenhos de posições e formas de tortura. Mostravam os *slides* e faziam a demonstração na prática", declarou[7] mais tarde.

Usado como outro instrumento desta pedagogia medonha, Paiva recebeu choques elétricos nas mãos. Angelo Pezzuti da Silva, Afonso Celso, Nilo Menezes Macedo e Pedro Paulo Bretas foram atrações do mesmo espetáculo. Passados três anos, aulas da mesma disciplina do professor Guimarães inspirariam o diretor grego naturalizado francês Constantin Costa-Gavras no filme Estado de Sítio[8], que se passa no Uruguai. Na trama, verídica, o agente da CIA, Daniel (Dan) Mitrione, é sequestrado pelos Tupamaros. Em troca da sua vida, a guerrilha exige a libertação de 150 presos políticos. Sob capa de funcionário da

Agency for International Development (AID), Mitrione operava para a CIA ministrando classes de "interrogatório" a policiais uruguaios. Era a missão que também exercera no Brasil até 1967. Diante da negativa do governo uruguaio, Mitrione foi executado. Saiu das sombras em que sempre vivera para se tornar mais famoso na morte do que em vida, a ponto de Frank Sinatra promover um *show* em Richmond, cidade natal do agente, citando-o como "um homem digno de ser lembrado" e cantar My Way. Em Estado de Sítio, Costa-Gavras mostra uma cena de tortura com um adendo constrangedor: uma bandeira do Brasil no fundo da sala.

Antes da queda do seu comando, o Colina efetuara algumas ações armadas, entre elas a interceptação de um veículo transportador de valores da Secretaria da Fazenda/MG — e que naquele dia não transportava nada de valor... — e três assaltos a agências bancárias de Belo Horizonte e arredores. Nenhuma delas com mortos ou feridos. Seu momento mais trágico aconteceu fora de Minas: o assassinato de Edward Ernest von Westernhagen, major do exército alemão, em julho de 1968. Antes de matá-lo a tiros no bairro da Gávea, no Rio, a organização jamais ouvira falar de Westernhagen. Esta incongruência funesta começou a tomar corpo a partir da presença no Brasil do capitão boliviano Gary Prado, nome que toda a esquerda em armas conhecia. Pertencia ao homem que supostamente executara Ernesto Che Guevara nas selvas da Bolívia.

Ao saber que Prado fazia um curso de aperfeiçoamento na Escola Superior do Estado-Maior, os ex-sargentos João Lucas Alves e Severino Viana Colon, mais o agrônomo José Roberto Monteiro e o militante Amilcar Baiardi tramaram a emboscada com uma dupla finalidade: vingar o assassinato do Che e dar divulgação internacional à sigla revolucionária.

Deu tudo errado. Os tipos físicos de Prado e Westernhagen eram muito aproximados e a semelhança foi letal para o major alemão, conforme Amilcar Baiardi, único sobrevivente dos quatro envolvidos no projeto[9]. O engano só foi percebido na hora de examinar a pasta da vítima: havia apenas documentos em alemão. Amílcar que, segundo ele, não tomou parte no atentado, redigiria o manifesto que anunciaria ao mundo a morte do matador de Guevara. Os dois ex-sargentos seriam presos e assassinados na tortura. Um laudo médico mostrou que Alves teve as unhas arrancadas e os olhos vazados. A versão oficial, em ambos os casos, foi a de suicídio.

No Rio, o desterrado Helvécio viveu tempos de ócio revolucionário. Como precisava manter uma fachada de normalidade para não despertar suspeitas dos vizinhos, saía pela manhã como se fosse trabalhar e somente retornava à noite. Enfiava-se nos cinemas ao meio-dia e só saía à noite. Notou que a ficção, indo além das aparências, estava mais atenta ao que acontecia no próprio plano do real. Deparou-se com um mundo em transformação. No filme *If...*, de Lindsay Anderson, os alunos se revoltam, tomam a escola e atiram nos adultos[10]. Mas o principal era o cinema novo, Glauber Rocha, Cacá Diégues e companhia que fizeram Helvécio perceber que era possível fazer cinema com baixo orçamento no Brasil e tratando da realidade nacional.

O deleite diário na sala escura foi interrompido ao ser despachado pela VAR para Magé, a cinquenta quilômetros da capital. Sua incumbência era alargar o apoio popular da organização junto a uma colônia de pescadores. Perdeu o cinema e não ganhou as bases. Ficou três meses comendo peixe com abóbora, cardápio dia sim, outro também dos moradores. "Como detesto abóbora, foi o meu pior momento..."

De volta ao Rio, soube da Grande Ação, o roubo do cofre do ex-governador paulista Adhemar de Barros que rendeu US$ 2,6 milhões à VAR. A novidade veio através de seu parceiro de *aparelho*, *Maurício*, codinome do professor de geografia Reinaldo José de Melo, que participara do assalto.

Helvécio foi escalado para transportar parte dos dólares da *caixinha* do Adhemar para Brasília. Viajava de ônibus, com o cuidado de deixar a maleta recheada com as notas verdes no porta-volumes, na frente do veículo. E a vigiava de certa distância. Foi a maneira que achou de, em caso de uma batida policial, evitar a vinculação imediata com aquela bagagem.

Deslocado para Brasília, transformou-se no coordenador político da VAR na capital. Com seu traçado, suas avenidas largas e grandes espaços, o terreno era ingrato para a luta armada. Uma cidade sem esquinas, de grande visibilidade, sem locais de aglomeração onde os insurgentes pudessem entrar, misturar-se com a multidão e desaparecer. Uma cidade de funcionários públicos, quase deserta após apenas nove anos da sua inauguração.

Além da militância tensa e a certeza de estar sendo caçado, Helvécio experimentou uma grande paixão em Brasília. O objeto desse amor foi uma companheira da luta armada, com quem passou a viver num dos *aparelhos* da VAR. Desafortunadamente, a moça era casada com outro companheiro da organização. Que queria reatar o casamento. Por azar ainda maior, o marido foi preso.

Helvécio/*Clemente* também quase caiu, o que só não ocorreu por um lance de sorte. Quando houve a prisão do rival amoroso, estava fora da cidade. No dia seguinte ao retorno, teria um *ponto* justamente com o companheiro, agora detido. Os dois se encontrariam às 11 da manhã de domingo, no bar do hotel Nacional, no setor hoteleiro sul. Na noite de sábado, telefonou para um padre holandês que era apoio da VAR e soube da queda. E soube também que, àquela altura dos acontecimentos, todos os nomes e aparelhos da organização já haviam sido abertos. E o romance tornou-se inviável. "Eles estavam separados mas ela sentiu uma grande culpa e eu também. Aquela coisa de estar favorecendo uma solução individual em detrimento da coletiva, de talvez estar prejudicando a organização. O amor se imiscuindo na militância." Na cadeia, os policiais riam do prisioneiro. Diziam: "Sua mulher está com o Clemente!".

A consciência de que o ex-marido e o companheiro estava sofrendo sob a tortura enquanto o casal vivia sua liberdade travou o idílio e impediu qualquer projeto de convivência. Num bar, encontraram-se e se despediram para sempre. Ainda hoje, ele preserva o anonimato da namorada e do ex-marido. Era 1970, a repressão seguia em ritmo avassalador, as quedas se sucedendo e Helvécio, temendo ser preso e assassinado, decidiu partir.

Antes da partida, procurou a direção nacional da VAR. Apesar do endurecimento paulatino da repressão, do quadro tenebroso de quedas, torturas e mortes e da sensação de que tudo estava ruindo ao seu redor "era impossível deixar de se sentir um traidor" porque "havia enorme peso moral em largar tudo"[11]. Amigos estavam presos sob tortura, outros haviam morrido pelos ideais revolucionários. Além do mais, uma organização acuada como era a VAR, mesmo se quisesse, não teria meios para colocar seus militantes no exterior.

Helvécio conta que teve "uma conversa muito boa" com o *Beto*. "Num ambiente de tanta dureza e rigor como a luta armada, nas nossas condições tão difíceis, ele nunca perdeu a capacidade de enxergar o outro." Mesmo sem concordar com a posição do companheiro, deu-lhe dinheiro que garantiu seu sustento por três meses.

Beto, *Breno* ou Carlos Alberto Soares de Freitas. Sob o apelido, nome de guerra ou de batismo, era uma lenda da VAR e um dos guerrilheiros mais procurados do Brasil. "Ele era o ídolo da Dilma. Seria grande hoje", aposta Raul Ellwanger, colega de VAR de ambos. A origem política de Beto era também a Polop. Filiado ao Partido Socialista Brasileiro, o PSB, militou no movimento estudantil, viajou a Cuba e uniu-se à tarefa de implantação das Ligas Camponesas, de Francisco Julião, em Minas Gerais, arquitetando uma aliança entre estudantes, operários e camponeses. Integrou os núcleos dirigentes do Colina e da VAR.

A par da faceta revolucionária, Beto teve, por algum tempo, um lado empresarial: era um dos donos do bar Botcheco, na avenida Getúlio Vargas quase esquina com a Afonso Pena, endereço célebre dos debates políticos e culturais no centro de Belo Horizonte nos anos 1960. "Era onde o pessoal se reunia e discutia; tanto que a revolução começou lá[12]", relembra o saxofonista Nivaldo Ornelas, um dos fundadores do Clube da Esquina, que reuniu toda uma geração de músicos mineiros nos anos 1960, entre eles Milton Nascimento, Toninho Horta e Márcio e Lô Borges. Mas esclarece: "Eu convivia com esse povo (da militância política), mas o engraçado é que nós, músicos, não participamos de movimento nenhum. A gente convivia, mas sem tomar a iniciativa"[13].

Helvécio e Beto se conheciam de Belo Horizonte e, no Rio, dividiram um apartamento na rua Figueiredo Magalhães, em Copacabana. Da convivência ficou uma forte amizade e algumas pitadas de folclore. Certa noite, estavam os dois em casa e também o terceiro morador, o também militante Gilberto Vasconcellos, quando a luz se apagou. Primeiro o trio imaginou que fosse a repressão chegando. Imaginaram que ela desligara a chave geral e subia para o *aparelho* da VAR, situado no quarto andar. Decidiram surpreender os invasores no caminho. Gilberto foi na frente, descendo as escadas com uma bomba na mão para jogar nos policiais. Desceu até o térreo sem topar com ninguém. Lá encontrou o porteiro trocando um fusível...

Jogador de basquete, nadador, solteiro, o comandante da Polop, do Colina e da VAR causava furor entre as mulheres. Beto foi preso duas vezes. A primeira em julho de 1964 ao pichar muros com *slogans* contra o arbítrio. Passou pelo Dops local e por uma penitenciária agrícola. Antes de ser libertado por meio de um *habeas corpus* — instrumento legal que o AI-5 baniu — tomou quatro meses de cadeia. Em 1967, um tribunal militar o condenou, à revelia, a dois anos de prisão.

Da segunda vez, sabe-se muito menos, a não ser que foi letal. Beto morava com Antônio Joaquim Machado e Sérgio Emanuel Dias Campos em uma pensão na rua Farme de Amoedo, em Ipanema. No dia 15 de fevereiro de 1971, ele acenou para Sérgio de um ônibus, na esquina das avenidas Nossa Senhora de Copacabana e Princesa Isabel, no Rio. Sérgio foi a última pessoa a vê-lo. Desde então está desaparecido. Tinha trinta e dois anos.

Inês Etienne Romeu, ex-sócia de Beto no Botcheco e companheira de Polop e VAR antes de rumar para a VPR, ouviu de um carcereiro na Casa da Morte — centro clandestino de suplício e assassinato instituído pelo Centro de Informações do Exército (CIE) em Petrópolis/RJ — que Beto teria sido torturado e executado com tiros de revólver.

Amigos e familiares montaram um mutirão que esquadrinhou delegacias e quartéis, estendendo-se à Bahia e Minas Gerais. Cartas foram endereçadas aos generais Emílio Garrastazu Médici, Ernesto Geisel e João Figueiredo e ao presidente do Superior Tribunal Militar, Rodrigo Octávio Jordão Ramos. Três advogados, entre eles Heráclito Sobral Pinto, legendário defensor de presos políticos desde o Estado Novo, tatearam em busca de brechas legais para romper a rede de silêncio.

Quatro meses após o derradeiro adeus de Beto numa esquina de Copacabana, Eduardo, um de seus sete irmãos, deparou-se com um cartaz de "terroristas procurados" na delegacia de polícia de Itaguaí/RJ. Uma das fotos era de Beto. Sobre seu rosto havia um X.

Empregado na Chile Films, Helvécio virou assistente de direção de arte em uma superprodução: a tumultuada biografia de José Manuel Balmaceda Fernández, presidente chileno de 1886 a 1891. Balmaceda Fernández foi um reformista que, engolfado pelas disputas políticas, acabou se suicidando. Trajetória que o aproximava de Getúlio Vargas e, premonitoriamente, de Salvador Allende.

Com dinheiro curto, a Chile Films abortou a empreitada. Em vez da reconstituição da tragédia de Balmaceda, resolveu apostar em documentários, mais baratos e de produção mais rápida, e que visavam uma realidade mais próxima e candente. No anúncio da suspensão, o diretor reuniu o pessoal e perguntou quem possuía um projeto. Helvécio levantou a mão e disse que tinha. Na verdade não tinha projeto algum mas apenas uma ideia.

A ideia partiria de um caso rumoroso. Um dupla de marginais havia estuprado e matado duas mulheres. No Chile, este tipo de figura é chamado de *chacal*. Eram, no caso, *los chacales*. Mas interessava particularmente a Helvécio o tratamento que a mídia chilena dava ao caso, com manchetes bombásticas e extensa cobertura diária, sugando-o até as últimas consequências. A imprensa então era *El chacal de los chacales*. Queria que o documentário (e o caso) fosse narrado a partir de uma *paya* ou repente composta e cantada por um *payador* que ficava diariamente no Mercado de Santiago. Nasceu o curta chamado *Um crime sem comentários*.

A carreira na Chile Films seria obstruída por um novo e decisivo Tanquetazo [referência à fracassada tentativa de golpe de Estado no Chile]. "Meu 11 de Setembro começou na véspera." Ele e Márcia, a companheira chilena com quem já vivia, moravam com mais dois casais num apartamento de 3º andar. Na noite do dia 10, estavam em casa quando ouviram um tiro. Apagaram a luz e se deitaram no chão. A bala atravessara o vidro da janela. Era um recado. No final da madrugada, Allende discursou no rádio tratando da tentativa de golpe, mas recomendando a todos para que, quando amanhecesse, se dirigissem normalmente aos locais de trabalho. Porém, nas primeiras horas da manhã, uma nova intervenção evidenciava que tudo estava perdido.

"Compatriotas: esta será seguramente a última oportunidade em que poderei dirigir-me a vocês", iniciou Allende. Narrou o bombardeio das antenas das rádios Portales e Corporación (...) Frente à traição, adiantou que não renunciaria. "Colocado neste transe histórico, pagarei com minha vida a lealdade do povo (...). Eles têm a força, mas não se detêm processos sociais pelo crime e pela força." E o fecho: "Viva o Chile, viva o povo, vivam os trabalhadores... Estas são minhas últimas palavras ... Tenho certeza de que meu sacrifício não será em vão, tenho certeza de que pelo menos será uma lição moral que castigará a felonia, a covardia e a traição...".

Mesmo assim, o casal decidiu seguir o conselho da madrugada. Márcia foi para seu emprego e Helvécio tomou o caminho da Chile Films. No caminho, viu tropas cercando a embaixada de Cuba. Mau sinal. Ao seu aproximar da sede da empresa, encontrou um colega que o avisou: "Não vá lá!". A Chile Films já fora tomada. "Foi uma grande sorte porque se chegasse lá, armado e brasileiro, seria fuzilado."

OS VENCEDORES

Sob toque de recolher, ninguém deveria ficar na rua, ainda mais um exilado político. Naqueles dias, além do horror ao rés do chão, caía uma chuva aziaga sobre Santiago. Dos aviões da força aérea chilena desciam papeizinhos de uma certa "Disciplina Cidadã" que, ao fim e ao cabo, perfilavam um apelo ao dedurismo: *"No se tendrá compasión con los extranjeros que han venido a Chile a matar chilenos. Ciudadano: permanece alerta para descubrirlos y denunciarlos a la autoridad militar más próxima*[14]*"*, convocavam os panfletos.

Pediu abrigo a um amigo, Mário Fiorelli, que morava nas imediações. Ali estava outro compatriota, Luiz Carlos Pires. Ficou escondido durante todo o período do toque de recolher. Os novos donos do poder exigiam que todos os estrangeiros se apresentassem imediatamente na delegacia ou quartel mais próximo. Seria uma mera providência burocrática. Disse que nunca faria aquilo. Luiz Carlos Pires acreditou no chamamento, apresentou-se e foi mandado em seguida para o Estádio Nacional.

Helvécio reencontrou-se com Márcia e os dois escaparam de Santiago. Refugiaram-se por dois meses na casa dos pais dela em San Felipe de Aconcágua, na região de Valparaíso. Neste meio tempo, Luiz Ratton informou ao filho que sua condenação, a revelia, a um ano e meio de prisão havia prescrito, também por conta do réu ser menor quando do julgamento. E ganhou força o pensamento de voltar ao Brasil. Procurou o general Julio Forch, pai de um amigo fotógrafo dos tempos de Chile Films. Forch fora ministro do governo Eduardo Frei e adido militar em Washington. Lá, os Forch haviam estado muito próximos do adido militar brasileiro. Tinha até uma foto que mostrava o casal chileno ao lado dos brasileiros Emílio e Scila Médici.

Como frequentava bastante a casa dos Forch, comentou com o general que queria voltar ao Brasil mas tinha medo do que aconteceria. Forch respondeu-lhe que conseguiria um salvo-conduto para deixar o Chile e ainda escreveria uma carta ao Médici recomendando o portador, dizendo que se tratava de um amigo da família. E assim foi feito. Mas o resultado não foi o esperado.

"Não faça besteira nenhuma." A ordem veio de um homem que acabara de abrir a capanga que levava na cintura e ostentar seu revólver[15]. Helvécio mal descera do avião quando foi ladeado por dois policiais e conduzido, com a mulher, para um Opala. Cabeça coberta por um capuz negro, foi atirado no chão do carro. Quando desembarcou no Rio na noite de 27 de dezembro de 1973, "os caras estavam me esperando no aeroporto. Fui preso e levado para o DOI-Codi na Barão de Mesquita. Nu, me deram tapas e botaram numa *geladeira*, que era o novo tratamento: uma cela toda preta ou toda branca, com a luz ininterruptamente acesa ou todo o tempo na escuridão. Fiquei ali quarenta dias encerrado, de 27 de dezembro a 15 de fevereiro. Não havia o que tirarem de mim. Eu estava fora de circulação havia três anos".

Pouco antes de ser libertado, teve uma conversa mais amena com dois oficiais. Um deles, sabendo que o prisioneiro trabalhava com cinema no Chile, perguntou se sua intenção era prosseguir na profissão. Resposta afirmativa, surgiu a chacota: "Ih, daqui a pouco nós vamos estar vendo umas porcarias desse cara na televisão".

Em 1976, veio a segunda prisão, bem mais amena. Foi detido por um dia. Voltava do Chile quando o computador da Polícia Federal no Galeão o identificou como "procurado". Era um equívoco, mas dormiu no Dops da praça Duque de Caxias. Partilhou a cela com o jornalista Aguinaldo Silva, futuro autor de telenovelas da TV Globo como *Tieta*, *Senhora do Destino* e *Fina Estampa*. Na época, Silva editava o primeiro jornal *gay* do país, *O Lampião*, que caíra em desgraça com a moral e os bons costumes ditatoriais.

Três anos depois da última cadeia, ainda na ditadura mas já na condição de documentarista, Helvécio penetrou em outra instituição fechada, agora para denunciar "um crime de lesa--humanidade". Seu filme *Em nome da razão* devassou o horror do hospício de Barbacena/MG. Era o auge da pressão social para fechar os depósitos de loucos, e o psiquiatra italiano Franco Basaglia, guru do movimento antimanicomial, assistiu às imagens trágicas e adotou o filme, citando-o em todas as suas conferências. Basaglia dizia que a pior situação da humanidade estava representada em três hospícios. Um estava na África, outro no Paraguai e o terceiro no Brasil, e era o de Barbacena.

Em tomadas exasperantes, a câmera percorre rostos, corpos e corredores eviscerando uma instituição que se assemelha a um campo de extermínio povoado por 5 mil almas. Tudo ao som de uma versão perturbadora da canção "Jesus Cristo", de Roberto Carlos, cantada por um dos internos. "O hospício era uma metáfora do Brasil da ditadura", pondera. Os porões da loucura e os porões da ditadura.

Na democracia, ele dispensou a metáfora para abordar o calvário de um companheiro do exílio chileno. E para revisitar as masmorras. Um de seus oito longas, *Batismo de sangue*, narra a perseguição, agonia e morte de Frei Tito Alencar de Lima. Ao lançar o filme em 2007, o cineasta confessou que sua vontade era de "arrastar o público para dentro dos porões, levando-o a sentir o que significava cair nas mãos daqueles monstros"[16]. Para tanto, tratou da tortura "de uma forma rasgada, totalmente aberta".

Aos sessenta e três anos, Helvécio mudou, a luta armada não existe mais, a ditadura também não, mas algo permaneceu: "Nunca deixei de militar politicamente".

O 11/9 latino-americano: cerco a Allende e La Moneda pelas tropas de Pinochet em 1973

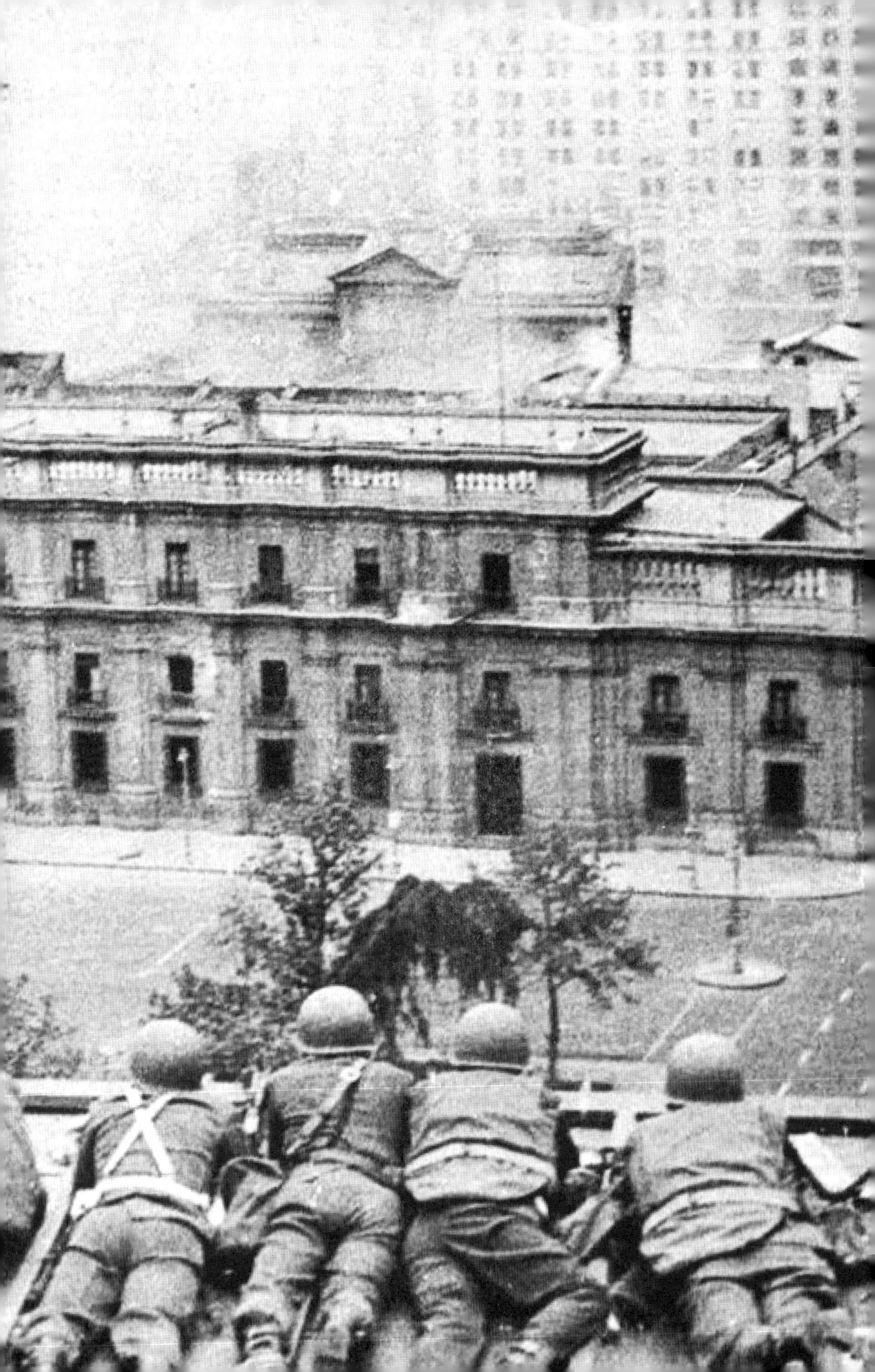

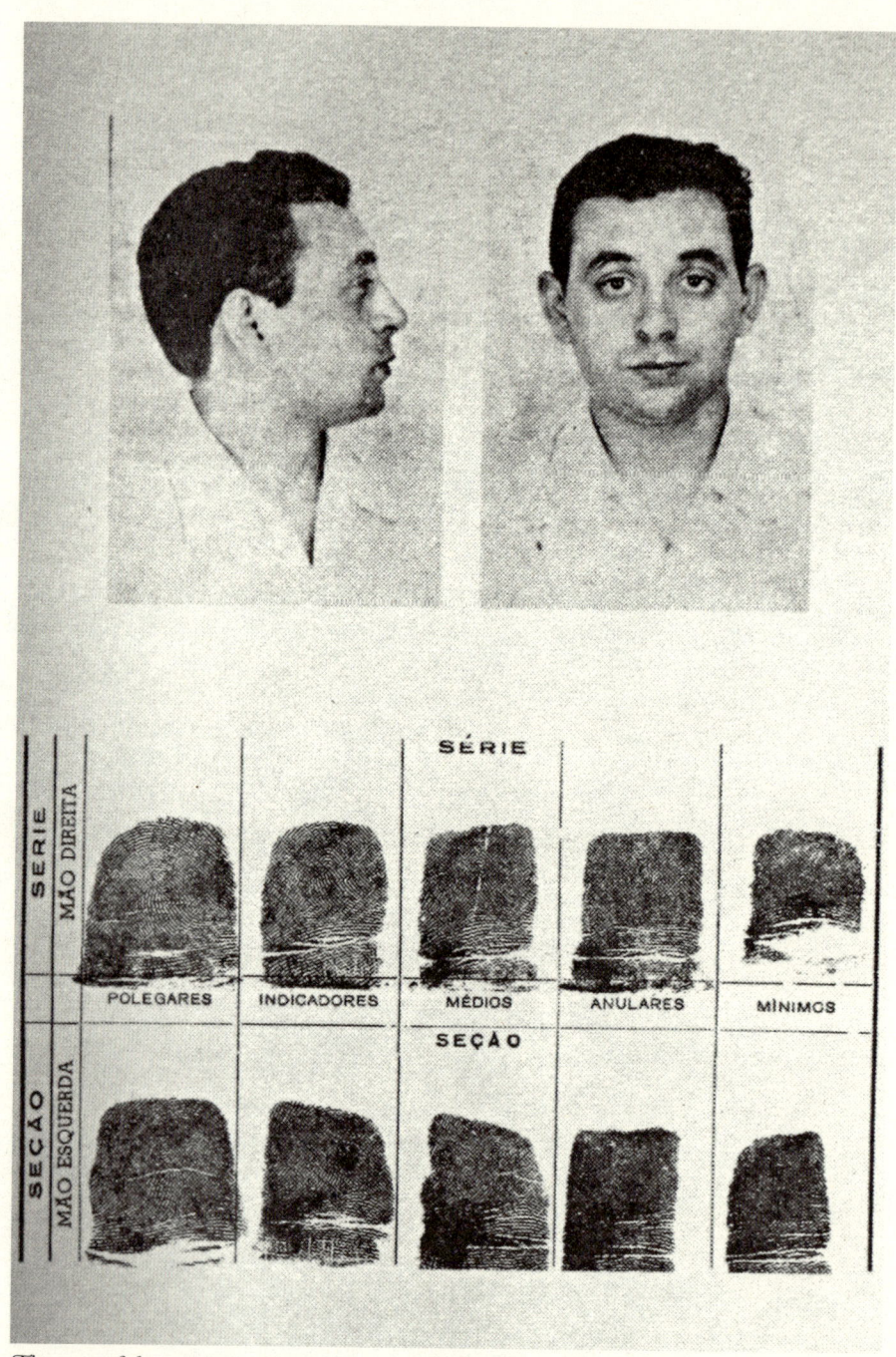

Tito e sua ficha: repressão não marcaria o frei apenas com tinta nos dedos

OS VENCEDORES

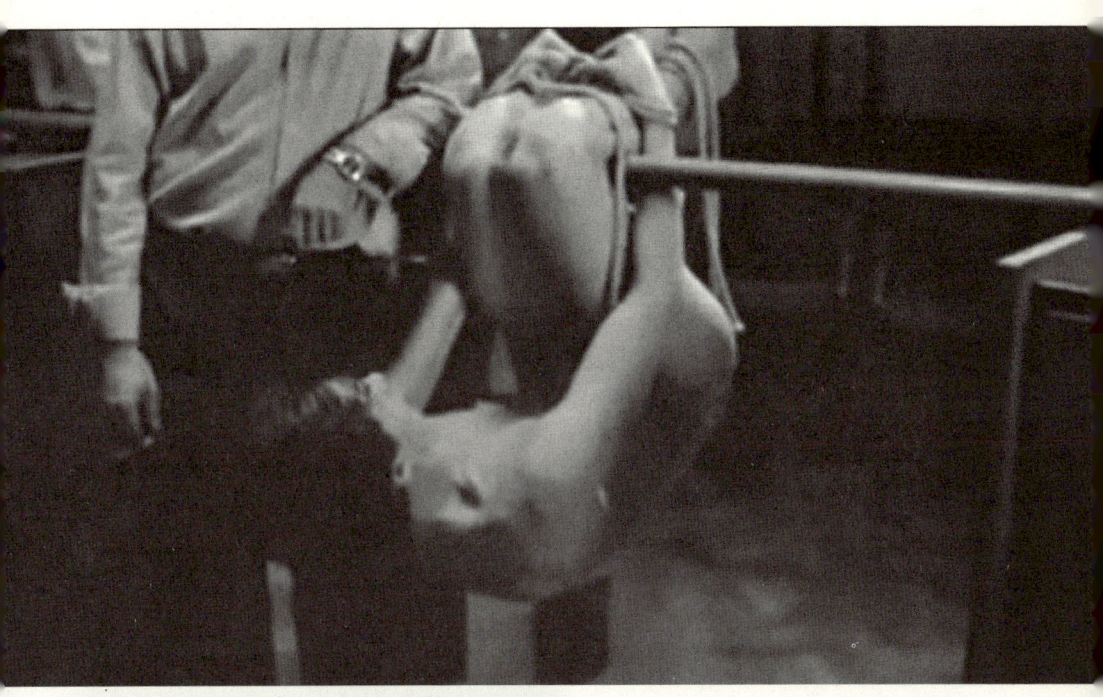

Pau de arara: em Batismo de Sangue, Helvécio quis "arrastar o público para dentro dos porões"

Abreu: campeão de rock, policial civil e transportador de valores da VPR

CAPÍTULO 7

Da VPR à Portobello Road

Os US$ 2,6 milhões extraídos do cofre do *Dr. Ruy* viajaram muito e para variados destinos, enviados pela VAR e pela VPR. Helvécio e suas maletas carregaram dinheiro grosso para Goiânia e Brasília. Os US$ 12 mil que Espinosa guardava no seu aparelho evanesceram depois que a polícia pôs o olho neles. Alex Polari de Alverga disse que o ramo lúmpen da VPR no interior fluminense, apelidado *Os Proletas*, deu uma boa turbinada no nível de vida com a grana do adhemaroduto. Muitas mãos, nomes e codinomes se misturaram com frações da bolada, sem sequer saber, juram, o quanto estavam levando.

Debaixo do codinome *Clóvis* e sempre trajando terno e gravata, o funcionário da IBM, José Pereira de Abreu Junior também usou seu carro — um flamante DKW Fissore 1970 — como transportador de valores para a VPR. Prestava serviço às duas siglas, uma encarnando o capitalismo, outra o desejo de destruí-lo.

Viajava do Rio para São Paulo na condição de funcionário de multinacional. Ao lado, Neusa, sua companheira então, grávida. Uma fachada perfeita. Nunca assaltou banco, mas sabia que punham coisas no porta-malas do DKW Fissore. Coisas que ele não sabia e nem queria saber o que eram. "Eu fechava o olho. Passava em barreira como IBM — e IBM era a coisa mais americana que existia: International Business Corporation!" Chegava em São Paulo, arredores do presídio Tiradentes, entrada da Via Dutra, abria o porta-malas, vinha um sujeito e pegava a encomenda. Meses depois soube que transportara dinheiro do cofre do Adhemar. Três vezes seguidas.

Antes de ser *Clóvis* e de fraturar sua identidade entre a rubrica do imperialismo e o seu contrário, era apenas mais um menino Zé crescendo às margens do rio Mogiguaçu, em Santa Rita do Passa Quatro, interiorzão de São Paulo.

Depois de ser *Clóvis* — e também *Maçaneta*, outra alcunha — de pedir demissão da IBM e de abandonar a VPR, voltou a ser José. Mas, ao contrário de seus companheiros de luta armada, continuou usando, vamos dizer, codinomes. Não por uma imposição de segurança mas como decorrência do ofício. E buscando a notoriedade em vez da discrição. Com um dos últimos deles, Nilo, na novela Avenida Brasil, da TV Globo, buscou e conseguiu justamente isso.

Mãe de origem italiana e pai goiano, José de Abreu mesclou o sangue dos imigrantes que rasgaram o oceano vindos de Treviso, nordeste da Itália, com o de um velho tronco familiar do Brasil central. Os Lot trocaram o Vêneto pelos arredores de Ribeirão Preto para substituir a mão de obra escrava nas plantações de café. E depois prosperaram e adquiriram terras. Chegaram a ter onze fazendas. Entre os próceres dos Abreu, figurava um vice-governador da província de Goiás, Antonio Pereira de Abreu, nomeado por dom Pedro II. Quando casaram os filhos Gilda Thereza Lot e José Pereira de Abreu, bacharel e delegado de polícia da cidade, atrelou-se o dinheiro novo ao prestígio do nome antigo. Mas havia preconceito das famílias tradicionais em relação aos Lot & Abreu. "Éramos vistos pelos Almeida Prado, os Souza Pinto e outras famílias quatrocentonas como gente de 'calcanhar rachado', isto é, que trabalhava na lavoura..."

A rejeição não se limitava à antipatia entre elites. "Havia preconceito de paulista contra italiano. E de italiano e paulista contra negro.

OS VENCEDORES

Minha mãe pegava negrinhas para criar, geralmente em orfanato. Era racista, escravocrata e, ao mesmo tempo, muito católica", define.

O ambiente social permitia a uma criança tirar suas conclusões sobre o mundo em que estava crescendo. Conta que tinha uma negrinha, três anos mais velha do que ele, a Tiana. Sua tarefa era cuidar do menino Zé. Mas Zé tinha uma bicicleta e Tiana não. Com meus cinco anos, eu saía para andar de bicicleta e a coitada tinha que ir atrás correndo, a pé, pela rua. "Percebi que havia esta situação: os que tinham bicicleta e os que corriam atrás".

Um olhar pelas fazendas de Santa Rita também ajudava nessa compreensão. De um lado, as casinhas dos lavradores: chão batido, duas ou três pecinhas, às vezes sem ter nem porta. De outro, as sedes monumentais das propriedades. "Você via, mas não sabia como mexer naquilo..."

O catolicismo da mãe o colocou no seminário menor Maria Imaculada, em Ribeirão Preto. Tinha doze anos. Trocou as orações pelos bailes. Virou campeão de *rock and roll* em Santa Rita. Depois, foi para São Paulo fazer a quarta série no Caetano de Campos, um colégio estadual difícil de entrar. "Ao mesmo tempo, convivia com uma turma na praça Marechal Deodoro, onde havia de tudo: maconheiro, tomador de bolinha, comunista..."

Mas já era 1962 quando completou seus dezoito anos. Dona Gilda então achou que era hora de arranjar-lhe um emprego público. E conseguiu. Onde? Na polícia, claro. Pai delegado e mãe que conhecia todo mundo... Ganhou o cargo de assistente de administração. Fazia ficha criminal. O elemento era preso, tomavam-se seus dados e o assistente de administração passava a limpo na Olivetti. Certo dia, a mãe contou que "um amigo do teu pai" queria que fosse trabalhar no setor de entorpecentes. "Que, naquelas eras, se chamava de *tóchico*." Apresentou-se no setor e o delegado esclareceu: "Quero que você seja investigador. Você vai comprar *tóchico* e nós vamos dar o flagrante e prender os caras".

O novo emprego era na região do ABC. O estratagema do novo chefe era bem simples, mas funcionava. O investigador José de Abreu seguia na frente, tripulando uma camionete Rural Wyllis de placa fria.

Abordava o traficante na rua e perguntava pela *dolinha* — uma quantidade enrolada sob formato de um cigarro em papel de jornal. Abreu pegava a maconha, passava a mão no cabelo, que era a senha combinada, e dizia: "É polícia!". Os outros policiais chegavam e faziam o flagrante.

Depois, viu que era uma artimanha apenas para tomar dinheiro. Só parava na cadeia quem não molhava a mão dos policiais. Começou a ver tortura, primeiro porrada, depois pau de arara com maquininha de choque. Os flagrantes também serviam para fabricar estatística. "Tem que ter dezoito flagrantes esta semana", ordenava o delegado. "Quando não havia eles inventavam. Pegavam um sujeito e punham vinte gramas de maconha no bolso dele. Depois soltavam e prendiam de novo. Somavam-se dois flagrantes em vez de nenhum..."

Um dos amigos mais próximos daqueles tempos era Roberto Meirelles, de família rica de Passa Quatro e que, então, habitava um senhor casarão no Pacaembu. Na mansão dos Meirelles, José de Abreu acompanhou o célebre discurso das reformas de João Goulart na noite de 13 de março de 1964, diante da Central do Brasil, no Rio. Goulart:

> "Nações capitalistas, nações socialistas, nações do Ocidente, ou do Oriente, chegaram à conclusão de que não é possível progredir e conviver com o latifúndio. A reforma agrária não é capricho de um governo ou programa de um partido. É produto da inadiável necessidade de todos os povos do mundo. Aqui no Brasil, constitui a legenda mais viva da reivindicação do nosso povo, sobretudo daqueles que lutaram no campo (...)."

Ouviram o discurso, José de Abreu adorando e o amigo odiando. "Quando Jango falava em reforma agrária, ele protestava: como vou ser a favor da reforma agrária se vão tomar tudo o que a minha família tem!" Abreu continuou acompanhando a movimentação na família. Sabia que os Meirelles participavam, como grande parcela da classe-média paulistana, dos preparativos para dar o troco, nas ruas, ao comício de Goulart. Seis dias mais tarde veio a resposta:

OS VENCEDORES

"Bravos soldados, marinheiros e aviadores de nossa pátria, sereis capazes de erguer vossas armas contra aqueles que querem se levantar, aqueles que se levantam contra a desordem, a subversão, a anarquia, o comunismo? Contra aqueles que querem destruir os lares e a soberania da pátria? Esta manifestação não vos comove? Será possível que permitireis, ainda, que o Brasil continue atado aos títeres de Moscou?"

Quem falava neste tom desafiador chamando os quartéis à deposição do presidente constitucional era o deputado federal Plínio Salgado, a quem o comunista Jorge Amado apelidara de *Fuhrer de Opereta*. Chacotas à parte, a questão assumia contornos sombrios. Prova disso é que, na mesma edição em que veiculou a convocação ao golpe pelo operístico maioral da Ação Integralista Brasileira, a *Folha de S.Paulo* juntou suas próprias palavras:

"A disposição de São Paulo e dos brasileiros de todos os recantos da pátria para defender a Constituição e os princípios democráticos, dentro do mesmo espírito que ditou a Revolução de 32, originou ontem o maior movimento cívico já observado em nosso estado: a 'Marcha da Família com Deus, pela Liberdade'", bradou na edição de 20 de março de 1964.

Era a antessala do golpe, mobiliada com recursos da Fiesp, imaginação marqueteira e adesão maciça da pequena burguesia. A direita insuflara os corações arcaicos e "tesouros de bestice rural e urbana"[1], ganharam as ruas com palavras de ordem contra o divórcio, a reforma agrária e o perigo comunista. Brandiam o terço e rezavam à Virgem Maria, a quem o governador Adhemar de Barros evocava como "Adorável criatura". Sua mulher, dona Leonor, era líder das marchadeiras.

Onze dias após, "para defender a Constituição e os princípios democráticos", como queria a *Folha de S.Paulo*, os militares disseram sim às súplicas do vetusto líder dos Camisas Verdes dos anos 1930.

O baque da Constituição não mudou muito a vidinha do investigador Abreu. Depois de abandonar o curso de química industrial, resolveu fazer a faculdade de Direito. Comunicou ao delegado: "Vou deixar o paletó aí e aparecer de vez em quando". E ele: "Tudo bem". Porque era assim: "o cara aparecia lá no dia 30 e assinava o ponto do mês inteiro!", diz. Ficou na polícia até 1967, quando entrou na PUC. No primeiro dia de aula, quem recepcionava os novatos era o pessoal de esquerda, entre eles José Dirceu, presidente da União Estadual de Estudantes, a UEE, mas originário da PUC. Do centro acadêmico também eram Guilherme da Costa Pinto e Omar Laino.

Laino submeteu o calouro a outro impacto. Levou-o ao TUCA, nome informal do Teatro da Universidade Católica de São Paulo. Nos anos 1960, o grupo teatral da PUC era imediatamente relacionado a versos como:

"Esta cova grande em que estás com palmos medida/
É a conta menor que tiraste em vida/
É de bom tamanho nem largo nem fundo/
É a parte que te cabe neste latifúndio (...)"

Com a poética dura e seca de João Cabral de Melo Neto e a música de Chico Buarque de Hollanda, o TUCA viajou e representou *Morte e vida Severina* na Europa, consagrando-se no 4º Festival Universitário de Teatro em Nancy, na França. Abreu e Laino foram ver um ensaio da peça O&A e o colega o apresentou ao diretor: 'Este é o calouro Abreu, caipira de Passa Quatro'... E o cara: "Quer trabalhar?". E eu: "Nunca vi teatro na vida!". E ele: "Não é como ator, porque o elenco está fechado. Mas teatro é outras coisas também, como iluminação, figurinos, produção...". Começou a trabalhar como produtor. Virou ator por acaso. Quando faltou um ator, foi substituí-lo. Permaneceu no elenco, com um papel pequeno, depois foi ascendendo e virou protagonista.

Em 1967, a peça e Abreu estrearam. O argumento era do psicanalista e escritor Roberto Freire. Do autor, Abreu não esquece um momento de revelação. Freire chegou de Paris, juntou cerca de vinte atores do TUCA e informou: "Trouxe uma obra-prima para vocês. Não vou dizer o que é". E colocou um disco para a gente ouvir. Era *Sargeant Pepper's lonely hearts club band!*".

OS VENCEDORES

O cotidiano do investigador Abreu só virou mesmo de pernas pro ar quando ele caiu na roda-viva da PUC paulista. Ali, a vivência política era tão importante quanto a trajetória acadêmica. Debatia-se qualquer tema: ciências sociais, filosofia, cinema, cultura, o que acabava gerando um público inquieto e questionador. Para o camarada de PUC e militância, José Dirceu, o Movimento Estudantil "seria a segunda Semana de Arte Moderna do Brasil". Explodia o Cinema Novo, havia o teatro universitário e o de vanguarda, como o Oficina e o Arena. Os jovens eram o público da MPB, dos festivais e da Jovem Guarda. Eram também os autores porque muitos estudantes dirigiam, produziam, escreviam, trabalhavam com iluminação.

A universidade era outra. E o acordo MEC-Usaid[2] foi imaginado para destruí-la, entende Abreu. Abandonou-se o modelo francês ou europeu em favor do norte-americano, "atomizado em mil disciplinas e créditos". Era algo diferente. "A gente ia pra rua na passeata e um pegava na mão do outro, bicho! Como amigo! Não era um ajuntamento de pessoas. Era uma irmandade. Uma classe com trinta alunos podia tomar a universidade. E numa passeata em 1968 tomamos a PUC. Era uma força terrível."

No pico da turbulência antiditadura de 1968, Abreu virou "um liderzinho estudantil de segunda ou terceira categoria". Nesta investidura, foi enviado ao Rio como representante da PUC para acompanhar o funeral de Edson Luis de Lima Souto. O secundarista Edson Luis fora assassinado pela polícia militar do Rio, convertendo-se em mártir do movimento estudantil na luta contra a ditadura. Nas marchas paulistanas, explica Abreu, o alvo variava de acordo com a conjuntura. "Toda passeata em São Paulo acabava em duas coisas: ou atacando o *Estadão*, ou atacando o Citibank, conforme o ódio da hora. Se o ódio era contra a oligarquia brasileira, íamos pra frente do *Estadão*, se era contra o imperialismo norte-americano, íamos pra frente do Citibank", resume.

Em linhas gerais, a cena da época era a seguinte: de uma parte, a dissidência do PCB, representada em São Paulo por José Dirceu e, no Rio, por Vladimir Palmeira; de outra, a AP, de Luis Travassos e Jean Marc von der Weid. E correndo por fora, grupos importantes mas menores, como a Polop e do PCdoB. Dirceu comandava a UEE paulista e Vladimir, a União Metropolitana de Estudantes (UME). Travassos presidia a UNE na clandestinidade. E era a UNE que estava em jogo no final de 1968. Então aconteceu Ibiúna.

A assembleia nacional de estudantes no sítio Murundu em 10 de outubro de 1968 e a prisão de todos eles três dias depois ainda é, passados quarenta e seis anos, o maior acontecimento midiático na história do pequeno município encravado nas encostas da Serra de Paranapiacaba e distante setenta quilômetros de São Paulo. "Quem organizou Ibiúna fomos nós, a dissidência do PCB, especialmente o Paulo de Tarso Venceslau[3], extremamente militarista e que (mais tarde) seria preso e torturado. Era muito fodão. O Chael[4] também trabalhou."

Abreu detalha como funcionava o plano para transportar, sigilosamente, representantes de todo o Brasil para uma cidadezinha do interior paulista. O esquema, diz, não era muito ruim. Marcava-se, por exemplo, o encontro para as 16h, defronte à agência do Citibank, na avenida São João. Pegava-se o companheiro e ia-se para um segundo ponto, onde ele passava para outro carro. Na zona rural, havia mais um ponto. O transporte chegava, levava a pessoa até um ponto mais próximo do sítio (local do encontro) e, a partir dali, ela seguia a pé. "Durou uns três dias esse processo", arrisca.

Tomando conta da organização do 30º Congresso da UNE, a Dissidência resolveu tirar proveito do encargo e a logística apresentou lapsos de conveniência. "Começamos a sacanear a AP. Às vezes, aparecia um cara reclamando: 'Pô, me deram o cano! Marcaram comigo às três horas na rua tal e não apareceu ninguém'. A gente sabia então que o cara era da AP... Era pra queimar os votos da AP...".

Dentro desse quadro de disputa e de desconfiança mútua, parece bastante razoável que as lideranças da Ação Popular tenham ficado de pé-atrás quando chegou a informação trazida pelo setor de segurança na madrugada do dia 12 de outubro: a repressão havia descoberto tudo, se aproximava para cercar o sítio e era preciso debandar. Não acreditaram e puseram o alerta na conta das trapaças dos adversários. Entenderam que era um artifício para esvaziar o congresso diante de uma derrota iminente.

OS VENCEDORES

Até então, o congresso não havia avançado em nada. Durante três dias discutira-se credenciais. E a infraestrutura, que já era acanhada, tornou-se caótica com a chuva que não deu trégua. Abreu sintetiza a estrutura do Murundu: "Cavamos degraus em um barranco, no barro, como um teatro grego, e levantamos uma lona de circo". Havia uma casa para as lideranças, uma menor onde ficou a cozinha e uma pocilga. A segurança dormia na pocilga. Tirou os porcos, lavou o lugar e instalou-se ali. "Pelo menos era seco. Só pra chegar no sítio a gente caminhava quarenta minutos no barro! As meninas caíam na lama e o Paulo de Tarso Venceslau, muito brincalhão, gritava: 'Vamos lá! Vocês não querem fazer a revolução? Imaginem que na Sierra Maestra foi muito pior!'"

Apesar do cerco anunciado, ainda havia tempo para escapar. Distante um quilômetro dali, o militante Eduardo Bonumá esperava Dirceu e a direção do congresso para dar o fora. Estava com uma Vemaguett azul. "Então, o Dirceu disse que não poderíamos abandonar a massa", diz Abreu que, hoje, critica a decisão. "O mais correto politicamente era, sem dúvida nenhuma, as lideranças serem preservadas. Até porque, o restante do pessoal foi todo solto uma semana depois. Mas as lideranças não." Pela manhã, centenas de estudantes com cobertores nas costas marcharam em fila indiana. Depois, subiram em ônibus e caminhões até o presídio Tiradentes.

Algo engraçado selou, pelo menos ali, a cumplicidade entre adversários. No caminho de Ibiúna para São Paulo, lembrou-se que Jean Marc von der Weid, que era suíço, já respondia a processo. "Ele tinha um passaporte suíço e nós comemos o passaporte dele. E o Jean Marc entrou no Tiradentes sem identificação alguma e mentiu. Disse um nome qualquer, que era de outro lugar e, ao deixar a prisão, foi embarcado num ônibus com esse destino..."

Ainda era um tempo que estudante passava de lombo liso pela tortura. Logo isto iria mudar. Abreu registra somente ter tomado 'uns tapas'[5]. O que o afligia em 1968 no Tiradentes, que receberia muitos presos políticos durante a ditadura, especialmente após o golpe dentro do golpe no final daquele ano, era menos a violência do que a cozinha... A comida era "uma lavagem". Não havia garfo nem faca. Comia-se fazendo a carteira de identidade, dentro da capa de plástico, como colher. Ou com caixa de fósforos. Ou mesmo com as mãos.

Certo dia, dona Gilda, mãe de Abreu, usando a prerrogativa do preso ser também filho de delegado, realizou uma façanha: melhorou o cardápio do xadrez. Conversando aqui e ali, contrabandeou para o Tiradentes uma remessa de frangos assados. Às duas da manhã, seu filho saltou da cama com um calafrio ao ouvir o grito do carcereiro: José Pereira de Abreu Junior! "Puta que pariu! Acordei no maior cagaço. Vão me levar pro Dops de novo e a esta hora da madrugada! Mas era pra entregar os frangos..."

Antes do interrogatório no Dops, os presos resolveram ajustar o *script*: ninguém assumiria que fora à Ibiúna como representante deste ou daquele estado. O princípio era de que nenhum dos detidos participara politicamente do congresso. Todos tinham ido a Ibiúna apenas para... hã... ajudar... Quando indagados sobre o que faziam no sítio enlameado, a resposta era, quase sempre, uma mentira. "Eu fui pra cozinhar", era a mais corriqueira. E o delegado: "Vocês são todos anjinhos: o que acabou de sair daqui foi porque sabia fazer churrasco, aquele porque sabia arrumar a cama, este porque sabe cozinhar arroz...".

Outra noite, outro susto. Alta madrugada, a carceragem mandou todos se levantarem. Havia muitos ônibus na frente do presídio. "Vocês vão morrer, vocês vão sumir", alguém prometeu. Era mais um rebate falso. Foram transferidos para o Carandiru. Lá, entregaram os bens de uso pessoal e receberam figurino de presidiários "normais": calça de brim cáqui, uma camisa, barbante no lugar de cinto e uma japona azul-marinho. Quando dona Gilda viu o filho vestido daquele jeito quase enfartou: filho de delegado, neto de desembargador e, agora, com uniforme de presidiário... Tempos depois, chamaram um grupo para prestar novo depoimento no Dops. Organizou-se uma fila e os agentes escolhiam: você vai, você fica, você vai, você vai. Abreu e Arantes, que tinham ficado amigos, ganharam a liberdade.

OS VENCEDORES

Arantes, José Roberto Arantes de Almeida, vice-presidente da UNE, transformou-se em outro daqueles nomes que, mais de quarenta anos depois, os companheiros de geração e ativismo costumam dizer que "seria grande hoje". Estudante de Física na USP, com o endurecimento do regime, permutou a política estudantil pela luta armada. Oficialmente, Arantes teria morrido em tiroteio contra agentes do DOI-Codi na casa onde morava, em Vila Prudente, São Paulo, no dia 4 de novembro de 1971. "Terroristas mortos: localizado aparelho", publicou a *Folha de S.Paulo*. E o *Estadão*: "Terror perde novo aparelho". Comendo na mão da comunidade de informações, os dois jornalões erraram na forma e no conteúdo. Arantes não era "terrorista" — jargão do regime que a mídia abraçou — e nem havia morrido como foi descrito. Investigação da Comissão de Mortos e Desaparecidos Políticos provaria que o ex-vice-presidente da UNE fora baleado, conduzido à OBAN, torturado e fuzilado com dois tiros na testa. Tinha vinte e oito anos e militava no Molipo.

Antes da OBAN e dos dois tiros, Arantes e Abreu saíram do Tiradentes e foram para o Conjunto Residencial da USP, o Crusp, onde se instalara uma assembleia permanente que pedia a libertação da cúpula da UNE. Arantes assumiu a direção da UNE. Mas, em 13 de dezembro, veio o AI-5. E quatro dias depois, na madrugada do dia 17, as forças da repressão invadiram o Crusp. Abreu não dormiu em casa. E logo chegou a informação mais inquietante: um amigo de um amigo, dono de consórcio, foi chamado à delegacia para prestar esclarecimentos sobre o negócio. Lá, encontrou uma imagem do Papa Pio XII na qual alguém tinha desenhado chifres. E ouviu um policial perguntando a outro: "Este quadro não estava no centro acadêmico da PUC?". E a resposta: "É sim. Veja só, um bando de comunistas!".

Sobre a mesa, o dono do consórcio reparou que havia uma lista. Quando o policial saiu da sala, espichou o olho e teve tempo de ler vários nomes, inclusive o de Abreu...

O jovem ator resolveu cair fora da capital. Escondeu-se em uma fazenda em Itapira, região de Mogi-Mirim. Mas por pouco tempo. Logo decidiu ir ao Rio e contatar o engenheiro-agrônomo do Incra,

Antonio de Pádua Perosa, que ingressara na luta armada. Instalou-se na avenida Prado Junior, em Copacabana. Não alugou um apartamento, mas um pedaço da sala... Endereço chique, mas dinheiro escasso, até para comer ficava difícil. Dividia o apartamento com mais dois hóspedes, um vendedor de durex da 3M e um cabeleireiro paraibano. O cabeleireiro, que ganhava bem, alugava os sofás, onde Abreu e o vendedor dormiam. Passou mal. Durante um tempo, sobreviveu ingerindo uma massaroca de pão velho com caldo Knorr.

Nesse período, Abreu entrou na VPR e começou a cobrir pontos. Simultaneamente, arranjou emprego de vendedor de máquinas de escrever e de calcular na Olivetti. Certo dia, emplacou uma venda de um lote de olivettis para um cliente da IBM. Um grande feito que gerou um chamado da IBM, que o contratou. Em 1969, o assédio aumenta, a luta armada cambaleia e chega uma ordem para pegar em armas. Havia um refluxo das ações armadas e, ao mesmo tempo, uma tentativa de retomar as ações, juntar dinheiro para comprar uma gráfica e produzir panfletos. Com a mulher grávida, Abreu decidiu que não entraria na luta armada.

Para não melindrar a VPR, informou que "a companheira, que não pertence à organização, vai parir e por isso devemos nos mudar para São Paulo". Outro argumento foi que a família de Neusa era paulista e que ela iria morar com a mãe. E, o principal, que o companheiro *Clóvis* vai continuar trabalhando para a VPR em São Paulo. Aparentemente funcionou. Para sobreviver, tornou-se sócio de dois amigos em uma livraria e, aos poucos, foi se afastando do ativismo social. Mas nascido o filho, o casamento acabou. E Abreu embarcou em outra militância. E, então, foi preso.

Em 1972, pegou algum dinheiro da livraria e mandou-se para Arembepe, na Bahia, onde estavam seus amigos do ácido. De Arempebe foi para Recife, onde encontrou um artista plástico, Jorge Tavares, que mantinha uma experiência de comunidade rural em São Lourenço da Mata. Lá, no dia do seu aniversário, 24 de maio, foi preso novamente. Desta vez, por causa de maconha.

OS VENCEDORES

Solto, José de Abreu retornou a Recife, imaginando que aquele seria o fim da história. Erro. Solto pela maconha, queriam agora prendê-lo por Ibiúna. Depois de libertarem o *hippie* de São Lourenço da Mata, constataram que se tratava da mesma cara e do mesmo nome do famigerado "álbum de Ibiúna", onde a repressão colecionara foto e ficha dos estudantes aprisionados no lamaçal de 1968. A coletânea ajudou os meganhas a identificar e caçar muita gente nos embates com a guerrilha.

Fugiu para São Paulo. Abrigou-se no apartamento de uma ex-namorada rica, Renata Souza Dantas, "primeiro biquíni de São Paulo, no Clube Atlético Paulistano...". Tudo ficou mais calmo até saber que, na garagem daquele mesmo apartamento, sua ex-namorada escondera um guerrilheiro e tinha havido um tiroteio...

No apartamento do tiroteio e da ex-namorada, ele namora a estudante de arte dramática Nara Keisermann, com quem se casaria. Em dezembro de 1972, o casal se manda para a Europa. Circulam entre Londres e Amsterdã. Neste roteiro do engajamento coletivo na luta armada ao hedonismo individualista, de novo, Abreu está com um pé em cada canoa da sua irriquieta geração. Descolou um emprego de lavador de pratos. O casal morava numa comunidade de onze brasileiros no bairro londrino de *Shepherd's Bush*. "O cara dali, o *landlord*, vendia maconha africana. Foi desbunde total, aquela coisa de *Portobello Road*[6] sábado de manhã."

A volta foi no final de 1973. O casal foi fazer teatro em Pelotas, terra natal de Nara. Depois, Porto Alegre, onde montou *Os saltimbancos*, de Chico Buarque, e interpretou um dos papéis principais de *A intrusa*, filme sobre argumento de Jorge Luis Borges. Depois, Rio, mais cinema e as telenovelas. Abreu preferiu retornar aos poucos. "Tinha medo, tava na cara."

A queda do congresso da UNE: a exemplo de centenas de companheiros, o segurança Abreu tomaria cadeia

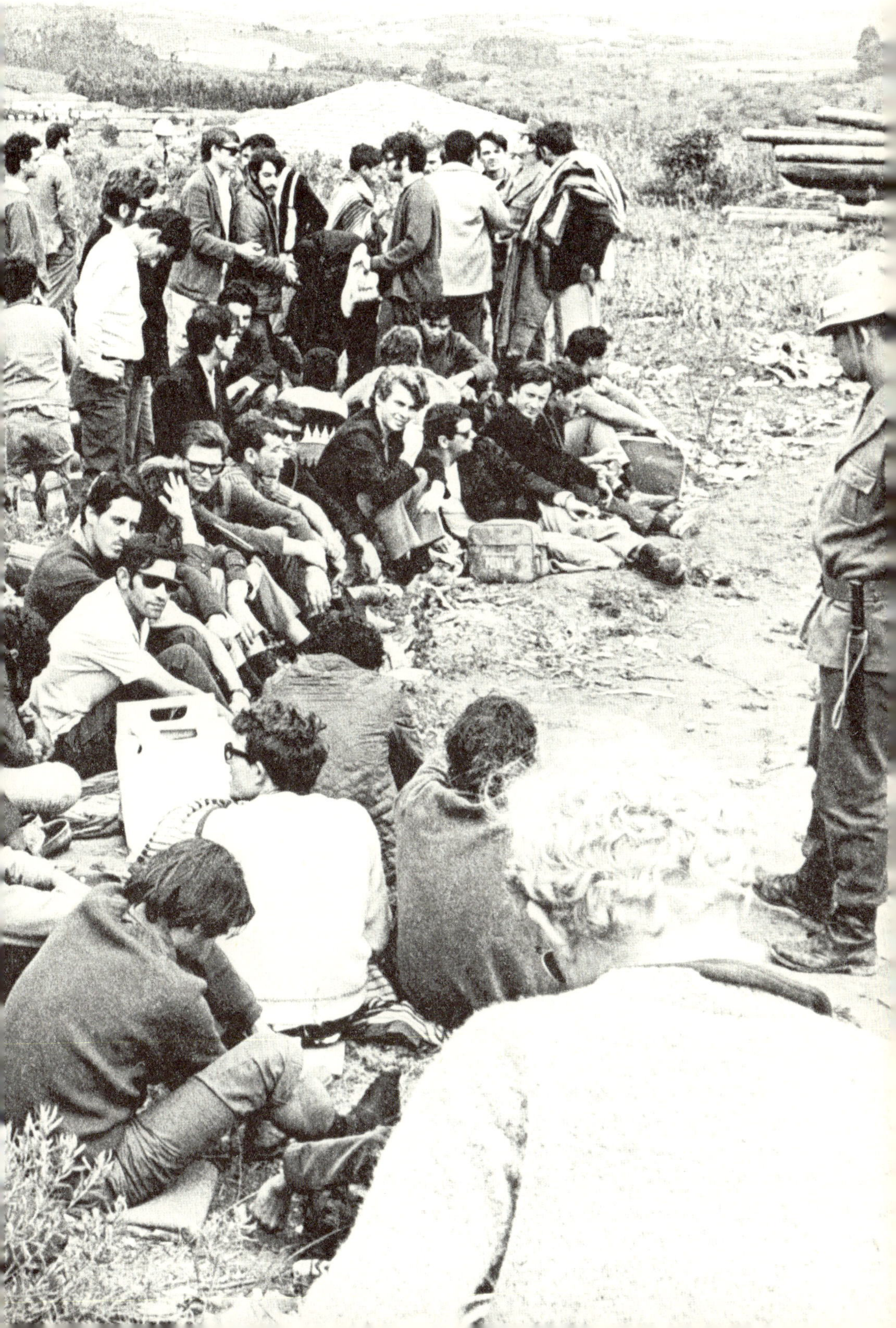

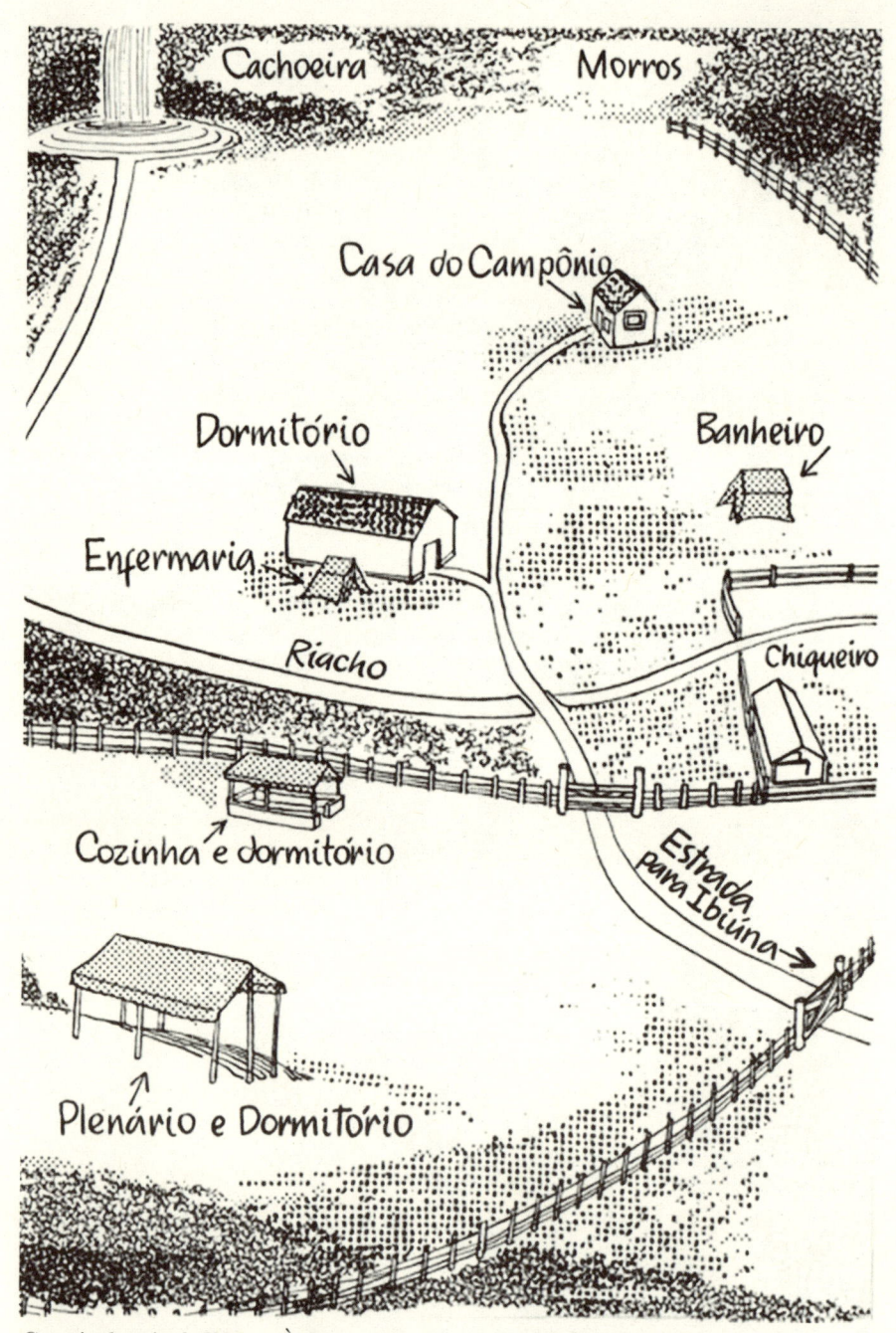

Croquis do sítio de Ibiúna. À direita, a pocilga onde Abreu e o pessoal da segurança dormiram após desalojar os porcos: "Pelo menos, era seco"

OS VENCEDORES

Goulart no comício da central: Abreu adorou quando ele disse "não é possível progredir e conviver com o latifúndio"

Plínio Salgado: apelo aos "bravos soldados" para reagir com armas aos "títeres de Moscou"

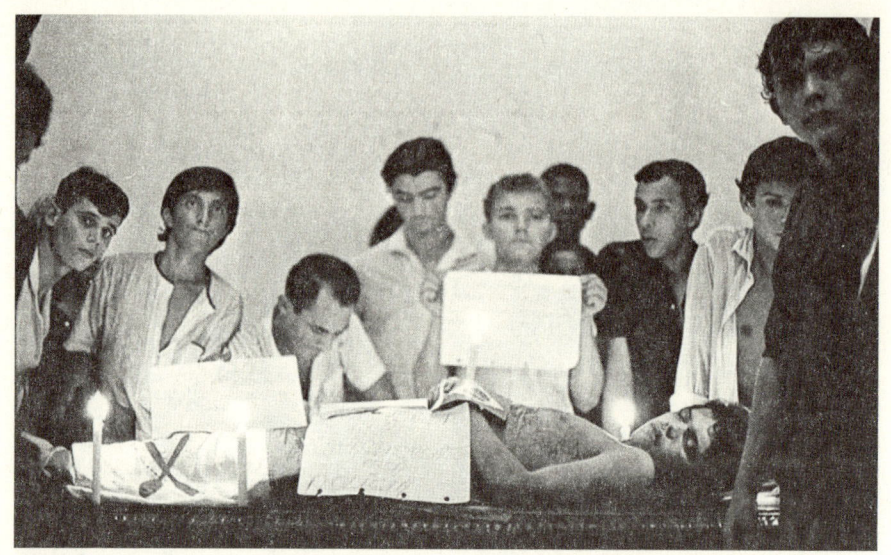

Abreu era "um liderzinho de terceira" mas foi representar a PUC no velório do estudante Edson Luís (acima) morto pela polícia

O investigador de polícia José de Abreu Junior em documentação de 1966

Em 1968, antes do AI-5, ainda havia espaço para passeatas embora com repressão na rua

Geraldo, Gera ou Gê algemado na floresta: um cachorro que foi cheirá-lo acabou sendo "o ser mais humano naquela noite"

CAPÍTULO 8

Das teclas da IBM aos braços do PCdoB

Nem um nem outro sabe, mas *Geraldo* foi colega de José de Abreu na IBM. Os dois estiveram em Ibiúna, foram presos e, para desgraça de ambos, o célebre arquivo que a polícia montou com as fotos dos estudantes flagrados no congresso da UNE serviu para acossá-los e reconhecê-los na clandestinidade. Estas são as semelhanças. Mas as diferenças pesam mais: Abreu foi para a VPR e Geraldo rumou aos braços do PCdoB. Abreu refugiou-se na *Portobello Road* e Geraldo embarafustou-se no Araguaia. Abreu foi preso uma vez e *Geraldo* três, sendo que a última incluiu a seguinte cena: *Geraldo* está sentado e algemado a uma árvore. Tem a sola dos pés queimadas após ser forçado a ficar em pé sobre latas de leite condensado aquecidas numa fogueira. Aproxima-se um policial. Ostenta uma pistola niquelada que refulge. Retira o pente do bolso, penteia-se, mira o prisioneiro e o informa calmamente: "Resolvi te matar. Vou dar um tiro em você agora".

É exatamente o que *Geraldo* quer. A morte é melhor do que a tortura. Há uma felicidade serena quando responde: "Pode matar!". Mas o policial retruca reafirmando seu poder absoluto sobre sua vítima e avisando que dias piores virão. "Eu sei que é isso que você quer. Mas não vou te matar agora, não. Vou te matar aos pouquinhos..."

Muito antes desse diálogo, carece visitar a infância de *Geraldo* em São José do Encantado, distrito de Quixeramobim, sertão do Ceará. O pai Sebastião, a mãe Maria e os onze filhos moravam numa casa de dois quartos. Filho mais velho, trabalhou desde menino ajudando o pai lavrador. Buscava água no rio, pegava na enxada na roça. Comia feijão, arroz e farinha. Carne, só em dia de festa, que podia ser festa de sanfoneiro, sempre as melhores. No menino, formou-se uma certeza: "Ser rico pra mim era ter sanfona e bicicleta".

Tinha doze anos quando veio a grande seca de 1958. Tornou-se *cassaco*: mão de obra nas frentes de trabalho remunerada não com dinheiro, mas com comida. Conheceu, então, um jovem padre, João Salmito Neto. A cada dois meses, o padre rezava missa no Encantado e ele passou a ajudá-lo. Salmito deu-lhe livros, entre eles *A vida dos santos*, que carregava para todo lugar. Bastou-lhe começar a ler para surgir a vontade de largar o sertão. Com essa vontade e o estímulo do padre virou sacristão da cidadezinha de Senador Pompeu. Através de Salmito, conheceu um lado diferente da Igreja Católica, o da Juventude Agrária Católica (JAC) e da Juventude Estudantil Católica (JEC). Tinha quinze anos quando calçou sapatos pela primeira vez. Dormia e comia na casa paroquial, o que lhe valeu o apelido de "filho do padre". Confessa que ficava "puto da vida!"[1].

Mas podia estudar, que era o que lhe interessava. No momento de cursar o segundo grau foi para Fortaleza, acolhido por uma família onde era "uma espécie de filho e criado". Na capital, terminou o ginásio, engatou um supletivo — três anos num só — e entrou na faculdade de Filosofia. Nesse meio tempo, o antigo *cassaco* arranjara um emprego na IBM como operador de computador. Em 1967, elegeu-se presidente do centro acadêmico. No ano seguinte, presidente do DCE. E entrou de cara nas mobilizações estudantis. Numa delas passou em frente à sede da IBM brigando com a polícia. Seu diretor viu aquele escarcéu, mandou chamá-lo e apresentou-lhe sua proposta: largar a agitação na universidade, ir para o Rio e cursar programação de computador. Desistiu da IBM.

Tinha dois caminhos: 1) formar-se, ganhar dinheiro e resolver o problema da família; 2) entrar na militância política. Percebeu que estava no caminho de tornar-se um político. Ou melhor, um ativista político[2].

Em 1967, o militante *Geraldo*, *Gera* ou *Gê* estava engajado ao PCdoB. Era sob esses codinomes que se ocultava o *cassaco* filho de Sebastião e Maria, José Genoíno Neto. Naquele ano, participou do congresso da UNE em Vinhedo, município distante setenta e cinco quilômetros da São Paulo, e que antecedeu o de Ibiúna. Auxiliou a eleger Luis Travassos, que era da Ação Popular (AP) mas fechara uma aliança com o PCdoB.

A estreia em cadeia aconteceu em julho de 1968, durante a preparação do congresso de Ibiúna. Atuava na UEE do Ceará e viera a São Paulo para uma reunião do conselho da UNE. Chegou a cidade no dia do quebra-pau entre a esquerda e a direita universitária na rua Maria Antonia, centrão paulistano. Quando estava na rodoviária esperando o ônibus para voltar ao Ceará, a Polícia Federal o agarrou com a bagagem entupida de panfletos. Pegou uma semana de xadrez — mais tarde seria processado e condenado à revelia. Em liberdade, arranjou uma passagem para retornar à Fortaleza. Quem o ajudou foi Mário Covas, então deputado federal pelo MDB. Covas tirou uma passagem de avião de sua cota e Genoíno pôde voltar ao Ceará... Mais tarde, o tíquete reapareceria no processo contra o guerrilheiro que tramitava no Superior Tribunal Militar...

A segunda cana foi em Ibiúna — outubro de 1968 — com companhia ilustre: Vladimir Palmeira, José Dirceu, Luis Travassos, Franklin Martins, Jean Marc von der Weid, entre muitos. A terceira foi barra-pesada: 18 de abril de 1972. Mas primeiro deu-se a imersão total na clandestinidade, o PCdoB e uma ida dolorosa ao Encantado. "Talvez não volte", comunicou aos pais naquela noite[3].

A família havia se reunido para escutá-lo. Estavam também os irmãos, os tios e as tias. Um dia que ele não esquecerá, nem da reação ao seu adeus. Explicou que estava optando por outro caminho. Não se formaria, deixaria de ganhar dinheiro. Escolhia um novo rumo. Por certo tempo, a família não teria nenhum contato com ele.

Sebastião ficou calado como era de seu feitio, mas Maria chorou muito. Era o filho mais velho que ia embora aos vinte e um anos não se sabia para onde e tampouco se o reveria alguma vez mais. Os tios e as tias também choraram. "Foi uma opção que fiz naquele momento, e sempre fiz as coisas por inteiro, nunca pela metade."

Quando veio o AI-5, escondeu-se durante uma semana em Fortaleza, esgueirando-se de casa em casa. A última em que achou resguardo foi a de um integrante da JEC que ainda ruminava o que faria da vida: Tito Alencar de Lima. A família do futuro frei Tito era de classe média alta, residia na Aldeota, bairro nobre na zona norte da cidade. De lá só partiu na noite de Natal de 1968, espremido no bagageiro de uma perua Vemaguet contando que, à meia-noite, a vigilância estaria mais frouxa.

Em Parangaba, a primeira estação ferroviária de Fortaleza, tomou um trem. Chegou ao Crato, daí para Recife, depois Salvador e finalmente São Paulo. Ia apagando sua pista, sempre em movimento. Esperando ordens do comitê central do PCdoB. Só alcançou São Paulo no Carnaval de 1969. Quando estava em Salvador preparando-se para cair na folia, chegou uma ordem justamente no sábado de Carnaval: você tem que embarcar. Desceu em São Paulo na segunda-feira e foi para um hotelzinho no Brás. Estava entrando na clandestinidade para valer. Na UNE e no PCdoB.

Uma clandestinidade dupla que envolvia uma barafunda de nomes de guerra. "Você vai ser *Geraldo*", disseram-lhe quando entrou no PCdoB. *Geraldo* contraiu-se em *Gera* ou *Gê*. Também foi *Flávio* e *Neto*. Na UNE, não sabiam que ele era também Flávio. No PCdoB ignoravam que era igualmente Neto. Tudo para despistar.

OS VENCEDORES

Depois de Ibiúna e sob o AI-5, a UNE organizou congressos regionais. Junto com Honestino Guimarães, Jean Marc von der Weid e Helenira Rezende[4], foi eleito para a diretoria da UNE. Morou um ano e meio clandestino em São Paulo. Andando a pé e de ônibus, palmilhou a metrópole de sul a norte, de leste a oeste. Era cem por cento militante. Quem garantia sua sobrevivência eram o PCdoB e a UNE. Do partido, recebia dinheiro que dava para pagar um quarto de pensão, mais ônibus e para comer prato feito. As finanças da UNE eram ligeiramente melhores. Na época, muita gente ajudava a sustentá-la. Genoíno cita dois exemplos: Chico Buarque e Maria Bethânia. "Não era *show*, era grana", especifica. E monstros sagrados do teatro como Cacilda Becker e Walmor Chagas. "Alguns deputados federais também ajudavam, caso do Covas." Em 1968, a UNE era a vanguarda da oposição.

Amigo desde Quixeramobim, o jornalista Roberto Benevides também servia de arrimo. Era uma amizade que vinha da infância no Ceará. Genoíno filava o almoço na casa da mãe de Benevides. Antes, ligava para perguntar se podia ir. Aí, respondiam: "Pode vir. Tá limpo". No sentido de que não havia nenhuma visita do Ceará que conhecesse o filante.

Demorou-se na UNE até julho de 1970 quando se despediu dos companheiros do movimento estudantil para se devotar exclusivamente ao PCdoB. Em outras palavras, ao Araguaia. Foi uma opção consciente. Tinha três caminhos: 1) Ir pro exílio. E muitos foram; 2) Mudar de vida. E alguns conseguiram; 3) Ficar e ir pra luta armada.

Genoíno deixou São Paulo em 1970, no dia da recepção apoteótica à seleção canarinho que levantara o tricampeonato no México, com direito a desfile dos campeões pelo Anhangabaú. Passou por lá, deu uma espiada e seguiu em frente. Já usava uma indumentária simples de camponês, com botinas, calça e camisa de brim. Naquele dia, tomou um ônibus para Campinas. De lá, comprou uma passagem para Anápolis, em Goiás. Encontrou-se com José Humberto Bronca[5] e, fingindo não se conhecerem, engrenaram uma viagem de ônibus de cinco dias pela Belém-Brasília rumo à Imperatriz, no Maranhão, à beira do rio Tocantins. Dali, mais uma semana de barco pelo Tocantins e, depois, o Araguaia. Passaram por Araguatins e Palestina, embrenharam-se na floresta e marcharam catorze quilômetros até o acampamento da Gameleira.

Numa choupana, depararam com um negro possante de dois metros de altura. Havia também um velho baixinho e franzino. Este era João Amazonas de Souza Pedroso, o João Amazonas, ex-deputado federal de uma bancada comunista que incluíra Jorge Amado e Carlos Marighella, e então secretário-geral do PCdoB. O outro, Osvaldo Orlando da Costa, o Osvaldão[6], 1,98m de altura, ex-campeão carioca de boxe pelo Botafogo e criatura mítica perante o olhar impressionável dos camponeses. Osvaldão prosaicamente fritava um bife de veado. Amazonas seria, a partir de então, "tio" de Genoíno. Na camuflagem da guerrilha, Amazonas e Osvaldão eram sócios e Genoíno, antes filho do padre, agora era sobrinho do *Velho Cid*, nome de guerra do dirigente comunista.

Sua impressão inicial da Amazônia foi deslumbrante. Sabia que iria para a floresta mas, nordestino, quando se deparou com todo aquele verde, aquela quantidade de água, aquela fartura toda, abismou-se. Era também um desafio: conhecer a selva, os rios, os caminhos. Antes da guerrilha, a vida era até prazerosa, apesar das dificuldades e das doenças.

Pegou vinte malárias. E o remédio disponível para mitigar os sintomas da doença causava efeitos colaterais violentos. Nas grávidas, provocava abortos. Curava as crises com quinino, o que lhe arrebentava o fígado. Ainda mais que, no mato, não havia o quinino farmacêutico mas aquele que se extraía da própria árvore, um xarope vermelho e amargo como fel.

Além do anófeles que inocula a malária, esvoaçavam por ali os mosquitos-palha que disseminam a leishmaniose, a *lecha*, que castiga os cães e os homens desde a pré-história e que arreganha úlceras na pele. Uma dessas picadas abriu na perna direita de Genoíno uma fístula que demorou a cicatrizar e que atraía, por sua vez, a mosca-varejeira e sua larva, o bicho berne, também flagelo ancestral de bichos e gentes. Para as cobras, porém, os guerrilheiros dispunham de "três ou quatro" tipos de soro antiofídico.

As tarefas militares estavam presentes. Havia horário para levantar, fazer ginástica, cumprir tarefas, realizar levantamentos topográficos, conhecer a vegetação, aprender as regras de sobrevivência, localizar-se, ocultar-se, carregar um companheiro nas costas, atravessar o rio Gameleira a nado transportando nas costas uma mochila de vinte quilos, treinar tiro, descobrir como surpreender o inimigo. Tudo sob as ordens do comandante Osvaldão. E o trabalho teórico, este sob a inspiração do comandante Mao Tsé-Tung: "Quando o inimigo avança, recuamos; quando para, o fustigamos; quando se cansa, o atacamos; quando se retira, o perseguimos[7]".

Manuais militares e clássicos envolvendo o tema guerra também eram lidos e discutidos. *A retirada de Laguna*, do Visconde de Taunay, por exemplo, que descreve as agruras das forças brasileiras em 1867 acossadas pela cavalaria do Paraguai, e *Os sertões*, de Euclides da Cunha, sobre a insurreição da caboclada no sertão baiano no ocaso do século XIX. Aliás, no Araguaia, contra seus antagonistas do PCdoB, o exército repetiria o rito feroz a que submeteu os sertanejos de Antonio Conselheiro: decepar-lhes a cabeça.

Este *vis-à-vis* com a barbárie viria depois da frustração das forças armadas com a primeira incursão antiguerrilha. Agora, apesar do cotidiano penoso, Genoíno acabava de descobrir a beleza de dormir na rede e na selva, e ainda havia tempo de ouvir os milhares de sons na noite na Amazônia. De desvendar os segredos da mata: como caminhar, reconhecer as trilhas da caça, montar armadilhas, cozinhar peixe na areia aquecida com brasas. Plantava arroz, milho e mandioca. No prato, carne de caça — jacaré, cobra, tartaruga, paca, veado, queixada — mais peixe, frutas — cupuaçu, açaí, bacaba, buriti, castanha — feijão e arroz.[8] Faltava amor e sexo mas, mesmo assim, sentia-se feliz ali.

A virada de ano, de 1971 para 1972, foi um instantâneo dessa felicidade. A comemoração era grande, ainda mais se comparada com a passagem de ano anterior, quando existia menos gente e mais malária. No alvorecer de 1972, havia roças grandes e semeadas. Cada um dos três grupos do destacamento B organizou uma apresentação. O de Genoíno montou um jogral. Mostrava o percurso até a guerrilha, as dúvidas e as decisões de deixar a família e a universidade para se integrar à luta, às dificuldades e aos erros na floresta. Osvaldão declamou "I-Juca Pirama", de Gonçalves Dias. Genoíno: "Uma alegria geral. Teve muita cantoria, emboladas. O Idalísio tocava violão. A gente caçou carne, catou frutas e o arroz da nossa roça. Cantamos 'Apesar de você', 'Viola enluarada'...músicas que tinham uma relação com nossa vida de estudante"[9].

No Araguaia, cada destacamento tinha vinte e um guerrilheiros divididos em três agrupamentos de sete. O destacamento A, de Apinajés, acomodou-se no município de Marabá. Às margens do rio Gameleira, em São João do Araguaia, ficou o B. E o C, perto do rio Caiano, em Conceição do Araguaia. O teatro de operações abrangia um território de cinquenta por 130 quilômetros. O PCdoB mudara-se com armas e bagagens para a tríplice fronteira dos estados de Goiás (hoje Tocantins), Pará e Maranhão. Genoíno era do destacamento B e coordenador de um dos três grupos. Um dia correu a notícia de que os outros destacamentos haviam sido atacados. O inimigo estava chegando. "Todos estavam ansiosos para começar os combates de verdade", relatou. Houve uma grande vibração. Finalmente, começaria a luta para valer![10]

Era um entusiasmo autêntico, que expressava determinação e apego à causa da revolução. Nos ensinamentos de Lin Piao[11], o sacrifício de um punhado de revolucionários seria premiado com a redenção do país. Mas era uma euforia descolada das reais condições do enfrentamento que se avizinhava. No dia 12 de abril de 1972, dia do ataque ao destacamento A, o PCdoB ainda não superara todas as etapas planejadas, o que só deveria acontecer, pelo cronograma, no final daquele ano. Antes de ir à luta, seria preciso ganhar a confiança dos camponeses, trabalhar sua adesão. "Antes de abrirmos o jogo para a população, o exército chegou", admitiria[12].

Havia outros inconvenientes. Primeiro a ser atacado pelos soldados do governo, o poder de fogo do destacamento A consistia em quatro rifles, quatro fuzis 44, uma metralhadora INA, outra fabricada pelos próprios guerrilheiros, seis espingardas calibre 20 e duas carabinas 22. No caso do B, o arsenal também incluía uma metralhadora artesanal, um fuzil, uma submetralhadora Royal, seis rifles 44, nove espingardas e duas carabinas. O equipamento do C resumia-se a quatro fuzis, alguns rifles, espingardas e carabinas. A comissão militar dispunha de duas espingardas 20, conforme relato de Maria Francisca Pereira Coelho. Todos os combatentes portavam revólveres 38, cada um com quarenta balas. Havia mais combatentes do que armas longas, muitas em condições precárias.

Angelo Arroyo, o *Joaquim*, membro da comissão militar do PCdoB no Araguaia, produziu um relatório sobre a guerrilha[13] reparando que faltava a ela uma rede de comunicações, inexistia qualquer estrutura e, portanto, qualquer respaldo do PCdoB nas proximidades ou mesmo nos estados vizinhos, e o dinheiro era curto. Deixou claro que o armamento, de modo geral, era antigo e "apresentava defeitos". A guerrilheira Regilena da Silva Carvalho, a *Lena*, foi muito mais enfática: "Enfrentar um exército com aquele fuzil? O fuzil que eu usava, nossa! Pra atirar no cabo você tinha que apontar pro sargento. Pra acertar naquela árvore você tinha que atirar três árvores depois[14]".

O oponente despontava com 800 soldados, repartidos entre Xambioá e Marabá. Isso em abril. A eles juntaram-se cem agentes do Centro de Informações do Exército e mais vinte e seis paraquedistas das forças especiais[15]. A correlação era ingrata. Praticamente quinze homens para cada combatente do PCdoB. Quatro meses depois eram 15 mil, tropas oriundas de quatro estados: Pará, Goiás, Mato Grosso e Piauí. Não vinham abertamente para desentocar a guerrilha. O biombo atrás do qual se caçava guerrilheiros era um exercício de campo do IV Exército. Sob esse simulacro progredia a Operação Papagaio.

Mas para Genoíno/*Geraldo*, a guerra terminaria mais cedo do que imaginava. Ele não sabia mas, no longo prazo, isso salvaria sua vida. No dia 17 de abril de 1972, às cinco da manhã, partiu para o destacamento C enviado por Osvaldão. De lá viera uma informação de que estavam acontecendo "coisas estranhas". *Geraldo, Gera ou Gê* foi ver o que havia. Anoitecia quando chegou ao Caiano. Tudo deserto. Indagou a um camponês que morava perto se tinha visto o pessoal. Tinha visto, sim, no dia anterior. Chovia. Cansado, armou sua rede no mato, colocou um plástico acima para aparar o aguaceiro e dormiu. Acordou às seis da manhã e tomou a estrada para se reunir com o pessoal do seu destacamento. Em vez de retornar pelo miolo da floresta optou pela estrada. No caminho topou com o delegado de Xambioá Carlos Marra e um grupo de bate-paus[16] que ajudavam a polícia e o exército. Ali, a guerrilha de Genoíno começou a acabar.

Genoíno estava com um chapéu de couro, bermuda e uma bolsa. "Eu enxerguei ele e falei: lá vem um dos homens da mata", contou o mateiro Basílio Constâncio Silva, um dos nove homens que prendeu o guerrilheiro. "O Marra mandou ele entregar as armas, ele deu a peixeira, um revólver e um facão[17]." Na lembrança de Silva, ao perceber que seria preso, Genoíno reagiu e xingou seus captores de "tropa de covardes"[18].

Com as mãos amarradas atrás, puseram o prisioneiro a caminhar entre dois cavaleiros. Assim andava quando pensou: "vou fugir". E fugiu. Deu um puxão na corda que o prendia e saiu correndo atado daquele jeito. E desafiou: "Atirem!". Um erro porque um camponês não reagiria desse jeito. Era uma derrapada, atitude de militante que prefere morrer a ser torturado.

Levou um tiro de raspão e, na corrida, caiu no que os caboclos chamam de "buca", o trançado de cipós e raízes que se forma quando uma árvore vem abaixo na Amazônia. Enroscou-se ali, foi recapturado e conduzido à cabana deserta na clareira do destacamento C. Apanhou muito. Laçaços de cipó e pontapés. Mas a única suspeita contra ele — e por isso fora preso — vinha das perguntas que fizera sobre o rumo da gente do Caiano. À tarde, chegou um helicóptero do exército. Os militares queriam saber o que fazia no mato, seu nome verdadeiro e o paradeiro dos demais guerrilheiros. Inventou uma conversa fiada. Respondia que estava procurando aquele pessoal para negociar arroz. Era posseiro e conhecido de todos ali. Como o cabo da enxada e a roça haviam deixado suas mãos calosas — e tinha um jeitão de lavrador sertanejo — semeou a dúvida. O que não os impediu de atá-lo pelos pés e de içá-lo de cabeça para baixo em uma árvore. Tampouco desistiram da pancadaria. Na madrugada, esquentaram duas latas de leite condensado e o puseram em pé sobre elas. Em certo momento, desmaiou. Voltou a si amarrado a um tronco de árvore e recebeu uma visita: o cachorro de Paulo Rodrigues, um dos integrantes do destacamento C. Escondido na floresta, o cachorro reapareceu e lambeu o corpo dolorido do prisioneiro. Encostou o focinho no seu rosto e ficou ali, parado, como se quisesse animá-lo. "Aquele cachorro acabou sendo o ser mais humano naquela noite[19]", diz.

Na tarde do dia 19, um helicóptero da multinacional norte-americana United States Steel[20] o transportou a Xambioá. Antes, os militares e bate-paus incendiaram a cabana, atiraram granadas no terreiro e dispararam rajadas de metralhadora. Na cadeia de Xambioá, já estavam moradores, viajantes, um padre e uma freira, todos sob tortura. Recepcionado a coices pelos oficiais, foi introduzido em três novas, para ele, modalidades de tortura: choque elétrico — sofreu nas mãos, nos pés, nas orelhas, no ânus e nos testículos —, "telefone" e afogamento. E firmou convicção: "Não tem nada pior do que afogamento. Depois disso, por muito tempo, fiquei sem botar a cabeça debaixo do chuveiro".

De Xambioá levaram o preso para Araguaína e, dali, para Brasília. Desembarcou e um avião Búfalo da FAB na data do 12º aniversário da capital: 21 de abril de 1972. Até então, seus carcereiros no Pelotão de Investigações Criminais (PIC) não tinham certeza de quem ele era, de fato. Passou quarenta e oito horas na solitária e dali saiu direto, encapuçado e sob tapas na cabeça, para o pau de arara. No começo de maio, seus anfitriões encontraram algo interessante para mostrar ao prisioneiro. "Foi o pior dia da minha vida."

Era o *álbum* da UNE em Ibiúna. Ali estavam as fotos de todos os estudantes detidos no malfadado congresso de 1968. O *álbum* delatou sua identidade, seus processos, sua militância na UNE e no PCdoB. Toda sua história desabou.

Agora os inquisidores — cujo rosto não via mais — queriam saber tudo sobre o Araguaia. Se não falasse, a chance de viver escasseava. Se falasse, colocaria em risco a vida dos militantes. A solução foi negociar consigo mesmo e tentar um meio termo. Era um processo muito penoso porque cada informação resultava de um ato de tortura. "Falava pra mim mesmo: 'não vou dar informação que leve à morte, à prisão de pessoas'. Sentia uma ruptura entre o corpo e a mente: o corpo pedia para falar e a mente negava."[21]

Décadas depois, esse dia na vida do combatente Geraldo seria empunhado por oficiais da reserva para acusá-lo de cooperar com a repressão. Teria fornecido elementos que conduziram ao aniquilamento da guerrilha. Sem tortura.

"Vi ele apanhando muitas vezes, levando choques elétricos. Pegavam ele algemado, com capuz na cabeça, levavam até o fim da pista [de pouso] e batiam nele[22]." Trinta e seis anos mais tarde, o ex-soldado Jairo Pereira relatou os tormentos do prisioneiro. Pereira integrou a tropa mobilizada contra a guerrilha do PCdoB e também lembra quem batia. Eram "os graduados". Na tortura, *Geraldo*/Genoino "pulava, gritava, chorava muito. A gente sentia que ele estava machucado. Eu saía de perto. Depois, ele ficava triste, calado"[23].

Genoíno sempre sustentou que as informações verdadeiras que abriu eram irrelevantes ou imprestáveis. Mas pairava a dúvida. De onde menos se esperava, veio o suporte à versão do prisioneiro: das páginas do *Orvil* — o livro secreto com a visão da ditadura a respeito de si própria. Concebido para dar o troco à publicação *Brasil: Nunca mais* — editada pela arquidiocese de São Paulo, e que eviscerou as entranhas da ditadura — o *Orvil* foi produzido na década de 1980, durante três anos, por uma equipe de trinta oficiais comandada por um coronel ultra-anticomunista, Agnaldo Del Nero Augusto, e designada pelo então ministro do exército, Leônidas Pires Gonçalves[24]. Embora a intenção evidente seja a de fritá-lo, Genoíno acaba inocentado na versão militar do confronto.

Primeiro o *Orvil* assegura que o prisioneiro revelou a localização dos três destacamentos. Em seguida, repara que os três haviam sido aniquilados nos dez primeiros dias da operação. O que significa que sua presa deu notícia velha. Adiante, reiterou que *Geraldo* prestou informações "valiosas" sobre a instrução, o armamento e os suprimentos dos guerrilheiros mas acaba, contraditoriamente, tachando-as de "genéricas e pouco confiáveis"[25].

O setor de inteligência das forças armadas e o próprio PCdoB sempre apontaram para outra direção. Um relatório do CIE[26] registrou a prisão do guerrilheiro Pedro Albuquerque, que abandonara o Araguaia em novembro de 1971. Ele foi preso em Fortaleza em janeiro de 1972. Afirmou que, quando caiu, a repressão já sabia do Araguaia. Também em novembro de 1971, a combatente Lúcia Regina de Souza Martins, a *Regina*, combalida pela hepatite e a brucelose, foi levada a Anápolis, em Goiás, e hospitalizada. Deveria voltar à área, mas seguiu para São Paulo. Sob pressão da família, teria confessado aos militares o que sabia[27].

Definitivamente, Genoíno foi levado de volta ao Araguaia na carroceria de uma picape do exército. Ia algemado e acorrentado. Entregue aos fuzileiros navais que estavam em Xambioá, ouviu um recado dos integrantes do DOI-Codi: "Este presunto, se morrer não tem problema. Ninguém sabe que ele está preso e nós falamos que tentou a fuga".

Exposto na praça principal de Xambioá, estava de calção, imundo e com ferimentos nos braços e nas pernas. "Vamos fuzilar!" O grito partia da brigada paraquedista que tinha vindo do Rio de Janeiro. As tropas andavam à sua volta[28]. Os moradores espiavam de longe com medo. Na base militar, junto à pista de pouso de Xambioá, Genoíno foi algemado na carroceria de um caminhão. E depois aprisionado num buraco de três metros quadrados escavado no chão com uma grade por cima. *Vietnã* era o apelido desse tipo rudimentar de cárcere. Nas masmorras de terra inventadas pelo exército, os cativos comiam, bebiam, urinavam e defecavam ali mesmo. Um dia, Genoíno ouviu o barulho do helicóptero, ergueu a cabeça e viu chegar à base o cadáver de seu amigo do Ceará, Bergson Gurjão Farias, o primeiro guerrilheiro abatido. Durante combate, embora sofrendo com a malária, ele teria baleado o tenente Álvaro de Souza Pinheiro. O tenente era filho de um general, Ênio Pinheiro. Ferido a bala, Bergson fora trucidado com pontaços de baioneta. A raiva contra o vivo transferiu-se para a raiva contra o morto. Viu os torturadores pendurarem o corpo de cabeça para baixo em uma árvore para chutarem o rosto do defunto. Espreitou também a chegada de Dower Morais Cavalcanti, este vivo. Pateado desde o primeiro instante, foi arrastado para a barraca dos oficiais no final da pista para uma sessão de trinta e seis horas de tortura. Do *Vietnã*, Genoíno só emergia para algo pior: queimaduras, afogamentos e "telefone".

Na região, as forças armadas haviam ocupado todas as cidades na orla do rio Araguaia, patrulhado dia e noite por lanchas equipadas com metralhadoras. Oficiais instalaram-se nas prefeituras. Incendiaram as casas dos moradores suspeitos de simpatia com a guerrilha, bloquearam as estradas, e só se movimentava na floresta quem tinha salvo-conduto. Em Xambioá, Bacaba, Araguatins, Marabá, Palestina, São Geraldo e Conceição do Araguaia, a prisão, a tortura e mesmo o assassinato passaram a ser uma possibilidade tangível mesmo para quem não fosse guerrilheiro da União pela

Liberdade e os Direitos do Povo (ULDP), designação que a luta armada adotara nas entranhas da Amazônia.

Torturado na delegacia de Xambioá, o barqueiro Lourival de Moura Paulino apareceu dependurado na cela. Enforcara-se, segundo a polícia, valendo-se de uma corda que trouxera ao ser detido. Um dos filhos do morto percebeu que a corda no pescoço não pertencia ao pai. No arrastão, centenas de pessoas foram parar na cadeia, entre elas um lutador de circo e um fazendeiro. Este seguia para se instalar nas terras que havia adquirido, acompanhado por vinte e dois peões e duas tropas de burros. Enfiado em um helicóptero, desceu em um campo de pouso cercado por rolos de arame farpado. Pode-se conjeturar seu assombro ao passar pelo que passou. "Parecia aqueles campos de concentração nazistas", descreveu. Foi jogado no fundo de um *Vietnã* com três metros de profundidade. E cobriram a cova com uma tampa de madeira. "Aquilo virou noite[29]".

A igreja onde o padre francês Roberto de Valicourt rezava missa foi invadida pelo exército no dia de *Corpus Christi*. Valicourt chegara em janeiro de 1972 e trombara com o prefeito local, "que envenenava as roças dos posseiros para tomar-lhes as terras e dá-las às filhas"[30]. Transportado com outros moradores para o antro de torturas apelidado de Casa Azul, em Marabá, o padre e os demais foram amontoados em cubículos. Sem direito a água, beberam a urina uns dos outros[31]. Apanhou muito: "Aí eles pegaram dois pra dar soco assim, na cara, nos ossos, e botavam os dedos nos olhos, e torcendo os braços, e batendo a cabeça na parede, era pontapé na barriga, nos rins...[32]".

Enquanto a guerra continuava, Genoíno voltou para Brasília. Na hora da tortura, tocavam o "Hino Nacional". O ufanismo da propaganda oficial contaminava também os porões. No dia 26 de junho, quando o Brasil esbarrou na defesa da Tchecoslováquia no torneio do sesquicentenário da independência e ficou no 0x0, os presos perderam. Atiraram água nas celas e os prisioneiros nem sabiam de nada.

No PIC, viu sendo torturados, entre outros, o líder sertanejo José Porfírio de Souza e os militantes do PCdoB, Rioco Kaiano e Eduardo Monteiro Teixeira. Em janeiro de 1973, foi transferido para a OBAN, em São Paulo, onde permaneceu quatro meses incomunicável. Com Rioco, presa no caminho do Araguaia, Genoíno construiria, mais tarde, uma vida em comum. Ao todo, foram nove meses de incomunicabilidade. No Dops paulista, algemado e sem advogado, prestou depoimento em março e assinou as informações extraídas sob coação. A notícia melhor veio em um fim de semana de Santos x Corinthians, quando recebeu a visita de uma desconhecida. O carcereiro avisou: "Te prepara para subir!". Pensou na tortura: "Puta merda! Vai começar de novo". Chegou na sala, olhando pros cantos, e uma mulher toda de preto falou assim:

— Sou tua advogada. Assina essa procuração aí!

— Pra mim você é uma policial...

— Estou salvando a tua vida. Assina e te manda!

"Olhei pra ela e assinei. Nunca mais esqueci aquela figura", conta.

A visitante era a criminalista Rosa Maria Cardoso da Cunha[33], que fora visitar alguns presos políticos seus clientes e aproveitou um cochilo da carceragem para quebrar a informalidade da prisão de Genoíno que já durava um ano. Seria mais trabalhoso fazê-lo desaparecer.

Em junho, Genoíno trocou o Dops pelo presídio do Hipódromo. Transitaria por mais três presídios em São Paulo: Carandiru, Penitenciária do Estado e Barro Branco. Entrou no Carandiru com mais de cem presos comuns. No celão, lugar da triagem, os outros encarcerados olhavam para aquele novato pálido, davam um sorrisinho malicioso e lhe sopravam ao pé do ouvido:

— Hoje é você... (risos).

Mas entre os presos também havia comando. O mandachuva do celão olhou para ele e quis saber:

— E esse menino aqui?

— Eu sou preso político! — respondeu um Genoíno magro, de pele amarelada pela proibição de tomar sol, porém enfático.

OS VENCEDORES

O chefe se virou para os demais e avisou:

— A ordem aqui é a seguinte: não toca nele. Ele é dos terroristas e terrorista a gente respeita! Ele vai pro Pavilhão 5...

No dia seguinte foi o que aconteceu. Genoíno juntou-se a outros cinquenta e três presos políticos no Pavilhão 5 ou, como diziam os presos comuns, a Galeria do Terror. Quando se dirigiam à turma da galeria, os *corrós* diziam "Ô do terror!" Para Genoíno, o melhor período para os presos políticos era o da cadeia com os comuns.

O pessoal da luta armada cruzava com os *corrós* no banho de sol ou na enfermaria, mas sem convivência. O que não impedia brincadeiras dos apenados comuns, entre elas uma proposta para dissimular a posse de alguns objetos do desejo. "Quando tem batida aqui — diziam — os carcereiros querem faca e droga. Quando a batida é em vocês, eles querem papel e lápis. Vamos trocar? Vocês mandam papel e lápis pra nós, que nós mandamos a nossa muamba pra vocês[34]".

Um episódio no presídio do Hipódromo atesta a intimidade entre os dois grupos. Companheiro de cela de Genoíno durante dois meses, o escritor Joel Rufino dos Santos, o *Pedro Ivo* da ALN, arranjou camaradagem com as presas comuns. Recém-saído da prisão, em 1974, Rufino estava se divertindo numa quadra de escola de samba quando ouviu um grito: "Meu terrorista!" Era uma das amigas do xadrez. Genoíno: "Ele saiu correndo..."

No Carandiru, reinava o diretor, o coronel Fernão Guedes. Meticuloso, não se limitava a guardar presos. Queria ensinar-lhes normas de conduta. Às visitas, exigia que os homens viessem de paletó. As mulheres só entravam de saias. De calças compridas nem pensar. Um dia, ele esclareceu as regras básicas da sua prisão ao pessoal do Pavilhão 5. Era assim: "Eu não quero confusão com vocês. Mas aqui tem o seguinte: tem que se portar com decência! Primeiro, se fugir eu mato. Segundo, caso de bunda, vai pra cela forte. E terceiro, droga vai pro pau".

A resposta, segundo Genoíno, foi mais ou menos assim: "Tá bem. Se a gente fugir você pode matar. E não mexemos nem com bunda nem com droga. Mas queremos acertar algumas coisas com o senhor pra gente ter uma relação civilizada". Entre elas, o direito de se comportar como um preso político. "Quando vem autoridade no presídio, os presos ficam em pé e de mãos para trás. Nós não vamos fazer isso. Então, quando chegar autoridade, o senhor nos tranque." E mais: exame de corpo de delito em cada preso político que sair da prisão "porque, senão, é o senhor que pode levar a culpa". E, por fim, livros.

E o diretor: "Tá bem, mas só com nota fiscal!"

Os livros vinham com nota fiscal mas com recheio diferente. A capa era de um livro qualquer mas por dentro era Marx, Lênin, Mao Tsé-Tung..."Li *O capital* dentro da cadeia e a capa era de um livro do Roberto Campos... (risos)".

Tocando o cadeião, o que menos interessava ao coronel era fomentar quiproquós com a turma do pavilhão 5. Mas arrumou encrenca com o lado oposto. Recém-empossado secretário de segurança pública de São Paulo, o coronel Erasmo Dias fez uma inspeção de surpresa no Carandiru. Encontrou cada cela no pavilhão do terror batizada com o nome de uma vítima da repressão. Havia a cela Marighella, a Lamarca, a Bacuri. A de Genoíno era Bergson Gurjão de Farias. Um Erasmo colérico entrou na cela de Genoíno e viu fotografias de Marx, Engels, Lênin e Stalin. Cara a cara com o prisioneiro, disparou: "Bicha!" Enfureceu-se porque não tinha visto nenhuma foto de mulher nua...

Acabaram-se as regalias. Erasmo ordenou a transferência de todos para a Penitenciária do Estado. Não se podia levar livro ou roupa. Usava-se uniforme, as cabeças eram raspadas e as celas, individuais. Corria a campanha das eleições parlamentares de 1974 e o pessoal do velho Pavilhão 5 partiu para a greve de fome. O objetivo era usar o momento eleitoral e o protesto para forçar o retorno ao Carandiru. Furava-se o bloqueio e as notícias vazavam: os presos só tomavam água e poderiam morrer. Novamente, os presos comuns se aproximaram. Discretamente se aproximaram e ofereceram pão, alguma comida, aos grevistas. "Não podemos, estamos em greve", foi a resposta. Diante da recusa, espantaram-se: "Então é pra valer?" Era. "Só tomamos água", ouviram de volta. "Eles ficaram impressionados com aquilo. E nós vencemos a greve, conseguimos o que queríamos."

Genoíno chorou naquele dia, e hoje ainda sente a pele arrepiar quando relembra o desfecho. Foi puro cinema. "No fim da greve, quando passamos pelos presos comuns, a cadeia veio em peso pras grades." Os *corrós* vieram batendo panelas e gritando: "Viva os terroristas! Viva os terroristas! Viva os terroristas!"

Na prisão, o cotidiano é de contínua negociação, enfrentamento e negociação. E enfrentamento. "Aliás, repara, o Lênin tinha razão quando dizia que um revolucionário tem três escolas: a cadeia, o parlamento e o exílio." Aprende-se a sobreviver com o mínimo. "Adquire-se uma capacidade de resistência incrível", ensina. "Num olhar, numa música, num gesto, no reverso do relógio que você transforma em espelho para observar o corredor."

Mas nem tudo era luta e companheirismo. Havia embates internos e um espectro, o do preconceito, que a esquerda, armada ou não, não exorcizara. Descobriu-se que, no grupo, havia dois homossexuais. O coletivo chegou a debater o isolamento dos dois. "Eu fui contra, mas não me rebelei", admite. No Carandiru havia, em certo momento, dois coletivos que não se falavam porque "cada um se considerava mais revolucionário que o outro". Reconhece que, no meio de tanta intolerância, a esquerda se achava portadora da verdade, e tal condição legitimava esse tipo de ação[35].

A alegria com a volta ao Carandiru durou pouco. Terminara a construção do presídio Romão Gomes, mais conhecido como Barro Branco, e Genoíno e seus companheiros de cadeia mudaram de endereço novamente. O coletivo[36] do Barro Branco pesquisaria e elaboraria aquilo que granjeou fama como "a lista do Prestes". Genoíno afiança que, do secretário-geral do PCB, Luiz Carlos Prestes, o rol de 233 militares e policiais acusados de serem torturadores só tem o nome. Em 1975, a nominata chegou às mãos do presidente da Ordem dos Advogados do Brasil (OAB), Caio Mário da Silva Pereira. Três anos mais tarde[37], ganharia a capa do semanário *Em Tempo*. A resposta viria de duas maneiras: 1) a edição se esgota nas bancas; 2) o jornal sofre dois atentados. Na sucursal arrombada de Curitiba, os autores autografaram o crime pichando a parede com os dizeres "Os 233".

Em 1975, julgado pela Auditoria da 10ª Circunscrição Judiciária Militar, em São Paulo, Genoíno tomou pena de cinco anos de prisão. Perdeu seus direitos políticos por dez anos. No Araguaia, de onde fora extraído três anos antes, a paisagem era desoladora para a guerrilha. Em junho de 1972, quando Genoíno foi despachado para Brasília, ainda havia esperança.

O rolo compressor da Operação Papagaio acuara meio mundo, mas empacou sem localizar os destacamentos A e B, após os guerrilheiros se refugiarem no mato. No *front* da propaganda, espalhou que os guerrilheiros do PCdoB eram marginais, terroristas, assaltantes de bancos e, curiosamente, maconheiros... Depois propalou que eram estrangeiros: russos, cubanos ou mesmo alemães[38]. No *front* militar, só houve combate com o destacamento C, isolado e dividido[39]. Na primeira etapa, a guerrilha sofreu cinco mortes, uma delas a de Maria Lúcia Petit da Silva, vinte e dois anos.

Maria, seu nome de guerra, era amiga do tropeiro João Coioió e da sua família. Pediu-lhe que comprasse mantimentos e os deixasse em determinado lugar. Coioió informou ao exército o local combinado e *Maria* foi morta pela tropa comandada pelo general Antonio Bandeira, da 3ª Brigada de Infantaria. Quando a notícia chegou, deu-se uma cena pungente: "Aí o Jaime caiu e rolou. Sabe o que é cair mesmo? Estava de calção, o corpo molhado, tinha tomado banho. Caiu e rolou nas folhas. Quando levantou era uma figura terrível, parecia um vegetal. Em prantos. Eu joguei água na cabeça, no corpo dele. Tirei folha, terra, formiga. Parecia um bicho ferido. Ele chorou a perda da irmã por um longo tempo", contou Lena, mulher de Jaime Petit da Silva[40].

OS VENCEDORES

Lena e Jaime seguiriam caminhos diferentes. Descrente da empreitada, ela optou por se entregar. Sairia da prisão em dezembro de 1972. Jaime morreria no Araguaia em dezembro do ano seguinte.

A ofensiva sorveu novo fôlego em setembro de 1972. Dobrou o efetivo para 3 mil homens. Como boa parte da população se ressabiara após os desmandos da primeira campanha, vieram também médicos e dentistas. Distribuiu remédios e prometeu legalizar a posse de terras. O plano era adular os nativos para agarrar os comunistas. Também não deu certo. Os soldados não acharam nenhum esconderijo e ainda foram surpreendidos com o ataque a uma base do 2º Batalhão de Infantaria de Selva no qual morreu um sargento. Teriam morrido mais dois soldados e um bate-pau.

Os mateiros remunerados a vinte e cinco cruzeiros por dia — oito vezes o pagamento por jornada na roça — não lograram armar emboscadas[41]. Temerosos, alguns dos caboclos aliciados pelas forças armadas decidiram cair fora. Coioió, o tropeiro que preparou a morte da guerrilheira Maria, foi um deles.

Nove guerrilheiros morreram na segunda expedição[42], entre eles Helenira Rezende de Souza Nazareth, vice-presidente nacional da UNE e aluna de Letras na Universidade de São Paulo. Na descrição de Elza Monnerat, dirigente do PCdoB depondo em auditoria militar[43], Helenira, paulista de Cerqueira César, foi ferida em combate, presa e executada. Atacada por dois soldados, *Nega*, seu nome de guerra, teria matado um deles e ferido o outro. Porém, metralhada nas pernas, teria sido torturada até a morte.

Outra baixa foi o estudante de medicina João Carlos Hass Sobrinho, o *Juca*, gaúcho de São Leopoldo e um dos primeiros homens do PCdoB a se estabelecer na região. Seu cadáver foi exposto à população da cidade de Porto Franco com a intenção de alastrar o pavor. Tinha a perna direita partida e a barriga cortada e costurada com cipó[44]. Dele, Genoíno guardou uma imagem de audácia: "O Haas fez uma cesárea com gilete numa camponesa da Gameleira". Haas informou que a criança havia morrido mas que ele ia salvar a mãe. Os demais argumentaram que isso revelaria sua condição de médico, o que o desmascararia. Hass retrucou que se apresentaria como curandeiro. "E fez a cesárea e salvou a mulher..."

Na segunda campanha, o último guerrilheiro capturado foi o secundarista Glênio Sá, de vinte e dois anos. Embora parte dos habitantes, por medo ou moeda, tivesse se bandeado para os militares, a trajetória do guerrilheiro em fuga mostra que muitos deles foram solidários com os *paulistas*, nome que os forasteiros ganharam das populações da floresta. Glênio perdera-se dos companheiros e ficara apenas com um facão, meia caixa de fósforos e munição para quatro tiros. "Dormiu em pé, caminhou nu, comeu carne crua e delirou de malária. Esquálido, imundo e com vermes de gado em um braço, recebeu ajuda num lugarejo, cinco roças e uma fazenda", registra Elio Gaspari[45]. Encontrou dois materos que haviam servido às tropas do exército. Um deles, amigo de Osvaldão, deu-lhe carne de onça e explicou que fora coagido a ajudar os soldados. Só foi traído no décimo contato[46].

O terceiro ataque demoraria mais. No final de outubro de 1972, as forças armadas retrocederam. Tirando os presos, os que desertaram e os mortos, restavam cinquenta e dois dos sessenta e nove guerrilheiros fustigados no deflagrar da primeira ofensiva. Quando arrefeceu a segunda acometida, um paralelo entre os dois lados e seus efetivos mobilizados na região escancarava um quadro inviável para a guerrilha: cinquenta e sete soldados para cada combatente do PCdoB. Porém, transcorridas duas campanhas — a segunda com o deslocamento de 3 mil militares para a área — a guerrilha preservara 75% de seu efetivo. Se bem que alguns comandantes militares cantassem vitória, não passou desapercebida aos moradores do Araguaia a verdade singela de que os soldados haviam partido e os guerrilheiros continuavam.

Houve um hiato de um ano entre o desfecho da segunda e o início da nova campanha. Mas a terceira e última resultaria devastadora para a guerrilha. "Somente no início, muito no início, houve algum tipo de reação. Depois, foi caçada pura, como se caçam animais", testemunhou o coronel-aviador Pedro Corrêa Cabral[47].

Antes da caçada, os combatentes da ULDP realizaram aquilo que a pressão sobre suas bases havia atrapalhado. Aproximaram-se da população. Na metade de 1973, operavam treze núcleos clandestinos de respaldo à guerrilha, somando trinta e nove simpatizantes[48]. Gaspari cita um oficial do exército para quem a ULDP contava com o apoio de oito em cada dez habitantes e de quase todos os pequenos comerciantes. "Estendeu-se nossa influência entre o povo. Ganhamos muitos amigos, e não era só apoio moral. A massa fornecia comida e mesmo redes, calçados, roupas etc. E informação. Contávamos com o apoio de mais de 90% da população", confirmou Arroyo no seu relatório.

Os guerrilheiros eram todos "estimados" mas com admiração especial, segundo Arroyo, devotada a Osvaldão e à *Dina*. Baiana de Castro Alves, com fama de doceira de mão cheia, Dinalva Conceição Oliveira Teixeira foi a única mulher vice-comandante de destacamento. Ela e o marido, Antonio Monteiro Teixeira, o *Antonio da Dina*, eram geólogos e guerrilheiros. Antes de se embrenhar no Araguaia, fizera trabalho social nas favelas do Rio. Extrovertida, teria sido a primeira moça a tomar banho de biquíni no Araguaia[49]. Estabeleceu amizade com os caboclos, facilitada pela condição de parteira que assumiu. Boa atiradora, encarou vários combates e feriu inimigos. Sua facilidade em romper cercos originou a lenda de que, sob assédio, metamorfoseava-se em pomba, cupim ou borboleta. Faria seu voo derradeiro em junho de 1974. Traída por um mateiro, foi presa e assassinada. O agente José Teixeira Brant, o doutor César, que a perseguia desde o tempo do movimento estudantil em Salvador e a acompanhou com mais dois agentes até o local do fuzilamento, teria pedido a primazia aos seus superiores. "Estou em Brasília. Guarde que essa é minha[50]." Na hora da execução, *Dina* teria pedido para morrer de frente.

Suspenso o assédio, os guerrilheiros partiram para o ataque. Mataram três mateiros acusados de cooperar com as tropas. Atearam fogo em um posto da polícia militar na Transamazônica, capturaram cinco soldados e encorparam o escasso arsenal da ULDP com seis fuzis e um revólver. Apesar de êxitos pontuais e da retomada de certo protagonismo com a ausência das tropas, a guerrilha agonizava. A comida era escassa. Muitos combatentes não tinham mais calçados. Uns usavam chinelo de sola de pneu e outros andavam de pés no chão. Não havia plásticos para que se abrigassem da chuva[51]. Todo o dinheiro do grupo resumia-se a 400 cruzeiros — em outubro de 1973, quando começou a terceira ofensiva, o salário-mínimo brasileiro era de 312 cruzeiros... Arroyo garante que, não obstante a penúria, "o moral dos companheiros era muito bom. Todos mostravam-se confiantes e entusiasmados".

Aprontando o terreno para a Operação Sucuri, o CIE remeteu trinta espiões para o Araguaia. Sob identidades falsas, instalaram-se por ali, em um processo-espelho da construção de fachada engendrada pelo PCdoB. Levantaram as informações para a deflagração da Operação Marajoara em outubro de 1973. O efetivo somava somente 400 homens. Porém, não eram mais jovens e, não raro, assustados recrutas. Agora, eram tropas especiais adestradas para o confronto na selva, com apoio de helicópteros e aviões. Um arrastão preliminar minou as bases da guerrilha junto à população. "Prenderam quase todos os homens válidos das áreas em que atuávamos. Deixaram nas roças só as mulheres e as crianças (...). O Exército procurou implantar o terror entre as massas. Espancou muita gente", escreveu Arroyo.

Queimaram casas e lavouras, expulsaram agricultores de suas posses e prenderam pequenos comerciantes. Fazendas foram ocupadas e instalados postos dentro da selva, vasculhada diariamente pelas patrulhas. Moradores foram coagidos a servir de guia para as tropas. Aos presos, apontava-se a "Casa Azul", onde funcionava a chefia das operações, identificando-a como o "Castelo do homem sem alma". Tudo para cumprir a diretriz: a população deveria ter mais medo do exército do que dos guerrilheiros[52].

Emboscada, Lúcia Maria de Souza, a *Sônia*, morreu na selva. Não sem antes fulminar o *doutor Arturo*, codinome do major Lício Maciel, com dois balaços de seu revólver 38, um no rosto e outro numa das mãos. Disparou ainda contra um personagem icônico da repressão na Amazônia, o capitão Sebastião Alves de Moura, o *Curió do SNI*. No Araguaia, *Curió* fazia-se passar pelo agrônomo do Incra, Marco Antonio Luchini. O tiro de *Sônia* atingiu o braço direito de *Curió*. Os dois militares sobreviveram. Além da pontaria, Sônia é lembrada pelo derradeiro diálogo travado com seus inimigos, do qual há muitas versões. Todas carregam em comum a bravura insolente da guerrilheira. Uma delas é a do mateiro Manuel Leal Lima, o *Vanu*, apoiador dos militares:

— Qual é o teu nome?

— Guerrilheira não tem nome, seu filho da puta. Eu luto pela liberdade[53].

O corpo de *Sônia* não foi sepultado. Foi deixado no mesmo lodo em que tombou para servir de repasto aos animais. *Peixinho*, um ex-guia das forças armadas, disse que a vizinhança não providenciou o enterro "com medo de apanhar do exército". Contou que um soldado passou por ali meses depois, pegou um dos fêmures e o dependurou na cintura[54].

O fêmur de *Sônia* no cinturão do soldado desconhecido não foi uma fotografia desgarrada da realidade do Araguaia. O tenente da reserva José Vargas Jiménez viu um de seus comandados arrancar um dedo de um corpo em putrefação. Removeu toda a carne restante e quando restaram só os ossos pendurou o troféu no pescoço[55]. No dia 24 de novembro de 1972, dois guerrilheiros voltavam de um contato com aquilo que Angelo Arroyo chamou de "a massa" — vinte caboclos aderiram à luta armada ao longo das três campanhas — quando foram emboscados em uma grota. Arildo Valadão, ex-presidente do diretório acadêmico do Instituto de Física da UFRJ, ali sendo apenas o guerrilheiro *Ari*, foi alvejado. Outros combatentes ouviram os tiros. Quando chegaram ao local, encontraram o cadáver de *Ari* sem a cabeça. Como o ferimento que havia no corpo não seria suficiente para matá-lo, levantou-se a suspeita de que teria sido decapitado em vida[56].

É o que sustentou Josias Gonçalves, o *Jonas*, filho de caboclos que aderiu à guerrilha. "O *Ari* se *batia*. Estava quase morto. Por trás da árvore, vi cortarem a cabeça dele e carregarem", contou à Leonêncio Nossa. O chefe dos mateiros que, a mando e soldo do exército, emboscou e matou o guerrilheiro, recordou o eufemismo tropical adotado para não dizer a palavra maldita. "Na guerra, não se falava em arrancar cabeça. A gente falava que era *bico do papagaio*", explicou Sinésio Martins Ribeiro[57]. Ele ordenou que um de seus subordinados carregasse a cabeça em um saco plástico já preparado para essa serventia. O homem protestou "Eu não levo essa desgraça", mas acabou levando. Cinco dias de caminhada depois, o *doutor César* (o mesmo que executou *Dina*) pagou-lhes pela encomenda.

A moda macabra entronizada no Araguaia tinha feitio de tradição nas forças armadas republicanas. Cortar cabeças vinha da campanha de Canudos em 1897, onde lavradores sem terra — homens, mulheres e crianças — foram sujeitados à *gravata vermelha*. Doente, o chefe dos rebelados, Antonio Conselheiro, morreu antes de Canudos capitular e os vencedores perderam a ocasião de exibir e punir sua presa em vida. Mas, por um capricho da história, um dos guerrilheiros presos no Araguaia, Luiz Renê Silveira da Silva, o *Duda*, era sobrinho-tataraneto de Conselheiro[58]. Ele desapareceu aos vinte e três anos no começo de 1974.

Repetiu-se o padrão de Canudos com os vencidos na guerra do Contestado, que durou mais tempo (1912-1916) e matou mais gente. A União entregara, de mão beijada, as terras em que viviam milhares de caboclos à norte-americana Brazil Railway Company. Nada menos do que 6.696 km² ou quatro vezes a área atual do município de São Paulo. Para defender a multinacional, o governo federal enviou treze expedições militares até esmagar os revoltosos reunidos no *Exército Encantado de São Sebastião*, incendiar suas casas e degolar os sobreviventes[59]. Este era o eco que reverberava no Araguaia.

Arrancava-se a cabeça dos guerrilheiros e mostrava-se os *slides* da barbárie aos prisioneiros. "Vi a cabeça do Ciro, do Flávio de Oliveira

OS VENCEDORES

Salazar, do Gilberto, que era o *Giba*, a do Gil e a do Bergson, meu companheiro lá do Ceará (...)", diz Genoíno. No caso de Bergson, o morto estava de olhos abertos. "Quando se morre em combate a feição é viva, a cara é de vivo, os olhos ficam vivos. Isso eu vi. Também a fotografia de Maria Lúcia Petit[60]", relembra.

Morto, Osvaldão foi içado por um helicóptero. Suspenso por uma corda de vinte metros, o cadáver pairou sobre a floresta e as cidades do entorno. E também cortaram sua cabeça. Com a terceira campanha viera junto a resolução de eliminar todos os presos.

Walkiria Afonso Costa, a *Walk*, vinte e oito anos, ex-vice-presidente do diretório acadêmico da Pedagogia da UFMG, foi uma das últimas vítimas no Araguaia. Magra, mancava de uma perna. Foi executada em 25 de outubro de 1974.

Se Médici apertou o botão do apocalipse para o Araguaia, seu sucessor, Ernesto Geisel, manteve a tecla acionada nos estertores do movimento. Em janeiro de 1974, uma conversa do tenente-coronel Germano Arnoldi Pedrozo, do Centro de Informações do Exército (CIE), com o general Ernesto Geisel, recém-sacramentado presidente, confirma a sentença não escrita para o Araguaia. Geisel quer saber como está a situação. Pedrozo lhe diz que "pegaram quase que trinta" guerrilheiros. "E esses trinta, o que eles fizeram? Liquidaram? Também?" E o tenente-coronel: "Também". E aclara mais: "Alguns na própria ação. E outros presos, depois. Não tem jeito não"[61].

O próprio *Curió* afirmaria que "a ordem dos escalões superiores era (para) exterminar a guerrilha"[62]. Indagado porque era necessário matar prisioneiros, argumentou que era preciso "determinação e pulso forte na erradicação da guerrilha" para impedir "um movimento semelhante às Farc". *Curió* admite a existência de combatentes eliminados após a prisão, dando como exemplo as guerrilheiras *Dina* e *Tuca*[63].

A *solução final* foi confirmada pelo coronel da reserva e ex-combatente na região, Pedro Corrêa Cabral. Ele declarou à Comissão de Desaparecidos da Câmara dos Deputados que "eram ordens de Brasília (...) que não ficasse ninguém vivo. É estarrecedor, é forte, é triste, mas essa era a ordem". A segunda determinação implicava em apagar os rastros, ocultar o crime. "Que não se deixassem vestígios de que algum dia o conflito do Araguaia tivesse existido", acrescentou[64]. Não bastava matar o inimigo. Era preciso matar a memória.

Os corpos foram enterrados — há, também, relatos de que teriam sido jogados no mar — e depois exumados, transportados em sacos plásticos e incinerados com gasolina e pneus na serra das Andorinhas[65], para que nunca mais fossem encontrados. O agente da repressão *Carioca* contou a Taís Morais que participou de uma dessas exumações no local identificado como *Some Home*, arredores do rio Saranzal. Chovia muito e os cadáveres de quatro guerrilheiros, envoltos em sacos plásticos, haviam se dissolvido em contato com a água e o barro, transformando-se um monte informe de vísceras, pelos, unhas e ossos. *Carioca* também participou da exumação do corpo de Suely Yumiko Kanayama, a *Chica*, presa e assassinada em 1974. Seu cadáver havia sido devorado por tatus[66].

A carnificina não era novidade para as organizações urbanas de luta armada. Em 1971, antes da primeira campanha no Araguaia, o delegado Davi dos Santos Araújo, o *Capitão Lisboa* do DOI paulista, ouviu do comandante do II Exército, Humberto de Souza Mello, um preceito esclarecedor. Cutucando a barriga do delegado com seu bastão de comando, o general determinou: "Matem os terroristas, matem os carteiros que entregam suas cartas, os familiares, os amigos, seja o que for. Só não quero que morra nenhum de vocês[67]".

Outro general, Vicente de Paulo Dale Coutinho, que chefiou a 2ª Região Militar, confirmou e enalteceu a orientação do colega, atribuindo a ela a redução do "terrorismo" em São Paulo "porque a ordem dele era matar. A ordem dele era matar"[68].

A ascensão, o apogeu e a queda da guerrilha ocorreram sob uma poderosa névoa fornecida pela censura férrea do período Médici, que identificou nos eventos do Araguaia "um vício nefando" a ser ocultado sob "uma treva cósmica" para que não suscitasse imitadores, como reparou Jacob Gorender[69]. Enquanto os combates aconteciam, apenas uma matéria, publicada pelo jornal *O Estado de S. Paulo* em 1972 e repercutida pelo *The New York Times*, conseguiu romper o círculo de silêncio em torno do tema[70]. Somente em 1978, quatro anos depois da extinção da guerrilha, na condição de elemento mais histórico do que político, o assunto ganhou certo espaço na imprensa.

Para quem estava longe do *front* e fora do jogo, a convivência com as parcas notícias que vinham do Araguaia era dolorosa. Com o processo de extermínio em curso, as notícias que vinham da selva sempre eram perturbadoras. "Aquilo mexia muito. Não era culpa, mas sentia-se que um pedaço seu ia embora e você havia sobrevivido...", conta Genoíno.

Se o arbítrio barrou o acesso da opinião pública aos fatos do Araguaia, o PCdoB resistiu a admitir sua derrocada, mesmo internamente. Em 1976, dois anos após o fim de tudo, a comissão executiva do partido aprovou o documento "Gloriosa Jornada de Luta". Comunicava a dissolução temporária da guerrilha e não a sua falência[71]. Pequenas frinchas já esboçam o *racha*. Angelo Arroyo defende a correção da estratégia da luta armada no Araguaia porque lá haveriam os pré-requisitos para as ações desencadeadas. Pedro Pomar, ao contrário, prega que nenhum dos objetivos propostos foi alcançado e que a guerrilha, apesar de alguns resultados positivos, sofreu "uma derrota completa".

Mais tarde, o conflito entre a versão edulcorada defendida por João Amazonas e a direção do PCdoB e a de Genoíno levaria ao rompimento entre aqueles que, no Araguaia, eram tio e sobrinho. Seria um demorado e dramático diálogo. Segundo ele, em certo momento, Amazonas o cobrou por ter sobrevivido. "Então, eu disse que ele também tinha sobrevivido[72]." Lembra que as organizações de esquerda, embora libertárias, tinham "um viés ideológico muito dogmático. Até por haver uma ditadura convivia-se com muito medo, muito controle. Isto faz você estar sempre caminhando no fio da navalha. E as divergências ideológicas se transformam em pessoais".

Genoíno trocaria o PCdoB pelo Partido Revolucionário Comunista (PRC), mas ainda era 1976 e ele continuava preso no Barro Branco.

Durante um protesto, chutou uma porta de ferro, foi acusado de iniciar uma rebelião e despachado para a cela forte. Foi ali que recebeu a visita da tropa de choque. O diálogo:

— A Polícia Federal vai levar você pra Fortaleza.

Quando ouviu falar em "fortaleza", pensou que seria transferido para um forte militar. Ou seja, tudo iria piorar:

— Não vou!

— Você vai sim!

— Não vou!

— Você vai!

No meio do vai-não-vai, topou com a conclusão mais ou menos óbvia que alguém em evidente desvantagem chegaria em situações do tipo: "Tô fodido, pensei". Mas, para ganhar algum tempo, alongou a conversa tateando alguma saída.

— Me deixa pegar as minhas coisas — pediu.

— Tá bem.

Então informou que, antes de sair, queria também fazer uma declaração. E rabiscou um texto assim: "Comunico que não vou me suicidar... (risos)".

Aí, eles informaram:

— Você vai pra Fortaleza, no Ceará...

E foi transferido do presídio do Barro Branco para o Instituto Penal Paulo Sarasate, no Ceará.

A geração dos anos 1960 foi a da ruptura. Da necessidade de quebrar para poder construir de novo. Mas, para Genoíno, batida a guerrilha, a única opção para tentar "mudar a ordem" seria "entrar na ordem". Em outros termos, apostar na democracia para reformar a democracia. Percebe hoje que a experiência daquela geração teve uma importância que ninguém pode negar. "Primeiro, porque a gente teve que fazer uma reavaliação da luta armada sem mudar de lado. Sem perder o rumo. Somos de esquerda, somos socialistas, mas o caminho foi derrotado." E prossegue: "Fazer esta avaliação, com tantos companheiros mortos, heróis, sem costear o alambrado, como dizia o Brizola, não é brincadeira". Em segundo lugar, foi possível resgatar a memória do que aconteceu e divulgá-la, sem ficar só olhando pelo retrovisor. "Quem ficou só com o retrovisor não se deu bem. Tem que fazer como um carro: retrovisor e para-brisa. A memória e a história da luta mas, ao mesmo tempo, com uma perspectiva de para-brisa", pondera.

Sua explicação de como superou "o ódio, o revanchismo e a raiva" é interessante. Acha que foi bafejado, na falta de melhor expressão, pela sorte. Quem teve azar foi o militante torturado e, não muito tempo depois, liberado. Sua estrela foi ter permanecido mais tempo na prisão. Na sua tese, quem cumpriu pena saiu da prisão melhor do que aqueles que caíram na tortura e foram libertados logo depois. "Conheço pessoas que foram torturadas e estão magoadas e estouradas até hoje porque isso vai te consumindo", aduz. Nos seus cinco anos de cadeia, o coletivo dos presos era um grande palco de desabafo e de reflexão. De terapia coletiva. "Cada um contando sua história pro outro. Como foi a tortura, onde falou ou não falou. Como ficamos tanto tempo juntos, botamos tudo pra fora. Fizemos nossa psicanálise com um igual, com um outro que também havia sido torturado."

Recuperando a liberdade em abril de 1977, Genoíno casou-se com Rioco Kayano, sua companheira de PCdoB, guerrilha e prisão. Com Rioco teve os filhos Miruna e Ronan — possui ainda Mariana de uma relação fora do casamento. O nascimento da primogênita, em 1981, deflagrará uma situação muito delicada. A mãe percebeu o bloco cirúrgico, onde deu à luz Miruna através de cesárea, como um ambiente prisional. Onde se praticaria tortura. A consequência do choque foi um quadro agudo de depressão pós-parto. E, até a recuperação da mãe, foi o pai quem cuidou do bebê.

Genoíno readquire seus direitos políticos somente em 1979, ano da promulgação da anistia. Rompeu com o PCdoB e fundou o Partido Revolucionário Comunista (PRC). Clandestino, o PRC move-se no interior do PMDB. No partido, tem a companhia de Marina Silva e dos irmãos Adelmo e Tarso Genro. Quando as confabulações eram em

Porto Alegre, Genoíno causava contratempos para uma futura aliada e, depois, adversária política. Hospedava-se na casa de Tarso e dormia no quarto de Luciana Genro, aposta do PSol em 2014. "Quando eu estava, a menina pequena tinha que sair do quarto para que eu ficasse lá...", ri.

Genoíno viajou ao Acre e convenceu Chico Mendes a ingressar no partido. Aliás, acha que houve uma distorção na trajetória do líder dos empates[73] na Amazônia. Deduz que a história foi "injusta" com Chico Mendes por mostrá-lo como um seringueiro que virou ambientalista. "O Chico era comunista!", contesta. Militava no movimento sindical e na federação dos trabalhadores do Acre. "Eu conheci o Chico clandestino em 1979, onde conheci também a Marina (Silva) que, na época, era uma estudante", acentua.

Em abril de 1981, Genoíno e o PRC rumam para o PT. Que colocaria um dilema crucial para os egressos da luta armada. Não era um partido de vanguarda no modelo clássico do marxismo. Composto de operários, sobreviventes da luta armada, intelectuais e a ala progressista pessoal da Igreja Católica, instituía-se como partido para disputar eleições. Era preciso, então, ter um pé na luta parlamentar e, o outro, na luta social. "Ou a gente entrava na vida normal pela via da política ou ficava em um ceticismo impotente, tipo "não vou meter a mão na massa, não vou sujar as mãos...", observa. Da fundação do partido à eleição de Lula, o dilema, diz, esteve presente todo esse tempo. Genoíno depreende que Lula foi "muito intuitivo" porque, no princípio, tinha restrição à esquerda armada. Certa vez, conversando com o metalúrgico, antes da fundação do PT, perguntou: "Ô Lula, esse partido de trabalhadores que você quer fundar vai ser tático ou estratégico?". E a resposta: "Quero fazer um partido de trabalhadores. Não me interessa se vai ser tático ou estratégico. Isso a gente vai resolver no processo..."

O antigo guerrilheiro *Geraldo* nunca mais esqueceu o diálogo. Porque, na pergunta, embutia-se a visão marxista que vinha da militância das armas contra a ditadura...

OS VENCEDORES

Antes da política era preciso sobreviver. Aos trinta e um anos, o ex-combatente do Araguaia trocou Fortaleza por São Paulo e o fuzil, por um colorante de cabelos: vendia Grecin 2000. Virou funcionário da Key Internacional, uma empresa de cosméticos. Abandonou o emprego para dar aulas de história no cursinho pré-vestibular Equipe. Colocado diante de 300 alunos, em uma grande sala com microfone, suou frio mas, com o tempo, acostumou-se. Alternando o *front* da sobrevivência com o do trabalho político, tornou-se fonte da primeira grande matéria — capa e sete páginas — sobre os confrontos do Araguaia. Publicada no *Jornal da Tarde* pelo repórter Fernando Portela[74], em 13 de janeiro de 1979, o texto trouze à luz, cinco anos depois, o extermínio do último soldado do PCdoB.

O que o *JT* fez foi uma exceção. Na época, havia espaço para os anistiados e para as mobilizações da sociedade civil pela democracia. Mas a grande imprensa era refratária aos temas "resistência armada", "tortura" e "desaparecimentos". Para Genoíno, esta "quase omissão" deve-se, em parte, à contínua violação dos direitos humanos no país e à negação da entrega dos despojos dos assassinados às suas famílias. Exalta a postura da família Mesquita, de *O Estado de S. Paulo*. Julga que, entre os donos da mídia, os Mesquita foram os mais democráticos sob a ditadura. Empregavam jornalistas perseguidos, tinham uma posição pública contra a tortura e recebiam os familiares dos presos políticos.

Dentro da sua concepção liberal, entende Genoíno, o *Estadão* foi muito coerente depois do AI-5 (...), enquanto a maioria dos grandes jornais, rádios e TVs do período era conivente com a ditadura. Na cadeia, Genoíno espicaçava os agentes. "Por que vocês não prendem o Ruy Mesquita? Ele vocês não tem coragem de prender, né?[75]"

Ouviu uma resposta às provocações que, muito depois da prisão, transmitiria ao diretor do grupo. Contou que, no auge da OBAN, os meganhas prometiam: "Um dia, nós vamos pegar aquele velho. Ele já perdeu uma perna, agora vai perder a outra". Ruy Mesquita mancava de uma perna. E o porão avisava que iria cortar a outra[76].

Genoíno e a atriz Bete Mendes foram os primeiros sobreviventes da luta armada a se elegerem deputados federais. Era 1982, a ditadura estertorava e o PT, além dos dois, emplacou mais seis deputados: Airton Soares, Eduardo Suplicy, José Eudes, Djalma Bom, Irma Passoni e Luiz Dulci[77].

Ala esquerda na transição da ditadura para a democracia, o PT foi mais flexível na Constituinte de 1988. Isolados, os petistas perceberam que nada conseguiriam. Aproximaram-se de uma fração do PMDB, a dos chamados "autênticos". E Genoíno foi aprender com Ulysses Guimarães, presidente da Câmara. Genoíno passou a mão na lista dos torturadores publicada no jornal *Em Tempo*, da Democracia Socialista[78], e solicitou a inscrição nos anais da Câmara de "um importante documento". Era a lista. Ulysses mandou chamá-lo:

— Menino! Você cutucou a onça com vara curta!

— Por que, presidente?

— Essa lista!

— Mas não é a democracia? Não é a Nova República?

— Mas não teve eleição direta pra presidente...

— Nem o senhor foi o presidente...

Ulysses avisou-lhe que a bancada dos militares queria a sua cassação, alegando que a relação não era oficial. E que Pimenta da Veiga, líder do governo, iria à tribuna para responder à denúncia. O mesmo faria Airton Soares, advogado de presos políticos. Nenhum deles, porém, o atacaria.

— Mas o senhor me dá a palavra depois deles falarem?

— Dou. Mas você baixe o tom.

— Mas e a lista, presidente?

— Não me pergunte pela lista agora. Me pergunte daqui a um mês...

Um mês depois, na manhã, Ulysses colocou a lista nos anais. Deputado de primeiro mandato — o PT tinha só cinco deputados — Genoíno aprendeu muito ali.

Durante a Constituinte, dormia numa cadeira do seu gabinete para ser o primeiro a entregar as emendas no dia seguinte. Quando chegou à Câmara, ouviu um conselho de Airton Soares que o ajudou a traçar seu norte: "Você pode ficar um mandato como uma estrela entre os presos políticos. Mas será um mandato só". Teria que tratar dessa agenda, mas de outros temas também. "Vire um deputado pra valer", reforçou. E ele virou, tendo como referência a questão recorrente do retrovisor e do para-brisa.

No PMDB dos anos 1980, militavam também Fernando Henrique Cardoso e Mário Covas. Mesmo com a migração de ambos para o PSDB, o relacionamento permaneceu próximo. Essa aproximação renderia um namoro que quase terminou em casamento.

Na campanha de 1994, antes do lançamento da candidatura de Fernando Henrique, os moderados do PT, Genoíno entre eles, propunham uma aliança com o PSDB. Defendiam que o partido não rompesse com Itamar Franco, desse um apoio crítico ao governo e construísse uma chapa com os tucanos tendo Lula na cabeça. Havia diálogo com caciques como Covas e FHC. Quando a situação econômica se agravou, veio o Plano Real e FHC convidou os moderados para uma conversa. Avisou que o PFL só apoiaria o Plano Real no Congresso se ele, FHC, se candidatasse à Presidência contra Lula.

E Genoíno:

— Mas o pêndulo vai para a direita...

— É, para eu ganhar eu tenho que derrotar o ABC. E para derrotar o ABC, eu vou para a direita — respondeu FHC.

Genoíno repara que havia divergências dentro do PT e do PSDB sobre a viabilidade da aliança. No PSDB, um dos maiores entusiastas da coligação era Covas. Ele seria candidato a governador em São Paulo e queria o apoio do PT. Em 1994, Lula largou com 42%, veio o Plano Real e ele despencou. Em 1998, o PT encarou a eleição como um exercício de sobrevivência. Em 2002, impôs-se a conclusão de que era preciso rediscutir o programa e a política de alianças. Após a vitória do PT, ele recorda uma noite terrível, "meio parecida com o AI-5". Em dezembro, Lula chamou a cúpula petista na Granja do Torto. Estivera a tarde inteira reunido com a equipe de transição e as notícias eram péssimas. Os dados eram terríveis. Os juros subiriam, a inflação dava sinais de retorno, havia fuga de capitais. E adiantou: "Não vou deixar o país quebrar na minha vez. Vou consertar a casa morando dentro dela. Vou trocar o pneu do carro andando".

Lula informou que tomaria medidas amargas. "Eu sei que o PT vai criticar, eu sei que o PT vai se dividir", relembra Genoíno. O presidente disse que o salário-mínimo seria "vergonhoso". Explicou que teria de reformar a Previdência e colocar Henrique Meirelles no Banco Central. "Porque não tem outro cara que segure a banca", justificou. Avisou que tocaria o processo e queria o compromisso de todos. "Aqui não tem carreira pessoal. Tem projeto", enfatizou. Então Genoíno virou presidente do PT... "E ó... (bate na mão direita fechada com a mão esquerda aberta, no tradicional gesto de quem pagou o preço)". Fora candidato ao governo de São Paulo e estava sem mandato.

Genoíno concorreu ao governo paulista apenas para ir ao segundo turno. Em 2002, Lula precisava de candidatos que segurassem a sua campanha. Não queria correr o risco de um repeteco de 1994. Sob a sombra do Plano Real, ninguém sustentou a sua queda. Genoíno pondera que a solução foi correta, o projeto de mudança do Brasil está em curso e quem estava do lado oposto interpretou erradamente o quadro político e econômico. Imaginou que o Brasil do metalúrgico Lula reproduziria a calamidade da Polônia do eletricista Lech Walesa. E quebrou a cara. A oposição acalentava uma avaliação decalcada da hecatombe polonesa: Lula se elegeria e o país iria à bancarrota. Em 2006, com o PT destroçado, o PSDB regressaria ao poder, "mostrando ao mundo que o Brasil é tão democrático que até um metalúrgico pode ser presidente..." Lula seria uma espécie de enfeite da democracia. Mas, a partir de 2004, a crise amainou e os adversários intuíram que não havia nenhum desastre a caminho. "Aí, eles recorreram ao discurso udenista, abrindo essa fenda de demonização e de criminalização", opina.

Condenado a cumprir pena de seis anos e onze meses em regime semiaberto — mais multa de R$ 667,5 mil, que pagou com o auxílio de um mutirão de doações na internet — pelo Supremo Tribunal

Federal (STF), acusado de corrupção ativa e formação de quadrilha no julgamento da Ação Penal 470, que o denunciante/denunciado Roberto Jefferson chamou Mensalão, o ex-assessor especial do Ministério da Defesa se defende. Alega que a penalização é injusta porque calcada na hipótese preestabelecida. Repele como "uma afronta" a adjetivação do PT como uma quadrilha e assegura que os empréstimos bancários tomados pelo partido não são ficções e sim "atos jurídicos perfeitos".

Ao lembrar seu calvário, iça do fundo da memória um diálogo com Ulysses na Constituinte de 1988. O jovem parlamentar exasperava-se com os obstáculos. Era extremamente difícil avançar, em diferentes campos, sem colidir com o poderio aplastante da Associação Brasileira de Empresas de Rádio e Televisão (Abert), da União Democrática Ruralista (UDR), das forças armadas e do *lobby* do Judiciário. Lastimava-se que não havia passado nada aqui ou ali e também no Judiciário, cuja Lei Orgânica da Magistratura Nacional (Loman) fora forjada em plena ditadura. E Ulysses: "Menino, lá não tem rampa..." Conforme a metáfora do velho parlamentar, no Executivo e no Legislativo é o eleitor que decide quem colocará naquele posto. Mas, no Judiciário, não tem voto nem rampa. Ulysses prosseguiu: "Um dia o povo entra aqui, no Legislativo, joga dinheiro em cima de você, quebra microfone, ameaça... No outro dia, se faz política. Lá não. Lá é fechado".

Ele teme as sequelas da aliança do Supremo com a grande mídia. Refere que a história não marcha conforme as sentenças. O Código Napoleônico é consequência da Revolução Francesa, o Direito Romano vem do protagonismo de Roma, a Constituinte foi resultado da mobilização social. "A sentença trabalha com o retrovisor, com o acontecido. É a política que trabalha com o para-brisa para o bem ou para o mal."

Considera que tem "dois AI-5 na vida": um da ditadura e outro de agora. Mas não nega sua autocrítica. Na sua avaliação, "o PT inoculou o veneno da serpente". Quando estava na oposição, o partido levava as contendas do governo ao Ministério Público "e, agora, a serpente cresceu, engordou e veio pra cima de nós".

Genoíno continua na casa simples do Butantã comprada em 1983 e paga em prestações mensais ao Banco Nacional de Habitação (BNH). De lá partiu, no dia 15 de novembro de 2013 para se apresentar na sede da Polícia Federal, em São Paulo, quando foi decretada sua prisão preventiva. Recuperando-se de cirurgia cardíaca realizada em julho, passou mal no avião que o conduziu à Brasília. Voltou a ter problemas no Centro de Internamento e Reducação, penitenciária da Papuda. Em agosto de 2014, obteve concessão de prisão domiciliar.

Na casa do Butantã vive com Rioco e Ronan e recebe a visita dos netos. Tem uma predileção especial pelo aposento nos fundos do terreno. Chega-se ali através de um longo corredor lateral. É uma peça pequena de dezesseis metros quadrados onde organizou sua biblioteca. Não acalenta sonhos de consumo, exceção feita aos CDs e aos livros. Cento e treze de seus amigos e amigas bordaram uma revoada de pássaros multicoloridos durante dois meses e meio. A obra coletiva serviu de alento para Genoíno, Rioco e os filhos. A arte foi transformada em camisetas e cartões-postais sublinhados com a frase/receita do poeta Mário Quintana para arrostar adversidades: "Eles passarão, eu passarinho".

Aos companheiros que se foram, defende que a homenagem a ser prestada não é transformá-los em nichos de adoração, como faz a religião. O tributo "é prosseguir o projeto de transformação". Que, para ele, é um caminho tortuoso, de altos e baixos, com erros e acertos, através do PT. "É o partido mais importante da história do Brasil. O PT mudou o Brasil e aprendeu com o Brasil". Algumas lições foram mais traumáticas: "Tem duas leis que o PT aprendeu na porrada: 1) PT dividido se fode; 2) PT isolado, perde. Você não pode dar cavalo de pau na política".

Aos 67 anos, depois de passar por movimento estudantil, luta armada, prisões, tortura, greves, três partidos, Diretas Já, constituinte, eleições vencidas e eleições perdidas, Genoíno pode se queixar de tudo menos de monotonia. Um balanço de vida que ele faz assim: "Eu me considero feliz na vida. Eu nunca fugi de nada. Guerrilha? Meto a cara. Greve de fome? Meto a cara. Não queria ser presidente do PT. Fui presidente porque era preciso uma pessoa conhecida. A nossa geração tem uma característica: nunca fugiu do risco. Alguns se expunham tanto ao risco que morreram... São aqueles que deram a vida por uma causa, um sonho".

Geraldo/Genoíno gastava sua juventude no calabouço, o PCdoB fora trucidado na floresta, a guerrilha nas cidades estava aniquilada e seus sobreviventes buscavam o exílio para salvar a vida. Era 1975, ano sem maiores expectativas. Mas, apesar disso, alguém cumpria percurso inverso para começar tudo outra vez.

Genoíno em dois tempos: em 2012 no seu escritório em São Paulo e no jornal com sua foto de 1972, no Araguaia

© Ayrton Centeno

*João Amazonas, o tio de
Geraldo no Araguaia*

Genoíno diante de sua casa no Butantã comprada em 1983 através do BNH

OS VENCEDORES

Em 1976, quando Genoíno ainda estava na cadeia, o PCdoB sofreu seu último golpe: o assassinato por forças militares, em São Paulo, de três dirigentes do comitê central: Angelo Arroyo, Pedro Pomar e João Baptista Franco Drummond

Ayrton Centeno

O ex-guerrilheiro no dia da apresentação à PF. Apoio da família e punho cerrado no ar

"Eles passarão, eu passarinho." O verso e a ironia de Quintana no cartão natalino que a família de Genoíno distribuiu aos amigos

O líder estudantil Dirceu no tempo em que virou personagem de peça teatral sob o apelido de Ronnie Von das Massas

CAPÍTULO 9

As muitas voltas da vida

Daniel, Carlos, Pedro e José chegaram ao Brasil em abril de 1975. Vinham de Cuba. Seguiriam para Rondônia, estado escolhido para implantar uma área de guerrilha. *Daniel, Carlos e Pedro* nunca existiram. Ou melhor, só existiram enquanto protegiam a existência de *José*. *Daniel* era um codinome, *Carlos* um nome falso e *Pedro*, um apelido. Juntos, os três morreram quando morreu a ditadura. Com o único de carne e osso dos quatro aconteceu o oposto: reviveu quando a ditadura se extinguiu. Sobreviveu para narrar uma trajetória rocambolesca que percorreu o ativismo, a cadeia, a fuga, o exílio, a guerrilha, a clandestinidade, a anistia, o ativismo mais uma vez e uma nova prisão. Onde sua biografia de ascensos e quedas continua se construindo neste momento.

"A história tem muitas ironias. Cumprir pena de prisão, na democracia, quando a ditadura que eu combati e que me perseguiu e prendeu faz cinquenta anos, é uma delas", reconhece com um travo e um quase sorriso o advogado José Dirceu de Oliveira e Silva. Ex-líder estudantil, ex-guerrilheiro , ex-presidente nacional do PT, ex-deputado estadual e federal e ex-ministro-chefe da Casa Civil, embora condenado ao regime semiaberto, permaneceu confinado durante oito meses na penitenciária da Papuda, em Brasília. Preso em novembro de 2013, a derrubada da condenação por formação de quadrilha no STF, em fevereiro do ano seguinte, não alterou, mesmo assim, sua condição na cadeia. Tinha oferta de emprego fora da prisão, mas o presidente do STF, Joaquim Barbosa, recusou-se a conceder-lhe o direito ao trabalho externo, interpretação conflitante com a prática da corte. Postura que não mudou mesmo com a manifestação da Procuradoria-Geral da República favorável ao pedido do sentenciado. Em julho, após o pleno do STF derrubar a decisão de Barbosa, começou a trabalhar no escritório do advogado José Gerardo Grossi, onde recebe salário de R$ 2,1 mil reais.

Antes dessa história e de qualquer ironia, José Dirceu nasceu em Passa Quatro, Sul de Minas, quando a cidadezinha de 15 mil habitantes conquistara direito a algumas linhas na história do país. Aconteceu na Revolução Constitucionalista de 1932, quando dois destinos se cruzaram para subtrair um profissional da medicina e realocá-lo na política com consequências bastante conhecidas. Convocado para atuar no hospital de Passa Quatro, o então capitão-médico da Força Pública de Minas, Juscelino Kubitschek de Oliveira, conheceu ali seu iniciador na política, Benedito Valadares, chefe de polícia da região[1]. Valadares simpatizou com Juscelino e, em 1933, ao ser nomeado interventor por Getúlio Vargas, chamou aquele médico para a chefia da casa civil do governo mineiro. Em 1940, nomeou-o prefeito de Belo Horizonte. Daí em diante, JK seguiria sua trilha até a presidência iluminando-a com luz própria.

Filho de pai elcitor da direitista UDN, e de mãe dona de casa devota de Nossa Senhora Aparecida, Dirceu nasceu no final do verão de 1946. Era o dia 16 de março. Castorino, o pai, tocava uma pequena gráfica que funcionava junto à casa da família. Ele e Olga, mãe de Dirceu, mais os sete filhos, tomavam o lanche diariamente com os três funcionários da tipografia, que se chamava Ordem e Progresso, reverberando o lema positivista.

A vida andou ligeira para Dirceu. Gostava de nadar, de pescarias, futebol, basquete e de perturbar a placidez municipal: militava numa gangue de moleques que roubava laranjas e jabuticabas nos quintais da vizinhança. Vendia garrafas e papel para comprar doces que comia no

OS VENCEDORES

caminho da escola percorrendo os trilhos da estrada de ferro Minas-Rio. Leitor compulsivo, aprendeu a ler nas revistas *Lar Católico* e *Ave Maria*. Assinava o Clube do Livro, edição Saraiva, todo mês tinha novidade chegando: Edgar Allan Poe, Dostoiévski, Balzac. Partilhou a infância curta entre o curso primário no grupo escolar Presidente Roosevelt e o ginasial no São Miguel, ginásio dos padres da ordem francesa de Betharram.

Os padres eram bastante liberais: um era antifranquista, outro simpatizante do peronismo, um terceiro anarquista. Irlandeses, canadenses, franceses. Particular, a escola tinha bom nível e era praticamente gratuita. "Pagava-se algo (na moeda de hoje) como 100 reais por mês. Todas as famílias podiam pagar", calcula.

Ciceroneado pelo seu amigo, o escritor Paulo Coelho, em 2006 visitaria a igreja de Notre Dame de Betharran, no Sul da França, numa espécie de reverência às raízes.

A liberalidade dos padres contrastava com a postura da religião predominante e a vida que regrava na paróquia. Castorino não tinha preconceito mas, em Passa Quatro, a Igreja Católica proibia filhos de católicos de brincarem com filhos de kardecistas ou presbiterianos.

Deixou Passa Quatro na memória em fevereiro de 1961. Trocou-a por São Paulo, 248 quilômetros além, para estudar e trabalhar. Alinhavado pelo tio Antonio Fumeiro, ex-prefeito de Guareí, cidade da Grande Sorocaba, o emprego esperava por ele. O tio conhecia Nicola Avallone Jr., ex-prefeito de Bauru pelo Partido Democrata Cristão (PDC), e mexeu os pauzinhos em favor do sobrinho. Aos quinze anos, virou *office boy* no escritório político e na imobiliária de Avallone Jr. que, na ditadura, faria carreira como deputado estadual pela Arena.

Instalou-se com cinco parceiros numa quitinete de 20 m² do São Vito, edifício de vinte e sete andares na Baixada do Glicério. Foi seu endereço de fevereiro a julho. "Eles não me aguentaram e me botaram pra fora, porque eu era muito menino."

Apelidado de Treme-Treme, o São Vito abrigava trabalhadores informais e assalariados de pequeno poder aquisitivo, além de ser ativo refúgio da prostituição no Centrão paulistano. Com a degradação das décadas seguintes, ganharia má fama a ponto de a polícia, ao atender as suas muitas ocorrências, recear seus corredores. Não raro era recebida com arremessos de botijões de gás e do que mais estivesse à mão. Crivado de gambiarras na rede elétrica, sem água corrente e coleta de lixo, tornou-se o maior cortiço vertical do Brasil, antes de ser posto abaixo em 2011.

Mas quando Dirceu chegou era novo em folha. O apartamento contava com dois beliches e um sofá-cama duplo. Sentiu, no começo, certa solidão, angústia às vezes. Mas acabou se adaptando.

Do São Vito, ele guarda a melhor lembrança de uma perda. Uma noite, subiu no elevador com uma mulher. Era uma moça que ganhava a vida da mesma maneira que muitas moradoras do Treme-Treme. Ele recém-emplacara os quinze anos e ela, ainda bonita, rondava os trinta e cinco. Jura que não pagou pela sua primeira vez: "Foi na conversa, modéstia à parte".

Pela manhã, Dirceu cursava o colegial do Colégio Paulistano, na rua Taguá, bairro da Liberdade, e aprendia muito, à tarde, no escritório. A responsável pelo aprendizado foi outra mulher mais velha, a secretária Maria Aparecida Sá de Castelo Branco, que gostava de ser chamada Cíntia, que descreve como "maravilhosa". E confessa: "Ela me comia literalmente".

Na imobiliária, o garoto de Passa Quatro progrediu: trabalhou no arquivo, almoxarifado, balcão, contabilidade, tesouraria. Ficou três anos e meio lá. Chegou à chefe do almoxarifado e coordenador do escritório. Batia perna o dia todo e frequentava os cinemas da Ipiranga e da São João. Traçava prato feito no centro. Lembra-se de um casal nordestino que atendia numa porta e servia um PF respeitável: tomate, alface, duas cebolas, arroz com feijão, ovo e um bife maravilhoso.

Por conta dos dedos ágeis de datilógrafo, faria uma breve incursão no *show business*. Conheceu o autor de telenovelas Vicente Sesso e trabalhou para ele passando a limpo roteiros de programas infantis, onde eventualmente fazia pontas.

OS VENCEDORES

Despejado do São Vito, morou numa pensão da rua Taguá, em frente ao Colégio Paulistano. Mudou-se para outra, na rua Conde de Sarzeda, "que fechou com as bagunças que a gente fazia, as gritarias, um dia a polícia foi lá..." Depois, a pensão do Abelardo, na rua Condessa de São Joaquim. Pelo menos, três outros pensionistas de Abelardo também ganhariam notoriedade, cada um a sua maneira. Em 1956, foi o endereço do diretor teatral José Celso Martinez Correia que, vindo de Araraquara, cursava direito nas arcadas do largo São Francisco, canudo que nunca foi buscar. Abrigou o estudante Celso de Mello, muito depois ministro do Supremo. E o grande amigo de Dirceu, o cantor da Jovem Guarda, Marcos Roberto[2], com quem dividia o quarto.

Mudou também de emprego e de escola. Como Avallone Jr. não lhe assinava a carteira profissional, foi trabalhar, registrado, na Distribuidora Nacional de Materiais Básicos, a DNMB, que lidava com estruturas metálicas, estabelecida à rua José Bonifácio, na Sé. Terminado o ensino médio em 1963, matriculou-se no cursinho Di Tullio, na Liberdade.

Passou em branco pelo movimento secundarista e pela crise da Legalidade, em 1961. A política era algo distante até o final de 1962. Quando 1964 chegou, foi diferente. Trabalhava quando aconteceu a primeira grande manifestação pró-golpe dos estudantes do Mackenzie. "Quando eu vi aqueles almofadinhas do lado de lá, eu falei: meu lado é o de cá. Era uma questão de classe."

No final de 1962, postava-se a favor das reformas de base do governo Goulart. Em 1964, militava no PCB. Trombou com Castorino, udenista, janista e apoiador do golpe. No advento do Ato-Institucional 2, que extinguiu os partidos e tornou as eleições indiretas em 1965, o pai também rumaria para a oposição.

Aprovado no vestibular na PUC, começou a fazer Direito no mesmo ano. Na DNMB, onde ficaria até o final de 1967, tratava de tudo um pouco. Chegou a assessor do departamento jurídico. Conseguindo retirar a empresa de uma concordata, o que se chama hoje recuperação judicial: comprar os créditos, fazer acordos, dar entradas no foro, tratar de ações trabalhistas. Mas balançou ao ser convidado para assumir a direção da filial em Santana do Parnaíba, cidade da Grande São Paulo, onde a DNMB abriria uma fábrica. Quase aceitou, o que mudaria toda a sua história. A empresa até acenou com a construção de uma casa para ele. Quase se casou e se mudou. "Eu era apaixonado por uma poetisa, a Juliana Bueno, que tinha um programa na rádio Record."

Cabelo comprido, calça jeans — antes de todo mundo usar, diz — e sapato sem meia era seu figurino. A década era dos Beatles e do *rock* inglês, mas a predileção de Dirceu ainda estava sintonizada no final dos 1950 de Elvis Presley e dos baladistas Neil Sedaka e Paul Anka. E gostava de Roberto Carlos — de quem, aliás, nunca deixou de gostar. Nem casa, nem vira diretor. Fica na capital estudando, agitando e, claro, namorando. Sua geração é a primeira que trabalha e estuda. Os jovens estão fora da casa paterna e têm muita independência. "Você chega em casa na hora que quiser. E leva a namorada..."

Os flertes podiam tanto ser da PUC quanto da Faculdade de Filosofia, Ciências e Letras da USP, na rua Maria Antonia, bairro da Consolação, que começou a frequentar na militância estudantil. Ou ainda da economia, da sociologia e política, da arquitetura, ambientes onde fervilhavam debates de todo o tipo. Uma nova moral, aliada à pílula, supria um novo e formidável intercâmbio sexual. "Às vezes, ele estava morando com uma, brigava e tinha de ir embora, deixando as roupas lá", narrou o advogado, empresário e seu antigo vice na União Estadual de Estudantes, a UEE, Percival Maricato[3]. Sobrava para um amigo resgatar o guarda-roupa daquele que a dramaturga Consuelo de Castro, na sua peça de estreia — *À prova de fogo* — , chamou de Zé Freitas. Barrada pela censura, a trama visita os bastidores da escola de Filosofia ocupada, o choque com a repressão e as pendengas no interior do movimento liderado por Freitas, alcunhado *Ronnie Von das Massas*[4], alusão ao cantor de longas melenas despencadas sobre o rosto e de sucesso entre as meninas nos anos 1960.

OS VENCEDORES

Na trama, xingado de revisionista, conciliador e russófilo, Zé Freitas divide-se entre as batalhas contra as facções à esquerda e uma profusão de casos amorosos, alguns simultâneos. Ostenta uma aparência "de total exaustão". Dirceu confessa: "Se não tivesse tanta coisa pra fazer eu teria namorado mais".

Iara Iavelberg foi um dos casos do "*Ronnie Von* da Maria Antonia". Iara era da Polop. Por isso mesmo, as amigas não entenderam quando ela começou a sair com Dirceu, figurinha carimbada do *Partidão*, com quem a Polop nutria contencioso desde priscas eras, dentro ou fora do movimento estudantil. Foi um namoro de altos e baixos ao qual não faltaram cenas de ciúme de Dirceu. Numa delas, segundo a biógrafa de Iara, Judith Patarra, voaram batatas fritas no rosto da moça que, mais tarde, seria companheira de Carlos Lamarca. Quando lembra a ex-namorada, Dirceu se derrama: "Iara foi a grande paixão da minha vida". E continua: "Uma beleza, uma inteligência, uma cultura, uma elegância. Uma mulher fantástica. Foi um belo romance. Ela era muito adulta".

Dirceu a viu pela última vez em julho de 1968, na Maria Antonia. A paixão havia acabado, mas conversaram à noite, num dos bares do entorno das faculdades. Iara não lhe contou o que estava fazendo, possivelmente porque já estivesse com um pé na clandestinidade.

Ivone, bonita, dançarina de boate, foi outra namorada. Dirceu a conheceu numa pensão de meninas, imediações da praça da República. Gostava de cozinhar, o que fazia muito bem. Vez que outra, o casal partilhou a mesa com um amigo mais velho do namorado. Ivone simpatizou com o cinquentão. Era Joaquim Câmara Ferreira, o Toledo, subcomandante da ALN e futuro chefe político do sequestro do embaixador Charles Burke Elbrick, dos Estados Unidos. Em 1969, a liberdade de Elbrick seria trocada pela libertação de Dirceu e mais catorze presos políticos. "Ela não tinha ideia de quem era o Toledo. Achava que era um tio meu ou coisa assim."

Dirceu e Ivone tiveram seu último encontro no final de 1967, talvez início de 1968. Outro contato, epistolar, aconteceu em setembro de

1969. Quando desembarcou na Cidade do México, ele recebeu um telegrama de Ivone no hotel Del Bosque, que abrigou inicialmente todos os banidos. Depois, nunca mais. Desapareceu.

Antes de Ivone e do exílio, a testosterona armou-lhe uma cilada. Bateu o olho numa menina atraente que, na Filosofia da USP, andava sempre circulando pela sala da imprensa, às vezes lendo. Começou a flertar e acabou saindo com ela.

A primeira vez aconteceu na sala das aulas de grego, da Filosofia, que granjeara a fama de "antro do Zé Dirceu"[5]. Em razão de ameaças dos paramilitares do Comando de Caça aos Comunistas (CCC), muitas vezes ele dormia lá, espécie de sede informal do movimento. Num dos encontros, desconfiou. Deixara sua pistola 22 em cima de uma mesa quando a namorada a pegou e destravou.

Achou estranha a intimidade da garota com a arma que adotara, havia algum tempo, por precaução. Pediu que a segurança da UEE averiguasse aquilo. Uma chave discretamente surrupiada da bolsa permitiu vasculhar a quitinete da namorada. "Chegou lá e pegou tudo: as fotos, os os informes."[6]

Detida e interrogada, Heloísa Helena Magalhães, dezenove anos, abriu o jogo. Trabalhava para o Dops. E neste rodapé da história ganharia o apelido de *Maçã dourada*. A arapongagem foi desmascarada em julho de 1968. Três meses depois, caiu o congresso clandestino da UNE em Ibiúna. Mas não se sabe que segredos da UEE custou a mordida fatal. *Maçã dourada* nega conexão entre sua atividade e vazamentos. "As informações que vazaram e que caíram nas mãos do Dops não foram passadas por espiãs, e sim pela própria militância, que estava dividida em vários grupos, que nem sempre se entendiam."[7]

O delegado José Paulo Bonchristiano, do Dops, contou vantagem. Afirmou que sabia de tudo sobre Dirceu "porque ele era metido a galã e eu coloquei uma agente nossa para seduzi-lo (...). Ela era muito bonita, a *Maçã dourada*, e me contava todos os passos dele[8]".

Maçã dourada seria uma das quarenta moças que a polícia política teria contratado para infiltração no ME. Funcionária do setor de relações públicas da Secretaria de Segurança/SP, valia-se de uma carteira falsa de estudante para frequentar as faculdades da Maria Antônia e arredores[9]. Ela desmente a espionagem. Bonchristiano admite que Heloísa "passava informações, sim, e informações muito importantes", mas não seria espiã[10].

Após cinco dias de interrogatório e da bisbilhotagem vir à tona, Heloísa foi liberada. No pente fino, caíram outros infiltrados. A própria segurança estava carunchada. Quanto à *Maçã dourada*, a UEE resolveu tornar o caso exemplar. Devolveu Heloísa para a família num ato público e denunciou o Dops por estar promovendo "a prostituição de estudantes".

Nos embates políticos, a AP execrava as tentativas de dialogar com o governo. Seus adversários da Dissidência do PCB, ao contrário, achavam que propor um diálogo seria um modo de denunciar a ditadura que, como se sabia, não queria conversa nenhuma. Estes acusavam os oponentes de "oportunistas", que rechaçavam o ataque assestando os epítetos de reformistas, conciliadores e, claro, "dialoguistas". Dirceu acha irônicos os destinos de uma e outra turma: os mais reformistas no Movimento Estudantil engajariam-se na luta armada, enquanto os mais radicais tomaram outro caminho.

Quando *Maçã dourada* apareceu, a AP exultou. Logo, a galhofa, embalada na melodia de "A jardineira", ganhou a Maria Antonia e adjacências:

"Mas ô Dirceu
Por que estás tão triste?
Mas o que foi que te aconteceu?
Foi a Heloísa que dedou a turma
Fez bilhetinhos/E a turma prendeu"

Nos primeiros dias de PUC, o calouro Dirceu impressionou-se com o anacronismo. Deparou-se com um ambiente autoritário e conservador, exceção feita ao reitor Osvaldo Aranha Bandeira de Mello. Os alunos deviam trajar terno e gravata. Homem sentava separado de mulher — uma fileira para cada sexo. Era preciso levantar sempre que o professor entrava na sala. Dirceu começou a se sentar em qualquer lugar e não levantar.

Ao ingressar na PUC, o aluno preenchia um formulário no qual, a certa altura, pedia-se para declinar a religião. Deixou o espaço em branco. "A PUC não era reacionária como um todo. Mas os professores eram muito conservadores. Só o Franco Montoro não era." Um era monarquista, outro um húngaro exilado e anticomunista, um terceiro da Tradição, Família e Propriedade, a TFP. Quando Dirceu passou no vestibular, o monarquista sentenciou: "Mais um comunista!". No decorrer do tempo, isso mudaria.

Com o amigo José Wilson Lessa Sabag[11], fundou um cineclube. Logo, a convite de Luís Travassos — colega de faculdade, quadro da AP e seu futuro oponente nas disputas do ME — participou da mobilização pelo plebiscito contra a Lei Suplicy de Lacerda. A legislação, batizada com o nome do ministro da Educação, Flávio Suplicy de Lacerda, barrava tanto a atividade política da UNE quanto das associações estaduais dos estudantes. Mais de 70% dos votos rejeitaram a lei. Em 1968, a estudantada de Curitiba apossou-se da universidade, arrancou e arrastou pelas ruas um busto do então reitor Suplicy de Lacerda, que retorquiu chamando-os de "bandidos".

A primeira coisa que enfiaram na cabeça foi: "Temos que voltar para as ruas senão a ditadura vai se impor". Seguindo o princípio de que quem não age e se organiza, não muda a realidade. Em 1966, o primeiro movimento que sai às ruas em São Paulo é o dos estudantes. A primeira entidade a ser reconstruída é a UNE. Dirceu: "O movimento estudantil foi profundamente golpeado em 1964. A geração que sai às ruas em 1968 não é a de 1964. É outra".

O filho de Castorino e Olga se elegeria vice-presidente do DCE. Em 1966, virou presidente do centro acadêmico 22 de Agosto, do Direito, sucedendo Travassos. Depois, Travassos ganharia a presidência da

OS VENCEDORES

UEE. No prolongamento da queda de braço entre os dois, seria também sucedido por Dirceu. AP e a Dissidência do PCB disputariam, voto a voto, os rumos do movimento e da UNE. O que era bem mais do que uma refrega estudantil. "Os estudantes compunham o maior movimento de massas contra a ditadura", sustenta. Tinham respaldo de uma parcela da classe média, de jornalistas, artistas, intelectuais e a simpatia de alguns órgãos de imprensa. Eram presença constante nas manchetes dos jornais. O que era, de certa forma, tolerado pela ditadura porque o impacto que a repressão teria na classe média seria negativo demais.

Com os expurgos dos políticos, os partidos tradicionais extintos, os sindicatos debaixo de intervenção, as greves proibidas e o operariado sob controle, só restou a oposição dos universitários e os secundaristas. Embora envolvidos com a política desde sempre, nunca haviam desfrutado de tanta proeminência. Nascida na antevéspera da 2ª Guerra Mundial, a UNE estreia esbarrando com o nazifascismo. Em 1942, invade o Clube Germânia, ponto de apoiadores do Eixo na praia do Flamengo, Rio. A ocupação rende a transformação do prédio — pelo governo Vargas — na primeira sede da entidade. No pós-guerra, engaja-se na campanha O Petróleo é Nosso em favor do monopólio estatal da exploração e a implantação da Petrobras. No final da década de 1950, defende a reforma universitária e, em 1961, a posse de João Goulart após a renúncia de Jânio Quadros. Em 1964, seu presidente, José Serra, é um dos oradores do comício pelas reformas de base na Central do Brasil. Dezoito dias depois, quando vem o golpe, a sede da praia do Flamengo é metralhada, invadida e incendiada. Clandestina, já no ano seguinte realiza, em São Paulo, seu 27° Congresso. Em 1966, sai o 28° no porão de uma igreja, em Belo Horizonte. No ano seguinte, em Valinhos/SP, e mais uma vez nas sombras, Travassos é eleito presidente.

O quartel-general do movimento estudantil no país era a Maria Antonia, o maior centro de efervescência, de debate político, econômico e cultural. "Fizemos uma reforma universitária na USP, através de comissões paritárias, que foi publicada e posta em prática mas, depois do AI-5, revogaram tudo. O Movimento Estudantil era consequente."

De um lado, a esquerda, de outro, a direita. De um lado, os que combatiam o regime, de outro, os seus aliados. De um lado, a Filosofia da USP, do outro o Mackenzie[12]. Ou não era bem assim?

Dirceu repara que, quando houve o conflito, dos cinco diretórios do Mackenzie, de onde a esquerda tinha sido expulsa em 1964, quatro eram da UEE. O combate era dado não pelos estudantes do Mackenzie, mas pelo CCC e o Dops. "Eles que se instalaram lá dentro e usavam armamentos para nos combater. E fabricaram bombas nos laboratórios de química do Mackenzie", diz. E depois invadiram, incendiaram e destruíram a Faculdade de Filosofia.

O confronto começou numa quarta-feira, 2 de outubro. Secundaristas montaram um pedágio nas ruas Maria Antonia e Itambé. Pediam dinheiro para realização do 30º Congresso da UNE. Travados na barreira, alunos do Mackenzie não gostaram. Deu-se uma escaramuça. Neste ínterim, um ovo acertou uma aluna da Filosofia. O projétil viera das janelas do Mackenzie, separadas do prédio da Filosofia apenas pela rua Maria Antonia. Os mackenzistas estavam um ponto mais alto, posição claramente favorável no conflito que se daria, e não somente para arremessar ovos. Em seguida, vieram as pedras. Contra o pedágio e contra a Filosofia.

Era 1968, ano prodigioso de protagonismo juvenil que convulsionou o mundo de modo nunca antes visto. Ocupada pelos estudantes, a Filosofia via-se engolfada pelas labaredas da rebelião. Não era novidade e, sim, uma confirmação do potencial revolucionário daquele outro outubro tão distante de 1917. Dois meses antes do Maio francês, 50 mil pessoas peitavam a ditadura nas ruas do Rio para acompanhar o caixão do secundarista Edson Luís, assassinado pela polícia. Em junho, puxada pelos estudantes, a Passeata dos Cem Mil exigia a redemocratização.

No mesmo mês, um rapaz de olhar tímido, quase assustado, preenchia a capa de *Realidade*, a mais importante revista brasileira.

OS VENCEDORES

Blusão jogado nos ombros, jornal dobrado na mão e pé direito displicentemente apoiado num muro. Ao lado, a chamada: "Este moço comanda a agitação" e, abaixo: Luis Travassos, presidente da UNE. "Eles querem derrubar o governo" é o título da reportagem de nove páginas. Nela, destaque para a frase do vice de Travassos na UNE, Luís Raul Machado: "Nossos generais podem ficar tranquilos. O que aconteceu na França não vai se repetir no Brasil. Vai ser muito pior".

No abrir de suas cortinas, 1968 já se mostrara surpreendente: em janeiro, na Ofensiva do Tet, os vietcongues tomaram trinta e oito cidades, inclusive Saigon, e humilharam a maior potência militar do planeta. O revés surpreendente deflagrou as maiores mobilizações do século dos Estados Unidos pelo fim da guerra, contaminando, além das ruas, as universidades, a música *pop*, o cinema, o teatro, o comportamento e os meios de comunicação de massa. Em março, o pelotão comandado pelo tenente William Calley chacinou 504 crianças, mulheres e velhos vietnamitas na aldeia de My Lai. Em quatro horas, as mulheres foram violadas e mutiladas, os animais todos mortos e as choupanas queimadas. My Lai não era um ponto fora da curva. Esclarecia o mundo sobre o que os EUA faziam a 14,5 mil km de Washington DC. Em abril, o assassinato de Martin Luther King atiçou levantes e incêndios em 125 cidades do país. Dois meses depois, o pré-candidato democrata à presidência dos EUA, Bob Kennedy, também foi morto a tiros.

Executado em outubro de 1967 nas selvas bolivianas, Ernesto Che Guevara clamara pela eclosão de "um, dois, três, mil vietnãs". Menos de um ano transcorrera e não era mais somente a conclamação do revolucionário. No horizonte insurgente, resplandecia o mártir que deixara de ser carne para ressuscitar como verbo, materializando a promessa muitas vezes a ele imprecisamente atribuída: "Eu voltarei e serei milhões!". Os múltiplos vietnãs confrontariam também o conformismo, o machismo, a alienação, o racismo, a intolerância, a burocracia, as verdades estabelecidas, a vida estreita e cinzenta. "O movimento de 1968 é mais importante e duradouro como revolução comportamental do que a luta contra a ditadura", atenta Dirceu.

Havia muitos combates e muitas mortes à espreita. "Não podemos estar seguros de ter algo para viver a menos que estejamos dispostos a morrer para consegui-lo", preconizara o Che. Outubro de 1968 marcou o massacre dos estudantes na Cidade do México: vinte e seis mortos e 300 feridos. Na China, imberbes e furiosos, os adolescentes das Guardas Vermelhas embretavam o poder da velha guarda do PC. Em agosto, as tropas do socialismo real entraram em Praga e sepultaram a *Primavera de Praga*, animada pelo reformista Alexander Dubcek. Havia embates nas ruas de Washington, Praga, Cidade do México, Frankfurt, Berlim, Londres, Nova Iorque, Varsóvia, Roma. E, sobretudo, em Paris.

Na revolução das ruas, os muros eram a mídia: "Numa sociedade que aboliu todo tipo de aventura, a única aventura que resta é abolir a sociedade", aguilhoavam. "Barricadas fecham as ruas mas abrem o caminho", seduziam. "O patrão precisa de você, você não precisa do patrão", pregavam. E comparando: "Um fim de semana não revolucionário é infinitamente mais sangrento do que um mês de total revolução". Recorriam à Friedrich Nietzsche e ao poder do poema: "Você deve carregar um caos no seu interior para dar à luz uma estrela dançarina". E advertiam: "O futuro só conterá o que estamos pondo nele agora".

Nada disso era estranho ao Brasil, particularmente aos jovens politizados, egressos sobretudo das camadas médias. Estas penavam com o achatamento de seus salários e de suas expectativas de ascensão. Ao buscar a universidade, topavam com a impossibilidade do ingresso. Não havia vagas. Seus filhos sobravam. Eram excedentes. Estavam aptos para progredir, mas o sistema negava-lhes um lugar ao sol. Em 1968, as universidades ofereciam 89.582 vagas enquanto o número de excedentes chegava a 125.414. Em apenas dois anos, dobrara o contingente de excluídos[13].

OS VENCEDORES

"Os estudantes tentavam se encaixar na luta de classes, embora fossem de uma classe que não luta e não tem contra o que lutar (...), uma classe híbrida e da ordem", reparou o sociólogo José de Souza Martins. Uma classe, acrescenta, que "reivindica em nome de interesses, mas não tem como lutar contra estruturas sociais sem negar-se e anular-se"[14].

Em São Paulo, a Filosofia era uma *universidade livre*, abrigando os cursos mais diversos: história da arte, marxismo, filosofia, estética. Na pauta política, maior influência dos alunos na reforma da universidade, repúdio à privatização e defesa da autonomia universitária. Com o apoio dos professores, as aulas prosseguiam mesmo sob a ocupação. Os estudantes ministravam algumas delas, caso das heterodoxas e destinadas a suprir às necessidades mais imediatas, como a produção de coquetéis molotov. "Acredito que a ocupação do prédio da Filosofia foi o embrião do movimento *hippie* no Brasil"[15], interpreta Maricato.

No Mackenzie, além do CCC, fervilhavam outros núcleos de feição fascista, como o Movimento Anticomunista (MAC) e a Frente Anticomunista (FAC). Ovos e pedras eram novos ingredientes nas investidas contra a Filosofia, onde a oposição ao regime dava as cartas. Por três vezes, o CCC já arrasara a faculdade, destruindo móveis, quebrando vidros e espancando alunos.

Naqueles dias, os alunos da USP apupavam os do Mackenzie: "Nazistas, gorilas!". E os mackenzistas revidavam: "Guerrilheiros fajutos!"[16].

Dirceu, com vinte e dois anos, e Travassos, vinte e três, mais o vice-presidente da UNE, Edson Soares, comandavam as trincheiras da Filosofia. Ali funcionavam, de fato, as sedes das entidades estudantis proscritas pelo regime. No Mackenzie, o personagem mais notório era Raul Nogueira de Lima, o *Raul Careca*[17], dublê de estudante e tira do Deops, mais tarde do DOI-Codi, e figurante da "Lista de Prestes", a relação de torturadores elaborada pelos sobreviventes dos porões. Faria carreira na ditadura. Tanto que seu vulto ainda subsiste na lembrança de quem passou pelo DOI-Codi. Em 2013, ao rever a cela onde estivera preso quarenta e três anos atrás, o jornalista

Antonio Carlos Fon recordou as palavras de *Raul Careca* ao entregá-lo a "uma dupla de psicopatas", a saber, o onipresente capitão do exército Benoni de Arruda Albernaz e o sargento PM Paulo Bordini, de apelido *Risadinha* devido "ao riso histérico enquanto torturava". *Raul Careca* recomendou a Albernaz: "Esse é daqueles que não sabem nada. Tratem bem dele". Não demoraria nada para Fon descobrir o tratamento padrão do lugar. "Dizem que, como num filme, a vida inteira passa por nossos olhos na hora de morrer", escreveu Fon. "Se for verdade, eu morri um pouco hoje."[18]

No assalto às barricadas da Filosofia, *Raul Careca* contou com a companhia do comissário de polícia Octávio Gonçalves Moreira Junior, o *Otavinho*, que dividia sua devoção entre o CCC e a TFP, três letras não menos radicais. Sua graça acompanha *Raul Careca* na "Lista de Prestes". Com as costas protegidas pelo ministro da Justiça, Luis Antônio da Gama e Silva[19], futuro escriba do AI-5, o CCC progrediu. Criado antes de 1964, pulara de 400 para 5 mil homens, muitos deles policiais ou militares. Bem antes da estudantada de esquerda rumar para a guerrilha, o CCC fazia exercícios militares e seus integrantes andavam ostensivamente armados.

Chamada pela reitora do Mackenzie, Esther de Figueiredo Ferraz, mais tarde ministra da educação durante a ditadura[20], a polícia dispersou os dois grupos. Mas, na manhã seguinte, tudo recomeçou. Contaram a Dirceu que os mackenzistas entraram em choque com a segurança da Filosofia. Na narrativa da UEE, os mackenzistas queriam passar de carro pelas barricadas. Dirceu conversou com o seu pessoal e autorizou a passagem — "o que não foi fácil", pondera. Meia hora após, começou tudo de novo. "Bom, então é provocação", concluiu. O objetivo dos direitistas, na verdade, era desalojar a esquerda da Maria Antonia.

Uma tropa de estudantes de direita avançou até a Faculdade de Filosofia para arrancar uma faixa que dizia "CCC, FAC e MAC = Repressão — Filosofia e Mackenzie contra a ditadura".

Logo o confronto recomeçou com a adesão de tijolos, barras de ferro, coquetéis molotov, vidros de ácido sulfúrico, paus e rojões. E carabinas. "Aparecem franco-atiradores no Mackenzie", descreveu cronologicamente, depois da troca de pedradas, o *Jornal da Tarde*. Havia tumulto na Filosofia, onde uma enfermaria improvisada recebia seis atingidos por ácido. Como o CCC, meses antes, adotara armas de fogo, Dirceu reagira autorizando "pela primeira vez a entrada de um grupo tático armado das organizações de esquerda"[21]. A segurança se postava no alto do prédio da Filosofia e "quando o CCC atirava de carabina, eles respondiam de metralhadora". No dia do ataque, a segurança estava ausente, mas as armas não. "É claro que elas foram usadas para a defesa do prédio."[22]

A ultradireita escolheu seus atiradores para se posicionarem no alto dos prédios da Engenharia e da Economia. E também num edifício em construção ao lado do Mackenzie. No começo da tarde, uma correria. Homem do CCC, o halterofilista e artista plástico João Parisi Filho fora pilhado nas barricadas da Filosofia em tarefa de espião. Tiraram-lhe o revólver. Aos tapas e aos gritos de "lincha!" foi conduzido para a faculdade de Economia. Um Inquérito-Policial Militar (IPM) instaurado em 1968 para "apurar as atividades subversivas" no Crusp, o conjunto residencial da USP, pediria a prisão de quarenta e quatro estudantes. E responsabilizaria o presidente da UEE pelo sequestro e cárcere privado de Parisi Filho[23]. Dirceu afirma que "o nosso pessoal queria executar o Parisi, que estava infiltrado e armado. Foi complicado livrá-lo".

O secundarista José Carlos Guimarães, vinte anos, aluno do colégio Marina Cintra, na rua da Consolação, simpatizava com a turma da Filosofia e passou ali para dar uma olhada. Tombou ferido de morte. A bala — de revólver com calibre superior a 38 ou de fuzil, segundo a autopsia — atravessou-lhe a cabeça, de cima para baixo, obliquamente. Teria partido da arma de Osni Ricardo, aluno do Mackenzie e membro do CCC, mas "as investigações foram abafadas tão logo a chamada guerra da Maria Antonia acabou"[24].

O homicídio fez a esquerda desistir da batalha. Quando Edson Luis foi morto com um tiro à queima-roupa disparado por um oficial da PM carioca era, então, o terceiro estudante que tombara após-1964. Quando a bala voara do Mackenzie para varar a cabeça de José Guimarães, já eram sete mortes de universitários ou secundaristas. Muitas outras viriam[25]. Encarapitado num monte de destroços que serviam como barricada, Dirceu argumentou que não era mais possível manter militarmente a Faculdade. "Não nos interessa continuar aqui lutando contra o CCC, a FAC e o MAC, esses ninhos de gorilas. Um colega nosso foi morto." Chamou a massa para ir às ruas denunciar o massacre. "A polícia e o exército de Sodré[26] que fiquem defendendo a fina flor dos fascistas. Viva a UNE, abaixo a reação![27]"

Quando a esquerda retirou-se em passeata, o CCC invadiu e pôs fogo na Faculdade de Filosofia, cantando o "Hino Nacional". Alguns gatos pingados da USP que não seguiram a marcha resgataram "Saudosa maloca", tentando retrucar a rebordosa com o sotaque arrevesado do compositor Adoniran Barbosa: "E prá esquecê nóis cantemo assim: Saudosa maloca, maloca querida/Donde nóis passemo os dias feliz de nossas vidas".

O estudante e ex-escrivão de polícia José de Abreu estava na marcha. "Saímos em passeata com a camisa ensanguentada do José Guimarães, o Zé Dirceu segurava. Nesse dia, queimamos uns dez carros da polícia. A gente chegava pro cara e mandava: 'Sai!' E o cara saía. Dez pessoas viravam um fusca ou uma kombi na boa. Abria-se o tanque de gasolina e jogava-se um molotov", relembra o ex-policial, então já na barricada oposta.

Se não foram dez automóveis, a verdade não passou muito longe deste número. Na descrição da imprensa, a trajetória da passeata possessa e indignada deixou um rastro de fogo e destruição: "Os estudantes ganharam a cidade em dez minutos. Arrancaram um pano vermelho da traseira de um carro-guincho e com ele fizeram uma bandeira. Em seguida, cercaram um Aero-Willys com chapa-branca (...), obrigaram o chofer, preto e gordo, a correr, quebraram todos os vidros do automóvel e amassaram a carroceria. Vinte metros adiante, rodearam um Volkswagen da polícia. Com pedaços de ferro nas mãos, dirigiram-se ao motorista: 'Com licença, nós vamos pôr fogo no seu carro'. O policial abandonou o automóvel e ficou à distância entre os espectadores. Os estudantes tombaram o carro e atearam fogo[28]".

Incendiaram outro Aero-Willys, este da Força Pública de São Paulo. Em meio ao trânsito engarrafado, as universitárias dirigiam-se aos motoristas denunciando a morte de José Guimarães e pedindo dinheiro para "a resistência". Atacaram mais dois carros da polícia, um fusca que foi incinerado e uma camioneta Rural Wyllis destroçada. Na praça da Sé, arrebentaram uma perua da polícia federal. Conforme a fonte, o número de manifestantes oscilou de oitocentos a quatro mil. Antes de ser dispersada pelas tropas policiais, a caminhada despertou medo, raiva mas também solidariedade sob a forma do papel picado que caía dos edifícios do velho centrão paulistano. Abreu lembra que, no mesmo dia, a estudantada conseguiu uma proeza: alguém quebrou uma parada de ônibus, o poste virou um aríete capaz de partir o vidro da fachada do Citibank.

Ao final, havia um morto, três baleados, dezenas de feridos e o prédio da Filosofia em escombros. Em meio aos destroços deixados pelo combate, o incêndio e a passeata, a polícia militar havia mobilizado 240 homens, 100 cavalarianos, dois tanques e cinquenta cães adestrados. À noite, o telhado da Filosofia veio abaixo. Era mais do que uma metáfora. Parecia mesmo comprovar a advertência de Luís Raul Machado aos generais, premonitória, mas com sentido oposto ao original. Era o começo do fim.

Surgiu forte a convicção de que era preciso preparar o Movimento Estudantil para a semiclandestinidade. Previu-se que haveria radicalização e que o governo colocaria qualquer tipo de resistência na ilegalidade. "Devíamos preservar as nossas gráficas, as nossas finanças, os nossos dirigentes. E nos preparar para o pior."

E o pior não demorou, marcando encontro nas encostas da Serra do Paranapiacaba. Em Ibiúna, sábado, 12 de outubro, caía o 30º Congresso da UNE. Mais de 700 estudantes foram presos. "Ibiúna foi um erro gravíssimo nosso", admite o presidente da UEE e candidato, naquele congresso, à presidência da UNE.

Com o respaldo de Vladimir Palmeira, Dirceu enfrentaria o candidato da AP, Jean Marc Van der Weid, apoiado pelo seu amigo Travassos. Havia ainda a candidatura do PCBR, de Marcos Medeiros. Dirceu assegura que ignorava as condições do lugar escolhido. "Quando chegamos lá ficamos totalmente decepcionados. Tivemos que construir um auditório, cobrir com lona, não havia lugar para cozinhar..." O mais correto, acha, seria realizar o congresso no Crusp, na Cidade Universitária. Ou fechar um acordo sobre a pauta, permitindo que, num dia e meio, a assembleia definisse a nova diretoria. Em vez disso, a encrenca começou no credenciamento e o congresso não teve tempo de ir adiante.

Ibiúna custaria uma cadeia comprida para a cúpula do Movimento Estudantil: além de Dirceu, os presidentes Travassos, da UNE, Vladimir Palmeira, da União Metropolitana de Estudantes (UME), Antonio Guilherme Ribeiro Ribas, da União Paulista de Estudantes Secundários (UPES), e Jorge Batista, do Diretório Central dos Estudantes, de Minas Gerais. Melhor sorte tiveram outras lideranças: através de *habeas corpus* concedido pelo STF, Franklin Martins, Omar Laino, Walter Cover e Marco Aurélio Ribeiro foram liberados no dia 12. Os quatro restantes seriam beneficiados, pelo mesmo instrumento, no dia seguinte. Seriam. Desafortunadamente, o dia seguinte era uma sexta-feira 13, não uma qualquer, mas a sexta-feira 13 de dezembro de 1968, da edição do AI-5 que, entre outros tantos estragos, suspendeu o *habeas corpus*.

O motivo alegado para o AI-5 foi o discurso do deputado Márcio Moreira Alves, do MDB. No dia 2 de setembro, Alves subiu à tribuna da Câmara para convocar um boicote. Na Semana da Pátria, advertiu pais e mães que a presença de seus filhos nos desfiles simbolizaria "o auxílio aos carrascos que os espancam e os metralham nas ruas". Os militares pedem autorização ao Congresso para processar o parlamentar e, diante da negativa, editam o AI-5, fecham o parlamento e suprimem as liberdades democráticas ainda disponíveis. Dirceu acha que o *habeas corpus* dado pelo STF aos presos de Ibiúna também teve certa importância, mas nem a decisão, nem o discurso deflagrariam a reação. Para ele, o que detonou o AI-5 foram mais as greves de Osasco e Contagem. Era o ingresso do movimento sindical na luta antiditadura. As greves mudavam o caráter da luta e ela se radicalizava e se aprofundava. Nunca houve um grande volume de ações armadas. "Mas havendo o ascenso do movimento sindical e estudantil, tudo indica que as ações armadas poderiam se disseminar pelo país", avalia.

Quase um ano depois, três dos prisioneiros de Ibiúna se livrariam da prisão, não através do sistema legal, mas por uma força maior.

Antes da liberdade pelas vias da lei ou por vias transversas, o grupo dividiria prisões e quartéis. A primeira escala foi no Dops paulista. Sentia-se que algo indefinível, mas certamente ruim estava a caminho. Por isso mesmo, mostravam-se ansiosos para sairem logo dali. Quando, em plena madrugada, foram despertados para uma transferência, a notícia deixou o ar denso de angústia. O que se agravou ao notarem que se afastavam de São Paulo. Uma frincha no camburão servia aos paulistas para adivinhar onde estavam, supor o destino comum e comunicar aos demais como numa narração radiofônica. Vladimir Palmeira, que viera do Rio, reproduz[29] o episódio de modo exemplar: "Isto aqui é Santos — Rio-Santos. Quando chegarmos à cidade, se ele virar à esquerda é o presídio tal; se virar à direita, estamos fodidos, porque aí vamos pro quartel de Itaipu e lá é barra-pesada. Aquilo é uma fortaleza do exército, as celas são cavadas na rocha e nelas entra água, rato, barata, todo tipo de bicho. É pra matar. Mas se passarmos de Itaipu estamos mais fodidos ainda, porque então o destino é a Praia Grande. E a Praia Grande é lugar de desova...".

Com o relato, toda a torcida era para que o motorista virasse à esquerda em Santos. Não funcionou. Dobrou à direita e passou batido por Itaipu. Gelou o ambiente no camburão. Praia Grande era, mesmo, o fim da viagem. E o fim de tudo.

Grave, Vladimir ergueu-se e discursou: "Nós chegamos até aqui e vamos morrer como revolucionários. A luta é isso mesmo. Valeu. Quando eles abrirem essa porta vamos sair brigando, já que vão mesmo matar a gente. Se alguém conseguir escapar, conte ao mundo que morremos com dignidade[30]".

Rapidamente, organizou-se a fila da morte. Mas não sairia tão barato. Franklin Martins, que era campeão de judô, seria o primeiro. Dirceu e Vladimir ficaram no meio. Vladimir suspeita que alguém mais magro e veloz ficou na rabeira para ter mais chance de correr, enquanto os bravos, porém mais lentos, tombavam. A calmaria da madrugada só era rompida pelo chacoalhar das chaves do lado de fora. Dentro, a fileira aguardava o giro da engrenagem da fechadura, a abertura da porta e o desfecho daquela situação insuportável. Estavam prontos para sair da vida e entrar na história.

Aos poucos, porém, captam fragmentos da conversa dos soldados. Apurando os ouvidos, percebem do que se tratava: o motorista havia errado o caminho. Não iam morrer. Explodiram em gargalhadas. Sobrou para Vladimir. "O mais sacaneado fui eu, evidentemente, porque fiz o discurso, assumi a liderança da morte. Fazer o quê?[31]" Dirceu pondera que, apesar de cômica, a história revela também o espírito de sacrifício daquela geração.

Quem mandava em Itaipu[32] era o coronel Erasmo Dias ainda na alvorada de sua saga de ícone da direita. Os novos *hóspedes* foram recepcionados por Erasmo e o portentoso aparato militar do 6º Grupo de Artilharia de Costa Motorizado. O coronel deitou uma falação aos berros. "O Erasmo fez um discurso de um jeito que parecia que ia nos fuzilar", rememora Dirceu. "Muito desqualificado, patrioteiro, anticomunista."

Descompostura à parte, a impressão do novo endereço saiu mais em conta do que a descrição macabra dos paulistas. Foram alojados numa casa com beliches e pintura recente. Mal chegaram, tomaram outra bordoada do comandante. "Eu todo o dia peço a Deus para poder matar vocês. Quero muito fazer isso. Vocês não são estudantes.

OS VENCEDORES

São comunistas, traidores do país. Só merecem a morte. Por favor, tentem fugir daqui, eu só preciso de um motivo[33]."

Depois de esculhambar a todos de cima a baixo, sempre aos gritos, alterado, Erasmo fez uma pausa e indagou: "Alguma dúvida, estudantes?".

Foi a deixa, nota Vladimir, para Travassos, um dos mais debochados do grupo, levantar o dedo: "Sim, senhor: onde é que eu posso mijar?".

E Erasmo, prontamente, enquanto a plateia segurava o riso: "Por aqui. Soldado, leve o estudante até o mictório[34]"

Os primeiros dias foram infernais não pelas tropas terrestres, mas pelas investidas aéreas. O prato de comida preteava de mosquitos. Sob o tempestuoso Erasmo, os presos recebiam seus advogados, tomavam sol, jogavam futebol e basquete, faziam ginástica. Um dia, o coronel ajeitou uma esparrela: na hora do futebol, num canto do campo, um soldado *esqueceu* uma metralhadora 1.30. A turma jogava a bola naquele canto, o jogador ia buscá-la passando perto da metralhadora. Então, a bola ia parar novamente no mesmo lugar e a cena se repetia. Acabada a partida, Erasmo assentiu que estava torcendo para que alguém empunhasse a metralhadora que, obviamente, não tinha munição.

Apesar da retórica agressiva e das promessas de execução em caso de fuga, Erasmo nunca criou maiores problemas. Na chegada, dizia que queria fuzilar todos aqueles "terroristas". No dia seguinte, gritava com o oficial de dia, reclamando que o café dos estudantes estava frio.

De Itaipu, foram transferidos para o 2º BC em São Vicente e dali para uma delegacia de polícia na avenida 11 de Julho, em São Paulo. Foi pior. Era uma cela minúscula, fria, úmida, com direito a goteiras e quatro colchões no chão. Tinha ratos, piolhos, baratas. A comida era "uma lavagem". Dirceu acha que "já era pra foder com a gente, pra pegar tuberculose". Mas, ali, a temporada foi curta.

Trocaram a delegacia pelo 4º Batalhão de Infantaria Blindada (4º BIB), em Quitaúna, bairro de Osasco/SP. O quartel ganhara renome nacional por obra do capitão Carlos Lamarca ao dele desertar transportando um carregamento de armas para se juntar à VPR.

Quitaúna era comida ruim, barulho à noite para não deixar dormir e rancor contra os presos. Vladimir fora transferido para o Centro de Armamento da Marinha, no Rio. Onze meses após a prisão, um soldado vai até Dirceu e informa: "Cabeleira, você, Vladimir e Travassos estão na lista"[35]. Ribas não estava incluído.

Dirceu, Travassos e Vladimir botaram um pé fora da cadeia na tarde de quinta-feira, 4 de setembro, quando um Cadillac preto 1968 despontou na rua Marques, em Botafogo, zona sul carioca. Simulando manobrar, um fusca azul impediu-lhe o avanço. Na traseira, um segundo fusca, vermelho, encaixotou o carrão. Da calçada, quatro homens dirigiram-se ao Cadillac. Empunhando um revólver 38, Paulo de Tarso Venceslau, vinte e cinco anos, imobilizou o motorista e o passageiro do banco de trás e desativou o rádio-comunicador. Cláudio Torres da Silva, vinte e quatro, afastou o motorista e tomou-lhe o volante. Virgílio Gomes da Silva, trinta e seis, e Manoel Cyrillo de Oliveira Netto, vinte e três, acomodaram-se rapidamente atrás, um de cada lado do passageiro. No fusca vermelho estavam Franklin de Sousa Martins, vinte, sobrevivente do camburão mortal da Praia Grande no ano anterior, e Cid de Queiroz Benjamin, dezenove, e, no azul, José Sebastião Rios de Moura, vinte e dois, José Lopes Salgado, vinte e seis, e Vera Sílvia Araújo de Magalhães, vinte e um. Cinco minutos se passaram e o curto cortejo estancou. Em Humaitá, na confluência das ruas Maria Eugênia e Caio de Melo Franco, transferiu-se o passageiro para uma Kombi verde tripulada por Sérgio Rubens de Araújo, vinte e um. Não antes do transferido reagir, tentar tomar a arma de Virgílio e aquietar-se após uma coronhada de 38 na testa. Ali abandonaram o fusca azul e o Cadillac. Neste, junto com o motorista Abel Custódio da Silva, ficou uma mensagem. Juntou-se um fusca bege e o comboio seguiu adiante. Acabara de acontecer a mais cinematográfica ação da guerrilha.

"Grupos revolucionários detiveram hoje o sr. Charles Burke Elbrick, embaixador dos Estados Unidos, levando-o para algum lugar do país, onde o mantém preso", começou a ler o locutor Hilton Gomes, da TV Globo, na noite de 5 de setembro.

OS VENCEDORES

O texto não viera da redação. Da lavra de Franklin Martins, era assinado por duas organizações, uma afamada, a ALN, de Marighella, e outra que a repressão julgava morta e enterrada, o Movimento Revolucionário 8 de Outubro ou MR-8. Este aparecia ali pelo duplo viés de chacota e provocação. Fazia pouco, o CENIMAR havia destroçado a Dissidência do PCB sediada em Niterói. Para tornar mais façanhuda a ação, apelou para uma tramoia: rebatizou o grupelho que aniquilara. Sabendo que a Dissidência de Niterói publicava um jornalzinho intitulado *8 de Outubro*, data da morte de Che Guevara, garganteou que exterminara o "Movimento Revolucionário 8 de Outubro". Suprimira algo que nunca houvera. Eis, então, que a ficção fez-se realidade e surge o tal MR-8, para embasbacar seus criadores & exterminadores. De uma tacada só, os sequestradores desmoralizavam o CENIMAR — o MR-8 continuava — semeavam desinformação, futrica e cizânia no governo — onde órgãos de segurança competiam por resultados — e davam seu recado ao público, por meio da exigência da veiculação, na íntegra, do manifesto de três páginas no rádio, na televisão e nos principais jornais. Nele se pronunciava a palavra proibida: ditadura.

"Este ato não é um episódio isolado. Ele se soma aos inúmeros atos revolucionários já levados a cabo: assaltos a bancos, nos quais se arrecadam fundos para a revolução, tomando de volta o que os banqueiros tomam do povo e de seus empregados; ocupação de quartéis e delegacias, onde se conseguem armas e munições para a luta pela derrubada da ditadura; invasões de presídios, quando se libertam revolucionários, para devolvê-los à luta do povo; explosões de prédios que simbolizam a opressão; e o justiçamento de carrascos e torturadores", prosseguiu o vozeirão de Gomes.

ALN e MR-8 impunham, além da publicação do libelo, a liberdade de quinze prisioneiros políticos. Deveriam ser levados de avião para a Argélia, Chile ou México. Em meio à fanfarra oficial da Semana da Pátria, o regime recebia um ultimato da subversão: tinha quarenta e oito horas "para responder publicamente se aceita ou não a proposta". Os captores de Elbrick repisavam que "a vida e a morte do sr. embaixador estão nas mãos da ditadura".

Elbrick, sessenta anos, era o *royal straight flush* que a esquerda empalmava no pôquer radical contra a ditadura. Era o jogo de um punhado de garotos da Dissidência do PCB do Rio, consorciados com outros jovens da ALN. Acima dos trinta, apenas dois marighelistas: Joaquim Câmara Ferreira, cinquenta e seis, o *Velho*, chefe político da operação, e Virgílio, o *Jonas*, cabeça do primeiro Grupo Tático Armado (GTA) da organização. Elbrick era o trunfo para soltar os dirigentes estudantis presos — e não só eles. O embaixador foi guardado no sobrado 1026, da rua Barão de Petrópolis, bairro de Santa Tereza. Ali o esperavam o *Velho*, também conhecido como *Toledo*, e o jornalista Fernando Gabeira, vinte e oito, que ali atendia por *Honório*. Antonio Freitas da Silva, o *Baiano*, como jardineiro, ajudava a compor a fachada do esconderijo.

Na metade do prazo, Gomes lia as palavras acima. Os militares haviam perdido a parada. Ainda no dia 5, os jornais estampariam o manifesto. E logo o governo recebia a lista dos quinze. Nela figuravam Dirceu, Vladimir e Travassos, mais o sindicalista José Ibrahim e o ex-militar Onofre Pinto, ambos da VPR, o estudante de medicina Mário Zanconato, da Corrente Revolucionária, o engenheiro Ricardo Zarattini, vinculado a movimentos camponeses no Nordeste, o advogado João Leonardo da Silva Rocha, o metalúrgico Rolando Fratti e o ferroviário Agonalto Pacheco da Silva, os três da ALN, os estudantes Maria Augusta Carneiro e Ricardo Villasboas e o arquiteto Ivens Marchetti, todos do MR-8, o jornalista Flávio Tavares, do Movimento Nacionalista Revolucionário (MNR), e Gregório Bezerra, velho quadro do PCB pernambucano. Na cadeia, Dirceu e Travassos tiveram reações opostas. Quatro anos antes, os dois acalentavam viajar a Cuba. Elbrick era o nome da chance.

Em 1965, Dirceu e Travassos estavam deprimidos e sem dinheiro. Lidavam com a situação política muito difícil e a repressão. A PUC era "um cemitério". Dirceu convidou o amigo: "Vamos sair, vamos pra Cuba". E começaram a falar sério sobre a viagem.

Mas, em 1969, o parceiro não queria partir naquelas condições. Foi arrastado ao camburão debaixo de chutes, coices e coronhadas. Quando disse que não queria ir, os militares não quiseram conversa: baixaram o porrete. Dirceu tinha alertado o companheiro: "Cuidado. Eles estão enlouquecidos com isso".

Vladimir também pretendia ficar. Achava que seria solto em seguida. Mas, depois de 1968/1969, a situação se degradara e radicalizara "e a tendência era sermos torturados", cogita Dirceu.

Enquanto corriam as horas, 4,5 mil homens e 120 veículos nas ruas do Rio e estados vizinhos farejavam a pista de Elbrick. Várias casas suspeitas foram vigiadas. E aquela assobradada da Barão de Petrópolis cercada pelo CENIMAR e, logo, identificada pelo Centro de Informações do Exército, o CIE.

"Eu já sei onde está o embaixador americano", disse o general Adyr Fiúza de Castro ao general Aurélio de Lyra Tavares, chefe da junta militar que mandava no país desde o impedimento de Costa e Silva. "Mas, além de eu saber e já ter localizado, posso vigiar, posso invadir, posso estourar, posso fazer o que o senhor quiser. Agora, o embaixador vai morrer nessa", advertiu Castro,[36] deixando clara sua opinião favorável à invasão.

Havia mais gente pensando igual. Chefiando a 1ª Divisão de Infantaria, o general João Dutra de Castilho exigia dureza no assunto pouco importando o que viesse a ocorrer com o embaixador[37]. Atento à expectativa da vida alheia, o comandante do Grupo de Artilharia da Brigada Paraquedista, coronel Dickson Grael, argumentou que Elbrick já vivera muito. Os paraquedistas haviam se rebelado e Grael fechara com eles. Nem Lyra, nem CENIMAR, nem ninguém invadiu o sobrado. A junta não ousaria afrontar o presidente Richard Nixon, que pressionou por uma solução breve e que resguardasse Elbrick. Da mesma forma que a dupla de fuscas encaixotara o Cadillac do embaixador, a guerrilha de um lado e Nixon de outro haviam encaixotado a ditadura.

O núcleo do governo acatara as condições, mas na caserna fervia a sublevação. No final da tarde do dia 6 de setembro, trinta oficiais paraquedistas armados com fuzis FAL decidiram interceptar o avião Hércules 56, da FAB, que levaria os banidos para o México. Por sorte, os três caminhões do comboio atravancaram-se num engarrafamento na avenida Brasil e, quando chegaram à base aérea do Galeão, o Hércules levantara voo havia quinze minutos. Tomaram então a torre de controle da base e determinaram seu retorno, ordem não obedecida. Um dos amotinados, o capitão Francimá de Luna Máximo negou, posteriormente, que tencionasse explodir o avião. Usaria as armas para invadi-lo e devolver seus passageiros à cadeia[38]. Flávio Tavares obteve informação diferente. "Os oficiais planejavam nos raptar, levando-nos ao centro do Rio para nos enforcar, de um a um na Cinelândia, defronte ao Theatro Municipal, naquele mesmo sábado", escreveu[39]. A única divergência era de ordem ornamental. Situava-se entre os que pretendiam enfeitar o teatro içando os subversivos pelo pescoço e uma ala minoritária com predileção pelo fuzilamento também público e sumário.

Às 15h de domingo, 7 de setembro, Dirceu, Vladimir, Travassos e os demais chegaram à Cidade do México. Logo que souberam que os libertados estavam em segurança, os sequestradores começaram a organizar a debandada. Deixam o sobrado em vários carros, um deles com Elbrick. Misturam-se com o tráfego da saída do Maracanã, aproveitando o tumulto do final de Fluminense x Cruzeiro, e conseguiram iludir a perseguição policial. Elbrick chegou em sua casa às 19h50.

A junta militar, a embaixada e a opinião pública ficaram abismadas com o sequestro. Mas não só elas. O fato da ALN assinar aquele atrevimento deixou boquiaberto o próprio chefão da ALN. Entocado numa cidade repentinamente varejada por milhares de agentes à cata de Elbrick, Marighella temeu por sua segurança. A operação terminara exitosamente, mas a resposta militar, após aquela humilhação, seria mais implacável do que nunca. Toledo levaria uma espinafrada do Número 1 por não ter sido ouvido e sequer avisado sobre o que urdira com a moçada carioca. Marighella vaticinou dias difíceis. Tinha razão. Ele mesmo teria apenas mais dois meses de vida.

Aos dezenove anos, Carlos Eugênio Sarmento Coelho da Paz, codinome *Clemente*, que seria o último comandante da ALN, divisou nuvens escuras no horizonte. Sentiu que vinha "uma cacetada muito grande que a gente pode não aguentar". Porém, admite que "também nos sentimos muito felizes ao ver aquilo tudo na televisão...[40]".

No exílio, os banidos se espalharam entre México, Europa e principalmente Cuba, também destino de Dirceu, Vladimir e Travassos. Travassos, porém, retornaria ao México. Sem pertencer a nenhuma organização, Dirceu foi fazer treinamento militar com o pessoal da ALN. Era o resultado, explica, da pressão de seus amigos na organização, como Jeová Assis Gomes, José Roberto Arantes e Carlos Alberto Pires Fleury. O treinamento envolvia radiocomunicação, código, tiro, táticas de combate. A parte teórica e a física — marchas. Aprendia-se uma profissão para, uma vez retornando ao Brasil, poder exercê-la, como ganha-pão e fachada legal: fotógrafo, metalúrgico, gráfico, prestação de serviços.

Foi, segundo ele, o básico: conhecer armamentos, movimentos táticos, vanguarda, retaguarda, emboscada, o que é marcha, acampamento, saber atirar, sobrevivência, primeiros socorros... Era possível uma especialização: comunicações, explosivos, coluna guerrilheira. "Eu me especializei em técnica de clandestinidade. Treinei também em Santiago de Cuba."

O ex-guerrilheiro é lacônico quando aborda seus anos em Cuba. A alguns amigos contou seu desconforto com o tipo de instrução militar. Chegou a dizer que se tratava de "um vestibular para o cemitério". Detectava descompasso entre aquilo que se treinava na selva e o panorama brasileiro, onde a guerrilha buscava a duras penas sobreviver nas grandes cidades. Sobre o treinamento militar, pondera: "Sargento é sargento em qualquer exército do mundo: ele está lá pra te ensinar a matar. Se você não for bom soldado, ele vai te castigar".

Nas matas de Pinar del Rio, província distante 157 km da capital, levou um tombo sobre o fuzil que lhe causou uma lesão nos rins. Removido e hospitalizado, convalesceu em Havana, num hotel de trânsito próximo ao Instituto Cubano del Arte e Industria Cinematográficos, o ICAIC, dirigido por seu amigo Alfredo Guevara. Recuperou-se e retornou aos exercícios. Depois, começaram os preparativos para a volta ao Brasil, embora em Cuba todos, por segurança, permaneçam clandestinos, utilizando codinomes, papéis falsos e sendo reservados. Ele, por exemplo, tinha vários documentos frios. Não vivia como o brasileiro José Dirceu, libertado com o sequestro do embaixador...

Como Jeová, Arantes e Fleury, Dirceu se juntaria ao Grupo dos 28 ou Grupo da Ilha ou ainda Grupo Primavera, designações extraoficiais do Movimento de Libertação Nacional, o Molipo, dissidência da ALN fomentada, conforme quadros da organização de Marighella, pelo serviço de inteligência cubano. O rebento da costela da ALN questionava a ênfase militarista da matriz. Pretendia, sem abrir mão das ações armadas, realizar trabalho de massa.

Atualizado sobre o que acontecia na ilha de Fidel, o Centro de Informações da PF estabelecia as diferenças entre as duas organizações. Um documento[41], de 22 de dezembro de 1971, elencava, segundo o Molipo, os erros da entidade-mãe, como a "inexistência de política de quadros" e "realização de ações armadas de repercussão política negativa". E invocava — tocando numa chaga da guerrilha — o justiçamento do militante Márcio Leite de Toledo. Em março de 1971, ele foi executado numa rua dos Jardins, em São Paulo, no primeiro ato do gênero. Obcecado com a segurança após os assassinatos de Marighella e Câmara Ferreira, ambos resultantes de informações extraídas na tortura ou por traição, o comando da ALN deliberou pela eliminação da parte que, a seu juízo, representasse risco para o todo.

OS VENCEDORES

"Se fosse detectado que uma pessoa ia ser presa ou cair, ajudando com informações que levassem à derrubada da organização, oferecíamos a oportunidade de deixar o país, como fizemos com Márcio. Como ele não aceitou, a organização iria justiçar[42]", alegou Clemente, comandante e um dos executores de Márcio.

Os justiçamentos eram o "lado totalmente *dark* da resistência"[43], na tirada do deputado Nilmário Miranda/PT/MG, ex-militante do POC. A ALN também executaria o professor Francisco Jacques de Alvarenga, da Resistência Armada Nacional (RAN), e o ex-marinheiro Carlos Alberto Maciel Cardoso, da própria ALN. Preso, torturado e sob ameaça dos militares de também torturarem sua mãe e sua irmã, Alvarenga *entregou* seu ex-aluno, amigo e militante da ALN, Merival de Araújo. Este foi preso, supliciado, mutilado e morto no DOI-Codi. Acusando o professor pela delação, a ALN decidiu matá-lo. Cardoso, preso, teria aceitado colaborar com a repressão[44] e por isso foi julgado, condenado e morto. Apontado pelo PCBR como o militante que delatou Mário Alves, dirigente da organização assassinado sob tortura, Salatiel Rolim caiu executado pelos companheiros. Também dirigente do PCBR, Jacob Gorender, repudiou o assassinato[45], reparando que Rolim falara sob tortura e não se passara para o inimigo.

O retorno ao Brasil dos guerrilheiros do Molipo resultaria no massacre de dezoito deles. Tão logo chegavam eram localizados, presos e *desaparecidos*. Há diversas teses para a sequência de quedas: traição de um agente cubano que trocou de lado; prisão — e supostamente tortura e morte — de Boanerges de Souza Massa, integrante do grupo, em Pindorama/GO (atualmente Tocantins), no final de 1971, hoje desaparecido político[46]; trabalho do ex-marinheiro José Anselmo dos Santos que dizimou a VPR ou de outro *cachorro*[47].

Dirceu entende que as quedas do Molipo nada tiveram a ver com a traição de Anselmo. "Pelo contrário, o Molipo desconfiava que ele era agente infiltrado." Clemente aponta para duas fontes: Anselmo e o cubano que virou a casaca. Crítico da dissidência do Molipo, que conjectura engendrada por Cuba, assim como a "volta aventureira" ao Brasil num "esquema furado", observa que Havana também acreditara em Anselmo. Diz que, depois de preso no Brasil, o ex-marinheiro teria sido solto e retornara à ilha. "Eu tinha tido um tiroteio com o Anselmo, tinha visto o Anselmo, mandei bala nele. Ele chegou com o Fleury no ponto. E os cubanos continuaram recebendo o Anselmo, que ia ao Chile, a Cuba", relatou[48] a Denise Rollemberg.

Documentos do CIE e do Deops comprovam que a repressão acompanhava, em Cuba e no Brasil, todos os passos do Molipo[49], decidindo por chaciná-lo. Em menos de quatro meses, onze militantes foram mortos sequencialmente e um desapareceu. Dos que partiram de Cuba só sobreviveu quem não foi preso[50]. Os primeiros a *cair* foram Arantes e Ayrton Adalberto Mortatti, aquele assassinado, este desaparecido, ambos presos em 4 de novembro de 1971. Seguiram-se Francisco José de Oliveira, Flávio Molina, Carlos Eduardo Pires Fleury, Ruy Carlos Vieira Berbert, Hiroaki Torigoe, Jeová Assis Gomes, Arno Preis, Frederico Eduardo Mayr, Alexandre Veroes e Lauriberto José Reyes. No final de fevereiro de 1972, todos haviam morrido. Mais tarde, seriam também vitimados Boanerges Massa, Antonio Benetazzo, José Carlos Cavalcanti Reis, Maria Augusta Thomaz, Márcio Beck Machado, João Leonardo da Silva Rocha e Jane Vanini.

Dirceu voltaria a pisar chão brasileiro em 1971. Estava mudado na aparência e na documentação. Na primeira, uma cirurgia plástica em 1970 tornara seu nariz um tanto aquilino. Outra intervenção ergueu-lhe as maçãs do rosto. No passaporte, também não lembrava Dirceu. Ou *Daniel*. O documento fora alcançado pelos Montoneros. Nele, era o "Doutor Hoffmann". Para um clandestino, era um passaporte excelente porque pertencia a uma pessoa real. Dirceu sabia onde Hoffmann morava, a escola que frequentara, seu trabalho, o bairro em que nascera. Foi conhecer a região de Misiones de onde procedia a família. "Estudei o personagem durante meses."

OS VENCEDORES

Permaneceria com o passaporte até 1979. Movendo-se nos subterrâneos, usou vários nomes: Evaristo, Camilo, Eduardo, entre outros. Não ter um nome só serviu para protegê-lo. A repressão procurava apenas por um certo *Daniel*.

Permaneceu oito meses clandestino, principalmente em São Paulo. Morava numa pensão na rua Cavalheiro, bairro do Brás. Seria um dos poucos do Molipo a escapulir da matança[51]. Ocultava-se numa pensão e só saía à rua com sua pistola Browning 9 mm. "Andar armado é problema grave", nota. "Você tem que limpar a arma todo dia. Tem que ter munição, expropriar munição. Tem que treinar tiro. Porque andar armado e não saber atirar é meio caminho para morrer."

Certo dia, no quarto, ouviu as sirenes. E logo um alarido na rua Cavalheiro, exatamente na entrada da pensão. Chegara a polícia e a chance de fugir era zero: a única saída era pela porta da frente. Era uma batida. Chegara a sua hora. Na mão apenas a Browning 9 mm, sem maior poder de fogo. "Ser preso naquela época era igual a morrer na tortura."

Alguns segundos se passaram antes que entendesse que não era ele o alvo. No bar abaixo da pensão desatara-se uma briga e alguém chamara a radiopatrulha.

Na pensão do Brás, apareceu Maria Augusta Thomaz, a *Renata*, estudante da PUC/SP, remanescente de Ibiúna e militante do Molipo. Era ainda ex-companheira de seu parceiro na fundação do cineclube da PUC, José Wilson Lessa Sabag, morto pela repressão em 1969. *Renata* estava ferida. Recebera um tiro que lhe atravessara o corpo mas não atingira nenhum órgão vital. Recuperou-se somente tomando antibióticos. Dirceu a ocultou na pensão e depois outro companheiro passou a escondê-la.

Aos vinte e quatro anos, Maria Augusta possuía rodagem na luta armada[52]. Em 4 de novembro de 1969, mesmo dia em que Fleury e os seus homens emboscaram e mataram Marighella em São Paulo, no aeroporto de Ezeiza, em Buenos Aires, ela e seus companheiros da ALN tomaram um Boeing 707, que seguia para Santiago, desviando-o para Havana.

Em São Paulo, o grupo mesclou ações variadas, desde roubo de armas e carros a pichações e panfletagem. Nas últimas semanas de 1971, a repressão se aguçava e as mortes se sucediam. Depois do episódio da batida no bar, o comando do Molipo resolveu retirar Dirceu do Brasil. Na explicação de Dirceu, o Molipo desistiu de mantê-lo no Brasil porque o custo não compensava o tipo de atuação que tinha, que era de simples soldado. "Era um risco de morrer todo dia. Você está na rua e vem a polícia te pedir documentos. Você está de carro e aparece uma batida policial."

Em 1972, deixou São Paulo rumo a Recife. Tomava-se um ônibus direto para o Nordeste na rua, no próprio Brás. Na pele de executivo, trajando terno e gravata, hospedou-se no hotel Intercontinental. Em Recife, deu-se conta de que o passaporte e o visto estavam vencidos. No hotel indicaram-lhe um despachante. Que classificou seu caso como "muito grave", advertindo-o que estava "em maus lençóis" na condição de estrangeiro com documentação vencida "nesta época no Brasil". E foi ao ponto: "Vai ficar caro, hein?". Cobrou algo como 300 dólares. O suposto Hoffmann reclamou, disse que custaria suas últimas economias, mas resolveu pagar e tudo ficou acertado ali mesmo.

Embarcou para Roma num voo da TAP, com trânsito em Lisboa, que ainda vivia sob a ditadura salazarista. Entre a saída de São Paulo e a chegada à Havana, transcorreram três meses. Na clandestinidade, não se pode chegar ou retornar rapidamente. Todos os movimentos eram cuidadosos, imprescindível iludir os presumíveis perseguidores, fazer contatos em cada país. Sem dinheiro, comeu mal e passou frio em Roma. Não tinha roupas. Procurou a embaixada da Tchecoslováquia. Depois, acompanhou o trajeto tradicional para chegar à Havana, passando por Praga e Moscou. Ficou dois anos em Havana. De meados de 1972 ao final de 1974.

No seu relato, fez de tudo um pouco. Permaneceu clandestino, organizou os militantes do Molipo, fez denúncias de tortura, pesquisou sobre as quedas, o que se chamava *quedograma*. Recebeu pessoas que haviam saído da ALN e ido para o PCB, contatou gente vinda do

OS VENCEDORES

Chile. Treinou para voltar e remontou contatos. No Nordeste eram João Leonardo da Silva Rocha e Ana Corbisier.

Em novembro de 1974, iniciou o processo de retorno. Chegaria só em abril de 1975. Antes, preparou-se. Ficou escondido e isolado. "Todo mundo que se meteu a sair de Cuba sem tomar medida de segurança foi preso. Ou foi recrutado, o que é mais grave."

Seu plano começava por visitar Rondônia e verificar as condições de implantação da guerrilha rural. Área de fronteira. Forasteiros são uma constante e não chamam atenção. Queria plantar cacau. Desembarcou em Recife e cumpriu pontos com João Leonardo e Ana: Recife, Serra Talhada, Arcoverde, Caruaru. Ainda em abril chegou a Maringá, norte paranaense. A 173 km dali, em Umuarama, havia um contato do Molipo, o advogado Ivo Shizuo Sooma. O encontro aconteceu à noite, na estrada entre Umuarama e Cruzeiro do Oeste. Sooma defrontou-se com um homem tenso, cujos olhos "não paravam quietos"[53]. Informado sobre quedas e o acirramento da repressão, Dirceu mudou os planos. "Nessas situações é melhor ficar parado onde você está."

E ficou, pelos cinco anos seguintes, em Cruzeiro do Oeste, distante 28 km de Umuarama. Também região de fronteira, com muito trânsito e caras novas a cada semana. E de bastante gente armada.

A parada estratégica colocou em cena dois novos personagens. O primeiro, *Carlos Henrique Gouveia de Mello*, empresário de sangue judeu que vinha de Guaratinguetá, no Vale do Paraíba, interior paulista, distante 935 km de Cruzeiro do Oeste. Acima do vasto bigode, sobressaía o nariz curvo sobre o qual montavam pesados óculos. Mais um aventureiro de passado obscuro, talvez inconfessável, que aportava à cidadezinha buscando uma segunda chance para recomeçar a vida. Vinha com intenção de investir em pecuária, mas acabou optando pelo comércio.

Estabeleceu-se com uma alfaiataria. Oito meses após, a butique, o Magazine do Homem. Apresentou Cruzeiro do Oeste à grifes famosas de jeans: Staroup, Lee, US Top entre outras. Vendeu sapatos, meias, cuecas, camisas. Abria cedo a loja, trabalhava o dia inteiro.

O negócio deslanchou. Comprou uma casa em três pagamentos: 30, 60 e 90 dias. Simples, de madeira, mas em meio de terreno com sala, cozinha, quarto, banheiro, escritório.

Carlos não ficaria solitário por muito tempo. Namorou Clara Becker, loura vistosa e dona da butique Clara Confecções, e introduzia outro personagem no cotidiano de Cruzeiro do Oeste:

"Quem não conheçe Severina Xique-Xique,
que botou uma butique para a vida melhorar.
Pedro Caroço, filho de Zé Vagamela,
passa o dia na esquina fazendo aceno para ela.

Ele tá de olho é na butique dela!
Ele tá de olho é na butique dela!(...)"

Pedro Caroço é o alter-ego que a rapaziada de Cruzeiro do Oeste, de olho espichado para Clara, providenciou para o forasteiro de Guaratinguetá inspirada no sucesso do forrozeiro Genival Lacerda. Caroço é o sujeito que — "insistente, não desiste, na vontade ele persiste" — trama aplicar o golpe do baú no partidaço Severina. E já em 1975 eles estavam morando juntos e progredindo. *Carlos* inaugura, ao lado do Magazine do Homem, uma pequena confecção. O casal abre mais três lojas, todas pequenas, em Cianorte, Tapejara e Umuarama. Compram também uma casa em Ponta Grossa. "Tudo em nome da Clara". Em seu nome só o Magazine do Homem.

Com papéis falsos, *Carlos* pagava impostos e contraiu empréstimo no Banco Mercantil de São Paulo. Todo mês viajava para uma região diferente do país, como o Vale do Aço e a região do cacau. Em 1979, já podia dizer que conhecia o Brasil.

Carlos e Clara passavam o dia trabalhando e, à noite, estavam os dois em casa. Ela fazia o jantar e ele a ajudava a lavar a louça. Mais tarde, o empresário estudava economia e política. Valia-se de um móvel com fundo falso para dissimular uma microbiblioteca. Mantinha contato com Cuba e o exterior. Recebia cartas em código. Assinava jornais de São Paulo, mas só conversava sobre futebol, especialmente sobre o Corinthians. Quando a prosa tomava outros rumos, esquivava-se dizendo que não discutia nem política nem religião. Soube, mais tarde, que havia somente quatro assinaturas de *Estado de S. Paulo* na cidade, a sua entre elas. "Foi um erro. Deveria ter pedido (o jornal) emprestado para alguém..."

Clara nunca suspeitou de nada. Desconfiava de um problema familiar, talvez relacionado a uma desavença por herança. E dava-se por satisfeita. Mas o prefeito Aristófanes Hatum, o *Tofinho*, ensimesmava-se com o bigodudo e queria saber mais. *Tofinho* avisou a Clara que pediria ao coronel do SNI — personagem que passava nas prefeituras fazendo uma varredura e levantando tudo que fosse suspeito — para investigar o caso de *Carlos Gouveia*. Clara respondeu que conhecia a família Gouveia e que *Carlos* instalara-se em Cruzeiro como decorrência de uma briga familiar. "Ela não sabia nada disso, mas falou. E me salvou."

Disciplinado e metódico, ficou dez anos sem contatar Olga e Castorino em Passa Quatro. Em 1978, quando a repressão recuava, procurou alguns amigos e parentes em São Paulo. Com o passar do tempo, remontou contatos dos tempos de luta armada.

Nas suas incursões paulistanas, *Carlos* evitava ser visto em locais onde seria mais fácil reconhecê-lo. Descia na rodoviária, seguia para o hotel Cruz de Avis, na avenida Duque de Caxias, dali para as compras no comércio popular da rua 25 de Março e voltava. Lembra apenas de uma ocasião em que, ao passar por um antigo companheiro, este desconfiou que, atrás daquele bigode e daqueles óculos, estava o antigo presidente da UEE. O amigo era Marco Aurélio Ribeiro, depois deputado estadual pelo MDB e pelo PT. "Ele viu alguém na (avenida) Brigadeiro Luiz Antonio e achou que era eu. E era verdade."

José Carlos, o filho do casal, nasceu em 1978. E Clara ainda não sabia do segredo do marido. O bebê recebeu o sobrenome Gouveia de

Mello — mais tarde, seria José Carlos Becker de Oliveira e Silva que, seguindo o exemplo paterno, ingressaria na política e no PT[54].

Quando foi aprovada a anistia aos presos políticos em 1979, Dirceu mostrou-lhe a clássica foto dos banidos no Galeão informando a Clara com quem, de verdade, estava casada. Chocada, ela cobrou-lhe ter tido um filho com um pai que não existia. "Se tivesse enviuvado, seria mais fácil esquecer. Mas o *Carlos* não tinha morrido. Estava vivo, só que não era mais o *Carlos*."[55] O casal ainda ficou junto por um tempo, mas acabou se separando. *Carlos*, definitivamente Dirceu, retornou à Cuba para remover a prótese, desfazer a cirurgia e recuperar o semblante oculto.

Saiu por Congonhas. Havia um voo da Aeroperu que fazia o percurso São Paulo-Lima. Foi para Buenos Aires e, depois, a Lima. "Os cubanos estavam me esperando em Lima, onde troquei toda a documentação pra ir pra Havana." Tomaria um susto e tanto na viagem. O avião, um DC-10, acidentou-se na escala da Cidade do Panamá. Voava a pequena altura, preparava-se para aterrisar e o piloto, receando perder a pista, soltou o avião. Ninguém se feriu gravemente.

Sua segunda vida em Cruzeiro do Oeste só viria a tona em 1986, quando se elegeu deputado estadual. Até 1985, ainda andava armado. Em 1979, envolveu-se com a fundação do PT. Apresentado por Frei Betto, aproximou-se de Lula. Retomando a vida política, embarcou na campanha das Diretas Já. Reencontrou-se, então, com um velho conhecido de Cruzeiro, o narrador esportivo Osmar Santos, locutor oficial dos comícios da campanha Brasil afora.

Osmar e família moraram no Paraná. Um dos irmãos do locutor era cliente do Magazine do Homem. Durante toda a campanha, Osmar viajou e trabalhou ao seu lado ignorando que Dirceu e *Gouveia* fossem a mesma pessoa. "Então, num almoço, eu falei coisas dele e da cidade e o Osmar começou a ficar assustado. Como é que eu sei disso? Aí ele lembrou do Pedro Caroço." Depois disso, sempre que narrava um jogo do Corinthians e o clube de Dirceu tomava um gol, Osmar dava o recado no rádio: "Ô, Pedro Caroço! Seu time está perdendo..."

Em 1990, Dirceu elegeu-se para a Câmara dos Deputados. Quatro anos depois concorreria ao governo paulista. Chegou em terceiro, atrás do vencedor Mário Covas (PSDB) e de Francisco Rossi (PDT). Reelegeu-se em 1998 e 2002. Neste último ano, foi o coordenador-geral da campanha presidencial de Luiz Inácio Lula da Silva. No PT, foi eleito três vezes presidente nacional. O que lhe valeu a fama de arrogante e duro. "Eu, duro? Eu construí a maioria democraticamente. Nunca ganhei nada no PT com menos de 52% ou 53% dos votos."

Com Lula presidente, Dirceu renunciou à presidência do PT. Argumenta, hoje, que poderia ter optado por ficar na Câmara mesmo sendo presidente do partido. "Poderia ter ficado infernizando a vida do Lula como o Ulysses na Câmara, infernizando a vida do Sarney. Mas eu optei por ir pro governo e assumir as responsabilidades" — pondera.

Incomodado com a percepção de seu poder no governo Lula, reclamou ao *publisher* Octavio Frias de Oliveira, da *Folha de S.Paulo*. Acusou a *Folha* de, na época, criar para o chefe da Casa Civil uma imagem de "sombra". Num jantar, procurou o *Seu* Frias. "O senhor sabe que fui eleito presidente do centro acadêmico na rua, com tropa de choque, cavalaria, força pública jogando bomba de gás lacrimogênio e espancando estudante? Que fui eleito presidente da UEE da mesma maneira? Que fui eleito deputado estadual, deputado federal e presidente do PT em eleições diretas? E (a *Folha*) me chama de 'sombra'?" E prosseguiu: "Sou presidente do PT por sete anos, ganhamos a Presidência da República e seu jornal vai me chamar de 'sombra'?". Com amargura, afiança que nunca foi vítima de arrogância "e sim da inveja daqueles que me perseguiram e me condenaram. É a vida".

Na chegada à Casa Civil em 2003 viu apenas terra arrasada. "Era uma concepção de governo neoliberal, de estado mínimo. Quem comandava o governo era a Fazenda, o Banco Central..." A transição foi ótima mas... "pegamos o país com desemprego, baixo crescimento, falta de credibilidade internacional, com o Brasil quebrado duas vezes".

Em 2004, estourou o escândalo Waldomiro Diniz, ex-assessor da Casa Civil, que aparecia em vídeo pedindo propina ao contraventor Carlos Augusto Ramos, o *Carlinhos Cachoeira*[56]. As imagens eram de 2002, quando Diniz servia à gestão carioca de Anthony Garotinho/Benedita da Silva, mas a conta foi cobrada do governo federal. "O Lula não era presidente, eu não era chefe da Casa Civil. O Waldomiro não era meu braço direito nem nada. Era subsecretário para assuntos parlamentares", queixa-se.

Depois daquela amostragem, anteviu uma crise política fomentada pelos seus adversários para afastá-lo do Planalto. Pensou seriamente em deixar o governo no final daquele ano e retornar à Câmara. A intenção vazou e muita gente pediu para que mudasse de ideia. Conta que houve uma romaria à Casa Civil, incluindo Antonio Carlos Magalhães, José Sarney, Leonel Brizola e Miguel Arraes para que não saísse da Casa Civil. "E eu cometi o erro de não sair."

Com a perda do *timing*, partiu em condições muito mais desfavoráveis, pós-eclosão do Mensalão. Afastou-se da Casa Civil em junho de 2005 e retomou o mandato de deputado federal. Que veria cassado pela Câmara em dezembro por 293 x 192 votos. A última bordoada viria com a decisão do Supremo Tribunal Federal em 17 de dezembro de 2012: a condenação a 10 anos e 10 meses de prisão por corrupção ativa e formação de quadrilha[57]. Favorecido pela decisão do STF quanto à validade dos embargos infringentes, promete brigar até o fim. "Nunca me senti injustiçado em 1968 porque estávamos numa ditadura. Agora, virou uma farsa. Foi um julgamento político e vai continuar sendo. Mas será desmascarado. Aliás, já está começando a ser." É possível que o vaticínio seja correto. A reiterada disposição do presidente do STF de negar-lhe benefícios a que teria direito, parece começar a inverter os papéis de vilão e vítima nesta narrativa que começou em 2005. Processo alavancado, ainda mais, pela sucessão de conflitos — com os advogados dos réus, com a OAB, com os seus confrades de toga, com jornalistas — semeados pelo destempero de Barbosa.

A cadeia não o assusta. Dirceu afirma-se mais preocupado "com a infâmia de dizerem que sou o homem mais corrupto do Brasil", com a pecha de chefe de quadrilha que atentou contra a democracia, que comprava deputados. "Estou preocupado é com essa história."

Há nove anos se defende. Reitera que os recursos não foram desviados, que os serviços encomendados foram realizados e pagos, que não houve envolvimento de dinheiro público porque o dinheiro da Visanet[58] não pode ser considerado assim. Bate e rebate na tecla da injustiça, do prejulgamento e da condenação sem provas. Percebe que o objetivo da mídia, da campanha e do julgamento "é destruir qualquer vestígio de humanidade na minha pessoa. É apagar a minha história". Reclama que não teve direito à presunção da inocência. Que o fato de inexistirem provas contra ele nunca importou. "Não se pode rever penas mesmo com erros. É pra me condenar."

No final de 2013, não alimentava ilusões de retomar a carreira parlamentar. Fazia as contas e calculava que, se fosse cumprir sua pena integralmente, ao sair estaria com 78 anos. Quanto à multa que recebeu — R$971.128,92 — apelou, a exemplo de Genoíno, ao mutirão de doadores como forma de pagá-la. Apesar dos percalços, advertia: "A vida dá muitas voltas".

Foi assim com *Mateus*. Mas, na primeira volta da vida, o mundo desabou na sua cabeça.

Da esquerda para a direita, 13 dos 15 libertados em troca do embaixador norte-americano: Luiz Travassos, José Dirceu, José Ibrahim, Onofre Pinto, Ricardo Vilasboas Sá Rego, Maria Augusta Carneiro, Ricardo Zaratini e Rolando Fratti. Agachados estão João Leonardo da Silva Rocha, Agonalto Pacheco da Silva, Vladimir Palmeira, Ivens Marchetti e Flávio Tavares. Também subiriam no avião Hércules 56 rumo à Cidade do México, os banidos Gregório Bezerra e Mário Zanconato.

© Arquivo do Estado de São Paulo

No Rio, São Paulo e nas principais cidades brasileiras, a rebelião estudantil já fermentava desde 1966 com greves e passeatas, mas 1968 foi o grande ano das mobilizações

OS VENCEDORES

Nas manchetes, dois momentos de tensão em 1969: o golpe dentro do golpe, quando a junta militar assume o poder; e o sequestro do embaixador dos Estados Unidos

Magalhães Pinto, chanceler da ditadura, com o sequestrado Burke Elbrick

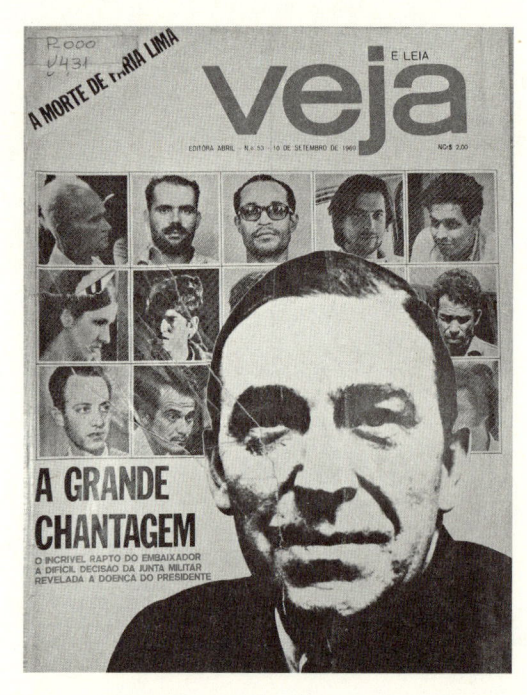

A captura de Burke Elbrick pelo consórcio ALN-MR-8 serviu como chave mestra para abrir 15 celas de presos políticos. O sucesso da empreitada estimularia outros empreendimentos do gênero

OS VENCEDORES

Consuelo de Castro transformou em peça e livro os namoros e percalços do Ronnie Von da Maria Antonia. *Ao lado, Fidel Castro que Dirceu e Travassos (na foto, sendo levado preso) planejavam visitar em 1966 e acabaram conhecendo três anos depois por arte da ALN e do MR-8*

Dirceu, ainda Carlos Henrique, com óculos e bigode, reunido com a família em aniversário na Cruzeiro do Oeste dos anos 1970

OS VENCEDORES

Braço erguido e punho fechado. Saudação revolucionária ao se apresentar em novembro de 2013 à PF em São Paulo: "A história tem muitas ironias"

*Mateus nos anos 1960.
Para ele, 1964 foi um choque:
"Como se o mundo tivesse
desabado na minha cabeça"*

CAPÍTULO 10

Sartre, Glauber e Bertolucci na guerrilha

1964 olhou no olho de *Mateus* no começo da noite do dia 31 de março, quando ele passava pela avenida Angélica, em São Paulo, e nem mesmo era conhecido por esse nome que a guerra e a vida lhe imporiam. Na frente da Superintendência de Política Agrária, a Supra, havia uma balbúrdia. Rapazes de cabeça raspada e armas na cintura andavam pra lá e pra cá controlando o trânsito e arrojando na calçada os arquivos do órgão federal que cuidava das questões da terra em São Paulo. Dava-se ali uma vingança. Até aquele instante em que os documentos começaram a voar pelas janelas, a Supra ajudara a organizar 252 sindicatos camponeses no estado, nove vezes mais do que a meta que previa atingir[1].

Quem chefiava a Supra paulista era o escritor Mário Donato. Penalizado pela miséria e temendo uma insurreição dos caboclos, Donato resolvera peitar a situação: além de incentivar a formação e o fortalecimento de sindicatos, alfabetizou os trabalhadores através do método Paulo Freire e despachou equipes para esclarecê-los quanto aos seus direitos. Agora, chegava a conta. Dezesseis anos antes, quando a militância social cedia espaço para a literatura, Donato sentira a mão pesada do conservadorismo. Em 1948, seu romance *Presença de Anita*[2], que palmilha a paixão arrasadora de um homem maduro por uma ninfeta, lhe valera a excomunhão da Igreja Católica. O que o acossava agora era a excomunhão da vida pública.

Aquilo diante de *Mateus* era o ato inicial de um drama que faria outras vítimas não de papel, mas de carne e osso. Donato fugiu para não ser preso, outros diretores foram acuados, e a Supra, desmantelada. Sobrou inclusive para *Mateus*, estudante do terceiro ano de Direito na Faculdade do Largo de São Francisco. Ele integrava os grupos de sindicalização rural. Como não destruíram todos os arquivos, o seu nome apareceu. Por conta disso, seria preso e condenado. "Seria melhor (ri) que tivessem destruído tudo aquilo..."

Se a véspera fora degradante, o 1º de abril, quando o golpe, de fato, inteirou-se e cumpriu seu objetivo, seria pior. Pela manhã, ao chegar à faculdade, deparou-se com dois amigos surrados pelo CCC. Eram José Roberto Melhem e Flávio Bierrenbach. Ao longo dos anos e, ao contrário de seus espancadores submersos no anonimato, as vítimas construiriam uma trajetória apreciável. Advogado e escritor, Melhem chefiaria por uma década o Conselho de Defesa do Patrimônio Histórico de São Paulo. Diretor da UNE, Bierrenbach, naquele mesmo 1964, iniciaria sua carreira de advogado. Deputado estadual e federal pelo MDB, galgaria, em 1999 e na democracia, o posto de ministro do Superior Tribunal Militar (STM). Porém, naquele momento, ao encontrar os dois amigos agredidos pelos próprios colegas de curso, *Mateus* sentiu um baque. "Foi como se o mundo tivesse desabado na minha cabeça. No 1º de abril a faculdade já estava tomada pela extrema-direita."

No ano seguinte, Melhem iria recrutá-lo para o clandestino PCB. E, em abril, pegaria a primeira cadeia. Um ano depois do quebra-quebra na Supra receberia, finalmente, a cobrança do ativismo na sindicalização rural: dois dias de prisão e um processo penal. Considerando-se os tempos, saiu barato porque, então, ainda havia o *habeas corpus*. "As pessoas hoje não têm ideia da falta que faz o *habeas corpus*. Acham que é uma formalidade quando ele significa toda a diferença", repara.

A segunda prisão aconteceria no congresso da União Estadual de Estudantes em São Bernardo do Campo, em setembro de 1966. Na verdade, ele não chegou sequer a botar os pés no encontro. Sua viagem parou na estrada, numa barreira montada pelo Dops. O agente se aproximou do carro e indagou:

— Onde é que o senhor vai?

No aperto, o cérebro recorreu ao estômago, invocando a maior atração da cidade do ABC: o restaurante São Judas Tadeu, de portas abertas desde 1949, e que se orgulhava de servir o melhor frango com polenta do Brasil.

— Vou comer um franguinho, o famoso frango de São Bernardo!

— Franguinho, coisa nenhuma, ô comuna! Você tá preso!

O congresso terminou sem frango, sem polenta e com 178 estudantes detidos. *Mateus* tomou uma semana de xadrez.

A terceira visita ao xilindró sobreveio em 1967, quando presidia o centro acadêmico da faculdade, o XI de Agosto. Os estudantes decidiram eleger o presidente da UEE no voto direto. José Dirceu, da Dissidência Estudantil do PCB concorria contra Catarina Melloni, da AP. Dirceu levou a UEE com o voto de *Mateus*.

Encarregado do recolhimento das urnas, *Mateus* estava no centro acadêmico ao lado de Ruy Falcão, da mesma corrente depois presidente nacional do PT, quando foi apanhado. Na saída, a viatura policial o esperava. No início, resistiu. Era noite, e se debateu para não ser levado. Um colega, Jaime Cavalcanti, presenciou o tumulto. Preocupado, foi até o motorista de um carro que estava parado ali, explicou que o amigo fora preso e que não sabia o que poderia acontecer. O motorista foi gentil. Disse que não havia problema, que entrasse e que iriam atrás do companheiro.

Quando o camburão estacionou no prédio da Polícia Federal na rua Maranhão, Jaime agradeceu. Estava descendo para ver o que conseguia fazer, quando o sujeito falou: "Nada disso, você está preso!". O motorista era um policial...

Essa tragicomédia teria implicações aflitivas: na hora de fichar os detidos, os policiais trocaram a fotografia de *Mateus* pela de Jaime. A trapalhada revelou-se colateralmente calamitosa. Dois anos mais tarde, quando o nome de *Mateus* passou a figurar nos cartazes de "Procurados" afixados em toda parte, o rosto que aparecia não era o dele, mas sim o de Jaime.

Corria o agosto de 1967 e a UNE realizou mais um congresso, o 29º, às escondidas. Aconteceu num convento dos irmãos beneditinos, em Valinhos, interior paulista. No embate, Luis Travassos, da AP, virou presidente. Embora contando com 400 delegados de toda parte do país, passou desapercebido pela repressão. No dia seguinte, achou-se por bem organizar uma brevíssima apresentação à imprensa da nova direção. Constituída por várias tendências, a direção seria apresentada em São Paulo. Deu errado. "Quando eu estava chegando ao centro acadêmico, fui barrado na porta pelo CCC. Fui preso pelos meus colegas, um deles da minha própria aula..."

Entregue à polícia, ficou trancafiado durante uma semana nesta que foi a sua quarta prisão. O sumiço do presidente do XI de Agosto rendeu até matéria em jornal numa época em que o regime ainda cultivava certa tolerância, ao menos com a estudantada. O desaparecimento virou a primeira matéria de um repórter novato, o escritor Fernando Morais, que estava começando no *Jornal da Tarde*.

Reunido em 1967, ano do cinquentenário da Revolução de Outubro, o VI Congresso do PCB não tinha muito o que comemorar. Reiterava a linha pacifista. E os camaradas Carlos Marighella, Joaquim Câmara Ferreira, Apolônio de Carvalho e Jacob Gorender, entre outros quadros históricos, foram barrados na assembleia por advogarem ações armadas. A legenda se esgarçava e espoucavam dissidências, a mais crucial em São Paulo, com Marighella e Câmara Ferreira.

Mateus desembarcaria do PCB, indo frequentar a esquerda da sigla em rota de colisão com o comitê central que envergava a denominação provisória de Agrupamento Comunista de São Paulo. No ideário da organização, o primeiro dever do revolucionário é fazer a revolução, ou seja, agir, porque "a ação faz a vanguarda".

OS VENCEDORES

Três meses antes, o Agrupamento emplacara sua primeira morte. A vítima tinha perfil de algoz. Atormentados pelo grileiro *Zé Dico*, cognome de José Gonçalves da Conceição, posseiros do Oeste paulista recorreram a um antigo companheiro de *Mateus* na Supra, o advogado Cícero Silveira Vianna. *Zé Dico* e sua horda de capangas eram a lei no faroeste do Pontal do Paranapanema, território de grilagem desbragada, e ainda hoje, epicentro de conflitos agrários na confluência dos estados de São Paulo, Paraná e Mato Grosso.

Apossavam-se ilegalmente das glebas e cobravam arrendamento dos pequenos agricultores. Quem não pagava, caía na mão da jagunçada: plantações incendiadas, animais roubados, famílias expulsas. Pintado como um sujeito de rompantes, sempre de trabuco na cintura e relho na mão, *Zé Dico* compunha um personagem que embaralhava fatos e rumores, a ponto de não se distinguir onde terminava a verdade e iniciava a lenda. Conta-se que seu método favorito para se livrar dos cadáveres dos desafetos era enfiá-los dentro de um boi abatido, sem a carne e as vísceras, mas com o couro, e costurá-los.

No império da espingarda, com a polícia local fazendo ouvidos moucos às queixas, urgia dar um basta naquilo. Era o que imploravam os lavradores a Vianna. E os cabeças do que viria a ser a ALN não se fizeram de rogados.

Coube a Edmur Péricles Camargo, vulgo *Gaúcho* (embora fosse paulista), propiciar a *Zé Dico* a sina de suas vítimas. Veterano do PCB, cinquenta e dois anos, conhecia o Pontal. Em 1951, travou-se ali, do lado do Paraná, a *guerra* de Porecatu[3], opondo posseiros contra jagunços e policiais. O Partidão reforçou a resistência da caboclada com o deputado federal cassado Gregório Lourenço Bezerra, cinquenta anos, e o funcionário do partido João Alves Jobim Saldanha, de trinta e três, antifascista desde os dezoito e comunista aos vinte e cinco. Por uma dessas piruetas da história, Saldanha treinaria a seleção canarinho em 1970, auge do regime militar. Cederia o posto a Zagallo depois de se indispor com o general Garrastazu Médici que, além de mandar e desmandar no país, mandava também no futebol. No Pontal, *Gaúcho* fora companheiro da dupla.

Na madrugada de 24 de setembro, ele transpôs o arame da fazenda Bandeirante, desfechou cinco tiros em *Zé Dico* e ainda baleou o filho adolescente do grileiro[4]. Antes de existir formalmente, a Ação Libertadora Nacional estreava na luta armada de classes.

A sigla ALN ecoava o *Armée de Liberatión Nationale*, que lutara pela independência da Argélia. Porém, repercutia mais afinadamente a ANL ou Aliança Nacional Libertadora, a frente antifascista dos comunistas brasileiros e seus aliados pré-Segunda Guerra Mundial.

Na ALN, Aloysio Nunes Ferreira Filho rebatizou-se *Mateus*. Subsidiariamente, o ex-ministro da Justiça no mandato Fernando Henrique Cardoso, senador do PSDB e líder da oposição ao governo Dilma Rousseff, encarnou também *Lucas* e moveu-se de uma fronteira a outra com um passaporte *frio* onde se apresentava como *Carlos Sampaio*. De quebra, era também *Lulu*, alcunha que Marighella lhe pespegou.

Aloysio andava armado, dirigia carros nas expropriações, servia como motorista para Marighella mas, afiança, nunca se meteu em tiroteios. Estava mais focado na logística e no planejamento de cada investida. Na mais espetacular da qual participou, a ALN levantou 108 mil cruzeiros novos ou nada desprezíveis R$ 770 mil nos dias que correm. Às 7 horas da manhã de sábado, 10 de agosto de 1968, cinco homens do Grupo Tático Armado (GTA) da organização subiram no trem Santos-Jundiaí, uma composição com nove vagões. Dos nove, seu zelo era especialmente atraído pelo vagão postal. Nele viajavam três malas e, nelas, o dinheiro do salário mensal dos 1,8 mil funcionários da Companhia Paulista de Estradas de Ferro.

Elaborado por Marighella — que, a custo, foi convencido a não participar da abordagem — o plano era relativamente simples: acionar o freio de emergência, invadir o vagão postal, dominar a guarda, pegar as malas e descer nas imediações do bairro de Pirituba, periferia da capital, onde os carros da ALN aguardavam os cinco e o butim. Quando Pirituba se aproximava, o ex-marinheiro Elio Ferreira Rego acionou a alavanca, mas o comboio ignorou o comando e seguiu em frente. Nesse ínterim, o chefe do GTA, Marco Antonio Braz

OS VENCEDORES

de Carvalho, o *Marquito*, de metralhadora em punho, secundado pelos estudantes de direito João Leonardo da Silva Rocha e Arno Preis, estava no vagão com o assalto anunciado e o guarda ferroviário dominado, desarmado e acocorado. Como o trem não parava, ao contrário acelerava, *Marquito* resolveu puxar outra alavanca e, só então, o mecanismo deu resposta. Os cinco saltaram no quilômetro 91 da ferrovia e tiveram que caminhar um bocado até encontrarem os dois fuscas que os esperavam na estrada de Jaraguá[5]. Um terceiro carro, com dois integrantes, fazia a cobertura.

Motorista de um dos fuscas e armado com uma carabina Winchester, Aloysio carregou e escondeu a grana na casa do casal Guariba, a diretora de teatro Heleny e o professor Ulysses, enquanto o estudante de filosofia João Antonio Abi-Eçab, que pilotava o segundo automóvel, incumbiu-se de sumir com as armas. A polícia demorou para saber do que se tratava, imputando a ação, sem mortos, sem feridos e mesmo sem tiros, a uma tal Quadrilha da Metralhadora[6].

Aloysio qualifica a ação como "ousada, bem planejada e um salto de qualidade". Sem esquecer que "contou com a sorte também porque o freio do trem funcionou, o que era uma raridade".

Seu segundo grande momento no GTA veio dois meses mais tarde. Na manhã de 10 de outubro, o DKW Vemag, modelo Fissore, que transportava valores para a indústria de máquinas agrícolas Massey Ferguson, embrenhou-se por caminhos estranhos, alheios àqueles que costumava percorrer para driblar eventuais ladrões na capital de São Paulo. Estranhamente, várias ruas do bairro paulistano de Pinheiros estavam interditadas, e era imperioso optar por aquelas livres dos habituais cavaletes que indicavam trânsito interrompido. E assim o Fissore foi se encaminhando para o fundo do alçapão. A certa altura do trajeto, bastante ermo, onde rareavam as casas e o tráfego, o motorista ouviu o trilar do apito da guarda civil e parou. Quando ainda se coçava para entregar a carteira de habilitação, veio a surpresa: o guarda não queria documento algum, mas o dinheiro que transportava. Fardado de azul-marinho e quepe branco e interpretando o policial estava um dos assaltantes do trem, Arno Preis. No mesmo instante, brotaram do nada três homens armados, estes sem uniforme. A ALN levou o Fissore e mais 73 mil cruzeiros novos, algo como R$ 510 mil na moeda que vale agora. Aloysio, de novo, estava na retaguarda. Mas participara ativamente da preparação. "A concepção da ação foi minha", diz. Levantou o local e o trajeto. Na noite da véspera, ele e Itoby Alves Correia Junior recolheram cavaletes do trânsito pela cidade para usá-los na empreitada.

O lugar onde a armadilha se fechou foi a Estrada Grande das Boiadas, nome antigo da atual avenida Diógenes Ribeiro de Lima. "Era um lugar onde recém estava começando a urbanização. Então era fácil direcionar e isolar o DKW da Massey..." Aloysio ficou numa camioneta Rural Wyllis, na praça Benedito Calixto, em Pinheiros, à espera do desfecho. Transportou o dinheiro e as armas e providenciou o transbordo dos companheiros para outros carros.

De novo uma operação-relâmpago e limpa, dispensando tiros ou vítimas. Nem sempre seria assim. Três anos depois, o assalto à Casa de Saúde Dr. Eiras, no Rio, de propriedade do ex-ministro de Costa e Silva e da Junta Militar, Leonel Miranda, deixaria um rastro de sangue. Faltavam dez minutos para as 16h na quinta-feira, 2 de setembro de 1971, dia do pagamento dos funcionários, quando sete homens e três mulheres da ALN chegaram à clínica, em Botafogo. Entre os guerrilheiros e sua meta — 80 mil cruzeiros — estavam o chefe da segurança, Cardênio Jaime Dolce e os guardas Silvano Amâncio dos Santos e Demerval Ferreira dos Santos. Mataram os três. Um médico e um enfermeiro ficaram feridos.

Em 1971, Aloysio estava longe dessas tropelias. Fugira do país ainda em 1968 e antes da decretação do AI-5. Sua advogada, Anina Alcântara Carvalho, soube que a promotoria da Justiça Militar iria requerer a prisão preventiva do representado e que o juiz iria concedê-la. Tudo ainda com base nas antigas pelejas do movimento estudantil. Aí, saltou fora. No dia seguinte à viagem, foi decretada sua prisão. Seria condenado a três anos de prisão, com base na Lei de Segurança

OS VENCEDORES

Nacional e no Código Penal Militar, incluindo as atividades dentro da ALN. E mais dez anos de privação dos direitos políticos.

Valeu-se de uma bolsa de estudos, obtida com a intercessão do deputado federal Renato Archer, do MDB e secretário-geral da Frente Ampla — arco de políticos que ia do centro à direita e tateava uma solução civil para o Brasil[7] — e mandou-se para Paris.

Com a bolsa, viveu o primeiro ano na França e, depois, arrumou emprego. O sociólogo Florestan Fernandes deu-lhe uma carta para entregar a Celso Furtado. Conseguiu assim cursar economia na Universidade Paris 8.

Dividia-se entre seu trabalho no *Institut International de Recherche et de Formation, Éducation et Développement*, o Irfed, atual *Centre International Développement et Civilisations*, fundado pelo padre e economista Louis-Joseph Lebret, e as articulações para apoiar a luta armada e denunciar a ditadura. Militou na Frente Brasileira de Informação, onde a grande aglutinadora era a socióloga Violeta Arraes, irmã do ex-governador Miguel Arraes, de Pernambuco, então exilado. Ex-presidente da Juventude Universitária Católica, a JUC, Violeta era a *Rosa de Paris*. Sua casa e de Pierre Gervaiseau, seu marido, operava como local de referência para os ativistas e políticos brasileiros, sem importar a sigla, mais um contingente de artistas e intelectuais proscritos... A rede era ampla e ia além da esquerda, abarcando comunistas, trotskistas, socialistas, católicos, protestantes de esquerda, maoístas e liberais.

A princípio, Aloysio deveria seguir para Cuba para treinar guerrilha. Mas com a gravidez de sua então mulher, Vera Tude de Souza, também militante, os planos mudaram. Foi falar com Marighella, que lhe disse: "Você vai depois. Deixa nascer".

Em 1969, chegariam as gêmeas Adriana e Gabriela. E o casal acabou ficando mesmo na Europa. Aloysio virou uma espécie de ministro de relações exteriores da ALN. Através de dois contatos-chave — Alfredo Guevara, diretor e fundador do Instituto Cubano de Arte e Indústria Cinematográfica (Icaic) e Gianni Amico, roteirista e cineasta italiano — lhe foram abertas as portas da intelectualidade europeia mais sensível à tragédia dos países do terceiro mundo. Teve acesso aos diretores franceses Jean-Luc Godard e François Truffaut e aos italianos Bernardo Bertolucci, Michelangelo Antonioni e Pier Paolo Pasolini, além do senador Lelio Basso, da esquerda do Partido Socialista Italiano (PSI).

Com cadeira no Tribunal de Opinião Bertrand Russell[8], que expôs e julgou os crimes de guerra cometidos pelos norte-americanos no Vietnã, Basso instituiria uma segunda edição da corte internacional para eviscerar a matança desencadeada na América Latina, particularmente no Brasil e no Chile. O que abespinhou os quartéis. O ministro do Exército, Sylvio Frota, queixou-se de que o tribunal "em um paroxismo de ódio"[9] levou ao extremo "a afronta de pedir que se julgasse e processasse os torturadores brasileiros".

O leque de personalidades simpáticas à ALN e seu ofício alargava-se para acolher o ator e *chansonnier* Yves Montand, os cineastas Costa-Gavras e Luchino Visconti, duas estrelas de primeira grandeza das barricadas de 1968, Daniel Cohn-Bendit e Rudi Dutschke, e o pintor catalão Joan Miró, entre outros menos votados. Visconti e Miró ajudariam financeiramente a organização. Desterrado e no auge da carreira, o baiano Glauber Rocha, na casa de Amico, em Roma, manifestou o propósito de colaborar com o conterrâneo Marighella. Comprometeu-se a arregimentar apoios na área de cinema e televisão, mas queria um codinome. Itoby Alves Correia Junior, enviado por Aloysio, fez troça e sugeriu-lhe "Severino". Glauber retrucou que aquilo era "humor de paulista"[10].

O filósofo, dramaturgo e escritor Jean-Paul Sartre e sua mulher, a também escritora e filósofa Simone de Beauvoir, um dos casais mais ilustres do século XX, não ficaram imunes à sedução da ALN. Famosos igualmente pela militância e o casamento aberto, Sartre e Beauvoir foram arrebatados pelo romantismo revolucionário. Aloysio teve dois encontros com Sartre. Um deles em Roma, onde também estava Simone. A segunda vez foi em Paris, no apartamento do filósofo. "Ele me apresentou ao Claude Lanzmann, diretor da revista *Les Temps Modernes*. O Lanzmann, aliás, era amante da Simone (ri)..."

OS VENCEDORES

O encontro resultou na publicação de cinco textos de Marighella e da ALN em *Les Temps Modernes*, que desfrutava de alta reputação entre a *inteligentsia* europeia. Laureado com o Nobel de Literatura em 1964, comenda que rejeitou, Sartre iria se arrepender de ter recusado os US$ 100 mil com os quais poderia ajudar as organizações de luta armada do Brasil e da América Latina. Lars Gyllensten, ex-integrante da Academia Sueca, revelou em suas memórias que, em 1975, durante a Revolução dos Cravos em Portugal, Sartre solicitou a premiação, mas a verba já havia retornado aos fundos da instituição.

Mais recursos desaguariam na ALN não fosse o pé-atrás de Marighella. De apelido *Bom Burguês* e simpatizante do PCB, o bancário carioca Jorge Medeiros do Valle[11] subtraiu valores entre US$ 2 e US$ 4 milhões da agência Leblon, do Banco do Brasil. A dinheirama repousaria numa conta numerada no Handels Bank, da Suíça. Valle chegou a Paris em julho de 1969 para alojar a família no charmoso 16º *arrondissement* e procurou Aloysio. Disse que tinha "um esquema no banco" e poderia dar dinheiro para a revolução. Queria saber como fazer.

O homem da ALN em Paris enviou uma carta relatando a oferta a Marighella, que retorquiu apelando para a sabedoria popular: "Quando a esmola é demais o santo desconfia", objetou. E a ALN ficou sem os dólares. Consta que outros companheiros, igualmente dissidentes do velho PCB e que empunharam armas contra a ditadura, porém a bordo do Partido Comunista Brasileiro Revolucionário (PCBR), receberam contribuições do *Bom Burguês* e não tiveram razões para se arrepender.

Sem o dinheiro do *Bom Burguês*, mas com prestígio na esquerda francesa, o comandante da ALN recebeu a capa de *Front* em novembro de 1969. "Carlos Marighella *nous declarait*: "Le Brésil sera um nouveau Vietnam" gritavam as palavras tomando toda a primeira página da revista. A entrevista fora feita no final de setembro em São Paulo pelo jornalista belga Conrad Detrez, velho conhecido dos dominicanos.

Otimista, Marighella descreve a guerrilha urbana, acuada pelas quedas, torturas e infiltrações e o poderio avassalador do oponente, como tendo obtido a cumplicidade da população. Jornais, rádios e TVs crucificam a resistência armada e os resistentes tachando-os de "terror" e "terroristas", o que fazem por afinidade com a ditadura ou premidos pelo medo, porém Marighella assegura que "a imprensa clandestina avança". Sustenta que "a cidade reúne, pois, as condições objetivas e subjetivas para que se possa desencadear com êxito a guerrilha". O Inimigo Número 1 da ditadura confessa ser inspirado pelas revoluções cubana e vietnamita, promete que a guerrilha rural surgirá em vários pontos do país, prognosticando que o Brasil será "um novo Vietnã". As dificuldades não embotam seu humor sarcástico quando explica que a ALN deseja que o Exército brasileiro "adquira armamento moderno e eficaz" porque "nós o tiraremos dele"...

Marighella nunca veria a *Front* onde irrompe como o profeta armado da revolução brasileira. No princípio de uma noite de primavera o guerrilheiro se encaminhou a passos largos rumo a essa impossibilidade.

Cinquenta e sete anos e onze meses antes dessa última caminhada noturna, ele nasceu em Salvador, filho do ferreiro, depois mecânico, italiano Augusto Marighella e da negra Maria Rita dos Santos. Ele cruzara o Atlântico em 1907, oriundo da Emilia Romanha, norte da Itália. Ela, da etnia hauçá, viera ao mundo em terras baianas, um oceano e meia África distante do Sudão de seus ancestrais. Na escola, a irreverência do adolescente Carlos angariou-lhe popularidade e alguns contratempos. Um dia, apareceu com o cabelo cortado de um só lado, outra vez raspou o entorno da cabeça, deixando no alto um corte à maneira dos frades capuchinhos. Quando o ginásio Carneiro Ribeiro o impediu de frequentar as aulas usando sandálias, adotou sapatos, mas cortou-lhes o bico deixando os dedos a descoberto apenas para irritar a direção. E argumentou: "Se Jesus Cristo andou de sandálias, por que me proibir?"[12]. É de se imaginar o espanto que a petulância daquele mulato italianado suscitou na provinciana Salvador dos anos 1920.

Leitor de seus conterrâneos Castro Alves e Gregório de Matos, abraçou a poesia para dar vazão ao espírito zombeteiro. Seus alvos preferidos eram os professores do Ginásio da Bahia, colégio público cujo ensino havia sido revolucionado pelo educador Anísio Teixeira, depois fundador da Universidade de Brasília (UnB) junto com o antropólogo Darcy Ribeiro e encontrado morto em circunstâncias muito estranhas sob a ditadura militar[13]. Da zombaria do aluno não escapou seu professor de matemática, Tito Vespasiano Augusto César Pires, com essa identidade que empilhava imperadores e se abotoava com um prosaico sobrenome luso. Na quadrinha sarcástica, achincalhou: "Contra esse lente, seu mano/ diz um verme, não te atires/ É todo o Império Romano/ ressuscitado num pires"[14].

A poética do pré-revolucionário espichou-se para as aulas de física e química. Desafiava as provas com o apoio decidido das musas. Aos dezessete anos, de improviso, respondeu o ponto sorteado "Catóptica, leis de reflexão e sua demonstração, espelhos, construções de imagens e equações catópticas" valendo-se de figuras e de um extenso poema que trazia no seu bojo versos como:

"(...) Doutor, a sério fala, me permita
Em versos rabiscar a prova escrita
Espelho é a superfície que produz
Quando polida, a reflexão da luz.
Há nos espelhos a considerar
Dois casos, quando a imagem se formar.
Caso primeiro: um ponto é que se tem;
Ao segundo um objeto é que convém (...)"

No curso de engenharia da Escola Politécnica, apareceu-lhe uma questão de química: "Propriedades do hidrogênio e sua preparação no laboratório e na indústria". Saiu-se com uma catadupa de versos entre os quais os seguintes:

"De leveza no peso são capazes
Diversos elementos, vários gases,
O hidrogênio, porém, é um gás que deve

ter destaque por ser o gás mais leve.
Combina-se com vários metaloides,
Com todos, aliás, e os sais aloides
Proveem de ácidos por aquele gás
Formados, reunindo-se aos demais (...)"

Preso depois de uma rebelião de estudantes, atirou dardos satíricos contra o tenente e interventor Juracy Magalhães[15], nomeado por Getúlio Vargas para administrar a Bahia. Recorrendo a uma paródia de "Vozes d`África", de Castro Alves, versejou: "Juracy! Onde estás que não respondes?/ Em que escusa latrina te escondes?[16]". Interventor e depois governador da Bahia, Juracy gozaria de maior fama como embaixador do Brasil em Washington no período Castello Branco. Não pelos seus predicados e, sim, pela frase que proferiu, plasmando a subalternidade e o agachamento da política externa brasileira sob o tacão militar: "O que é bom para os Estados Unidos, é bom para o Brasil".

Quis o rodar da roda da história que Juracy e Marighella esbarrassem novamente quinze anos depois na Câmara dos Deputados, o primeiro representando a UDN, o segundo o PCB. Na controvérsia, a língua afiada do comunista acusava o udenista de, quando interventor, "captar" água e "decapitar" democratas. Juracy redarguiu que não cometera abusos e que o caro colega falava por conveniência. E não deixou barata a pilhéria: "O que se sabe é que meti vossa excelência na cadeia, atitude que repetiria se os fatos se reproduzissem". Marighella treplicou: "É uma vocação de vossa excelência meter na cadeia. Eu também fui ameaçado por vossa excelência em 32 de ser espancado e ficar com os ossos triturados"[17].

Na primeira metade dos anos 1930, o bardo mordaz se tornaria coadjuvante no percurso de Marighella. A hora era do revolucionário, que já formava nas fileiras da Federação Vermelha dos Estudantes e da Juventude Comunista. Militante profissional do PCB Marighella foi enviado ao Rio. Com o partido devastado pela repressão após a

OS VENCEDORES

revolta frustrada de 1935, foi mandado para São Paulo. Sua tarefa seria juntar os cacos do PCB. Novamente preso, conhece a tortura. Durante vinte e três dias foi chicoteado nas costas e nádegas, tomando também murros no estômago, golpes com um cano de borracha na sola dos pés, pontas de cigarro foram apagadas no seu corpo. A cerimônia encerrou-se quando, por fim, um dos torturadores enfiou um alfinete embaixo de cada uma das unhas do prisioneiro.

Libertado, seria preso pela terceira vez em 1939 e confinado, primeiro em Fernando de Noronha e, depois, na Ilha Grande, litoral do Rio de Janeiro, para ser solto apenas em 1945, às vésperas do final da 2ª Guerra Mundial e da ditadura do Estado Novo. Após a derrota do nazifascismo, o PCB recuperava a legalidade. Membro do comitê central, Marighella é um dos catorze deputados federais do PCB nas primeiras eleições após o fim da ditadura getulista. Único dos camaradas eleitos pela Bahia, teve como parceiros na Constituinte o romancista Jorge Amado que, embora baiano, concorria por São Paulo, mais João Amazonas e Gregório Bezerra. Com Luiz Carlos Prestes guindado ao Senado a bordo da maior votação do Brasil, o partido emergia da clandestinidade para perfazer a quarta mais numerosa bancada no parlamento.

Não lhe valeria de muito a eleição. O salário era o maior que tivera na vida, mas se resignava a sobreviver com somente 8% do que tinha direito: a exemplo dos demais parlamentares comunistas, assinara uma procuração que remetia diretamente aos cofres do partido os 92% restantes. Restavam-lhe 1200 cruzeiros. Sem cinto, amarrava as calças com um barbante. Morava com mais três companheiros, almoçava sanduíche com guaraná e jantava sopa, conforme relatou seu biógrafo Mário Magalhães[18]. Mas não se queixava. Na Constituinte de 1946, brigou pela separação entre Igreja e Estado, defendeu o ensino laico, advogou o divórcio e meteu-se em escaramuças com a carolagem mais empedernida. Em maio de 1947, acossado pelo governo do marechal Eurico Gaspar Dutra — que antes prometera respeitar sua existência legal — o PCB teve seu registro cassado pelo Tribunal Superior Eleitoral. Em tempos de Guerra Fria e do mundo partido ao meio entre Ocidente e Oriente, o TSE acolhera a alegação de que a sigla servia à intervenção soviética no Brasil. No ano seguinte, todos os parlamentares do partido foram cassados. Os comunistas regressavam às catacumbas.

Pouco antes de perder o mandato, Marighella caiu de amores pela eletricitária Elza Sento Sé, também militante. Do romance, nasceria, em 1948, seu filho Carlos Augusto. Sedutor, o futuro comandante da ALN viveria outras paixões duradouras, a principal delas pela guerrilheira *Carmen*, codinome de Zilda Xavier Pereira. Zilda contrabandearia o *Minimanual do guerrilheiro urbano* para fora do Brasil colado e escondido no interior de um exemplar de *O Cruzeiro*, carro-chefe do império do magnata do jornalismo e anticomunista Assis Chateaubriand.

Clara Charf, sua mulher, ele conheceu ainda nos anos 1940. Aeromoça, de família judia, Clara escandalizou o pai ao se tornar a companheira de um sujeito que era "preto, cristão e comunista". O casal partilhava as tarefas domésticas. "Logo ficou combinado que ele ficaria com as coisas mais pesadas. Ele adorava mexer com água, então, lavava o chão, lavava roupa. E eu passava (...)", rememorou Clara[19], que viveu em Cuba de 1969 a 1979.

Marighella passaria os anos de 1953 e 1954 na China. Antes de partir, em março de 1953, ajudou a articular a Greve dos 300 mil em São Paulo que terminou com um reajuste salarial de 32% para os trabalhadores. Caçado depois do golpe de 1964, entrou no cinema Eskye, na Tijuca, zona sul do Rio, para iludir agentes do Departamento de Ordem Política e Social, o Dops. A jogada não funcionou. Perseguiram Marighella e, como ele, embora desarmado, resistisse à prisão, sacaram as armas e dispararam à queima-roupa. A sala estava cheia de crianças que assistiam *Rififi no Safari*, comédia de Bob Hope, mas esse detalhe não foi levado em consideração. As luzes foram acesas, os agentes se aproximaram, um deles com a arma apontada para o peito do fugitivo. Marighella

OS VENCEDORES

levantou-se gritando: "Matem, bandidos! Abaixo a ditadura militar fascista! Viva a democracia! Viva o partido Comunista!"[20]

No livreto *"Porque resisti à prisão"*, ele pincelou com tintas dramáticas e estilo picotado e nervoso a cena que se seguiu: "Ato contínuo, o policial deu no gatilho. Foi tudo numa fração de segundo. Um estampido dentro do cinema. Os gritos de horror. A fumaça do tiro. O cheiro de pólvora queimada. O sangue quente rolando aos borbotões sobre a camisa, o paletó. As vestes ensanguentadas. Um filete de sangue em minha boca e seu sabor adocicado (...)".

Mesmo alvejado, o prisioneiro, no momento de ser enfiado no camburão, agarrado pelo torso, ergueu as pernas e as apoiou na porta da viatura e com um forte impulso para trás jogou no chão seus captores. Por fim, uma pancada no crânio o deixou desacordado. A bala atravessara seu peito, saíra pela axila e se alojara no braço esquerdo. Só deixou a prisão em 31 de julho, após um *habeas corpus* impetrado pelo mitológico Heráclito Fontoura Sobral Pinto que, apesar de católico devoto e conservador, levado por seu apreço à liberdade, também advogara em favor de Luiz Carlos Prestes.

Às turras com a cúpula do PCB, Marighella pediu sua desfiliação em dezembro de 1966. Levaria consigo a maior parte do partido em São Paulo. Na sua mente não havia lugar para a atitude que julgava contemplativa do comitê central. Queria ação. Era necessário agir nas cidades para levantar os recursos da guerrilha no campo.

No dia 15 de abril de 1968, os marighellistas realizaram o primeiro assalto a banco. Levaram 35 mil cruzeiros de uma agência paulistana do Banco Francês e Brasileiro. Assaltariam carros pagadores, bancos e indústrias. E ousariam ainda mais: "Ao povo brasileiro. Partidários da guerra revolucionária nela estamos empenhados com todas as nossas forças no Brasil. A polícia nos acusa de assaltantes e terroristas mas não somos outra coisa que não revolucionários que lutam de armas à mão armada contra a ditadura militar brasileira e o imperialismo norte-americano.(...)".

As palavras que chegavam aos prezados ouvintes da rádio Nacional, emissora líder de audiência em São Paulo, pertencente às

Organizações Globo, cujo proprietário dera apoio explícito ao golpe de 1964, eram simplesmente do homem mais procurado do Brasil. O que estava acontecendo?

Momentos antes, quando o relógio marcava as 8h30, daquele 15 de agosto de 1969, um grupo de doze combatentes, empilhados num Aero-Wyllis e num fusca, chegou à torre de transmissão da Nacional. Empunhando onze metralhadoras INA e uma Thompson, invadiu o local, nas imediações de Diadema, dominou os funcionários e conectou uma gravação ao transmissor. Nela, tendo ao fundo os acordes da "Internacional Comunista" e do "Hino Nacional Brasileiro", a narração do estudante e militante da ALN, Gilberto Belloque, dava o recado de Marighella.

O líder proclamou os objetivos da ALN: derrubar a ditadura militar, formar um governo revolucionário, tomar as propriedades dos norte-americanos, acabar com o latifúndio, terminar com a censura e instituir a liberdade de imprensa, de crítica e de associação, retirar o país da condição de satélite dos EUA, reatando relações com Cuba e os demais países socialistas. Adiante, explicava que aquilo que os guerrilheiros pretendiam no Brasil era a continuação da trajetória de Che Guevara na Bolívia para libertação de toda a América Latina. "Nossa luta não tem pressa, nem tem prazo", advertiu.

Apesar do pandemônio que a audácia subversiva suscitou na polícia política, sobrou tempo para repetir três vezes o manifesto de seis páginas da ALN. Enquanto a repressão acorrera aos estúdios da Nacional, no bairro de Santa Cecília, a gravação rodava longe dali. Marighella ficou no ar durante vinte preciosos minutos.

No mês seguinte à proeza da rádio Nacional, a ALN realizou outra: o sequestro do embaixador norte-americano em parceria com o MR-8. Em junho do ano seguinte, aliada à VPR, foi a vez do embaixador alemão. As duas façanhas, se renderam em vidas poupadas, em propaganda e na desmoralização da ditadura, também açulariam a caçada aos guerrilheiros de uma forma nunca vista.

Quatro horas antes da caminhada de Marighella pelas ruas do Jardim Paulista, um homem da ALN, Antônio Flávio Médici de

OS VENCEDORES

Camargo, ligou para a livraria Duas Cidades. Queria falar com frei Fernando de Brito. Deu o recado: *Ernesto* queria um encontro com os frades naquela terça-feira, 4 de novembro de 1979, às 8 da noite, "na gráfica". Frei Fernando assentiu. O encontro com *Ernesto*, um dos codinomes do comandante da ALN, estava confirmado.

O que Marighella não sabia naquela noite em que caminhava solitário pela alameda Casa Branca, nos Jardins, era que frei Fernando estava sob custódia do Dops. Torturado, *abrira* o modo como se davam os contatos entre Marighella e seus apoiadores. Levado até a livraria e vigiado pela polícia, aguardara a ligação costumeira. Telefonema atendido, ponto confirmado. O local do encontro na alameda, próximo às ruas Tatuí e José Maria Lisboa, ficou minado de policiais. O peixe, grande, estava na rede, mas não se dera conta disso.

A cena teria sido assim: Marighella se aproxima por trás do fusca azul dos freis Fernando e Yves Lebauspin. Abre a porta, empurra o banco do carona, senta-se atrás. É quando, aos gritos, os agentes arrancam os dois freis do carro e enfiam suas armas pelas portas apontando para a presa no banco traseiro. Ele desliza a mão para abrir sua pasta e buscar a cápsula que o impedirá de morrer na tortura. Antes de achar o veneno, as armas espoucam. O mítico combatente está sozinho e desarmado na hora da morte, mas no cenário do crime jazem mais três feridos. Dois deles irão morrer: a investigadora Estela Morato e o protético Friedrich Rohmann. Ela com um balaço na cabeça, ele metralhado em seu automóvel quando passava pelo local. Um delegado, Rubens Tucunduva, é atingido na perna esquerda. Todos os três, alvejados pelos próprios policiais.

Em Paris, naquela semana, Aloysio e Joaquim Câmara Ferreira, o *Toledo*, segundo homem da ALN, visitaram a embaixada da Coreia do Norte. Circulara a informação de que os coreanos estariam dispostos a ajudar a organização e foram ver o que havia. Isto pela manhã. À tarde, Aloysio dirigiu-se ao cartório para registrar o nascimento de suas filhas gêmeas e Câmara o acompanhou, assinando como testemunha. No retorno, passou numa banca e comprou o *Le Figaro*. O jornal trazia a morte do Marighella. Câmara ficou muito abalado e triste e logo partiu para Cuba onde veria o que fazer.

Câmara Ferreira voltou de Cuba no início de 1970, quando ele e Aloysio perambulavam muito pela cidade. Certa vez, passaram pelo Pantheon de Paris, no Quartier Latin. Avistaram a fachada do *Hotel des Grands Hommes*. Era possível divisar também ali perto a placa de uma casa funerária. Aloysio nunca mais esqueceu o travo amargo do diálogo com o amigo: "Aí eu disse pra ele: 'Câmara, quando você voltar a Paris, vai ficar aqui, no Hotel dos Grandes Homens...' E a resposta: 'Não. Acho que vou ficar naquele lá, disse apontando a funerária...'".

A exemplo de Marighella, Câmara Ferreira seria emboscado pelo delegado Fleury e sua equipe. Foi preso, submetido ao pau de arara e ao eletrochoque. No meio do martírio, seu coração fraquejou. Foi assassinado em 23 de outubro de 1970. Aloysio: "Ele intuía que morreria se voltasse ao Brasil, mas sentia que possuía um compromisso com as pessoas que haviam ficado no país".

O remetente havia morrido quando Aloysio recebeu uma carta de Toledo. Estava muito preocupado porque houvera uma infiltração na ALN. Temia as repercussões. "Acho que foi essa infiltração que levou à queda dele." Tinha razão. José da Silva Tavares, o *Severino*, fora aliciado pela polícia, primeiro para se infiltrar no PCB e, depois, na ALN e o entregara a Fleury.

No Brasil, a execução de Marighella seria um passo a mais no abismo da ALN. No primeiro momento, o fato de a repressão ter chegado ao Número 1 da organização através de informações dos frades, embora quebrados na tortura, alimentaria até conjecturas de justiçamento. Se, na esquerda, vicejaram até esses pensamentos, pelo lado oposto, a conexão dos dominicanos com a desdita de Marighella alimentou o escárnio da imprensa mais afinada com o regime. Dois dias após o assassinato, *O Globo* publicou o editorial "O Beijo de Judas". Nele, os dois freis são comparados a Judas Iscariotes. São os "frades beijoqueiros da traição", que "entregaram Marighella à polícia com meticulosa proficiência". Por óbvio, inexiste qualquer referência à "meticulosa proficiência" dos torcionários para extrair confissões.

Fora do Brasil, porém, a morte não apagou, antes revivificou o mito. Quatro meses após a cilada fatal, sua obra mais notória, o *Minimanual do guerrilheiro urbano*, saiu em francês. Em abril de 1970, os cubanos publicaram a íntegra do livreto em espanhol. No ano seguinte, foi a vez da tradução inglesa, o *Handbook of Urban Guerrilla Warfare*. Correu mundo e empolgou adeptos no Oriente Médio, Itália, Irlanda do Norte e Alemanha. Seduziu leitores desde o Exército Republicano Irlandês (IRA) até as Brigadas Vermelhas italianas, passando pelos alemães do Baader-Meinhof e os árabes da Organização de Libertação da Palestina (OLP). Nos Estados Unidos, circulou entre os Panteras Negras e o Exército Simbionês de Libertação[21]. Apoio da ALN na juventude, o fotógrafo Sebastião Salgado flagrou o poderoso livrinho prestando seus serviços ao Tigrayan People's Liberation Front (TPLE). Era 1983, Salgado fotografava a fome nos confins da Etiópia e os guerrilheiros do TPLE liam uma tradução em aramaico, o idioma de Jesus Cristo[22]. Contou que era brasileiro e apoiador de Marighella e virou amigo do grupo que, aliás, está hoje no poder.

Marighella dedicou o minimanual à memória do estudante Edson Luiz e a dois combatentes da ALN, Marco Antônio Braz de Carvalho, o *Marquito*, e Nelson José de Almeida, o *Escoteiro*, mortos em 1969. E também aos "homens e mulheres aprisionados em calabouços medievais do governo brasileiro e sujeitos a torturas que se igualam ou superam os horrendos crimes cometidos pelos nazistas". Conquanto afirme que o "terrorismo" é algo "digno de um revolucionário engajado na luta armada contra a vergonhosa ditadura militar e suas atrocidades", o termo carrega uma compreensão mais restrita do que os governos militares quiseram fazer crer. Ou daquela adotada por alguns dos aficcionados estrangeiros do minimanual. O "terror" que Marighella considera mimetiza as ações da Resistência Francesa contra os nazistas na França ocupada, cujos alvos eram o invasor e os colaboracionistas. Preserva ou procura preservar a população civil.

Na França, logo após a morte de Câmara Ferreira, Aloysio ingressa no Partido Comunista Francês. Mais tarde, no Brasil, se filiará ao PCB, onde permanecerá até a agonia e estilhaçamento do partido.

Meio século depois, ele contempla o jovem *Mateus*. "Era alguém corajoso e inconformado com a situação, mas profundamente equivocado do ponto de vista político", julga. "Foi uma ideia baseada no voluntarismo, absolutamente irrealista. Como imaginar que nós, um grupo de estudantes, poderia enfrentar, em última instância, os Estados Unidos, é um absurdo..."

Aloysio nota que era uma forma de luta que não propiciava a participação do povo. "Quando estávamos ali, o Lula estava indo de pau de arara de Garanhuns para São Paulo para fazer curso técnico e virar operário." Classifica a luta armada como uma concepção autoritária inspirada no leninismo, "uma coisa fora de propósito" que levou a um sacrifício imenso.

Relator do projeto de lei que criou a Comissão Nacional da Verdade, incumbida de apurar os crimes da ditadura, o antigo integrante do GTA da ALN defende a manutenção da Lei da Anistia. Apesar dos erros que identifica, de uma coisa o senador tucano não guarda nenhuma dúvida: quem, ao final das contas, são os vitoriosos desse embate cinquenta anos após o advento da ditadura: "Nós ganhamos, evidentemente. A resistência ganhou, a democracia ganhou. As forças armadas estão enquadradas perfeitamente. O general José Elito[23] leva bronca da Dilma. Eu fui ministro da Justiça...".

De Marighella, de quem foi motorista ocasional e com quem teve uma convivência "curta porém estreita", conserva uma lembrança de alguém que "acreditava nas suas ideias, otimista, sedutor, inteligente, culto".

À memória do publicitário Carlos Henrique Knapp, que hospedou Marighella e Clara Charf, em São Paulo, e atuou como respaldo da ALN, o comunista baiano legou uma estampa de pregador: "Parecia um apóstolo. Talvez um pouco descolado da realidade por conta de viver sempre em clandestinidade". Apoio da ALN, a fotógrafa Nair Benedicto aposta que o tempo e a democracia removerão o estigma do "terrorista" e do "assassino" que a propaganda ditatorial elaborou durante duas décadas. "A questão não é fazer a apologia do herói. Marighella era um cara perfeito? Claro que não. Cometeu erros? Claro, como todos nós cometemos. A ALN cometeu erros enormes. Mas era o cara que escolheu colocar sua vida — de que gostava tanto — em perigo por uma causa coletiva."

Knapp fala em apóstolo. Frei Betto, que conheceu Marighella sob o disfarce de *Professor Menezes,* revela um comunista peculiar. "Era raro encontrar alguém pertencente ao PCB que não fosse anticlerical." Repara que Marighella nunca pediu aos dominicanos para pegarem em armas. Entendia qual o papel que uma pessoa religiosa poderia desempenhar no processo de combate à ditadura.

Ao contemplar o homem e sua época, Nair entende que a imensa distância — maior do que o tempo que medeia entre os anos 1960 e as primeiras décadas do século XXI — estorva a percepção da figura a partir de uma sociedade centrada em outros valores. "Hoje as pessoas se queixam de uma doença moderna que chamam depressão. Marighella não tinha a menor ideia do que vem a ser depressão." Marighella, analisa, não entenderia este mundo. "Ele gostava da vida como um todo. De cantar, de dançar, de trepar. Por outro lado, sabia dos riscos que corria. Dificilmente você vai encontrar alguém que ache que vale a pena morrer por uma causa. É um personagem que não existe mais…"

O senador Aloysio — hoje candidato a vice pelo PSDB — usou os codinomes Mateus, Carlos e Lulu. Foi embaixador da ALN em Paris e motorista de Marighella

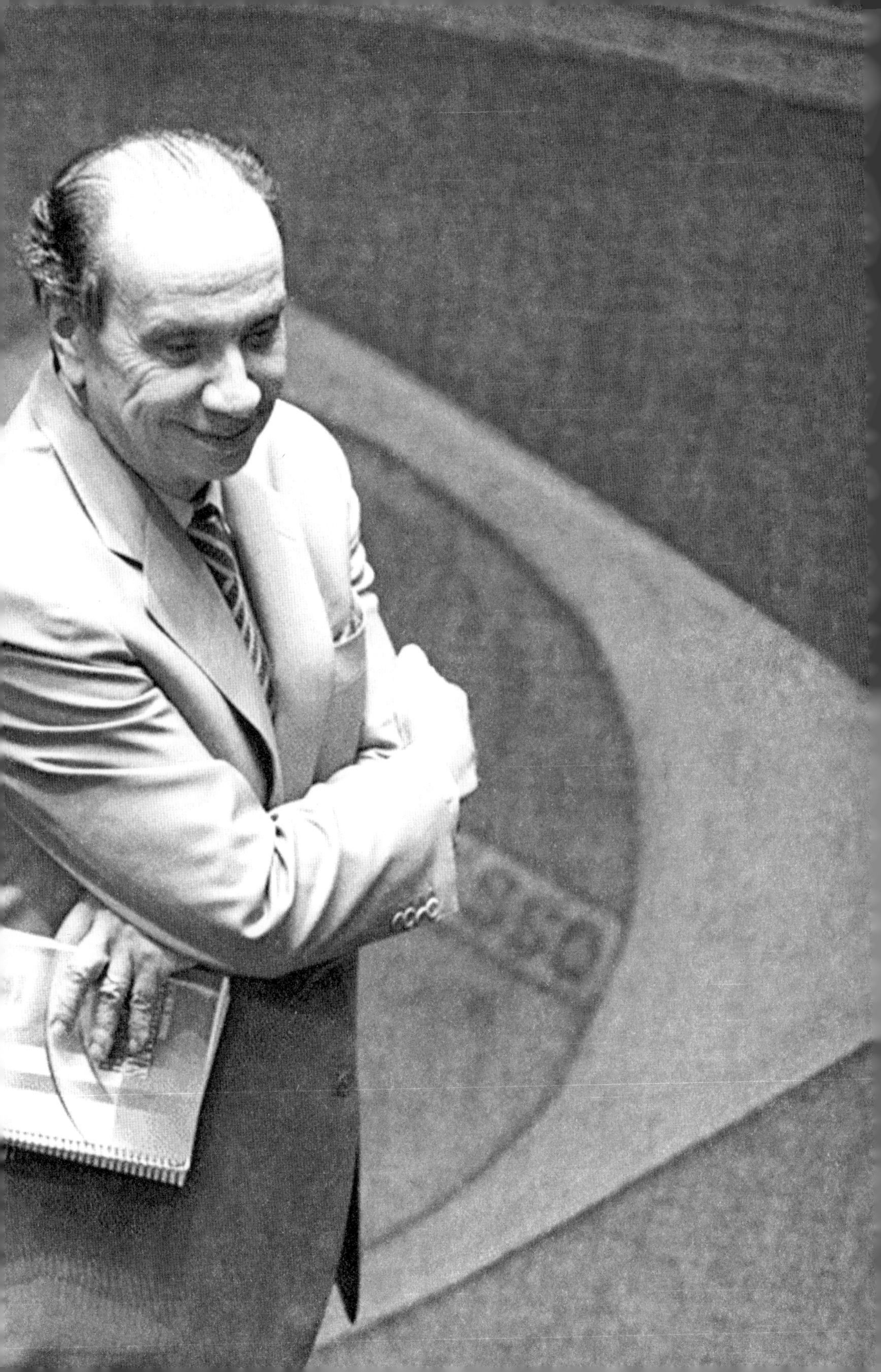

Toledo (foto menor), segundo homem da ALN, sabia que voltava ao Brasil para morrer. Afastara-se do PCB e de Luiz Carlos Prestes (foto acima) para se juntar a Marighella que, em maio de 1964, atracou-se no braço com a polícia, foi baleado e escreveu livreto justificando sua reação

OS VENCEDORES

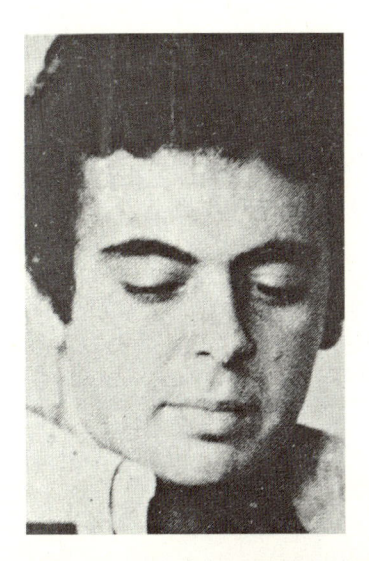

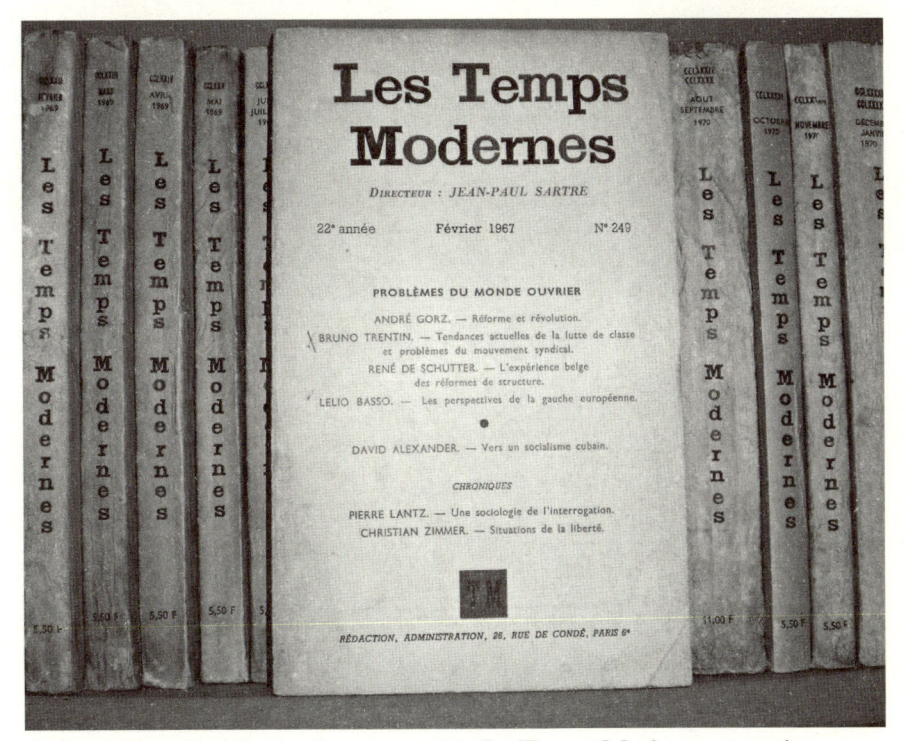

O filósofo Jean-Paul Sartre colocou sua revista Le Temps Modernes *à serviço da ALN e da revolução, que seduziu muitos outros intelectuais e artistas, entre eles o brasileiro Glauber Rocha*

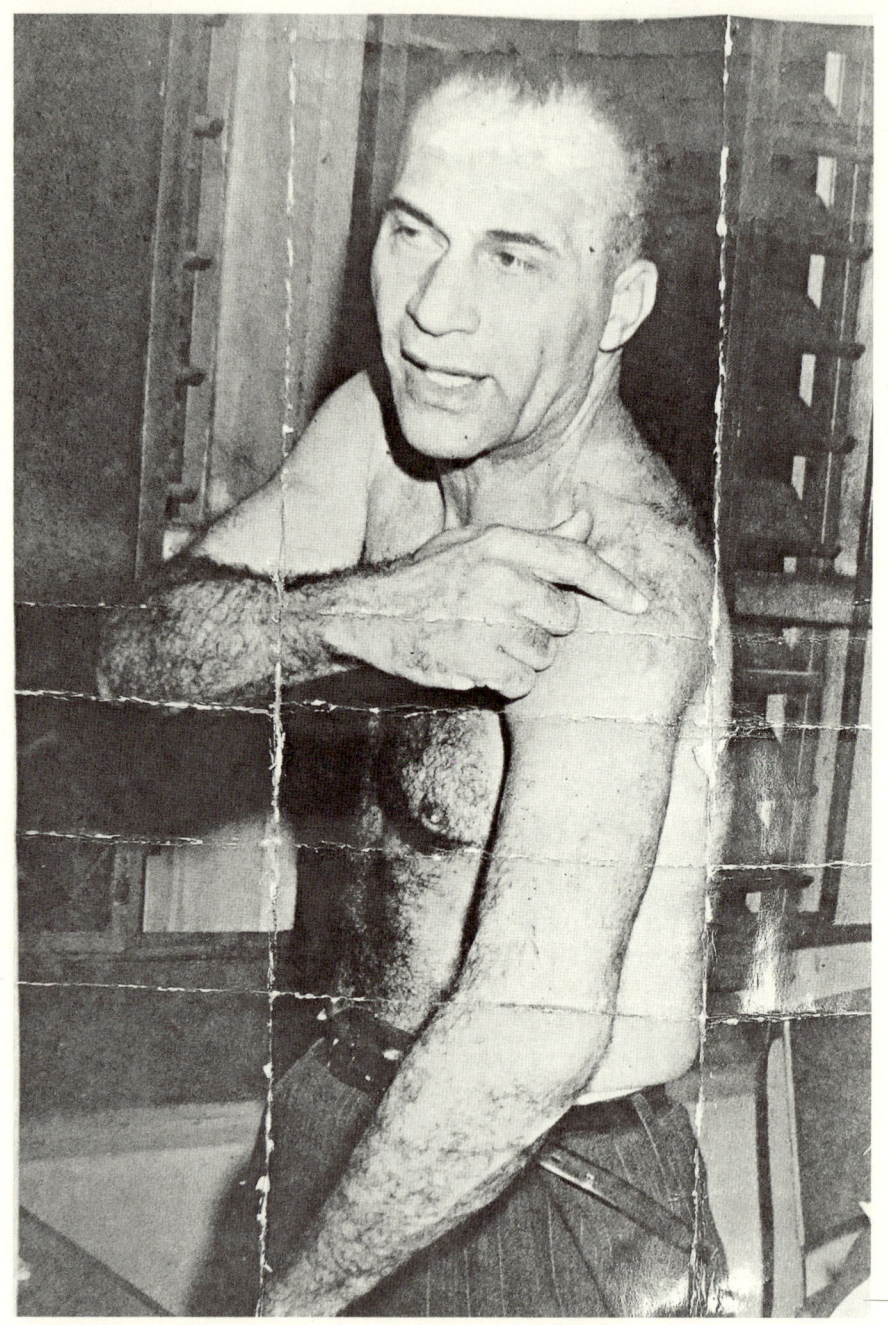

Marighella mostrando o tiro que levou em 1964: a bala atravessou-lhe o peito, saiu pela axila e se alojou no braço esquerdo

OS VENCEDORES

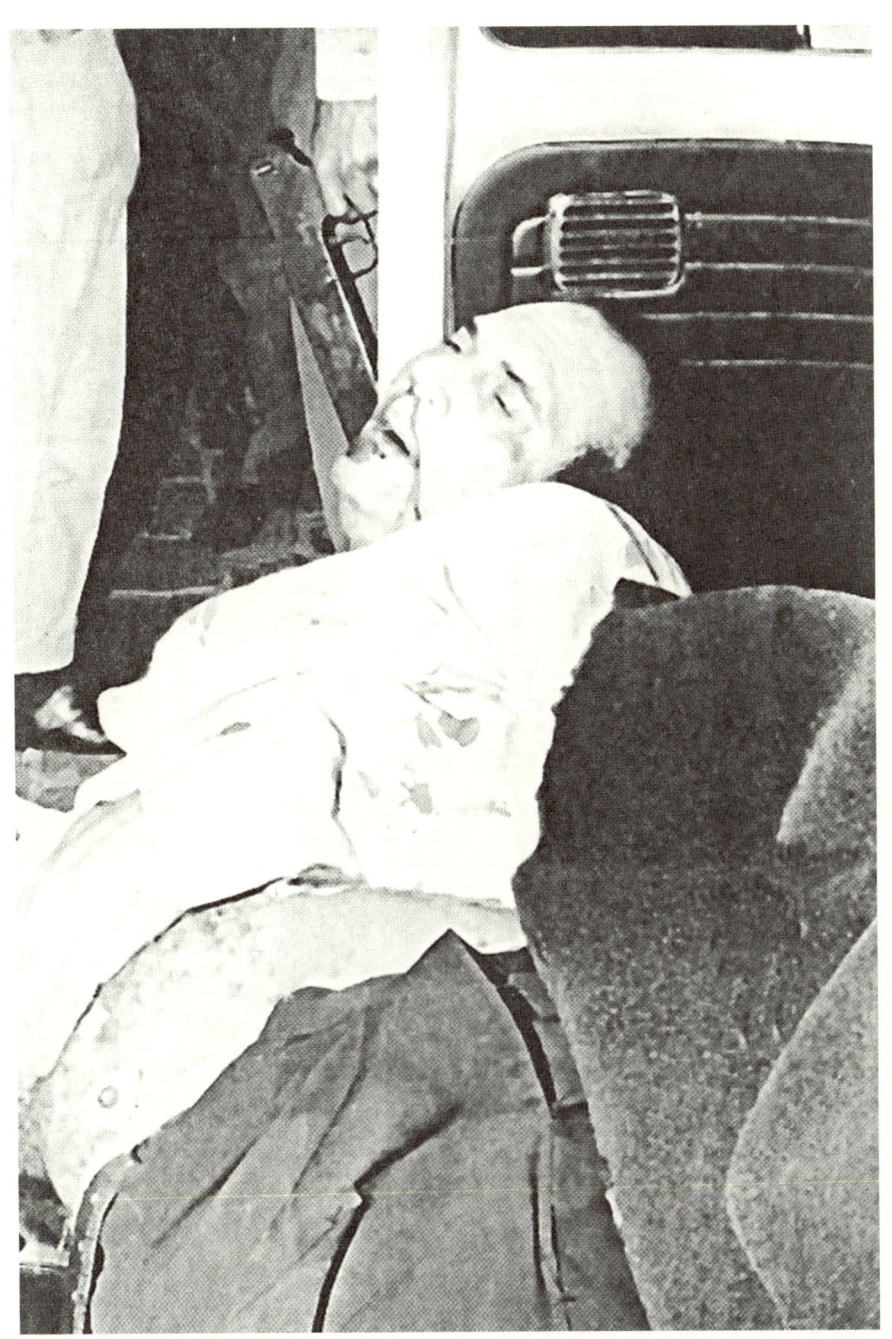

Desarmado, o líder da ALN foi fuzilado na alameda Casa Branca, em armadilha montada pela polícia política

Ayrton Centeno

MRT
ALN
VPR
MR 8
PCBR

Capa de boletim da Frente Brasileira de Informação publicado na França por exilados do Brasil

front brésilien d'information

OS VENCEDORES

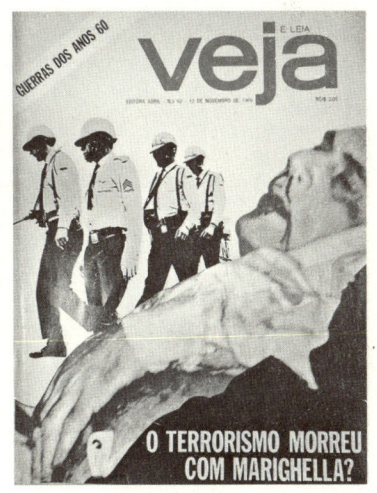

Na morte de Marighella e na perseguição aos dominicanos, manchete do Jornal do Brasil *procurou certo equilíbrio, enquanto* O Globo *e* O Estado de S. Paulo *exultaram*

Nos anos de chumbo, Veja *também chamava os adversários armados do regime de "terroristas"*

Nair e Jacques nos anos 1970: cotidiano de classe média alta dissolvido à base de pau de arara, choque elétrico e queimaduras de cigarro

CAPÍTULO 11

Ouviu? Estamos torturando o seu filho...

Já era mais do que hora das crianças estarem em casa e Nair foi ficando cada vez mais aflita. O tempo passava e as duas filhas — Ariane, de seis anos, e Danielle, de três — não chegavam da escola. Levando o filho mais novo, Frederic, de dois anos, a babá das três crianças e a avó haviam ido buscá-las no Liceu Pasteur. Nair e o marido, Jacques, as duas meninas e o caçula moravam na rua Souza Ramos, em Vila Mariana, região sul de São Paulo. Tão logo o pai das crianças retornou do trabalho, os dois foram ver o que havia acontecido.

No Liceu, distante dois minutos de carro, encontraram uma balbúrdia. O lugar estava apinhado de policiais. Foi Nair chegar e ouvir: "Dops, prisão!" Atrás da voz, veio a mão que a empurrou para o interior do carro. Ela e o marido foram conduzidos ao Dops. Os policiais haviam prendido a babá, a mãe de Nair e Frederic.

Naquele 1º de outubro de 1969, havia três gerações da mesma família no cárcere da polícia política de São Paulo: mãe, filha e neto. Nair e Jacques ficaram numa sala e Frederic e a avó em outra, ao lado. O menino estava numa idade em que bisbilhotava tudo e não adiantava mandar parar. Mexia nos trincos das portas do Dops. Nair ouvia aquilo. E os policiais: "Tá ouvindo? Estamos torturando o seu filho...".

Complementavam o ritual de sadismo informando que a avó estava no pau de arara e que sofrera um ataque cardíaco. E que o neto seria o próximo a ser dependurado. Quem fazia este jogo eram dois delegados que, embora de estilos conflitantes, seguiam à risca o *script* da repressão: Raul Ferreira, que todo mundo conhecia como *Raul Pudim*, e Fábio Lessa de Souza Camargo[1]. O primeiro, descreve Nair, "era um nojo de pessoa". Fazia um tipo escrachado, "meio babão", que andava de camisa aberta. Mas Lessa se apresentava como um *gentleman*, trajando terno risca de giz italiano. Beijava a mão da mãe de Nair e dizia: "Dona Maria, como é que sua filha, tão inteligente, foi descambar para o comunismo!".

Era mais uma evidência de inconformidade pelo fato de uma mulher casada, mãe de três filhos, frequentar a universidade e participar de mobilizações políticas. Na cabeça dos agentes, a situação tornou-se ainda mais estranha ao saberem que o casal mantinha amizade com um rapaz negro que também era universitário e frequentava a casa da família. Aos olhos da polícia, na época, um homem negro jamais poderia ser universitário. Era, mais provável, um guarda-costas. Na sua experiência, não se encaixava em absoluto uma circunstância que reunisse uma mulher casada e com três filhos, mais um francês que lutara contra os nazistas, e um negro. "Era um negócio totalmente fora do padrão. Havia algo errado aí."

Nair Benedicto e o marido, o empresário francês Jacques Breyton, eram apoio da ALN. Na sua casa, acolheram muita gente com a cabeça a prêmio, inclusive Marighella. No dia anterior à captura de toda a família, um dos homens da organização, Lauriberto José Reys[2], havia dormido na casa dos Breyton. Setembro seria um mês duro para a ALN, particularmente após o sequestro, no Rio, do embaixador norte-americano. Seus militantes estavam sendo acuados em todo o país.

Abrigar perseguidos políticos não era exatamente uma novidade para Nair.

OS VENCEDORES

Os Benedicto eram pessoas simples. O pai, João, marceneiro, e a mãe, Maria, dona de casa, tinham vindo de Bolzano, na região autônoma do Trentino-Alto Ádige, próxima à fronteira com a Áustria. De lá trouxeram uma forte noção de solidariedade, legado que o anarquismo inoculara nas levas que vinham fazer a América, acompanhada de um claro "viés de preocupação social".

No final dos anos 1940, o casal vivia com oito filhos em uma casa de três quartos, na rua Conde Sarzedas, bairro da Liberdade. Perto dali, estavam a redação e as oficinas de um jornal comunista. Era o *Hoje*, que teve como chefe de redação o jornalista Joaquim Câmara Ferreira. De codinome *Toledo*, seria, mais tarde, o segundo homem na hierarquia da ALN.

Toledo vinha de longe. Velho quadro do PCB, em outubro de 1934 engalfinhou-se no episódio conhecido como a *Revoada dos Galinhas Verdes*. Nos anos 1930, *galinhas verdes* era a expressão debochada com que a esquerda contemplara os integralistas, releitura cabocla do fascismo de Benito Mussolini. Na praça da Sé, a marcha de 5 mil camisas verdes da Ação Integralista Brasileira chocou-se com os anarquistas, comunistas, sindicalistas e trotskistas, da Frente Única Antifascista. Houve tiroteio quando morreram guardas civis, dois integrantes da AIB e um militante do PCB. Na disputa por território, os integralistas bateram em retirada e a esquerda levou a melhor. Sob o Estado Novo, Toledo foi preso e, na tortura, teve as unhas arrancadas com alicate. Em 1948, ele e um grupo de militantes passaram uma noite inteira nas oficinas do jornal resistindo à bala a uma tentativa de apreensão do *Hoje*. Entregaram-se pela manhã, derrotados pelo gás lacrimogênio.

Em ocasiões do tipo, muitas vezes, quando ia alta a madrugada, dona Maria entrava no quarto dos filhos para despertá-los. Tirava-os da cama para cedê-la aos jornalistas do *Hoje* que, assediados por mais uma batida, encontravam guarida com os vizinhos italianos. Nair e os irmãos deitavam-se atravessados numa cama só para que coubessem todos ali e dona Maria pudesse liberar a outra para o pessoal do jornal. "A gente achava isso a maior farra."

No dia da prisão, Nair ficou sem beber ou comer. No dia seguinte, foi para o pau de arara. Ela e o marido, em salas diferentes. Pegou uma barra mais pesada do que Jacques. "É que ele tinha o cabelo todo branco. E cabelo branco, aqui no Brasil, é sempre sinônimo de velhice. Então eu acho — especula — que eles tiveram um pouco de receio."

Jacques Breyton tinha quarenta e oito anos e emigrara para o Brasil em 1958, quando o país vivia o entusiasmo desenvolvimentista na era Juscelino Kubitschek. Comprou uma fábrica de equipamentos elétricos e de telecomunicações, a Telem, transferindo-a de Lorena, no vale do Paraíba, para o bairro do Ipiranga, na capital. Com a derrubada de João Goulart em 1964, colocou-se na oposição. A Telem prosperou, já contava com 150 funcionários, e Breyton resolveu acudir materialmente o esforço de combate ao regime. Ajudou a bancar o congresso da União Nacional dos Estudantes, a UNE, realizado em Ibiúna, em 1968. Fez o mesmo com o PCdoB. "Eu considerava o meu novo país invadido pelos militares, como os alemães tinham invadido a França", argumentou em depoimento ao jornalista Mário Magalhães[3].

Sua percepção de mundo e sua trajetória tinham raízes no combate ao nazismo na França ocupada durante a 2ª Guerra Mundial. Atuava em Lyon, segunda cidade do país e que o general Charles de Gaulle chamou de "a capital da resistência". Jacques e seu irmão Jean deixaram a família, submergiram na clandestinidade e ligaram-se aos maquis. Todas as manhãs, bem cedo, a mãe dos dois, Marguerite, empreendia um roteiro de aflição, percorrendo as praças de Lyon. Era nelas, à noite, que os nazistas e colaboracionistas desovavam os cadáveres de suas vítimas. Ela precisava saber se os corpos de seus filhos também não estavam jogados ali.

Em Lyon, reinava Nikolaus Barbie[4]. De apelido Klaus, era o homem de Hitler na cidade, trancafiando os dissidentes no calabouço de Montluc. Recrutado em 1935 para a Sicherheitsdienst, a SS, tropa de elite nazista, Barbie desceu na cidade já como comandante da Gestapo, a polícia secreta do Terceiro Reich. Ao longo da guerra, foi

OS VENCEDORES

responsável por mais de 26 mil assassinatos, o que lhe valeu a alcunha de "Açougueiro de Lyon". Entre seus feitos, a tortura até a morte de Jean Moulin, líder da Resistência, e o envio de quarenta e quatro crianças judias para o campo de extermínio de Auschwitz.

Jacques Breyton foi um dos 8 mil franceses que passaram por Montluc na gestão Klaus Barbie. Preso, sofreu torturas. Libertado, aos vinte e três anos, recebeu a cruz de guerra, a medalha da resistência, a legião de honra e a patente de capitão. No Brasil, caiu na câmara de tortura do delegado Fleury. Sobreviveu mas, depois, comparando o que sofreu sob os nazistas com o que padeceu com Fleury concluiu que, aqui, foi pior... E com um agravante: na nova pátria que adotara, em vez da vítima, quem recebia condecorações era o torturador.

Como reconhecimento pelos relevantes serviços prestados, o exército homenageou Fleury com a Medalha do Pacificador, comenda que, com sua referência à paz, parece prestar tributo à novilíngua[5] falada no romance distópico *1984*. Sobre Fleury, todo preso político que topou com sua figura e que sobreviveu tem uma história para contar.

"Na escrivaninha do Fleury — conta Nair — tinha foto do pessoal do Esquadrão da Morte, tinha o símbolo, a caveira, do Esquadrão." O próprio Fleury se expunha, diz. Arremangava a camisa, mostrava as marcas das picadas de agulha e dizia: "Olha aqui, olha aqui!". Exibia os braços todos arrebentados de picadas. "Mostrou pra mim, pro Jacques, pra outros presos, como se dissesse: 'Vocês não sabem nada. Nós é que sabemos das coisas'."

Nua, joelhos dobrados e pulsos amarrados, Nair foi dependurada. Tomou três horas e meia de pau de arara com eletricidade, sempre na sequência água e choque, água e choque, água e choque. "Você faz cocô, faz xixi, fica em uma situação deplorável, sem controle (fisiológico) nenhum porque fica com a barriga toda pressionada pelas pernas." Quando sai da sessão, a vítima recebeu tantas descargas elétricas que perde a capacidade de fazer coisas simples. A roupa fica toda aberta porque não tem coordenação motora sequer para se abotoar. "A gente vira um nada."

Além do pau de arara, do choque e da água, havia o fogo. "Eles te queimavam com cigarro nas mãos, nos pés e nas partes mais sensíveis e também sensuais, como a xoxota e os mamilos."

Mas é um sofrimento mais intuído, percebido pelo olhar, do que pelo corpo do torturado. "No pau de arara, eles encostam o cigarro aceso na sua pele e você grita, mas grita pela visão." Mais do que a carne, é o olho que transmite o horror. "Depois de uma hora e meia, com os pés e as mãos absolutamente roxos, a gente não sente mais a queimadura porque está tudo amortecido."

Bem mais tarde, Nair relataria o que passou a alguns amigos médicos. Eles ficaram surpresos. Não entendiam como os torturadores não provocavam mais acidentes. Observaram que, naquelas condições, com a circulação brecada, se se desprende um coágulo, a vítima morre.

Com dois meses e meio de Dops, foi removida para o presídio Tiradentes, que abrigava presas políticas e comuns — estas a grande maioria. Lá estava uma jovem da VAR-Palmares chamada Dilma Rousseff. Outras companheiras de cárcere, entre várias, eram Emília Viotti da Costa, professora de História da USP aposentada compulsoriamente pelo AI-5, a jornalista e apoio da ALN, Rose Nogueira, e as militantes Dulce Maia de Souza, Laís Furtado Tapajós, Margarida Maria do Amaral Lopes, Idealina Fernandes e Ilda Martins da Silva, viúva do dirigente da ALN, Virgílio Gomes da Silva, assassinado sob tortura após participar do sequestro do embaixador Burke Elbrick.

Separadas das prisioneiras comuns, as *corrós* ou correcionais, as presas políticas habitavam a *Torre das Donzelas*. Chegava-se à torre, situada em um dos extremos do prédio, após cruzar um corredor com celas em uma das laterais. Ali estavam as *corrós*. Além, havia um pátio. Ou seja, para chegarem à cela, as presas políticas, na imensa maioria meninas de classe média, tinham que passar diante das *corrós*. Este desfile diário acendeu grandes paixões.

"As presas comuns foram maravilhosas. No começo, ficamos com muito medo. Elas se apaixonaram perdidamente por todas nós. Era amor. Imagina a gente, todas muito jovens, com aquelas carinhas, todas bonitinhas, com tudo no lugar, passando pelo corredor onde, dentro de cada cela, estavam 20 ou 30 correcionais. E as *corrós* não demonstravam a menor inibição. 'Gostosa!' 'Linda!' 'Vou te comer!' Elas atiravam beijos. Imagine-se umas 400 mulheres gritando: 'Tesuda!', 'Lindinha!'. E a gente pensando: 'Nossa!'".

Depois das declarações de intenções apenas verbais passou-se a fase seguinte: as cartas de amor. O mensageiro era o vendedor de balas que circulava pelo Tiradentes. Então, Laís disse: "Isto não pode continuar desse jeito. Temos que fazer alguma coisa". Mandaram um recado para as corrós. Queriam conversar. "E apareceu um monte delas. Ficamos na porta da cela, eu, a Laís e a *Guida* (Margarida)". As duas pertenciam à Ala Vermelha do PCdoB e *Guida*, aos 18 anos, era muito bonita. "Tinha dentes lindos, estava sempre sorrindo, usava camiseta e era a mais jovem entre nós e a que recebia mais cartas. Enlouquecia a mulherada".

As três ficaram na janelinha da cela das presas políticas e um amontoado de *corrós* abaixo, em uma escada, distante vinte metros. A turma da torre explicou que todas se sentiam muito lisonjeadas pelas cartas. Mas que era preciso esclarecer também o que significava ser presa política, as razões da opção de encarar a luta contra a ditadura, que havia uma causa, e que o objetivo final era o de melhorar a vida de todo mundo etc. e tal.... A partir desse dia, tudo mudou. E o amor virou uma solidariedade à toda prova. Elas gritavam: "Terroristas! Vamos cantar uma música pra vocês!". E cantavam de tudo. Compravam jornal para os seus amores e liam as matérias em voz alta.

Dulce também tem as suas histórias com as *corrós*. Nos anos 1980, anistiada e de volta ao Brasil, caminhava pelo centro de São Paulo quando ouviu uma voz de dentro de um bar gritando o seu nome. Era Margot, uma presa comum. "Ela me abraçou feliz por me ver no 'mundão', como era chamada a liberdade!"

Romilda, que estava na prisão por balear o homem com quem vivia e que a maltratava, também ficou na lembrança. Tinha uma menina de colo que a militante da VPR ajudava a cuidar. Dulce: "Ela me falou que 'um dia você, longe daqui, vai se lembrar de mim pois eu entendo tudo o que você me diz'".

Na Penitenciária Feminina por onde também passou, Dulce ouviu algo interessante de uma madre: "No céu vamos ter muitas surpresas, pois vocês lutam pela verdadeira fraternidade".

Um dia, por obra e graça das *corrós*, chegou à torre a notícia da morte de Marighella. Foi um impacto atroz.

Embora os homens ocupassem um edifício distante cerca de quarenta metros da *Torre*, presas e presos políticos descobriram um modo de se comunicar, lento e penoso, através do sistema de libras. Aprenderam os sinais e os usavam à noite. Antes, deixavam a cela completamente às escuras. Uma das presas, Laís, subia no beliche. Usando uma luva branca, fazia os sinais observados pela ala masculina. "E a gente ficava embaixo com papel e lápis para fazer as anotações. Demorava horas para formar uma frase."

Provação, o cárcere converteu-se, por obra das suas prisioneiras, em espaço de arrimo mútuo. Naquele ambiente, onde muitos tiveram cortados seus laços com a família, restringidos pelo sistema penitenciário, a amizade preencheu o vazio. Em alguns momentos, quando a fragilidade era ainda maior, isto contava muito. Não havia quase nada mas, às vezes, escapava um chocolatinho, um pacote de bolachas. Então, quando alguém vinha da tortura, muito machucado, recebia meia bolacha, uma lasca de chocolate. O que cada cela tinha, repartia com aquele companheiro ou companheira. "E era incrível a importância daquele pedacinho de chocolate. Pôr uma coisa doce na boca que bom que era..."

A detenção e tortura do casal Breyton repercutiu fora do Brasil. Informado do que estava ocorrendo, o sociólogo Edgar Morin[6], que também integrara a Resistência Francesa, denunciou as prisões para a imprensa internacional. Morin conhecera os Breyton em um seminário da Escola de Comunicações e Artes (ECA), da USP. E abriu a boca. Fez mais: providenciou um manifesto assinado por intelectuais franceses, entre eles Sartre e Simone de Beuvoir, pedindo tratamento digno e a liberação dos presos políticos.

OS VENCEDORES

Jacques Breyton ficou treze meses na cadeia, quatro a mais do que Nair. Levou à Justiça, como réus, o Estado de São Paulo e a União. No processo, que venceu, uma das testemunhas de acusação foi Laís. Ela contou que Ariane, Danielle e Frederic deveriam, na ausência dos pais, ficar aos cuidados da avó. Contudo, em vez disso, policiais dormiram na casa dos Breyton durante um mês com as três crianças. E que o casal, após a prisão e a tortura, vivia em estado de permanente terror.

A vida dos Breyton mudou depois da prisão. O casal se separou. Jacques seguiu na Telem e Nair começou a construir uma nova carreira. Egressa da USP, onde estudava Comunicação em Rádio e TV, tentou primeiro trabalhar com televisão. Na época, isto era inviável: só obtinha emprego quem tivesse atestado de bons antecedentes da polícia... A fotografia apareceu como uma alternativa. Desde o começo, as classes populares viraram alvo de suas lentes. Documentou a vida dos trabalhadores da cidade e dos sem-terra, das mulheres, das crianças, dos índios e as manifestações contra a ditadura no final dos anos 1970. Fundou[7] uma das primeiras agências de fotografia do país, a F4.

Jacques apoiou a organização e as lutas dos metalúrgicos em São Paulo no ocaso dos anos 1970. Vinculou-se à Associação dos Empresários Brasileiros pela Cidadania (Cives). Amigo de Luiz Inácio da Silva, abrigou reuniões em sua casa para discutir os rumos das mobilizações e a fundação do PT, partido ao qual se filiou e no qual militou até sua morte, aos 84 anos, em 2005.

Algo mudou, mas algo permaneceu já que nenhum dos dois abriu mão do compromisso com a mudança social. Diante disso, Nair se espanta com a desinformação e o preconceito disseminados sobre o período. Ano de eleições presidenciais, 2010 transportou o debate para dentro da sua família. Uma das suas netas, Gaê, de quinze anos, estudava numa escola de ponta, onde os intelectuais paulistanos colocam os seus filhos. Lá surgiu a discussão sobre o passado de Dilma. Um colega chamou Dilma de "terrorista". Gaê respondeu: "Então, minha vó também é!". E explicou a situação em que Nair fora presa com Dilma e tudo o mais. E o colega: "Então sua vó também é!".

Ela se deprime com a impotência da escola e de seus instrumentos para olhar, entender e explicar este passado tão próximo e tão desconhecido a quem não pôde vivê-lo. E com uma pauta de valores tão estreitos e tão centrados na satisfação individual. Olha para os netos "que vêm da gente que tem toda essa história", que frequentam os melhores colégios, e que não têm ideia do que se passou. É preciso memória para ter um país. "Pessoas como Marighella têm que ter um lugar. Era alguém que escolheu colocar sua vida — de que gostava tanto — em perigo por uma causa coletiva. O Lamarca a mesma coisa. A vida deles foi isso."

Mas anima-se com uma reflexão de seu mestre, o francês Henri Cartier-Bresson[8]: "Apesar do mundo em que vivemos estar despencando sob o peso da rentabilidade, invadido pelas sirenes enraivecidas da tecnociência e pela voracidade do poder pela mundialização — essa nova forma de escravidão —, a amizade e o amor continuam existindo".

Repara que Cartier-Bresson tinha noventa anos quando escreveu esta reflexão. "Algo de grande lucidez num tempo em que o importante é o sucesso a qualquer preço, inclusive vendendo droga ou abrindo uma igreja, não interessa como e a custa de quê." E arrisca: "Então eu me pergunto: será que, sem esse movimento que a gente fez nos anos 1960 e 1970, o ABC teria existido? Não sei".

OS VENCEDORES

Nair e a tristeza com a impotência da escola para explicar aos jovens o que se passou sob a ditadura. "É preciso memória para ter um país"

Ayrton Centeno

Lauriberto José Reys, da ALN, hoje desaparecido, foi hóspede dos Breyton uma noite antes da queda. O sociólogo francês Edgar Morin organizou manifesto a favor do casal. Torturado pelos nazistas, Jacques Breyton foi condecorado na França. No Brasil, ao contrário, quem recebeu medalhas, como a do "Pacificador" foram os seus torturadores

OS VENCEDORES

Enquanto havia prisões e torturas como a do casal Jacques e Nair, multinacionais como a Texaco e a Ford louvavam o regime. A Philips foi mais longe com uma incrível peça publicitária que se valia do tema "tortura" para vender TVs

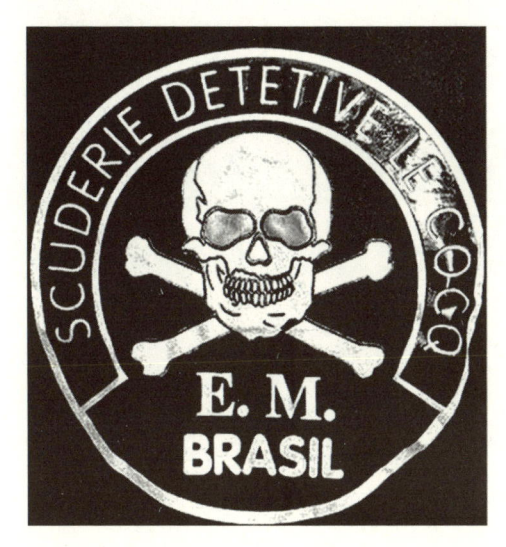

Na escrivaninha de Fleury, Nair viu o escudo do Esquadrão da Morte

Lúcia no "Álbum de Ibiúna". Depois, com o codinome Margô, cairia num 31 de março para desembarcar na masmorra do DOI-Codi debaixo de pancadaria

CAPÍTULO 12

Hormônio, radicalidade e felicidade

Quando a repressão cingia seu círculo de ferro, Lúcia trombava, no Rio, com um 31 de março muito mais nefasto do que aquele de 1964. Se a derrota de João Goulart lhe trouxera um desapontamento profundo, aquele novo dia 31, uma quarta-feira, ela sofreria na carne. Era 1971 e a entrada da prisioneira no recinto alvorotou a masmorra. "Vamos abrir champanhe pra comemorar!"

Quem queria brindar era a tropa do porão. Por suprema ironia, Lúcia caiu justamente no aniversário da ditadura. Entrou no DOI--Codi abaixo de porrada.

Mas a pancadaria principiara já no caminho entre a zona norte carioca e o xadrez. Vivia na clandestinidade desde 1969. Naquele começo de 1971, escondia-se com a amiga Maria Luíza Garcia Rosa, apoio do Movimento Revolucionário 8 de Outubro, na rua Lino Teixeira, bairro do Jacaré, zona norte do Rio.

Como fora uma das últimas pessoas do movimento estudantil a serem presas e havia sido vice-presidente do diretório da Faculdade de Economia da UFRJ, os militares a viam como um troféu. "Uma coisa triste."

Codinome *Margô*, Lúcia Maria Murat Vasconcellos ou apenas Lúcia Murat, nome com o qual construiu sua trajetória no cinema, seria torturada durante dois meses e meio.

Sete anos antes, quando os militares tomaram o poder, Lúcia era uma menina. Tinha treze anos, mas não ignorava o que estava acontecendo. Era uma coisa um tanto enevoada, no ar, mas sabia. O tema estava muito presente na família. No edifício de Copacabana onde moravam, todo mundo era a favor do golpe. A exceção era o apartamento dos Vasconcellos. O pai, Miguel Vasconcellos, médico, atendia muitas pessoas de graça no subúrbio. Lúcia chegou a frequentar favelas com ele.

Leitora voraz, intuia o que se passava também por conta das lições de Jean-Paul Sartre e Simone de Beauvoir. Queria até ir para Paris. Era de classe média, bem-nascida, mas percebia que aquela vida que levava não era a da maioria dos brasileiros. "Empregada, por exemplo, não podia subir pelo elevador social, só pelo de serviço."

Três anos depois do golpe, a leitora de Sartre e Beauvoir entrou na faculdade de economia da UFRJ, experimentou o fragor das mobilizações e a percepção de como se dava a disputa política clareou-se ainda mais. Quando viu a terceira pessoa ser espancada pela polícia durante as passeatas, identificou-se imediatamente com elas.

Na universidade, dissidentes do PCB debatiam a luta armada e o questionamento ao velho Partidão. Lúcia achegou-se e, no início de 1968, estava integrada à Dissidência Estudantil da Guanabara (DI--GB), mais tarde MR-8, participando de debates e atividades, dentro e fora da universidade. Em outubro, encarou sua primeira prisão. Cabelo curto, segurando a placa com o número 1168, é assim que ela aparece na iconografia montada pela polícia a partir das fotos das centenas de estudantes flagrados no 30º Congresso da UNE.

Depois de Ibiúna, a ditadura respondia com mais força às mobilizações estudantis. Passeatas eram dissolvidas a tiros. Esperava-se algo como o AI-5. Diante desta expectativa, surgiu a discussão sobre como resistir, a questão da clandestinidade e da luta armada. Como Lúcia fora presa em Ibiúna, começou a cogitar da clandestinidade porque estava "queimada". E veio o endurecimento: pouco depois do AI-5 sua casa foi invadida, e seu pai, preso.

Demolida a possibilidade de tocar a política estudantil sob o regime militar, a contestação tomou outros caminhos. Compondo o setor de trabalhadores da Dissidência, Lúcia iniciou com as panfletagens em porta de fábrica. Seu grupo frequentava as indústrias da avenida Brasil, já decadentes. Estabelecia contatos e era até bem recebida.

Panfletear sob as barbas da repressão não era somente distribuir folhetos, sorrisos e palavras de ordem. Sob a ameaça de cadeia e tortura, eram imprescindíveis, além do verbo, argumentos mais incisivos. "Já andávamos armados, tinha havido tiroteios..."

A primeira vez de Lúcia na luta propriamente armada deu-se em frente ao estaleiro Ishikawagima, na ponta do Caju, região central do Rio. Um segurança da empresa avançou sobre ela e tentou dominá-la. Ela reagiu sacando a arma e começou o bangue-bangue. Ninguém morreu, mas dois guardas ficaram feridos, segundo ela, provavelmente por tiros da arma de Mário de Souza Prata, seu companheiro na ação[1].

Na sequência, roubos de automóveis para ações, uma delas contra o instituto Felix Pacheco, em Madureira, zona norte da cidade, no dia 18 de novembro de 1969. Lúcia foi incumbida do levantamento do local, tarefa que cumpriu na falsa condição de jornalista. O objetivo, no caso, não era dinheiro nem armas, alvos crônicos da guerrilha urbana. Do Félix Pacheco foram surrupiados impressos/espelhos para produção de carteiras de identidade e outros documentos imprescindíveis para quem, muitas vezes, precisava trocar de nome como quem troca de roupa. Os formulários foram distribuídos ecumenicamente para todas as organizações. "Foi uma festa."[2]

No começo de 1970, viajou para a Bahia. Trabalhou na recomposição do MR-8 em Salvador, contatou outras organizações e soube de péssimas notícias. No Rio, seus amigos mais próximos caíam: Vera Sílvia Araújo Magalhães foi presa e torturada, e José Roberto Spigner, namorado de Vera, morto.

Primeiro lugar no vestibular da economia da UFRJ em 1966, Spigner morreu em 17 de fevereiro de 1970. Aos vinte e um anos, teria sido baleado várias vezes ao tirotear com agentes da repressão. A troca de tiros e o suicídio por enforcamento foram as patranhas mais reiteradas para encobrir a morte por tortura ou por execução e ainda encobrir responsabilidades de chefes e subordinados na polícia política ou nas forças armadas. A versão policial derreteu como gelo ao sol durante a análise do laudo da necropsia pela Comissão de Familiares de Mortos e Desaparecidos Políticos. Um disparo à queima-roupa na têmpora, incompatível com tiroteio — e carimbo óbvio de executores, um corpo crivado de equimoses típicas do pau de arara, deixaram claro que Spigner foi baleado, preso, martirizado e executado.

Lúcia se deu conta de que tudo ao seu redor estava desmoronando, mas era difícil tomar outra posição que não continuar, por mais penoso que parecesse. "É uma sensação horrível perceber o que está acontecendo", diz. Qualquer visão crítica em relação àquele momento é travada. O relacionamento que vinha desde a militância estudantil era muito próximo e a sensação arrasadora. "Havia uma clareza de que tínhamos sido derrotados. Mas era impossível, por eles, sair do movimento. Éramos muito jovens e tínhamos uma noção de fidelidade muito grande com os amigos, acima de qualquer outra coisa."

Vera Sílvia explicou melhor sobre este estado de sítio interno. "Eu tinha que me manter na Organização, tinha fundado aquilo, me sentia ligada a todo mundo, inclusive afetivamente. Eram meus amigos, era minha vida — e minha morte (...)", relatou a Marcelo Ridenti, autor de um livro-chave do período, *O fantasma da revolução brasileira*.

Na Bahia, outra missão de Lúcia era atuar na preparação da área rural da guerrilha. Mas ações do Partido Comunista Brasileiro Revolucionário (PCBR) em Salvador desencadearam uma onda repressiva e ela resolveu retornar ao Rio no começo de 1971. "Fiquei três meses entocada antes de voltar..."

O canto do cisne da guerrilheira aconteceu na filial Tijuca das Casas da Banha. Lúcia era uma das duas mulheres na operação — a outra era Marilene Villas-Boas Pinto. Em 13 de março de 1971, dois comandos do MR-8 empunhando revólveres e metralhadoras saquearam o supermercado da rua Conde de Bonfim.

Quando o MR-8 aliou-se à ALN para sequestrar o embaixador Charles Burke Elbrick, dos Estados Unidos, em setembro de 1969, sacava-se pelos gestos, expressões ou palavras, uma reação positiva das ruas. "Quem conhecia a gente do movimento estudantil fazia sinal de positivo, até dizia 'estamos com vocês' etc. Havia uma euforia."

Lúcia não exagera. Burke Elbrick estava ainda no cativeiro quando Spigner contou ao seu parceiro Fernando Gabeira algo interessante que ouvira no ônibus do qual acabara de descer[3]. Um passageiro comentara que os sequestradores do embaixador eram as pessoas que ele mais admirava. "Os sequestradores do embaixador e os cosmonautas", precisou.

Catando apoios na sociedade civil, a junta militar que empolgou o poder no impedimento do marechal Arthur da Costa e Silva retornou com uma colheita mirrada. Um deles veio da submissa Confederação Nacional dos Trabalhadores na Indústria (CNTI) que detectou "a mais viva indignação" dos industriários diante do sequestro. E outro da Sociedade Brasileira de Geografia que lançou "seu veemente protesto" em nota assinada por um professor, um general e dois marechais...[4]. Mas a admiração pela guerrilha definharia nos meses seguintes, quando iniciou-se uma onda de prisões, acirramento da repressão. Acelerava-se o descenso e refluía o apoio à luta armada na classe média. Então a guerrilha vira um projeto de sobrevivência. Era necessário fazer ações para conseguir dinheiro e alugar apartamentos. Mas, então, alguém caía nas malhas da repressão e era imperativo abandonar aquele endereço. Impunha-se realizar mais expropriações. "Não conseguíamos sair desse círculo vicioso..."

No Rio, pouco antes de ser presa, Lúcia passaria por outra provação. Bateu a cabeça na capotagem do fusca em que ela e a amiga Maria Luíza viajavam para Cabo Frio e perdeu a memória[5]. Como o automóvel continha um pequeno arsenal e a repressão estava no encalço da paciente, um hospital não seria um lugar seguro. Lúcia, que logo recuperou a memória, acabou sendo socorrida dramaticamente em casa pelo pai e, depois, pelo neurocirurgião Feliciano Pinto, pai de Marilena.

Marilena, aliás, foi quem descobriu que Lúcia havia *caído*. "Tinha um ponto com ela e furei." A amiga avisou a família. Foi uma tragédia. "Minha mãe já estava arrasada desde que eu fui pra clandestinidade. A família sabe que você está presa, que está sendo torturada e eles (os militares) negam."

Dois dias depois da prisão de Lúcia, a tragédia caminhou até Marilena. A Brigada Aeroterrestre, integrada por paraquedistas, invadiu a casa onde ela e o companheiro Mário Prata moravam, na rua Niquelândia, em Campo Grande, zona oeste do Rio. O *aparelho* estava vazio, mas lá os militares toparam com uma submetralhadora, três pistolas, três fuzis, duas granadas e três quilos de explosivos[6]. E ficou esperando pelos dois. À noite, o táxi que trazia o casal foi fechado por um carro dos agentes. Um deles avançou e pediu documentos à dupla. Marilene retrucou tirando o revólver da bolsa e matando o major José Júlio Toja Martinez Filho, 39 anos, com um tiro no peito.

Baleado, Prata, vinte e cinco anos, foi sepultado como indigente. Suspeita-se que tenha sido capturado vivo e torturado até a morte. Ferida no mesmo dia 2 de abril, sem atendimento médico, Marilene foi arrastada para o calabouço do DOI-Codi, destroçada na tortura e executada horas mais tarde com um disparo no pulmão. Estudante de psicologia, vinte e dois anos, estava na clandestinidade desde 1968. Como sempre, a imprensa[7] ecoou a voz do porão: "Casal terrorista morto ao resistir à ordem de prisão", bradou *O Globo* e "Mortos no tiroteio terrorista e a amante", mancheteou *O Dia*.

Dezoito dias após assustar a freguesia das Casas da Banha, Lúcia ingressava no inferno. Pau de arara, choque, pancadaria. Usou a técnica de projetar resistir àquilo, mas só até um ponto. "Você se dá um limite. Diz: vou lutar contra isso até determinado momento. Vou aguentar por vinte e quatro horas, por quarenta e oito horas e assim vai nessa loucura." É algo que não desaparece mesmo com a suspensão do suplício. "Depois de uns cinco dias sem tortura, eles te dão um choque e volta tudo. É terrível. Porque pior que a tortura é a espera da tortura."

Após ficar pendurada por catorze horas no pau de arara, sua perna direita começou a dar problema — fragilizada, teve uma flebite e quase a perdeu. Tramou então para ludibriar os verdugos. De uma só tacada, iria iludi-los e frustrá-los. Não suportava mais ser torturada e disse aos carrascos que o carro de *Índia*, apelido de Marilena, passava por determinado local, o que era mentira. Tinha planejado tudo. Pensava em se jogar de uma janela. Mas quando saiu da tortura "estava muito mal, um lixo humano, com minha perna deste tamanho". Foi carregada até o local. Não podia andar. "E não consegui me suicidar..."

Lucia guardou aquele horror de ter falhado. Imaginou até que iriam liquidá-la por conta do embuste. Implorou: "Me matem, me matem. Me deem um tiro... Foi uma sensação horrível de não conseguir morrer".

Além dos espancamentos, pau de arara e choques elétricos na vagina, na língua e outras partes do corpo, Lúcia foi submetida a um suplício com insetos — baratas — que, mais do que fazê-la sofrer, pretendia aviltá-la. Havia também métodos de mortificação sexual. Na tortura aplicada contra as mulheres, a vítima recebia um capuz preto e tinha as mãos atadas às costas com a corda passando pelo pescoço. Se fizesse qualquer tentativa de se defender, ela se enforcava. A prisioneira ficava completamente nua e em pé. "Eles passavam as mãos nos seios, na vagina e diziam que isso era 'científico'. Um deles (dos torturadores) que fazia isso era o Nagib."

Nagib ou *doutor Nagib*, nome de guerra do coronel, então capitão de cavalaria Freddie Perdigão Pereira, apontado como "um torturador dos mais cruéis, um carrasco que tinha prazer no ofício"[8]. Senso de oportunidade é o que também nunca faltou ao coronel. No dia 1º de abril de 1964, à frente de seus tanques M-41, ele era o responsável pela segurança do Palácio do Catete, endereço do presidente da República no Rio. Que trocou em favor da proteção a uma das lideranças civis do golpe, Carlos Lacerda.

Vinculado à comunidade de informações, Perdigão cumpria dupla jornada. Rachava seu dia e suas atenções profissionais com o Grupo Secreto, organização paramilitar de ultradireita versada em explodir bancas de jornais, teatros, embaixadas e livrarias. Em 1976, o Grupo Secreto sequestrou e humilhou o bispo de Nova Iguaçu, dom Adriano Hipólito, conhecido por sua defesa dos direitos humanos. Explodiu o carro do bispo e abandonou o dono nu, pintado de vermelho, num matagal de Jacarepaguá. No auge da repressão, o coronel deu expediente na Casa da Morte, em Petrópolis, antro de martírio sob a tutela do Centro de Informações do Exército pilotado pelo general Milton Tavares de Souza, o *Miltinho*, que, apesar do diminutivo, alcançou notoriedade como figura maiúscula da brutalidade nos escaninhos do regime.

Perdigão, afiança o ex-delegado e seu parceiro Cláudio Guerra[9], foi um dos artífices do atentado contra o Riocentro durante um *show* comemorativo[10] ao Dia do Trabalho de 1981. A promoção era do Centro Brasil Democrático (Cebrade), no qual militavam opositores do arbítrio que, então, preparava sua saída de cena, como Oscar Niemeyer e Chico Buarque. Chico, aliás, emprestou uma de suas músicas para as chamadas do espetáculo. Sua letra era assim: "Hoje você é quem manda/ Falou, tá falado/ Não tem discussão/ A minha gente hoje anda/ Falando de lado/ E olhando pro chão, viu/ Você que inventou esse estado/ Inventou de inventar/ Toda a escuridão (...)"

Na toada de "Apesar de você", havia 18 mil pessoas no centro de convenções na noite de 30 de abril de 1981. Do lado de fora, um grupelho de militares ligados à arapongagem oficial empenhava-se na tarefa de reinventar a escuridão que, muito lentamente, desvanecia.

Na noite estranha, festiva de um lado e trevosa de outro, o Riocentro, mais estranhamente, não tinha policiamento algum. Mais inconcebível ainda: vinte e oito das trinta saídas de emergência estavam trancadas com cadeado[11]. Cenário pronto para a matança.

OS VENCEDORES

Elba Ramalho cantava "Banquete de signos", eram 21h20 e foi detonada a primeira bomba. Por sorte do público e azar dos seus algozes, o petardo explodiu antes da hora no colo do sargento Guilherme Pereira do Rosário. Ele e o capitão Wilson Chaves Machado estavam em um Puma cinza, de placas OT-0297, ultimando o apocalipse. Rosário morreu ali mesmo e Machado, embora muito ferido, sobreviveu.

O destino da bomba — uma das três programadas — era o palco onde estava Elba naquele momento e onde pisaram e pisariam naquela noite, entre tantos, Gal Costa, Ney Matogrosso, Alceu Valença, Djavan, João Bosco, Simone, Gonzaguinha e Ivan Lins, que cantou: "Desesperar jamais/ Aprendemos muito nesses anos/ Afinal de contas não tem cabimento/ Entregar o jogo no primeiro tempo". E advertiu: "Nada de correr da raia/ Nada de morrer na praia/ Nada! Nada! Nada de esquecer (...)".

Trinta anos depois, Guerra explicou que, dentro do Puma, os estragos da bomba foram contidos pelo corpo do sargento. No palco do Riocentro seria outra coisa. Era um artefato de grande poder destruidor. "O efeito (...) seria devastador por ter espaço para se propagar", previu. Com a expansão da explosão, a onda de pânico geraria o caos, com muitas pessoas morrendo pisoteadas. "Era para ser uma tragédia de dimensões gigantescas com repercussão internacional. O objetivo era esse mesmo[12]."

Perdigão se dava ao luxo de teorizar sobre os efeitos dos tormentos que infligia e de desafiar as presas para debates políticos. Após um mês na tortura, dizia que o torturado ficava tão psicologicamente frágil que não importava mais a voltagem do choque. Uma pequena descarga possuía efeito similar a uma mais forte... Era ciência. Considerava-se um intelectual e queria debater. "Naquele meu estado, tudo o que eu queria era ficar falando e entrava um pouco nesse jogo. Ele queria demonstrar que mulher não era páreo para ele."

O capitão não tinha medo de se expor. Quando Lúcia foi presa, um ano depois do início do DOI-Codi, os militares colavam um esparadrapo em cima do nome. Não se identificavam. Mas Perdigão sentia-se tão onipotente que não escondia a identidade.

Com este perfil, Perdigão se encaixava com primor no figurino do carrasco psicopata. Era a ele e seus iguais que, amiúde, os galardões mais reluzentes do generalato atribuíam o que chamavam de "excessos" do governo. Como se a tortura fosse um violino desafinado na orquestra e não a música do regime, e Perdigão, um demente que constrangia os ombros estrelados com seus modos, e não alguém que fazia o trabalho sujo. "As altas autoridades do país foram as primeiras a tirar o seu da reta. Não sabiam de nada, eram santos, achavam a tortura um absurdo. Quem assinou o AI-5? Não fui eu", atacou o ex-tenente do exército Marcelo Paixão de Araújo, torturador que operou no 12º Regimento de Infantaria de Belo Horizonte[13]. "Ao suspender as garantias constitucionais, permitiu-se tudo o que aconteceu nos porões", esquivou-se.

Um dos santos canonizados por Araújo era o general José Luiz Coelho Neto. "Tortura é outra coisa. Não. Nunca houve. Tortura, nunca houve", assegurou o general que passou pelo SNI e o CIE. "Isso (tortura) a gente não admitia em hipótese alguma." No máximo, segundo sua experiência, os prisioneiros "levavam apenas uns tapinhas" ou "uns cascudos ou encontrões" e depois reclamavam de terem sido torturados[14].

Equidistante do jogo direto de Araújo e da síndrome de Munchausen de Coelho Neto, o general Adyr Fiúza de Castro, fundador do CIE, obrando para separar a tortura ruim da tortura boa e para casar esta última com a técnica, tricotou sua semântica contorcionista: "Eu não admito a tortura por sadismo ou vingança. Para obter informações, acho válida"[15].

Tortura era o que Lúcia esperava ao ser transferida para a Bahia, após sua temporada como hóspede de Perdigão. Só poderia vir o pior. Afinal, passara um ano lá articulando e, claro, muitas perguntas aguardavam por ela e argumentos não verbais seriam usados para convencê-la a descrever cada um de seus passos em Salvador. Mas se surpreendeu. "Eles me trataram e até acho que salvaram a minha vida ou, pelo menos, a minha perna. E eu: 'Ôba, vou começar a fazer exercício pra minha perna'. Quando se é muito jovem, a força de vida é grande demais. É espantoso como se consegue resistir a isso tudo. Pensa-se assim: 'Agora tá tudo bem, vou me recuperar'".

Lúcia conta estas coisas e ri seu riso bonito, quase estridente, na tarde morna de Botafogo, onde funciona sua produtora. No retorno de Salvador, ela cairia na realidade. "Fiquei toda feliz da vida. Aí os caras me botam um capuz, me levam pra um avião e dizem que vão me jogar lá de cima. 'Abre a porta do avião, abre a porta do avião', gritavam."

De volta ao Rio, Lúcia voltou à tortura. Passou pela Vila Militar e o presídio Talavera Bruce, em Bangu. A perna direita nunca mais foi a mesma e ainda hoje sofre com certa falta de sensibilidade nos pés. Ao sair da cadeia, optou por ficar no Brasil. Contra a vontade dos familiares. "Se pudessem eles teriam me mandado pra Marte." Cláudio Torres, seu companheiro, também do MR-8 e um dos envolvidos na operação Burke Elbrick, continuava preso. Foi um motivo que a fez permanecer, mas não o único. Em vez de continuar fugindo, decidiu se reencontrar dentro do próprio país. "Uma questão de pertencimento, saber o lugar a que pertenço." Foi muito bom para ela se restabelecer. Tipo: "Agora, chega. Eu quero ter a minha vida".

Não foi moleza. Fez vinte e cinco anos de análise, dez deles apenas roendo e remoendo o tempo da prisão e da tortura. E o telefone sussurrava recados aterrorizantes: "Nós vamos voltar. Você vai morrer!".

Como muitos quadros da luta armada que viveram a ditadura na carne, ela aprendeu a valorizar o conceito de mudança, mas com democracia. Dia destes, quando foi a uma reunião e ouviu um jovem discursar dizendo que o país é desigual, miserável e "pior até do que era na ditadura", não se conteve e o interrompeu: "Pior não é, porque, se fosse, eu não estaria aqui. Nem estaríamos discutindo essas coisas".

Luta armada, ditadura, resistência, prisão. O cinema de Lúcia tocou nestas questões todas: no docudrama *Que bom te ver viva* (1989), em *Quase dois irmãos* (2004), *Uma longa viagem* (2010) e *A memória que me contam* (2012). Mas ela não mostra tortura porque "é um horror". Tampouco se detém a pensar sobre tudo o que passou. "Não seria vida."

Em *A memória que me contam*, o cerne de tudo é a superamiga de adolescência, escola e militância Vera Sílvia Araújo de Magalhães, a *Dadá* (ou *Carmen*, ou *Andréa* ou *Marta*, no código inconstante da DI-GB). Ela e Vera saíram juntas de casa em 1968 e foram morar no mesmo *aparelho*. Duas meninas da zona sul ensolarada, Vera morava com os pais no Leme, e Lúcia, em Copacabana. "Aconteceu antes do AI-5. Foi algo mais tipo 'She's leaving home', dos Beatles, do que qualquer outra coisa."

Única mulher na direção da Dissidência, Vera, tal qual Lúcia, descobriu em casa qual o seu lado nas contendas sociais. Bisneta do político republicano Augusto Pestana — nome de município no Rio Grande do Sul — e neta de Clóvis Pestana, ministro dos transportes nos governos Gaspar Dutra e Jânio Quadros, aos onze anos ganhou *O manifesto comunista* de presente de um tio. Aos quinze, militava nas lides secundaristas.

Na linha de frente, Vera aprontou muito. Estreou na Frente de Trabalho Armado (FTA) num roubo de armas com mais dois companheiros e debaixo de mau tempo. No ataque ao gasômetro do Leblon, aproximou-se do guarda que portava uma metralhadora a tiracolo e, cigarro entre os dedos, pediu fogo. Usava uma peruca loura. Distraído, o segurança foi neutralizado. Mas quis reagir e tomou um tiro. Outro guarda surgiu atirando e o tiroteio se estabeleceu. Na noite de 16 de março de 1970, foi encurralada no bairro da Penha com José Roberto Spigner e o artista plástico Carlos Zílio[16]. Gastou toda a sua munição e, com um revólver sem balas, rendeu um taxista, driblou o cerco e escapou. Suas ações incluiriam supermercados, bancos, cofres e carros fortes. Virou um personagem midiático: a *Loura dos Assaltos*.

Única mulher também no sequestro de Elbrick, Vera ficou num dos três carros empregados na ação — um fusca grená — ao lado de João Lopes Salgado. Nas mãos, uma bomba caseira feita em uma lata de leite Ninho. Antes, encarregara-se do levantamento de

OS VENCEDORES

campo. Passeando de minissaia pela rua São Clemente, em Botafogo, e fazendo-se passar por empregada doméstica, engambelou primeiro um funcionário da guarda da embaixada dos Estados Unidos e, depois, o próprio chefe da segurança. Enquanto os guardas jogavam seu charme para cima daquele pedaço de mau caminho, ela jogava outro jogo: descobriu toda a rotina de Elbrick, seus horários, seu Cadillac preto, modelo Fletwood Limusine Serie 75, com portas generosamente destrancadas e sua segurança inexistente. Sozinha, levantou as informações para o sequestro do embaixador dos Estados Unidos. "Fui de minissaia, vestida de empregada doméstica, conquistei o chefe da segurança do embaixador, ele me achou engraçadinha, me deu todas as informações[17]."

Quase todos os implicados do sequestro acabaram na prisão e na tortura e, alguns, na morte. No dia 9 de março de 1970 chegou a vez de Vera. A polícia flagrou dois comandos panfletando no morro do Jacarezinho, zona norte do Rio. Na balaceira, Vera acertou um agente mas foi atingida na cabeça e capturada. Foram dias, semanas e três meses de tormentos que cobraram um preço amargo.

Vera contou a Ridenti que, em 1969, na clandestinidade, "ficava dentro de casa o dia inteiro, lendo, armada e com muito medo". Mas um rompante da presa política sob tortura oferece um rasgo de coragem quase suicida. No DOI-Codi da rua Barão de Mesquita, na Tijuca, um de seus interrogadores quis saber sua profissão. Pendurada no pau de arara ela retorquiu: "Minha profissão é ser guerrilheira[18]".

Não se sabe para que torturador Vera respondeu de maneira tão atravessada. Sabe-se somente o nome de três de seus carrascos. Deles, o mais notório é o capitão Ailton Guimarães Jorge[19] que, depois de capitanear no exército, foi comandar bancas de jogo de bicho e o Carnaval carioca.

Libertada em 15 de junho do mesmo ano, na condição de um dos quarenta presos políticos trocados pelo embaixador alemão, aparece na foto clássica dos banidos do Brasil trajando saia e blusa, uma meia comprida de losangos, chinelos e segurando um agasalho sobre as pernas. Está à direita, sentada. Ao seu lado, agachado, Fernando Gabeira, então seu companheiro. Por obra da "tortura válida" do general Fiúza de Castro, Vera não podia parar em pé. Destoando do grupo que mira a objetiva, seu olhar sereno busca outro ponto além do enquadramento.

Mostrando Vera daquele jeito, sentada naquela cadeira, a imagem rodou o mundo e foi envergonhar o escritor Josué Montello em Paris. Conselheiro cultural da embaixada do Brasil, Montello escreveu[20]: "Fujo de encontrar-me com amigos franceses, humilhado, triste".

Banida, morou em cinco países, primeiro no Chile, depois Argélia, Alemanha, Suécia e França. Formou-se em sociologia e economia. Em Paris, na Sorbonne, frequentou a classe do exilado Fernando Henrique Cardoso, cuja metamorfose nunca digeriu. "Como aquele marxista pôde se transformar no neoliberal de hoje?"[21], indagou em 2002. Vera deixou a prisão, mas carregou consigo as sequelas do tiro e da tortura. Em consequência disso, foi a primeira brasileira a receber pensão do governo federal por conta dos tormentos infligidos por agentes da ditadura. Lúcia viu de perto este calvário: "Diversas vezes foi internada em crises psicóticas, quando a experiência da tortura voltava como se nunca a tivesse abandonado. Por duas vezes teve também câncer (...) descreveu em texto sobre *A memória que me contam*.

No final de 2007, Vera baixou no hospital por causa de um enfizema. Os amigos achavam que seria apenas uma nova internação entre tantas. E que todos se reuniriam mais uma vez em torno de sua cama. Mas o seu corpo, após tantas dores, não resistiu. Morreu no dia 19 de dezembro, aos cinquenta e nove anos. No filme, Vera, que foi tantos nomes, renasce sob outro. É Ana e está jovem. É como a veem os demais personagens. Sob o olhar de Lucia, "Ana/Vera é a síntese de todas as contradições de sua geração".

Na geração de Vera e Lúcia, o foco busca sempre a questão política. Mas, para as mulheres, havia outras políticas e outras disputas. "Era uma guerra, enquanto mulher, ser de uma direção. Era uma coisa muito barra-pesada, nada fácil para mim", relatou Vera[22]. Embora algumas guerrilheiras, caso de Vera, que integrou grupos de fogo, tenham ocupado cargos diretivos no movimento, o espaço do feminino nas organizações de luta armada era rarefeito. Cabia a ela realizar os levantamentos das ações. Tinha que levar na conversa o gerente do banco, descobrir o dia do pagamento. Nessa situação, estava sozinha. Se algo desse errado, tinha que resolver. "Na hora da ação, todo mundo tinha metralhadora ou 38. A mim, cabia o pior revólver. Até que, no final, eu ganhei uma metralhadora, uma grande conquista individual[23]".

Quando o MR-8 pegou em armas, enfrentou cercos e a polícia, foi um trauma para todos. Mas ninguém tocava no assunto. Sem medo de dizer que tinha medo, Vera puxou o tema para a roda e os companheiros não gostaram. Disse que, após o primeiro tiroteio, o comando ficou dois meses sem fazer ação, só levantamento. "É claro que era medo. Fui levantar o problema, quase me 'mataram'. Imaginem se aqueles homens novos, fantásticos, os heróis da nossa terra, iam ter medo. Medo era assunto que não era para ser tocado, mesmo[24]."

Mesmo assim, houve avanço expressivo das mulheres nas estruturas da resistência armada. Na guerrilha urbana, 18,3% dos militantes processados eram do sexo feminino[25]. Percentual que, no PCB, antes ou pós-1964, não ia além de 5%. A grande maioria se uniu à luta armada ou aos grupos clandestinos de esquerda pela ponte da militância estudantil. E algumas, como Maria do Carmo Brito (Colina e VPR) e Inês Etienne Romeu (VPR), galgaram o comando de suas organizações. "A norma era a não participação das mulheres na política, exceto para reafirmar seus lugares de "mães-esposas-donas-de-casa", como ocorreu com os movimentos femininos que apoiaram o golpe militar de 1964", repara Ridenti[26]. Na sua percepção, os 18,3% de mulheres nos grupos armados espelha um progresso na liberação feminina no final da década de 1960. Muitas mulheres integraram-se às lutas políticas para desafiar a ordem estabelecida em todos os níveis, embora sua retórica não tivesse, abertamente, um caráter feminista. Lúcia: "A minha geração estava rompendo com tudo e não só com a política".

Na linha de frente das disputas estudantis ou da guerrilha havia outra guerra sendo travada, sem armas e mais prazerosa: depois dos anos 1960, o sexo e o amor nunca mais foram os mesmos. E a ditadura sabia disso. Lúcia fez uma descoberta divertida quando obteve cópia do que havia a seu respeito nos arquivos do SNI: "Tinha lá uma coisa absolutamente hilária". Era mais ou menos assim: "pertence à organização clandestina, é comunista, é isso e aquilo e... mantém relações promíscuas com muitos homens... (risos)". Era a visão machista e corrente sobre o papel feminino. "Jamais você encontraria uma coisa dessas do SNI que dissesse assim: 'Fulano é isso e aquilo e mantém relações promíscuas com muitas mulheres...'".

Nada muito diferente do que ia pela cabeça do brigadeiro João Paulo Moreira Burnier, expoente da ultradireita militar[27]. É preciso deixá-lo dizer. Com a palavra, portanto, o brigadeiro Burnier: "Guardo, sim, a convicção de que esses subversivos, na sua maioria, estavam bastante enxertados das ideias do padre Lebret e de Marcuse sobre amor livre e sobre como gozar a vida em todos os seus sentidos. (...) Essas ideias começaram a perturbar a mocidade brasileira e os subversivos marxistas se aproveitaram delas para fazer o combate à suposta ditadura militar (...)".

Atrás da estudantada e de Marcuse vinha a ideia de socialismo. Para o brigadeiro, dar "iguais direitos a pessoas diferentes" era simplesmente uma quimera, que "nem Deus" poderia concretizar. "Não se pode chegar a essa igualdade, a esse regime maravilhoso que seria o Nirvana, mudando a mentalidade das pessoas de qualquer jeito. O regime socialista limita a ambição humana, como se fosse possível limitar a vontade humana[28]."

Presa no congresso de Ibiúna, a aluna da PUC/SP, Maria Beatriz Costa Abramides, de dezenove anos, topou com as consequências práticas da reprimenda de Burnier: "Nos chamavam de prostitutas por termos, nas bolsas, pílulas anticoncepcionais (...)". No Dops, isoladas, atravessaram a noite ouvindo berros. "Nos ameaçavam dizendo para tomar cuidado senão seríamos nós[29]."

OS VENCEDORES

A paisagem moral que os militares descortinaram na derrocada da reunião da UNE entrou em conflito com seu conceito e os deixou pasmos. Com rotas distintas, a contestação — que ainda não era armada, mas seria — e aquela do pacifismo, mais comportamental do que política, do poder da flor, tinham enfim um ponto de contato revolucionário. Porta-voz da visão tradicional que começava a morrer, Burnier prossegue: "Era uma fazenda alugada pela UNE onde jovens, moças e rapazes, faziam amor livre na vista de todos, tomavam drogas, um verdadeiro bacanal, uma coisa estúpida[30]". E Lúcia: "Por acaso, nessa noite (da queda do congresso) eu *tava* namorando. A gente tinha muito hormônio. Fui bastante namoradeira. Eu acho que faz parte da radicalidade".

Para o regime, namorar era outra coisa. As disciplinas escolares impostas às escolas públicas ou particulares dos três graus deixavam isto claro. Compêndios de Educação Moral e Cívica ou OSPB[31] doutrinavam que, na adolescência, a convivência sexual "é imoral e inconveniente" assim como "manifestações de carinho através do tato" porque "o namoro não é iniciação ao sexo"[32]. A mão do namorado ou da namorada deveria estar tão longe do parceiro quanto de Charles Darwin. Cento e dez anos após a publicação de *A origem das espécies*, a autocracia torrava dinheiro público para pregar o criacionismo. E, claro, exaltar o 31 de Março, reportado como uma "nova era" do combate ao comunismo. Além de renegar Marx, Darwin, Freud, Marcuse e Wilhelm Reich, suspeitava que todos, lá no fundo, estivessem embuçados na mesma maquinação.

Debaixo da ditadura, parte da Igreja pendeu para a esquerda, enquanto outra preferiu, ao menos, manter distância do regime. Mas os fundamentalistas católicos afinavam-se com o que ruminavam seus equivalentes na caserna. Se o comunismo dominasse o Brasil, "os pais que resistissem à profanação do seu lar poderiam ser mortos; as filhas e esposas ficariam expostas à violação (...)", ensinava dom Geraldo de Proença Sigaud no seu "*Catecismo anticomunista*"[33]. Arcebispo de Diamantina/MG, dom Sigaud debitava o comunismo na conta do diabo: "Quem inventou este regime foi Satanás".

Esclarecia que o comunismo fisga os incautos através do desfrute da vida sem oração e penitência, da frequência de "lugares suspeitos", da apreciação de filmes e programas sensuais e das "danças modernas". Seus adeptos prometem "o paraíso na terra", algo que contraria a vontade divina. Deus, nota, além da alegria, deseja que encontremos "grandes sofrimentos" na terra. E a igualdade entre os homens desgosta o Criador: "Deus quer que entre os homens haja desigualdades, as famílias formem classes distintas, umas mais altas que as outras, sem hostilidade recíproca, com caridade" (...).

O general Milton Tavares de Souza abespinhava-se com os tentáculos comportamentais da subversão. Entendia que o *flower power* — e seus valores como a liberdade amorosa — ameaçava os elevados princípios da sociedade ocidental e cristã. Era outra forma de combate que não o armado, mas urdida pelo comunismo internacional para solapar as instituições. Ascético, magro, rosto chupado, palestrando para alunos da Escola Superior de Guerra (ESG), explicou-lhes que "o movimento *hippie* foi criado em Moscou". Advertiu ainda que, se os pais relaxassem a vigilância sobre os filhos, "o comunismo acabará dominando o Brasil"[34]. Concordando, outro general, Moacir Araújo Lopes, agregou: "boa parte da juventude, deu-nos os tristes e degradantes espetáculos dos *hippies*"[35]. Lastimou ainda a discussão sobre educação sexual, proposta que considerou "leviana e irresponsável".

Na teoria conspiratória que pulsava no cérebro do general Fernando Belfort Bethlem, ministro do Exército de Geisel, a ideologia exótica aninhava-se no coração do narcotráfico "através do interesse dos comunistas em corromper as mentes jovens para destruí-las, bem como a nossa sociedade cristã, democrata, amante da liberdade"[36]. Haveria "uma estratégia de ataque à nossa juventude" por obra do oponente ardiloso. Sedutora tese para o civil e senador Guido Mondim, da Arena. Ao votar a favor da censura prévia, ele defendeu sua posição invocando a "decadência moral do mundo ocidental", afiançando que tal obedecia "a plano internacional".

OS VENCEDORES

"Quando o meu filho foi atropelado, estava sob o efeito da maconha. Os comunistas o viciaram. Eles sabem que o jovem viciado fica na dependência dos fornecedores de drogas e fazem tudo o que eles impõem." Assim fala um personagem de *Os sete matizes do rosa*, obra do general Ferdinando de Carvalho. Após presidir inquéritos militares sobre o PCB, o general enriqueceu as belas-letras tecendo o tênue fio da conexão entre Lenin e Elvis, e costurando bolchevismo e liberação dos costumes. Cita "um festival de *rock and roll* que terminou numa bacanal de nudismo e perversões irresponsáveis (sic). Era um evento "de música excitante e erótica" envolvendo "moças e rapazes de famílias distintas" e que "havia sido organizado pelos comunistas"[37].

Para Burnier, a mescla de liberação sexual com drogas nasceu mesmo na Paris de 1968: "Depois vieram (as ideias) para o Brasil e levaram os jovens brasileiros a se meterem com droga (...). E se imiscuíram dessas ideias de era preciso defender a liberdade, mas uma liberdade sem limites[38]".

No eclipse de Ibiúna, a derrota convivia com outro mundo que nascia. "A questão do feminino era muito forte, rejeitava-se a sociedade machista em que se vivia", pondera Lúcia, para quem, desde então, o quadro melhorou bastante. "E a sensação de liberdade dessa época foi uma sensação que eu nunca mais tive na vida."

Ao contrário de Lúcia, *Bartô* não fala em liberdade, mas em outro sentimento, o de estar se movendo dentro da história, vivendo um momento extraordinário, em que o presente fugaz também é compreendido como posteridade. Tempos capazes de oferecerem o céu mas de entregarem o inferno. Que conheceu muito bem.

Os 40 libertados depois do sequestro do embaixador da Alemanha. De todos, Vera Sílvia, na extrema direita, é a única sentada: sequelas da tortura não permitiam que ficasse em pé

© Arquivo do Estado de São Paulo

Ayrton Centeno

Marilena, a Índia, do MR-8: reação à bala e morte na tortura

Mário Prata, companheiro de Marilena

Para o general Milton Tavares de Souza, o movimento hippie era uma invenção de Moscou

Na convicção dos militares, os subversivos estavam "bastante enxertados" pelas ideias do filósofo Herbert Marcuse sobre amor livre e maneiras de desfrutar a vida

OS VENCEDORES

Para Dom Sigaud, os comunistas, ao prometerem igualdade, tornavam-se diabólicos porque "Deus quer que entre os homens haja desigualdades"

Para quem rezava pelo catecismo de Dom Sigaud, o comunismo era o outro nome de Satanás

No show do Riocentro, a bomba explodiu antes da hora dentro do Puma de placas OT-0297, matando um e ferindo outro dos futuros autores do atentado que poderia deixar milhares de vítimas

Bartô, Jorge ou Alex no dia da libertação. Antes, espancamento, afogamento, descargas elétricas e uma injeção de pentotal sádico: "espiritualmente falando, foi uma viagem para conhecer o inferno"

CAPÍTULO 13

Do bangue-bangue ao *Big Bang*

—Triiiim... Telefone pra você — avisa Norminha, que acrescenta — É o Marx.
—Triiiim... É pra você. É o Guevara.
—Triiiim... Agora é o Mao.
Depois de Marx, Guevara, Mao, telefonam Lenin, Ho Chi Minh... Os telefonemas não param. Na verdade, não são telefonemas. Sequer é um telefone. *Norminha* não é secretária. Nem o destinatário de tantas ligações quer recebê-las. Aliás, ninguém está telefonando para ele. Nada é o que é.
Norminha é o apelido do agente Eduardo, do Dops. Com a boca, ele imita o tilintar do aparelho e anuncia a sequência de telefonemas de tantos vivos ou mortos. O "telefone" é o magneto que ele gira e o fio que desfere a descarga elétrica. Cada "triiimm" é o prenúncio da tortura. Se *Norminha* é o torturador, *Bartô* é a sua vítima. É ele quem recebe os telefonemas que não são telefonemas. É outra e, pior, coisa. "O primeiro choque é sempre inesquecível", diz. Quem toma nunca mais quer sofrer aquilo na vida. "Quando você não está berrando, sentindo a voltagem sacudir o corpo e a amperagem queimar a carne,

você fica na expectativa e no terror da próxima descarga. Esse é seu único pensamento[1]."

Norminha era um conhecimento recente, coisa de horas. *Bartô* teve um presságio de que ia conhecê-lo — ou alguém com aquele perfil — naquele final de tarde.

Passava das sete da noite quando sorvia seu café na cozinha do *aparelho* da VPR. Ali morava com a namorada Mônica e os companheiros Daniel e Moisés[2]. Teve um presságio: iria *cair* naquele 12 de maio de 1971.

Escutou os primeiros acordes de "Summer'68", do Pink Floyd, cujo primeiro e premonitório verso — *Would you like to say something before you leave?* — fala em dizer algo antes de partir. Disse tchau para Daniel e Moisés logo depois de soar a vinheta de abertura do *Jornal Nacional*, da TV Globo. Beijou Mônica no portão e partiu.

Naquela noite, a missão era cumprir um ponto no Engenho Novo, zona norte do Rio. Subiu no fusca creme com uma pistola Colt 45 e quatro pentes. Na cintura, um revólver 38. Dava para começar uma revolução, mas não teve tempo de apertar o gatilho nem uma vez. O ponto era um alçapão. Perseguido pela polícia, virou alvo móvel de uma saraivada de balas que espatifou os vidros do fusca. Com as sirenes uivando nos seus tímpanos, aplicou um cavalo de pau, subiu na calçada e quase se safou. Zuniu para o Largo do Jacaré, perto dali, imaginando dar uns tiros para o alto e sumir no matagal. Alcançou o largo, mas não nas condições que imaginava. Com o fusquinha varado de balaços, possivelmente atingido no motor, perdeu a direção, abalroou um ônibus e bateu contra uma árvore. Quando as viaturas chegaram e as sirenes calaram, estava com a metade do corpo para fora do carro sem saber o que acontecera. Iria, então, conhecer *Norminha*.

Mas, antes, conheceu seus colegas. O mais alto deles o recebeu a coronhaços no banco traseiro da Variant que o carregou para o Dops. Do motorista, recebeu inesperados confetes: "Porra, garotão, você dirige pra caralho!".

OS VENCEDORES

Seria a última amabilidade. Na entrada da delegacia, uma pancada na cabeça com a culatra de uma metralhadora Thompson o fez desmaiar e o trouxe para um mundo sem maiores expectativas que não as piores.

"Agora é a hora da onça beber água." Era o *Gaúcho* falando[3]. *Norminha* casava tortura com tripúdio, mas foi *Gaúcho* quem o apresentou ao eletrochoque. Antes, porém, desatou-se um festival de pontapés nos rins e no estômago. Só então, *Gaúcho* e os seus consideraram *Bartô* apto para a fase seguinte, a elétrica. Sobressaltou-se com o próprio urro e os espasmos do corpo. Quatro décadas mais tarde, esmiuçando aqueles tempos, considera que somente quem viveu na carne aquela experiência pode aquilatar a profundidade do drama. "O ato moral, a ética que nossos pais, educadores, sábios e heróis nos inspiraram, se baseia no fato dele ser uma opção livre, fruto do nosso livre-arbítrio e escolha." E pergunta: "Então como ser virtuoso e ético numa situação de tortura, com a vida por um fio a cada momento?".

Perdeu a noção do tempo. Em posição fetal, perscrutava os relógios dos carrascos. Precisava embromá-los, dar tempo para os companheiros escaparem antes de *abrir* nomes ou endereços. Mas os relógios poderiam estar adiantados para iludi-lo e fazê-lo soltar a língua antes da hora. Os choques paravam, mas o martírio não. Era a pausa para os socos e os chutes. Depois, água sobre o prisioneiro para aumentar o dano da descarga elétrica. Negociava consigo mesmo: vou falar, mas agora ainda não. Daqui a pouco... Entre descargas elétricas e botinaços, *Norminha* providenciou um cano de ferro, extremidades apoiadas em duas escrivaninhas. O preso fica no meio, acima do chão. Pulsos e canelas atados, é içado como um frango. No pau de arara, as contorções que os choques desencadeiam pressionam as articulações, a circulação se reduz, as mãos arroxeiam. Para o antigo *Bartô*, sair da provação incólume é quase impossível. E sair derrotado é muito fácil. "A consciência nos cobra uma conduta de abnegação, sacrifício e resistência num contexto de sofrimento físico e moral indescritível que impede uma escolha livre", argumenta.

A uma da madrugada, ou seja, duas horas depois do horário combinado para Mônica e os dois amigos abandonarem o aparelho caso ele não voltasse, resolveu negociar consigo mesmo mais uma vez. Daria um endereço distante, uma casa que sabia desocupada em Coroa Grande, a 96 quilômetros do Rio. Na volta, com o dia amanhecendo, revelaria o endereço do *aparelho*.

Quando maio ia a meio e ele estava ali, entre *Gaúcho* e *Norminha*, era o que lhe passava pela cabeça. Um ano e um mês antes, vivia outro tipo de tensão: dirigia o planejamento da Operação Siegfried, o sequestro pelo consórcio ALN-VPR do embaixador da Alemanha. Aos olhos da guerrilha, Ehrenfried Anton Theodor Ludwig Von Holleben era o nome da descomunal gazua que abriria quarenta celas para soltar quarenta presos políticos.

Final de outono morno, cai a noite mansamente nos altos de Santa Teresa, região central do Rio de Janeiro. Moradores nas janelas e muita gente nas calçadas tomando cerveja. Um casal namora numa escadinha na calçada da rua Cândido Mendes junto à confluência com a Ladeira do Fialho[4]. Estacionados nos arredores, uma camionete Rural Wyllis, um fusca vermelho e um Opala azul. Do interior dos veículos, homens observam o movimento da rua. Distantes dali, numa Kombi verde-claro, os secundaristas Felipe e Honório fumam e ouvem Inglaterra x Tchecoslováquia pela Copa do Mundo do México. É o dia 11 de junho de 1970. "Estava num tremendo cagaço", confessaria Felipe.

Também nas imediações, *Bartô* acaricia a coronha do revólver. Tem dezenove anos. Sente-se personagem de romance. É Fabrizio del Dongo, o aventureiro de *A cartuxa de Parma*, de Stendhal, que mente a idade para se alistar no exército de Napoleão Bonaparte. "Sou um guerrilheiro, que coisa incrível[5]", extasia-se.

Na velocidade em que as coisas acontecem no *front*, subira bruscamente de *status*. Antes daquilo, o máximo de adrenalina viera dos confrontos com a polícia nas passeatas e panfletagens de 1968. Rolhas no asfalto para derrubar a cavalaria, lenços molhados com água e amônia e Redoxon na boca para atenuar o efeito do gás. Deixara na poeira da história aquele menino que distribuía panfletos no colégio.

De súbito, um tiro quebra a luminária da rua. É o sinal. A camionete arranca até o meio da pista, tromba e bloqueia a passagem do Mercedes-Benz do embaixador. Os namorados se desvencilham, empunham suas armas e as apontam contra os seguranças que acompanham Von Holleben. Os dois agentes da Polícia Federal que seguem o diplomata numa Variant gelo são postos fora de ação pelos guerrilheiros Sônia Lafoz e José Milton Barbosa. Luiz Antonio Sampaio é ferido a bala e José Banhares da Silva, açoitado pelos estilhaços de vidro do carro. Um terceiro homem da PF, Irlando de Souza Régis, que viaja no banco da frente do Mercedes, esboça uma reação, mas é fulminado com um disparo na cabeça. É o primeiro sequestro com vítima fatal.

Tudo se passa em pouco mais de dois minutos. Tão rápido que *Bartô*, distraído, é atropelado pela ação. O tumulto se instala e se dissipa sem que possa usar a arma no que seria seu batismo de fogo. "Merda, não dei nenhum tiro...[6]", lastima-se o Fabrizio del Dongo da VPR.

Na Kombi, longe da área da ação, faróis cegam momentaneamente seus dois ocupantes antes de o Opala azul esbarrar ao seu lado. A porta se abre e um rapaz de camisa aberta, blusão, cabelos ao vento e 38 na mão ordena: "Caixote!".

É o chefe da operação, Eduardo Coleen Leite, o *Bacuri*, descreve *Felipe* ou Alfredo Sirkis[7]. Do revólver de *Bacuri* partiu a bala que matou o agente. Aparece Herbert Eustáquio de Carvalho, o *Daniel*. Conduz um senhor muito alto e assustado. Foi *Daniel* quem, empunhando uma pistola 45, arrancou-o do Mercedes e o forçou a entrar no Opala dirigido por José Roberto Gonçalves de Rezende. Von Holleben sobe na Kombi e Sirkis[8] aponta para o caixote. "*Inside please. It's just a short trip. Soon we'll reach a house.*"[9] E emenda: "*You will be well treated. This is a revolution operation*".

Apavorado, Von Holleben espreme sua estatura e acocora-se ali do jeito que pode. Tampa fechada, a Kombi pilotada por *Honório* ou Maurício Guilherme da Silveira chispa em direção ao subúrbio. Vinte minutos se passam e na avenida Automóvel Clube, zona norte, a perua raspa estrepitosamente no flanco do ônibus que procurava ultrapassar e quase capota. E Sirkis/*Felipe*: "Imagine eu falando inglês para acalmar o embaixador dentro de um caixote e numa Kombi com aquele cara fazendo todas aquelas loucuras... Levou uns quarenta minutos para chegar ao esconderijo, mas pareceu um tempo interminável".

Entre mortos e feridos todos se safam e Von Holleben chega ileso à casa/cárcere, numa rua remota e lamacenta, a Juvêncio de Menezes, em Cordovil. Ao descer, cercado por encapuzados, o embaixador pergunta a Sirkis sobre seu chofer, Marinho Huttl. "*Is Marinho Ok?*" Bacuri esclarece: "Tá legal. Só susto".

Os captores pediram desculpas ao cativo pelo transtorno do caixote. Era por "motivo de segurança". Explicaram-lhe que encarnava o trunfo da guerrilha para resgatar os prisioneiros e que esperavam que as autoridades agissem como nos dois sequestros anteriores, o do embaixador norte-americano Burke Elbrick e o do cônsul japonês em São Paulo, Nobuo Okuchi. Exigências acatadas, presos libertados e diplomatas devolvidos. O alemão pareceu mais tranquilo. Sempre no que apelidou de *ingrêis*, Sirkis contou a ele que, nas prisões, existia todo tipo de suplício e também assassinatos e que o sequestro era a única maneira de evitar mais mortes. O diplomata retrucou com um libelo contra a tortura[10] "*I don't approve torture! I've written reports to my government about human rights in your country*[11]".

Disse que até havia abordado informalmente o tema com o ministro de relações exteriores do Brasil, Mário Gibson Barbosa, que admitiu a existência da tortura, mas em casos isolados. Sirkis retrucou que Barbosa mentia, que a tortura era uma instituição e lhe ofereceu cartas de prisioneiros políticos para comprovar. Von Holleben lhe respondeu secamente que queria mesmo era ir ao banheiro. *Bacuri* inquietou-se. Havia uma janela baixa na peça. Mandou deixar claro ao embaixador que não tentasse fugir. "Cuidado com ele! É nazistão, no duro! Inscrito no partido nazista, lutou na guerra e tudo!"

E Sirkis: "Porra, deixa o cara cagar sossegado! Depois eu aviso![12]".

Teresa Angelo, a *Helga*, recepcionou Von Holleben com chá, salgadinhos, revistas e um comprimido de Valium. Nos quatro dias de cativeiro, a convivência foi civilizada, o que não travou o debate sobre as relações entre o capitalismo alemão e a ditadura militar. Sirkis x Von Holleben. Fora isso, entrou para o folclore da luta armada o esculacho do embaixador em *Bacuri*. No aparelho, todos estavam permanentemente com capuzes, deixando aparecer somente os olhos. Sirkis[13] descreve a reação do diplomata quando, num falsete da segurança, *Bacuri* irrompeu no seu quarto de cara a mostra. O alemão indignou-se. "*Why isn't he wearing the mask? I don't want to see faces! No faces, please!*[14]"

O chefe da operação saiu dali rapidamente e retornou com o rosto coberto. No quinto dia, quando a ditadura cedeu e divulgou a lista dos quarenta nomes dos libertados, um exultante Von Hollenben confessou ao intérprete Sirkis[15] estar muito feliz por ter resistido à tentação de fugir. Felicidade que ganhou um lampejo de orgulho ao constatar sua cotação no mercado de embaixadores. Seria liberado em troca de quarenta prisioneiros — entendera que eram *fourteen*, catorze, e não *forty*, quarenta —, mais do que o dobro do que rendera o sequestro de seu colega dos Estados Unidos no ano anterior.

Quando o Boeing com os quarenta aterrissou em Argel, o mais velho do grupo, Apolônio de Carvalho, 58 anos, condecorado com a Legião de Honra por ter lutado na Resistência contra as tropas de Hitler, deu entrevista em francês. Justificou os sequestros de diplomatas como a única forma de extrair os presos políticos das masmorras brasileiras. Na data da chegada, o diário *El Mudjahid* afirmou em editorial que a Argélia era "terra de asilo" para todos os combatentes. E comparou: "Para os revolucionários, a Argélia é como a Meca para os muçulmanos".

Com os banidos na sua Meca não havia mais razão para reter o sequestrado. Contudo, eis que surge um problema prosaico: aquela Kombi usada para trazê-lo encaixotado não estava mais disponível. Estacionada em local proibido, fora guinchada pelo Detran. Sem seus préstimos, não havia como remover o embaixador do *aparelho*. De banho tomado, terno frisado e gravata de seda, Von Holleben ouviu a má notícia e não teve dúvida: passou outra descompostura nos captores. "*What lack of organisation! It's outrageous!*[16]", bufou.

Von Holleben reclamou que o acordo não estava sendo cumprido. Prometeu ir embora dali garantindo que não forneceria nenhuma informação à polícia. Acabou aceitando escrever nova carta à esposa explicando a ela que "dificuldades técnicas" atrasaram a sua liberação. E chiou de novo: "*I thought you were better organised...*[17]".

Apesar da esculhambação recriminada pelo embaixador, ao deixar o cativeiro, ele aceitou ser o portador de mensagens destinadas ao governo alemão, à ONU e à Cruz Vermelha Internacional acusando o governo dos generais. Na carta, os guerrilheiros prometiam abandonar os sequestros de diplomatas se a tortura fosse abolida pela ditadura. Von Holleben gostou da ideia. "*I will be happy if I can do something useful to stop torture and also assure the safety of other colleagues as well as myself*[18]."

Na hora do adeus, apertou a mão de Sirkis. Num tom de "reprovação condescendente"[19] disse esperar que "nada aconteça a você".

Despediu-se do *aparelho* num velho e *queimadíssimo* fusca azul. Foi a solução emergencial. Comprado em nome de um dos sequestradores, não tinha documentação e, uma semana antes, quase fora incinerado pelo perigo que representava. Sentimentais, os guerrilheiros tinham até batizado o carro: chamava-se *Natália*, homenagem à Natalia Ivanovna Sedova, companheira de Trotsky.

Sirkis acha que a demora do carro não empanou o brilho da ação. "Tivemos a decisão em quatro dias, a ditadura baixou as calças e mais alguma coisa rapidamente." Libertou os quarenta presos pedidos e publicou o manifesto. "Foi uma ação redondinha."

OS VENCEDORES

Dia 16 de junho, por volta das onze de uma noite chuvosa, Von Holleben, até então compactado naquele espaço exíguo, desceu de *Natália* e espichou-se em liberdade na esquina das ruas Barão de Mesquita e Soares Filho, na Tijuca, perto do Colégio Militar. Diante dos policiais, calou sobre as conversas no *aparelho* e os documentos que trazia no bolso.

Bartô não era *Bartô* ou *Jorge Carvalho da Costa*, nome que portava nos seus documentos e que a polícia descartou com escárnio. Depois do sequestro de Van Holleben participaria do seguinte e derradeiro da luta armada. Mas, naquele momento, no porta-malas da camionete Veraneio, viajando na madrugada entre Coroa Grande e o Rio, sentia-se mais apreensivo com a atividade febril de *Norminha*, que amarrava os fios da máquina de choque nos seus pés e mãos. O tormento deslanchou em trânsito, bem antes do retorno à cela. Mas não era ainda a dor que seus artífices almejavam. Uma parada num posto de combustível garantiria esse *plus* e uma cena surreal.

Quem narra é *Bartô*, quer dizer, Alex Polari de Alverga. Conta que os empregados do posto não entenderam nada quando um tal *Capitão* pediu água. Um rapaz trouxe o regador cheio e percebeu, apavorado, um sujeito gemendo no porta-malas. "Mais assustado ficou quando o gesto maquinal de abrir o capô para despejar a água no radiador foi interrompido pelo *Norminha* que o obrigou a despejar a água em cima de mim." Insatisfeito, obrigou o frentista a apreciar a nova sessão de choques. "Depois do espetáculo, nossa comitiva prosseguiu a viagem sem pagar[20]."

Alex/*Bartô* nunca esqueceu o semblante de terror do frentista, imóvel no meio do posto, segurando o regador enquanto a viatura se afastava. Tratava-se de "uma pessoa simples que, de repente, acorda e toma contato com uma violência que até então nunca imaginara existir". A guerrilha, porém, já descobrira esses abismos.

Depois de sofrer na Veraneio e no cárcere, *Bartô* ouviu mais uma vez que seria levado ao *paraíso*. Promessa repetida sempre que o preso demorava a falar. Como o *Paraíso* também era referido como *Gestapo*, certamente não honraria a fama dos édens de verdade. Queriam Lamarca e se supunha que, uma vez no *Paraíso*, alcunha da sede do Centro de Informações e Segurança da Aeronáutica, o CISA, na base do Galeão, ele entregaria quem quer que fosse. Desembarcou da viatura e percorreu um corredor de querubins que o saudaram com chutes, tapas, beliscões, "telefones" e pancadas diversas. Chegou nu ao final da fila. Um saco preto cobriu-lhe a cabeça. Enroscaram-lhe um fio nos dedos da mão direita e outro no pênis.

"Tenho curso nos States. Esse nó de piroca não sai de jeito nenhum!" Toda essa autoridade, alardeando o rigor científico do terror, saía da boca perfumada pela halitose e adornada com um dente de ouro do *Doutor Pascoal*. Fora do porão, ele atendia por subtenente Abílio Alcântara[21]. Mas ali e naquele assunto era doutor. As descargas se sucederam por quinze minutos. Sem nenhuma pergunta. Apenas os choques. *Doutor Pascoal tinha razão*. O nó não saía mesmo. Alex alarmou-se. "Comecei a ficar com verdadeiro pavor de meu pau ficar inutilizado...[22]"

Alçado de cabeça para baixo, a dor moveu-se para os pulsos e joelhos. Uma esponja entrou-lhe pela boca e dois tubos pelas narinas. Um regador providenciava o jorro de água que se projetava no funil e descia pelos dutos. Conhecia, na teoria, dois métodos de encarar a tortura. O "turco" significava negar tudo e praticamente não abrir o bico. Sua vantagem consistia em menor risco de entrar em contradição. Sua desvantagem era encolerizar os torturadores e morrer. Optou pelo segundo, o "francês", que implicava em ganhar tempo, cavar intervalos no suplício e mentir. Porém, naquilo que provava agora, não dava para falar nem querendo. "Se a gente grita — ensina — engole água muito cedo. A melhor maneira é aguentar. Quando o sufocamento chega ao limite, exagerar as convulsões que, de resto, são bem reais[23]."

Nesse momento, os interrogadores removem a esponja e perguntam. Esperam não mais do que dois segundos e tudo se repete. Eles querem Lamarca. Ouviu a voz do Doutor Roberto[24]. Promete embarcá-lo num avião para o Chile em vinte e quatro horas "se deitarmos a mão naquele traidor safado".

Repetiu o que dissera: que Lamarca não estava mais na VPR e sim no MR-8. Mudou então a sistemática de extração de informações. Não era mais a, como chamavam, *hidráulica*. Voltou a ser a de impacto — chutes e socos — assessorada por uma velha conhecida, a *elétrica*. Os fios estavam agora fixados na língua, orelhas e testículos. A certa altura, pediu para urinar. Levaram-lhe uma lata. Um policial avisou: "Acho bom parar um pouco. Ele está mijando só sangue". O segundo discordou: "Que nada, enquanto não soltar sangue pela boca ainda dá pra resistir[25]".

Os nove anos de muitas cadeias lhe dariam tempo para, sob molde de poema, escarafunchar a alma dos carniceiros:

*"O torturador
difere dos outros
por uma patologia singular
— ser imprevisível
vai da infantilidade total
à frieza absoluta."*[26]

O que também fez ao perscrutar o ofício de quem, no martírio, não suja as mãos:

*"O analista é geralmente um senhor muito fino
que vela pelo seu prestígio
que fuma cigarros cem milímetros
que se veste à paisana
que usa belas gravatas coloridas
parecendo mais um executivo bem-sucedido
do que um assassino."*[27]

Ainda hoje, Alex se indaga sobre o que conduz alguém a agir como agiram seus carcereiros. "Não é fácil entender como seres humanos iguais a nós exerceram esta triste e ignóbil função de torturadores, se dispunham de todas as condições e liberdade para escolher ou não o seu papel de algozes. Ninguém os torturou para fazerem isto", raciocina.

Saciada desde sempre no couro dos presos comuns e, particularmente após 1964, estendida aos prisioneiros políticos, a tortura como instituição que esfolava Alex num calabouço do Rio de Janeiro estirava uma de suas raízes 8 mil quilômetros distante e nove anos atrás. Vinha da Argélia, onde as tropas francesas de ocupação nos anos 1950 e começo dos 1960 a empregaram generalizadamente como forma de contenção às ações da Frente de Libertação Nacional (FLN).

"A tortura é eficaz, a maioria das pessoas não aguenta e fala. Depois, na maioria dos casos, nós os matávamos. Por acaso isso me colocou problemas de consciência? Não, a verdade é que não[28]." Quem discorre desse modo seguro e sereno é o general Paul Aussaresses, ex-adido militar francês no Brasil (1973-1975). Chefe do batalhão de paraquedistas e promotor do uso da tortura durante a guerra colonial na Argélia, Aussaresses atuou ainda como instrutor das forças especiais do exército norte-americano em Fort Bragg, na Carolina do Norte. O *know-how* dos interrogatórios e os procedimentos dos serviços de inteligência das forças francesas seriam replicados em escala continental na América Latina nas décadas seguintes à conflagração argelina.

Amigo do general João Figueiredo e do delegado Fleury, Aussaresses lecionou na Escola de Inteligência de Brasília (ESNI), do SNI, e no Centro de Instrução de Guerra na Selva (CIGS), em Manaus, implantado por oficiais brasileiros formados na Escola das Américas. Aliás, instalada no Panamá, a Escola das Américas tornou-se centro de irradiação do anticomunismo e das doutrinas de segurança nacional. Enfronhou seus quadros latino-americanos em técnicas de interrogatório, intervenção militar, golpes de estado, execuções sumárias e desaparecimento de pessoas com a meta de travar a subversão.

OS VENCEDORES

Ao longo de trinta anos, passaram por ela 60 mil militares. Destes, 332 brasileiros, dos quais 325 foram aprender e sete, ensinar. Vinte e um adornam a galeria de torturadores do período[29]. Por seus bancos, transitou a fina flor do golpismo, como os generais argentinos Leopoldo Galtieri e Roberto Viola, o boliviano Hugo Banzer e o panamenho Manuel Noriega.

Embora a prática da tortura seja imemorial no Brasil — e o pau de arara é evidência mais notória da contribuição tupiniquim para a globalização da dor — algo daquilo que Alex estava sentindo poderia debitar na conta de Aussaresses. Bocado bem mais graúdo vinha da institucionalização do processo, e um terceiro naco se devia à morbidez dos porões. A respeito, vale referir a recepção do agente José Camargo Correia Filho, o *Campão*, a um prisioneiro no Deops, de São Paulo. "Você sabe onde está?", quis saber *Campão*. Terrificado, sob um capuz negro, o preso balançou a cabeça negativamente. E ouviu a resposta. "Você está no Inferno! E meu nome é Lúcifer![30]"

No DOI-Codi do Rio, atendia-se o telefone em nome da "Funerária Boa Morte". No mesmo endereço e numa Sexta-Feira Santa, o carniceiro de plantão comunicou a Vera Sílvia Magalhães, do MR-8, que ali ela padeceria como Jesus Cristo[31]. E cumpriu o prometido. No quartel da Polícia do Exército, no Rio, um sargento apontava o portão de entrada e informava que "Dali pra dentro, Deus não entra. Se entrar, a gente dependura no pau de arara"[32].

Muita gente tentou — e tenta — entender como a criatura humana pode impor tanto sofrimento ao seu igual indefeso. Para Sartre, a gangrena que grassava nas ruelas de Argel era uma "fábrica de aviltamento". Quarto dos ditadores de 1964, Geisel ponderou que a tortura, em certos casos, "torna-se necessária". Outro general, o francês Jacques Paris de Bollardière, comandante das tropas da metrópole nos montes Atlas, também na Argélia, chamou-a de "diálogo de horror" que "degrada mais a quem a inflige do que àquele que a sofre". Pela denúncia, tomaria sessenta dias de cadeia.

Autor de ensaio célebre — que serve de prólogo à *Em busca do tesouro*, narrativa da ascensão, apogeu e queda do guerrilheiro Alex — o psicanalista Hélio Pellegrino desnudou os bastidores psicológicos do ato de torturar que, à custa da dor, busca seccionar a carne do espírito, partir ao meio a pessoa. "E, mais do que isto: ela procura, a todo preço, semear a discórdia e a guerra entre corpo e mente. Através da tortura, o corpo se torna nosso inimigo, e nos persegue.(...) A tortura transforma nosso corpo — aquilo que temos de mais íntimo — em nosso torturador, aliado aos miseráveis que nos torturam[33]." Pellegrino acentua que, na tortura, "o corpo nos acua para que nos neguemos enquanto sujeitos humanos, fiéis aos valores do nosso sistema de crenças". O corpo se volta contra o dono exigindo a rendição "que, uma vez consumada, nos liquidaria: a traição, a delação, a vida de companheiros constituem a sua matéria[34]".

Muitas vezes, Pellegrino visitou o presídio da Frei Cancca, onde estava Alex no final dos anos 1970. Para Alex, o psicanalista até superestimou a experiência do preso político. Afirma que passou pelo calvário com dignidade, mas que também teve seus momentos de fraqueza. "Neste jogo macabro foi muito duro me equilibrar neste fio da navalha. É uma experiência limite. Espiritualmente falando, foi uma viagem para conhecer o inferno."

No percurso sobre a lâmina, talvez o trecho mais penoso tenha sido sua primeira *viagem*. Sarcasticamente, *viajou* coagido por seus captores numa sala do CISA. Logo ele, vindo de uma geração que procurara, nas drogas, abrir as portas da percepção. Tratava-se ali de abrir outras portas usando como chave outra droga, o pentotal sódico — que chamou de *pentotal sádico* — ou soro da verdade. "Como você entrou na política, meu filho?"[35] quis saber, paternal, um homem de cabelos grisalhos quase sussurrando.

Passageiro do pentotal, o prisioneiro sente vontade de conversar, descrever sua vida para aqueles senhores em torno, todos tão doces e tão interessados naquele assunto. Vasculha as lembranças mais longínquas, aquele diálogo pré-1964 entre a mãe e a tia, ambas aturdidas com a ascensão das classes subalternas. A voz melíflua e hipnótica ao pé do seu ouvido quer esclarecer uma coisa: "seus irmãos não eram comunistas?". Rememora um tio que marchara com a Coluna Prestes nos anos 1920. Mas já morrera há muito. A partir de certo instante, sente dificuldades em dividir o que está pensando e o que está falando. Às vezes sobe a tona, outras submerge. Está possuído por "uma ridícula boa vontade para com os seus carrascos".

No Brasil, o pentotal emulava outra tecnologia do laboratório macabro de Aussaresses na Argélia dos anos 1950. Preso em Argel, o jornalista Henri Alleg teve o sexo incendiado por uma tocha, os mamilos queimados com fósforos, foi submetido ao afogamento e a infindáveis choques elétricos. Como não deu certo, veio a injeção. Seu testemunho é similar ao de Alex. "Era algo assim como se estivesse ébrio, como se alguém, que não eu, falasse em meu nome[36]."

Porém, para Alex, há outro complicador: o veneno. Um dos *doutores* injetara-lhe — ou assim dissera — uma toxina que o mataria em trinta minutos. O antídoto estava pronto para salvá-lo, mas só se falasse o desejado. Agora, o interesse das vozes é pelo próximo ponto. Onde? Em que dia? A que horas? Grogue, menciona uma transversal da avenida 28 de Setembro, em Vila Isabel, junto a uma pracinha, às oito da manhã. Deu-se conta de que, sim, marcara um ponto com Stuart naquele local, porém duas horas mais tarde. Afligiu-se, mas resolveu não retificar.

Os agentes engrossaram, avisaram que não lhe dariam o antídoto e sentiu pavor de novo. Intuiu que iria morrer e que precisava "dizer alguma coisa histórica". Quem sabe não haveria gravadores rodando para imortalizar essa despedida épica? "Olha, se algum dia vocês estiverem com a Mônica... que eu espero que nunca aconteça... digam que eu pensei nela... aqui, nesse momento e...Viva a Revolução![37]"

Dormiu, acordou e o que mais receava aconteceu: a ida àquele ponto na 28 de Setembro. Dia 14 de maio, antes das oito, os homens se espalharam. Uns simulavam ler jornal, outros jogar na loteria esportiva, alguns ficaram dentro dos carros. Às nove — conta Alex

— faziam os primeiros movimentos para abandonar o ponto quando Stuart surgiu. A isca gelou. Dissimulou, mas o amigo veio sorrindo. Sorriso que se desmanchou em assombro. Alex ficou arrasado.

Stuart Edgar Angel Jones, na percepção dos militares, significava o caminho mais curto para chegar a Carlos Lamarca, seu principal objetivo. Dirigente do MR-8, para o qual migrara Lamarca após passagens pela VAR e a VPR, deveria saber do covil do então inimigo número um da ditadura. Filho de pai norte-americano e de mãe brasileira, vinte e cinco anos, estudante de economia, bicampeão citadino de remo pelo Flamengo, codinomes *Paulo* e *Henrique*, foi socado no porta-malas de um Opala e transportado para o CISA, na Base Aérea do Galeão. À noite, Stuart e Alex foram supliciados lado a lado. Em carta à estilista Zuzu Angel, mãe de Stuart, Alex relataria os últimos momentos do amigo. Escutou um alarido no pátio da base e, mesmo com problemas para caminhar, conseguiu se arrastar até a janela da cela e espreitar o que ocorria. Cercado por torturadores, oficiais e soldados, Stuart, com a pele semiesfolada, era arrastado pelo pátio, amarrado a uma viatura. "De quando em quando, ele era obrigado, com a boca quase colada a uma descarga aberta, a aspirar gases tóxicos que eram expelidos." Era a causa da tosse que, misturada à voz de Stuart e às dos verdugos, ouvira durante toda a tarde. "Tudo isso ante as chacotas e risos dos torturadores."[38]

Naquela noite, um prisioneiro foi depositado no cubículo contíguo. Tossia constantemente. Era Stuart. "Água", "Vou morrer" e "Estou ficando louco" eram as frases que repetia[39]. Depois, a tosse tornou-se mais intensa e crítica, as frases ininteligíveis e, por fim, fez-se silêncio. "De madrugada, quase ao amanhecer, houve grande ruído de vozes, alvoroço e imprecações. Abriram a cela e retiraram de lá Stuart, inerte. Já morto. Logo ainda captei frases soltas, por parte da guarda (...): "Virou presunto", "entrou na Vanguarda Popular Celestial", "mais comida de peixe na Restinga".[40]

Antes mesmo do testemunho de Alex, Zuzu não se convencera com as explicações oficiais sobre o desaparecimento do filho. Em 1971, ela escancarou a ditadura do modo mais surpreendente. Modista de celebridades de Hollywood como Liza Minelli e Joan Crawford, valeu-se do lançamento de sua coleção em Nova Iorque. Quando os modelos surgiram na passarela, foi aquele choque: as barras dos vestidos, em verde e amarelo, traziam tanques de guerra, canhões, rostos de generais, quepes e aves negras[41]. A notícia disparou como um rastilho nas agências internacionais.

A canção popular "Cálice", de Chico Buarque e Gilberto Gil, também daria conta do que passava o país e do que se passara com o filho de Zuzu:

> *Quero perder de vez tua cabeça! (Cale-se!)*
> *Minha cabeça perder teu juízo. (Cale-se!)*
> *Quero cheirar fumaça de óleo diesel (Cale-se!)*
> *Me embriagar até que alguém me esqueça (Cale-se!)*

O assassinato por monóxido de carbono, sem corpo, até hoje não encontrado, mas com testemunha ocular, acendeu os holofotes, mesmo na ditadura, sobre as cúpulas da III Zona Aérea e do CISA. Neste, a batuta estava com o brigadeiro Carlos Afonso Dellamora[42]. Na III Zona Aérea, mandava e desmandava o brigadeiro João Paulo Moreira Burnier, dono de currículo e imaginação que só podem ser devidamente aquilatados detalhando-se seus feitos e, principalmente, suas intenções.

É um personagem tão inusitado que um perito em *thrillers* políticos, o cineasta Costa-Gavras, cogitou transformar em filme o plano que o brigadeiro quis transformar em realidade e, por fortuna, não conseguiu. Que, se concretizado, jogaria o ataque ao World Trade Center para o rodapé do *ranking* mundial do terrorismo. Na Nova Iorque de 2001, foram menos de 3 mil mortes. No Rio de 1968, seriam, por baixo, 100 mil.

Na tarde do dia 14 de junho de 1968, cinquenta pessoas se reúnem no 11º andar do prédio do então Ministério da Aeronáutica, na avenida Churchill, região central do Rio. Trinta e sete deles são cabos e sargentos do Para-Sar, unidade de elite da arma, especializada em busca e salvamento. Protegendo o grupo, dez soldados portando metralhadoras. Todos aguardam a fala de Burnier. Chefe de gabinete do ministro Márcio de Sousa Melo, da Aeronáutica, possuía crédito junto ao regime. Seu perfil de homem de ultradireita assomara uma década antes. Em dezembro de 1959, eclodiu a revolta de Aragarças, em Goiás. Na conspirata, oficiais da força aérea tencionavam depor o presidente Juscelino Kubitschek, cujo governo era "corrupto e comprometido com o comunismo internacional". Sequestraram aviões com a intenção de bombardear os palácios das Laranjeiras e do Catete, no Rio. Burnier habitava o núcleo do golpete. Sem apoio, foi derrotado em trinta e seis horas e fugiu do país com os demais mentores. Anistiado, em 1961, milita contra a posse de João Goulart e, logo, em 1964, posta-se na linha de frente do golpe vitorioso. Naquele momento e naquela reunião quer dar um passo muito mais atrevido.

Na sala, Burnier sustenta que o Para-Sar, na guerra ou na paz, pode matar para desempenhar sua missão. Na paz, isto poderia acontecer nas manifestações de rua. Desempenharia a tarefa com roupas civis e sem portar identidade. Fulminaria, à bala, quem jogasse, das janelas dos edifícios, algum objeto nos policiais durante as passeatas. Deveria matar à sangue-frio, sem tremer a mão. Políticos de esquerda, centro ou mesmo de direita, como Carlos Lacerda, deveriam ser jogados ao mar, a quarenta quilômetros da costa.

Dado o recado, o brigadeiro indagou a cinco oficiais o que achavam do argumento. Os quatro primeiros concordaram, mas o último discordou. Era o capitão paraquedista Sérgio Ribeiro Miranda de Carvalho, quatro medalhas por bravura, 6 mil horas de voo e 900 saltos em missão[43]. O brigadeiro se alterou, o capitão também e a reunião acabou antes da hora, numa atmosfera de alta tensão. Dois dias antes, o capitão, de apelido *Sérgio Macaco*, amigo dos irmãos indigenistas Villas-Boas e do cacique Raoni, tivera outro entrevero com

OS VENCEDORES

Burnier. O que acabara de ouvir não era o pior. Na antevéspera, o esquema assumira fisionomia mais tenebrosa e disparatada. Vinte anos depois, o capitão faria um relato rico e minucioso dessa conversa a Zuenir Ventura, que o jornalista reproduziria em *1968 – O ano que não terminou*. Após afiançar ao subalterno que ele próprio lhe poria no peito a quinta medalha, Burnier indagou-lhe:

— Capitão, se o gasômetro da avenida Brasil explodir às seis horas da tarde, quantas pessoas morrem?

— Nessa hora de movimento, umas 100 mil pessoas.

— É, vale a pena para livrar o Brasil do comunismo.[44]

Aos poucos, tudo foi ficando mais claro para *Sérgio Macaco*. Existia uma operação estruturada em diversas missões. Daria sua partida com a fabricação de um clima desestabilizador. Primeiro, com bombas nas portas de bancos e lojas norte-americanas, como o Citibank e a Sears, e na embaixada dos Estados Unidos. Bombas e mortes iriam se acumulando para incutir uma sensação de pavor e insegurança. Também iria pelos ares a represa de Ribeirão das Lajes, que abastece a região metropolitana do Rio. O capitão estaria de sobreaviso para o *grand finale*: a dinamitação do gasômetro. Quando visse o clarão no céu carioca, ele e o Para-Sar saltariam nos helicópteros e partiriam para a cena de sangue e horror. Resgatariam as vítimas da tragédia, engolfadas por aquele mar de chamas. Faturaria sua quinta medalha e a condição de herói da pátria, enquanto os comunistas seriam responsabilizados pela catástrofe e caçados implacavelmente.

— Mas quem são, na verdade, os comunistas? — indagou o capitão.

— Todo mundo que tem profissão liberal: artistas, advogados, sociólogos (...) Temos que deflorestar essa raça até a terceira geração, Sérgio.[45]

Imitando as ondas de energia liberadas pelo cataclisma, a perseguição e a destruição se espalhariam concentricamente desde o miolo desse círculo. Na segunda vaga, alcançaria lideranças políticas e religiosas e até militares. Além de Lacerda, seriam desovados em algum ponto do Atlântico — no modo padrão da futura ditadura argentina — o arcebispo dom Hélder Câmara, os ex-presidentes Jânio Quadros e Juscelino Kubitschek e o general Olympio Mourão Filho. Nesse último caso, prenunciava-se um processo de canibalização, devorando-se o general que precipitou o golpe de 1964.

— Ô, Sérgio, eu e o Hipólito (brigadeiro Roberto Hipólito da Costa, também presente) vamos pilotar um C-47 cheio dessa canalha comunista — o Chico Teixeira, o Malta, o Anísio, o Fortunato[46] — e vamos empurrar todos com o pé na bunda pra dentro d'àgua (...)

Ao perceber que o capitão mantinha sua posição, Burnier comentou com Hipólito que "o Sérgio virou mesmo Filho de Maria; quem diria, virou bichona, não é mais guerreiro[47]".

O subordinado queria acreditar que aquilo era uma brincadeira. Foi quando Burnier avisou que, no dia 14, queria a presença "de todos" ali para explanar a missão. Todos como? "Todos do Para-Sar: cabos, sargentos, oficiais e, se tiver cachorro naquela merda, traga também![48]"

O projeto de Burnier adejou até os ouvidos do major-brigadeiro Itamar Rocha, diretor-geral de Rotas Aéreas. E Rocha mandou averiguar a suspeita de que se engendrava um genocídio na antessala do ministro da Aeronáutica. Acabou exonerado. E *Sérgio Macaco* preso, punido e despachado para a reserva. Em 1970, doente, o capitão foi aconselhado a não procurar, em nenhuma hipótese, qualquer hospital das três armas. Caso fizesse isso, a vida dele não valeria "nem dez centavos", segredou um médico ao brigadeiro Eduardo Gomes, que havia tomado o partido do capitão[49]. Patrono da Força Aérea Brasileira, a FAB, e conspirador em 1964, Gomes escreveria[50] ao general Ernesto Geisel. Diria na carta que o capitão impedira a conversão do Para-Sar num "esquadrão da morte", segundo as intenções de "um insano mental inspirado por instintos perversos e sanguinários".

Burnier sobreviveu a Eduardo Gomes (1981) e *Sérgio Macaco* (1994). Morreu em 2000, de câncer, aos oitenta anos. Sempre negou as denúncias, em todos os momentos e empregando a maior veemência. Processou *Sérgio Macaco*. Em 1978, o então ministro da Aeronáutica,

OS VENCEDORES

Araripe Macedo, distribuiu um relatório sobre o tema, no qual o brigadeiro é inocentado. Burnier argumentou, certa vez, que nunca fora penalizado pelo incidente, ao contrário do denunciante. Embora *Sérgio Macaco* tivesse a seu favor o testemunho de trinta e sete cabos e sargentos. Mas a punição estava a caminho. Burnier — e com ele Dellamora — seria ejetado da chefia da III Zona Aérea em novembro de 1971. Por causa de Stuart e de sua morte, que ganhou repercussão internacional. Mas o que Burnier diria sobre a acusação?

"Eu nunca tive, nem na época nem até a data de hoje, qualquer informação de que esse senhor, esse subversivo, teria sido preso pela Aeronáutica e sofrido qualquer maltrato por parte do pessoal da Aeronáutica", contou a Celso Castro e Maria Celina D'Araújo[51].

Burnier sempre atribuiu a Alex — "anistiado por essa anistia completamente desastrosa que foi feita no governo Figueiredo" — a implicação de suas iniciais na tortura e no destino de Stuart. O que aconteceria "talvez até como desejo de torpe vingança, de auxílio à campanha que estava sendo feita contra a minha pessoa". O prisioneiro declarou à Auditoria da Aeronáutica que Burnier teria sido o causador da morte de Stuart[52]".

Burnier também sobreviveu a Zuzu Angel. Clamando para receber o corpo do filho, ela conseguiu — para ira do regime — levar o caso a Ted Kennedy. Stuart era também cidadão norte-americano. O senador democrata foi à tribuna do Senado norte-americano expor o fato. Zuzu fez mais:

"Senhores passageiros, dentro de poucos minutos pousaremos no aeroporto internacional do Galeão, no Rio de Janeiro, Brasil, país onde se torturam e matam jovens estudantes", anunciou, depois de tomar o microfone de comunicação do Boeing no qual retornava ao país[53]. Passou a ser vigiada no Brasil e no exterior. Por telefone, prometiam matá-la.

Zuzu sofreria outra perda: sua ex-nora, Sônia Maria de Moraes Angel Jones, militante da ALN. Em novembro de 1973, Sonia, que se casara com Stuart cinco anos antes, foi sequestrada e morta sob tortura. Com ela foi assassinado seu companheiro de então, Antonio Carlos Bicalho Lana. Gaúcha de Santiago do Boqueirão, Sônia crescera no Rio e, por ironia, levada pelo pai militar, o coronel do exército João Luiz de Moraes, participou da "Marcha com Deus, pela Família e pela Liberdade", em 1964. Os pais converteriam a busca por Sonia em objetivo de suas vidas. Preso, depois liberado e advertido para encerrar a procura, o coronel recebeu um estranho presente. Era um cassetete da Polícia do Exército, enviado pelo comandante do DOI-Codi, no Rio, o general Adyr Fiúza de Castro[54]. O que significaria? Somente após alguns anos, ao saber das circunstâncias monstruosas em que Sonia morreu, elucidou o mistério. Na carniceria do DOI-Codi, antes de receber o tiro de misericórdia, Sonia tivera os seios arrancados e fora estuprada com um cassetete, aquele que o general lhe enviara.

Em fevereiro de 1976, quando o secretário de Estado, Henry Kissinger, visitou o Brasil, Zuzu rompeu a barreira de seguranças e entregou-lhe um dossiê e uma carta. Nela, descreve Stuart como "símbolo de uma geração inteira martirizada". Conta que, ao ouvir sua narrativa, um senador americano disse-lhe que "aquela história era a mais chocante que já ouvira". Dois meses se passaram quando, na madrugada de 14 de abril, sua batalha terminou. Na estrada Lagoa-Barra, à saída do túnel Dois Irmãos, seu Karmann Ghia vermelho saiu da pista, capotou e ela teve morte instantânea. O que a polícia referiu como "acidente", uma segunda perícia e o depoimento de testemunhas oculares jogaram por terra[55]: o Karmann Ghia fora perseguido e abalroado até a capotagem.

"Se algo vier a acontecer comigo, se eu aparecer morta, por acidente, assalto ou qualquer outro meio, terá sido obra dos mesmos assassinos do meu amado filho", escrevera, no ano anterior, em bilhete premonitório ao seu amigo Chico Buarque. Na mesma mensagem, advertia: "esteja certo que não estou vendo fantasmas". Zuzu deixava bilhetes na casa de Chico. "Parava com o Karmann Ghia, no qual ela morreu, e deixava esses bilhetes. Aí falava, falava, falava. Virou uma mãe da Praça de Maio, sozinha. Era impossível não fazer nada. Era uma barra muito pesada[56]." E Chico fez:

> Quem é essa mulher
> Que canta sempre esse estribilho?
> Só queria embalar meu filho
> Que mora na escuridão do mar (...)

É o que dizem os primeiros versos de "Angélica", que Chico escreveu sobre música de Miltinho, do MPB-4. E que conclui com esta estrofe:

> Quem é essa mulher
> Que canta como dobra um sino
> Queria cantar por meu menino
> Que ele não pode mais cantar

Na prisão, o tempo correu e Alex teve acesso a lápis e papel. Escreveu seu primeiro livro: *Inventário de cicatrizes*[57]. Nascia um poeta fugaz, de poemas diretos, sem veleidades formalistas, testemunhais, desesperados, que desferem *uppercuts* na complacência. Em "Canção a Paulo" (nome de guerra de Stuart), lembrou o amigo:

> Eles costuraram tua boca
> com o silêncio
> e trespassaram teu corpo
> com uma corrente.
> Eles te arrastaram em um carro
> e te encheram de gases,
> eles cobriram teus gritos
> com chacotas.(...)

A veia sardônica e a autocomiseração pulsam juntas em "Zoológico Humano". Nele, após observar que, desde a prisão, o mundo "se move sem a nossa interferência" e a vida prossegue "sem a nossa licença", arremata, sarcástico:

> (...) A quem interessar possa:
> Estamos abertos à visitação pública
> sábados e domingos
> das 8 às 17 horas.
> Favor não jogar amendoim.

Hoje, ele explica que, na prisão, abriu os olhos para alguns "erros e ilusões" da esquerda armada. Para chegar a essa reflexão submeteu-se à autocrítica "até um certo ponto bastante sofrida". A autoironia de seus poemas "foi parte desse processo de desmistificação".

Delineia seu cotidiano em "Noites no PP", o presídio Hélio Gomes, "rodeado de faqueiros/bichas, fanchones/guardas e faxinas" e finaliza:

> Discuto a formação do Partido
> os males da monogamia
> relembro tiroteios e trepadas
> e breve, após o confere,
> ainda com as feridas da última visita
> na capela,
> sonharei com os anjos
> pendurados em paus de arara
> celestes.

Mais tarde, ainda na prisão, despontaria "Camarim de prisioneiro", forjado com a mesma matéria: tortura, dor, morte, prisão, solidão, dilemas, irreverência. É, como diz, "vivência real". São "vômitos", um esguicho de fúria ácida contra aquilo que o aprisiona e tenta matá-lo:

> (...) Hoje é o dia da pátria, dia de enfeitar
> a fachada dos edifícios com as melhores estatísticas

OS VENCEDORES

fazer soar os melhores discursos
ejacular civicamente em cima das digníssimas esposas (...)

Como parte dos festejos, cita uma "parada de aleijados", a inauguração de um "canil para dissidentes" e um concurso público para alcaguetes. Irreverente e desbocado, burila outros agouros:

(...) Um corvo de nacionalidade britânica
cagará na cabeça do sentinela
porque hoje é dia da pátria
um general reformado enfiará a espada na bunda
cometendo um haraquiri marcial
porque hoje é dia da pátria
um tecnocrata cretino terá cólicas e remorsos
porque hoje é dia da pátria
O ideólogo oficial ladrará na conferência
Porque hoje é dia da pátria (...)

No cárcere, Alex aprofundava seus conhecimentos empíricos sobre o gênero humano. Onipresente nas rádios, o pegajoso samba "Você abusou", da dupla Antonio Carlos e Jocafi, funcionava ali como fundo sonoro para os gritos dos seviciados e como deboche, particularmente no trecho em que dizia "Você abusou/ tirou partido de mim/abusou".

Certo dia, uma boa notícia: chegara ao Superior Tribunal Militar (STM) um pedido de *habeas corpus* em seu favor. Era um instrumento jurídico morto após o AI-5 mas convinha, ao menos, para o STM indagar ao arcabouço coercivo se aquele cidadão estava preso. Os órgãos de segurança respondiam qualquer coisa, de qualquer jeito e quando quisessem. Mas, se confirmassem a prisão, significaria, talvez, permanecer vivo. Logo o *Doutor Pascoal* aclarou a receptividade que poderia esperar. "Esses ministros do STM são todos uns comunistas filhos da puta... mas não fique pensando que a gente se baseia em lei ou o caralho aqui dentro... a lei somos nós! Tá ouvindo, *Bartô*? A gente faz o que quiser na merda desse país!⁵⁸"

Nas masmorras, ao contrário do Brasil, havia abundância de *doutores*. Todos farsantes e todos ocultos atrás de um codinome invariavelmente antecedido do tratamento doutoral. Como se, mesmo na dissimulação, a hierarquia militar impusesse esse penduricalho hierárquico, necessário para separar a oficialidade da malta de cabos, sargentos, tiras e informantes.

Antes da prisão pesada fora detido — e logo liberado — pelo *Doutor Roberto*. Não sabia que ele era o falado *Bartô*. E quem reaparece então? Ora veja se não é o *Doutor Roberto*, que também se camuflava como *Doutor Flávio*! Sob essas máscaras, vivia, prendia e punia o capitão de fragata João Alfredo Poeck, do CENIMAR. Como narra Alex, não foi propriamente um reencontro prazeroso:

— Já nos conheccmos, não é mesmo, rapaz?

— É, lembro de você...

Foi o que bastou para o diálogo substituir a forma verbal pela física. Uma bofetada explodiu na sua cara.

— Você é o caralho! Me chame de senhor, comunista filho da puta!

Virou-se para um inspetor e comentou:

— Tive esse cara nas mãos no ano passado e soltei ele. Agora, ele me paga...⁵⁹

Alex cumpriu uma *via-crucis* por presídios e quartéis do Rio. Torturado no Dops carioca, visitou o *Paraíso* do CISA e transitou pelos presídios Hélio Gomes, Esmeraldino Bandeira, da Ilha Grande e Milton Dias Moreira, 1º Batalhão de Comunicação Divisionária, Regimento Floriano, 25º Batalhão de Infantaria Blindada, 1º Regimento de Carros de Combate e Fortaleza de Santa Cruz. Duas vezes condenado à prisão perpétua, em 1979, favorecido pela anistia, recuperou a liberdade.

Antes da guerra, sua fissura era surfar. Arriscar *hangtens* e outras manobras até o sol se pôr em Ipanema. O maior sonho era ter uma prancha *Hawaii*. Entre uma *Hawaii* e passar uma noite com Jane Fonda, ele escolhia a superprancha, admitiu. A trilha sonora eram os Beach Boys e via-se e revia-se *Alegrias de Verão* [*Endless Summer*]. No seminal *surf movie* de 1966, a ideia motriz consistia em transformar o verão — e portanto o surfe e, quem sabe, a beleza da vida — em algo interminável. Bastava ter dinheiro e tempo para perseguir o sol por todos os continentes. Mas era um surfista de esquerda, seja lá o que isto queira dizer. Nem mesmo a *Hawaii* era melhor do que a revolução.

Primeiro embarcou na militância secundarista no colégio Dom Pedro II, a pasta recheada de anotações e panfletos. Depois, expropriações na biblioteca do comitê central do PCB: clássicos do marxismo sumiam das prateleiras do velho Partidão camuflados entre os livros e cadernos da estudantada, a esquerda da velha esquerda. Manifestações, greves, piquetes, paixões, sexo. Dezesseis anos depois, com exatidão e sensibilidade, Alex conceituaria aquele momento como uma "Idade do ouro"(...) Era, escreveu, um movimento único e irredutível e que não poderia se repetir nunca mais. "Em raros momentos havia essa consciência de viver um presente ao mesmo tempo em que ele era sentido como posteridade[60]."

Quando ouviu *Tropicália* pela primeira vez, de Caetano Veloso, e logo *Panis et Circensis* entendeu que as canções reverberavam na cultura aquilo que se pensava e fazia na política das ruas. Uma sensação que lhe recordava a emoção da descoberta dos Beatles. Se os quatro de Liverpool traduziam o ascenso do poder juvenil em termos planetários, o Tropicalismo na música, no teatro, nas artes plásticas e no cinema, recorrendo ao ridículo e ao mau gosto, não deixava de ser uma interpretação inovadora do país com suas fortunas e desgraças. Poderia, enfim, ser o começo de alguma coisa. O advento do AI-5, o endurecimento do regime e o aprofundamento da luta armada trancaram o processo e afunilaram as opções. Perdeu-se a sintonia fina entre revolução e cultura. Viramos, escreveu em *Em busca do tesouro*, "bichos acuados, empenhados numa guerra suicida contra todo um exército" habitando uma terra de ninguém entre aquilo que "abandonou porque não pode defender" e os valores do inimigo "que você não quer abraçar".

Nos últimos de seus nove anos de cadeia, ruminava rumos. Solto, frequentou algumas reuniões para fundação do PT, mas já percebera que sua trilha seria outra. Casara-se, desquitara-se e casara-se de novo, tudo na prisão. Ao sair, ele e Sônia, sua mulher, tinham um filho, Thiago. Depois veio Paula. Mudaram-se para Visconde de Mauá, distrito de Resende, interior do estado do Rio, à cata de um modo alternativo de viver.

Foi morar na serra da Mantiqueira, no alto de uma montanha, sem luz elétrica. Refletiu e rachou muita lenha. Mais forte do que nunca, retornou a uma velha questão, que já permeara os revolucionários 1960: o tensionamento entre a luta pela transformação do mundo e aquela que se travava no interior do próprio indivíduo pela transformação de si próprio. Quem vinha primeiro? Era algo que perpassava a política e a cultura. Em *Revolution*, os Beatles pregavam a transformação, mas sugerindo antes que cada um libertasse sua mente[61].

Nota que, na sua geração, a questão foi sentida entre os que se tornaram revolucionários ou (aqueles que) *desbundaram*, "se bem que esta denominação pejorativa já demonstrava um juízo de valor do ponto de vista daqueles que optaram pela militância revolucionária (...)". Hoje, afirma que é imprescindível evoluir interiormente para melhor agir sobre a realidade externa.

Outra mudança, mais intensa, viria. Em 1981, com mais dois amigos, partiu para Rio Branco, no Acre, com um projeto: produzir um documentário em vídeo sobre a Colônia 5000 e o culto ao Santo Daime.

Por duas vezes bebera, ainda no Rio, a *ayahuasca*, o "chicote das almas" na linguagem quéchua. Não tivera resultados muito diversos do que conhecera com o ácido lisérgico. No Acre, isto também mudaria.

No seu terceiro encontro com o Daime, sentiu náuseas e cólicas. Foi o primeiro impacto. Sob o som de maracas, percebeu sua cadeira como ferro incandescente. A cadência dos hinos explodiu nos tímpanos como "mil orquestras sinfônicas", narrou. O que era cadeira transmutou-se em espaçonave. Ao redor, infinitos círculos de energia. Com a vontade da mente, um velho inca movimentava a nave. Desintegrou-se e reintegrou-se. A floresta brilhou à sua volta. Tornou-se o próprio universo desde milhões de anos. O *Big Bang*. Mergulhou no subsolo, cruzando por raízes, vermes e pedras, e regressou à superfície. Descobriu-se no que os homens da floresta chamam de "o salão dourado".

Adquiriu uma nova capacidade de compreensão. Teve um *insight* ou, na terminologia do Daime, "uma miração". Quando alguém passa às suas costas, sabe quem é mesmo sem vê-lo. Sentiu a premência de falar com um de seus anfitriões. Sem seu corpo, andou até o caboclo, agradeceu-lhe e voltou à cadeira para preencher novamente sua pessoa. "A vida se explicou para mim desde suas origens. Era uma dádiva e um desígnio de forças nunca, por mim, suspeitadas. Existia um poder que pairava sobre todos. Não era imaginação, projeção, arquétipos, atavismos, era uma entidade colossal, personificada ali, naquele cipó, naquela bebida, escreveu. E adiante: "Pela primeira vez, Deus tornou-se uma ideia aceitável e inquestionável para mim"[62].

Interpretou que todo o passado, prisão incluída, fora imprescindível para atingir seu destino. No Daime, deduziu que tudo está interconectado, caem os limites entre objetivo e subjetivo, entre o que está fora e o que está dentro. Sente-se, ao mesmo tempo, a satisfação e a dor de se estar vivo. Compreende-se que, aceitando tanto a alegria quanto o sofrimento, é mais fácil aceitar o próximo, interior e exterior são uma só realidade. "A primeira coisa que senti quando conheci o Santo Daime foi a experiência visceral e irretorquível de fazer parte de um Todo." O que alterou integralmente sua percepção do mundo. "Tudo que existe, incluindo nós mesmos, somos uma única coisa. Depois de vivenciar este tipo de experiência — que é uma certa forma de revelação mística e não um conhecimento conceitual — um novo horizonte se abre."

Hoje percebe o que um de seus confrades, *Padrinho Mário*, queria dizer ao contar a sua própria iniciação. "Quando eu tomei o Daime pela primeira vez, aconteceu uma coisa muito séria. O homem que foi nunca mais voltou[63]."

"E hoje ele é o grande sacerdote do Santo Daime", pontua Felipe, o ex-companheiro de armas. Converteu-se num cristão universalista, mais próximo da crença primitiva, onde "o templo é cada um", na letra de um dos hinos do Daime. Houve quem entendesse que o *Bartô* velho de guerra da VPR endoidara. "Nunca achei que ele tivesse pirado. Sempre era de uma consciência inquebrantável naquilo que estávamos fazendo. Hoje tem a mesma entrega", torna Felipe. "Num certo sentido" — diz Alex — "aquela visão me transformou. Voltei um outro homem. Um ex-guerrilheiro que toma um chá e canta hinos em louvor a Jesus, Maria e José... Acharam que eu tinha pirado. Mas descobri que na espiritualidade não há limite pra nada. Tudo isso ajuda a dar uma quebrada no ego, dá humildade e faz você entender que tudo é possível de alguma maneira[64]."

Como se vê, o Alex que foi também não mais voltou. O que aconteceu já acontecia há séculos, talvez milênios, no território que se derrama hoje por seis países sul-americanos: Brasil, Equador, Colômbia, Peru, Bolívia e Venezuela. Sem contar dezenas de etnias indígenas, as populações tradicionais espalhadas pelo antigo império Inca também tragam a bebida amarga, espessa, cor de café com leite, resultante da maceração e fervura do cipó jagube e da folha da chacrona[65], como parte indissociável das suas religiões. É *La Madrecita de Todas las Plantas*, um de seus oitenta nomes. Que cada povo prepara e bebe de maneira distinta.

Neste cristianismo visionário, o licor abre caminho para o autoconhecimento. Que chega, explicam os daimistas, tendo como instrumento não um alucinógeno, mas um enteógeno. Ambos expandem a consciência mas, de acordo com o argumento, o alucinógeno distorce enquanto o enteógeno aguça a percepção das coisas. Para Alex, a consciência é "o novo motor da história" que ampliada, expandida e iluminada auxiliará a encontrar a saída. Como há pouco tempo para "unificar estes valores, condutas, agendas e estratégias", o caminho das plantas enteógenas, juntamente com as demais tradições religiosas "pode ajudar a melhorar a compreensão dos seres humanos", propõe.

Mesclar religião com substâncias psicoativas nunca foi procedimento exclusivo dos povos da Amazônia. O ex-soldado da VPR menciona os mistérios de Elêusis, na Grécia antiga, e o uso do soma na Índia. No retorno da primavera, os gregos bebiam o *kykeon* para saudar as deusas Deméter e Perséfone. Mistura de água, cevada e outras substâncias, o *kykeon* servia como escada para o êxtase, supostamente pela presença de fungos alucinógenos no cereal. Entre os hindus, o soma — extraído do ruibarbo ou do cânhamo — teria função semelhante nos cultos védicos.

Padrinho Alex, assim é tratado hoje, pertence à Igreja do Culto Eclético da Fluente Luz Universal (ICEFLU), que tem sede na vila Céu do Mapiá, no Acre. Lá trabalha com agricultura sustentável, alimentada pelos fertilizantes naturais trazidos pelos rios, e com o adensamento da floresta com espécies nativas e frutíferas. O patrono da igreja é o padrinho Sebastião Mota, iniciador do antigo combatente da VPR na doutrina. É um dos diversos cultos vinculados ao Daime. Em 2010, após dezoito anos de pesquisas e discussões, o Conselho Nacional de Políticas sobre Drogas (Conad), retirou a *ayahuasca* da relação de drogas alucinógenas. Nos Estados Unidos, o uso da bebida em rituais religiosos está liberado desde 2006. Secretário de comunicação da igreja, Alex foi à Holanda defender a liberdade do culto. Em 2012, a suprema corte em Amsterdã liberou o daime e a importação do sacramento. Alemanha, Espanha, Itália, Japão, Portugal, Argentina, Chile são alguns dos países onde o culto já se instalou.

Que o Alex do Daime não é o mesmo *Bartô* da VPR não há dúvida nenhuma. Engana-se, porém, quem imagina que o guerrilheiro encanecido tem hoje uma visão apenas contemplativa do que se passa ao redor. Seu texto é mais ponderado, menos desabrido do que nos tempos em que *Norminha* o punha no telefone com Mao

Tsé-Tung. Mas a perspicácia na crítica e o desejo de transformar um sistema desigual e egoísta persistem. "A desconfiança em relação ao sistema capitalista não é uma convicção herdada da guerrilha, mas sim uma visão crítica social e mesmo filosófica (...)", atenta. Assinala que "o capitalismo é muito camaleônico e, no curso dos seus 250 anos de existência, tem demonstrado uma capacidade invejável de eficiência, adaptação e sobrevivência". (...) Mas sabe que, mesmo assim, o sistema "mascara uma grande injustiça social, e seu fundamento baseado no lucro gera uma lógica insana que compromete seu desempenho social e ambiental".

Na sua opinião, o individualismo adubado pela civilização com base nos valores capitalistas está na raiz dos problemas da humanidade no século XXI. Não vê "nenhuma lógica" capaz de explicar um sistema que "dilapida os recursos naturais, o patrimônio genético das próximas gerações, degrada o clima e põe em risco a nossa biosfera". O novo paradigma a ser gestado envolveria maior cuidado ambiental, descentralização de poderes, vida comunitária, melhor compreensão da sustentabilidade "numa superação do taylorismo e da divisão do trabalho" e da estrutura industrial e militar na escala atual. "Portanto neste caldeirão de novas sínteses para reinventar o futuro talvez precisemos (além da espiritualidade) também de uma pitada de anarquismo filosófico e um resgaste do socialismo utópico..."

Política é, hoje, um "discurso cindido com a prática", onde intenções privadas ou corporativas se ocultam atrás da fachada do interesse público. A consigna "pensar global, agir local" poderia ser um começo de um novo caminho. E quanto aos ideais dos anos 1960? No hino "Minha história", que *padrinho* Alex compôs no Santo Daime, cintilam na primeira estrofe esses tempos longínquos:

Eu vou contar a minha história
Que eu trago aqui para os meus irmãos
Em outro tempo fui Rei Guerreiro
E agora dou viva a São Sebastião(...)

OS VENCEDORES

Alex sustenta que, com todos os acertos e desacertos, "a entrega feita pela nossa geração, mesmo optando pela radicalização política, foi generosa e sincera". Pode "ter cometido erros e injustiças, mas nunca se equiparou à bestialidade e à frieza da repressão". Considera que, embora derrotado política e militarmente, o exemplo ajudou a abrir um caminho para a redemocratização.

Em "Idílica Estudantil"[66], a temática também atraiu o poeta *Bartô*. Que ajuda *padrinho* Alex a concluir:

Nossa geração teve pouco tempo
começou pelo fim
mas foi bela a nossa procura
ah! moça, como foi bela a nossa procura...

Ayrton Centeno

Alex, sacerdote do Santo Daime, transformado em outro homem desde sua primeira visão: "Um ex-guerrilheiro que toma um chá e canta hinos em louvor a Jesus, Maria e José... Acharam que eu tinha pirado"

OS VENCEDORES

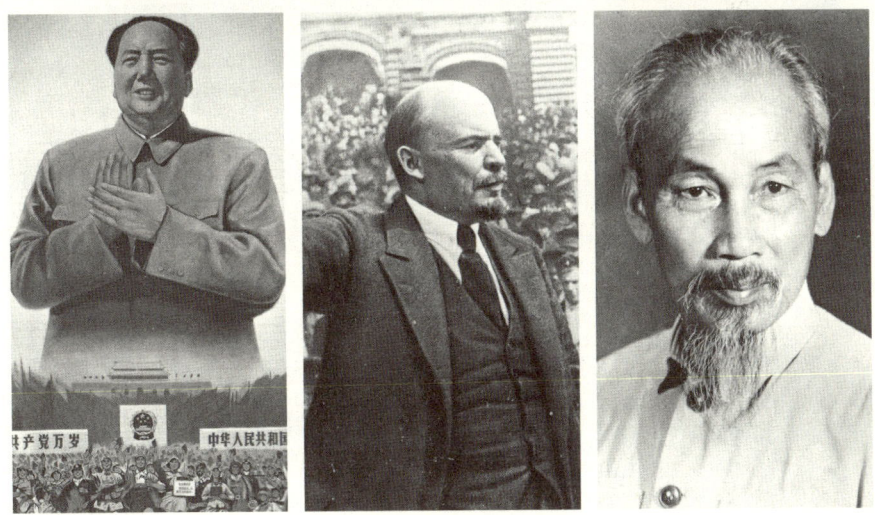

Guevara, Mao, Lênin e Ho Chi Minh: na cadeia, Bartô recebia incessantes e terríveis telefonemas dos quatro e de outras figuras da esquerda

Ayrton Centeno

A repercussão do sequestro de Von Holleben e a interessante manchete de O Globo respaldando a versão da caserna sobre o caso Para-sar

OS VENCEDORES

Recebido no cativeiro com chá, salgadinhos, revistas e um comprimido de Valium, Von Holleben mostrou certa simpatia com seus sequestradores a quem chegou a espinafrar por "falta de organização"

Na cerimônia militar, ao centro, o ministro Márcio de Sousa Mello, da Aeronáutica: na sua antessala gestou-se o episódio caso Para-sar; no seu quartel, Stuart foi assassinado

Stuart, o Paulo do MR-8: sequestrado e morto na tortura com monóxido de carbono

OS VENCEDORES

Sônia Angel em Milão, meses antes do retorno, prisão e assassinato no Brasil. Ao lado, no álbum de família

Zuzu Angel com os filhos. Para ela, Chico Buarque fez Angélica, canção sobre a mulher que só queria embalar seu menino "que mora na escuridão do mar"

> Declaração
>
> ZUZU ANGEL
>
> Ha dias recebi documento descrevendo com pormenores as torturas e o assassinato de que foi vítima meu filho Stuart A. gones, pelo governo militar brasileiro.
>
> Este documento está fora do país, em mãos de um dos parentes americanos do meu filho martir.
>
> Se algo vier a acontecer comigo, se eu aparecer morta, por acidente, assalto ou outro qualquer meio, terá sido obra dos mesmos assassinos do meu amado filho.
>
> Zuleika Angel gones. Rio de Janeiro 23 de Abril 1975

O último bilhete de Zuzu para os amigos Chico e Marieta: "se algo vier a acontecer comigo terá sido obra dos mesmos assassinos de meu amado filho"

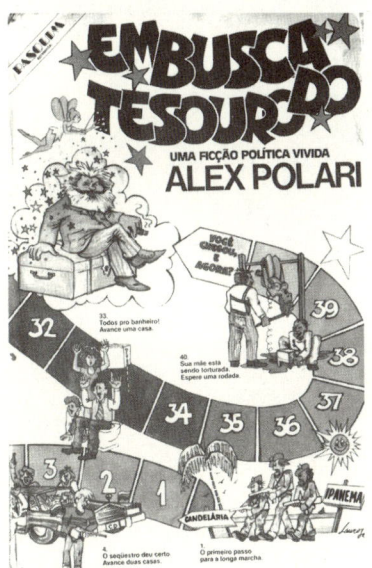

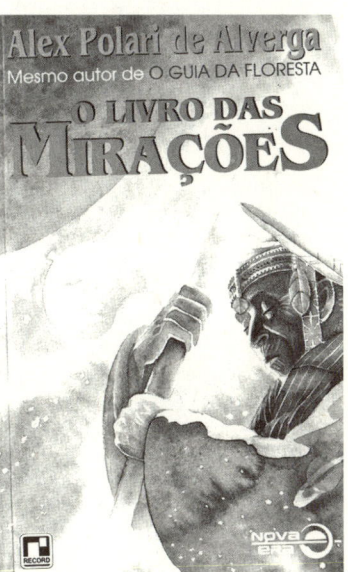

Alex e os poemas da prisão. Em Inventário de cicatrizes *(1978) e* Camarim de prisioneiro *(1980), versos confessionais, duros e diretos. O testemunho de* Em busca do tesouro *(1982). Para o psicanalista, Hélio Pellegrino, o autor é um herói porque "tem como projeto tornar-se si mesmo". Em* O Livro das mirações *(1984), o Alex depois do Daime: o novo mundo quer nascer da expansão da consciência*

Felipe no exílio: antes uma guinada de Kennedy para Guevara e de Lacerda para a VPR. Mesmo assim, para a organização, ele era "um poço de deformações pequeno-burguesas"

CAPÍTULO 14

O guerrilheiro que veio da UDN e o último dos tenentes

A bela procura de Alex também começou precocemente para Alfredo. Mas não seguiu uma linha tão retilínea assim. Ao contrário, ele largou o fervor udenista para dar um cavalo de pau na sua trajetória, abraçar a luta armada e sequestrar dois embaixadores. Escolhas que demandariam uma vida se precipitaram e definiram em pouco mais de dois anos. Ficou exatamente do lado oposto ao do antigo Alfredo, da família e dos militares que vira exultante chegarem ao poder.

Na terça-feira, saiu do colégio Andrews e retornava para casa, na rua Marquês de Abrantes, no Flamengo, quando notou as barricadas diante do palácio Guanabara. Ali, despachava seu ídolo maior, Carlos Lacerda[1], figura de proa da UDN. Coalhado de PMs armados de metralhadoras, o dispositivo militar preparava-se para a temível arremetida das tropas legalistas do almirante Cândido Aragão[2], comandante dos fuzileiros navais. Tinha treze anos naquele 31 de março. "Meu coração — confessa — estava totalmente com a resistência do palácio contra as tropas do Aragão."

Nem Aragão, nem seus fuzileiros deram as caras e o *bunker* de Lacerda safou-se ileso sem desperdiçar um cartucho sequer. No dia seguinte, 1º de abril de 1964, o resto do governo legal desmoronou. Para a suprema felicidade de Alfredo, que ostentava na parede de seu quarto um retrato de seu herói, o presidente americano John Kennedy. Gastou o dia ouvindo as marchas militares que as emissoras favoráveis ao novo regime repetiam sem cessar. Seu mundo de classe média estava salvo. Punha-se fim aos males do país: o comunismo, a corrupção, a baderna. Em casa, o ambiente era de festa. O pai, Eugênio, era particularmente a favor de qualquer coisa contra o governo. Odiava Brizola e Jango. Estava eufórico com o golpe. "Eu também fiquei", registra. O Brasil, finalmente, encontraria seu destino.

Após breve interlúdio com o poder militar, a vida mudaria às guinadas. A primeira sobreveio quando os generais cancelaram as eleições de 1965. Justamente aquelas em que Lacerda, com Brizola no exílio e o trabalhismo dizimado, deveria derrotar Juscelino e levá-lo à presidência na condição de comandante civil do golpe. Ao contrário da consagração nas urnas, Lacerda se confronta com a exclusão. Ele e o jornalista Hélio Fernandes passam a ser perseguidos. Fernandes dirige a *Tribuna da Imprensa*, jornal que Lacerda fundara em 1949 atribuindo-lhe a função de fustigar dia e noite os governos de Vargas, Juscelino e João Goulart. Quem queria eleições para presidente em 1965 também não gostou da novidade. Junto com o *Correio da Manhã*, a *Tribuna* falava para a fração da classe média que se descolara dos militares. São os dois periódicos, mais *O Globo*, que entram na casa paterna diariamente. Através da *Tribuna da Imprensa*, Lacerda e Fernandes atacavam Castello Branco e Roberto Campos[3]. "Me alinhei com isso. A ditadura, na época, ainda era *ditamole*, um governo ilegítimo que se perpetuava pela força das armas."

Outra mudança o esperava no CAp, o Colégio de Aplicação, da Faculdade de Filosofia da Universidade do Brasil, imediações da lagoa Rodrigo de Freitas, seu destino após o Andrews. Desembarcaria do lacerdismo para orbitar a esquerda secundarista, aproximação que se deu com um caráter mais existencial do que político. Decepcionou-se com o panorama desolador de suas amizades, que gastavam a vida no

OS VENCEDORES

"consumismo barato de festinhas de iê-iê-iê, valores de malandragem ociosa, brigas de turmas de *cocoboys* da zona sul e curras de empregadinhas domésticas"[4]. À esquerda, a conversa era mais rica, havia discussão sobre filmes, livros e política e as relações mais fraternas. Por aí, o lacerdista em vias de deixar de sê-lo, iria se avizinhar daquilo que o pai tinha profunda ojeriza. Pudera: imigrante judeu-polonês, Eugênio Sirkis gramara no cabo da picareta numa frente de trabalho soviética em 1939.

Em setembro de 1967, mais um passo à esquerda. Em represália às transgressões disciplinares, a diretora do CAp, Irene Mello Carvalho, implantou a censura prévia no jornal dos alunos, *A Forja* e, de quebra, proibiu os jornais-murais. A reação dos redatores veio sob forma de uma edição cheia de buracos brancos. Abriu-se inquérito e a patota de *A Forja* foi intimada a dar explicações. Para tornar o clima mais sombrio, disparou a notícia de que alcaguetes agiam no colégio abastecendo o Dops com listagens dos alunos mais implicados na agitação.

Irado com Irene, estreou no terrorismo: ao passar pela janela da sua sala, esguichou toda a carga de sua caneta Parker na cortina amarela da diretora. Orgulhoso, chamou o amigo e militante mais rodado Carlos Minc para exibir seu feito. Três anos depois, com outra ação, de outro vulto e sem caneta, Felipe enviará o ex-colega de CAp para longe do Brasil. Ali, porém, o que importava era o tamanho da mancha vingadora.

A direção, então, fechou o grêmio Odilo Costa Neto. E os estudantes deflagraram uma greve. O cabo de guerra com a diretora desembocou nos jornais. *O Globo* publicou matéria acusando a subversiva *A Forja* de fazer apologia das drogas. Tudo por conta de uma matéria com perguntas pró e contra o LSD. Contato dos grevistas com a imprensa, Felipe arranjou espaço para desmentir a acusação na *Tribuna*, *Correio da Manhã* e na *Última Hora*, mas, em casa, o estrago estava feito: "Agora já sei o que está acontecendo neste seu maldito colégio, neste ninho de drogados e comunistas", esbravejou Eugênio, empunhando o matutino dos Marinho[5].

Durante as férias de verão, Alfredo já era outro. Começou com a leitura de *História da riqueza do homem*, do marxista norte-americano Leo Huberman. Saltou para *O manifesto comunista*, depois *Salário, preço e lucro* e outras obras de Marx, traçou *A origem da família, da propriedade privada e do Estado*, de Engels, além de apostilas de Mao Tsé-Tung. e da nitroglicerina pura de *Guerra de Guerrilhas*, de Ernesto Che Guevara. Quando despontou fevereiro de 1968, vibrava na torcida pelo Vietcongue durante a Ofensiva do Tet[6]. "E, para horror absoluto do meu pobre pai, troquei o retrato do Kennedy no meu quarto pelo do Che."

Depois tudo foi muito rápido. Virou líder do movimento estudantil secundarista: porrada com a polícia no centro da cidade, morte, velório e enterro de Edson Luís, conflitos de junho de 1968, Sexta-Feira Sangrenta[7], Passeata dos Cem Mil. E, no fim do ano, o AI-5, justamente no dia da sua formatura no Colégio de Aplicação. Saiu da formatura para a clandestinidade.

Vice-presidente da Associação Metropolitana dos Estudantes Secundaristas (AMES), que sumira das atividades estudantis para mergulhar na luta armada, Minc foi seu contato com a VAR-Palmares. Sua primeira organização, meses depois, se partiria ao meio. Na verdade, tudo andou com tal velocidade que o novato nem chegou a participar da VAR. Vinculou-se à dissidência que saíra para refundar a VPR.

Na nova VPR, Alfredo Sirkis troca de identidade. Agora atende por *Felipe*. Minc mofa na prisão mas há outro contato, *Daniel*, nome de guerra de Herbert Eustáquio de Carvalho, veterano do Colina e da VAR, igualmente na VPR. E ainda Juarez Guimarães de Brito[8], codinome *Juvenal*, trinta e um anos, formado em sociologia e administração, também provinha do Colina e tinha voz forte na organização renascida. Foram os seus recrutadores.

Felipe formaria com os demais secundaristas o comando Severino Viana Colon, batizado com o nome do ex-sargento da Polícia Militar do Rio vinculado ao Colina e assassinado sob tortura. Já operava o comando João Lucas Alves, também ex-sargento, ex-Colina e também martirizado e morto. Porém, em vez de dois comandos, a VPR se resumiria a um apenas, após o desmantelamento do João Lucas Alves em abril de 1970. O novo comando reuniu os remanescentes dos comandos Severino e Lucas Alves. Na prática, diz, ele e Alex metamorfosearam-se no comando Juarez Guimarães de Brito, já que os secundaristas que os acompanhavam ficaram apenas como simpatizantes.

Na nova trajetória de guerrilheiro, Sirkis e Alex topariam com um punhado de situações inusitadas, a começar pela convivência com Os Proletas. Era uma tentativa da VPR de fincar pé na periferia através de um agrupamento quase lúmpen, de pouca ideologia, mas muita energia. Com eles, a VPR montara um campo de treinamento na zona rural de Campo Grande, oeste do Rio. Estavam na fronteira da marginalidade. Mas não era a primeira vez na história que um segmento desses participava de um processo revolucionário. "Em Cuba, o primeiro grupo que apoiou o pessoal de Sierra Maestra tinha essas características", justifica Sirkis.

Coordenador dos Proletas, Alex levou Herbert *Daniel* para conhecer os calouros veperristas. Numa estrada deserta, debaixo de uma grande mangueira, à meia-noite, as duas pontas da VPR se encontraram. Alex incumbiu-se das apresentações ante o olhar arregalado de *Daniel*: Russo, o chefão, Magro, o subchefe, Buscapé, torneiro-mecânico, Índio, lutador de luta-livre — cumprindo suspensão por ter matado um adversário no ringue — Coruja Baleada, consultor político, Bolão, cunhado de Russo, Careca, e Joãozinho 38, mergulhador. Armados até os dentes, pareciam, comparou Alex, fugidos de um filme mexicano sobre Emiliano Zapata ou Pancho Villa. Para dissipar aquele estupor, Russo esclareceu *Daniel*: "Companheiro, isto aqui é território liberado da VPR[9]".

Certa noite, em Guaratiba, quando roubavam placas, Alex e os Proletas deram de cara com uma dupla que forçava uma moça a se despir. Num instante, Russo saltou do carro e deliberou matar os dois, ato de justiça sumária, porém revolucionária. Os demais concordaram. E deixaram o comandante Alex numa sinuca: aquilo era inaceitável, mas, ao mesmo tempo, não podia posar de frouxo perante a tropa. Alegou que não dava para sair despejando chumbo nos estupradores embora fossem dois canalhas covardes. Os Proletas insistiam na execução imediata. Alex volveu: pode dar lambança, vem a polícia... Russo acatou os embargos e reformou a sentença: "Ok, então vamos dar só um tiro no pé de cada um". Travou-se então o seguinte debate[10]:

— Um só, tá legal — assentiu um apressado Alex/*Bartô*.

— Chefe, em cada um dos pés ou só num? — quis saber outro proleta.

O bambambã dos Proletas empacou, ruminou, esticou o olho para Alex, sinal que esperava uma solução para o enigma. Que aproveitou a deixa:

— Um tiro só em cada pé, certo?

O ingresso na luta armada mostrou-se produtivo para os Proletas. Uma boa fatia do que restava do assalto ao cofre de Adhemar nutriu o ramo periférico da VPR: uma oficina mecânica, mais casas, carros e algum dinheiro aqui e ali. Mas as ações se complicavam, não deslanchavam e a flama rebelde dos Proletas fraquejava à razão em que encolhiam os recursos. Mesmo assim, relembra Alex, frequentava a casa de Russo, cujos três filhos se chamavam Marx, Engels e Lênin. O que não impediu que o chefão lhe armasse uma cilada em troca de dinheiro. Avisado a tempo pelo proleta Joãozinho 38, preveniu-se e frustrou a arapuca. Participaria do tribunal revolucionário que julgou e absolveu Russo. Mais tarde, quando o Partido Revolucionário dos Trabalhadores (PRT) sofreu várias quedas, suspeitou-se da participação do antigo proleta no esquema[11].

Sirkis, ou melhor, *Felipe*, foi apresentado a *Cláudio* numa casinha discreta da rua Tacaratu, em Honório Gurgel, subúrbio na zona norte do Rio. "*Felipe*, este é o *Paulista*. Vai comandar a ação[12]."

Magro, bermudas, sem camisa, cavanhaque, *Paulista* (ou *Cláudio*) foi caloroso na acolhida. Abraçou-o, dizendo "legal te conhecer". Era o começo de uma boa amizade que sobreviveria aos quarenta dias de tensão à flor da pele que aguardavam pelos dois naquele endereço.

OS VENCEDORES

Sala, cozinha, banheiro e três quartos pequenos. Assim se resumia a casa. Um casal de companheiros morava na Tacaratu fazia algum tempo, estabelecera uma rotina e conhecera a vizinhança. *Daniel* chegara logo depois e fora apresentado como irmão da moça. Era a fachada. *Felipe* e *Paulista*, que não faziam parte da visão exterior do que acontecia ali, ficariam enclausurados. Perante o olhar que vinha de fora, não existiam. Nem eles nem muito menos o sexto morador, prestes a chegar.

Não eram ainda 9h da manhã quando o Rio começou a parar naquele 7 de dezembro. Carros de passeio, táxis e outros veículos tiveram que se postar em fila indiana para revista. Caminhões não escaparam e tampouco os ônibus. Passageiros tiveram que descer. Túneis e viadutos foram fechados, o que também aconteceu nas saídas da cidade. Com 4 mil policiais mobilizados, mais efetivos das três forças armadas, as barreiras pontilharam estradas, ruas e avenidas, mais ainda no sentido da zona norte. Mesmo as barcas de carga da travessia para Niterói restaram paralisadas. Era o final da primavera de 1970, mas os termômetros rondavam os quarenta graus. A noite entrou e o trânsito continuava um tumulto só. A causa daquilo tudo foi descrita[13] assim: "O embaixador Giovanni Enrico Bucher teve seu automóvel, o Buick azul, CD-58, interceptado (...) em frente ao número 63 da rua Conde de Baependi, em Laranjeiras, pelo Volkswagen de placas GB--35-40-41. Terroristas — provavelmente oito — saltaram de diversos carros e sequestraram o diplomata após ferirem o agente federal Hélio Carvalho de Araújo".

Pilotando um Aero-Willys bege, GB-19-81-06, Alex/*Bartô* arrancou bruscamente e avançou na direção do carro do corpo diplomático. Manobra que narrou com cortes cinematográficos. "Dei um golpe na direção, evitei o táxi e me choquei com o Buick. Barulho metálico, vidros quebrados. O rosto surpreso do motorista. *Daniel* e Van se aproximaram por um lado. Um tiro. Silêncio. Outro tiro. Desço agachado segurando a pistola e o maço de panfletos que jogo para o ar[14]."

De ré, mais dois fuscas entram em cena. No vermelho, GB-15--52-56, irá Bucher. Que ainda recolhe seus cigarros turcos no Buick. Dois tiros varam os pneus de um carro próximo. Retirado do carro, o motorista da embaixada, Hercílio Geraldo, é forçado a deitar-se no chão. No banco dianteiro do Buick, pistola 7.65 nas mãos, tombou o agente. Segurando a metralhadora Thompson, Alex deixa ao seu lado um envelope com as reivindicações: 1) libertação de setenta presos políticos; 2) divulgação de manifesto da VPR de quatro em quatro horas durante o desenrolar das negociações; 3) passagem gratuita nos trens da Central do Brasil enquanto os libertados não chegassem ao seu destino no exterior.

Dois PMs se aproximam correndo. Dissuadidos pelos canos de metralhadoras, carabinas e rifles, viram-se de costas e se atiram no chão. Alex e *Daniel* saem de Laranjeiras pelo túnel Santa Bárbara rumo ao bairro do Catumbi, chegam à Santa Teresa, depois ao centro. Abandonam o carro e vão pegar um ônibus. Na parada, *Daniel* comemora. "Somos foda![15]"

As primeiras notícias deixaram atarantadas as autoridades. Surgiu primeiro a informação de que um franco-atirador subira ao alto de um edifício para dar cobertura à ação. Resultou disso que cinco federais levaram o porteiro do prédio a dar explicações na delegacia. Depois, a existência de um quepe dentro do Buick, criou o entendimento de que, além de Bucher, fora levado o adido militar da Suíça. A imprensa hipotecou solidariedade. No editorial "Confiança no Governo", o *Jornal do Brasil* manifestou sua perplexidade com a ação, uma vez que o país "vive período de grande calma, realizações materiais e otimismo".

Os jornais publicaram uma reação mais singular no meio de tanta tensão e nervosismo. Em Berna, a mãe do sequestrado, ao saber que o filho estava em poder de guerrilheiros na América do Sul, daria uma noção do espírito aventureiro do embaixador. "Ah, ele vai se divertir muito com isso![16]", exclamou.

Descobriu-se depois que a senhora Bucher não apenas não proferira sua tirada espirituosa como estava morta havia anos. Mas serviu para salpicar a gravidade da situação com certo humor e descontrair o ambiente... Ainda no transbordo, *Felipe* garantiu ao diplomata, em inglês, que seria "bem tratado". Bucher retrucou, irritado, em português de primeira. "Porra... Eu não sou americano, sou suíço. Não tenho nada com isso. Rapazes, vocês certamente cometeram um engano![17]."

Ouviu de volta que "é o senhor mesmo que queremos" porque "tá na hora dos bancos suíços comprarem a vida de alguns companheiros torturados"[18].

Tomaram o rumo do Rio Comprido, Tijuca, Engenho Novo, Cascadura, Madureira. No caminho, o embaixador ganhou avental, boné e óculos escuros. Seu papel na hora da descida do carro e ingresso no aparelho de Honório Gurgel seria o de pintor de paredes. Faltavam 15 para as 10h quando entraram na Tacaratu. Deixaram o carro na frente e entraram conversando sobre a pintura que certa parede precisava. Naquele dia de calor infernal, não havia vivalma na rua.

Bucher continuou chiando. Embora sem sucesso, havia intercedido em favor do presidente da clandestina UNE, o suíço/brasileiro Jean Marc von der Weid, então na cadeia. Queixou-se de que, após sua intercessão pelo compatriota, o chanceler brasileiro Mário Gibson Barbosa distanciara-se dele. Como detestava o ministro da Justiça, Alfredo Buzaid, e achava que era correspondido, e a Suíça tampouco era uma potência como os Estados Unidos, o Japão ou a Alemanha, temia pela negociação. Suspeitava que o regime oporia maior resistência, ao contrário dos sequestros anteriores. Estava certo.

Quarenta e oito horas após a captura, o governo admite, enfim, que fará o que estiver ao seu alcance para poupar a vida do suíço. Pede a listagem dos prisioneiros — sem confirmar que irá libertá-los — e sinaliza que rejeitará as demais exigências. Enquanto isso, Helga comprou bermuda, duas camisas e chinelos para o hóspede secreto da Tacaratu. A esta altura, Bucher, um solteirão jovial de cinquenta e sete anos e que fumava quatro maços de cigarros por dia, estava mais enturmado, mesmo que dialogasse invariavelmente com capuzes negros. Como Sirkis descreveu em *Os carbonários*: "Vocês são uns caras muito amáveis, vejo que fazem o possível para minorar minhas privações, agora que me sequestraram (...)".

Os caras eram *Felipe, Daniel*, o casal *Ivan* e *Helga*[19] e o *Paulista* (aliás, *Cláudio*). Ao bisbilhotar papéis que *Cláudio* rabiscara com sua caligrafia delicada e, percebeu, facilmente reconhecível, *Felipe* acrescentaria mais um *aliás*: *Cláudio*, aliás Carlos Lamarca era quem formava dupla com Bucher na canastra que rolava solta no aparelho contra a dupla *Felipe-Ivan*. O protocolo dos capuzes negros logo foi quebrado. Bucher gostou da novidade. Desfiava casos de sua carreira de diplomata com escalas na Índia, Chade, França, Iraque e Nigéria. Tomava banho de sol no quintalzinho.

Abateu-se ao saber da morte do guarda-costas. Não quisera nenhuma proteção, mas o governo brasileiro insistira. *Daniel* alegou que o agente estava pronto para atingi-lo no peito. Não fosse a intervenção do comandante estaria morto. Lamarca também se aborreceu, conforme o testemunho de *Felipe*/Sirkis: "Não queria matar o cara. (...) Gritei pro cara: "Se reagir, morre". (...) "Nisso ele ouviu o *Dan* tentando abrir a porta do motorista e, como eu estava mais longe, decidiu derrubar ele primeiro. Meti bala". Lamarca imaginou que acertaria o ombro do segurança. Alvejou-o nas costas, segundo seu relato porque, no momento do disparo, o agente virava o corpo para atirar na direção da outra janela do carro. "Agora tão dizendo que matei pelas costas...[20]."

Enquanto a ditadura não acusava o recebimento dos três comunicados remetidos, ganhando tempo para farejar o refúgio da VPR, crescia o estresse no aparelho. Manipulada como boneco de ventríloquo, a mídia, registrou Sirkis, reportava o "silêncio desumano" dos captores e disseminava dúvidas se Bucher ainda estaria vivo. Quando a VPR entregou à *France Presse* a relação dos setenta prisioneiros a serem soltos e furou a muralha da incomunicabilidade, a conta caiu no colo de François Pelou, diretor da agência noticiosa internacional no Brasil. Como punição, o jornalista francês acabou preso e expulso do país.

OS VENCEDORES

Em nota, o Itamarati sustentou que Pelou desenvolvia "atividades contrárias à segurança nacional e incompatíveis com a função de correspondente estrangeiro"[21].

Dias mais tarde, os generais cederam. Estavam dispostos a liberar setenta presos, mas havia um porém: quase vinte nomes, por diferentes razões, permaneceriam atrás das grades. Alguns por serem acusados de mortes, outros de sequestro, mais um punhado com penas longas, dois por não estarem presos e outros dois por não desejarem sair do Brasil. Lamarca se enfureceu. "Ele não aceitava aquilo, ficou revoltado com o fato de alguns companheiros permanecerem presos, como o Ariston", relembra Sirkis.

Ariston Oliveira Lucena[22] fora condenado à pena capital. Filho de dois militantes da VPR — Antonio Raymundo, executado com um tiro na testa diante da mulher e de três filhos pequenos, e Damaris, presa e torturada — Ariston, aos dezoito anos e ao lado de Lamarca e mais cinco companheiros, rompera o cerco de milhares de soldados do Vale do Ribeira, em São Paulo. O comandante não aceitava sua exclusão. E o clima voltou a pesar em Honório Gurgel, com a maioria do aparelho favorável à execução de Bucher. Que, no seu quarto, queria saber o que estava acontecendo. *Felipe* o enganou. Disse a Bucher que seria transferido para outro aparelho, mais distante. Aparentemente, o suíço acreditou.

Tentando sair do brete para onde fora empurrada, a VPR disparou um ultimato à ditadura: queria exatamente aqueles setenta nomes. Do contrário, seria cumprida a sentença de morte. Bucher leu e autenticou a mensagem. *Felipe* mentiu-lhe que era um blefe. E o embaixador assinou o comunicado.

Era um ultimato que dificilmente seria levado a sério. Todo ultimato, em razão da sua própria essência de necessidade e pressa, impõe um prazo. O dos sequestradores não tinha nenhum. Ademais, aproximava-se o Natal, circunstância que não aconselhava nenhuma execução. Dias depois, veio a resposta: dava para substituir os vetados, desde que não incorressem nos mesmos problemas anteriores. A bola voltava para a VPR.

Única voz no aparelho contra a *transferência* de Bucher, *Felipe*/Sirkis foi sondar Lamarca. Encontrou-o ensimesmado e às voltas com uma animadora dúvida, ao inverso do que ocorria com a organização: a maioria esmagadora dos contatados por *Ivan* — que deixara o esconderijo com esta incumbência — votara pela morte do diplomata. "Tinha uns vinte a favor da execução. Só eu e o José Roberto Rezende[23], que não estava no aparelho, fomos contrários."

O terceiro e mais importante voto pró-negociação era o do comandante em chefe. Após ler, um por um, os votos por escrito, expôs sua posição: era contra a execução, mas queria construir uma maioria. Os demais mantiveram suas posições. No dia seguinte, Inês Etienne Romeu, dirigente da organização, chegou de São Paulo e também aderiu a Lamarca. Que recorreu ao poder de veto que lhe dava o estatuto da VPR e derrubou a decisão da maioria da assembleia. *Felipe*/Sirkis descreve como impediu a luta armada de se transformar num poderoso instrumento de execração da esquerda caso antecipasse com Bucher o destino dado pelas Brigadas Vermelhas ao premiê italiano Aldo Moro[24], oito anos depois.

"Eu é que convenci o Lamarca", afirma. "Pode dizer que estou ficando burguês, que estou vacilando, mas a verdade é que matar o Bucher vai ser um desastre absoluto", disse ao capitão. Argumentou que, com a execução, a VPR estaria jogando fora a oportunidade de soltar setenta prisioneiros. Não seriam todos nem todos aqueles que a VPR queria, mas, a sua maneira, cada um dos libertados seria importante. Ademais, ninguém nunca entenderia a decisão e, pra quem já estava isolado, seria pior ainda... "Convenci (Lamarca) com base nesses dois argumentos que, cá entre nós, são muito fortes e não precisa ser um gênio para saber disso."

Os dois se aproximaram como antes não acontecera, como testemunha Alex, adversário da posição que a dupla defendia e que teria uma escaramuça com o comandante pela mesma razão. Lamarca passara a gostar de *Felipe*, que "era folcloricamente estigmatizado (...) por seus supostos desvios". E o comandante assumia tal amizade contra as "pressões proletárias" da Organização, que consideravam *Felipe* um poço de "deformações pequeno-burguesas"[25].

Após um primeiro momento de contrariedade, os demais, aos poucos, conformaram-se. Na interpretação de Sirkis, a decisão operou até como um bálsamo. Considera que, mesmo aqueles que votaram pela execução, no fundo não queriam este tipo de solução. Mas tinham medo de serem vistos como vacilantes ideologicamente, de demonstrar fraqueza diante dos outros. "Acho que todos respiraram aliviados. Quando o Lamarca tomou a posição todos entraram na linha."

Removeu-se os nomes proibidos e completou-se a lista com outros. De novo, o embaixador teve que apor seu jamegão na mensagem. O que fez entre palavrões, cortando da mãe dos generais. "Esses *gorilas* pouco se importam comigo. Só querem impor seu jogo. Preferem me ver morto[26]."

Bucher assumia até o jargão da esquerda para xingar os *milicos*. Desde 1962, a designação de *gorila* — síntese de selvageria e boçalidade — atribuída aos militares golpistas tornara-se munição corrente do nacional/populismo/esquerdismo na guerra verbal ou iconográfica contra a direita castrense[27]. Outro modo de dizer que, do lado oposto, residia o primitivismo e a violência. Eventualmente, civis golpistas, como o ex-ídolo de *Felipe*, Carlos Lacerda — originalmente caricaturado como o *Corvo* — eram representados como *gorilas*. Aconteceu assim no comício de João Goulart na Central do Brasil, em março de 1964, quando um imenso macaco-boneco de óculos e caninos de vampiro divertiu a massa. Apelando a termo tão pejorativo, o parceiro de canastra de Lamarca havia mesmo mudado de lado.

No final do dia, um jorro de adrenalina: uma camionete da aeronáutica estacou em frente à casinha da Tacaratu. Desceram três homens. Dentro do aparelho, as armas destravadas aguardavam a balaceira. Mas os três entraram na casa do vizinho! Talvez fossem dinamitar a parede, cogitou-se. Mas como entraram, partiram. Era um rebate falso: tinham vindo levar preso o filho do vizinho que, soldado, não aparecera no quartel. Outro dia, outro susto: uma menina dos arredores que ficara amiga do casal *fachada* encontrou a porta aberta e topou na sala com Lamarca, que escrevia uma carta para Iara Iavelberg. Imperioso explicar quem era aquele sujeito mais velho de cavanhaque. E o comandante em chefe virou um tio vendedor que chegara de surpresa para visitar *Ivan* e *Helga*.

Naquele mesmo dia, Lamarca flanou na Tacaratu. Logo tornou-se figurinha fácil das redondezas. Numa daquelas manhãs, *Felipe* acordou com uma gritaria do lado de fora. Ao conferir numa nesga da janela, deparou-se com um encarniçado jogo de futebol. Nele, um detalhe de impressionar: o sujeito mais caçado do Brasil corria para cima e para baixo no meio da rua totalmente absorto no rachão com a garotada da Tacaratu. Faceiro, na volta da brincadeira, comunicou ao povo do esconderijo que fora apenas bater uma bola com o pessoal da vizinhança. "É pra segurança do aparelho. Pra dar fachada", justificou com uma piscadela[28].

Impagável, *Felipe*/Sirkis retratou como a expressão *fazer fachada* emplacou no dia a dia, contaminando o próprio embaixador. Certa vez, em que ninguém havia posto a cara fora da porta, Bucher quis saber: "Como é? Vocês não vão fazerrr fachada? E a segurrrança?[29]".

Dezembro se arrastava, atravessou o Natal e estava confluindo para janeiro quando o *aparelho* resolveu organizar uma festa de *réveillon* na sala e na varanda, com acesso dos vizinhos. *Felipe* e o embaixador foram excluídos da saudação a 1971 por motivos evidentes. Encerraram-se no quarto mais ao fundo conversando, enquanto na frente rolavam as canções de Roberto e Erasmo Carlos. No começo de janeiro, *Felipe* batalhou e conseguiu sair do *aparelho*. Partiu antes do dia clarear e retornou no início da noite.

À zero hora de 14 de janeiro de 1971, levantou voo, no Galeão, o Boeing PP-VJA da Varig com os sessenta e oito brasileiros e dois estrangeiros trocados pelo embaixador da Suíça e banidos para o Chile. Quatro horas e 22 minutos mais tarde a aeronave aterrissava no aeroporto de Pudahuel, arredores de Santiago. Entre os banidos, o compatriota suíço Jean Marc Von der Weid que então, por vias transversas, o embaixador conseguia arrancar da prisão.

Os militares fizeram sua parte no acordo e aprontaram a arapuca para os sequestradores: entupiram as ruas com homens, carros e barreiras e desfecharam uma operação pente-fino nos subúrbios. E repartiram centenas de fotos do sequestrado. O refém seria solto naquela mesma quinta-feira, dia 14. Mas a VPR segurou um Bucher enfurecido no cativeiro. A fúria não era contra sua parceria de carteado na Tacaratu, mas contra o governo, a quem acusava de desprezar sua vida. "Querem pegar vocês de qualquer jeito. Não devemos correr riscos. Estou disposto a aguardar. Seria estúpido que tudo terminasse mal agora[30]."

Bucher só saiu nas primeiras horas da manhã de sábado, quando o dia nascia. Levava um disco de Joan Baez, presente do sequestrador *Felipe*. A exemplo do que aconteceu com Von Holleben, não havia carro seguro para retirá-lo do aparelho. Usou-se o mesmo fusca bege do sequestro que, nesse meio-tempo, amassara a frente na traseira de um caminhão. Bucher foi deixado na Penha e caminhou meia hora até encontrar um táxi.

No domingo, em sua casa nas Laranjeiras, o embaixador não respondeu às perguntas dos jornalistas. Limitou-se a ler um comunicado. E houve farta distribuição de omissões e cascas de banana para a imprensa e, em consequência, para a polícia. A começar por dizer que jamais vira o rosto dos captores porque sempre usavam "capuzes pretos que lembram a Ku-Klux-Klan"[31]. Em vez dos cinco que o rodeavam na canastra diuturna, garantiu ter visto somente dois vultos. Não sabia se algum deles era uma mulher. Semeou-se ainda a certeza de que Bucher estivera em dois aparelhos. Num deles, o embaixador afirmou ter visto Cruzeiro x Atlético na TV, clássico realizado em Belo Horizonte. Como o jogo não fora transmitido para o Rio, logo Bucher estivera num cativeiro fora do estado. Mais confusão.

Outro ponto de interrogação pairava na cara do sequestrado. Bucher ostentava um bronze retinto, como se acabasse de regressar do veraneio na praia. Era a recordação de seus banhos de sol na área interna do *aparelho*. No entanto, dizia que passara quase um mês e meio entre quatro paredes. Tentando interpretar a entrevista sem perguntas — que definiu como "um *happening*", uma "tropicália" ou, mais provável, uma jogada inteligente do governo suíço — o *Jornal do Brasil*[32] entendeu que Bucher ficaria "acabrunhado" se tivesse que responder "como arranjou uma cor tão morena embora quarenta dias fechado dentro de um quarto".

O refém e sua companhia da Tacaratu nunca mais se encontrariam. Embora, na hora da despedida, até isso fosse lembrado. Como galhofa. "Bem, depois de todas essas aventuras, acho que vou até ficar com saudades de vocês", comentou Bucher. "Se a gente sentir saudade vai lá te buscar de novo", prometeu *Felipe*/Sirkis provocando gargalhadas[33].

Na imaginação do suíço, guerrilheiros eram, até então, uma geleia de símbolos, liquidificando tipos cubanos de Sierra Maestra e os Panteras Negras com uma pitada de práticas *hippies*. Ou, como descreveu, sujeitos durões, mais velhos, barbudos, com cabelo afro e "fumando maconha todo o tempo"[34]. Nada mais dissonante do código de valores da luta armada, embora *Felipe* fugisse, discretamente, ao padrão. "Eu fumava maconha, mas somente no meu *aparelho*. Nem o Alex sabia. Fumava com os simpatizantes, que eram chamados *desbundados*."

Bucher retornou às suas funções e o comando Juarez Guimarães de Brito também. No cotidiano do comando, uma expropriação de um depósito que abastecia supermercados. Os funcionários não acreditaram ao saber que aquele bando não queria dinheiro, mas apenas gêneros alimentícios que, aliás, nem seriam para eles e sim para distribuir em nome da revolução. Sete militantes tomaram o galpão e partiram com dois caminhões abarrotados para a favela do Rato Molhado, no Engenho Novo[35]. Metralhadora na mão, revólveres na cintura, anunciaram a chegada da comida grátis com direito aos panfletos da VPR. A multidão de mulheres e crianças fez sumir a carga em meia hora.

OS VENCEDORES

Quatro meses depois da viagem dos setenta para o Chile, *Ivan* morreu baleado por policiais. *Helga* sumiu na clandestinidade, *Daniel* escondeu-se no interiorzão de Minas Gerais, Lamarca trocou a VPR pelo MR-8 e *Felipe*, percebendo que tudo desabava ao seu redor, atravessou a fronteira. Deixou o Brasil com um passaporte quente, com o nome verdadeiro: Alfredo Hélio Sirkis.

Ninguém sabia sua identidade. A repressão rastreava o *Felipe* da VPR, louro e secundarista, enquanto Sirkis era procurado por façanhas ainda dos tempos de movimento estudantil. Como se um e outro fossem pessoas diferentes. Liliana, sua mãe, molhou a mão do funcionário da PF e descolou o passaporte. Com dois sequestros nas costas, assaltos e outras ações, como foi que não acabou capturado, torturado e morto? "Por muita sorte e uma certa lucidez que uma parte dos companheiros não teve. Percebi que íamos ser esmagados completamente, que não havia chance de dar certo e, se fosse para continuar vivendo, tinha que sair."

Em carta[36], o capitão o apoiou. Expôs sua insatisfação com decisões da VPR, que considerava aventureiras e para as quais não fora consultado. Defendeu que a esquerda "agora, já" passasse a criar "sua base social" para dar mais tarde "o passo necessário". Autorizou-o a falar em seu nome com os veperristas no exterior e se despediu com um "tchau" cheio "de ardor revolucionário para um revolucionário que se despede do país mas não da revolução".

Não houve quem convencesse Lamarca a sair. Embora a VPR fizesse saber ao seu comandante que não havia lugar seguro para ele no Brasil. Seu amigo *Felipe* foi mais um que tentou convencê-lo e fracassou. Na penúltima carta que trocaram, Lamarca respondia negativamente a uma exortação do companheiro para que saísse do país e salvasse a pele. "Achava que era dever dele continuar, que não tinha medo da morte e nem da tortura e enquanto uma célula nervosa estivesse funcionando no seu cérebro estaria pensando na revolução", resume Sirkis.

Lamarca deixaria, isto sim, a VPR. Tinha divergências na organização e também não suportava mais viver encerrado em *aparelhos* e separado de sua companheira. Antes de partir, ele e Iara moraram com o casal veperrista Alex e Lúcia. Trocou a antiga organização pelo MR-8, que supunha mais próximo das massas e da guerrilha rural.

Felipe e Alex ajudaram no transbordo do guerrilheiro mais procurado do país de uma organização à outra. E foi, *ipsis litteris*, um transbordo. No seu fusca bege, Alex levou Iara e Lamarca a um ponto no Méier, onde o casal se despediu, entrou num fusca vermelho do MR-8 e desapareceu.

No final de junho, já era dia 29, *Cirilo* chegou ao povoado de Buriti Cristalino, município de Brotas de Macaúbas, na Chapada Diamantina, confins da Bahia. O sertão era novidade para Cirilo. No papel de *Cláudio*, ele conhecia melhor a mata Atlântica do vale do Ribeira, Sul de São Paulo.

Cláudio, Cid, César, Paulista, Cirilo ou Carlos Lamarca e mais dezessete combatentes instalaram-se no vale em janeiro de 1970. Antes, a VPR, valendo-se de um *laranja*, comprara oitenta alqueires[37] de terras próximas à BR-116, no vale do Jacupiranguinha, sul do Ribeira. Um casal de militantes da base, José Lavecchia e Tercina Dias, com mais três crianças, acomodou-se num ranchinho de pau a pique, distante 3 quilômetros da rodovia. Era a base de abastecimento e biombo legal da base guerrilheira. Dois núcleos foram criados, um com dez militantes e outro, com oito. O jogo duro do comandante era o seguinte: almoço de manhã cedo, café leve ao meio-dia e algo para engambelar a fome à noite. Educava-se o estômago para um longo período de privação e não se fazia fumaça durante o dia. Alvorada às seis da manhã, com armas limpas, aulas teóricas e práticas de tiro ao alvo, cartografia, topografia, preparação de armadilhas, uso de explosivos. Leituras políticas de Marx, Trotsky e Lênin e militares de Mao, Régis Debray e Che Guevara. Iara se juntou ao grupo, mas adoeceu e voltou à cidade[38].

Em 19 de abril, Lamarca descobriu, depois de quedas em São Paulo, que sua presença não era mais segredo. Era preciso abandonar imediatamente o Ribeira. Oito homens conseguiram escapar.

OS VENCEDORES

Sobrevoada por aviões e helicópteros, a área era bombardeada diariamente. Nove guerrilheiros, Lamarca entre eles, estavam embretados por 5 mil homens do II Exército e da Aeronáutica, apoiados por forças policiais militares e civis. A BR-116 que corta o vale foi bloqueada e seu tráfego desviado para outra estrada, a BR-373. Desgarrados do grupo e famintos, o ex-sargento Darcy Rodrigues e Lavecchia foram presos no dia 27. O cerco apertava sobre os demais. De um lado, o rio Ribeira, de outro, um pântano, à frente e à retaguarda, as tropas.

No dia 8 de maio, romperam uma barreira na cidade de Eldorado, abrindo fogo contra os policiais. Comandante militar destacado para a região, o coronel Antonio Erasmo Dias ficou estupefato. Reconheceu que a aparição dos guerrilheiros em Eldorado, tiroteando com o destacamento da cidade, representou uma grande surpresa para o comando. "A serra que eles atravessaram era horrorosa e nem imaginamos que eles iriam enfrentar aquele terreno", admitiu[39].

Logo rumaram para Sete Barras, às margens do Ribeira. Às 21h, na entrada da cidadezinha, outro confronto, desta vez contra um contingente da Polícia Militar paulista quatro vezes superior. Após tiroteio de três minutos, dezoito inimigos renderam-se, doze estavam feridos e oito conseguiram fugir[40]. Os feridos receberam socorro. Lamarca pintou um quadro de inépcia e pavor. Encontrou os soldados atônitos, "clamando a Deus e com medo de serem fuzilados". Ainda com as armas na mão, pediam clemência. "Tratamos todos bem e explicamos a nossa luta. Os prisioneiros mostraram-se espantados com o nosso humanismo[41]."

Dos milhares de homens que as forças armadas e a PM despejaram no Ribeira, a maioria era de recrutas com pouco tempo de instrução, mal-apetrechados para enfrentar um grupo infinitamente menor, porém mais adestrado, resoluto e que jogava a vida naquele combate. Segundo Lamarca, o acordo de rendição imposto pela guerrilha garantia que não haveria fuzilamentos, que os feridos seriam atendidos, que as armas não seriam confiscadas, e sim trocadas, mas que pegariam munição. Em troca, o tenente Alberto Mendes Junior, que comandava a tropa e fora feito refém, levantaria o bloqueio de Sete Barras. Liberado para acompanhar os feridos e abrir as barreiras, o tenente reencontrou-se com os guerrilheiros e os demais prisioneiros. Disse, registrou Lamarca, "que não havia nada em Sete Barras". Libertaram então os prisioneiros e retiveram o oficial que seria solto tão logo passassem a cidade.

Seguiram em frente, contudo, na trilha, o caminhão atolou. Continuaram a pé quando perceberam uma emboscada. Enveredaram pelo matagal. À noite, dois combatentes se perderam. Os demais ouviram tiros e concluíram que a dupla havia morrido[42]. Da floresta, acompanharam o inusitado: tropas da PM paulista esbarraram com as do exército e abriram fogo, imaginando que fossem os guerrilheiros. O fogo amigo deixou dois soldados feridos.

Os cinco guerrilheiros contornaram a cilada. Caminharam dois dias pela mata, vigiando o tenente que já tentara fugir, e sempre sob pressão do inimigo. "Por que não deixá-lo ali mesmo e se mandar?", indagou Sirkis no *aparelho* da Tacaratu quando o capitão rememorava os acontecimentos. Lamarca contrapôs que o grupo estava sob cerco, com patrulhas ao redor — à distância de um grito — e, se libertado, o tenente logo encontraria uma delas. O prisioneiro conhecia a localização aproximada dos guerrilheiros "e, coisa fundamental na antiguerrilha, nossa velocidade de marcha". Concluiu que, de posse destes dados, facilmente seriam capturados. "Continuar com ele também não dava pé (...)", acentuou Lamarca para quem, naquelas circunstâncias, "era ele ou nós"[43].

Votada e sentenciada a execução do oficial, não poderia ser cumprida por fuzilamento. Os tiros alertariam as tropas. Yoshitane Fujimori foi encarregado da execução — posteriormente, sob guarda do Estado, Fujimori também seria executado[44]. Numa das decisões mais questionadas da luta armada, o tenente, de vinte e três anos, foi eliminado, segundo Lamarca, "com uma coronhada de FAL na nuca". Antes de expirar, porém, recebeu outras coronhadas. A eliminação do oficial e, sobretudo, em tais condições, exacerbou o ódio por Lamarca nas forças armadas. À esquerda, Jacob Gorender[45], que nunca tratou a luta armada com luvas de pelica, após contrapor que "a violência original é do opressor" a qual a ditadura "deu forma extremada", opinou que a execução no Ribeira foi algo "de duríssima necessidade", já que a libertação do refém significaria o aniquilamento do grupo.

Tropas partem, outras chegam e o assédio aperta. Fuzileiros navais patrulham o Ribeira. Três operações — Macuco, Quilombo e Votupoca — palmeiam a região sem sucesso. Um dos perseguidos deles, sem ficha policial, é escolhido para uma fuga individual. Gilberto Faria Lima vai até a rodovia, pega um ônibus que estava passando e some. Esfomeados, esfarrapados e exaustos, os quatro restantes — Lamarca, Fujimori, Diógenes Sobrosa e Ariston Lucena — concluem que a única maneira de escapar é se apossando de um carro. Descem à estrada, emboscam um caminhão do exército e capturam cinco soldados. Vestem suas fardas, aboletam-se na cabina e tocam adiante. Na localidade de Taquaral, uma barreira militar ordena que parem. Respondem gritando: "É ordem do coronel!" e seguem sem problemas, transportando na carroceria cinco recrutas de cuecas. Vão até São Paulo. Na noite de 31 de maio estacionam na marginal do Tietê e devolvem os uniformes aos seus donos, que ficam fardados, amarrados e amordaçados. Após quarenta dias de cerco estão novamente livres.

Então, após treze meses de lutas, troca de organização e de perambulações de *aparelho* em *aparelho* na cidade, Lamarca está de volta ao campo, o que sempre imaginou desde que abandonara o quartel de Quitaúna, em janeiro de 1969, para ingressar na clandestinidade. Em Brotas de Macaúba, escreve para Iara. Conta-lhe que passa o dia no mato e, à noite, dorme no rancho de um camponês com um companheiro. Este é José Campos Barreto, o Zequinha, também novato no MR-8, mas proveniente da VAR.

Ao contrário do capitão, Zequinha conhecia o terreno. Nascera em Brotas, emigrara para São Paulo, tornara-se operário em Osasco e líder estudantil e grevista em 1968. Preso, caíra nos porões do Deops. Torturado, ficara noventa e oito dias na cadeia. Quando tomou uma condenação de um ano e seis meses pela sublevação grevista, caiu na clandestinidade. Em Brotas, vivia sua família. Seus irmãos Olderico e Otoniel também militavam.

Lamarca esconde-se no fundo da roça dos Barreto. Porém, como caçadores e garimpeiros circulam pela área, troca duas vezes de acampamento. Quer saber tudo sobre a região. Ouve rádio, lê e escreve o tempo todo. Enterra as fezes para encobrir marcas da sua presença. De alguma maneira, embora no campo, sofre as restrições dos aparelhos urbanos que tanto o exasperavam.

Somente deixa o refúgio à noite. Para tomar banho num riacho próximo ou para aprofundar a discussão política com os camponeses, anteriormente trabalhados por Olderico, Otoniel e um terceiro militante, Luiz Antonio Santa Bárbara. Na região miserável, "quem come todo o dia (e mal) já é considerado rico", escreve para Iara[46]. O núcleo do MR-8 produz uma cartilha abordando os principais problemas — miséria, latifúndio, impostos, êxodo rural — e sua solução. Havia uma rotina implantada e, até então, sem sobressaltos.

Nas cidades, porém, o MR-8 derretia-se. Dois meses depois de Lamarca chegar a Brotas, o CISA agarrou Stuart Angel Jones. Que sabia do paradeiro do capitão e seus captores sabiam que ele sabia. "Agora que pegamos Stuart, em dois dias chegaremos a Lamarca", diziam os oficiais da aeronáutica[47]. Como se sabe, o prisioneiro morreu sem falar. O mesmo aconteceu com José Gomes Teixeira. Ainda em maio, a militante Solange Lourenço Gomes, abalada por um surto psicótico[48], entregou-se numa delegacia, confessando ser "uma subversiva". Relatou tudo o que sabia, inclusive a existência do núcleo rural do qual, entretanto, ignorava a localização.

Em agosto, a devassa, as prisões e a tortura chegariam à Pituba, bairro de classe média de Salvador. Na rua Minas Gerais, edifício Santa Terezinha, prenderam seis pessoas do apartamento 201, entre elas um bebê de um mês de idade. Havia uma sétima. Mas um menino morador do prédio contou aos policiais que abrira a porta de seu apartamento, o 202, e vira uma mulher com dois revólveres. Era Iara que, pela área de serviço, saltara de um apartamento para outro e estava prestes a se safar. Os policiais jogaram cinco bombas no apartamento e atiraram. Era 20 de agosto e ali terminou a jornada da guerrilheira. Tinha vinte e sete anos[49].

Na última vez em que se viram, Sirkis conversou com Iara no Limão Sul, um bar do Posto 6, em Copacabana. Ao contrário de Lamarca, ela gostaria de sair do Brasil. "Ela tinha a lucidez do que estava acontecendo. Ficou pelo amor", aclara Sirkis. No retrato pungente que esboça, "Iara é uma dessas heroínas que sabe o que vai acontecer, mas que acompanha o objeto da sua paixão até a morte".

Morta e guardada numa gaveta do necrotério em Salvador, Iara deveria servir de engodo para atrair Lamarca, consumido pela paixão avassaladora que as cartas escancaravam. Quatro dias antes da morte na Pituba, o capitão escrevia para aquela que chamava afetuosamente de *neguinha*, despedindo-se assim: "Te amo, te adoro — segue esta carta impregnada de amor — vou te ver, nem que seja a última coisa na minha vida — mil beijos do teu Cirilo".

Lamarca nunca mais veria Iara. Mas a secundarista Nilda Carvalho Cunha, que dera abrigo à companheira do capitão e fora presa no mesmo 20 de agosto, seria obrigada a ver e tocar o corpo de Iara. "Botou as mãos no rosto e saiu gritando, correndo como louca[50]. Constantemente ameaçada de estupro, estava muito fragilizada. O diálogo travado com um sujeito grandalhão, de cara redonda e olhos empapuçados, deixou-a ainda mais aterrada. "Olha, minha filhinha, você vai cantar na minha mão porque passarinhos mais velhos já cantaram. Não é você que vai ficar calada", antecipou-lhe o brutamontes. E decretou: "Vou acabar com essa sua beleza[51]".

O policial era Fleury, que se juntava à corrida policial-militar na Bahia, cujo troféu era Lamarca. Quanto à Nilda, perdeu mais do que a beleza morena dos seus dezessete anos. Acometida por crises de cegueira, desmaios, choro e riso descontrolado, via soldados dentro do seu quarto de hospital. Morreu dois meses e meio após ser presa, de causa desconhecida. Sua mãe, Esmeraldina Cunha, nunca aceitou as circunstâncias da perda. Caiu em depressão e, um ano após a morte de Nilda, enforcou-se.

Duzentos e quinze homens, incluindo militares, mais policiais paulistas e baianos, desembarcaram em Buriti Cristalino nos últimos dias de agosto de 1971, sob a chefia do major Nílton Cerqueira, comandante do DOI-Codi no estado. Implantou-se o toque de recolher às 18 horas. E ofertou-se uma recompensa de 20 mil cruzeiros pelo paradeiro do capitão[52], algo em torno de R$ 85 mil em 2014, uma fortuna para qualquer sertanejo. Era o começo do fim da caçada. Santa Bárbara foi baleado na cabeça. Otoniel recebeu uma rajada de metralhadora e morreu. Deixado ali mesmo, exposto ao sol, um carcará comeu-lhe um dos olhos. Mesmo alvejado no rosto, Olderico sobreviveu. José Barreto, 65 anos, pai de ambos, de Zequinha e de mais quatro filhos, foi apresentado ao interrogatório padrão da polícia política. Suspenso numa corda de cabeça para baixo, tomou pontapés no rosto. Sangrou e apanhou durante dias. Quando sentia vontade de urinar, a urina escorria-lhe pela barriga e o peito e penetrava-lhe o nariz. Queriam saber de Lamarca e de Maria Dolores, sua filha de dezesseis anos, que acusavam de amante do forasteiro. "Hoje vou dormir com sua filha, velho filho da puta!", gritou Fleury na sua cara[53].

Homem religioso, leitor da *Bíblia*, seu único *crime* era ser pai de Zequinha, Otoniel e Olderico. No seu rancho de pau a pique, o patriarca dos Barreto não tinha noção da militância da prole. Foi chutado, espancado e dependurado no pau de arara para revelar onde estava Lamarca. "E eu não sabia quem era o Lamarca", explicaria vinte anos mais tarde[54].

Barreto acusaria também os esbirros de Fleury — o Esquadrão da Morte, explicitou — de surrupiarem seus "arreios, chicotes, esporas, martelos, mantas, umas pedras bonitas que eu tinha em casa, saquearam tudo". Levaram, inclusive, todo o dinheiro que guardara[55]. Só poderia sepultar Otoniel quase um mês após a morte, e encerraria toda sua fúria numa frase: "Se esse Fleury tivesse cinquenta vidas merecia perder todas, uma a uma, morrer cinquenta vezes[56]".

Foi escutar o pipocar dos tiros em Buriti, e Lamarca e Zequinha levantaram acampamento. Marcharam nove quilômetros até o engenho Pau d'Arco. "Meu nome é Lamarca. Meu inimigo é o governo. Estou precisando de ajuda", falou, dirigindo-se aos camponeses. Recebeu ajuda e depois foi denunciado[57].

Continuaram andando até a localidade de Três Reses, onde um primo de Zequinha os denunciou. Seguiram até Ibotirama, no vale do São Francisco. Doente, Lamarca precisava de socorro médico. Era carregado nas costas pelo companheiro. Cruzaram pela aldeia de Carnaúba e alcançaram o povoado de Pintada, município de Ipupiara, região central da Bahia. Pararam para descansar à sombra de uma baraúna. O capitão se deitou, Zequinha ficou sentado. Um morador viu a dupla, contatou o chefe político local e informante das tropas que, pelo rádio, avisou Cerqueira. Era 17 de setembro.

Lamarca estava doente, subnutrido, quase não podia caminhar. Mas, no sertão, sua nomeada de atirador infalível e o medo dos *terroristas* inquietavam. Na noite anterior, uma das equipes de busca tomou um susto e tanto. Ao divisar um vulto atrás da galharia, um oficial alarmou-se e despejou sua arma naquela direção. Matou um jumento.

Eram 15h30 e a tarde ia a meio quando os caçadores se aproximaram das presas. Zequinha cochilava, despertou com um estalido e só atinou gritar: "Capitão, os homens estão aí!"[58]

Lamarca não teve tempo de se erguer, muito menos de tocar no seu Smith Wesson 38. O cabo Dagmar Caribé, do DOI-Codi, o atingiu com uma rajada de metralhadora. Sete balaços, um deles lhe atravessou o coração e os pulmões. Zequinha tentou correr e também foi alvejado. A exemplo do que ocorrera com Marighella, o medo preferiu a execução à prisão. O que não constrangeu o major Cerqueira: "Eu matei, eu matei! Alagoano é foda, alagoano é foda!", comemorou[59].

Uma camionete Veraneio levou os cadáveres para Brotas de Macaúbas. Lá foram arremessados ao campo de futebol e recepcionados a pontapés por policiais, praças e oficiais bêbados. Que gargalhavam e disparavam rajadas de metralhadora para o céu.

Quarenta e dois anos depois dos chutes e das balas silvando no ar, o povoado de Pintada, em Ipupiara, inaugurou o Memorial dos Mártires. Celebra a vida, a escolha e a expiação de Lamarca, Zequinha, Santa Bárbara e Otoniel. A inauguração, pelo bispo dom Luiz Cappio, aconteceu justamente no dia 17 de setembro de 2013, aniversário do fuzilamento debaixo da baraúna[60]. A data tornou-se feriado municipal em Brotas de Macaúbas. Em 2007, a Comissão de Anistia do Ministério da Justiça concedeu a patente de coronel ao comandante da guerrilha. Em Pintada há duas praças, uma chama-se Carlos Lamarca. Nela, há uma estátua do capitão. A outra é a de São Sebastião. Por coincidência, Sirkis situa a figura histórica de Lamarca próxima do santo e soldado do exército romano que o imperador Diocleciano mandou matar, após torná-lo capitão de sua guarda pessoal. "Era um guerreiro também." Mas *Felipe* tem outra e mais precisa definição para Lamarca: "Ele é o último dos tenentes. O último dos grandes revolucionários de origem militar, que sai dos quartéis para enfrentar o Estado brasileiro. O movimento dele é tipicamente tenentista".

Embora destroçada no Rio, São Paulo e Porto Alegre, a VPR permanecia intacta no Recife. Mas não restaria muito mais assim por intervenção do marinheiro de segunda classe, José Anselmo dos Santos, o cabo Anselmo. Na narrativa da VPR, se Lamarca ocupa os píncaros, Anselmo habita o subterrâneo. No reino das afeições, é uma criatura geológica.

Também do MR-8, Avelino Capitani conheceu um e outro. Lamarca num aparelho em São Paulo, onde ficou num quarto, e o capitão, em outro. Anselmo desde quando 1964 significava apenas um número na folhinha. Dirigia a Associação dos Marinheiros e Fuzileiros Navais do Brasil (AMFNB), que Anselmo presidia e que apoiava as reformas de base de Goulart. Ilegal, era execrada pelos oficiais. Batia-se por reivindicações banais como o direito de casar e constituir família, vetado aos marinheiros. Ou de, em casa, usar roupas civis. E o fim do livro de castigos, que substituíra a chibata herdada da escravatura[61] como punição na marinha. Se um oficial cruzasse com um marinheiro e entendesse que a gola do subordinado estava suja, mandava anotar no livro de castigos. E a gola rendia dez dias de prisão. Na terceira punição, o sujeito era expulso.

Anselmo teve participação na primeira penalização que Capitani sofreu. O presidente da associação discursou no sindicato carioca dos portuários e Capitani, diretor, estava presente. Foi o que bastou. "Não falei nada, mas estava junto... Tomei dez dias. Levei mais dez dias por outra situação similar."

Estavam no mesmo lado quando Capitani insistiu para Aragão resistir e estragar a festa de Lacerda e do menino Sirkis diante do palácio Guanabara. "Vamos lutar!", conclamou ao almirante no Corpo dos Fuzileiros Navais. Aragão retorquiu que o presidente os havia abandonado. Que estava no Uruguai ou a caminho na fronteira e que Brizola o seguiria. "Sem o presidente é impossível qualquer resistência. Ficamos sós. Não vou te deixar sair daqui, vais levar todos à morte[62]."

Capitani seria preso e torturado no CENIMAR em julho de 1964, quando a tortura já fora incorporada ao mecanismo de extração de informações dos inimigos do regime. Nu e algemado, sofreu "espancamentos contínuos em diversas partes do corpo, com mais frequência no abdômen e na cabeça; aplicação de choques elétricos nos órgãos genitais e demais partes do corpo"[63]. Fugiu do país, asilou-se no Uruguai, treinou guerrilha em Cuba com Che Guevara. Voltou ao Brasil, participou da guerrilha de Caparaó[64] nas matas de Minas Gerais, fronteira com o Espírito Santo, e foi novamente preso. Em 1969, numa fuga espetacular com oito companheiros do Movimento de Ação Revolucionária (MAR), escafedeu-se da penitenciária Lemos de Brito, no Rio[65].

Seguiu para a Bolívia, depois Chile, novamente Cuba, após França, Suécia e Itália e, com um passaporte adulterado cedido por um conde italiano falido, retornou ao Chile. Em Santiago, soube que Anselmo estava na cidade e a sua procura. Também soube, por fontes distintas, uma do PCdoB e outra da AP, que existiam fortes razões para estranhar a presença ali de seu ex-presidente na AMFNB. Ambos tinham visto Anselmo na cadeia. Ele fora preso na noite de 29 de maio de 1971. Quatro dias depois, a repressão botou as mãos em Edgar de Aquino Duarte, ex-fuzileiro e colega de Anselmo na associação. Duarte abrigara Anselmo em seu apartamento e figurava no que Capitani chamou de *lista negra*. Capturado, quem estivesse nela, "só tinha duas alternativas: trair ou morrer. Edgar até hoje é dado como desaparecido. Anselmo traiu"[66], resume.

Sirkis estava no exílio quando a VPR recebeu a última pá de cal, produto do conluio entre o *agente Kimble* e o delegado Fleury. Debochadamente, *Kimble* era o codinome que Fleury cravara em Anselmo, o seu *cachorro* de estimação. Extraíra a troça da série *O fugitivo*, da TV norte-americana[67], e exibida no Brasil dos anos 1960. Richard Kimble é o homem que foge da polícia acusado de ter matado a esposa. *Kimble* era Anselmo que, na VPR, era *Daniel, Jadiel e Jônatas*.

Em 8 de janeiro de 1973, a imprensa anunciou seis mortes à bala num casebre de Paulista, hoje Abreu e Lima, município da região metropolitana de Recife. Pauline Reichstul, José Manuel da Silva, Soledad Barret Viedma, Evaldo Ferreira de Souza, Jarbas Pereira Marques e Eudaldo Gomes da Silva pertenciam à VPR e teriam morrido de acordo com o velho *script:* tiroteio com as forças de segurança.

Era uma pantomima cruel, na qual a mídia submissamente se envolveria[68]. Como de praxe, digeriu sem nenhum porém e bastante entusiasmo o *press-release* da repressão: "Segurança acaba com terror no Grande Recife", manchetou o *Diário de Pernambuco*, enquanto o *Jornal do Commercio* destacou "6 Terroristas Mortos em Paulista", edificando a versão chapa-branca. De fato, todos haviam sido torturados e assassinados em locais e dias diversos. Receberam vinte e seis tiros, catorze dos quais na cabeça, rubrica de execução. No embuste oficial, haviam feito fogo dezoito vezes sem acertar ninguém. Com os corpos transportados para a choupana sem piso, resumida a um quarto, sala e cozinha, montou-se ali o cenário: os mortos foram equipados com cinco revólveres e espingardas. E semeou-se cartuchos pelo chão de terra batida.

No necrotério, a advogada Mércia de Albuquerque percebeu marcas de tortura em todas as vítimas. Aos pés de um corpo, que identificou como sendo o de Soledad, viu um feto. A paraguaia Soledad, de vinte e oito anos, filha de pai e avô militantes de esquerda, saíra de seu país ainda bebê. Cresceu no Uruguai. Aos dezessete anos, foi sequestrada por neonazistas em Montevidéu que, como a moça se recusasse a gritar "Viva Hitler!", gravaram-lhe, com uma navalha, duas suásticas nas pernas. Bonita, seus encantos resultaram em poema de Mário Benedetti e canção de Daniel Viglietti[69]. Era companheira de Anselmo e estaria grávida, circunstâncias que emprestam à carnificina uma dose extra de abjeção.

Quando aconteceu a carnificina, Sirkis era correspondente do *Libération* no Chile. Cobria o governo socialista de Salvador Allende para o jornal francês. Com o *pinochetazo* de 11 de Setembro, mudou-se às pressas para Buenos Aires. No exílio, saber de Herbert *Daniel* tornou-se sua obsessão. Ninguém tinha conhecimento do que acontecera com o velho chapa da VPR. Soube de algo através de uma amiga e de maneira insólita: consultando um centro espírita, ela ouviu que Herbert estava vivo. Outro amigo, João Belisário de Souza, contatou a família e confirmou a informação. Herbert e seu companheiro Cláudio Mesquita estavam entocados nos cafundós de Minas. Com a ajuda de Amílcar Santucho, guerrilheiro argentino do Exército Revolucionário do Povo (ERP), Sirkis e Souza arranjaram passaportes equatorianos falsos para a dupla. Mais tarde, reencontraram-se em Paris.

Último combatente a fugir do Brasil, Herbert seria também um dos últimos a retornar. O que serviu de inspiração para o personagem

Sebá, "o último exilado", de Jô Soares. Até 1981, Herbert trabalhava numa sauna *gay* em Paris. Voltou, publicou livros, militou no PT, ajudou a fundar o Partido Verde (PV) e assumiu sua homossexualidade e o relacionamento com Cláudio. Tornou-se ativista no combate à Aids e ao preconceito. Em 1989, descobriu ser portador do vírus HIV. Até morrer em 1992, não deixaria de, algo raro, expôr sua condição. Para Sirkis, o antigo guerrilheiro mudou a história da Aids no Brasil. "A partir dele, os aidéticos e os soropositivos saíram do gueto, posicionaram-se à luz do dia[70]."

Sirkis retornou ao Brasil em 1979. Antes, foi jornalista em Lisboa e meteu-se na Revolução dos Cravos. Decepcionou-se. Em 1980, lançou *Os carbonários*, um dos textos capitais da memorialística do período. Flertou com o PDT, brigou com Brizola, e, em 1986, ao lado de outros dois cascudos da luta armada, Carlos Minc e Fernando Gabeira, fundou o PV. Continuou escrevendo e lançou mais oito livros, incursionando até pela ficção-científica banhada em deboche. Em *Silicone 21*, um general de maus bofes, de nome Estrôncio Luz e sonoridade óbvia, caça comunistas, verdes e andróginos num Rio de Janeiro futurista.

Na TV, o guerrilheiro *Felipe* foi rebatizado João Alfredo na minissérie *Anos rebeldes*, da Rede Globo, concebida a partir do relato de Sirkis e de *1968, o ano que não terminou*, de Zuenir Ventura. Nela, mesmo o nome da organização do herói se assemelha à VPR: é o Comando Popular Revolucionário[71]. Rola até o inaudito *réveillon* no aparelho.

Longe do Brasil, Sirks ansiava rever a avenida Rio Branco dos confrontos de 1968, o Colégio de Aplicação, o *aparelho* da rua Tacaratu. Hoje, registra tudo como um filme antigo que parece contar a vida de outra pessoa. Sente-se, escreveu, "a muitos anos-luz do guerrilheiro *Felipe* com seus dezenove anos e sua intrincada mescla de revolta e pulsão de ser herói", integrante de uma geração que, como disse Alex, "se cortou com cacos de sonho". O passado não o desconforta nem o enaltece[72].

Do passado ficou, por exemplo, a intuição do que o Tropicalismo era mais do que percebiam os dirigentes da luta armada: sintonizados com a canção de protesto, o herói idealizado que desafia o opressor, a valorização reverente dos temas do folclore, a repulsa ao que soava submissão ao padrão estético do colonizador. "Tínhamos uma certa sensibilidade libertária, mas muito dificultada pelos princípios fundamentais. Éramos bastante críticos da União Soviética. Tínhamos um grande pé-atrás em relação à China. Tínhamos uma identificação com o Tropicalismo."

No ano da glória de 1968, Alex localizou na geleia geral de José Celso Martinez Correia, Hélio Oiticica, Rogério Duprat e, sobretudo Caetano Veloso e Gilberto Gil, o *Zeitgeist* daqueles tempos cintilantes, o *Espírito da Época*. "O Tropicalismo e suas diversas ramificações já eram, sem dúvida, a expressão cultural perfeita do que representávamos na política."[73]

Um e outro relembram "Divino Maravilhoso" e, repetindo a canção, mencionam o refrão que recomenda estar "atento e forte" e desprezar a morte. Para Sirkis "era um mantra para a peleja"[74], dando razão aos militares que consideravam os baianos seus inimigos. Quem tinha ainda suas dúvidas sobre a ojeriza, logo revisou sua posição.

A safra do sequestro de Bucher: na última e mais rentável ação do gênero praticada pela guerrilha, os 70 presos políticos posam antes do embarque para Santiago

© Arquivo do Estado de São Paulo

Ayrton Centeno

Manipulada, a mídia reproduzia as versões do governo militar. Para romper a muralha da incomunicabilidade, a VPR entregou a lista dos 70 presos a serem soltos à agência France Presse que a transformou em notícia mundial

OS VENCEDORES

Acima, a repressão nas ruas do Rio. Abaixo, Bucher, o parceiro de carteado de Lamarca. Libertado, o embaixador deu informações frias para proteger seus captores

Lamarca, o Cláudio, e Iara, a Cláudia, em cartaz de "Procurados". Dela, Felipe guardou a imagem da heroína que sabe o que vai acontecer "mas acompanha o objeto da sua paixão até a morte"

OS VENCEDORES

Lamarca antes de se juntar a guerrilha com uma camionete cheia de armas. E, ao lado de Zequinha, morto. Os dois cadáveres seriam recebidos com pontapés por militares e policiais

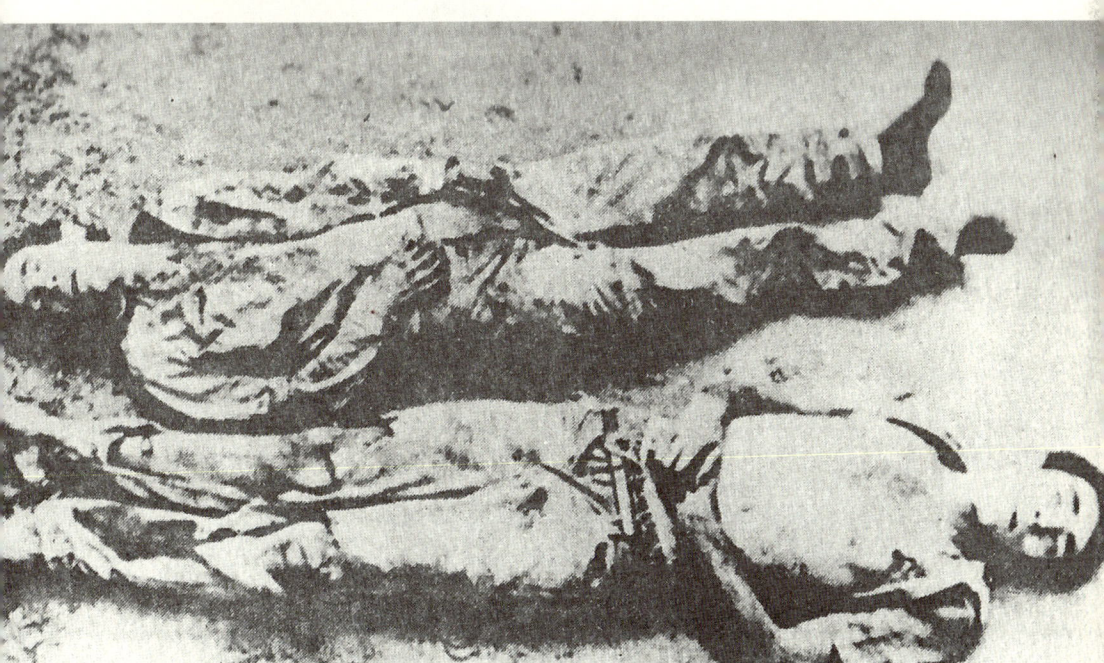

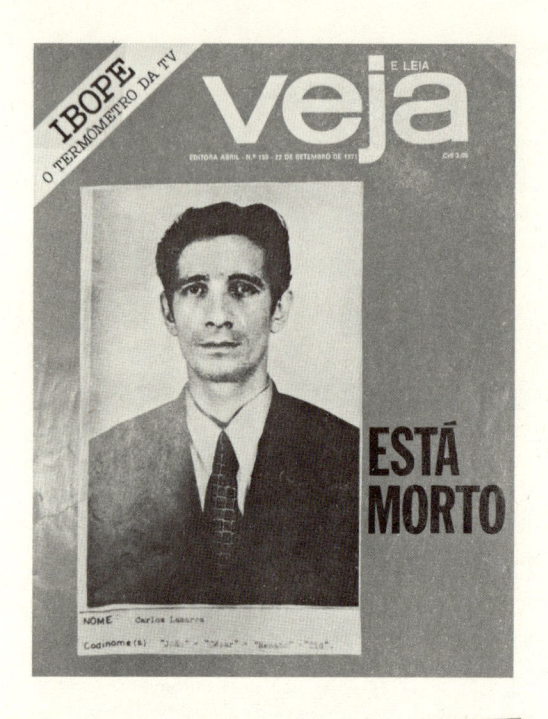

Transformado em inimigo público número 1 após a morte de Marighella, Lamarca enganou a morte no vale do Ribeira mas acabou caçado e abatido nos confins da Bahia. Foi, segundo Sirkis, "o último dos tenentes que sai dos quartéis para enfrentar o exército"

OS VENCEDORES

Incendiário nos tempos pré-1964, o cabo Anselmo se tornaria cachorro do delegado Fleury, que o usou para destroçar a VPR por dentro. Abaixo, sua última obra: o assassinato na tortura de seis companheiros, vendido pelo jornal como morte em tiroteio

Gil com Domingo no Parque, na TV Record, em 1967: letra com cortes cinematográficos, melodia que funde Beatles com a Banda de Pífanos de Caruaru

CAPÍTULO 15

Os amores na mente, as flores no chão

"Ontem foi o Dia dos Cegos", publicou no sábado, dia 14, o *Jornal do Brasil*. Era uma discreta chamada de matéria, postada à direita de seu logotipo, alto da primeira página. À esquerda, uma previsão para aquele dia e os que estavam por vir: "Tempo negro. Temperatura sufocante. O ar está irrespirável. O país está sendo varrido por fortes ventos. Max.: 38° em Brasília. Min.: 5° nas Laranjeiras". Na noite do dia anterior, o dos Cegos, uma sexta-feira 13, às 23 horas, o ministro da Justiça, Luis Antonio da Gama e Silva, ocupara rede nacional de rádio e televisão. E comunicara a decretação do Ato Institucional 5.

"Esta sexta-feira foi 13 para muita gente[1]", comemorou um muito sorridente Gama e Silva, pouco antes daquela meia-noite. Nada a estranhar. Desde 1964, *Gaminha*, seu apelido e tamanho, produzira mais sextas-feiras 13 para seus desafetos do que o calendário seria capaz de conter. Reitor da USP, nos primódios de 1964 afastara quarenta e quatro professores, entre eles Fernando Henrique Cardoso, denunciados por "subversão"[2].

O praga de *Gaminha* e o longo braço do AI-5 cedo alcançaram a MPB. No dia 18 pousaram na sorte e no ombro de Chico Buarque de Hollanda, conduzido ao Dops. Treze dias transcorridos da audácia do *JB*, foi a vez de Caetano e Gil. De novo, era uma sexta-feira, então 27 de dezembro de 1968. Gil foi preso no seu apartamento, na praça da República, em São Paulo. "De lá", conta, "os agentes da Polícia Federal passaram no apartamento do Vandré, que morava ali por perto. Eu fiquei no camburão esperando e eles levaram uns quinze minutos ali". Para a imensa sorte de Vandré os policiais não acharam ninguém em casa.

As prisões de Gilberto Gil e de Caetano Veloso — mais a fuga de Geraldo Vandré e o autoexílio de Chico Buarque — demarcam o colapso de uma era. Simbolizam o crepúsculo daquele que é, muito provavelmente, o ciclo mais fecundo na história da música popular brasileira, o decênio que medeia entre 1958 e 1968. É possível dizer com mais exatidão ainda que interrompem uma sintonia entre a MPB e a voz rouca das ruas como nunca houvera no país — e nunca mais voltou a haver.

A febre convulsionava a cultura nacional desde o pré-1964, abarcando o teatro político — em palcos incomuns: o sindicato, a associação, a universidade, a fábrica — o cinema, a canção, a literatura, o jornalismo, as artes plásticas, o humor. Novas questões escalavam as manchetes: ligas camponesas, reforma agrária, organização dos trabalhadores, mobilizações de marinheiros. Roberto Schwarz[3] definiu com acurácia: "O país estava irreconhecivelmente inteligente".

É uma florada tão exuberante que prossegue desabrochando mesmo após o golpe. Até 1968, vai aumentar em densidade e audácia, política, criativa ou, com frequência, ambas. A direita empolga o poder, mas a esquerda predomina na criação artística e intelectual. Ou como disse Schwartz: "Através de campanhas contra tortura, rapina americana, inquérito militar e estupidez dos censores, a inteligência do país unia-se e triunfava moral e intelectualmente sobre o governo, com grande efeito de propaganda"[4].

Gilberto Gil Passos Moreira engajou-se no processo ao chegar a São Paulo. Era 1965, vinha casado[5], formado administrador de empresas e empregado como *trainee* na multinacional Gessy Lever. Nas suas andanças paulistanas, já conhecera Chico Buarque. Dividia-se entre o emprego diurno e a música noturna. Com Caetano, Tom Zé, Gal e Maria

OS VENCEDORES

Bethânia apareceu em *Arena canta Bahia*, de Augusto Boal, espetáculo encenado no teatro Oficina. Em outubro, gravou um compacto simples. De um lado, "Procissão", do outro, "Roda", com versos atrevidos assim:

> Seu moço, tenha cuidado/
> Com sua exploração/
> Se não lhe dou de presente/
> A sua cova no chão (...)

É um tanto arbitrário, mas talvez seja mesmo esse o ponto de partida de Gil no novo ambiente, embora não fosse propriamente um novato. Já em 1962, duas de suas músicas, "Povo Petroleiro" — feita por encomenda da Petrobras — e a marcha carnavalesca "Coça, coça, Lacerdinha", circularam em Salvador num compacto da JS Discos. Na consideração do autor, porém, a primazia é mesmo do samba "Felicidade vem depois", do mesmo ano. Em 1963, gravou um compacto duplo e um 78 rotações também pela JS. Em 1964, junto com Caetano, Bethânia e Gal aparece em *Nós, por exemplo*, show de inauguração do teatro Vila Velha. Surgia em programas de TV enquanto cursava o último ano de administração na Universidade Federal da Bahia. Era secretário de cultura do centro acadêmico da faculdade de administração. Não era ligado a nenhuma organização, mas se relacionava muito com os outros centros, mais politizados, como os da economia e da engenharia. Também com a AP e a Polop. Para ele, o golpe não foi surpresa. "Foi um desenlace", resume. Nessa época, seu ídolo era Marx. Admirava a ideia do comunismo, do socialismo, da igualdade, da distribuição da riqueza, das oportunidades abertas democraticamente a todo mundo. "Gosto até hoje", ressalta.

Os acontecimentos se aceleraram em 1966: cantou em *O fino da bossa*, programa de Elis Regina, na TV Record, largou a Gessy Lever, mudou-se para o Rio, concorreu em dois festivais, participou de *shows* com Bethânia e Vinicius de Moraes e gravou outro compacto. Em 1967, saía seu primeiro elepê, *Louvação*. No mesmo ano, viajou ao Nordeste, vivendo uma revelação que definiria os seus rumos. E que se somaria, na criatividade dos baianos, a um som que batera nos seus ouvidos pela primeira vez por volta de 1964. Ouviu *"I Wanna Hold Your Hand"* na rua, ao passar na frente de uma loja de discos em Salvador. Era uma sonoridade agradavelmente estranha. "Senti imediata curiosidade. Queria saber o que era aquilo. Que som é esse? Que interessante... Dali em diante, todos nós passamos a prestar atenção nos Beatles."

Em Pernambuco, um amigo, o compositor Carlos Fernando[6] levou-o a Caruaru, no planalto da Borborema. Lá, uma novidade surgida em 1924 deixou Gil extasiado. Chamou o que viu, e principalmente ouviu, de "porrada". O mesmo impacto que tivera com os Beatles teve com a Banda de Pífanos de Caruaru.

Gil e Caetano já percebiam a crescente complexidade e a linha evolutiva dos Beatles, atestada por *Rubber soul, Revolver e Sargeant Peppers*. Fascinado, nas conversas com Caetano e os letristas Torquato Neto e José Carlos Capinam, Gil defendeu a aproximação das duas sonoridades. Disse que se deveria incluir elementos dos dois campos: juntar toda a audácia e a criatividade dos Beatles com "aquela outra inventiva da tradição rural de Pernambuco, daquela decantação natural daquele funk nordestino".

Gil entende que seu maior legado à MPB foi unir os rústicos flautins e a percussão do Agreste pernambucano com o som de outra banda, a dos Corações Solitários. "Minha maior contribuição, na verdade, foi propor a Caetano Veloso que a gente juntasse a Banda de Pífanos com a '*Sargeant Pepper's lonely hearts club band*'[7]."

Caetano diria mais: que Gil voltara "transformado" do Nordeste. E que, de "adaptável e mesmo passivo", retornara com "uma clareza e uma veemência que quase assustavam". Declarava-se apaixonado por "*Strawberry Fields Forever*", de Lennon e McCartney, dizendo que se deveria fazer algo assim e que "Pipoca Moderna", da banda de pífanos, parecia-se com a canção dos Beatles[8].

Outubro de 1967, III Festival da Música Popular Brasileira, TV Record, Gil e os Mutantes, mais o maestro e arranjador Rogério Duprat, trazem para o palco o fruto das bodas entre sonoridades tão

OS VENCEDORES

díspares, mesclando berimbau, guitarra elétrica, orquestra, arcaísmo e modernidade, cores e sensações, e ainda uma narrativa com frenéticos cortes cinematográficos:

> Olha a faca! (Olha a faca!)
> Olha o sangue na mão
> Ê, José!
> Juliana no chão
> Ê, José!
> Outro corpo caído
> Ê, José!
> Seu amigo João
> Ê, José!...

"'Domingo no parque' tem muito do George Martin[9]. Foi coisa nossa. Ele, Rogério, foi chamado para isso e aceitou com cumplicidade absoluta e o mesmo horizonte." A opção pela senda tropicalista cindiria turmas e opiniões na MPB, mas essa canção, segundo lugar no festival, virou unanimidade. "Fiquei apaixonado por 'Domingo no Parque'", declarou Chico, terceiro lugar daquela edição do festival com "Roda Viva". "Adoro", disse o primeiro lugar Edu Lobo, com "Ponteio". Caetano, quarto com "Alegria, alegria", descreveu a canção como "cinema"[10].

Até a eclosão do Tropicalismo, a paisagem musical emergente punha de um lado a MPB — bebendo na fonte do samba, da marcha e da canção popular, influenciada pelos ritmos nordestinos e com letras politicamente compromissadas — e a Jovem Guarda — versão local do *pop* inglês e norte-americano com temática predominantemente urbana e adolescente centrada em garotas, carros e festas. As duas turmas não se bicavam. Mas Gil e Caetano eletrificavam seus instrumentos, digeriam *rock*, bolero, samba-canção, iê-iê-iê e bossa nova, o brega e o erudito, sem abrir mão de letras críticas — não só do regime, mas da sociedade —, deixavam os cabelos crescer adotavam visual multicolorido e derrubavam a fronteira.

Dá-se na música popular algo equivalente ao que Glauber Rocha punha nas telas, Hélio Oiticica e Rubens Gerchmann nas artes plásticas e José Celso Martinez Correia no teatro. Depois de assistir ao espetáculo *O rei da vela*, Caetano escrevera "Tropicália", canção carro-chefe da nova corrente (que deu nome ao elepê), rimando bossa, fossa e palhoça, Iracema e Ipanema, mata e mulata, e mandando tudo o mais para o inferno. No palco, desmantelava-se uma elite corrupta e tacanha que vivia de aparências. Tudo sob a capa de deboche. "Assistir a esta peça" — escreveu — "representou para mim a revelação de que havia um movimento acontecendo no Brasil. Um movimento que transcendia o âmbito da música popular[11]."

Gil viu na recepção — entre gélida e hostil — da esquerda tradicional ao Tropicalismo uma distinção dentro do percurso de seu ídolo dos tempos de UFBA. Na sua percepção, a esquerda que rejeitava a nova estética identificava-se com o "velho Marx", enquanto os baianos estariam mais próximos das proposições do "jovem Marx", distantes do filtro leninista do século XX.

Num diálogo com Gil, em 1978, o ex-guerrilheiro então professor do cursinho Equipe, José Genoíno, assentiu: "Vocês também tinham razão naquela época[12]". Genoíno era um dos estudantes que, dez anos antes e logo após uma passeata recepcionada com bombas e cassetetes, discrepara do compositor durante um acalorado debate em Fortaleza. Lembrava que Gil dissera que o Tropicalismo também era radical no plano da cultura. Enquanto o baiano endossava que aquilo que produzia era revolucionário, os estudantes divergiam. Revolucionárias eram "Roda Viva", de Chico Buarque, ou as músicas de Vandré. "Convivemos no interior da liderança da UNE com aquela polêmica que existia no mundo artístico[13]."

O olhar tropicalista nutria-se, detecta Roberto Schwarz, da involução de 1964: "O golpe apresentou-se como uma gigantesca volta do que a modernização havia relegado: a revanche da província, dos pequenos proprietários, dos ratos de missa, das pudibundas, dos bacharéis em lei etc."[14]. Exalta-se a família, célula mater da sociedade, e a pátria sob defesa de Deus e da Virgem Maria. Ressalta que "de maneira indireta, o espetáculo de anacronismo social, de cotidiana fantasmagoria que deu, preparou a matéria para o movimento tropicalista". Que submeteu essa matéria fóssil, tosca e burlesca "à luz branca do ultramoderno, transformando-se o resultado em alegoria do Brasil"[15].

Tornam-se mais claras as diferenças entre um e outro campo: enquanto o Teatro de Arena[16], engajado, busca a sedução do público pela identificação e a pedagogia, no Oficina, de José Celso, a primeira arma é o choque. Ou nas palavras de José Celso citado por Schwartz: "Se, em 1964, a pequena burguesia se alinhou com a direita ou não resistiu, enquanto a grande se aliava ao imperialismo, todo consentimento entre palco e plateia é um erro ideológico e estético. É preciso massacrá-la"[17].

Nos festivais, por outras razões, a fricção entre palco e plateia arrancava chispas. A vaia, signo universal de repulsa, não perdoava ninguém: Roberto Carlos, Nana Caymmi, Chico, Tom Jobim, Cynara e Cybele e uma longa listagem. Junto com Sérgio Ricardo — que partiu e arremessou seu violão no auditório — Caetano viveu o episódio mais memorável do gênero.

"Mas é isso que é a juventude que diz que quer tomar o poder? Vocês têm coragem de aplaudir, este ano, uma música, um tipo de música que vocês não teriam coragem de aplaudir no ano passado! (...) Vocês são iguais sabem a quem? São iguais sabem a quem? Tem som no microfone? Vocês são iguais sabem a quem? Àqueles que foram na *Roda Viva* e espancaram os atores! Vocês não diferem em nada deles, vocês não diferem em nada (...) Eu vim aqui para acabar com isso! Eu quero dizer ao júri: me desclassifique. Eu não tenho nada a ver com isso. Nada a ver com isso. Gilberto Gil. Gilberto Gil está comigo, para nós acabarmos com o festival e com toda a imbecilidade que reina no Brasil. Acabar com tudo isso de uma vez."

Sem ser música — ao contrário, ação e discurso pela impossibilidade da música se realizar — a violada de Sérgio Ricardo e o bate-boca de Caetano com os espectadores em "É proibido proibir" tornaram-se acontecimentos dos festivais. Chama a atenção que a canção nada tinha de alienada. A começar pelo título, inspirado nos *graffitis* dos muros do maio parisiense. Era tão, ou mais, de esquerda do que a então costumeira plateia fervorosa e irada do TUCA:

> Me dê um beijo meu amor
> Eles estão nos esperando
> Os automóveis ardem em chamas
> Derrubar as prateleiras
> As estantes, as estátuas
> As vidraças, louças
> Livros, sim...(...)

Plateia essa que talvez não tenha percebido o conteúdo por conta da forma, pela rejeição ao atonalismo, àquele cantor metido numa roupa de plástico, com correntes e colares feitos de fios elétricos, mais as guitarras elétricas e a indumentária dos Mutantes. E ainda um grandalhão sem nenhum cabelo ou pelo no corpo, o norte-americano John Dandurand, que atiçava o *happening* contorcendo-se e dando urros no palco.

O glorioso ano seria também o da Suma Teológica do Tropicalismo, o elepê *Tropicália* ou *Panis et Circensis*, com Caetano, Gil, Gal, Tom Zé, Torquato Neto, Capinam, mais os maestros Rogério Duprat, Júlio Medaglia e Damiano Cozzella. Na TV Tupi, estreou o programa *Divino Maravilhoso* — batizado como a canção de Caetano e Gil. E que Gal levou para o IV Festival da Record com cabelão afro, espelhinhos e outros penduricalhos. Pisou no palco como se estivesse possuída por Janis Joplin:

> É preciso estar atento e forte
> Não temos tempo de temer a morte (2x)
> Atenção para as janelas no alto
> Atenção ao pisar o asfalto, o mangue
> Atenção para o sangue sobre o chão
> Atenção
> Tudo é perigoso

OS VENCEDORES

Tudo é divino maravilhoso
Atenção para o refrão
É preciso estar atento e forte

Metade da plateia vaiou e a outra metade aplaudiu com entusiasmo. A cantora dominou a cena e nunca mais foi a mesma: "Naquela noite entrei no palco adolescente, menina, e saí mulher. Sofrida, arrebentada, mas vitoriosa[18]". O poeta bissexto e apreciador de samba, Carlos Marighella, costumava cantarolar a canção que transformou Gal. Havia um diálogo entre poesia e ação. Quem militava na luta armada, observa Gil, tinha que viver segundo esse lema. "A própria vida era instalada nessa fronteira tênue entre a vida e a morte. O que veio a se confirmar no caso dele, no do Lamarca e no de tantos, tantos, tantos. A perspectiva já era essa. A doação da vida."

Divino Maravilhoso era exibido ao vivo e Caetano protagonizou uma despedida memorável. Na antevéspera de Natal, cutucou a tradicional família brasileira com vara curta. Foi um espanto: apareceu empunhando um revólver apontado para a própria cabeça enquanto cantarolava uma melodia natalina de Assis Valente, compositor que se matara ingerindo formicida. "Boas Festas", a cantiga, o Brasil inteiro conhece:

Eu pensei que todo mundo
Fosse filho de Papai Noel
Bem assim, felicidade
Eu pensei que fosse uma
brincadeira de papel (..)

Na MPB, justo na hora da arregimentação de forças para questionar o autoritarismo, o imperialismo e o colonialismo cultural, o caminho dos baianos causava estranheza. Trocava-se o foco, achavam muitos, quando era necessário perseverar no rumo. Passional, Vandré era um dos que mais criticava a trilha alternativa. Em seu livro *Verdade tropical*, Caetano reproduz o bate-boca com quem encarnava, naquele instante, a postura mais arrebatada da esquerda. No centro do confronto, "Baby", canção que compusera para Bethânia, mas que Gal gravaria. À aspereza dos ritmos e letras do sertão — viola, cavalo, braço, luta, morte — a urbaníssima "Baby" contrapunha, num símile irônico da catequese publicitária, a necessidade de saber da margarina, da Carolina, da gasolina. Numa mesa de restaurante, despertado pelo entusiasmo de Caetano e Gal com a música, Vandré pediu a Gal para cantá-la. Ela não chegou ao fim da suave melodia, que carregava algo de *pop* e bossa-nova.

"Isso é uma merda!" Vandré bateu na mesa e interrompeu Gal que levou um susto. Furioso com a descortesia, Caetano mandou-o embora, enquanto Vandré classificava aquilo como uma traição à cultura brasileira[19]. Criou-se uma inimizade.

Gil, ao contrário, nunca teve problemas com Vandré, seu parceiro, com Torquato Neto, em "Rancho da rosa encarnada". Na letra pré-tropicalista, o mantra da MPB engajada: aguarda-se "a notícia da grande alegria que vem/Pra durar mais que um dia/E ficar como antigas cantigas/Que não morrem/Que não passam jamais/ Como passam sempre os carnavais". Frequentava a casa de Vandré. Compartilhavam conversas, observações e avaliações sobre o que estava acontecendo. Caetano também aparecia. "Mas eu mais, porque eu tinha talvez menos dificuldades com o aspecto extremamente ardoroso da *persona* do Vandré. Quando ele nos abraçava, parecia que ia quebrar a gente. Mas eu gostava muito dele, como gosto até hoje."

O paraibano Geraldo Pedrosa de Araújo Dias desembarcou no Rio de Janeiro dos anos 1950 munido de nome artístico e gana de virar sucesso. Era Carlos Dias, mistura do prenome de seus ídolos, os intérpretes românticos Carlos Galhardo e Carlos José, com o seu próprio sobrenome. Contudo, aconselhado pelo pai e o maestro Waldemar Henrique da Costa Pereira, adotou o pseudônimo de Geraldo Vandré, retomando seu primeiro nome e acrescentando um pedaço do segundo do pai, José Vandregísilo[20]. Cursava a universidade e fazia música, aproximando-se de Carlos Lyra no Centro Popular de Cultura, da UNE. Mudou-se para São Paulo, formou-se em direito e arranjou emprego como fiscal da, hoje extinta, Comissão Federal de Abastecimento e Preços (Cofap). E cantava em bares. O sucesso chegou em 1962 com "Samba em prelúdio", de Vinicius de Moraes e Baden Powell[21], que gravou a duas vozes com Ana Lúcia. Porém, insatisfeito com a influência jazzística na bossa nova, tateava uma estética mais sintonizada com a dos CPCs.

Começou a compor, cantar, lançar discos e participar de festivais. Em 1965, interpretando "Sonho de um Carnaval", de Chico Buarque, emplacou um sexto lugar no I Festival de MPB da TV Excelsior. No ano seguinte, com a marcha-rancho "Porta-estandarte", sua e de Fernando Lona, ganhou a segunda edição do festival da Excelsior. Também em 1966, venceu outro festival, em parceria com Théo de Barros. Interpretada por Jair Rodrigues, "Disparada" repartiu com "A banda", de Chico, o primeiro lugar no festival da Record[22]. Vandré exibiu o seu melhor:

> Prepare o seu coração
> Pras coisas
> Que eu vou contar
> Eu venho lá do sertão
> Eu venho lá do sertão
> Eu venho lá do sertão
> E posso não lhe agradar...

Numa jornada estoica rumo à compreensão e à emancipação, alguém que fora boi torna-se "cavaleiro num reino que não tem rei" e intui que veio ao mundo "para consertar" aquilo que está "fora de lugar". Um ingrediente-surpresa no palco — a caveira de burro golpeada pelo percussionista Airto Moreira — energizou a canção, atribuindo-lhe maior rispidez e premência. O próprio Caetano deparou-se com uma peça "potente", "modernizada e politizada" e dotada de "mestria composicional que lhe dava uma dimensão épica"[23].

Vandré encontrara seu chão. Nem sempre alcançaria a combinação perfeita entre política e estética como em "Disparada". Às vezes, como em "Terra plana", o recado era mais direto e seco:

Se um dia eu lhe enfrentar
Não se assuste capitão
Só atiro pra matar
E nunca maltrato não (...)
Não quero eu o seu lugar
Apenas atiro certo
Na vida que é dirigida
Pra minha vida tirar

Em "Aroeira", adverte que a desforra dos fracos e oprimidos está a caminho. Antes, cozinha-se a resposta em fogo lento, no aguardo da mudança:

Vim de longe, vou mais longe
Quem tem fé vai me esperar
Escrevendo numa conta
Pra junto a gente cobrar
No dia que já vem vindo
Que esse mundo vai virar (...)

Quando este dia clarear o "dono senhor de tudo", aquele que fica "sentado, mandando dar" provará do próprio castigo:

Madeira de dar em doido
Vai descer até quebrar
É a volta do cipó de aroeira
No lombo de quem mandou dar

Claro que o "dono senhor de tudo", que manobrava o cipó de aroeira, tinha quem por ele escutasse tais previsões e juras. "A ação

OS VENCEDORES

se desenvolve através da chamada 'música de protesto' numa propaganda subliminar muito bem conduzida. Entre as músicas mais difundidas por aquelas emissoras, destaca-se 'Aroeira' de Geraldo Vandré, cujo texto emprega ostensivamente a revolta e a subversão."
É o que consta em informação de 1967, levantada pelos serviços de inteligência do II Exército, mencionando a TV Record e a Rádio Panamericana como disseminadoras de músicas contra o regime, produzidas por "um grupo de cantores e compositores de orientação filo-comunista". Alguns de seus integrantes: Elis Regina, Gilberto Gil, Nara Leão, Chico Buarque, Edu Lobo e Geraldo Vandré. Este é descrito como "comunista atuante"[24].

Antes do esgarçamento da convivência entre os dois grupos, Gil e Vandré estiveram juntos contra o adversário comum: a Jovem Guarda. No dia 17 de julho de 1967, ambos marcharam na Passeata da Frente Única da MPB contra o iê-iê-iê. Ou Passeata contra a Guitarra Elétrica, como ficou na lembrança. Recorrente no *rock* & *pop* internacional, a adesão ao instrumento, então, configurava, aos olhos da época, a rendição ao padrão alienígena de música popular. Com o *slogan* "Defender o que é Nosso", a caminhada partiu do largo São Francisco e terminou na avenida Brigadeiro Luis Antonio, no teatro Paramount, palco do programa *Frente Única da Música Popular Brasileira*. Era um espelhamento na cultura da disputa política contra o regime que, então, juntara, sob o guarda-chuva da Frente Ampla, antigos rivais como Goulart e Lacerda.

Também era uma espertezа da TV Record. A emissora, que exibia *Jovem Guarda*, apresentado por Roberto Carlos, bolara a novidade para suceder *O Fino da Bossa*, e supunha que a passeata alavancaria a nova atração. Da marcha também participaram Elis, Jair Rodrigues, Wilson Simonal, Edu Lobo, Zé Kéti e, calcula-se, mais 400 pessoas. Gil, que marchara por conta de sua amizade com Elis, daria a virada em sua carreira no mesmo ano com "Domingo no parque". Caetano e Nara Leão lastimaram o evento, que acharam um retrocesso, de tintas integralistas. Quase meio século passado, parece mesmo algo estapafúrdio. Quem marchou, como o jornalista e dramaturgo Chico de Assis, tem a sua explicação. "Não queríamos guitarra elétrica (...) Sabia que atrás do som da guitarra elétrica havia um monte de lixo de *rock* americano pronto para desembarcar no Brasil. Não era Frank Zappa, não. Nem Led Zeppelin. Era outra coisa."[25]

Na Record, o *Frente Única da MPB* resultou num programa com quatro núcleos, cada qual pilotado por uma estrela, a saber: Gil, Vandré, Elis e Simonal, cabendo às equipes conceberem, produzirem e apresentarem um programa por mês. Caetano propôs que, no programa de Gil, Bethânia aparecesse de botinha e minissaia, mais guitarra, e cantasse "Querem acabar comigo". Deveria ser uma réplica à passeata, com um tom antinacionalista de deixar a MPB em polvorosa. Escreveu um texto para Bethânia dizer antes da canção, reportando-se à figura mítica de Roberto Carlos e sua personificação do inconsciente nacional. Vandré soube do conteúdo e irrompeu em transe no hotel dos baianos. Pregava que a MPB tinha que se afirmar contra o que Roberto Carlos representava e que aquilo era uma agressão. Conforme Caetano, Vandré "estava demasiadamente emocionado" e prometeu fazer "de tudo para que aquilo não acontecesse"[26]. Receando lambança maior, os baianos cederam e o texto foi para as calendas. O *Frente Única* durou pouco. Por ironia, na memória de Caetano, o melhor programa foi o de Vandré. Nele, cantava a impactante "Aroeira", assessorado pelo bailarino Lennie Dale, que estalava um chicote no chão.

Vandré era o cantor de protesto por excelência do país. E seria maior ainda no ano seguinte, quando ascenderia ao patamar de "o maior ídolo da música brasileira", na percepção do pesquisador Zuza Homem de Mello [27]. Guardadas as proporções, desempenhava um papel algo semelhante ao de Bob Dylan com suas *folk songs* e seu questionamento da guerra na cena norte-americana. Curiosamente, a guitarra elétrica também esteve no cerne da grande virada na carreira de Dylan. Ao eletrificar seus instrumentos e empunhar uma *Fender Stratocaster* no festival de Newport, em 1965, tomou vaias sendo acusado de traição e comercialismo por se avizinhar do *rock* das bandas inglesas.

OS VENCEDORES

Para Gil, a entrega e arrebatamento no palco do *protest singer* da Paraíba está mais perto de outra figura. "O Vandré parecia um pouco o Bruce Springsteen, algo assim. Pela intensidade. Um pouco como o Raul (Seixas) seria mais tarde, mas menos *rock* e sem os problemas com as coisas americanas como o Vandré tinha, tanto que problematizava essas posições."

Springsteen abriu seu espetáculo em 2013 no Brasil com "Sociedade Alternativa", de Raul Seixas e, no Chile, lendo um texto sobre os milhares de mortos e desaparecidos e especialmente um deles, o *cantautor* Victor Jara[28], que teve as mãos quebradas pelos militares e foi assassinado com quarenta e quatro tiros. De Jara, de quem Vandré tinha algo, Springsteen cantou *"Manifiesto"*. Na letra, Jara anuncia que sua guitarra é "trabalhadora, perfumada de primavera" e ainda:

Que não é guitarra de ricos
nem coisa que se pareça
meu canto é o dos andaimes
para alcançar as estrelas (...)

Em 1968, Vandré arranjou um parceiro, Hilton Accioly, com quem compôs quatro canções participativas[29]. Somadas, as quatro não obtiveram 10% do sucesso que Accioly faria, em 1989, ao compor a comercial, porém igualmente engajada, "Sem medo de ser feliz". *Hit* instantâneo que animou a primeira campanha presidencial pós-redemocratização e reuniu, para cantá-la, personagens centrais dos grupos que racharam a MPB em 1968, então do mesmo lado: Gil e Chico[30].

O melhor — e o pior — para Vandré não demoraria. O melhor veio com uma canção simples, de dois acordes, mas de imediata identificação popular:

Caminhando e cantando e seguindo a canção
Somos todos iguais, braços dados ou não
Nas escolas, nas ruas, campos, construções

Caminhando e cantando e seguindo a canção
Então, vem vamos embora que esperar não é saber
Quem sabe faz a hora não espera acontecer (...)

Naqueles dias, "Caminhando" (ou "Pra não dizer que não falei de flores") apoderou-se da condição de "Hino Nacional". "É a nossa 'Marselhesa'", escreveu Millôr Fernandes, após 20 mil pessoas cantarem juntas com a voz e o violão de Vandré no Maracanãzinho, na final nacional do III Festival Internacional da Canção (FIC), da Rede Globo. Naquele 29 de setembro de 1968, a primavera da MPB atingia seu ápice. Mas depois dela não viria o verão, mas um longo e tenebroso inverno. Por enquanto, o que se tinha era a cantiga compassada, que colava no ouvido com todas as rimas, menos o refrão, terminadas em *ão* e que simplesmente convocava ao levante contra o governo discricionário.[31] É fácil detectar no chamamento ecos da pregação de Marighella, consignas como "a ação faz a revolução" e "o dever de todo revolucionário é fazer a revolução". Tudo pleno da crença de que nada aconteceria por um caminho contemplativo:

Os amores na mente, as flores no chão
A certeza na frente, a história na mão
Caminhando e cantando e seguindo a canção
Aprendendo e ensinando uma nova lição (...)

A vitória, não do predileto do público, mas da lírica "Sabiá", de Chico e Tom Jobim, interpretada por Cynara e Cybele, levou o Maracanãzinho a explodir em vaias que alguém cronometrou em vinte e três minutos, algo provavelmente imbatível na TV mundial. O preterido Vandré resolveu argumentar:

"Olha, sabe o que eu acho? Eu acho (pausa)... Uma coisa só... mas Antonio Carlos Jobim e Chico Buarque de Hollanda merecem nosso respeito (aplausos). A nossa função é fazer canções. A função de julgar, neste instante, é do júri que ali está (vaias)... Um momento! (mais vaias, longas)... Por favor, por favor, (mais vaias)... E tem mais uma coisa só. Pra vocês, pra vocês que continuam pensando que me apoiam vaiando. ("É marmelada, é marmelada...!") Gente, gente! Por favor! ("É marmelada, é marmelada, é marmelada, é marmelada") Olha, tem uma coisa só: a vida não se resume em festivais."

Pouco antes, o diretor da Globo, Walter Clark, recebeu comunicado do comando do I Exército[32] advertindo que duas concorrentes, "Caminhando" e "América, América", de César Roldão Vieira, não poderiam vencer o III FIC. Todavia, o ex-todo-poderoso Clark afiança que a determinação não foi repassada aos jurados.

Componente do júri, Ziraldo confirmou que não houve pressão. Atribuiu nota máxima para "Caminhando" e cinco para "Sabiá" e as demais competidoras. Em "Caminhando", viu bravura: "Era uma emoção ver aquele cara sozinho naquele palco enorme enfrentando apenas com seu violão a fúria dos militares. Que era imensa naquela época"[33].

Singularmente, a execrada "Sabiá" tinha conteúdo político. Não clamava à revolução, mas acalentava o retorno dos exilados — "Vou voltar/Sei que ainda vou voltar/Para o meu lugar", diz a letra, inspirada no poema "Canção do exílio", de Gonçalves Dias.

Chico não era ainda, no âmbito da MPB, o que logo seria: o alvo preferido da repressão cultural. Antes mesmo de "A banda", musicara os poemas de João Cabral de Melo Neto em "Morte e vida Severina", compusera "Pedro pedreiro" e colidira com a censura por conta de "Tamandaré", vista como ofensiva ao patrono da Marinha[34]. Portanto, não passava batido pelo crivo oficial, mas os olhos e ouvidos do regime cuidavam mais de vigiar Vandré. Embora Chico obviamente soubesse o que se passava, o compositor de "Disparada" "tinha uma atitude mais declarada à política" e, no caso de "Sabiá", "eu e o Tom éramos considerados alienados, principalmente com ele cantando aquela música do caminhando e cantando"[35]. A velocidade com que a paisagem política se alterava o levou a admitir que, em 1968, "não haveria possibilidade de escrever, muito menos de cantar 'A banda'. Levaria tiro, vaia era pouco"[36].

Quando *Gaminha* aquartelou-se diante das câmeras e microfones e irrompeu em cadeia de rádio e televisão naquela noite de sexta-feira 13, Chico estava diante da TV. Com ele, o ator Hugo Carvana. Anunciado o AI-5, Carvana declarou em tom solene: "Estamos fodidos..."[37]

Carvana foi lacônico e preciso. Chico percebeu que, a partir dali, "o Brasil se descolou do mundo", desconectou-se, tornando-se "um imenso Portugal"[38] — frase que rendeu música — mimetizando o isolamento e o atraso do salazarismo na metrópole colonial[39]. Para os artistas, iniciou-se a debandada. "Foi definitivamente o que acabou me empurrando para fora no Brasil no ano seguinte"[40], atestou Edu Lobo. Também partiriam Gil, Caetano, Chico e Vandré, de quem Chico lembrou naquele dia. "Eu falei: 'Coitado do Geraldo Vandré. Se o pegam, ele está ferrado'". E realmente estava[41].

"Eles queriam matar o Geraldo Vandré. Ouvi isso mais de uma vez nos quartéis em que estivemos presos", revelou Caetano[42]. Chico, Caetano e Gil ainda tinham tempo, mas Vandré nenhum. "No dia 13 de dezembro, se pegassem ele, capavam"[43], previu.

Na sexta-feira 13, Vandré estava em Anápolis/GO e tinha *show* agendado em Brasília. Avisado, tratou de se evaporar. Na fuga, encontrou asilo com Aracy Moebius de Carvalho Guimarães Rosa, viúva do escritor[44]. Aracy, ou Ara, como a chamava o criador de *Grande Sertão: Veredas*, escondeu o fugitivo no seu apartamento do Posto 6, em Copacabana. Dali, o acossado espreitava a movimentação no forte de Copacabana.

Ara era do ramo: a partir de 1938, quando trabalhava no setor de vistos do consulado do Brasil em Hamburgo, ajudara uma centena de judeus a escapar da perseguição nazista. Por sua conta e risco — as embaixadas brasileiras na Europa tinham ordens expressas do Itamaraty para não conceder vistos a judeus — omitia o "J" de judeu nos documentos, misturava-os com a papelada do cônsul e ele os assinava sem saber. Na sua casa, Ara abrigava os perseguidos.

O poeta Ferreira Gullar, que também rumaria ao exílio, enfatizou que foi o PCB quem garantiu a fuga de Vandré. Quadro do partido e crítico do "voluntarismo" da esquerda dissidente que rumaria à luta armada, reparou que, em certo momento, "saíram à caça do Vandré. Não era de mim ou do Vianninha[45]. Saíram à caça dele. E o Partidão, que era visto como medroso, era quem tinha estrutura para livrar as pessoas, para tirar os valentes das garras da ditadura[46]." No começo de 1969, Vandré partiu. No relato de Gullar, antes de sair do Brasil e chegar ao Chile, escondeu-se em várias casas, entre elas, a do dirigente comunista Álvaro Vieira Pinto.

Proibido e confiscado, o disco de "Caminhando" sumiu nos escaninhos do Serviço de Censura Federal. Seu autor perambulou pelo Chile, Argélia, Alemanha, Grécia, Áustria, Bulgária e outros países. Na França, remontou o espetáculo *Paixão segundo Cristino*, que apresentara no Brasil e, com o Quinteto Violado, gravou *Das terras do benvirá*, seu quinto álbum.

Detidos em São Paulo, Caetano e Gil foram transferidos no mesmo dia 27 para o Rio. Ignorando o destino, viajaram numa camionete sem qualquer identificação oficial e escoltados por homens em roupas civis, sem nada que revelasse sua condição de policiais ou militares. Para onde iam? Os homens retrucaram que não tinham direito a fazer perguntas. Por que estavam sendo presos? Ninguém explicou. "Diziam que precisávamos prestar esclarecimentos, responder a interrogatórios, baseados em suposições", rememora Gil. "Entendiam que incomodávamos. Éramos vistos como relativamente rebeldes, pouco convencionais e todas essas atitudes eram vistas sob suspeita de que aquilo estivesse ligado a esquemas de luta armada."

Pararam na sede da PF carioca, e logo seguiram para o I Exército, no edifício do Ministério da Guerra, centro da cidade. Sem perguntas e sem respostas, foram removidos para o quartel da Polícia do Exército, na rua Barão de Mesquita, Tijuca. Ali foram atirados em solitárias, nichos estreitos, cuja mobília resumia-se a um colchão no piso e uma latrina. E baratas. Vez por outra, contou Caetano[47], sargentos ou tenentes enfiavam a cara na grade e, sem serem indagados e mesmo diante do silêncio dos prisioneiros, diziam que "todo preso alega inocência".

Foi um *réveillon* inesquecível o de 1969. Para Gil, o pior da prisão foi a primeira semana nas solitárias da Barão de Mesquita, quando ficaram isolados de tudo, entre 27 de dezembro e os primeiros dias de janeiro. Sem noção do que aconteceria. Recebendo comida por uma portinhola e sem direito a caminhar no pátio. Sem contato nenhum, sem interrogatórios.

Sete dias depois, aconteceu o primeiro banho de sol. Caetano foi vigiado por um soldado que lhe apontava uma metralhadora e avisava que não falasse, não interrompesse a caminhada e não se distanciasse, do contrário seria obrigado a atirar. Transportados para outro quartel da PE, no subúrbio de Deodoro, ficaram em celas diferentes e maiores, Gil numa e Caetano, em outra. Eram coletivas e, na sua, Caetano encontrou um grupo de jovens católicos e o ator e promotor cultural Perfeito Fortuna que, mais tarde, criaria o Circo Voador[48]. Os militares mandaram todos se despirem e ficarem só de sunga. Convidado a rezar o terço com os demais, Caetano acedeu. Era um jeito de reforçar a união entre todos que passavam por aquela prova. Mal iniciada a reza, um sargento invadiu a cela e, aos palavrões, arrancou o rosário das mãos do rapaz que puxava a oração[49].

Gil compartilhava o xadrez com alguns famosos, entre eles Ferreira Gullar, Antonio Callado e Paulo Francis. Um dia, ele e Caetano foram convocados. Caminharam até o pátio onde estavam perfilados os recrutas e dois ou três oficiais. Sob deboches, tiveram as cabeças raspadas. Gil fazia mais de ano que não cortava o cabelo, Caetano, dois. Como as cabeleiras compunham suas *personas* artísticas e, nos anos 1960, designavam irresignação ou rebeldia, fora uma castração simbólica ou um assassinato da imagem. "Me senti humilhado", reparou Gil. Ao voltar abatido à cela, o romancista Antonio Callado procurou animá-lo. "Ele falou: 'Isso não lhe atinge. Você é muito maior que tudo isso'".

Dias depois, Gil recebeu uma oferta inesperada: "Um sargento, de nome Juarez, me perguntou se eu não queria um violão". O prisioneiro aceitou. Com ele, evidenciando a ambiguidade no tratamento naquela prisão e com aqueles presos, chegou a tocar e cantar para a tropa. Com o violão do sargento, compôs quatro canções: "Cérebro eletrônico", "Futurível", "Vitrines" e uma quarta "da qual não lembro nada, nada".

OS VENCEDORES

"Vitrines" contém dois elementos. Um deles é o romântico. Foi escrita para uma ex-namorada com quem viajara pela Europa durante o *show Momento 68*, promovido pela Rhodia[50]. "Era a Zuzima, seu apelido, bailarina do grupo. Um dia, ela perdeu uns óculos grandes e estilosos de sol que tinha. E botou na cabeça que iria achar óculos iguais. Em Pamplona, na Espanha, achamos o modelo numa loja e eu comprei os óculos. E aí na música apareceu 'os óculos que eu dei a ela/num dia de muita luz'."

O segundo componente de "Vitrines" presta tributo ao afastamento de tudo e à solidão do cárcere:

Mundo do lado de fora
Do lado de fora, a ilha
A ilha Terra distante (...)

Caetano não compôs na prisão. Mas, anos após, com "Terra", reportou os tempos do quartel dos paraquedistas do Exército — para onde fora transferido — a partir de uma revista *Manchete* com as primeiras fotos do planeta. Era também um olhar para além das grades e para o espaço exterior:

Quando eu me encontrava preso
Na cela de uma cadeia
Foi que vi pela primeira vez
As tais fotografias
Em que apareces inteira
Porém lá não estavas nua
E sim coberta de nuvens...(...)

Nos interrogatórios, queria-se saber sobre a Passeata dos Cem Mil e, no caso de Caetano, informações sobre os pais e cunhados, e a família da mulher, Dedé Gadelha. Mas o núcleo da inquisição estava no *happening* dele e de Gil na boate Sucata. No cenário, havia uma bandeira confeccionada por Hélio Oiticica com o dístico "Seja Marginal, Seja Herói", homenageando seu amigo do morro da Mangueira, o bandido Cara de Cavalo, executado com cinquenta e dois tiros pelo Esquadrão da Morte[51]. A boate foi fechada. A boataria rolou e construiu-se uma versão na qual a bandeira do Brasil servia de vestuário para os baianos enquanto cantavam o "Hino Nacional" salpicado de palavrões. O arauto da afronta presumida foi o apresentador de TV e radialista Randal Juliano[52], da TV Record. Questionado a respeito, Caetano disse que a denúncia era falsa. Com Gil, o tema não foi tocado. "Queriam era saber de ligações com o comunismo, os partidos, o Marighella, o Lamarca. O Lamarca tinha saído do quartel com as armas no período[53] em que estávamos presos."

Duas testemunhas da Sucata confirmariam, no quartel, a versão do prisioneiro. Mas os baianos permaneceram presos até 19 de fevereiro, Quarta-Feira de Cinzas. Despachados num avião da FAB, desembarcaram em Salvador. Não poderiam se afastar da cidade. Caetano chegou em casa deprimido. Tudo mudou quando ouviu seu pai, seu José, dizer, pela primeira vez, um palavrão na presença de dona Canô: "Não me diga que você deixou esses filhos da puta lhe deixarem nervoso!"[54].

Sem aparecer em público ou dar declarações, os dois negociaram com a PF licença para duas apresentações no teatro Castro Alves. Serviria como maneira de arrecadar dinheiro para poderem partir e viver um tempo no estrangeiro. Em julho de 1969, seguiram com as mulheres, Dedé e Sandra Gadelha, para a Europa. Um dos policiais que escoltou Caetano até o avião avisou: "Não volte nunca mais. Se pensar em voltar, venha se entregar logo que chegue para nos poupar trabalho"[55].

Quando Marighella morreu crivado de balas na alameda Casa Branca, Caetano era colaborador de *O Pasquim*. Em novembro, num texto enviado ao semanário, informou que ele e Gil haviam morrido. Antes felicitou seus algozes: "(...) quero dizer aquele abraço a quem quer que tenha querido me aniquilar porque o conseguiu. Gilberto Gil e eu enviamos de Londres aquele abraço para esses caras". Antecipou, porém, que "virão outros", acentuando que "Ele está mais vivo do que nós". Numa capa da revista *Fatos & Fotos*, Caetano observara que uma foto dele e de Gil contracenava com a de Marighella que, fuzilado, estava "mais vivo do que nós".

"Acompanhávamos o Marighella com muito interesse — confirma Gil — porque, contra a ditadura, estávamos juntos na mesma luta. Ele na luta armada e nós na luta artística, cada um no seu campo." A ditadura era o inimigo comum. "Ficamos muito consternados com a morte dele."

Nos primórdios do Tropicalismo, Caetano citara Che Guevara em *Soy loco por ti America*. Ali também estava presente a morte "de susto, bala ou vício" e havia um cadáver do qual era proibido falar.

El nombre del hombre muerto
Ya no se puede decirlo, quién sabe?
Antes que o dia arrebente
Antes que o dia arrebente...
El nombre del hombre muerto
Antes que a definitiva
Noite se espalhe em Latinoamérica
El nombre del hombre
Es pueblo, el nombre
Del hombre es pueblo...

Passados quarenta e quatro anos, Caetano voltou a lembrar o "mulato baiano", filho de "um italiano e de uma preta hauçá". É seu personagem em "Um comunista"[56] — novamente com identidade oculta, mas por opção poética, valorizando a lenda. Mas não é um samba-exaltação, antes um samba-*blues*:

O baiano morreu
Eu estava no exílio
E mandei um recado:
eu que tinha morrido

> E que ele estava vivo,
> Mas ninguém entendia
> Vida sem utopia
> Não entendo que exista
> Assim fala um comunista (...)

Uma semana antes da prisão de Caetano e Gil, Chico foi dar explicações, primeiro no Dops, depois num quartel. Avisado de que não poderia botar os pés fora da cidade sem comunicar aos militares, foi liberado. No I Exército, ao ser interrogado por um tal general Assumpção, flagrou, além do ódio por "Roda Viva" — que implodira a imagem de bom moço construída independentemente do desejo do personagem — o preconceito racial. O general queria saber sobre a Passeata dos Cem Mil, mas o inquirido nada tinha a dizer além de obviedades. Então, lá pelas tantas, vem a pergunta: "Mas o que você estava fazendo com aquele crioulo sujo do Gilberto Gil?[57]"

Aproveitando que tinha convite anterior para se apresentar na França, pediu e obteve licença para se ausentar do país por dez dias. Partiu em 3 de janeiro de 1969. Ficou um ano e dois meses fora, morando na Itália e procurando sobreviver de música. Ele e Marieta Severo alugaram o apartamento do cantor Emílio Perícoli, conhecido no Brasil por *Al Di Lá*, tema do filme e campeão de bilheteria *Candelabro italiano*, de 1962. *Tico Bárcue di Hollanda*, exclamou Perícoli ao vê-lo, como contou o sempre trocista Chico a Regina Zappa[58]. "A banda" fizera sucesso na Itália, interpretada pela cantora Mina, mas não havia trabalho nem dinheiro. Garrincha, que morava em Roma com Elza Soares, apareceu na casa de Chico e Marieta. Formou-se a tabelinha Chico-Mané que frequentava restaurantes. Garrincha dava autógrafos e comiam de graça. Gravou um elepê com versões em italiano de seu repertório e arranjos do maestro Ennio Morricone, contudo o disco não aconteceu. Compôs e gravou outro álbum para lançamento no Brasil. Uma turnê de quarenta dias com a diva Josephine Baker ajudou a pagar as contas. Em 1970, acertou a gravação de um musical na TV Globo e voltou "fazendo barulho" como lhe recomendara Vinicius de Moraes[59]. Prontamente, compreendeu como a vida se tornara mais opressiva.

Submetida à censura, "Apesar de você" foi aprovada, lançada e tocada intensamente no rádio. Vendera 100 mil cópias quando foi vetada e os discos, recolhidos. Captara-se tardiamente que "Apesar de você" aludia ao general Médici e os censores haviam sido engambelados. Assim, o autor transformou-se na personalidade mais odiada pelas tesouras no Brasil.

O musical *Calabar*, de Chico e Ruy Guerra, seria mais uma vítima. Inspirava-se na trajetória do mestiço pernambucano Domingos Fernandes Calabar. No século XVII, durante a guerra contra os holandeses, desertara das tropas de Portugal para se aliar às da Holanda. Seria capturado, garroteado e esquartejado. Na época, a história oficial apresentou Calabar como traidor, designação controversa atualmente. Aprovado o texto com alguns cortes, a produção iniciou a montagem contratando o elenco de oitenta pessoas e realizando outros investimentos. Todas as despesas feitas, estreia marcada, os censores pediram o texto para rever. Parou tudo. Mais três meses se passaram e o musical foi totalmente censurado, proibindo-se inclusive o uso do nome Calabar. Não explicaram por qual razão. E proibiram a veiculação de qualquer notícia informando que *Calabar* fora vetada.

Chico tencionava discutir a traição, "mas a traição com uma finalidade louvável". Esclareceu que "era como discutir se o Lamarca, um militar que passou para o lado da guerrilha, era ou não um traidor. Havia um paralelo evidente[60]".

Escaldado pela experiência, Chico gravou, em 1974, um álbum somente com canções alheias ou quase isso. Isto porque, na relação de compositores figurava Julinho da Adelaide, sambista da Rocinha, que nunca deixara seu rosto ser fotografado devido à grande cicatriz que o enfeiava e da qual tinha vergonha: fora deformado ao ser atingido pelo violão que Sérgio Ricardo arremessara na plateia do teatro Paramount, em 1967, no III Festival de MPB da Record.

Numa longa entrevista pingue-pongue ao escritor Mário Prata e publicada em *Última Hora*[61], Julinho critica Chico Buarque — "Você vê, gente que não canta bem como o Chico Buarque, o Vinicius de Moraes, o Antonio Carlos Jobim, estão cantando" — e elogia a censura: "O sujeito que trabalha lá, o trabalho dele é censurar música. Eu respeito muito o trabalho do cara". "Acorda amor" e "Jorge Maravilha" ganharam as paradas. Esta última, com os versos "Você não gosta de mim/Mas a sua filha gosta" induziu muita gente a pensar que era um recado ao general de plantão, Ernesto Geisel, e sua filha Amália Lucy, fã do compositor. Quando os censores constataram que Julinho era uma ficção decidiram exigir, a partir dali, carteira de identidade e CPF dos autores.

Chico topou também com uma censura privada. Em 1971, ele e um grupo de compositores resolveu inscrever suas músicas no FIC, da TV Globo, e em seguida, retirá-las da competição em protesto contra a censura. Como se tratava de um festival internacional, a imagem do governo no exterior foi afetada. "Essa foi a bomba, caímos fora e pronto."[62] Como represália, a emissora baniu Chico e suas canções durante seis anos de sua programação. "Meu nome não podia ser pronunciado na Rede Globo."[63] Recebia ameaças, o que continuou acontecendo mesmo no final dos anos 1970, quando se iniciara o processo de distensão, que chegavam até em cartões de boas-festas: "O Comando de Caça aos Comunistas deseja a você, ativista da canalha comunista que enxovalha nosso país, um péssimo Natal e que se realizem no ano de 1979, nosso confronto final". Chico temia simplesmente desaparecer na rua, como aconteceu com tanta gente.

Em 1971, Caetano conseguiu uma autorização para ir a Salvador assistir à festa dos quarenta anos de casamento de seu José e dona Canô. Bastou chegar para ser colocado numa viatura e submetido a interrogatório de seis horas na PF do Rio. Os militares queriam que criasse uma canção para exaltar a Transamazônica, obra que Médici rasgava na floresta. Era obrigado a não arredar pé de Salvador exceto para comparecer à TV Globo e se apresentar nos programas *Som livre exportação* e *Discoteca do Chacrinha* para dar a tudo a aparência de normalidade[64]. Em janeiro de 1972, ele e Gil retornaram definitivamente.

Vandré voltou em 1973 em circunstâncias nunca bem esclarecidas. Compôs uma música, "Fabiana", louvando a FAB, e recolheu-se ao ostracismo. Aparentemente, regressou exilado da *persona* Geraldo Vandré.

Zuza Homem de Mello, que conviveu com o cantor e o conheceu bem, considera-o "passional", mas "inteligente e culto", possuidor de "um tremendo sentido de justiça" e capaz de reações surpreendentes. "A carreira do Vandré foi capada[65]." Da turma da Tropicália, Gil foi a pessoa que mais vezes se encontrou com Vandré, "ainda que não muitas". Na volta de Vandré do exílio, José Vandregísilo telefonou para Gil para informá-lo que o filho estava chegando. Gil foi esperá-lo. "Ele estava o mesmo: intenso. Eu muito contente de vê-lo, ele também. Sobre a mudança, ele nunca me falou." E Gil evitou tocar no assunto.

A vida de Vandré é o mistério maior, todavia há outro menor e conexo: o sumiço das fitas que registraram a apoteótica apresentação no Maracanazinho em 1968. Todas as demais canções foram preservadas, menos "Caminhando". Para Mello, a suspeição recai sobre a censura, que "queria abolir suas imagens (de Vandré) de todo e qualquer documento que houvesse"[66].

A decretação do AI-5 não acarretou maiores percalços ao *rock*/pop brasileiro. Já no caminho do esgotamento, a Jovem Guarda mantivera distância cautelosa das questões políticas. Sua temática era outra e seus principais, sem maior interesse no assunto, preferiam não se manifestar. Atitude que, aparentemente, assegurava-lhes certa simpatia. O que se constata em documento do Centro de Informações do Exército, de 26 de novembro de 1971. Que denuncia a atuação de setores da imprensa, chamada de "marrom", para "atingir a honra" de artistas populares através de "noticiário maldoso e infamante". A campanha teria como alvos "determinados artistas que se uniram à Revolução de 1964 no combate à subversão e outros que estão sempre dispostos a uma efetiva colaboração com o governo". Do rol dos "atingidos", segundo o CIE, constam Wilson Simonal, Rosemary, Roberto Carlos, Antonio Marcos e Wanderley Cardoso, entre vários[67]. São acusados os "jornalecos" *O Pasquim* e *Já* (semanário carioca) e as publicações especializadas *Intervalo* e *TV Tudo*.

Em 1974, *Gaminha* não era mais ministro, mas o AI-5 continuava ativo e atuante. E estendeu suas garras até o *rock* brasuca.

"Veio uma ordem de prisão do Exército e me detiveram no Aterro do Flamengo. Me levaram para um lugar que não sei onde era. Imagine a situação: estava nu, com uma carapuça preta. E veio de lá mil barbaridades[68]", contou Raul Seixas.

Mais um baiano na mira da ditadura, pertencera à vaga da Jovem Guarda com sua banda Raulzito e os Panteras. Lançaram apenas um disco, com seu próprio nome, em 1968. O grupo acabou, porém as canções de Raul foram gravadas por Renato e seus Blue Caps, Ed Wilson, Jerry Adriani e Diana. Em 1973, ele apostou em si mesmo e gravou "Ouro de tolo", de letra dylaniana, quilométrica e de ironia rascante, uma recusa do Milagre Brasileiro, fulminando a passividade e mediocridade da classe média cooptada por sonhos de consumo. É, enfim, a maioridade do *rock* feito em casa:

> Ah!
> Eu é que não me sento
> No trono de um apartamento
> Com a boca escancarada
> Cheia de dentes
> Esperando a morte chegar (...)

O ano seguinte seria de complicações. Ele e seu parceiro, Paulo Coelho de Souza, fundaram a Sociedade Alternativa. O guru da dupla era o ocultista inglês Aleister Crowley (1875-1947), que os Beatles haviam plantado na capa de *Sargeant Peppers*, numa salada visual que incluía Karl Marx, Marilyn Monroe, Albert Einstein, o Gordo e o

OS VENCEDORES

Magro e Carl Jung[69]. Membro de uma sociedade secreta, a Ordem Hermética da Aurora Dourada, o bruxo Crowley estarrecera muita gente: além de bissexual, experimentara drogas e era um crítico da sociedade. Preconizava o libertarianismo, sintetizado na frase: "Faz o que tu queres, há de ser tudo da lei" que a dupla abraçou e transformou em princípio e canção. A "Sociedade Alternativa" tinha sede, existência jurídica e virou música:

Então vá
Faça o que tu queres
Pois é tudo
Da lei, da lei
Viva, viva, viva a sociedade alternativa (...)

Destroçada a luta armada — era 1974 — a engrenagem repressiva, num movimento de autojustificação, movia-se para triturar outras presas, aquilo que o historiador Jacob Gorender, com humor negro, chamara de "reserva de caça": os quadros do PCB, opositor da guerrilha. Para justificar a existência e o *status* da máquina de debelar ameaças e desossar inimigos era imprescindível haver ameaças e inimigos. Os predadores ainda detectaram periculosidade e risco em elementos dissonantes da sociedade convencional: *hippies*, cabeludos, consumidores de drogas e situações que não entendiam.

Claro, então, que uma associação que propunha alternatividade despertaria grande curiosidade na polícia política. Raul apanhou para dar o serviço. "Tudo para eu dizer os nomes de quem fazia parte da Sociedade Alternativa, que, segundo eles, era um movimento revolucionário contra o governo", protestou. "Era uma coisa mais espiritual. Preferiria dizer que tinha pacto com o demônio a dizer que tinha parte com a revolução[70]."

Fuçar subversão sob a capa do bruxo britânico servia para quebrar o ócio, mas não era ideia saída do bestunto da polícia política. A sugestão de uma outra sociedade possível causava urticária nos altos escalões. O general Moacir Araújo Lopes, integrante da Comissão Nacional de Moral e Civismo, enxergava nos prosélitos de Crowley "agentes da luta ideológica de fundo marxista" dispostos a semear a dúvida. Seria o primeiro momento antes da captura dos corações e mentes pelo bolchevismo. Ruminava sobre o "jogo de oposições", típico da dialética, e do conceito de sociedade alternativa – citando expressamente Raul Seixas e Paulo Coelho[71]. Na verdade, desconfiava de tudo. Na sua própria descrição, o inimigo era "indefinido e mimetista". Poderia estar travestido "de padre ou de professor, de aluno ou de camponês, de vigilante defensor da democracia, de intelectual avançado, de piedoso ou extremado protestante". Vai "ao campo e às escolas, às fábricas e às igrejas, à cátedra e à magistratura; se necessário usará farda ou traje civil (...)".

Torturado com choque elétrico, Raul não entrou sozinho na dança. Letrista de "Sociedade Alternativa", seu parceiro foi preso, encapuçado, interrogado, liberado. E sequestrado no caminho de casa pelo DOI-Codi. "Fui torturado nos dias 27 e 28 de maio de 1974, acusado de 'atividades subversivas' por causa das letras de minhas músicas[72]."

Para piorar seu prognóstico, a dupla lançara o elepê *Krig-Ha, Bandolo!* Encartado, um gibi com o mesmo título.

— Que merda é essa?[73]

Quem queria saber era um policial com o gibi na mão e trabuco no cinto. Paulo respondeu do que se tratava. Era um encarte e Krig-Ha, Bandolo! significava "Cuidado, inimigo!".

— Inimigo? Que inimigo, o governo? Em que língua isso está escrito?[74]

Explicou que era o idioma de Pal-U-Don, reino perdido visitado numa das aventuras de *Tarzan, o Rei dos Macacos*, concebido pelo escritor norte-americano Edgar Rice Burroughs. O sujeito não se convenceu e quis saber quem tinha escrito a revistinha. Admitiu que fora ele. E que sua mulher, Adalgisa Rios, cuidara das ilustrações. Nada de mais até porque os nomes de ambos, mais o de Raul, estavam na capa. *Krig-Ha, Bandolo!* era uma proposição mística e obscura, colagem de frases e personagens como "Nós estamos no elemento Terra e caminhamos para o elemento Fogo". Contudo outra sentença, mais inquietante, acabaria sendo um comentário certeiro de Paulo sobre o que acontecia naquela sala: "Temos visto também os carrascos, vítimas de um mecanismo do qual perderam o controle". Uma terceira frase reparava que: "Temos andado pelo mundo e visto as cabeças baixas". E o homem do trabuco mandou trazer Adalgisa.

Apesar do aperto, Paulo ainda não acreditava em maiores problemas. Conduzido pelos policiais para uma revista no seu apartamento, afligiu-se com aquele pote empanturrado de maconha que deixara na estante da sala. Na varredura, um dos policiais destampou o vaso, olhou, cheirou, fechou e não disse nada. Para o terror do dono do apartamento. Num átimo, deu-se conta de que, se a maconha não interessava, seu problema era muitíssimo maior[75]. "A tortura durou dois dias, mas o medo permaneceu até 1982", diria muito depois do fim da ditadura[76].

No dia 14 de julho daquele ano, Raul Seixas e Paulo Coelho repetiam Caetano e Gil em 1969. Autoexilaram-se em Nova Iorque com as novas companheiras. Raul com a norte-americana Gloria Vaquer, e Paulo, com a atriz Maria do Rosário Nascimento e Silva, filha do ministro da Previdência Social, Luiz Gonzaga do Nascimento e Silva. Meses depois, retornaram ao Brasil.

Numa madrugada de inverno de 1989, Raul sofreu uma parada cardíaca. Tinha diabetes e pancreatite. Fechava-se uma das trajetórias mais inovadoras e irreverentes do *rock* brasileiro. Depois de, com Raul, emplacar *hits* como "Metamorfose ambulante", "Gita" e "Tu és o MDC da minha vida", Paulo Coelho seguiu carreira solo na literatura, tornando-se um dos autores mais lidos no planeta. Membro da Academia Brasileira de Letras, senta-se na cadeira vinte um, antes ocupada pelo economista Roberto Campos, ex-ministro do Planejamento no governo Castello Branco. Traduzido em setenta e três idiomas, foi editado em 160 países. Vendeu mais de 100 milhões de livros.

Companheiro de cela de Gil no imediato pós-AI-5, o jornalista Paulo Francis viera diretamente do aeroporto para a cadeia. Fora preso ao chegar de Nova Iorque no final de dezembro de 1968. Saíra em janeiro de 1969, um mês antes de Gil e Caetano. Sem emprego, viajou pela Europa como *freelancer*. Voltou, conseguiu trabalho e... foi preso novamente. Não lhe faltaria companhia.

OS VENCEDORES

Bebendo na fonte de Sargeant Peppers mas mesclando sua música com bolero e samba-canção, brega e erudito, Tropicália é uma síntese do movimento que afastou momentaneamente os baianos da vertente tradicional da MPB, onde pontificavam Elis e Chico

O núcleo tropicalista na MPB com o intruso Jorge Ben, depois Benjor, à esquerda: Caetano, Gil, Rita Lee e Gal. Agachados, os mutantes Arnaldo e Sérgio

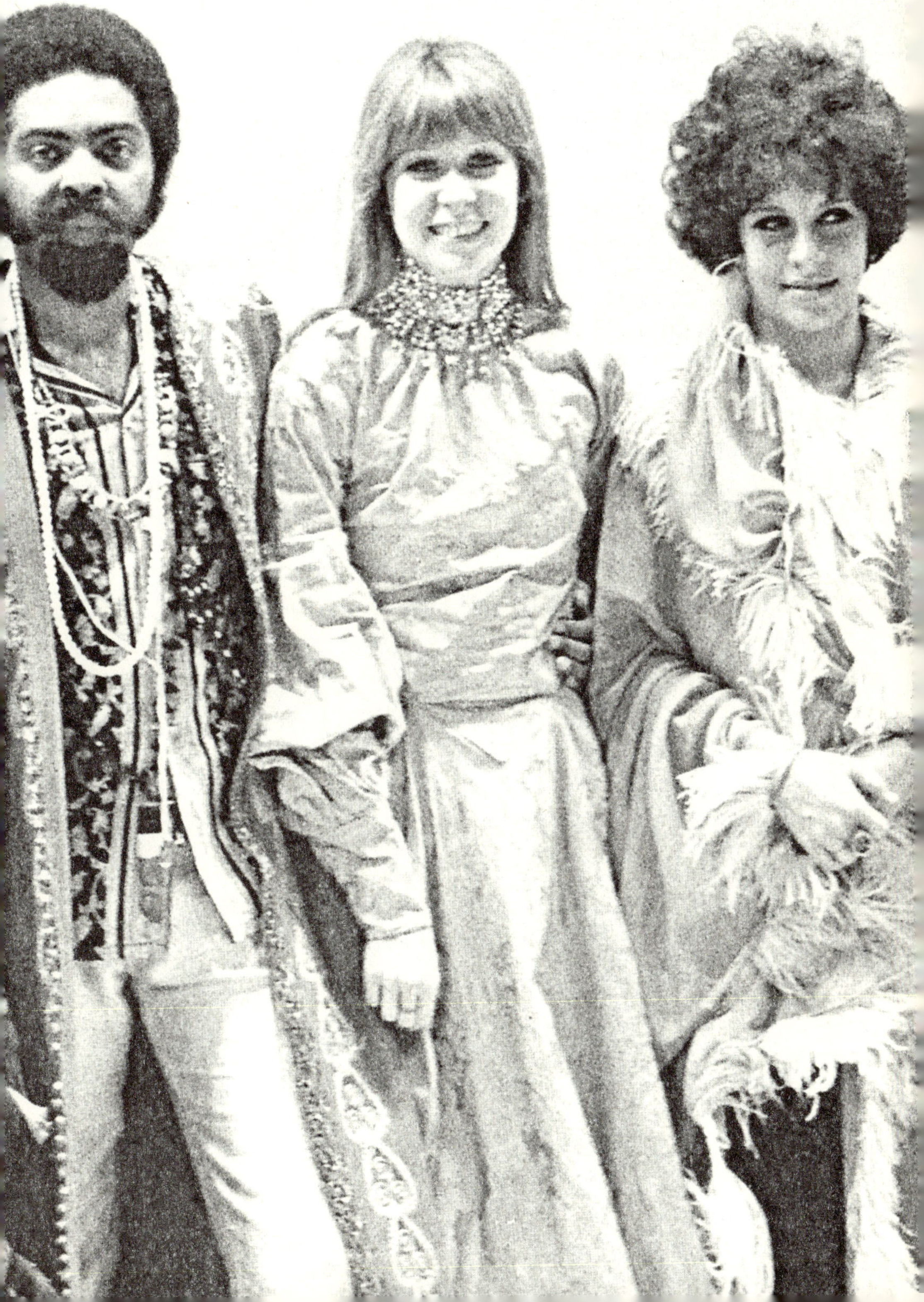

Ambiente de festival onde Vandré se transformou no maior ídolo da MPB mas, em seguida, teve que fugir do país. Os militares queriam matá-lo, segundo ouviu Caetano na prisão

OS VENCEDORES

Correio da Manhã
EDITADO NÔVO ATO INSTITUCIONAL DECRETADO RECESSO DO CONGRESSO
Paulo Pimentel solidário com Correio da Manhã

O ESTADO DE S. PAULO
Nôvo ato; Congresso em recesso
"Estado" é apreendido
É a conclusão

O GLOBO
PRESIDENTE DESFAZ TEMORES: NINGUÉM FECHARÁ CONGRESSO
Helena, Helena
WASHINGTON S... RELAÇÕES COM...

EDITADO O ATO 5
1) Congresso em recesso
2) Confisco de bens
3) Suspensos "habeas" políticos
4) Restabelecidas as cassações
...a vitaliciedade

JORNAL DO BRASIL — Ontem foi o Dia dos Cegos
Govêrno baixa Ato Institucional e coloca Congresso em recesso por tempo ilimitado

As manchetes do golpe dentro do golpe. Cassações, congresso fechado, suspensão do habeas corpus. Como previu Gaminha, a sexta-feira seria 13 para muita gente inclusive para a MPB.

O GLOBO
General Adalberto enuncia os objetivos da Revolução

DELFIM NETO: ATO 5 ELIMINA OBSTÁCULOS AO DESENVOLVIMENTO

Ibrahim explica suas cassações
Países ameaçam

509

coojornal
ÓRGÃO DA COOPERATIVA DOS JORNALISTAS DE PORTO ALEGRE
PESQUISA
4.682
É O NÚMERO TOTAL DE
CASSADOS
EM 13 ANOS DE REVOLUÇÃO
O líder do MDB na Câmara Federal, Alencar Furtado, é o 4.682º
UM GAÚCHO PODE SER PAPA
A Copa do Mundo e o terror na Argentina

MOVIMENTO
SALÁRIOS
Radiografia da política salarial brasileira pag. 8
LACERDA
MULTINACIONAIS
GUARNIERI
de Gianfrancesco Guarnieri

TODO
É B
POR FALAR EM
VEJA NESTE NÚ
GIDE, JEAN GENET,
OSCAR WILDE,
MAUPASSANT E
ENTREVISTANDO

ex-16
2ª EDIÇÃO 20.000 EXEMPLARES
FOTO E LIBERDADE DE IMPRENSA
LIBERDADE
LIBERDADE
ABRE AS ASAS
SOBRE NÓS
LEIA EDITORIAL NA PÁGINA 5
A MORTE DO JORNALISTA VLADIMIR HERZOG
páginas 33 a 40
NÃO PERCA:
Piroli, o escritor fedido de Minas (página 30)
O bispo de São Félix (página 12)
Jornalista joga sangue no ventilador (página 29)
Mulher boa, para um nazista, é a mãe (página 10)
LACERDA ATACA TV-GLOBO E PEDE ASILO A CUBA

MOVIMENTO
5 ANOS
A greve com Lula preso
a admirável mobilização do povo pobre
as idéias de Lula e Osmar, comandantes da greve
o governo tenta acordo na prisão
UM PERFIL DA CLASSE OPERÁRIA NO BRASIL

Michel Foucault
Josué Guimarães
Violeiros
opinião

POLITIKA
Inquisição
e torturas
no Brasil
ALIOMAR BALEEIRO
MOACYR WERNECK DE CASTRO
MARCOS FREIRE SEBASTIÃO NERY
ROLAND CORBISIER

PASQUIM
O PASQUIM - O jornal com algo menos
ENFIM UM PASQUIM INTEIRAMENTE AUTOMÁTICO
SEM O ZIRALDO
SEM O JAGUAR
SEM O TARSO
SEM O FRANCIS
SEM O MILLÔR
SEM O FLÁVIO
SEM O SÉRGIO
SEM O FORTUNA
SEM O GRECCO
SEM A REDAÇÃO
SEM A CONTABILIDADE
SEM GERÊNCIA E
SEM CAIXA

REPÓ
Preconceito
LÉSBICAS
PAU NA
Figueire
é a nos
VALENTÃO

CAPÍTULO 16

Quem é vivo sempre desaparece

Como se a censura não fosse suficiente, os alternativos sofriam o torniquete econômico da PF que ameaçava seus anunciantes, além de atentados da ultradireita. Sob a ditadura, cumpriram o papel que a mídia empresarial não podia ou não queria cumprir. Deles, nenhum foi mais bem-sucedido do que O Pasquim, que sobreviveu quatro anos ao regime de 1964

No dia 30 de outubro de 1970, *O Pasquim* tirava mais de 200 mil exemplares por semana e era um dos maiores sucessos da história da imprensa no Brasil. No dia seguinte, sua redação estava na prisão.

"Primeiro eles nos prenderam e depois foram atrás de um pretexto[1]." Ziraldo Alves Pinto, um dos nomes, caras, textos e traços mais identificados com o semanário, é quem faz o reparo. Ao contrário de outras situações clássicas em que o arbítrio inventa um falso motivo para cometer um ato discricionário, daquela vez os militares deram-se ao luxo de dispensar qualquer razão específica para fundamentar sua decisão. Sob o AI-5 não era preciso.

Até o lobo da fábula, ao intimar o cordeiro com o intuito de devorá-lo, primeiro empunhou sua alegação: a próxima vítima toldava a água que seu carrasco pretendia beber. Como se sabe, o cordeiro bebia na parte inferior do córrego, abaixo do local onde estava o lobo. Mas o vilão da história cumpriu a formalidade acusatória: tinha um pretexto, embora furado.

Quando foi engaiolado com o restante daquilo que era chamado "a patota do Pasquim", Ziraldo era dono de uma história no Rio. Chegara de Caratinga, Minas Gerais, em 1949 e, já nos anos 1960, lançara a primeira revista brasileira totalmente em quadrinhos, colorida, e de um autor só. *A turma do Pererê* vendia até 150 mil exemplares por edição. Mas antes de se transformar em revista, primeiro foi publicada em cartuns pela revista *O Cruzeiro* que, em 1964, parou de publicá-los por insegurança quanto ao futuro do país. Décadas mais tarde, ele retornaria ao público infantil com *O menino maluquinho*, sucesso até hoje. Em 1970, Ziraldo também já não era virgem de prisões.

A segunda delas, bastante pitoresca, aconteceu logo depois do AI-5 e já foi incorporada à literatura daqueles anos turbulentos[2]. Na época, os adversários da ditadura dividiam-se em revolucionários e reformistas. Os primeiros queriam mais ação e menos conversa no enfrentamento com os *gorilas*, apelido dos militares, enquanto os últimos, próximos ao PCB, pregavam cautela. Indagava-se muito "qual é a sua linha?" Ziraldo, um dos reformistas, estava farto daquele questionamento que monopolizava os debates.

Bastou botar o pé no Dops, trajando sua camisa cáqui com presilhas no ombros, para ser inquirido por um dos presos "qual era a sua linha". E respondeu, como conta Zuenir Ventura: "Eu não pertenço à linha nenhuma, sou um democrata e não quero discussão".

O "companheiro" não entendeu a rispidez da resposta. O Dops estava cheio de presos naquele dia, recolhidos por diferentes razões, inclusive uma porção de motoristas. Um general mandara prendê-los depois que um deles discutira com sua filha. Estavam ali para serem identificados. "Calma, companheiro. Eu só queria saber qual a sua linha de ônibus[3]." Foi então que Ziraldo se deu conta que a sua camisa era igual ao uniforme dos motoristas...

Enjaulados os jornalistas do Pasquim, os militares procuraram, aparentemente, compensar a ausência inicial de justificativa: cada preso ganhou de presente um pretexto exclusivo, customizado, para sua prisão. Ziraldo dá seu próprio caso como exemplo[4]. "Para mim encontraram o fato de eu ter tentado abrir os olhos do maestro Erlon Chaves, que acabara de ser preso por atentado ao pudor."

Como se trata, além de um absurdo dentro de um absurdo, do retrato da intolerância de uma época, vale a pena relatar o acontecido:

OS VENCEDORES

À frente da sua Banda Veneno, o maestro defendia a concorrente "Eu também quero mocotó", de Jorge Ben, na quinta edição do Festival Internacional da Canção, da TV Globo, no Maracanazinho. Negro, era também compositor e arranjador. No palco, quarenta pessoas entre músicos e dançarinas. Turbinada pelos metais e uma pegada *black*, a música contagiava público e júri. Então, embalado pelo clima de apoteose deflagrado naquela noite de 25 de outubro de 1970, Chaves partiu para o improviso. "Agora vamos fazer um número quente, eu sendo beijado por lindas garotas. É como se eu fosse beijado por todas aqui presentes[5]."

Ouviram-se vaias na plateia. "O espetáculo de um negro sendo beijado por loiras no encerramento do V FIC foi demais para os padrões conservadores da época", registraria o produtor musical Zuza Homem de Mello.

Chamado a dar explicações à Censura Federal, o maestro foi, explicou e acabou preso. Ao ser libertado, tomou um gancho: não poderia exercer sua atividade profissional no território brasileiro durante trinta dias. Sua carreira murchou. A morte prematura, aos quarenta e um anos, a encerraria em 1974. Nas trevas da era Médici, o crime de Erlon Chaves foi ter o desplante de, sendo negro, beijar uma branca. E Ziraldo com isso? "Fiz uma nota n'*O Pasquim* onde dizia mais ou menos o seguinte: Se você fosse branco, Erlon, você poderia beijar aquelas moças. Vê se deixa de ser babaca, puxa-saco dos milicos, e percebe o problema, cara![6]"

O recado custou a Ziraldo dois meses de cadeia sob a acusação de estar "incentivando o racismo". Seu confrade Jaguar foi junto. Cometeu o delito de subverter o célebre quadro de Pedro Américo, que mostra dom Pedro I às margens do Ipiranga, espada ao alto, dando o Grito do Ipiranga. O crime foi desenhar um balão onde o imperador troca o brado de "Independência ou Morte!" por — de novo — "Eu quero mocotó!" Ainda segundo Ziraldo, Ivan Lessa, também parceiro, pagou seus pecados por ter bolado uma pasquim-novela na qual aparecia, ao fundo do cenário, um bar com o nome de "Porradas"...

Seus colegas de cela na Vila Militar incluíam Paulo Francis, Luiz Carlos Maciel, Paulo Garcez, Tarso de Castro, Fortuna, Flávio Rangel e Sérgio Cabral. Algumas destas prisões entraram para o anedotário, como a de Cabral. Ele estava em Campos, interior do estado do Rio, naquele infausto 1º de novembro. Lá, seria palestrante de um encontro de estudantes justamente para falar de O Pasquim. Às oito da manhã, estava na piscina, quando recebeu um recado da sua mulher. Pedia que telefonasse com urgência para casa. "Só podia ser alguma coisa grave", pensou.

Cabral morava no Leblon, perto da praia, e seus três filhos eram pequenos. O mais velho — também Sérgio e, em futuro longínquo, governador do Rio — tinha sete anos. Um pensamento tenebroso transitou pela sua cabeça: "Será que meus filhos morreram afogados? Tenho que voltar!". E saiu correndo em busca de um telefone.

— O que houve, Magaly?

— O Exército invadiu O Pasquim e está atrás de você! — alertou.

E ele:

— Ai, que alívio!

Cabral garante que a notícia foi "a melhor que recebi em toda a minha vida".

Desfechado o arrastão, a repressão queria capturar os peixes que a rede deixara escapar. Para tanto, franqueou o telefone. O plano era singelo: os presos deveriam contatar os que estavam ainda soltos, convencendo-os a se apresentar com a promessa de que todos estariam livres uma vez cumprida essa formalidade.

Millôr e Henfil ouviram a parolagem, mas não pagaram para ver. Jaguar, Cabral, Fortuna e Flávio Rangel resolveram conferir. Jaguar contou para Norma Pereira Rego um diálogo com sabor de perigo que travou com Francis. Havia um recado: ligue para tal número. Ele ligou e o próprio Francis atendeu dizendo: "Ô, Jaguar! Nós estamos aqui presos há uma semana e eles só vão soltar a gente quando você se entregar".

Jaguar relutou. Tentou argumentar. Disse que ambos sabiam que, se se apresentasse, também seria detido e desse jeito não haveria condições de manter O Pasquim em circulação. Na resposta, Francis acendeu o pavio da bomba e a depositou nas mãos do parceiro: "Isso fica com a sua consciência...".

OS VENCEDORES

A consciência de Jaguar intimou que ele se apresentasse e, de quebra, levasse junto Cabral e Flávio Rangel. Os três tomaram voz de prisão e dois meses de cadeia.

Levando-se em conta o que rolava nas masmorras, o clima na Vila Militar entre encarcerados e carcereiros era bastante atípico. Como demonstra o encontro/confronto entre um dos prisioneiros e um capitão[7]. Este olhou para Jaguar e informou: "Fui eu que te enquadrei por aquela frase no quadro...".

Virando-se para os demais, Jaguar perguntou: "Ei, pessoal, sabe por que eu fui preso? Porque eu quero é mocotó".

Flávio Rangel encarou o militar e perguntou-lhe o nome.

— Pra que você quer saber?

— Porque assim ao menos eu fico sabendo. A história não registra o nome dos algozes. Diz aí quem foi o algoz de Danton, de Ivan Illich? Não sabe, não é? Ninguém sabe. O teu também ninguém vai saber.

— Para com isso, Flávio — retrucou o oficial.

— Ué, eu não tenho culpa de você estar do lado errado.

O mocotó de Jaguar estava na ordem do dia no quartel, mas o ministro Alfredo Buzaid, da Justiça, explicou a cana dura do pessoal de *O Pasquim* de maneira diversa. Inexistia conexão entre os últimos números do jornal e o garrote infligido aos redatores. Selecionado por Médici nas fileiras do integralismo, Buzaid ponderou que as autoridades constituídas estavam apenas atendendo aos "protestos emanados de diversas personalidades e camadas sociais" que viam no semanário "sistemática preocupação de demolir as tradições da nacionalidade e as mais nobres figuras da história pátria". E que, nas forças armadas, "causava indignação a apologia das aberrações sexuais e das drogas entorpecentes". Porém, não fora "o desrespeito às normas éticas vigentes" o verdadeiro motivo da detenção. Acontece, acentuou, que "todos estavam sob vigilância há muito tempo, suspeitos de envolvimento em atividades subversivas"[8].

Os dois meses de xilindró renderam histórias que, por imperdíveis, merecem ser registradas.

Outra ocasião, outro capitão, outro preso, no caso Paulo Francis, em quem adjetivos como "mordaz" e "irascível" vinham grudados. O articulista era interrogado sobre um determinado documento[9].

— Você assinou uma monção em favor do editor Ênio Silveira?
— Não.
— Como você não assinou? Seu nome está aqui.
— Não.
— Esta não é sua letra?
— É.
— Então como você não assinou esta monção?
— Capitão, monção é um fenômeno pluviométrico. O senhor quer dizer uma moção...

Outro interrogatório. Cronista da contracultura em *O Pasquim*, Luiz Carlos Maciel era questionado sobre as relações do jornal com o "comunismo internacional". O oficial queria saber se o semanário recebia "ouro de Moscou". Então, respondeu: "Capitão, se chegou o 'ouro de Moscou' pro *Pasquim* eu vou brigar com todos esses caras aí, porque eles não me deram nem um tostão. Ficaram com tudo pra eles...[10]".

Sábado à noite, tudo tranquilo na Vila Militar. Enfadado com a monotonia, o oficial do dia vai jogar conversa fora com os prisioneiros ilustres. Manda abrir a porta da cela e convida Cabral e Ziraldo a passarem para uma saleta próxima. Pede duas cervejas e três copos que o cabo vai buscar. Ficam os três batendo papo e bebendo enquanto um soldado vigia os presos segurando uma metralhadora. Animado e virando-se para um cabo, o oficial ordena:

— Vá buscar o violão.

Quando chega o violão, ele o entrega para Cabral, homem da MPB no *Pasquim*.

— Toque algo para nós, Sérgio.

Cabral diz que não toca mais nada. O oficial fica surpreso e um tanto decepcionado pois "queria tanto ouvir uma música"... Metralhadora em punho, o soldado se oferece:

— Eu toco.

OS VENCEDORES

— Você toca? Então toca.

Seguindo o roteiro desse pastelão, o soldado imediatamente se desvencilha da metralhadora, entregando-a a... Cabral. E passa a dedilhar as cordas e cantarolar.

"Aí fiquei eu, o preso, com a metralhadora na mão", testemunha Cabral. "E o soldado tocando e cantando sucessos de Nélson Gonçalves: 'Boemia/ aqui me tens de regresso...'"[11].

Lá pelas tantas, como evidência desse relacionamento peculiar, um tenente, sentindo-se enturmado, perguntou para pasmo do grupo: "Vocês não conhecem ninguém que possa me ajudar? Estou cheio dessa merda aqui. Quero uma bolsa de estudos nos Estados Unidos. Pretendo cursar faculdade de turismo". Por incrível que pareça, deu certo. Um dos jornalistas conhecia o adido cultural do consulado norte-americano, as coisas andaram e o tenente, com o pistolão dos presos, ganhou a bolsa, estudou e tornou-se empresário.

No xadrez, o tédio era combatido com torneios de dama. Cabral sagrou-se campeão de dois: o Neocid Floral, tributo ao veneno aplicado contra as baratas da Vila Militar, e o Subjudice, termo extraído do jargão jurídico[12].

No mundo além das grades, a vida continuava. E, apesar do presságio de Jaguar, *O Pasquim* também. Um tanto raquítico, respirando por aparelhos, mas vivo. Na capa do primeiro número — o 73º — depois daquilo que foi diagnosticado como "A Gripe" que assolou a redação, a ilustração do lobo e do cordeiro junto ao riacho com toda sua carga de significados. Saindo da bocarra do lobo, um balão esclarecia: "Enfim um *Pasquim* inteiramente automático. Sem o Ziraldo, sem o Jaguar, sem o Tarso, sem o Francis, sem o Millôr, sem o Flávio, sem o Sérgio, sem o Fortuna, sem o Garcez, sem a redação, sem a contabilidade, sem gerência e sem caixa".

Uma das tantas marcas do jornal era o lema, sempre abaixo do logotipo, e renovado a cada semana, irreverente e autoirônico: "Quem é vivo sempre desaparece", "Em terra de cego quem tem um olho emigra", "De tanto ver triunfarem as nulidades, *O Pasquim* acabou dando certo". Naquela edição, o lema era "O jornal com algo menos".

Do lado de fora da Vila Militar, *O Pasquim* era tocado, após a *blitz* repressiva, pela trinca Millôr Fernandes, Henfil e Martha Alencar (que logo recebeu o acréscimo de Bárbara Oppenheimer, mulher de Tarso de Castro), e do cartunista Miguel Paiva. Para surpresa dos remanescentes, outros textos e traços juntaram-se ao mutirão pró-*Pasquim*: Chico Buarque, Antonio Callado, Odete Lara, Glauber Rocha, Luis Fernando Verissimo, Rubem Braga, Carlos Scliar e muito mais gente.

O plano atrás da prisão maciça era o de inviabilizar o semanário que, dos 14 mil exemplares do primeiro número, saltou para os 80 mil, quatro meses depois bateu nos 200 mil e, após mais duas semanas, superou seu próprio recorde. Queria impedir sua circulação. Como isso não aconteceu — embora a queda abrupta na vendagem, antes de 200 mil — a redação acabou liberada. E voltou à ativa.

Nascido em 26 de junho de 1969, no auge da repressão, aparentemente *O Pasquim* era a ideia equivocada no país errado e no momento mais impróprio possível. Ou dito de outra forma, a la Jaguar: "Como projeto, era uma das maiores merdas que eu vi até hoje: em pleno AI-5 um bando de jornalistas se reúne para falar mal do governo...".

Além do mais, o grupo havia se reunido não para criar um novo semanário, mas continuar *A Carapuça*, uma cria de Sérgio Porto, que sofrera um infarto aos quarenta e cinco anos, deixando o jornal na orfandade e o país, mais sem graça. Porto ou Stanislaw Ponte Preta, como assinava suas colunas na *Última Hora*, publicara três edições do *Festival da Besteira que Assola o País*, o *Febeapá*. Tratava-se de um bestialógico, tendo como matéria-prima notícias de jornal, evidenciando que, sob a ditadura, o Brasil ficara mais arcaico, boçal e grotesco. Ou não era exatamente isto que acontecia em Minas Gerais, onde um delegado pretendia prender o costureiro francês Pierre Cardin por desenhar vestidos decotados e saias curtas? "Toda essa cocorocada", escreveu Porto, "levou um deputado estadual da Arena a discursar sobre o tema 'Ninguém levantará a saia da mulher mineira'". Ou o sucedido em Campos/RJ, onde a associação comercial da cidade organizou um júri simbólico de Adolf Hitler, findo o qual, o réu foi absolvido! Ou ainda na pena de Stanislaw:

OS VENCEDORES

"Dois acontecimentos absolutamente espantosos, cuja justificação só pode ser aceita se arrolados como inerentes ao *Festival de Besteira*: o costureiro Denner casou e Ibrahim Sued publicou um livro[13]."

Se seu autor não tivesse partido em setembro de 1968, teria elementos para editar infindáveis *Febeapás*. Desde, claro, que o AI-5 tolerasse tamanho atrevimento, algo bastante improvável. Ficaram então ao desabrigo preciosidades, como o caso do subversivo detido na Bahia. No bolso traseiro, ele carregava uma pegadinha. Num papelzinho, alguém escrevera: "Vá à porra!" Descoberto o recado, os policiais quiseram saber o significado daquela mensagem. Respondeu que era brincadeira. Não acreditaram e o penduraram no pau de arara. Continuou dizendo que era apenas "gozação". A tortura prosseguiu apesar dos apelos do torturado que, em certo instante, pediu para parar com aquilo que iria falar. E falou: "PORRA é o Partido Operário Revolucionário Armado". Voltaram os choques elétricos misturados com a réplica do inquisidor: "Tá faltando um erre, seu filho da puta!" E o preso: "Pera lá que eu falo. PORRA, Partido Operário Revolucionário Retado Armado"[14].

No caso do *Pasquim*, quando circulou o nome do semanário, Maciel, de cara, não gostou. Achou "ginasiano". Millôr profetizou — e errou — que, se fosse independente, o jornal não duraria três meses e que, se durasse, não seria independente. Millôr vinha de um fracasso com outra publicação, o *Pif-Paf*, que sobrevivera apenas oito números.

Apesar de tudo e todos, deu certo. Passado o retiro carcerário, começava tudo outra vez. Mas a ditadura não desistira. A estratégia mudava, mas o propósito permanecia.

De início, em 1971, foi defenestrada a antiga censora, cooptada pelo uísque de Jaguar e a pândega da redação. Seu pecado foi deixar passar a palavra "tesão" saída da boca da cantora Maria Bethânia numa entrevista. Para seu posto, foi nomeado um militar.

Entre os atributos do general Juarez Paes Pinto, o mais notável era o de ser pai de Heloísa Eneida Menezes Paes Pinto, a Helô, "a coisa mais linda, mais cheia de graça" tornada famosa por seu "doce balanço, a caminho do mar" conforme a imortalizaram Tom Jobim e

Vinicius de Moraes, que admiravam a paisagem e a passagem da garota de Ipanema entre um e outro chope da varanda do bar Veloso. O pai da moça ganhou *status* de personagem ficcional instantaneamente ao declarar seus dois talentos aos representantes da redação. "Tem duas coisas que eu sei fazer muito bem: primeira, montar a cavalo, praticamente nasci montado num cavalo; segunda, foder".

Depois dessa amostragem, a turma do *Pasquim* sentiu que pisava terreno firme. O general tinha uma *garçonniére*, decorada com fotos de mulheres nuas. Alto, vistoso, bronzeado, era um predador das areias de Copacabana. Steve McQueen virou seu apelido na redação. Despachava na praia. As últimas matérias ele censurava e ia devolver na redação trajando calção, toalha no ombro, pés sujos de areia... Era outro boa praça. Ouvia os argumentos pela liberação das matérias, negociava mas, às vezes, não tinha jeito, como recordou Maciel[15], autor de um poema um tanto hermético sobre o qual McQueen lascou um imenso X vermelho. Jaguar reclamou:

— Mas o que é isso, general? Por que o senhor fez isso com o poema do Maciel? É uma coisa que não tem pé nem cabeça, nem se entende...

— Exatamente!

— Mas por quê?

E o general:

— Por que o Maciel está botando um poema que não se entende no *Pasquim*? Ahhh, ele quer passar ao leitor uma mensagem subliminar. É o seguinte: 'Como eu não posso escrever o que eu quero, porque tem censura na imprensa no Brasil, eu escrevo uma coisa pra ninguém entender!' Bem, se o Maciel pensa isso, que não pode escrever porque tem censura no Brasil, isto é falso! É uma mentira e portanto eu censuro!

Mas o general aprovou uma matéria que o regime desaprovou. Nela, uma antropóloga norte-americana enumerava os casos de discriminação racial que experimentara no Brasil. Brasília censurou o censor. McQueen manteve sua opinião de que agira certo e de que o texto não deveria ser sido vetado. Foi demitido.

No lugar do censor da redação viria algo pior: a remessa das matérias para serem censuradas em Brasília. O que impunha um fechamento antecipado do jornal e o consequente *esfriamento* da edição, com óbvios prejuízos jornalísticos e econômicos. Continuava-se produzindo material para duas edições a cada semana porque as *pilots* dos censores eram insaciáveis, e nunca se sabia se o material que escapasse delas seria suficiente para a edição da semana. Outros jornais, como os alternativos *Opinião* e *Movimento*, o semanário diocesano *O São Paulo*, a revista *Veja* e os diários *Estado de S. Paulo* e *Tribuna da Imprensa* foram submetidos ao exame prévio do material a ser publicado. *Opinião* teve 221 de seus 230 números sob censura prévia. Redigiu-se 10.548 páginas das quais só 5.796 chegaram às bancas. Mesmo censuradas, cinco de suas edições foram apreendidas. Com *O São Paulo* aconteceu algo bizarro: além da censura, sofreu com uma edição apócrifa. Na capa, dom Paulo Evaristo Arns renunciava à opção pelos "fracos e oprimidos".

Somente em 1975 seria levantada a censura prévia de *O Pasquim*. "Sem censura", bradou a manchete de 29 de março. "Chegamos lá" festejava, de braços abertos, Sig, o ratinho inventado por Jaguar, ao lado de um escultural corpo de mulher de biquíni. "Sem censura", ecoou o editorial. Escrito por Millôr, então o diretor, o artigo de fundo repara que o semanário circula "sem censura", mas que isso não quer dizer "com liberdade". E advertia que, como a ordem de suspender a censura veio, "também pode ser negada amanhã de manhã e o jornal apreendido no momento em que você lê este artigo". E a edição foi apreendida...

Não fosse suficiente a censura, mais duas ameaças rondavam o jornal. Uma delas, a pressão do regime sobre os anunciantes. Consta que a Volkswagen recebeu o seguinte aviso: "O anúncio n' *O Pasquim* nós consideramos a subvenção da subversão". A origem do recado era o II Exército[16]. Corriqueiro, o recurso fazia sangrar financeiramente a imprensa alternativa nos anos 1970/1980. Foi assim que o mensário *Coojornal*, de Porto Alegre, de uma edição para outra perdeu 80% de seus anúncios. Policiais federais visitaram seus anunciantes para informar-lhes que o governo não via com bons olhos a destinação de publicidade para um veículo "comunista"[17]. A outra ameaça dizia respeito às ações de terror empreendidas por grupos paramilitares contra as instalações do jornal e, depois, contra as bancas que vendiam *O Pasquim* e alternativos como *Opinião, Movimento, Ex* e *Versus*.

Grupo Secreto era o nome sob o qual se ocultavam os militares que, por duas vezes, usaram o terror como arma contra *O Pasquim*. O coronel de artilharia, Alberto Carlos Costa Fortunato, admitiu ter participado da fabricação de duas bombas que visavam o semanário carioca. Na madrugada de 12 de março de 1970, foi jogada a primeira. A redação estava reunida, mas, por imperícia dos autores e sorte das possíveis vítimas, o petardo não explodiu.

"Nós pretendíamos acabar com aquele jornal", confessou Fortunato[18]. Explicou que o planejamento da operação fora "perfeito", mas que um erro do cúmplice civil Hilário José Corrales na armação do artefato — sem querer cortou o pavio durante a montagem — frustrou o resultado. "Falhou e graças a Deus falhou! Porque seria a morte de muita gente", disse Fortunato em 1996. Porém, na noite de 10 de maio do mesmo ano, o Grupo Secreto voltou à carga. Desta vez, a bomba explodiu provocando "danos consideráveis", porém apenas materiais.

O que acontecera com o semanário de Ipanema evidenciava um novo fenômeno do final dos anos 1970 e início dos 1980: o confronto entre a direita no poder e a ultradireita em que esta, contra a abertura política, assumia sua opção preferencial pelo terror. Apenas entre janeiro de 1980 e abril de 1981, aconteceram quarenta atentados, trinta e nove deles contra alvos civis. No rol das vítimas, jornais nanicos ou partidários, parlamentares de oposição, *shows*, livrarias, teatros, residências e bancas de jornais. Nenhum deles jamais elucidado[19].

Apesar de tudo, *O Pasquim* sobreviveu quatro anos à ditadura. Sua última edição foi às bancas em dezembro de 1989. Descurou da administração, enfrentou dívidas, conviveu com disputas internas, perdeu colaboradores essenciais, mas, mesmo assim, palmilhou a carreira mais longeva de todos os *nanicos* que esbarraram no autoritarismo. Foram duas décadas de vida no total.

Ziraldo, Jaguar, Millôr, Henfil, Francis, Ivan Lessa, Sérgio Augusto, Fausto Wolff... Muita gente deixou sua marca no jornal da rua Clarisse

OS VENCEDORES

Indio do Brasil, seu endereço mais memorizável. O hebdomadário removeu terno e gravata da linguagem jornalística, valorizou a arte gráfica com quadrinhos, ilustrações e cartuns, criou e popularizou gírias e expressões, produziu um elenco imenso de personagens e *alter egos* — Sig, Os Zeróis, Caboclo Mamadô, Gastão, o Vomitador, Edélsio Tavares, Os Fradinhos, as aranhas Hélio e Jaci, o Tamanduá chupador de cérebros, Capitão Ipanema ... — como nenhum jornalão conseguiu, transformou suas entrevistas irrigadas a *scotch* em lições de jornalismo e descontração, deu voz à oposição, desde os liberais até a esquerda, recebeu os exilados e contou suas histórias transformando um deles, Fernando Gabeira, em celebridade. Castigou a hipocrisia da classe média e arejou os costumes, riu dos adeptos da ditadura, de Roberto Campos (Bob Fields) a Nélson Rodrigues, e ensinou aos jornalistas que era possível fazer um jornal sem patrão. E escrachou os poderosos — desde que não fosse muita loucura: Médici foi o único dos ditadores que não foi caricaturado, o que se compreende perfeitamente. Cumpriu seu destino de ser, como ele próprio publicou, "incômodo como um folião num velório".

Cabral interpreta o surgimento dessa publicação como "a primeira resposta oposicionista pública ao AI-5". Ziraldo recorre a Ipanema para explicar o impacto da publicação. "*O Pasquim* foi feito pra Ipanema, mas, naquele momento, Ipanema pautava o Brasil. Era o Olimpo. Era a ideia de ter a Grande Existência. Viver mesmo era viver em Ipanema. *O Pasquim* vira o porta-voz desse *modus vivendi*. É muita coincidência histórica acontecendo quando *O Pasquim* se insere nela. É a expansão de uma ideia que chega num campo fértil."

Cinquenta anos depois da implantação da ditadura, vinte e nove depois do seu final e vinte e cinco após o final do próprio *Pasquim*, o Brasil ainda quer — como Flávio Rangel queria — saber o nome dos algozes. Não só os que martirizaram gente como aqueles que puniram jornais, revistas, filmes, canções, peças e livros. A propósito, depois da prisão do jornal, deu-se o afamado caso do livro que se exilou. De novo, 1964 estava no começo de tudo.

O Pasquim escrachava os poderosos desde que não fosse demasiada loucura. Por conta deste princípio, Médici (no centro da foto) foi o único dos ditadores que não foi caricaturado

Best-seller pré-AI-5, o Festival da Besteira que Assola o País, vulgo Febeapá, rendeu três livros alimentados pelo grotesco, boçalidade e carreirismo estimulados pela ditadura

OS VENCEDORES

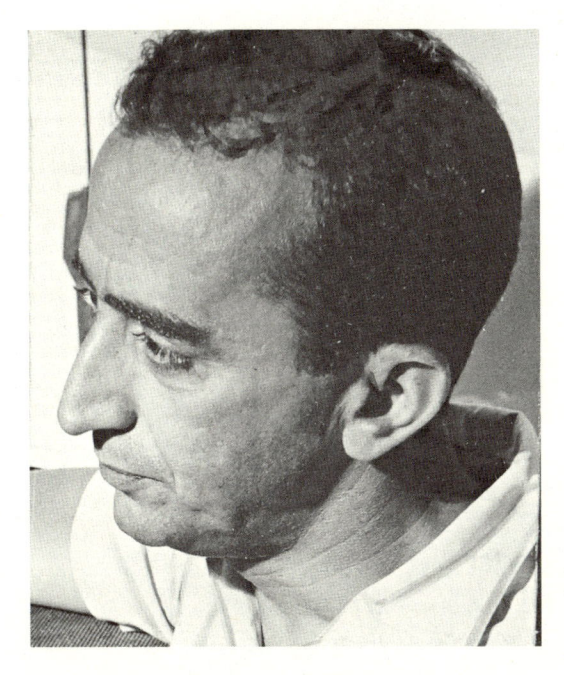

Quando a gripe derrubou toda a redação de O Pasquim, *Millor assumiu a pilotagem do semanário de Ipanema para mantê-lo circulando*

O Pasquim *e os demais alternativos iam na direção inversa a da imprensa caudatária da ditadura, explicitada nas inacreditáveis manchetes de* O Globo

PASQUIM apresenta:

EDITORA CODECRI
6ª EDIÇÃO

ZERO

Zero: três anos de mordaça para o livro que liquefez religião, publicidade, quadrinhos, violência, sexo e televisão para descrever a vida sob uma ditadura feroz

IGNÁCIO DE LOYOLA BRANDÃO

CAPÍTULO 17

Vomitando o pecado, o medo e tudo mais

"**O** CCC tá indo pra aí!"
A notícia de que o horror condensado na sigla CCC movia-se pelas ruas do centrão de São Paulo causou apreensão imediata. Afinal, havia sobradas razões para tal, diante do prontuário do grupo de corte escovinha, que o aproximaria, no futuro, das cabeças raspadas dos *skinheads*, e pelo apelo fascista à violência. Sentimento que as informações que se seguiram à principal somente agravaram: "Eles saíram do Mackenzie e estão descendo armados."

O informante foi mais específico ao esboçar o provável roteiro da marcha: vai seguir pela rua Maria Antonia, descer um pedaço da Consolação, depois tomará a Xavier de Toledo até chegar ao Anhangabaú. Seu destino parecia evidente: a redação paulista da *Última Hora*, criada pelo jornalista Samuel Wainer com apoio de Getúlio Vargas, para exercer o papel de contraponto no panorama da grande imprensa nacional, dominado pelo conservadorismo. Era o único dos jornais de grande circulação do país que destoara do combate implacável ao governo Goulart. Mais: era seu defensor intransigente.

Até então, naquele 1º de abril de 1964, de nuvens carregadas e prognósticos sombrios, a ansiedade na *Última Hora* era alimentada por dois temores.

Um deles concentrava-se na investida do general Olympio Mourão Filho, que se sublevara em Juiz de Fora/MG no dia anterior e, com tropas da IV Divisão de Infantaria, rumava ao Rio. Um rompante que surpreendeu não só o governo, como os demais comandos militares que conspiravam contra Goulart e pregavam sua derrubada pelas armas. Indisciplinado e afoito, o general deflagrara a "Operação Popeye" — denominação dada pelo próprio Mourão, evocando seu indefectível cachimbo — antes do tempo previsto pelo núcleo da rebelião, criando uma situação de fato. Mais tarde, à sua maneira irreverente, ele tentaria explicar a precipitação intitulando-se "uma vaca fardada" que atuaria em desacordo com as circunstâncias, mas "de acordo com minha consciência". Até então, seu currículo ostentava notoriedade por obra e graça de uma fraude. E que também abriria caminho para uma ditadura.

Em 1937, quando somava a condição de oficial integrante do Estado-Maior do Exército com a de diretor do serviço secreto da Ação Integralista Brasileira, fora o autor do Plano Cohen, falsamente atribuído à Internacional Comunista. Inspirado em uma corruptela de Bela Kun, líder comunista húngaro, o Plano Cohen detalhava uma suposta conspiração comunista para a tomada do poder. Assim, serviu de pretexto para o fechamento do regime e a implantação, por Vargas e no mesmo ano, da ditadura do Estado Novo.

O outro foco das atenções no Anhangabaú estava no momento hamletiano do general Amaury Kruel, comandante do II Exército, em São Paulo. Ex-ministro da guerra de Goulart, gaúcho a exemplo do presidente, o que ele faria? A hesitação de Kruel não se prolongou e logo ele aderiu aos golpistas. Aliás, por conta da sonoridade e significado do sobrenome, ao incorporar-se à ditadura, Kruel lembraria a um observador estrangeiro da cena política latino-americana muito mais um personagem extraído de uma novela de realismo fantástico do que um general de carne e osso.

OS VENCEDORES

Kruel e Mourão, porém, tornaram-se quase irrelevantes com a notícia, cantada por um dos vários olheiros que o jornal mantinha espalhados pelo centro velho, de que a horda do CCC movimentava-se resoluta.

"Será que vinham empastelar o jornal? Vinham matar as pessoas? Ninguém sabia o que iria acontecer. Era tudo muito louco. Mas, tendo em vista o histórico do CCC, sabia-se que era coisa ruim", relembra o repórter Ignácio de Loyola Brandão, então com vinte e oito anos. Vindo de família ferroviária que havia trocado Araraquara por São Paulo em 1957, ele ali acompanhava o curso dos acontecimentos.

O diretor do jornal, Jorge da Cunha Lima, mandou abaixar as portas. Havia duas portas grandes na entrada e várias janelas. Todas foram fechadas, ficando só uma portinhola aberta. Feito isso, Álvaro Paes Leme, diretor de redação, dispensou as mulheres. A *Última Hora* tinha muitas jornalistas. Foi uma das primeiras redações a abrir este espaço. "Tinha diagramadora, paginadora, retocadora de fotos, repórter, a editora da página feminina. A Clarice Herzog, belíssima, por exemplo, era repórter", lembra Loyola.

Alik Kostakis, que era grega e a principal colunista social da cidade, ao lado de figurões do ramo, caso de Tavares de Miranda e de Marcos Pacheco, retrucou irada e decidida com seu sotaque carregado: "Eu não vou. Eu vou ficar aqui e se preciso a gente morre aqui".

Mas o prédio em que estava o jornal tinha um problema: a única saída era pela frente. Nos fundos, havia um paredão, que ainda está lá, que dá sustentação ao mosteiro de São Bento. Nas ruas, os olheiros monitoravam a marcha do CCC, valendo-se dos telefones dos botequins para manter avisado o pessoal no Anhangabaú.

"Eles já estão no Mappin!"

De repente, cessaram as notícias. Então, um dos informantes liga para dizer que, na praça Ramos de Azevedo, a fúria do CCC tomara outra rota. Virara à direita. Iria combater seus principais inimigos, os estudantes da faculdade do Largo de São Francisco.

Desviado o foco da *Última Hora*, a redação, mesmo assim, manteve a cautela. As portas permaneceram cerradas. Um pouco antes, o diretor do jornal descera de sua sala e falou aos jornalistas. Acabara de receber um telefonema dizendo que sua mulher ficara muito nervosa com aquilo tudo e fora hospitalizada. "Estou indo pro hospital e volto logo", prometeu. "E nunca mais voltou", espicaça Brandão.

No começo da noite, chegou a tropa de choque da Força Pública. E ordenou: fechem o jornal. Pouco depois, um grupinho, onde estavam Brandão, o repórter político David Auerbach, o setorista da Assembleia Legislativa, Luiz Thomazzi, e os jornalistas José Roberto Penna e Domingos Gioia, deixou a redação.

Andando, perceberam que a cidade estava absolutamente normal. Como se nada tivesse ocorrido. Havia tanques nas ruas e as pessoas seguiam sua vida. O curso das coisas também seguia no Gigetto, conhecido endereço da noite paulistana onde o pessoal da área cultural batia ponto. Numa mesa estavam dois jornalistas famosos da São Paulo da época, José Carlos de Morais, o *Tico-Tico*, e Maurício Loureiro Gama, ambos da TV Tupi. Comemoravam a "vitória da democracia". Brandão pensou: "Que dois filhos da puta". Cada um que entrava, a dupla celebrava bradando: "Salve a nossa vitória!" e erguendo as taças de champanhe. "Virávamos as costas. Não era a nossa vitória."

Fechada a *Última Hora*, os desempregados pelo golpe transitavam diariamente pela frente do prédio, farejando algo. Duas semanas depois, Brandão viu as portas abertas. Samuel Wainer deixara o país, alguns jornalistas haviam sido presos, parte desaparecido, outros estavam sendo procurados. A redação fora reduzida à metade, mas, mesmo assim, o jornal recomeçou. Foi retomado, capenga.

Mas o fragor da rotativa não era a única novidade. O CCC e sua marcha nunca chegaram à *Última Hora*, mas um novo personagem desembarcou para ficar na redação do Anhangabaú: o censor. Tudo o que o jornal pretendia publicar tinha que passar por ele. Que aprovava ou vetava. Não era permitido, por exemplo, criticar estadistas e países "amigos", o que implicava em calar sobre qualquer medida tomada pelos Estados Unidos e suas autoridades. E não se podia questionar nada. "Era uma pessoa tão odiada que ninguém olhava pra ele." Terminava-se a matéria e ela era entregue para o contínuo levar ao censor. E o contínuo, por sua vez, entregava todos os textos, de costas. Até que um dia, o sujeito falou: "Mais uma vez que você me entregar as matérias de costas eu vou te prender!". Então, ele passou a entregar as matérias de frente...

Abandonada pelos anunciantes, a *Última Hora* soçobraria sob o tacão militar. Brandão continuou jornalista, no entanto investiu na carreira literária. Da *Última Hora* carregou para seu apartamento uma gaveta atulhada de matérias com a inscrição "VETADO". Eram artigos, reportagens, cartuns, entrevistas que não conseguiram esquivar-se do carimbo inapelável do censor.

Revirando o material, já distribuído por caixas e mais caixas de papelão, mostrou-o a Auerbach, que fez um comentário sintético: "Quanto foi oculto aos brasileiros!".

Brandão sabia que teria que fazer alguma coisa com aquilo tudo. Mas fazer exatamente o quê? O teatrólogo Abílio Pereira de Almeida viu aquela mixórdia e aconselhou uma peça. O amigo de infância de Araraquara e diretor de teatro José Celso Martinez Corrêa aventou um romance. Que deveria ser montado "assim mesmo, louco, desordenado, fragmentado". A atriz Ítala Nandi também catou e examinou a papelada. Recomendou a Brandão que criasse um personagem.

Ele pensou em Zélia que ecoava Zelda, a mulher do escritor norte-americano F. Scott Fitzgerald, um de seus favoritos, hipótese que abandonou em favor do prosaico Rosa, nome de uma empregada da família em Araraquara e primeira mulher que viu nua, na exata moldura do buraco da fechadura do banheiro. Mas, sem descartar Rosa, o fio condutor daquele tumulto seria um brasileiríssimo Zé, como o avô José Maria, como o irmão José que morrera aos sete anos em 1953, como José, o carpinteiro e pai de Jesus Cristo.

Porém, como se a barafunda fosse pouca, começou a colecionar novas matérias. E, a cada dia, escrevia alguma coisa e jogava naquele labirinto. O amigo Zé Celso lhe dissera: o Brasil está despedaçado. E o escritor passou a ver aquela convulsão como uma metáfora da areia movediça em que o país submergia. Eram "os subterrâneos, os esgotos, os gritos dos feridos e dos torturados, as mortes, os suicídios, as dores, os amores impossíveis, os casais desfeitos, a liberdade encurralada, o medo sempre presente, os cassados, os cientistas que partiam".

Mas indagava-se: quem lerá um livro desses? Tateando em busca de uma estrutura, vieram-lhe à memória *flashes* de *Oito e meio*, de Federico Fellini, que assistira mais de vinte vezes. E que reputa "o filme mais livre que conheço" ao qual permanece admirando. De 1963, o longa de Fellini atordoara muitos expectadores ao mesclar sonho e realidade, passado e presente, catolicismo e sexualidade, num processo que rompia a linearidade narrativa. Com o herói e a heroína definidos, Brandão proveu um emprego para seu personagem: exterminador de ratos em um cinema vagabundo.

Corriam os anos, continuava escrevendo e o rascunho já tinha 4 mil laudas. Parecia intragável, embora fosse a cara do Brasil. Cortou, cortou novamente e cortou mais uma vez. Das mil laudas desbastou 200. E depois mais 200. E ainda um pouco mais. Estacionou em pouco mais de 500. E sempre reescrevendo... Nos originais, braçados de folhas amarelas, brancas, cor-de-rosa, papel almaço e até papel de pão.

Zero seria o destroço no qual o autor se aferraria para fugir da repressão da infância na província. Se Fellini retratou seus verdes anos em Rimini, às margens do mar Adriático, para Brandão sobrou a Araraquara beata e "quase medieval" onde, certa vez, vomitou a hóstia sagrada. Provaria o fogo do inferno. O livro providenciaria seu resgate. Ele escreve: "vomitei a igreja, as proibições, os pecados, os medos, a sensualidade, as punhetas nos cinemas, as putas e tudo o mais".

Nove anos depois, tinha nas mãos um original "longo, sem capítulos, sem começo, meio e fim, sem explicações, cheio de barulhos, desenhos, *outdoors*, gritos". Nenhum editor se interessara. E o romance retornou à gaveta de onde emergira.

Zero, então, nem zero era. Intitulava-se "A inauguração da morte". O nome e a mudança vieram de uma caminhada. Enxergou um enorme zero em uma loja. Era zero de entrada. "Zero. O começo e o fim da vida. O círculo. O nada. A nulificação da vida", escreveu. E trocou o título.

OS VENCEDORES

Finalizado, o livro era uma turbulência, uma alucinação *pop*, com onomatopeias, quadrinhos, alusões e ironias à ditadura, à TV, à publicidade, ao consumismo e à igreja, usando como base desde normas de censura que advertiam para a imprescindibilidade de "manter respeito à Revolução" até cartas pastorais que alertavam os fiéis para os "ardis do comunismo", transitando por manuais de sexo.

Na narrativa despedaçada, convivem agradecimentos por graça recebida do Menino Jesus de Praga, receitas culinárias, pensamentos do dia, gráficos, guerrilheiros, esquadrão da morte, trechos de música, propaganda de agências matrimoniais. Tipologias diferentes, tamanhos diferentes, diagramação fracionada. Volantes entregues nas ruas alimentam o torvelinho que tudo digere, transforma e expele.

E a loucura carnal de José e Rosa em ação: "(...) e ali colocando o pau, duro, e Rosa engolindo tudo com o agitar da bunda e José indo e voltando, dando cutucãozinho, um pau escavador, abrindo, como o homem abre o poço em busca de água, e Rosa vendo fogo sobre a sua cabeça, o fogo amarelo que consome os dedos dos pés, sobe pela perna, e ela presta atenção no fogo, esquece o gozo, e o gozo tinha começado violento (...)".

Uma descrição pontuada por trechos sóbrios do manual *Nossa vida sexual*, do ginecologista alemão Fritz Kahn, que emprega outra, distante e douta linguagem para detalhar a mesma ação fisiológica: "A ereção não é um simples acontecimento local ao nível do órgão sexual, mas sim um processo extremamente complicado em que tomam parte diversas glândulas e os sistema nervoso e venoso (...)".

À geleia geral, compareçam ainda versinhos de mictório:

Escoteiro do arrebol
Tira a tampa do urinol
Já caguei, já mijei
Pode tampar outra vez

Nessa trajetória exasperada pelos Anos de Chumbo, é impossível driblar a questão da tortura:

"E agora você vai saber por que me chamam de João Bonzinho, disse o coronel enquanto enfiava um fio no canal de minha uretra e ligava o fio direto na tomada e eu sumia no mundo, com tanta dor que nem sentia dor, parece que meu pau tinha sido arrancado e eu não sentia mais ele (...) E o João Bonzinho enfiou um bastão no meu rabo e ligou o fio no magneto e girou a manivela e me caguei todo (...) e disseram que eu deveria comer a bosta no chão porque tinha sujado a sala toda e o general comandante não gostava de sala suja (...) lambe o chão, merda de comunista, bandido do caralho, lambe com a língua, limpe a bosta pro general não ver (...)".

"Não há obra em nossa literatura que melhor transpire essa metafísica do desespero, quando uma geração inteira foi esmagada em suas aspirações", louvaria a ensaísta Walnice Nogueira Galvão no prefácio da edição comemorativa dos 35 anos do lançamento de *Zero*.

Brandão trocou *Cláudia*, publicação direcionada para o público feminino, por *Realidade*, talvez a melhor revista já editada no Brasil. Seu colega de redação, o dramaturgo Jorge de Andrade, leu *Zero* e achou "louco, brasileiro, atual e bom". Em viagem pela Itália, Andrade encontrou-se com a professora de literatura portuguesa e brasileira da Universidade de Roma, Luciana Stegagno Picchio. E entregou-lhe um exemplar. Ao reencontrá-la, Luciana disse que adorara o livro. E o encaminhou à editora Feltrinelli, de Milão.

Seu tradutor para o italiano foi o também escritor Antonio Tabucchi, mais tarde autor de *Afirma Pereira*[1] e então aluno de Luciana. *Zero* cumpriria o exdrúxulo itinerário de obra de autor brasileiro e tratando da realidade brasileira — embora de modo implícito — que seria publicada primeiramente no exterior. Em julho de 1975, um ano após o lançamento na Itália, *Zero* sai no Brasil. E Brandão começa a ter problemas. Na época, era editor de *Planeta*, revista da editora Três versada em temas alternativos, poder da mente, civilizações desaparecidas e similares. E a editora também tinha um censor. Um dia, o sujeito se aproximou dele e falou assim:

— Seu livro vai ser proibido.

— E o que posso fazer?

OS VENCEDORES

— Se a motivação for política, complica. Você poderá sofrer um processo, ser preso, condenado. Se for moral, esqueça. Deixe correr. Será apenas um livro proibido...

No dia seguinte, Brandão recebeu um telefonema do censor, explicando que o veto fora estabelecido com base na preservação da "moral e dos bons costumes". E acrescentou: "Parabéns!". Brandão perguntou ainda se *Zero* seria retirado das livrarias. A resposta foi negativa: ausência de viaturas e pessoal para realizar a tarefa impediam o recolhimento. Aquela edição — e a última — ficaria nas prateleiras até que se esgotasse. "Esse cara era um sujeito inteligente. Certa ocasião, chegou pro pessoal da *Planeta* e informou: "Olha, quem não viu ainda *Corações e Mentes* vá ver porque o filme vai ser proibido...".

Zero fora editado pela editora Brasília-Rio e havia uns 2 mil exemplares ainda na rua. Ligia Jobim, a editora, fora ousada e corajosa ao comprar os direitos para edição no Brasil. Brandão tentou persuadi-la, conforme os exemplares das livrarias fossem sumindo, a discretamente ir rodando pequenas tiragens apenas para que a edição nunca se esgotasse. Lígia contrapôs que era algo que não poderia fazer. Se o esquema fosse descoberto, a editora seria fechada.

Assim, a edição esgotou-se. E uma batalha miúda, mas disseminada e persistente, pelo acesso ao livro proscrito começou. Clandestina, sub-reptícia, quase uma guerrilha em seus termos. O autor descobriu que, em muitos lugares do país, as pessoas estavam xerocando *Zero* para que mais leitores pudessem lê-lo. Campina Grande, Bauru, Recife, Blumenau, Bento Gonçalves, Teresina foram alguns dos locais onde isso ocorreu. Em Frederico Westphalen, no Rio Grande do Sul, um grupinho de moças falou para Brandão que haviam tentado datilografar o *Zero*. "Mas é muito difícil", explicaram. E era mesmo. "E o que era tudo isso?", indaga. "Era uma maneira de resistir."

Nos anos 1970, Brandão viajava com outros escritores, entre eles seu amigo João Antonio[2], para dar palestras pelo Brasil. Nos salões e auditórios, uma presença se renovava em cada plateia. "Na primeira fila havia sempre policiais com cadernetas anotando tudo do que a gente dizia..."

Naqueles tempos, o tilintar do telefone trazia-lhe inquietações. "Você tá na lista", dizia uma voz do outro lado da linha. Não sabia se era pra valer, mas metia medo. "Tocava a campainha e você estremecia. Todo mundo se sentia assim."

Motivos sobravam, bastava olhar em torno. Brandão conhecia Vladimir Herzog. E gente que era ou fora preso político, como seu colega de trabalho George Duque Estrada. "E Frei Betto, muito amigo meu e da minha primeira mulher..."

Zero motivou o primeiro grande levante contra a censura. Que começou como indignação de dois jovens e, então, inéditos escritores. Certa noite de 1976, no bar Pelicano, do conjunto Arcângelo Maleta, avenida Augusto de Lima, em Belo Horizonte, Luiz Fernando Emediato e Jeferson Ribeiro de Andrade, rabiscaram num guardanapo um manifesto impetuoso em favor da liberdade de expressão. Pediram ao crítico literário Fabio Lucas, também mineiro, que o revisasse e, em seguida, Emediato, estagiário na sucursal do Jornal do Brasil, transmitiu o texto, via telex, para pessoas-chave em todo o país.

Em Salvador, Jorge Amado deu declaração pública de apoio. A corrente se alastrou Brasil afora e tomou impulso quando Feliz Ano Novo, de Rubem Fonseca, também foi proibido. Ex-apoiador dos militares, Fonseca, então, patrocinava, com dinheiro, revistas de contos como Ficção.

Quando o manifesto reunia mais de mil assinaturas, Fonseca foi à Belo Horizonte para se reunir com a dupla na casa do escritor Murilo Rubião. Iria se decidir quem levaria o documento ao ministro Armando Falcão, da Justiça. A escolha recaiu nas escritoras Lígia Fagundes Telles e Nélida Pinõn, mais o historiador Hélio Silva. Mas Jeferson, um dos pais do levante, também queria ir. Rubião foi duro com ele: "Mas você não é ninguém, Jeferson". Fonseca tomou o partido do jovem contista: "Ele é o autor da ideia, Murilo. A partir de agora, ele vai ser alguém". E Jeferson foi incorporado ao grupo, enquanto Emediato digitou no telex os 1046 nomes de escritores, músicos, cineastas, atores, artistas plásticos, advogados, jornalistas que pediam a liberação do romance. Pesos pesados subscrevem o documento, como o filho Chico e o pai Sérgio Buarque de Holanda,

OS VENCEDORES

Antonio Cândido, Prudente de Morais Neto, Henfil, Otto Maria Carpeaux, Tom Jobim, Nélson Pereira dos Santos, Mário Quintana, Mário Lago, Dias Gomes, Antonio Houaiss, Milton Nascimento, Paulo Emílio Salles Gomes, Décio de Almeida Prado, Paulinho da Viola...

Em janeiro de 1977, Falcão não se dignou a receber a comissão dos 1.046, como era a expectativa dos quatro representantes ao viajarem à Brasília. O manifesto acabou nas mãos de um obscuro auxiliar de gabinete do ministro. O texto argumentava que os signatários defendiam não somente um título, mas questionavam "um instrumento arbitrário" que, pediam, fosse suprimido. Ponderava que a proteção da moral, dos bons costumes e das instituições não poderia depender "do amordaçamento da criatividade e do cerceamento do ato de pensar".

Deu em nada. *Zero* só regressaria ao convívio das prateleiras em maio de 1979. Sob o último governo da ditadura militar. Foram quase três anos de mordaça. É um caso paradigmático, mas não o único, nem um dos poucos. Seus companheiros de cárcere mais notáveis foram *Feliz Ano Novo*, de Rubem Fonseca, e *Aracelli, meu amor*, de José Louzeiro. Mas a população desses escritos aprisionados avançou pelas centenas.

Somente sob Geisel e Falcão, foram mais de 500 livros proibidos e um número impreciso, — mas de muitas centenas — de peças teatrais, filmes, músicas, *jingles*, cartazes, espetáculos e outras formas de expressão cultural[3]. Entre 1974 e 1978, pisava-se em um terreno tão traiçoeiro que a supressão da obra artística era o dano menor. Isto porque, havia quem advogasse, além de prender a criação, era preciso prender seu criador.

Após confessar ter sofrido "arrepios" pela leitura de Rubem Fonseca, o senador Dinarte Mariz, ex-udenista do Rio Grande do Norte alojado na Arena, a sigla que cumpria os rapapés civis no regime militar, pontificou: "É pornografia de baixíssimo nível, que não se vê hoje nem nos recantos mais atrasados do país". O fato de Fonseca haver colaborado com o Instituto de Pesquisas e Estudos Sociais, o IPES, *think tank* anticomunista que trabalhou a favor do golpe de 1964, veiculando propaganda contra o governo Goulart, não fez Mariz afrouxar: recomendou que o autor deveria receber o mesmo tratamento de seu *Feliz Ano Novo*.

Em tempos tão bicudos, o oligarca potiguar não estava sozinho. Secretário de Segurança Pública, e crítico literário nas horas vagas, o coronel Erasmo Dias foi além da retórica: leu o romance *Em câmara lenta*, não gostou, e prendeu seu autor, Renato Tapajós, considerando que o livro era mais útil à subversão do que o *Livro vermelho*, de Mao Tsé-Tung...

Passageiro no mesmo infortúnio de *Zero*, *Feliz Ano Novo* foi fulminado pela censura na sua terceira reimpressão. Corria o ano de 1975. Mas seu degredo duraria muito mais. Só obteria seu *habeas corpus* treze anos depois, em 1989, já no período democrático.

Também embargado, o romance-reportagem de Louzeiro aborda o estupro e assassinato em Vitória/ES de uma criança — Aracelli Crespo, nove anos, sequestrada, drogada, desfigurada a dentadas e morta em uma orgia sexual. Os principais suspeitos? Dois pedófilos e drogados, porém filhos de tradicionais e ricas famílias do Espírito Santo. Brasília não aparentou comoção com a sorte de Aracelli, mas se enterneceu com a desdita dos prováveis autores do seu martírio. Resultado: a narrativa de Louzeiro foi parar no índex da censura federal.

Zero, *Feliz Ano Novo*, *Aracelli, meu Amor* tiveram confrades menos notáveis, títulos tão díspares entre si como *A chinesinha erótica*, de Brigitte Bijou, e *América Latina: Ensaios de interpretação econômica*, de José Serra e outros. Ou *Os condenados da terra*, de Franz Fanon, e *Copa mundial do sexo*, de Camille La Femme. E ainda: *Tessa, a gata*, de Cassandra Rios, *O relatório Hite*, de Shere Hite, *Os padres também amam*, de Adelaide Carraro, e *Socialismo em Cuba*, de Leo Huberman e Paul Sweezy. E assim por diante com uma listagem estendendo-se por treze páginas...[4] A ideia geral atrás dos critérios dos censores, mas que transparecia da listagem, era a de que sexo era algo tão revolucionário — e portanto tão ameaçador — quanto a política. A propósito, o general Moacir Araújo Lopes, da Comissão Nacional de Moral e Civismo, divisava um "naufrágio moral" suscitado pela "degradação da mulher", seguida pela "destruição da família"[5], fenômenos adubados pela "libertinagem" que traz o erotismo e a pornografia.

O tema da luta pela democracia permeou boa parte da obra de Brandão, mesmo depois da chamada abertura. No romance *O beijo não vem da boca*, de 1985, baseando-se num caso real, Brandão percorre a história de um casal de brasileiros que não eram guerrilheiros, mas abrigavam perseguidos pelo regime. "Chegaram uns sujeitos na casa deles carregando sacos de supermercados. Abriram os sacos e deles tiraram metralhadoras e metralharam quatro pessoas no apartamento do casal. Viraram as costas e foram embora. Depois daquilo, o casal deixou o Brasil e foi para a Alemanha."

Hoje Brandão contempla o passado sem saudosismo. Enumera as decepções: a falta de reação de Goulart em 1964, os rumos de Cuba que "foi muito importante para a minha geração" e hoje "é o que é" e o PT e o episódio do Mensalão. Mas não livra a cara do século XXI. "O que restou foi a mediocridade. As coisas são cada vez mais superficiais. Nunca teve tanto best-seller. *Crepúsculo*? Não é para pensar."

E sobra indignação: "Os estudantes, em 1968, foram massacrados na luta armada. E agora? Agora é metrossexual, é pele, é academia...". Viajante incansável, depara-se com o mesmo panorama desanimador: cidadezinhas de 10 mil habitantes têm, todas, "uma puta academia". E nem uma só livraria. "Músculos, beleza, cabeça vazia. O lado externo de tudo. Aparência. Visibilidade. Um amigo chegou e disse pra mim: "Você tem que ter mais visibilidade". E eu: "Pra quê? O que vou fazer com ela? Estou é me escondendo...".

Salva-se, para ele, a Comissão da Verdade. "Só a instalação dela já foi uma coisa boa. Claro que os militares vão se incomodar. Até hoje se discute a Resistência Francesa e o colaboracionismo." E os militares longe do poder e de aventuras totalitárias, submetidos a um civil, o ministro da Defesa, a quem se reportam. "Talvez isso seja a democracia...", cogita.

Talvez democracia seja também o espaço e tempo onde uma artista não passa por aquilo que Marília passou...

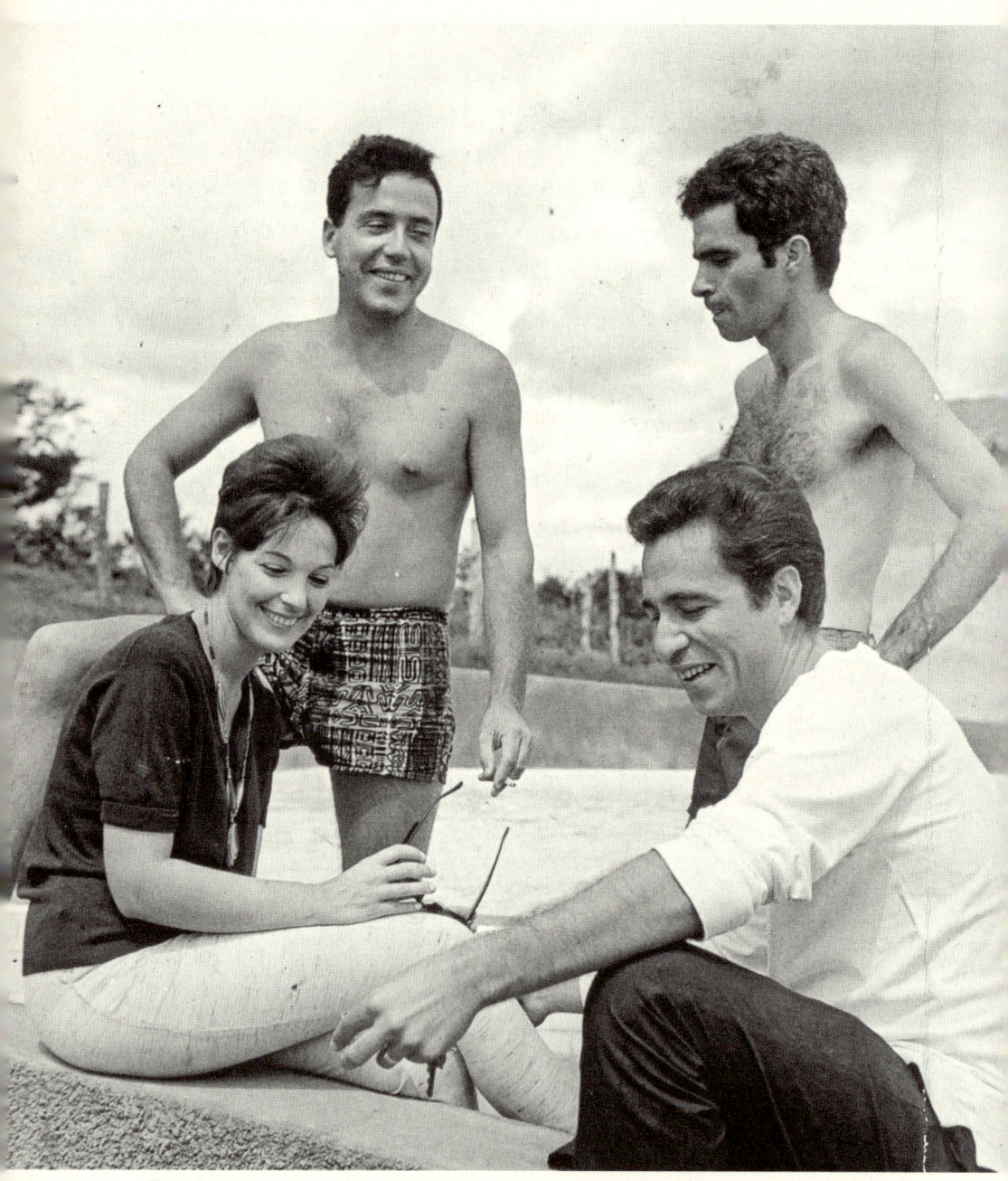

Brandão (à direita, em pé), conversando com o cineasta Luis Sérgio Person (à esquerda) e o casal Geraldo Vandré e Nilce Tranjan no festival de cinema de Bauru, em 1965: ponto de partida para Zero foi uma gaveta atulhada de material censurado na Última Hora

OS VENCEDORES

Mourão Filho e a movimentação de suas tropas (abaixo) que afligiu o jornalista Brandão em Última Hora. O general deixaria sua trajetória pessoal vinculada à implantação de duas ditaduras, a do Estado Novo, em 1937, e a dos generais em 1964

*A hesitação hamletiana do general
Amaury Kruel (à esquerda) durou pouco.
Logo, o comandante do II Exército traiu
Goulart e aderiu ao golpe*

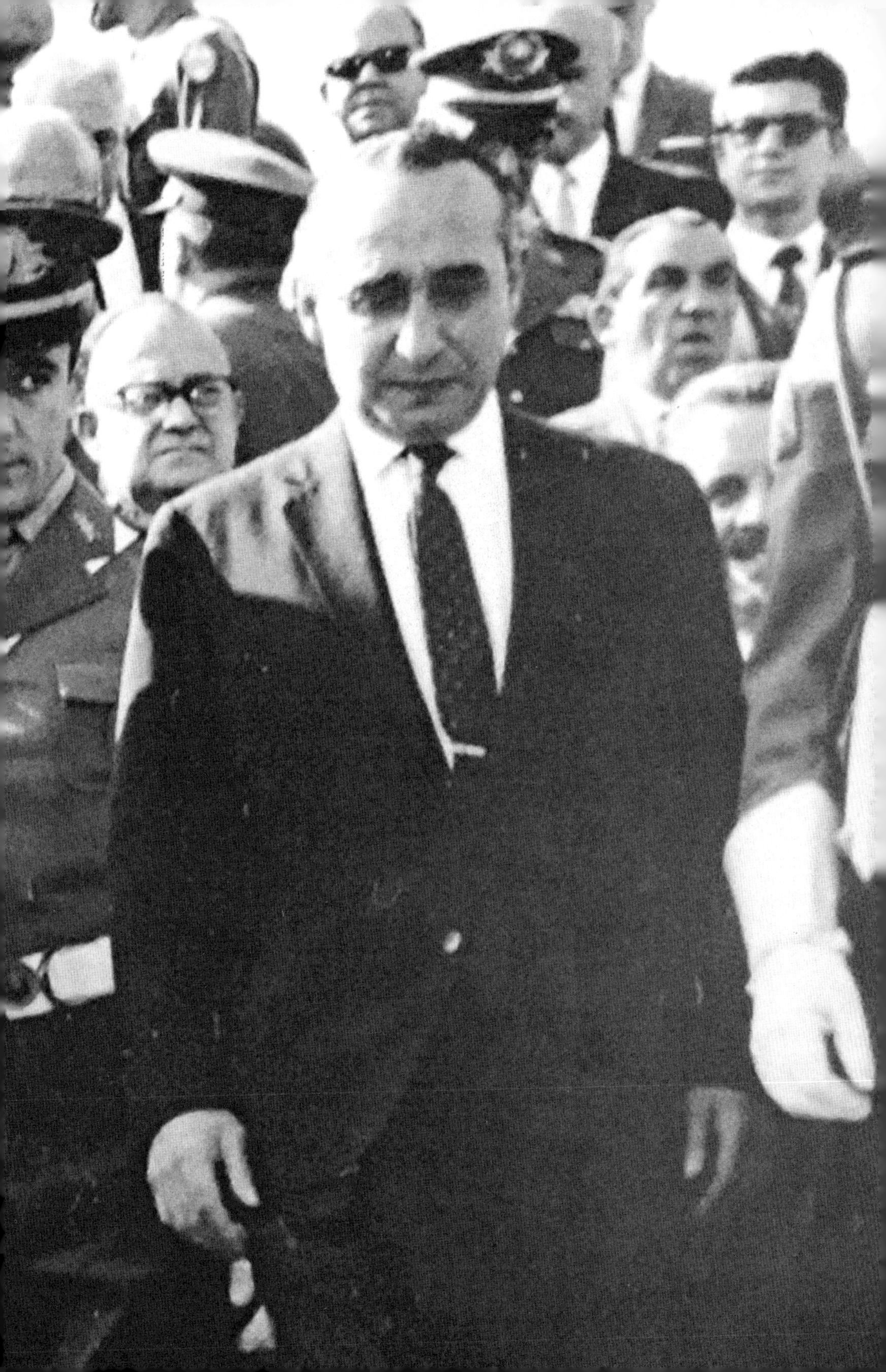

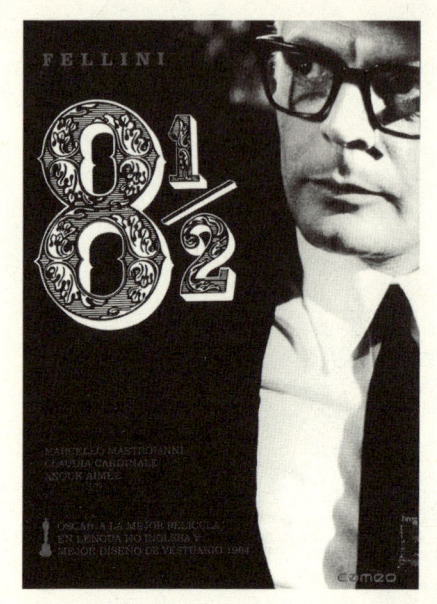

Ruptura da linearidade narrativa praticada por Federico Fellini em 8 e Meio *inspirou o autor de* Zero

Falcão, ministro da Justiça de Geisel, não se dignou a receber a comissão de notáveis que pediam a liberação de Zero

OS VENCEDORES

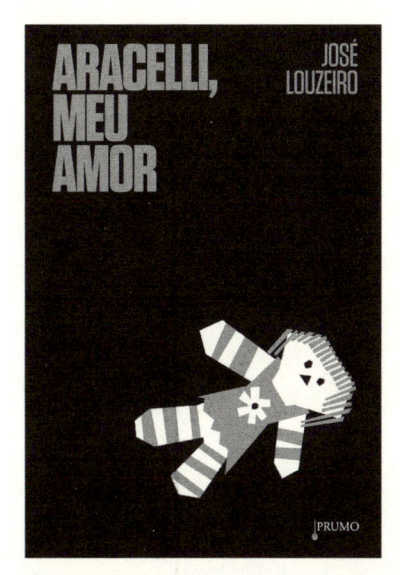

Relatando o estupro e assassinato de uma menina de nove anos, Aracelli, Meu Amor também foi vetado. Motivo? Os dois suspeitos eram filhos de ricas e tradicionais famílias do Espírito Santo

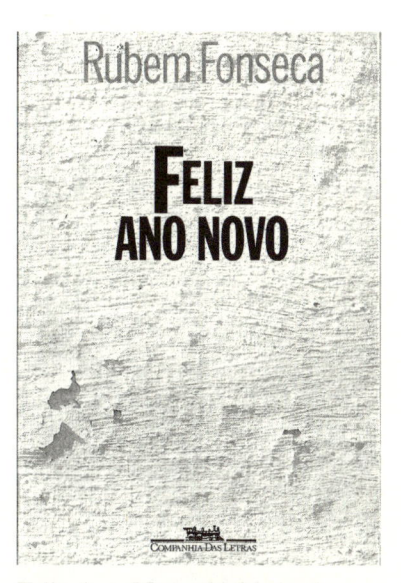

Feliz Ano Novo *foi fulminado em 1975. Seu degredo duraria treze anos. Só terminaria em 1989, quatro anos após o fim da ditadura*

Para o senador Dinarte Mariz, da Arena, Feliz Ano Novo era "pornografia de baixíssimo nível" e proibi-lo era pouco. Queria que seu autor, Rubem Fonseca, fosse preso

Marília foi trancafiada no mictório dos soldados no II Exército. Ao sair, um policial perguntou-lhe sobre o quebra-quebra de Roda Viva. *E logo lhe ofereceu a resposta: "Lembra do ataque do CCC? Foi a gente quem fez"*

CAPÍTULO 18

Da rua vêm os gritos: Vamos te matar!

"Cuidado, cuidado! Tão quebrando tudo!"
Marília espiara a plateia antes do começo do espetáculo. Olhara por um buraco nos bastidores. O público era quase sempre composto de uma grande maioria de moças e rapazes, muitos estudantes, vestindo roupas mais informais. Naquela noite de quinta-feira, porém, havia uma enorme quantidade de homens, encasacados, roupas escuras, alguns com gravata. Achou esquisito.

"Cuidado, cuidado! Tão quebrando tudo!"

No final da peça, ela estava no camarim removendo a maquiagem. Dava trabalho apagar as duas e grandes lágrimas escuras que desciam dos olhos, simbolizando o pranto da Virgem Maria que interpretava na montagem paulista de *Roda Viva*, na sala Galpão, do Teatro Ruth Escobar. Acabara de tirar o anel de pedra azul, presente do pai, Manuel, que o usava desde 1920 e que morrera no ano anterior. Foi quando ouviu, vindo do auditório, um estrondo como se fosse uma bomba estourando. E o aviso na voz da camareira:

"Cuidado, cuidado! Tão quebrando tudo!".

Quando abriu a porta, viu uma das integrantes do coro, Eudósia Acuña. Um homem batia com a cabeça dela na parede. "Eudósia enfiou-se no meu camarim e os caras entraram atrás", recorda. Os camarins da Sala Galpão não tinham trinco, se fechava fechava, se não fechava deixava assim mesmo. Eram pequenos, com uma pia, um cubículo. "Eu estava com sutiã e calcinha da cor da pele. Tinha uma caixinha com a maquiagem que eles despedaçaram no chão. Quebraram tudo, quebraram o camarim inteiro. Eu só perguntava "Por quê? Por quê?" Eles não respondiam. Só diziam: 'Fora! Fora! Fora!'".

Todos os atores, atrizes, pessoal da técnica e quem quer que tivesse algo a ver com a peça que acabara de ser encenada foram arrancados dos bastidores aos safanões. Tinham que percorrer, das coxias até a rua, um corredor polonês montado pelos agressores abaixo de socos, pauladas, insultos e escorraçados aos pontapés. Pelo insólito e a violência, a cena permanece intacta na memória de Marília Pêra. "Eu ainda tive tempo de passar a mão num penhoarzinho que tinha por ali e fui pelo corredor polonês segurando ele assim (diante do corpo)". Na frente do teatro, viu sua amiga Zezé Motta desesperada, falando no telefone da bilheteria avisando a mãe sobre aquilo que ainda não sabia exatamente o que era. Então Marília lembrou-se do anel que o pai havia lhe dado e que, na fuga, esquecera. "E voltei pelo corredor polonês que já estava meio desfeito e fui até o camarim. No meio dos cacos, ainda achei o anel e voltei pra rua. Aí que a gente foi acordar para o que tinha acontecido. Tudo não durou mais de três minutos."

Foi tudo muito rápido, mas as marcas, duradouras. Isa, a camareira da peça, grávida e mesmo assim espancada, perdeu o bebê. O contrarregra José Araújo foi hospitalizado com fratura na bacia. Atacado no palco, quando recolhia objetos de cena, foi chutado várias vezes. Sobrou também para o eletricista Vicente Dualde. Contra o protagonista da peça, Rodrigo Santiago, a investida foi com cassetetes, murros e coices. Socorrido, teve que enfaixar o pé esquerdo. Além de Marília e Eudósia, a agressão também alcançou as atrizes Jura Otero, Walkíria Mamberti e Margot Baird.

OS VENCEDORES

"Isso é que é revolução, isso é revolução", gritavam enquanto apertavam as atrizes e rasgavam suas roupas[1].

Paulo César Peréio foi dos poucos artistas do musical a escapar da pancadaria. Marília explica qual foi a sua sorte. "Como bom indisciplinado, ele não ficava para os agradecimentos. Dizia as maiores barbaridades em cena e, mal acabava a peça, ia embora. Escapou daquela", ri.

Instrumentos musicais, projetores, microfones, refletores, cadeiras, equipamentos elétricos, espelhos ficaram destroçados na razia do Comando de Caça dos Comunistas contra a peça *Roda Viva*, escrita por Chico Buarque e dirigida por José Celso Martinez Correia. Dezenas de homens participaram da ação terrorista na noite de 18 de julho de 1968. Empunhavam martelos, cassetetes e revólveres. E, soube-se mais tarde, também metralhadoras.

Comparando o CCC à Ku Klux Klan, o teatrólogo Plínio Marcos declarou que "a cultura e a inteligência brasileira foram massacradas em seu templo".[2] Chico, que viera às pressas do Rio para se solidarizar com o elenco, considerou "uma covardia muito grande" e ser "muito feio esse pessoal bater em mulher"[3].

Roda Viva também padecia maus bocados com a crítica teatral paulistana que não portava revólver. Na Assembleia Legislativa, deputados como o arenista Wadih Heluh atiravam-lhe discursos furibundos. "É uma verdadeira afronta à nossa sociedade e à nossa família"[4], clamou. Em 1975, em dobradinha com o colega de legenda, José Maria Marín, o deputado, também cartola do Corinthians, denunciaria "o proselitismo do comunismo" na TV Cultura, parte da campanha que selaria a prisão e o destino de Vladimir Herzog. Um mês antes do tumulto, o *Estado de S. Paulo*, em editorial, recriminara a estreia de Chico, apoiando a censura. Abriu-se um confronto com a classe artística, que anunciou a devolução dos troféus Saci outorgados pelo matutino. Outras vozes juntaram-se ao coro conservador. Algumas inesperadas, como a do Instituto Histórico e Geográfico/SP. O mundo de *Roda Viva* era imoral, sórdido, obsceno e "enlameado", reprovava[5] resolução do IHG. Era tão "subversivamente desordenado" que estendia sua agressão para além da órbita terrestre. Tratava-se, e aqui surgia a *expertise* do IHG, de indisciplina "que conflita com a ordem reinante no universo de que o movimento dos astros é exemplo edificante e permanente".

Em meio à saraivada de críticas, Chico retrucava que o bombardeio acontecia porque todos pensavam que "eu fosse apenas um menino de olhos verdes e bonzinho". Quando *Roda Viva* mostrou "o outro lado da minha personalidade, todo mundo se espantou e baixou o pau em mim. Azar deles"[6].

Na hora de registrar a ocorrência, nenhuma delegacia a aceitou. Dona do teatro, a empresária Ruth Escobar cobrou providências do governador Roberto de Abreu Sodré, nomeado pela ditadura militar. Uma comissão de artistas foi naquela madrugada à casa de Sodré, mas ele não a recebeu. Ao telefonar para o secretário de Justiça, Hely Lopes Meirelles, Ruth ouviu dele que aquilo que acontecera "era matéria de teatro" e portanto os incomodados deveriam recorrer à Polícia Federal... No dia seguinte, Sodré e Meirelles receberam, porém, um grupo de notáveis da classe teatral. Não adiantou muito. Não se tratava somente de denunciar uma sequência de crimes, mas de saber o destino de dois dos agressores, detidos na confusão[7]. Nunca mais se soube nada deles.

Demorou vinte e cinco anos para que, não a polícia, mas uma inconfidência do arquiteto do atentado desvelasse as responsabilidades. Em 1993, o advogado João Marcos Monteiro Flaquer assumiu o planejamento e a execução da afronta. Conforme seu raciocínio[8], era hora "de contar a história da injustiçada direita brasileira". Viu a ação como "um gesto cultural" que teve tanto sucesso quanto a peça. Sua finalidade era de denunciar ao regime militar "a iminência da luta armada".

Flaquer e o CCC mobilizaram 110 militantes — setenta civis e quarenta militares — para surrar os artistas e arrebentar o teatro. Quando o espetáculo acabou e o público saiu, cada integrante do CCC colocou uma luva na mão esquerda como forma de identificação e desencadeou-se o quebra-quebra. Cada grupo recebeu uma tarefa específica: cinco atiradores ficaram ao fundo, outros cinco destruíram os equipamentos e o cenário, e os demais foram surrar o elenco. O chefe zelou pela moral e os bons costumes. "Um companheiro quis estuprar uma atriz, mas eu o impedi"[9]. Sobre a selvageria, produziu uma afirmação categórica: "Foi um ato patriótico".

Se conivência fosse mercadoria um pouco mais escassa nas delegacias e quartéis, rastrear as impressões digitais do CCC e do seu mandachuva seria brincadeira de criança. Filho de pais ricos, aluno da USP, Flaquer era figurinha fácil não só entre os estudantes de perfil anticomunista, mas nos gabinetes da repressão. E a corja que comandava agia havia mais de cinco anos sem qualquer estorvo. "Foi o João Marcos (Flaquer) que fundou o CCC e salvou os estudantes de passarem todos para o comunismo[10]."

A sentença é da lavra do ex-delegado José Paulo Bonchristiano, o mesmo que escalou *Maçã Dourada* para vigiar José Dirceu. Amigo de Flaquer, relata que o CCC estava afinado com o DOI-Codi. Citado na lista de torturadores elencada pelo projeto Brasil Nunca Mais, Flaquer, no ano seguinte ao ataque à *Roda Viva*, seria nomeado oficial de gabinete do então ministro da Justiça, Alfredo Buzaid. Em 1999, um ataque cardíaco interromperia sua bem-sucedida carreira de advogado com banca na avenida Paulista. O fundador do CCC morreu aos cinquenta e cinco anos.

Impune, o CCC não sossegou após o assalto ao teatro Ruth Escobar, na capital de São Paulo. Em outubro de 1968, quando *Roda Viva* foi encenada em Porto Alegre, inovou com os sequestros dos atores Elizabeth Gasper e seu marido, o compositor Zelão. Dia 3, estreia da peça, o teatro Leopoldina estava lotado. Mas um panfleto distribuído nas imediações do teatro advertira sobre o que estava a caminho. "Gaúcho! Ergue-te contra aqueles que, vindos de fora, nada mais desejam senão violentar a tua família e as tuas tradições cristãs, destruindo-as. Hoje preservaremos as instalações do teatro e a integridade física da plateia e dos atores. Amanhã não."

No dia seguinte, o vetusto *Correio do Povo*, diário mais influente do estado, fuzilou *Roda Viva* com adjetivos como "deprimente", "chocante" e "pornográfica", todos de enternecedora harmonia com a nota do Departamento de Polícia Federal (DPF) que, no mesmo 4 de outubro, proibiu a peça em todo o território nacional. Era um espetáculo "depravado", "de mímica pornográfica", "subversivo" com cenas de "mulheres com mulheres" e de "homens com homens" o que, claro, representava um atentado "à moral e aos bons costumes". Naquela mesma sexta-feira, quando haveria a segunda encenação, o teatro já amanhecera pichado com frases como "Fora comunas" e "Chega de subversão".

Roda Viva estreara no Rio no teatro Princesa Isabel, em janeiro, em São Paulo em maio e, agora, deveria permanecer um mês em cartaz em Porto Alegre. A principal novidade no elenco era a substituição de Marilia Pêra por Elizabeth Gasper no papel de Nossa Senhora que já fora de Marieta Severo na temporada carioca. A proibição matava a peça e, aparentemente, nada pior poderia acontecer. Aparentemente.

"Foi coisa para matar a gente. A sorte foi que deu para correr. (...) Eu levei um televisor pelas costas[11]", contou o ator Paulo Antônio.

Ainda naquela sexta, à noite, quando os atores voltavam da estação rodoviária onde reservaram um ônibus para deixar a cidade no sábado, cinco veículos esbarraram na confluência das ruas Voluntários da Pátria e Dr. Flores. Trinta homens desceram armados de cassetetes e começaram a bater. Algumas vítimas ainda conseguiram alcançar o *hall* do hotel, o Rishon, na Dr. Flores. Mas não adiantou: foram surradas ali mesmo. Na recepção e na calçada em frente ao hotel ficaram as marcas de sangue. O organista Romário José foi levado ao hospital para costurar o rosto, enquanto o ator Marco Bueno perdeu um dente e teve o nariz fraturado[12].

Elizabeth e Zelão não haviam ido à rodoviária. Estavam jantando com outros integrantes do elenco. Quando foram avisados do surto do CCC e de que também estavam sendo caçados, refugiaram-se na casa de um parente. Descobertos, foram jogados num jipe e transportados a um lugar deserto, na área rural da cidade. Ali, sob a luz da

OS VENCEDORES

lua, foram intimados a tirarem a roupa e representar uma cena para seus captores. Nela, a Virgem Maria teria sexo com um parceiro que poderia ser Jesus Cristo. Elizabeth argumentou que "era algo como a Pietá, eu, Nossa Senhora, e ele, Jesus Cristo, morto aos meus pés". Na peça, a atriz cantava "Sem fantasia", de Chico Buarque, o que balbuciou ali, naquele palco de luar e diante daquela plateia atípica, de ferocidade contida, formada por homens armados e de corte reco[13]:

Vem, mas vem sem fantasia/
Que da noite pro dia/
Você não vai crescer/
Vem, por favor não evites/
Meu amor, meus convites/
Minha dor, meus apelos/
Vou te envolver nos cabelos/
Vem perder-te em meus braços/
Pelo amor de Deus... (...)

Alguém logo disse que todo o elenco — vinte e oito pessoas — deveria partir antes do meio-dia de sábado ou "não queiram saber o que vai acontecer". Os dois caminharam toda a noite e chegaram a Porto Alegre quando o sábado já amanhecia.

Sem mais *Roda Viva*, Marília seguiu sua carreira em São Paulo. Seis meses após o ataque ao teatro Ruth Escobar, estava na peça *A Moreninha*, baseada no romance de Joaquim Manuel de Macedo, no teatro Anchieta. Domingo, espetáculo terminado e cortinas cerradas, recebeu um recado da camareira:

— Tem dois rapazes aí querendo falar com você.

Eles vieram e disseram:

— Marília Pêra? A senhora está presa.

Foi um desespero.

— Posso pegar as minhas coisas?

— Pode pegar.

Seu camarim ficava na parte inferior e, logo acima, aquele dividido entre sua irmã Sandra e Zezé Motta. Com Marília e o filho Ricardo de sete anos, as duas, mais o ator André Valli, compartilhavam a mesma casa em Pinheiros. Naquele tempo, Marília servia como emissária — levando e trazendo cartas — trocadas entre o jornalista Fernando Gabeira, já na clandestinidade, e uma companheira de então. Estavam na casa, onde também guardava folhetos distribuídos em passeatas contra a ditadura. Havia comunicação entre os dois camarins e a atriz ainda teve tempo de avisá-las: "Queimem tudo!".

Quando ela passou pelo palco do Anchieta e olhou para o local da entrada do público, havia policiais com fuzis esperando. No caminho, encontrou-se com o ator Paulo Villaça, com quem havia sido casada, e sussurrou: "Fui presa!". Mas ninguém percebeu a obviedade. "Fui passando pelos contrarregras, os maquinistas, as camareiras. Ninguém viu. É uma solidão..."

Marília entrou no camburão e foi conduzida a um quartel do II Exército. Ao chegar, encontrou Ruth Escobar e o ator Renato Consorte. E havia diligências em andamento à cata de Plínio Marcos e Augusto Boal. Ela e Ruth foram trancafiadas no mictório dos soldados... Ficaram duas noites ali. "Depois comecei a me sentir mal, gelada, gelada, gelada... Apareceu por ali o Hiram, primeiro marido da Irene Ravache, que era militar. Ele entrou e se surpreendeu: 'Marília!'. Porque eu estava muito mal. Ele disse: "Vou falar".

Pouco tempo depois, as duas foram chamadas. Até então, nada se falava, não havia interrogatório. "E sempre havia uma ameaça velada de que poderiam nos estuprar. A própria Ruth falava sobre isso, que íamos ser torturadas. Mas o fato é que, duas noites depois, me soltaram." Ruth Escobar permaneceu na prisão.

Ao deixar o quartel, Marília subiu numa viatura com três policiais. Ouviu uma pergunta seguida de uma resposta o que a fez retornar imediatamente àquela noite de *Roda Viva*: "Lembra do ataque do CCC? Foi a gente quem fez".

Já era 1970 quando ela foi detida novamente. Haviam sumido dois atores do elenco de *A vida escrachada de Joana Martini e Baby Stompanatto*, peça de Bráulio Pedroso. Foram apanhados em uma esquina por um carro suspeito. Marília estava no grupo que resolveu vasculhar a cidade em busca da dupla. Varejaram até necrotérios. Ao chegar em casa, o porteiro lhe transmitiu aquele recado conhecido que, na época, vinha acompanhado de calafrios:

— Estiveram aqui dois senhores procurando pela senhora...

Quase não teve tempo de ter medo porque, ainda nas reticências, o porteiro acrescentou:

— Ah, estão eles aí...

Marília virou-se para se deparar não com dois, mas com aquilo que definiu como "uma multidão" de policiais. Reviraram todo o seu apartamento no edifício Copan, centro da capital paulista. O argumento para prendê-la, agora, era outro: era acusada de tráfico de drogas. Foi levada em um fusquinha para a delegacia de tóxicos sentada no banco de trás. No caminho, o delegado se virou para ela e perguntou:

— Sabe quem morreu aí no lugar em que você está?

Ficou esperando a resposta. E ele:

— O Marighella...

Era um tempo em que a ameaça ia além do ameaçado. Ligavam para a casa da atriz avisando que iam sequestrar e matar o seu filho Ricardo, uma criança de sete anos. "Vamos roubar o seu filho!", prometiam. Em seguida, o número do telefone da atriz apareceu escrito no muro do colégio Mackenzie[14]. Na época, ela já estava morando em Pinheiros. Pessoas paravam na frente da sua casa e gritavam: "Marília, vamos te matar!".

Houve um determinado momento em que parte da classe artística se solidarizou fortemente com o combate armado à ditadura. Essa solidariedade foi posta à prova — e confirmada — quando o capitão Carlos Lamarca desertou do 4º Regimento de Infantaria Blindada (4º BIB), em Quitaúna/SP, com uma kombi carregada com sessenta e três fuzis FAL e dois morteiros. Vivendo de esconderijo em esconderijo, Lamarca foi abrigado temporariamente na casa da atriz Lilian Lemmertz e, depois, na de Pietro Maria Bardi, criador e diretor do Museu de Arte de São Paulo (Masp), e da arquiteta Lina Bo Bardi.

Dulce Maia de Souza, que trabalhou, como produtora, em *Roda Viva*, conta que Lina Bo Bardi não só sabia de sua militância na VPR como a apoiou. "Realizei em sua casa do Morumbi um encontro de Lamarca e Marighella", relata. Como não *abriu* o endereço e tampouco o apoio de Lina à guerrilha, a amizade entre as duas foi preservada. "Me visitou no exterior, manteve correspondência comigo e, quando de minha volta ao Brasil, me chamou para trabalhar com ela no Sesc Pompeia."

Dulce relembra que o casal Maria Della Costa e Sandro Polônio[15] também foi solidário. "Necessitávamos de dinheiro para mantermos o pessoal clandestino." Dulce organizava *shows* no Teatro Maria Della Costa. Geraldo Vandré, Chico, Caetano, Gil, entre outros, participaram. O *designer* Ricardo Ohtake criava os cartazes dos eventos. "E o cantor e compositor Luiz Carlos Paraná não somente se apresentou nesses *shows*, como também chegou a guardar pessoas em seu apartamento."

Mas a polícia política soube "por um camarada" de clandestinidade que Maria Della Costa emprestava seu respaldo aos opositores do regime e acrescentou que Dulce era a pessoa que "pegava a chave na bilheteria". Dulce: "Eu consegui assumir sem envolver o Sandro e a Maria", assegura.

Lamarca também encontrou refúgio na casa do casal Ulisses e Heleny Telles Guariba, ele professor, ela produtora teatral. A ousadia de Heleny foi além de abrigar um homem perseguido implacavelmente em todo o país. Também professora de dramaturgia, ela trocou a carreira pela guerrilha da VPR.

No dia 12 de julho de 1971, Heleny foi presa por agentes do DOI-Codi no Rio. Está desaparecida desde então. Tudo indica que foi assassinada sob tortura na Casa da Morte, sítio usado pela repressão em Petropolis/RJ[16]. Esteve no Dops paulista na cela ao lado daquela de Boal. Aconselhou-o a ter, no cativeiro, um comportamento despido de emoções, de distanciamento, mais brechtiano. Na prisão, Boal escreveu *Torquemada*, peça que dedicou a Heleny.

OS VENCEDORES

Outra atriz e outro exemplo de afinidade com a luta armada foi Norma Benguel, que compunha o rol de artistas, advogados, jornalistas, engenheiros, médicos e empresários que dava apoio pessoal e logístico à ALN. Ex-aluna de colégio de freiras e personagem, em 1962, do primeiro nu frontal do cinema brasileiro em *Os cafajestes*, de Ruy Guerra, Norma era conhecida como a *Artista* na organização. Em 1968, quando apresentava a peça *Cordélia Brasil*, foi sequestrada por militares em São Paulo. O cineasta Leon Hirzmann e sua mulher, Liana, colaboravam com a ALN.

Marília também teve sua militância. "Eu, o André (Valli) e a Zezé (Motta) participamos de reuniões em *aparelhos* no Rio e em São Paulo." Nas reuniões do Rio, estava Vladimir Palmeira. Em São Paulo, José Dirceu. "Houve um momento em que o Pingo, ator e irmão do Peréio, estava preso. Nessa época dos *aparelhos*, eu ia muito também porque namorava o Eduardo[17], irmão do Roberto Requião, que era totalmente de esquerda."

O medo da prisão levou a uma preparação para o pior. Um psicodrama com nomes como Walmor Chagas, Flávio Império e Paulo Gaudêncio, trabalhava com uma simulação macabra. Marília: "Muitas vezes, artistas participavam de exercícios que deveriam ajudá-los a suportar a tortura. Fui a vários. Lembro do Walmor (Chagas) nu em um chão frio de ladrilhos, enquanto atiravam água gelada nele..."

Eram rituais de humilhação, onde cada ator ou atriz representava um papel: torturado, torturador, carcereiro... Marília costumava ser carcereira. Era preciso cantar o "Hino Nacional" e quem errasse levava uma cusparada no rosto... "Os artistas, por essa época, facilmente se matariam por essa causa. Especialmente os jovens. Éramos muito corajosos, fazíamos qualquer coisa", conta Marília.

Quando o CCC moveu sua fúria premeditada contra *Roda Viva*, a atriz teve que explicar à família o que estava acontecendo. Ela nasceu no bairro carioca do Rio Comprido, entre os morros do Querosene e São Carlos, filha de atores pobres. Pessoas simples, os pais Dinorah e Manuel, não entendiam o incidente em São Paulo.

Ao telefone, a mãe aflita perguntou se o ataque fora obra de comunistas. Ao ouvir a resposta de que fora exatamente o contrário, Dinorah quis saber se a filha era comunista. "Não sei, mãe. Acho que sou..."

Nos anos 1970, durante a greve de fome que durou trinta e dois dias em vários presídios, Marília foi um dos nomes do palco, do cinema, do jornalismo e da televisão que se solidarizaram com os presos políticos. Junto de Lucélia Santos, Renata Sorrah, Ney Latorraca, Zezé Motta, Osmar Prado, Ziraldo, Dina Sfat, Paulo José, Elke Maravilha, Mário Lago, Hugo Carvana, Marília Medalha, Joel Barcelos e Elis Regina, entre outros.

Argumenta que, diante de tanta injustiça, era imperativo se afirmar como uma pessoa de esquerda. O que reafirma hoje, situando-se dentro de uma "esquerda humanitária" e enfatizando: "Eu sou do bem!". Nem o trauma de 1989, originado pelas críticas sofridas de muitos colegas, ao apoiar o candidato, depois presidente, Fernando Collor de Mello, a afastou da convicção. Confessa que ficou decepcionada com a reação. "Eu traí o clube. Mas estive com 36 milhões de brasileiros que também votaram no Collor, a quem eu não conhecia. Cedi meu apoio a ele em troca de cestas básicas para o Retiro dos Artistas — promessa que ele cumpriu. Que boba, não?"

Os atritos de 1989 calaram fundo. Embora muitos dos colegas que a criticaram tenham vindo depois pedir-lhe desculpas, quando a pergunta é sobre se apoiará algum candidato em qualquer eleição a resposta é imediata: "Nunca mais!".

OS VENCEDORES

Roda Viva: *além da agressão do CCC, peça sofreu ataques de deputados da Arena e da mídia. Acusada de ser "verdadeira afronta à família" foi proibida no Brasil inteiro após espancamento e sequestro dos atores por paramilitares em Porto Alegre*

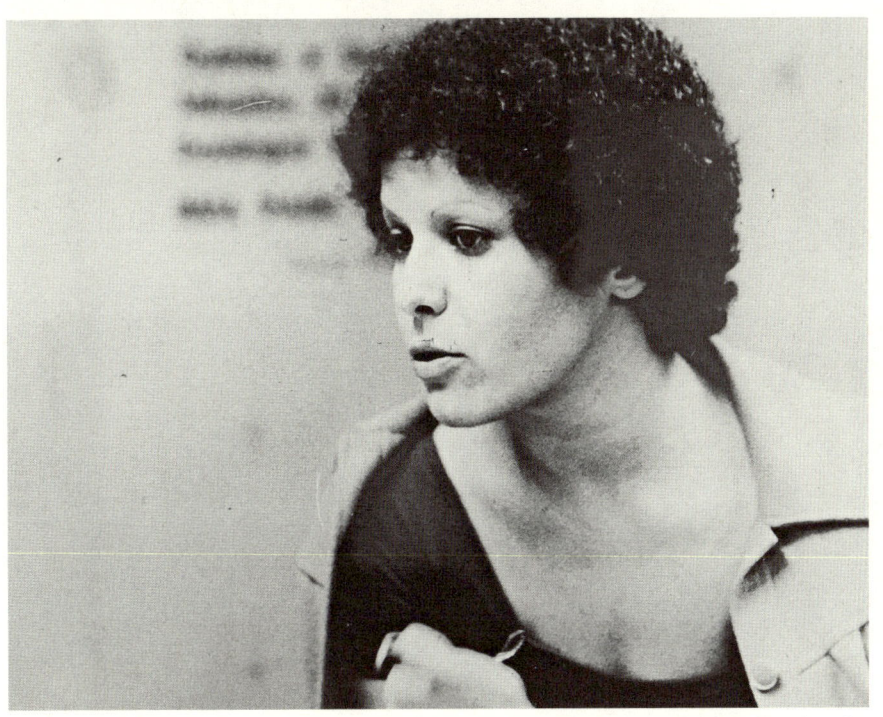

Nos anos 1970, junto com Marília, Elis Regina foi uma das personalidades do palco, do cinema e da TV que se solidarizaram com os presos políticos em greve de fome

A repressão sobre o teatro, como aconteceu com a peça de Chico Buarque, e toda a cena cultural em 1968, ajudou a construir uma afinidade entre arte e contestação à ditadura. Na Passeata dos 100 mil, a ala das atrizes tinha uma comissão de frente com Eva Todor, Tônia Carrero, Eva Wilma, Leila Diniz, Odete Lara e Norma Benguell

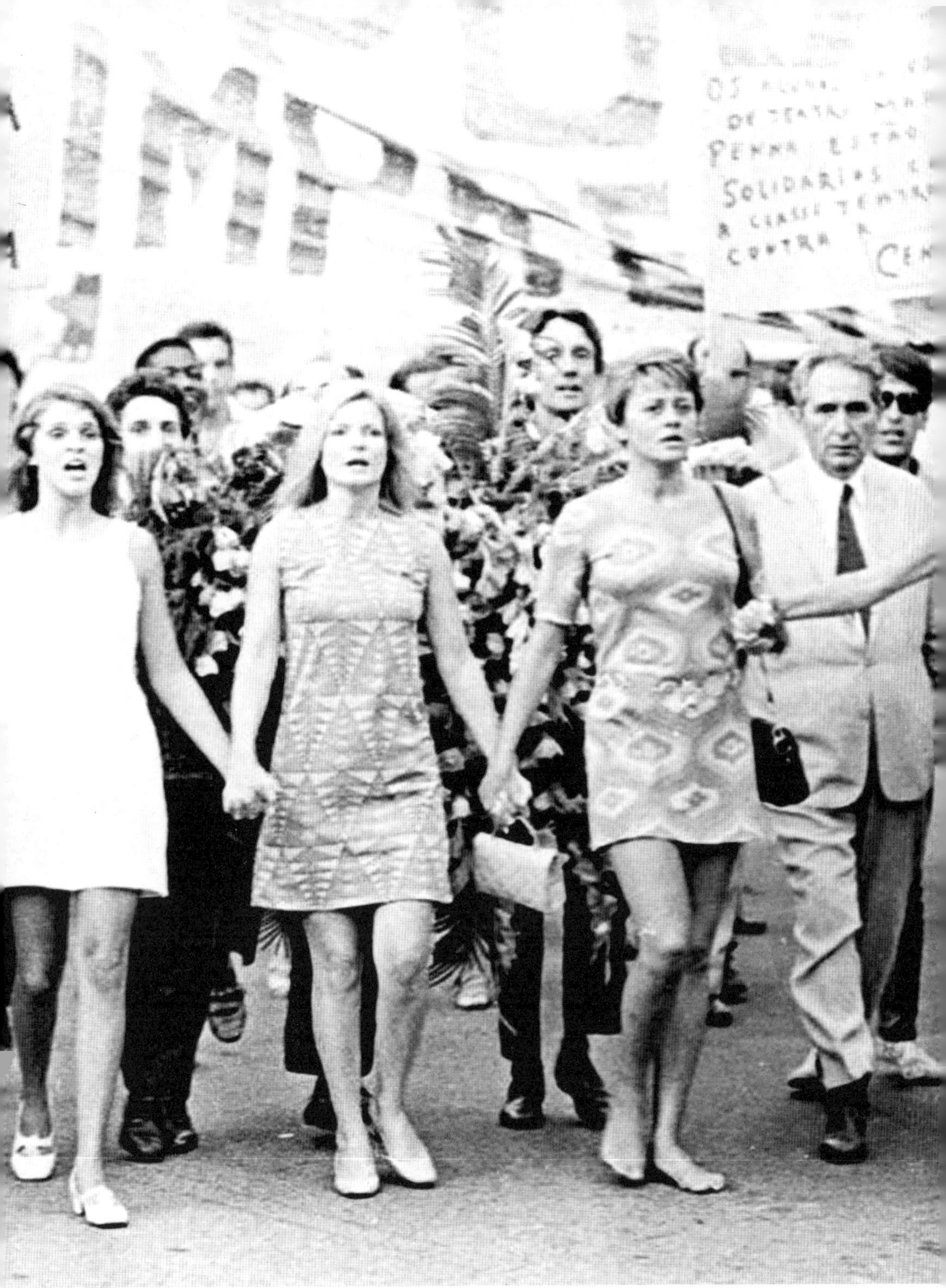
PENNA
SOLIDARIOS
CONTRA

Em 1968, Zé Celso foi às ruas na Passeata dos 100 Mil. Em 1974, na solitária, repassava sem parar as falas do teatro de Brecht para não enlouquecer. Teve dentes extraídos com socos, passou pelo pau de arara e por sessões de choques

CAPÍTULO 19

A contribuição milionária de todos os erros

Naquela noite de inverno em que Marília saiu aos trambolhões do teatro Ruth Escober e percorreu, quase pelada, o corredor polonês sob os berros do CCC, o diretor de *Roda Viva*, José Celso Martinez Corrêa, não estava no teatro. Livrou-se daquela, mas não de algo bem pior. "Me enfiaram um capuz na cabeça e me levaram pro Dops. Já cheguei apanhando, levando socos, tapas, bofetadas."

No dia 22 de maio de 1974, o encenador, dramaturgo e ator saía do apartamento da irmã, Ana Maria Corrêa, quando foi dominado pelas costas. Outras mãos o empurraram para o interior de um carro. "Me arrancaram dentes com socos. Me botaram no pau de arara, me aplicaram choques, coisa de uma dor indescritível."

O pretexto para prender o mais atrevido, polêmico e rebelde diretor de teatro da história do Brasil não era mais *Roda Viva*, mas o conjunto da obra. Era acusado de "subversão". Fazia todo o sentido: do ponto de vista da ditadura, não havia nada mais subversivo possível e imaginável do que aquilo que acontecia no Oficina. Ali, sob o ímpeto do seu xamã, acoplava-se contestação, radicalidade e delírio modernista. No seu refogado estético, o Oficina jogava tudo no caldeirão que era seu palco: ópera, circo, teatro rebolado, coro grego, chanchada, panfletarismo. Transbordava política e sensualidade para a plateia, desafiando-a e, em certo momento, embaralhando os limites entre palco e público.

Seis anos antes, depois de driblar a repressão paramilitar, encarnada no CCC, José Celso também iludiu a polícia. Em dezembro de 1968, quando a tinta do Ato Institucional número 5 ainda estava úmida, duas outras sumidades do Tropicalismo foram detidas em São Paulo. A terceira eminência escapuliu. Conta que se apresentou à delegacia e iria ser recolhido naquele dia, o mesmo em que Caetano e Gil foram para a cadeia. "Então, o meu advogado, Tales Castelo Branco, deu um dinheiro ao delegado e me mandou sair por uma porta dos fundos. E eu saí."

Quando começou no teatro, queriam que José Celso Martinez Corrêa removesse alguns vagões desse nome/comboio e adotasse um pseudônimo mais curto e mais prático. Ele disse não e explicou: "Quem vai fazer teatro somos nós quatro — o José, o Celso, o Martinez e o Corrêa"[1]. Não adiantou bater pé. Aos poucos, o falar diário foi dispensando esses dois senhores, o Martinez e o Corrêa. Restou, em vez de José, o coloquial Zé, quase sempre acompanhado do Celso. Finalmente, ficou Zé. E ele até que gostou. Ou como diz: "Sou de nacionalidade brasileira, espanhola, italiana, portuguesa e índia. Enfim, uma contribuição milionária de todos os erros"[2].

Pequeno e apenas Zé, ele começou a mexer com teatro ou algo parecido no quintal da casa. Fabricava cirquinhos e cineminhas. Pagava-se ingresso com palitos. Atrás de um pano acendia uma vela e movimentava bonecos. "Você então tinha a impressão de que aquelas figurinhas estavam trepando"[3], contou como estivesse se preparando para atrevimento maior. Se houvesse alguma dúvida quanto a isso, bastaria saber das incursões dele e seus colegas à certa casa de luz vermelha. A família Corrêa. morava próxima da região do meretrício. Quando Zé tinha sete anos, ele e os amigos peregrinavam pela zona. "Ali havia um cabaré chamado Majestique e uma puta chamada Dora. Ela fumava pela boceta. E a gente pagava pra ver ela fazer isso..."

Essa tomada que Fellini perdeu repetia-se em Araraquara. No olhar do menino e do homem, a cidade, a 277 quilômetros de São Paulo, vivia sob um manto repressor, espessado pelo provincianismo e o catolicismo. A mãe era carola, muito religiosa, vivia na missa. E queria que ele fosse padre...

Antes de horripilar a direita, Zé Celso e suas inquietações de adolescente flertaram com o Integralismo. Embevecido, escutava no rádio o cacique dessa variante acaboclada do fascismo italiano, Plínio Salgado. E não se restringiu à retórica. Participou do ataque a um comício comunista em Araraquara. "A gente saiu da escola, cantando o "Hino Nacional" e caminhando em direção ao palanque com a multidão em volta". O grupo jogou um deputado integralista em cima do palanque e a pancadaria comeu solta. Orgulhosa, sua professora de História aplaudiu: "Finalmente nós podemos confiar no Brasil!"[4].

Aos dezessete anos, Zé Celso seguiu o destino daqueles que não sabem o que fazer: foi estudar direito. Trocou Araraquara por São Paulo e matriculou-se na Faculdade de Direito do largo de São Francisco. Detestou. "Monstruosa", definiu. Lastimou, durante os cinco anos que esteve ali, nunca ter ouvido um só professor citar os direitos humanos. Um deles era Luiz Antonio de Gama e Silva, de quem o Brasil tomaria conhecimento como redator do AI-5. "Um burocrata medíocre", abreviou.

De férias em Araraquara, escreveu uma peça. *Vento forte para papagaio subir* mostrava o personagem principal vivendo sua vida estreita em uma cidadezinha sufocante. Era a sua história. Seus colegas da faculdade gostaram e resolveram montar a peça. Animado, escreveu outra, *A incubadeira*, baseada nos tormentos de um primo que também precisava romper com a família. "Minha geração teve um problema muito grave, teve que matar a família no sentido de matar os personagens, pai, mãe, irmã, avô, aquilo tolhia muito. A família era um microestado, com papéis definidérrimos, se você não matasse..."[5].

A ruptura seguinte foi com o imperialismo via Jean-Paul Sartre. Monta *A engrenagem*, roteiro de Sartre que, em 1960, visitava o Brasil. Zé Celso estava magnetizado pelo conceito sartriano de liberdade. "Não tem pai, não tem mãe, não tem ditadura que lhe justifique, não tem opressão, não tem nada. Ou você age ou você se fode. Você tem que se virar? Se vire!"[6]. Virar-se, no caso, é revolucionar e revolucionar-se.

Além de Sartre, havia a influência de Cuba e da tomada do poder por um punhado de rebeldes resolutos contra todo um exército. Fazer, tomar a iniciativa, assumir a responsabilidade. E havia o Instituto Superior de Estudos Brasileiros, o ISEB[7]. Antes dele, lembra Zé Celso, a visão que se tinha do artista era "uma coisa etérea, afastada dos compromissos com a vida". Depois, firmou-se a necessidade de comprometimento com o país e a sua transformação.

A adaptação da obra de Sartre aproximou-o de Augusto Boal, de quem depois se afastaria. Cada qual a sua maneira, os dois colidiriam com o *establishment* pós-1964, Zé Celso na linha de frente do Oficina e, Boal, como centro irradiador do teatro de Arena[8]. E ambos rumariam à prisão, à tortura e ao exílio.

O 31 de março de 1964 chegou quando Zé Celso e o Oficina levavam *Pequenos burgueses*, de Máximo Gorki. A peça havia arrebatado todos os prêmios de direção do ano anterior. Lá pelas tantas na encenação, ouvia-se "A Internacional". Já no 1º de abril, "A Internacional" não tocava mais. *Pequenos burgueses* saiu imediatamente de cartaz e o pessoal do Oficina tratou de se esconder. A atriz Etty Fraser ficava de guarda no teatro porque, segundo rememorou, "eu tinha cara de burguesona, de milionária"[9]. E a companhia, precisando mudar urgentemente de assunto, encenou a comédia *Toda donzela tem um pai que é uma fera*, de Gláucio Gill. Sobreviver era preciso e o espetáculo precisava continuar para proporcionar renda e constranger uma eventual ocupação pela polícia.

Hoje, Zé Celso decifra o assalto ao poder em 1964 como uma sublevação de zumbis. "Saíram do túmulo alguns dos meus professores de Direito, militares, americanos e famílias. Os mortos governando os vivos." Meses depois, os escondidos vieram à luz, foram até a delegacia e a censura amaciou, em troca de certo preço. "Corruptos que éramos, pagamos 240 mil cruzeiros e uma japona para o escrivão."[10]

Com *Andorra*, do suíço Max Fritsch, e com uma cenografia toda em preto e branco, o Oficina voltaria à carga. Fritsch não trata do pequeno país europeu, mas da caça às bruxas. Nesta metáfora, onde se vê os nazistas, veja-se os generais brasileiros, onde se vê os judeus, veja-se os comunistas. Após, veio *Os inimigos*, de Gorki novamente. E depois o fogo. Na manhã de 31 de maio de 1966, o teatro queimou. O diretor vestiu terno e gravata e posou entre os destroços calcinados, convocando a sociedade para o reerguimento de algo que mais pertencia a ela do que ao grupo.

Zé Celso viu o incêndio do Oficina como um sorvedouro e uma anunciação: "Com o fogo foi tudo aquilo. O golpe e a resistência primeira ao golpe. Vinha vindo outra coisa... Ninguém sabia..."[11].

O rei da vela é quem vinha vindo. Descobriu Oswald de Andrade através de Luis Carlos Maciel que, por sua vez, soube dele através do professor de literatura Ruggero Jacobbi, da Universidade Federal do Rio Grande do Sul (UFRGS). O Oficina chegou à peça de Oswald de Andrade, escrita em 1933 e nunca então encenada, pelas mãos do professor de teatro e jornalista Maciel, um dos nomes que faria *O Pasquim*, divulgando a contracultura e pilotando a coluna Underground. O gaúcho Maciel encontrou esse texto informado pelo italiano Jacobbi, ex-encenador do Teatro Brasileiro de Comédia (TBC), e insistiu para que o Oficina a conhecesse. Foi uma epifania.

"Você vai amar ou odiar! Atenção: quadrados, festivos, pudicos. Não venham!", advertia o cartaz de *O rei da vela*.

Para Zé Celso, esse espetáculo "iluminou um escuro enorme do que chamamos realidade brasileira". Isto mostrado através de um fabricante de velas, Abelardo I, na bancarrota por conta dos empréstimos contraídos. Representante da burguesia, ele se casa com Heloísa de Lesbos, figura da aristocracia cafeeira e também arruinada. Ali, o diretor descobriu "o Oswald grosso, antropófago, cruel, implacável, negro, apresentando tudo a partir de um *cogito* muito especial: esculhambo, logo existo"[12].

Esculhambação é o que não faltou na montagem. O cerne da peça e da proposta era varrer toda inspiração estrangeira que sempre norteara o palco brasileiro, a começar pelo europeizado TBC, altar do requinte e do bom gosto. Ou degluti-la e devolvê-la. O primeiro ato, descreve Aimar Labaki[13], consistia em uma sátira ao capitalismo cucaracha, "orquestrado por uma burguesia ridícula e cruel, tinha por base a estética do circo". O segundo, "o idílio da burguesia da colônia" veraneando com o representante da corte, seguia a estética do teatro de revista. E o último, "uma apoteose barroca", trazia elementos de ópera e a influência de *Terra em Transe*, de Glauber Rocha, que estreara no mesmo ano. Depois de *O rei da vela*, uma nova vertente cultural, o Tropicalismo, ganhou uma referência na ribalta.

Se *O rei da vela* causou um enorme impacto, colocando o teatro na pauta dos debates como raras vezes acontecera no país, com *Roda Viva* o choque não foi menor. Chico Buarque concluíra a peça em pouco mais de três semanas. Aborda a ascensão, queda e devoramento de um cantor pop pela máquina que inventa, promove e assassina os ídolos que produz para alimentar um mercado sedento de novidades. O cantor é Benedito Silva, ou melhor, Ben Silver, pseudônimo de sabor americanófilo, mais palatável às paradas de sucesso. Quando a engrenagem de fabricar celebridades engole Ben Silver, é preciso reciclá-lo. É quando ele assume outra *persona*: é Benedito Lampião, cantor de protesto pré-fabricado, que usa figurino de sertanejo e fala em 'liberdade'. Chico releu o texto e achou fraco. Mas apareceu Zé Celso.

OS VENCEDORES

Chico conhecia *O rei da vela*. Na hora, previu: "Vai ser uma barra". Mas topou, "inclusive me anulando como autor". Para Chico, o espetáculo montado é praticamente do diretor. "Só ele teria imaginado aquilo a partir do texto escrito[14]." E Zé Celso: "É uma coisa que o Chico fez a partir da própria experiência dele. Era um menino escrevendo sobre a própria condição de ídolo".

O toque do diretor extravasou o conteúdo de *Roda Viva* que Chico queria simplesmente como uma reflexão ácida sobre o *show business* e sua propensão à descartabilidade. Tropicalizou-o. Influenciado pelo francês Antonin Artaud e pelo polonês Jerzy Grotowski, o diretor se transformou "num índio antropófago brasileiro que usava e abusava de todas as informações ao seu dispor para produzir, no palco, algumas saladas inquietantes e extremamente apimentadas"[15].

Havia uma Virgem Maria em cena que, na montagem carioca, no teatro Princesa Isabel, seria Marieta Severo, a mulher do autor. Zé Celso colocou no palco — e na plateia — tudo o que tinha e não tinha no original. Rasgou a fronteira entre o público e os atores, fazendo a peça acontecer em todos os lugares. O cenário de Flávio Império refletia essa ruptura e, ao mesmo tempo, mistura: de um lado um enorme São Jorge e o dragão, de outro uma grande garrafa de Coca-Cola. "Flávio Império criou um cenário maravilhoso. Os paramentos também eram magníficos", diz. O personagem principal, o cantor, era carregado num andor, como numa procissão, e quem o carregava eram as macacas de auditório que, em certo momento, livravam-se do ídolo, jogando-o fora do andor.

Nas ruas e nas universidades discute-se a revolução. No teatro, ela já está em andamento. "No Brasil, 1968 começou em 1967 com *O rei da vela*. Fizemos *Roda Viva* um ano antes de *Hair*", avisa Zé Celso.

A encenação abalroava a plateia, provocando-a, convocando-a, quase intimando-a a se manifestar, a tomar uma atitude política diante do que ocorria nas suas vidas e no país. Em determinado momento, uma Virgem Maria de biquíni rebolava em frente a uma câmera de TV, enquanto esta avançava e recuava simulando o ato sexual.

As menininhas que suspiravam pelo rapaz de olhos verdes, cantor de "A banda", não imaginavam o que as esperava. "Nunca vi um público mais desorientado e perdido do que o fã-clube adolescente de Chico Buarque de Hollanda que lotava completamente o Teatro Princesa Isabel na estreia de *Roda Viva*. E não era por menos"[16], descreveu um crítico.

Outro dos lances cruciais dessa liturgia selvagem acontecia quando as fanzocas de Ben Silver matavam e devoravam seu ídolo. Atracavam-se num fígado de boi de verdade, cru e sanguinolento. E sobravam respingos de sangue cênico nas mocinhas aterrorizadas da primeira fila que haviam colocado suas roupas de ver Chico Buarque.

Chico sabia que suas fãs quebrariam a cara. Que seu nome atrairia um público que não encontraria o que esperava. Mas achou que valia a pena chutar a própria imagem, ainda mais quando esta mesma imagem era fruto do gosto fácil da televisão. "Eu não quis fazer '*show*', nem mostrar um samba novo. Eu quis fazer teatro na linguagem própria do teatro[17]."

Um elemento provocador era Mané, o personagem encarnado por Paulo César Peréio. Chico e Zé Celso combinaram que o papel ficaria por conta do ator. Diria para a plateia o que lhe desse na telha. E Peréio cumpriu a sua parte. Sobraria até para o autor. "Tinha liberdade pra xingar quem quisesse, como me xingou todas as vezes que fui assistir. Não me livrou a cara[18]."

Para o diretor, deve-se ao coro de *Roda Viva*, com sua energia e interação constante com os espectadores, grande parte do sucesso. "Era toda uma fauna inédita, tinha negro, *gay*, mulher, gente feia, gente bonita, cientista, ambientalista. De repente, caíam em cima daquele público supercareta do início de 1968. Era um estupro, um estupro com exaltação[19]."

Uma ação que provocou uma reação. "Desgraçadamente, na luta contra a obscenidade e a pornografia incluídas nas peças teatrais com objetivos puramente comerciais, pontos de vista são distorcidos pelos "esquerdinhas festivos" (...)", investiu, sob palmas, da tribuna da

Assembleia Legislativa o deputado Aurélio Campos[20]. "Mas o que objetivam é agredir o regime democrático, muito mais que defender a liberdade de pensamento. Entendem eles que, assim procedendo, estarão preparando o Brasil para a Revolução social (...)", reiterou.

Chico e Zé Celso rebateram. "Todas as grandes palavras de *Roda Viva* estão lá porque são necessárias", defendeu o autor, observando que "a censura atual não tem o menor interesse em teatro no Brasil". Zé Celso: "É a personalidade fascistoide e autoritária que tem medo de viver a vida do homem livre, é o instinto de morte que fala mais alto"[21].

Zé Celso turbinou a dramaturgia incipiente de Chico que estreou no Rio, seguiu para São Paulo e começaria, em outubro, uma grande turnê pelo Brasil a partir de Porto Alegre, quando a peça foi proibida pelo Departamento de Polícia Federal em todo o país. Seu passo seguinte foi *Galileu Galilei*, de Bertold Brecht. De 1943, Galileu enfoca o conflito entre as ideias do astrônomo e da Inquisição. No Brasil de 1968, lia-se como o embate, novamente metafórico, entre liberdade e totalitarismo. *Galileu* foi mostrada para os censores em um dia funesto: 13 de dezembro de 1968, data da promulgação ao AI-5.

O Oficina ainda montaria *Na selva das cidades*, novamente de Brecht, *As três irmãs*, de Anton Tchecov, e *Gracias Señor*, criação coletiva do grupo, que também seria vetada pela censura. E faria uma excursão de dez meses pelo Brasil afora, apresentando-se em praças, colégios, o espaço em que fosse possível, mesmo sem ganhar nada. Era, como diz Labaki, mais uma comunidade, "uma Coluna Prestes contracultural".

Foram tempos duros aqueles pós-AI-5. Não havia dinheiro e o endereço do Oficina na rua Jaceguaí, 520, virou a Casa das Transas. Havia teatro durante a semana, mas a segunda-feira era reservada ao Revolisom. Que era uma espécie de vale-tudo, o que incluía *rock*, *shows* de artistas independentes, projeção de filmes, coristas cantando canções de Brecht e Kurt Weil e o que mais aparecesse. Com direito a Rita Lee, os Mutantes, o Made in Brasil e outras atrações.

O Revolisom era mais do que som. "Como não tínhamos como nos sustentar, vendíamos ácido e maconha para sobreviver. Vendíamos para o pessoal que vinha ver o espetáculo. Palco e plateia viravam uma coisa só. Era um negócio em que o *show* terminava com todo mundo no chão", conta.

Um belo dia, a polícia invadiu o teatro e saiu de lá com seis prisões. E o diário sensacionalista *Notícias Populares* lascou a manchete "Artistas presos no embalo da boleta", com o subtítulo "Teatro Oficina era o 'QG' dos tóxicos". O diretor estava no Rio com parte do grupo e espantou-se com as primeiras informações. Alarmou-se especialmente porque foi dito na TV que os artistas haviam reagido à bala. "E nós não usávamos armas, embora guardássemos armas para o pessoal da luta armada..."

Aqui a intransigência do Oficina com o regime militar transcende o palco. Zé Celso relata, rindo, que a produtora do Oficina, Dulce Maia de Souza, "usava o fusquinha da produção para assaltar bancos" e que o teatro serviu de esconderijo para o arsenal da guerrilha. Mas Dulce entende que seu amigo Zé Celso "fantasiou demais". Assegura que "não houve esse liberalismo todo. Jamais eu usaria o fusca do teatro ou nem mesmo o meu carro pessoal em ação". Quanto às armas da guerrilha, ela também não acredita. "Ele, Zé, soube sim de minha militância na luta armada. Me apoiou. Confiei nele, e ele manteve discrição."

Na dupla vida de produtora do Oficina e guerrilheira da VPR, ela convivia com Gianfrancesco Guarnieri, Glauber Rocha, Mário Pedrosa, Jorge Mautner e Renato Borghi. Chico Buarque a chamou para a produção de *Roda Viva* juntamente com Zé Celso e Flávio Império. Antes, por vários anos, trabalhou como voluntária no Hospital do Câncer. Na militância armada, preservou a coexistência pacífica com o governador paulista escalado pelo regime. Foi frequentadora assídua do Palácio Bandeirantes no governo Abreu Sodré — "e, quando de minha prisão, ele teve para comigo uma atenção especial".

OS VENCEDORES

Na guerrilha, Dulce seguiu sua rotina de visitas a museus, galerias de arte, restaurantes, bares e festas, mantendo uma vida social muito semelhante àquela de antes da adesão à luta armada. "Não cheguei a ficar clandestina. Até mesmo durante o período de minha participação em ações, consegui viver normalmente."

E as ações de Dulce, ou melhor, a *Judith* da VPR, não foram poucas nem triviais. Na sua conta, o Dops paulista debita envolvimento em três assaltos a bancos, expropriação de carros e no atentado contra o quartel general do II Exército[22]. E ainda na morte do capitão do exército norte-americano Charles Rodney Chandler, ex--combatente no Vietnã e, supostamente, agente da CIA adestrando a repressão no Brasil. Tocaiado na saída de casa no bairro paulistano do Sumaré e alvejado com seis tiros de revólver e uma rajada de metralhadora Ina.45, Chandler morreu sem chance de reação no dia 12 de outubro de 1968.

Nos panfletos jogados no local, o consórcio VPR/ALN argumentava que o militar fora executado "por sentença da justiça revolucionária" e que estaria no Brasil "com a missão de preparar criminosos locais nas mais requintadas técnicas de torturas e crueldades".

Dulce levantara a rotina de Chandler enquanto auxiliava na montagem de *O bandido da luz vermelha*, abre-alas da cinematografia marginal do diretor Rogério Sganzerla. Dois dias antes do AI-5, a VPR *fez* a casa de armas Diana, na rua do Seminário, 170, centrão paulistano. Para a empreitada precisava-se de um veículo espaçoso e Dulce expropriou um Galaxie, prerrogativa de abonados nos anos 1960. "Galaxie azul para o terror" noticiavam os jornais.

A VPR deu um tempo e foi à luta com o carrão que voltou abarrotado com quarenta e oito armas e caixas de munição. "A vanguarda político-militar da revolução expropria armas para distribuir às camadas revolucionárias da população", informava folheto deixado no balcão da loja. O assalto era "mais um passo na preparação da luta armada com o atual regime", reproduziu o *Estado de S. Paulo*.

Dulce ficou com um Smith calibre 32, como já contou[23]. Agora, porém, quer esquecer tantos sobressaltos. "Sobre a ação da Casa Diana nada lembro. Na verdade, apaguei todas (ações) das quais participei. Lembro-me somente de alguns *flashes*."

Na madrugada de 25 de janeiro do ano seguinte, Dulce/*Judith* foi presa quando dormia na casa da mãe. Conduzida ao quartel da Polícia do Exército, virou cobaia. Suas sessões de tortura tinham plateia. "Mudavam o tipo de choque fazendo experiências. Usaram vários métodos." Tentaram hipnotizá-la, injetaram-lhe pentotal. Foi submetida a outros tipos de suplício como afogamento, fuzilamento simulado e corredor polonês, sempre com presença de militares. Um dos *professores*, sujeito grandalhão de cara redonda, dava-lhe choques na vagina e prometia: "Você vai parir eletricidade![24]"

Nua, içada pelos pés e de cabeça para baixo, tomou socos, pontapés, "telefones", e choques na língua, na boca, nos olhos, nas narinas, nos seios. O martírio prosseguiu com agulhas, velas acesas e pingos de água no nariz. Como de costume, era molhada regularmente para que as descargas elétricas causassem mais e maiores danos.

Estuprada pelo cara de bolacha, ouviu xingamentos de "puta" e "ordinária". Aos algozes, retrucava que eram "anormais" e que faziam parte "de uma engrenagem podre"[25]. Conta que "como fui a primeira mulher a ser presa no período da luta armada e das primeiras pessoas a *cair*, sofri todo tipo de violência e constrangimento".

Destroçada pela tortura, *abriu* um endereço, na rua Fortunato, bairro de Santa Cecília, que supunha ser o de um apartamento onde estivera numa feijoada. Mas era um *aparelho*. Lá o delegado Raul Nogueira de Lima, o *Raul Careca*, e sua equipe do Dops emboscaram o chefe do grupo de fogo da ALN, Marco Antonio Braz de Carvalho, o Marquito, um dos autores da morte de Chandler, executando-o com dezoito tiros.

Ficaria na prisão até junho de 1970, quando a VPR e a ALN capturaram o embaixador da Alemanha. Estava na relação dos quarenta prisioneiros políticos libertados. Banida, vagou com seu companheiro, Diógenes José Carvalho de Oliveira, por Argélia, Cuba, México, Bélgica, Chile, Guiné-Bissau e Portugal, retornando ao Brasil em 1979.

Quando Dulce vivia tantas agruras, a repressão também mordia os calcanhares do teatro brasileiro. E não apenas do brasileiro. "A polícia se dividia para nos caçar, parte atrás do pessoal do Oficina, parte atrás do *Living*", diz Zé Celso.

Os norte-americanos do *Living Theatre* vieram ao Brasil a convite de Zé Celso e Renato Borghi. Mas a tentativa de trabalho colaborativo não prosperou. O diretor do Oficina achou o grupo de Julian Beck e Judith Malina demasiado messiânico e puritano, embora anarquista e pertencente à Nova Esquerda. Na visão do diretor do Oficina, "eles vinham com uma consciência imperialista muito forte, uma coisa de querer 'salvar' a América do Sul, uma missão totalmente enraizada na cabeça deles..."[26].

No começo, a química era "maravilhosa", mas logo as diferenças afloraram. De um lado, os salvacionistas/colonialistas, de outro o processo caótico do Oficina. O diretor sumaria: "Tentamos trabalhar juntos, mas não deu certo. Só falavam do povo, o povo, o povo... E as pessoas não entendiam. E eles (o *Living Theatre*) não entenderam a antropofagia".

Zé Celso cedeu seu apartamento para os convidados e gastou muito dinheiro para manter aquela situação. No apartamento, a tolerância libertária de Beck-Malina causava alguns inconvenientes: a filha do casal, Isha, de quatro anos, fazia suas necessidades em qualquer lugar sem ser advertida. Fundado em 1947, o *Living* adquirira notoriedade pela interação entre atores e público, a pregação da desobediência civil e a militância contra a guerra do Vietnã. Mais do que um grupo, era uma comunidade performática impregnada de política e sexualidade. *Paradise Now*, seu espetáculo mais impactante, fora descrito por Judith Malina como "um campo magnético inclusivo" que escorraçava a censura ou qualquer controle, borrando a distância entre atores e expectadores, convidados a também atuarem e assumirem seus dramas.

Desfeito o casamento Oficina/*Living*, a tribo multinacional de Beck e Malina — norte-americanos, canadenses, alemães, austríacos, portugueses e latino-americanos — partiu para Ouro Preto, convidada para o Festival de Inverno. No dia 2 de julho de 1971, foram detidos pelo Dops sob acusação de porte de maconha. O camburão abriu caminho no meio da multidão na praça Tiradentes, tomada pela juventude que aguardava a abertura do festival. Judith Malina recontou a última cena do *Living* em Ouro Preto. "Um manto de silêncio caiu sobre o povo." Viu, ao redor do monumento erguido ao mártir nacional, jovens rostos acompanharem a partida do grupo, sabendo de quem se tratava e por qual provação seus integrantes passavam. "Acima deles, Tiradentes, barbado e de cabelos compridos como nós, com a corda ao pescoço." Nota que, embora removido à força do festival, o *Living*, daquela maneira, acabava fazendo parte de sua cena inaugural. "Foi nossa sua noite da estreia. Nossa e do herói com a corda no pescoço[27]."

Ficariam quase dois meses encarcerados. Ruim para o *Living*, pior para a ditadura.

A prisão ganhou repercussão planetária. Choveram mensagens pedindo a libertação da trupe. John Lennon, Yoko Ono, Jane Fonda, Mick Jagger, Michel Foucault, Bernardo Bertolucci, Jean-Luc Godard, Pier Paolo Pasolini, Marlon Brando e Bob Dylan eram apenas alguns dos nomes estelares que reluziam no abaixo-assinado encaminhado ao governo. Em 28 de agosto, Médici ordenou a expulsão do *Living Theatre* do país. Na sua exposição de motivos, o decreto da deportação menciona a "onda de protestos" surgida em várias partes do mundo atribuindo ao regime "conduta inamistosa com a classe teatral, o que tem sido explorado por inimigos de nossa pátria, na campanha difamatória que empreendem contra o Brasil". Acentua que o próprio grupo alimentou a campanha e observa que tal comportamento "torna a presença dos alienígenas (*sic*) presos em Minas Gerais absolutamente perniciosa aos interesses nacionais"[28].

OS VENCEDORES

O episódio *Living* fez o mundo voltar os olhos para o Brasil, notadamente para o tratamento que a cultura recebia por aqui. Antes, na noite de 2 de fevereiro de 1971, Augusto Boal constatara na carne aquilo que o decreto presidencial chamou de "conduta inamistosa com a classe teatral". Voltava para casa caminhando, quando três homens saltaram de um carro e o sequestraram. Levado para o Dops paulista, foi torturado, conhecendo a "conduta inamistosa" na versão do delegado Sérgio Fleury.

Dois meses de prisão e Boal foi liberado para se juntar ao Teatro de Arena, que participava do Festival Mundial de Teatro de Nancy, na França. Antes de partir, assinou um documento comprometendo-se a retornar, uma vez que ainda não fora julgado. De um funcionário ouviu então: "Não prendemos ninguém uma segunda vez: matamos! Não volte nunca. Nesta linha: assine! Prometa voltar"[29]. Foi para o exílio e só retornou oito anos depois.

Tirania e teatro nunca se deram bem. Em dezembro de 1964, quatro anos antes do AI-5 tornar tudo muito pior, a montagem paranaense de *A megera domada* foi amputada na sua estreia carioca. Era uma homenagem ao quarto centenário de nascimento de seu autor, William Shakespeare, que, mesmo morto, enterrado e dissolvido, não escapou à tesoura. Há ocorrências tão estapafúrdias que, mesmo no caldo de cultura dos primeiros e mais tacanhos anos da censura, levanta-se a dúvida. Em 1965, ao estrear a peça *Electra* em São Paulo, agentes da polícia política compareceram ao teatro com a firme decisão de prender o autor por subversão[30]. Incrédulos, ouviram que Sófocles habitava outro plano desde 406 a.C.

Podadas ou proibidas são igualmente peças ou textos de Bertold Brecht, Tennessee Williams, Harold Pinter, Dias Gomes, João Cabral de Melo Neto, Maximo Gorki, Plínio Marcos, Oswald de Andrade, Nélson Rodrigues, Mário de Andrade, Jean-Paul Sartre, Oduvaldo Viana Filho, Qorpo Santo e Chico Buarque, entre dezenas de autores.

Em 1967, a tesoura suprime menção à carta-testamento de Getúlio Vargas na peça *O homem do princípio ao fim*, de Millôr Fernandes[31]. Veta ainda a Oração de Santa Tereza de Ávila que diz:

Nada te perturbe.
Nada te amedronte.
Tudo passa, só Deus não muda.
A paciência tudo alcança.
A quem tem Deus nada falta.
Só Deus basta!

Depois de Boal, chegaria a hora de Zé Celso. Era 1974. Foi um sequestro e não uma prisão legal, da mesma maneira que ocorrera com Boal. Somente após alguns dias do sumiço, a informação vazou. Publicada, confirmou a prisão e impediu seu "desaparecimento". Ficou preso durante pouco menos de um mês, boa parte na solitária. "Você ia pra solitária quando estava machucado demais para continuar sendo torturado." Sozinho, sem contato com ninguém, passava todo o tempo repassando sem parar as falas das peças de Brecht e de Oswald de Andrade, para tentar preservar sua sanidade mental. "Na tortura, tentei me converter em um iogue, buscando me afastar de tudo aquilo, mas não teve jeito", reconhece.

No Dops paulista, ele delineia dois espaços. Um deles, o das masmorras úmidas e escuras onde não havia presença do conceito e do aparato de uma sociedade legal regida sob uma constituição que vedava a tortura e o assassinato pelo Estado. O outro representado pelo mundo mais claro, formalizado, da burocracia, onde o preso ia prestar depoimento depois de ser torturado, tudo sob uma luz de aparente legalidade. Entre esses dois universos paralelos, moíam-se as carnes e obtinham-se confissões aparentemente imaculadas. "Dois delegados estavam sempre rondando por lá: Sérgio Fleury e Romeu Tuma. Não me torturaram, mas supervisionavam o que estava sendo feito."

OS VENCEDORES

Como aconteceu também com Boal, escritores, atores e outras personalidades da cultura como Jean-Paul Sartre e Jean-Louis Barrault escreveram ao governo brasileiro pedindo a libertação de Zé Celso. Três semanas depois, ao deixar a cadeia, também tomou o rumo do estrangeiro. Nos três anos seguintes, trabalhou em Portugal, Moçambique e França, dirigindo filmes — um sobre a Revolução dos Cravos e outro sobre a libertação de Moçambique do governo colonial — e fazendo teatro. Retornou em 1978 e reabriu o Oficina no ano seguinte, o da anistia.

Brigou com o empresário Sílvio Santos, que queria comprar o prédio do Oficina para transformar o quarteirão em um *shopping center*. Dirigiu uma peça, *Mistérios gozosos*, aberta com uma cena de sexo grupal para valer. Escreveu outra, *Cacilda!*, de nove horas de duração, sobre a grande dama do teatro brasileiro, Cacilda Becker. Em 1987, abalado pela morte do irmão, Luiz Antonio, assassinado com 107 facadas em um crime homofóbico, organizou manifestações de rua pedindo punição para o assassino. Reformulou o teatro, batizado de Oficina Uzyna Uzona. Montou Jean Genet (*As boas*), Eurípedes (*As bacantes*), Nélson Rodrigues (*Boca de ouro*), apropriou-se de Shakespeare (*Ham-Let*) e encenou *Os sertões*, de Euclides da Cunha. Em 2010, a perseguição do Estado ao diretor foi reconhecida pelo Ministério da Justiça. Mas o dinheiro da indenização acabou caindo de novo no cofre do grupo. "O adiantamento de 200 mil reais me permitiu tocar o Oficina em 2012. Porque o dinheiro que estávamos esperando para isso acabou retido na burocracia..."

Tem uma imensa vontade de remontar *Roda Viva*. Mas Chico não quer nem ouvir falar. Acha que a peça é fraca. Na verdade, naquela entrevista a *O Pasquim*, de 1975, o autor foi ainda mais incisivo: "É uma merda".

Na opinião do diretor, o compositor sofreu a influência do julgamento de alguns amigos seus, caso dos cronistas Rubem Braga e Paulo Mendes Campos. "Eles acharam que eu havia traído o Chico."

Zé Celso percebe a peça muito mais atual hoje — na era das celebridades instantâneas, dos *reality shows* e quando os ídolos são ainda mais pré-fabricados e descartáveis — do que na década de 1960. O período carregava uma aura antecipatória. "Todas as revoluções de hoje estavam dentro no palco daquela época. Eu tinha trinta anos em 1968 mas me liguei com a geração dos vinte anos que tomou conta da peça com uma energia tremenda. Foi quando eu saí do armário. Eles traziam no corpo todas as revoluções, a da ecologia, a do sexo, a das drogas..."

Então, a grande revolução não foi a da luta armada mas a do desbunde. Mas ele adverte que a semente dos anos 1960 está sendo confrontada agora. Pelos fundamentalistas evangélicos e católicos. Nesta conta entra a intimação que recebeu, em 2013, para comparecer à 23ª DP em Perdizes e reconhecer participantes de peça-protesto encenada na PUC no ano anterior. Insatisfeitos com a nomeação do candidato menos votado da lista tríplice — e supostamente o mais conservador — para reitor, os estudantes convidaram o Uzyna Uzona para a encenação, que montou, no pátio, uma adaptação de *Acordes*, de Bertold Brecht. Nela, um boneco de três metros de altura que representava o Papa tinha a cabeça decepada[32]. "É a contrarrevolução que está em curso: contra a libertação das mulheres, contra os homossexuais, contra a liberação das drogas."

Drogas é um tema sempre palatável para Zé Celso, que entende muito salutar o interesse do ex-presidente Fernando Henrique Cardoso na descriminalização da maconha. Preconiza até que o ex-presidente vá além do discurso. "Pra ele, é muito bom queimar uns baseados, está numa idade boa pra isso. Se os velhos fumassem, seriam tão mais felizes. Reativa a memória...",[33] receitou. Mas confessa que não captou o projeto de FHC, centrado na descriminalização do usuário. "Tem que descriminalizar é o comércio! E com o governo cuidando da regulamentação." Maconha de qualidade com tarja preta, perfeitamente legal. "Com a fiscalização do Ministério da Saúde e o dinheiro dos impostos revertido para a cultura."

E Luiz Inácio Lula da Silva foi "um presidente antropófago". Antropófago? "Sim. Ele até vem da mesma região dos índios Caetés que devoraram o bispo Sardinha[34]. O Gil, que era ministro da Cultura, é outro antropófago. Basta ver aquela música dele onde ele devora e absorve e transforma tudo", propõe.

Na interpretação heterodoxa do encenador, Lula emplacou mesmo quando deixou de lado a ideologia e aderiu ao pragmatismo, ou seja, ao suprassumo da antropofagia, e descobriu a si mesmo. "Ele fez um governo cheio de rebolado. De Carmen Miranda. De pega pra cá, joga pra lá." Acha que Lula "sambou no poder" devorando o que lhe veio pela frente. "Fez um governo incompreensível do ponto de vista marxista.(...) E descobriu a si mesmo. Antes tinha muita influência da Igreja. O Lula fez um governo laico maravilhoso nesse sentido. Com nenhuma religião, com nenhuma ideologia, com nada[35]."

E o futuro?

"Não espero nada. Eu tô aí."

Teatro, cinema e MPB na Passeata dos 100 Mil: na primeira fila, da esquerda para direita, os atores Arduíno Colassanti e Renato Borghi, Zé Celso, Caetano Veloso, Nana Caymmi, Gilberto Gil, Paulo Autran e Tônia Carrero

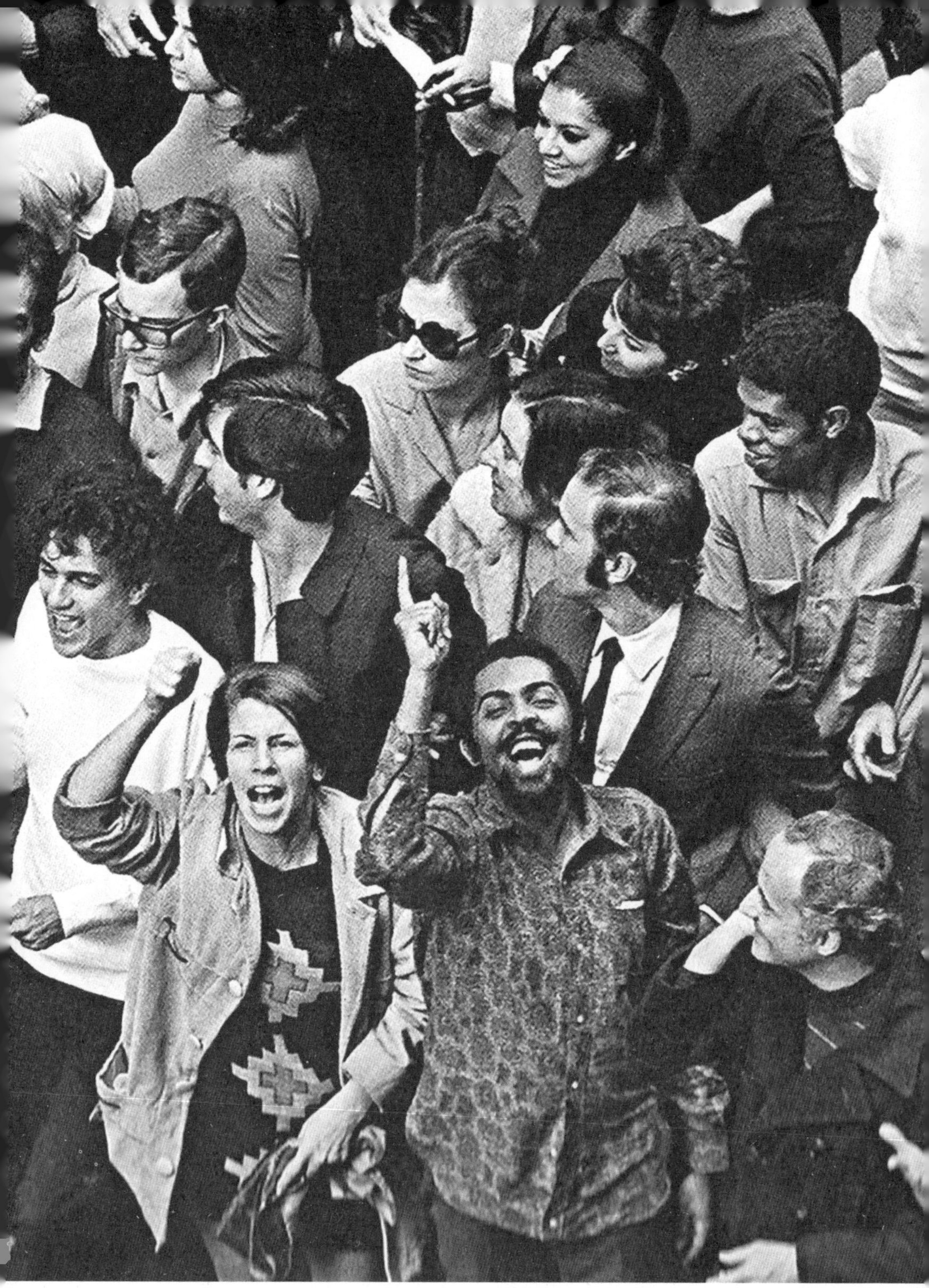

Ayrton Centeno

Desfile dos Camisas Verdes da Ação Integralista Brasileira. Antes de horrorizar a direita, o jovem Zé Celso flertou com a variante cabocla do fascismo italiano

OS VENCEDORES

Fã de Plínio Salgado (paramentado ao lado da esposa, Carmela), cujos discursos ouvia no rádio, Zé Celso logo deixou de dar ouvidos ao líder integralista. Sua referência passaria a ser o antropófago Oswald de Andrade (na foto com a mulher, a escritora Patrícia Galvão), autor de O Rei da Vela, *retrato tragicômico da burguesia paulista, que o diretor usou para revolucionar o teatro brasileiro a partir do princípio "esculhambo, logo existo"*

MANIFESTO ANTROPOFAGO

Só a antropofagia nos une. Socialmente. Economicamente. Philosophicamente.

Unica lei do mundo. Expressão mascarada de todos os individualismos, de todos os collectivismo. De todas as religiões. De todos os tratados de paz.

Tupy, or not tupy that is the question.

Contra todas as cathecheses. E contra a mãe dos Gracchos.

Só me interessa o que não é meu. Lei do homem. Lei do antropofago.

Estamos fatigados de todos os maridos catholicos suspeitosos postos em drama. Freud acabou com o enigma mulher e com outros sustos da psychologia impressa.

O que atropelava a verdade era a roupa, o impermeavel entre o mundo interior e o mundo exterior. A reacção contra o homem vestido. O cinema americano informará.

Filhos do sol, mãe dos viventes. Encontrados e amados ferozmente, com toda a hypocrisia da saudade, pelos immigrados, pelos traficados e pelos touristes. No paiz da cobra grande.

Foi porque nunca tivemos grammaticas, nem collecções de velhos vegetaes. E nunca soubemos o que era urbano, suburbano, fronteiriço e continental. Preguiçosos no mappa mundi do Brasil.

Uma consciencia participante, uma rythmica religiosa.

Contra todos os importadores de consciencia enlatada. A existencia palpavel da vida. E a mentalidade prelogica para o Sr. Levy Bruhl estudar.

Queremos a revolução Carahiba. Maior que a revolução Francesa. A unificação de todas as revoltas efficazes na direcção do homem. Sem nós a Europa não teria siquer a sua pobre declaração dos direitos do homem.

A edade de ouro annunciada pela America. A edade de ouro. E todas as girls.

Filiação. O contacto com o Brasil Carahiba. Oú Villeganhon print terre. Montaigne. O homem natural. Rousseau. Da Revolução Francesa ao Romantismo, á Revolução Bolchevista, á Revolução surrealista e ao barbaro technizado de Keyserling. Caminhamos.

Nunca fomos cathechisados. Vivemos atravez de um direito sonambulo. Fizemos Christo nascer na Bahia. Ou em Belem do Pará.

Mas nunca admittimos o nascimento da logica entre nós.

Contra o Padre Vieira. Autor do nosso primeiro emprestimo, para ganhar commissão. O rei analphabeto dissera-lhe: ponha isso no papel mas sem muita labia. Fez-se o emprestimo. Gravou-se o assucar brasileiro. Vieira deixou o dinheiro em Portugal e nos trouxe a labia.

O espirito recusa-se a conceber o espirito sem corpo. O antropomorfismo. Necessidade da vaccina antropofagica. Para o equilibrio contra as religiões de meridiano. E as inquisições exteriores.

Só podemos attender ao mundo orecular.

Tinhamos a justiça codificação da vingança A sciencia codificação da Magia. Antropofagia. A transformação permanente do Tabú em totem.

Contra o mundo reversivel e as idéas objectivadas. Cadaverizadas. O stop do pensamento que é dynamico. O individuo victima do systema. Fonte das injustiças classicas. Das injustiças romanticas. E o esquecimento das conquistas interiores.

Roteiros. Roteiros. Roteiros. Roteiros. Roteiros. Roteiros. Roteiros.

O instincto Carahiba.

Morte e vida das hypotheses. Da equação **eu** parte do **Kosmos** ao axioma **Kosmos** parte do **eu**. Subsistencia. Conhecimento. Antropofagia.

Contra as elites vegetaes. Em communicação com o sólo.

Nunca fomos cathechisados. Fizemos foi Carnaval. O indio vestido de senador do Imperio. Fingindo de Pitt. Ou figurando nas operas de Alencar cheio de bons sentimentos portuguezes.

Já tinhamos o communismo. Já tinhamos a lingua surrealista. A edade de ouro.
Catiti Catiti
Imara Notiá
Notiá Imara
Ipejú

A magia e a vida. Tinhamos a relação e a distribuição dos bens physicos, dos bens moraes, dos bens dignarios. E sabiamos transpor o mysterio e a morte com o auxilio de algumas formas grammaticaes.

Perguntei a um homem o que era o Direito. Elle me respondeu que era a garantia do exercicio da possibilidade. Esse homem chamava-se Galli Mathias. Comi-o

Só não ha determinismo - onde ha misterio. Mas que temos nós com isso?

Continua na Pagina 7

Desenho de Tarcila 1928 - De um quadro que figurará na sua proxima exposição de Junho na galeria Percier, em Paris.

Revista de Antropofagia e o manifesto que inspirou os rumos do Oficina e a leitura de Roda Viva: pregando a "Revolução Caraíba" e "contra toda a importação de consciência enlatada"

OS VENCEDORES

A encenação de Roda Viva *abalroava a plateia, intimando-a se manifestar, a tomar uma atitude política. Para Zé Celso, no Brasil, 1968 começou em 1967 com* O Rei da Vela. *E comprova: "Fizemos* Roda Viva *um ano antes de* Hair"

Um dos fundadores do Oficina com Zé Celso, o ator Renato Borghi viveu debochadamente o usurário Abelardo I em O Rei da Vela

Marieta Severo, nos tempos de Roda Viva. *Ela escapou da fúria do CCC que atacou as protagonistas Marília Pêra, em São Paulo, e Elizabeth Gasper, em Porto Alegre*

Boal, à direita: depois de preso e torturado deixou o Brasil. Ao partir para o exílio, recebeu um aviso do Dops: "Não prendemos ninguém uma segunda vez: matamos! Não volte nunca"

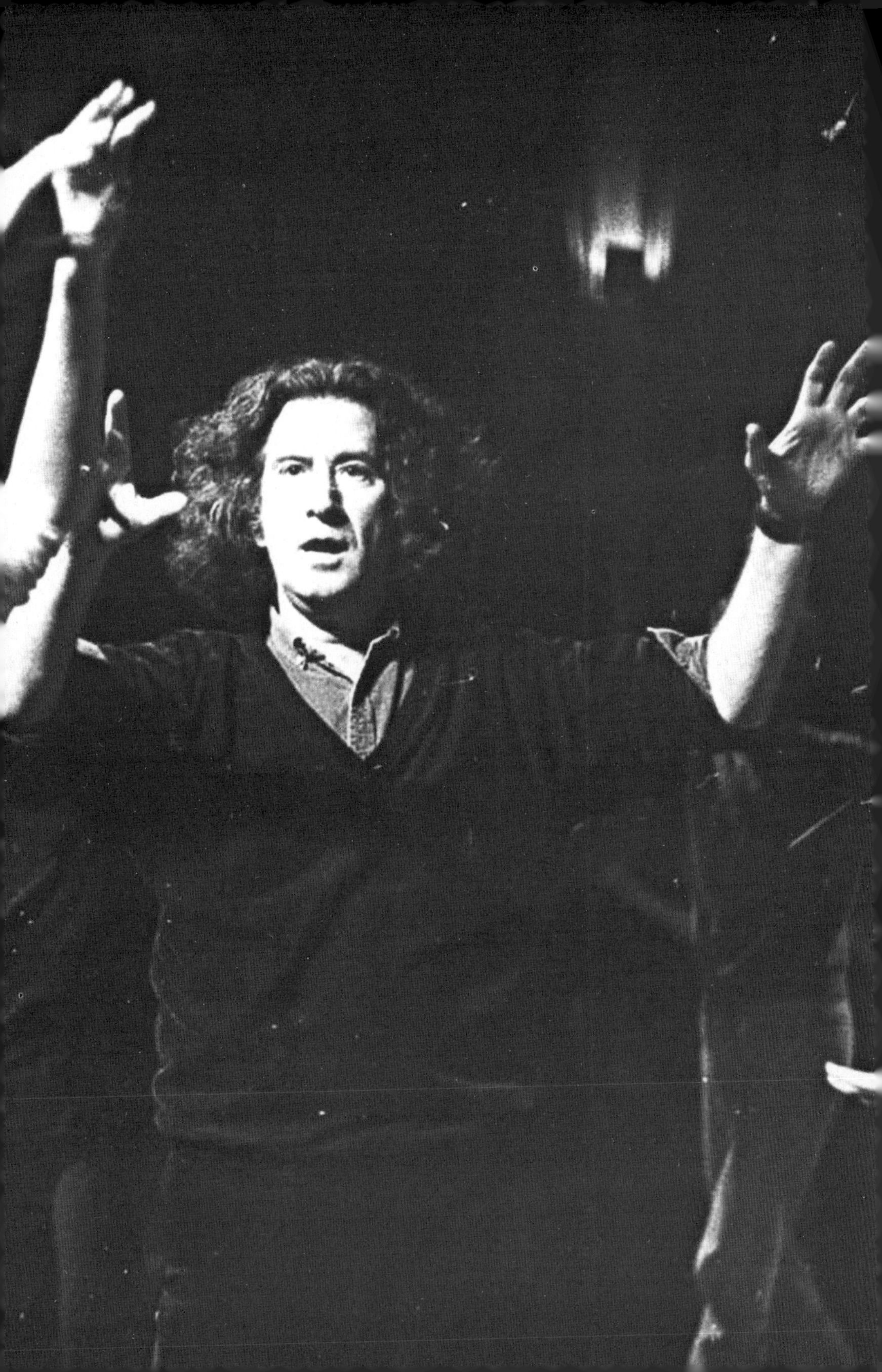

Cena corriqueira de rua após o golpe contra Goulart, que foi "uma tremenda frustração". Sete anos depois do golpe, ao conversar com o ex-presidente, o jovem Tarso mudaria seu ponto de vista sobre as chances de resistir

CAPÍTULO 20

Manda ele pro Itamarapau!

"Te cuida, guri!"

Despreocupadamente, o guri voltava do aniversário de quinze anos de sua amiga, Rita Jappe, naquela terça, dia 31.

O autor da advertência, dono da joalheria Pereyron, em Santa Maria, região central do Rio Grande do Sul, advertiu-lhe que "isto que está acontecendo hoje vai mudar e muito o Brasil. Não é uma mera quartelada".

Tarso Fernando militava na política estudantil, participava da União Gaúcha dos Estudantes Secundários (UGES) e lutava pelas "reformas de base". Tinha dezessete anos e pertencia à ala moça do PTB de Getúlio Vargas, João Goulart e Leonel Brizola. E de seu pai, Adelmo, vice-prefeito da cidade. Ao chegar em casa, Adelmo e a mulher, Elly, ainda estavam acordados. O pai, mais cauteloso, o que contrastava com o otimismo da mãe. "Isto não dura seis meses", disse ela. "Mãe, não é isso que o Renan Pereyron está dizendo. Ele falou que é uma coisa bastante pesada..."

O 1º de abril acordou com o golpe em evolução. Adelmo, no exercício do cargo de prefeito, fazia contatos com sargentos e militares legalistas para tentar organizar a resistência. Tarso tentava acompanhar as reuniões, mas o pai o mandava sair. Até que, a partir de certo momento, deixou que ficasse. "Falava-se no dispositivo militar do general Assis Brasil e do general Osvino Ferreira Alves que, segundo ele, impediria qualquer tentativa de derrubada do governo."

Mas logo o golpe, sem resistência, se consolidou. Goulart resolveu não reagir e seguiu para o exílio no Uruguai, mesmo rumo do seu cunhado, Leonel Brizola. Implantou-se uma sensação aplastante de derrota. Adelmo foi deposto da prefeitura e começaram as prisões dos desafetos do novo regime. "Foi uma tremenda frustração."

Sete anos mais tarde, o jovem Tarso teve uma longa conversa que o ajudou a rever, de outro prisma, o quadro dos idos de março de 1964. O diálogo durou seis horas e um litro de uísque e aconteceu na estância El Rincón, em Taquarembó, Uruguai.

"Jango se sentou e colocou uma das pernas — ele tinha uma perna dura — sobre uma banqueta. Ao lado, o *Ballantine's* e um balde de gelo." Naquela tarde, o ex-presidente resolveu ficar à disposição para conversar com o jovem de vinte e três anos, filho do amigo Adelmo e que passava algumas semanas na fazenda. Contou-lhe que se recusou a reagir "não por ser covarde, mas porque, se houvesse reação, haveria uma guerra civil, um banho de sangue e a intervenção das tropas dos Estados Unidos".

Jango tinha cinquenta e dois anos. Morreria cinco anos depois daquela conversa regada a *Ballantine's*, ainda no exílio, então na Argentina. Acalentava, ainda, a expectativa numa transição para a democracia que lhe permitisse retornar ao Brasil.

Entre a primeira conversa com o joalheiro amigo da família e a segunda, com o presidente deposto, Tarso Fernando Herz Genro trocou o velho PTB pelo PCdoB. Depois, seria expulso do Núcleo de Preparação de Oficiais da Reserva (NPOR) por razões políticas. "Era um momento (por parte da ditadura) de sondagens de ideologia, de doutrinação muito forte da Lei de Segurança Nacional no NPOR e, em alguns momentos, eu me contrapunha a essa doutrinação. Então fiquei muito visado, ainda mais porque escrevia em jornais de estudantes." Na época, paralelamente ao NPOR, fazia panfletagens, pichações, além de tentar recrutar militantes da periferia para realizar esse tipo de ação.

Mais tarde, durante a luta interna no PCdoB entre o grupo que pretendia partir para a guerrilha rural no Araguaia e aqueles que defendiam as ações urbanas, rompeu com o partido e ingressou na Ala Vermelha do PCdoB em 1966. Na Ala, seu codinome era *Rui*.

A Ala Vermelha contava com trinta militantes em Santa Maria. Mas o ativismo do então estudante de Direito, ao contrário do que seria o óbvio, não acontecia na universidade e, sim, entre os operários, especialmente os ferroviários. Foram quatro anos nessa atividade. Assim, quando os policiais indagaram ao irmão Gelásio[1], diretor da faculdade de Direito, sobre as atividades de Tarso entre os estudantes, ele pode responder sem problemas. "Ele é filho de um subversivo, mas aqui não tem militância nenhuma."

Na verdade, embora influenciado pelo pai, a *subversão* por linhagem consanguínea era um conceito inadequado. Por seus próprios olhos, o jovem Tarso percebera, aos quinze anos, que o Brasil era um país desigual. Lembra-se nitidamente deste instante e reproduz, cinquenta e dois anos depois, uma fotografia mental da cena que o chocou. Aconteceu num congresso nacional da União Nacional de Estudantes de Escolas Agrotécnicas (UNEA), em Bananeiras, interior da Paraíba. Na hora de jantar, não tinha restaurante. Havia só um armazém. "Éramos um professor e cinco estudantes. Pedimos salsicha, pão e ovo frito, que era o que havia." Quando perceberam, havia quinze pessoas em torno da mesa vendo-os comer. "Era gente com fome. Isto foi o momento mais flagrante em que eu vi o que era o Nordeste, a fome e a miséria absoluta."

Tarso deveria retornar do congresso, realizado em janeiro de 1964, como presidente eleito da UNEA. Era o candidato natural. Desistiu da indicação em troca de uma promessa ao pai. Intercedendo junto a Jango, Adelmo Genro conseguiu seis passagens de avião para Tarso e mais cinco representantes gaúchos viajarem à Paraíba, mas pediu ao filho que não se candidatasse e regressasse à Santa Maria para prosseguir estudando. Tarso topou. Em seu lugar, foi eleito Luiz Renato Pires Almeida, hoje um dos treze desaparecidos políticos brasileiros em território estrangeiro[2].

Tarso foi preso duas vezes. Na primeira, em 1967, durante o Congresso Nacional da UNE em Belo Horizonte. Rendeu uma semana de xadrez e um processo. Da segunda vez, caiu durante uma operação arrastão desencadeada em todo o país no dia seguinte ao da morte de Marighella — 4 de novembro de 1969. As quedas haviam começado em 1968. No ano seguinte, 80% da Ala Vermelha estava na prisão. Foi chamado no Dops e resistiu a uma acareação. Era com um militante da Ala Vermelha do PCdoB, hoje executivo de uma grande empresa. Na acareação, perguntavam ao companheiro se Tarso era pessoa a quem se referia. E ele confirmava: "É ele mesmo!" E Tarso negava. Dizia que não sabia de nada daquilo mas que, se quisessem, assinaria qualquer coisa que propusessem. Mas não sabia do que se tratava. E ameaçavam: "Manda ele pro Itamarapau", um trocadilho sinistro com Itamaraty...

Libertado, soube que enfrentaria mais um confronto com outra pessoa. Na data da segunda acareação, atravessou a fronteira para o Uruguai. "Não tinha segurança de que, se fosse torturado, eu não falaria. Ninguém pode ter essa segurança. E deu certo porque ninguém mais foi preso."

Como as placas do carro da família estavam "queimadas", quem o levou para o exílio — 345 quilômetros até Rivera — foi um amigo da família, o desembargador João Pedro Rodrigues Reis.

Permaneceria dois anos entre Rivera — fronteira seca, separada por um passo da brasileira Santana do Livramento — e Montevidéu. Era um exílio de características bastante peculiares e favoráveis, entre elas o acesso de familiares e, no seu caso, a possibilidade de trabalhar. Não passou por maiores dificuldades. Estava perto da família e trabalhava como professor.

Rivera transformou-se em rota dos procurados pela ditadura brasileira rumo ao exílio no Uruguai ou, como também era comum, escala no caminho para o Chile ou Cuba. Diferentes organizações de combate ao regime militar organizaram ali uma estrutura ecumênica de apoio de evasão ou ingresso no país. "Mantínhamos um *aparelho* através do qual prestávamos serviço para entrar ou sair do Brasil clandestinamente para diferentes grupos, incluindo-se aí a VPR, o PCdoB, a VAR-Palmares e o Partidão (PCB). O arrimo local era o advogado uruguaio Adão Fajardo, da ala esquerda do Partido Colorado e militante da Frente Ampla. Fajardo cultivava contatos com a polícia uruguaia e com pessoas simpáticas à oposição à ditadura e que ajudavam os refugiados. "Passava-se de um lado para o outro com certa facilidade e com documentos, às vezes, grosseiramente falsificados."

No verão de 1973, o Uruguai vivia uma crise institucional profunda sob a presidência de Juan Maria Bordaberry, um dos maiores proprietários de terras do país e vinculado ao Partido Colorado. Enfraquecido, Bordaberry foi proibido de nomear ministros sem a anuência das três armas. "Extirpar todas as formas de subversão de que atualmente padece o país" era uma das pretensões expressas pelos militares já em fevereiro. Em junho do mesmo ano, veio um golpe atípico por contar com a participação do próprio presidente constitucional. Fechou-se o congresso e a imprensa foi impedida de, ao comentar o fato, dizer que havia sido implantada uma ditadura militar[3], conforme advertiu explicitamente o decreto 464.

Com o Uruguai, porta de entrada e saída dos perseguidos pelas ditaduras, tão inseguro quanto os demais países do Cone Sul, alterava-se também a vida dos exilados brasileiros. Tarso tinha uma bem nutrida biblioteca marxista, com obras de Mao Tsé-Tung, documentos dos Tupamaros etc. Ele e um amigo, o agrônomo Manuel Luiz Coelho, o *Maneca*, também do PCdoB, resolveram livrar-se de tudo aquilo. Pegaram um carro e foram a um bairro remoto de Rivera. Era um rancho pobre, com paredes cobertas de picumã, onde morava sozinho um amigo de *Maneca*, homem de seus oitenta anos, e lá enterraram os livros. Antigo quadro do Partido Comunista, já retirado, este deu aos dois uma lição de política: "Aventura, luta armada, vocês vão aprender..."

Percebe que era hora de voltar. Neste momento, a trajetória do professor perseguido que buscou refúgio além da fronteira vai se cruzar com a sombria jornada pelos porões do coronel Carlos Alberto Brilhante Ustra, comandante do DOI-Codi. Era o que sustentava o militar, acusado de ser um dos próceres da tortura pós-1964, em São Paulo.

Ustra e Tarso nunca se encontraram. A vinculação que o antigo chefe do DOI-Codi estabeleceu foi entre *Ruy*, o militante da Ala Vermelha do PCdoB que retornava e a família Ustra, que o teria abrigado. Foi justamente o que Ustra, apontado como torturador, fez através de seus advogados. E por que agiu assim? Porque acreditava que, invocando este gesto, mostraria sua boa índole, incompatível com a de quem martirizaria o próximo — embora na sua própria narrativa atribua a iniciativa ao seu irmão e não a ele próprio. Relata que José Augusto Brilhante Ustra, que morava na cidade e era noivo da filha do secretário da Segurança Pública do Rio Grande do Sul, Athos Teixeira Baptista, teria feito gestões em favor de um retorno seguro de Tarso. Além disso, teria viajado à Rivera para buscá-lo. Tarso nega.

"Meu pai é quem foi me buscar", garante. Mas conheceu, sim, os Ustra, numerosos na cidade. O pai do Ustra do DOI-Codi foi seu professor de Direito Comercial. "Era o Célio Ustra, grande figura humana, até de esquerda." E seu irmão, José Augusto, estudou Direito na mesma faculdade de Tarso, embora não na mesma turma. "Foi colega de classe do meu irmão mais velho, o Horácio, de quem era muito amigo." Depois, tornou-se professor de Filosofia do Direito. "Ignoro que tenha feito alguma gestão, quando estava no Uruguai, para que eu retornasse ao Brasil."

Há outras aproximações. Uma ex-esposa de Adelmo Genro Filho, irmão mais novo de Tarso, Márcia Ustra Soares, era sobrinha dos irmãos Ustra. "Na época, nem sabíamos da existência desse Ustra coronel. Vim a saber dele muito tempo depois."

Ao voltar, intimado a prestar novas declarações, depôs ciente do teor dos depoimentos dos seus companheiros de Ala Vermelha. Precavidamente, seu advogado, o militante do PCB Eloar Guazzelli, obtivera as transcrições para municiar seu cliente. Confirmou tudo o que os demais processados haviam dito e foi absolvido por falta de provas. E reata uma relação especial com o PCdoB, agora dentro da chamada Tendência Popular e com militância no MDB. Permanece no já PMDB até 1984.

Quando o companheiro de PCdoB, José Genoíno, deixou a cadeia, os dois participaram da organização da Esquerda do PCdoB. Que acabou desaguando no também clandestino Partido Revolucionário Comunista (PRC), fundado em 1984, onde Tarso vai virar *Inácio*. Divide sua atividade em três blocos de intervenção: trabalho político com advogados e intelectuais; organização do PRC entre os metalúrgicos; e atividade interna no PRC com o comitê central. Tudo isso e mais a atividade de advogado trabalhista. Com uma postura crítica ao stalinismo, ao trotskismo e ao reformismo, o PRC[4] irá sobreviver até 1989.

Meio século depois dos fatos de 1964, Tarso percebe a ditadura brasileira como um ente atípico. Admite que sua análise ainda é incompleta e que carece de comprovação. Observa que o regime dos generais obteve "um enorme apoio na sociedade" pelo projeto de desenvolvimento econômico que desencadeou pela via autoritária, pela via violenta inclusive, porque teve "uma representação política verdadeira", a cargo da Aliança Renovadora Nacional, a Arena. Entende que a Arena cumpriu uma tarefa nacional-desenvolvimentista de direita que o PMDB não soube cumprir na democracia. "Era um partido coeso com a autoridade militar, tinha base social e apoio eleitoral e levou esse modelo até o momento em que ele se esgotou."

Ele discorda da ideia dos militares como antagonistas da sociedade civil. "Não é verdadeiro. Os militares tinham um partido político eficiente que usava a máquina do autoritarismo e cumpria tarefa de opressão contra os civis." Repara que a repressão no Brasil foi violenta com tortura e morte, caracterizando uma ditadura. Mas foi diferente do que ocorreu na Argentina e no Chile. "Aqui, os militares tinham apoio civil forte e quadros políticos que eram gestores do Estado juntamente com eles."

A Arena se esgotou, argumenta, porque a missão que desenvolveu até 1974 foi destruída pela primeira e a segunda crise do petróleo. Além disso, o próprio processo de industrialização criou uma adversidade com o governo. Sob a ditadura, uma greve econômica se tornou uma greve política e gerou consequências. Não é por acaso que, do interior desses movimentos por melhorias salariais no ABC paulista, iria emergir uma nova oposição ao regime, trazendo novas lideranças.

Quatro meses antes de Tarso cruzar a avenida João Pessoa, em Santana do Livramento, e sair do Brasil para entrar na uruguaia Rivera, *Henrique Rossmann* fez o mesmo percurso. Tarso voltaria, ainda nos anos 1970, para exercer a profissão de advogado e a militância social. Tornou-se prefeito de Porto Alegre e ministro de três pastas diferentes — Educação, Relações Institucionais e Justiça — sob o governo Lula, antes de chegar ao governo do Rio Grande do Sul. *Rossmann* perambulou pela América, Europa e África e só retornou onze anos mais tarde. Com outro nome.

OS VENCEDORES

Antes do PT, o jovem Tarso passou pelo PCdoB, a Ala Vermelha, o MDB e o PRC mas começou sua trajetória no setor jovem do antigo PTB de Getúlio Vargas. Com Goulart, em torno de um litro de Ballantines, *teve uma conversa que nunca mais esqueceu*

Tarso em caminhada com aliados na campanha para governador em 2010

© Ayrton Centeno

ido

Temendo a repressão que perseguia os dissidentes e com sua casa queimada, Rossmann apelou a este nome falso e escapou para o exílio

CAPÍTULO 21

Com a ajuda de Kafka e Marighella

Henrique Rossmann partiu do Brasil no dia 4 de julho de 1969 e ingressou no Uruguai por Santana do Livramento. Deixou toda sua vida para trás, o que incluía família, negócios e bens. Nem mesmo o nome levou, trocado por esse *Henrique Rossmann* que tomou emprestado de Franz Kafka que o concebera na condição de personagem de seu romance inacabado *Amerika*. Para quem estava perdendo praticamente tudo para livrar a pele, não era hora de brincadeiras, mas aquele que se apresentara como *Rossmann*, inclusive e principalmente no seu passaporte, não resistiu à tentação de zombar de sua própria situação e das autoridades que vigiavam a fronteira. "Escolhi esse nome e inventei o resto: filiação, local de nascimento, as datas. Criei uma nova identidade", gaba-se, matreiro, o publicitário Carlos Henrique Knapp.

Knapp começou a se tornar *Rossmann* ao chegar a sua casa na rua Sofia, no sofisticado bairro paulistano do Jardim Europa num dia do outono de 1969 e surpreender uma cena medonha. O centro de tudo era um homem baleado na cabeça e que se esvaía em sangue também em decorrência de outros buracos de bala espalhados pelo corpo. Em volta, gente que nunca tinha visto antes. O ferido era Francisco Gomes da Silva, o *Davi* do grupo de fogo da Ação Libertadora Nacional. Sem poder levar o companheiro até um hospital — onde o paciente seria preso, torturado e provavelmente morto — e sem saber o que fazer, decidiram escondê-lo na casa de Knapp, apoio da ALN. "Achei que ele ia morrer. Aí chamaram o Boanerges."

Militante e médico, Boanerges de Souza Massa atendia aos baleados da ALN. Percebeu logo que a situação não se resolveria facilmente. Davi precisava imediatamente de sangue e, para tanto, só recorrendo aos serviços do Banco de Sangue. Inventou-se uma patranha de que o paciente era hemofílico, sofrera um acidente e necessitava de atendimento domiciliar. Mas a transfusão somente não o salvaria. Era preciso operá-lo. Onde isso seria feito? Itapecerica da Serra, respondeu Boanerges. Era onde ele trabalhava e para onde se transportaria o paciente.

Knapp foi dirigindo seu carro com Boanerges ao lado e, no banco de trás, inconsciente, *Davi* e a então companheira do publicitário, Eliane Zamikhowski. "A Eliane ia com a cabeça do Davi no seu colo. Ele continuava perdendo sangue e o sangue estava sendo reposto ali mesmo. No hospital de Itapecerica da Serra, *Davi* foi operado. Para enganar a repressão, os médicos afirmaram que haviam sido ameaçados e obrigados pela ALN a realizar a cirurgia. Logo depois, o paciente foi removido e ocultado na casa de outro apoiador da ALN, o jurista Américo Lacombe[1]."

Davi, surpreendentemente, se salvou. Mas a presença dos funcionários do Banco de Sangue naquele endereço do Jardim Europa para socorrer um suposto hemofílico que, na verdade, era um sujeito crivado de balas deixou a casa e o dono totalmente expostos. "Estava completamente *queimado*. Tinha que fugir do país para escapar da prisão, da tortura e, quem sabe, da morte", afligiu-se.

Rossmann/Knapp é um caso especial. Jogou seus privilégios de alta classe média para o espaço e embicou com a ditadura não propriamente como consequência de um processo de conversão política e ideológica. Sua revolta tem matiz mais existencial, sensibilizado pelas agruras por que passavam muitos de seus amigos. Tanto que, quando sobreveio o golpe contra Goulart, sua atitude fora mais contemplativa. "Não lembro de nada em especial de 1964. Tinha trinta e cinco anos, mas não possuía nenhuma militância."

Isso mudaria em 1968. Na sua memória desponta nitidamente um dia de dezembro ensolarado no Rio. Estava nas areias de Ipanema apreciando a eloquência do amigo e artista plástico Antonio Maluf[2]. Recém havia sido editado o AI-5 "e ele começou a dar um discurso para uma plateia de um só, que era eu". Dizia que, enquanto coisas pavorosas aconteciam, os dois estavam ali desfrutando do sol, da vida boa, depois iriam tomar uma caipirinha e, por fim, à noite, sentados na sala, veriam uma novela.

Knapp ficou ouvindo aquilo com um sentimento de desconforto. "Senti que éramos uns merdas, gente sem coluna dorsal. Então, decidi fazer algo. Não respondi nada a ele, mas estava decidido."

Ligado mais em cinema do que em política, Knapp nunca havia prestado muita atenção no panorama político, muito menos estudado o assunto. Até brincou que, quando lhe falaram em Karl Marx, imaginara que seria um irmão menos conhecido dos Marx Brothers...

Alfabetizado em alemão, filho de um pai "nazista" que não perdia os discursos de Adolf Hitler no rádio, sentia-se culpado por ser publicitário "aquela coisa de saber que está induzindo o povo a gastar seu dinheiro em futilidades".

Meteu-se em reuniões, debatendo a política, os rumos do país e o que se poderia fazer contra a ditadura. No grupo, Ana Corbisier, filha do filósofo Roland Corbisier — no desenrolar da luta, Ana militaria nos grupos de fogo da ALN, seguindo posteriormente para o Molipo. E também Américo Lacombe. "Eu quero uma arma!", gritou Lacombe numa dessas reuniões, indignado com a interferência dos militares no judiciário.

Formado em 1954 na primeira turma de publicidade da Escola Superior de Propaganda e Marketing (ESPM), Knapp transitara por grandes agências como McCann Ericsson, Alcântara Machado, Lince e Interamericana. Em meados dos anos 1960, pilotava a Oficina de Propaganda, uma das agências *top* de linha dos anos 1960. Basta dizer que, entre seus clientes, resplandesciam grandes anunciantes como América Fabril, Hering Blumenau, Toalhas Artex, Garcia, Banco Sul-Americano e Estacas Franki. Na Oficina, montara um sistema diferenciado de trabalho. Os cinquenta funcionários organizaram-se em cooperativa e prestavam serviço para a agência. Setenta por cento da receita da agência ia para a cooperativa.

A Oficina seria a única agência de propaganda a ser fechada pela ditadura.

Não tardou, e Knapp virou motorista da ALN. Um dos episódios mais inusitados em que se envolveu foi o assalto à indústria de explosivos Rochester. No dia 28 de dezembro de 1968, ele e seu Mercedes-Benz cinza foram convocados para uma missão sigilosa. Seguiram num cortejo de fuscas até Mogi das Cruzes, na região metropolitana da capital paulista. Ali, trinta militantes, distribuídos por treze carros, expropriaram vinte e três caixas de dinamite, vinte e uma bananas de gelatina explosiva e quatro sacos de clorato de potássio, composto usado para rechear granadas e bombas. Foi um negócio rapidíssimo. Os próprios trabalhadores da fábrica ajudaram a carregar as caixas de explosivos nos carros. "Depois eu disse pro *Marquito* (...): 'Se eu soubesse o que era, teria vindo com o meu jipão e não de Mercedes. Nele caberiam todas as caixas...'"

Marquito ou Marco Antonio Braz de Carvalho ganhara *status* de lenda na ALN. Chefe do primeiro Grupo Tático Armado (GTA), era um baixote atarracado e introspectivo. Admirado e temido dentro da organização, revolucionário talhado na prática e não nos estudos, mais propenso à ação do que à reflexão, produziu tiradas ferozes sobre o papel dos livros e dos debates na revolução. "Não sou marxista, sou invocado" e "Somos assaltantes de bancos, temos de estudar Dillinger"[3] são algumas que repetia em tom de escárnio.

OS VENCEDORES

O comandante de Knapp na expropriação da Rochester tinha muita estrada e fama na militância antiditadura. Funcionário de Volta Redonda, tentara sabotar os fornos da siderúrgica em 1964. Como castigo, três policiais do Dops carioca enfiaram-lhe uma vela acesa no ânus. Ao deixar a prisão, jurou que mataria os três e foi cumprir a promessa: matou um, feriu gravemente o segundo e o terceiro, fugiu do país. Na ALN, participou de dezenas de ações, entre elas o cinematográfico assalto ao trem-pagador Santos-Jundiaí e a execução do capitão norte-americano Charles Chandler, veterano do Vietnã e supostamente um agente da CIA. Um ano e um mês após surrupiar os explosivos em Mogi das Cruzes, *Marquito* seria emboscado e fuzilado na sua própria casa pelo Dops.

Knapp teve que ocultar a carga explosiva em casa com um imenso medo daquilo porque havia crianças e empregadas por ali. Afortunadamente, não muito tempo depois, o segundo homem da ALN, Joaquim Câmara Ferreira, o *Toledo*, chamou-o para um encontro numa das esquinas da alameda Santos, no bairro Jardim Paulista. No jipão, deveria levar o produto da pilhagem na Rochester. *Toledo* pegou a direção e deixou-o ali mesmo. E ficou pensando: "pronto, lá se foi o jipão...". Mas logo *Toledo* reapareceu, tão logo descarregou os explosivos, devolvendo o carro.

Em outra ocasião, *Toledo* pediu-lhe para buscar duas pessoas no Rio. E mais não disse. Era um casal de meia-idade, muito simpático, tanto que Knapp os convidou para se hospedarem na sua casa em São Paulo. Ficaram ali duas semanas. Eram Marighella e sua mulher Clara Charf. Solicitaram ao anfitrião que não mudasse os seus hábitos e levasse sua vida normalmente. Knapp seguiu o conselho que propiciou uma situação curiosa e de certa tensão: numa sala, o dono da casa conversava com os amigos que jamais imaginariam que, na sala contígua, estava o homem mais procurado do Brasil reunido com os demais cabeças da sua organização... A conjuntura ganhava mais uma pitada de adrenalina sabendo-se que, a três quarteirões dali, ficava a casa do comandante do II Exército, José Canavarro Pereira, criador da OBAN.

Knapp era sócio da fechadíssima Sociedade Harmonia de Tênis, no Jardim América. Quem pretendia ingressar no clube submetia-se ao rigoroso crivo dos sócios. O sistema da bola preta expelia os candidatos considerados indesejáveis. Não entrava judeu, árabe ou japonês. "Eu só entrei, sendo (descendente de) alemão, porque fui apresentado por uma família tradicional da cidade, os Rodrigues Alves."

Quando ouviu o anfitrião discorrer sobre o refúgio dos paulistanos muito ricos e quatrocentões, Marighella passou a prestar atenção. Seus olhos se acenderam especialmente depois que o publicitário mencionou as mesas de carteado que o Harmonia abrigava. Quis armar uma expropriação da jogatina. "Vou lá sem peruca e sem nada e vamos assaltar esses grã-finos", anunciou.

Knapp gelou com a intenção do hóspede de limpar os bolsos de seus confrades da Harmonia. Conseguiu enfim dissuadi-lo da empreitada, argumentando que, embora se tratasse de uma roda de endinheirados, jogavam apenas por passatempo, apostando valores simbólicos. "O Harmonia, onde nunca mais entrei depois que vim do exílio, nem sabe que me deve essa..."

Queimada sua casa, seu dono e seu nome, Knapp apelou a Kafka, a Marighella e aos freis dominicanos. A repressão logo o visitaria mas, àquela altura, ele e Eliane já estavam longe. A ALN o escondeu primeiro no Rio e depois em São Paulo antes de despachá-lo para o exterior. Como era preciso forjar documentos, Paulo de Tarso Venceslau, o *Geraldo* da ALN, levou o casal *Rossmann* — Eliane ficou sendo *Anne Marie Rossmann* — até um estúdio fotográfico enjambrado no quintal da casa do jornalista Juca Kfouri[4], no bairro do Itaim Bibi. Câmera na mão, Kfouri já aguardava o casal. Knapp, ou melhor *Rossmann*, foi documentado com farta cabeleira postiça. Segundo o documento que lhe salvara a pele, nascera em São Bento do Sul/SC, em 1930, filho de Karl e Maria Jensen Rossmann, tudo obra de sua cabeça de ficcionista.

OS VENCEDORES

Os frades conduziram o casal até a fronteira. Primeiro ele e, dez dias mais tarde, a companheira. Knapp seguiu de carro até Porto Alegre e daí para Santana do Livramento, distante 495 quilômetros da capital gaúcha e separada apenas por uma avenida da uruguaia Rivera. Ingressou no Uruguai a bordo da peruca negra que lhe disfarçava a calvície incipiente. Ninguém atentou para o que mais o denunciava: a bota ortopédica que calçava desde a infância, consequência de uma osteomielite.

No Dops, não havia a menor ideia do paradeiro da dupla. Uma observação na ficha de Eliane, onde consta seu relacionamento, militância e fuga com Knapp, indica que os dois estariam escondidos em Colatina, no Espírito Santo. O registro é de 24 de setembro e, nessa data, entre o faro policial e a realidade, havia um Atlântico de distância.

Abrigados por um contato tupamaro de Marighella numa casinha na periferia, permaneceram dois meses em Montevidéu antes de seguirem para Roma. Na Itália se separaram. Ela foi passar uma temporada em Cuba — que deveria ser de dois meses, mas acabou sendo nove — enquanto ele permaneceu na Itália procurando trabalho.

No Brasil, sua vida pregressa estava sendo saqueada. Policiais expropriaram aquele Mercedes cinza que, mais tarde, amigos do legítimo proprietário veriam servindo a dois propósitos: lazer para o delegado Fleury e prestação de serviços à repressão no transporte de presos. E sua coleção de obras de *pop art*, entre elas quadros valiosos do francês Tomi Ungerer, resumiu-se apenas à memória. As telas foram destruídas a canivete, e os seus ternos, todos cortados.

O que lamenta mesmo é ter perdido a convivência dos filhos pequenos, Eduardo, de cinco anos, e Adriana, de três, deixando de acompanhar seus tempos de infância e adolescência. Ambos ficaram no Brasil com Arlette Pacheco, então sua esposa. A morte de Arlette em 1976 deflagraria uma batalha judicial entre o pai e os avós. Os pais de Arlette obtiveram a guarda das crianças com as quais ele se correspondia desde a Europa. Vitória obtida, segundo ele, graças à alegação de que o pai era um foragido da justiça. A nova situação o levou a maquinar soluções que percutiam lances rocambolescos da luta subterrânea no Brasil.

Em 1978, sabendo que Eduardo e Adriana viajariam a *Disneyworld*, na Florida, consultou seu amigo, o advogado Plínio de Arruda Sampaio que, nessa época, vivia em Washington. "Existe sentença cassando seu pátrio poder? Não? Então pega teus filhos!", sugeriu. Knapp viajou para a Florida e "sequestrou" os dois. Mas a ideia de trocar o Brasil pela Espanha onde o pai trabalhava então não agradou aos filhos e Knapp acabou negociando com os tios das crianças. Firmou um pacto verbal, mediante o qual ele poderia vê-las, ficar sozinho com elas e as duas retornariam ao Brasil. Não funcionou. É uma perda que lastima sempre.

Sua jornada para reconstruir a vida no exterior incorporou estágios em Roma, Paris, Argel, Barcelona e Londres. Na Argélia ficou dois anos. Era chamado de "Messiê Rosmã" pelos argelinos. Trabalhou na Frente Brasileira de Informação, implantada por Miguel Arraes e sua irmã Violeta, que expunha à opinião pública mundial as atrocidades no Brasil.

Juntou-se a Oscar Niemeyer, que projetara o centro administrativo de Argel, encomenda do presidente Houari Boumédiène. Knapp editou o livro ilustrado *Daqui a Argélia será governada*, apresentando e detalhando a proposta. A opção por Niemeyer se contrapunha à visão que os argelinos tinham de si próprios e do mundo: para eles tudo que era bom vinha da França, a antiga metrópole, e na Argélia nada havia que prestasse. Um projeto excepcional desenvolvido por grande arquiteto do Terceiro Mundo deveria reverter este modo de julgar o país e os seus habitantes, alavancando sua autoestima. Mas o centro nunca transporia sua condição de maquete.

Certo dia, Boumédiène foi ao local da obra já nas fundações. Delas subiriam edifícios que contornariam uma praça monumental capaz de acolher um milhão de pessoas e em formato de um relógio de sol.

OS VENCEDORES

Escalou um montículo, olhou para um lado e para outro, e anunciou que não queria mais a obra ali e, sim, do outro extremo da baía...

Em Barcelona, Knapp trabalhou nas editoras *Victor Sagi Servicios Editoriales* e na BCK. Na cidade, logo após a morte de Franco, lançou o *Diário de Ayer*, que resgatava a história espanhola no período da Guerra Civil (1936-1939). Com a ajuda do empresário Fernando Gasparian, dono do jornal *Opinião*, e de Pedro Paulo Popovic, idealizador das coleções de fascículos da editora Abril, partiu para Londres. Virou assistente de diretoria da editora *Marshall Cavendish Publishers* e, depois, produtor de programas de rádio na BBC.

Até Londres era sob a pele de *Henrique Rossmann* que se movimentava. Com a ajuda do jornalista Araújo Netto, correspondente do *Jornal do Brasil* em Roma, conheceu o embaixador brasileiro na Itália. Apresentando-se como *Rossmann*, fez amizade com o diplomata e saiu da embaixada com um novo documento e vivendo uma condição ainda mais exótica. "Passei a ter um passaporte legal com uma identidade falsa..."

Antes de seguir para a Inglaterra livrou-se de seu duplo. Procurou o cônsul do Brasil no porto holandês de Rotterdan, Lorenzo Fernandez, que lhe concedeu um documento verdadeiro. Fernandez explicou-lhe que tinha por norma fornecer passaportes aos refugiados.

Viveu dez anos com Eliane. Voltou ao Brasil em 1980 para recomeçar praticamente do zero outra vez. Trabalhou no Instituto Universal Brasileiro, que ministrava dezenas de cursos por correspondência. Implantou os cursos de desenho, redação e música. Quando o IUB foi negociado, os direitos de propriedade intelectual ajudaram a sustentá-lo por dez anos. Deixando a esfera privada pela pública, tornou-se adjunto do ministro Sérgio Amaral na Secretaria de Comunicação Social da Presidência da República (Secom) no governo FHC. De 2003 a 2005, no mandato Lula, foi diretor da Radiobras.

Não esqueceu os tempos ásperos e a acolhida gélida recebida ao retornar. Mas cobrou a amnésia no cinquentenário da primeira turma da ESPM, em 2004. "Apareceu um dos meus ex-colegas e disse assim:

'Você é o nosso herói, lutou contra a ditadura!' Aí veio outro e falou a mesma coisa. Quando veio o terceiro e falou isso, eu respondi: 'Pois é, mas nenhum de vocês me deu a mão quando eu voltei do exílio e precisei de ajuda'."

Hoje ele se arrepende da reação. "Eles trabalhavam para os poderosos e não podiam mesmo me ajudar naquele momento. Não devia ter dito, mas era verdade."

Houve quem encontrasse mais amparo do outro lado das grades.

OS VENCEDORES

Messiê Rosmã: barba e cáften no exílio de Argel. Ao lado, suas identidades frias como personagem de Kafka emitidas no Brasil e na Argélia

Propaganda do regime do qual Knapp escapou recorrendo à ALN e à ficção kafkiana. Primeiro foi para o Uruguai, depois para a África e a Europa

Ayrton Centeno

Knapp hospedou Clara Charf (foto) e Marighella durante 15 dias em sua casa nos Jardins, distante apenas três quarteirões da casa do comandante do II Exército

OS VENCEDORES

Tumulto na rua após expropriação de banco pela Ação Libertadora Nacional

Protagonista de Amerika, *romance inacabado de Kafka (acima), virou codinome de Knapp*

Marquito, revolucionário talhado na prática e não nos livros: "Não sou marxista, sou invocado"

Ayrton Centeno

BRASIL
AME-O OU DEIXE-O

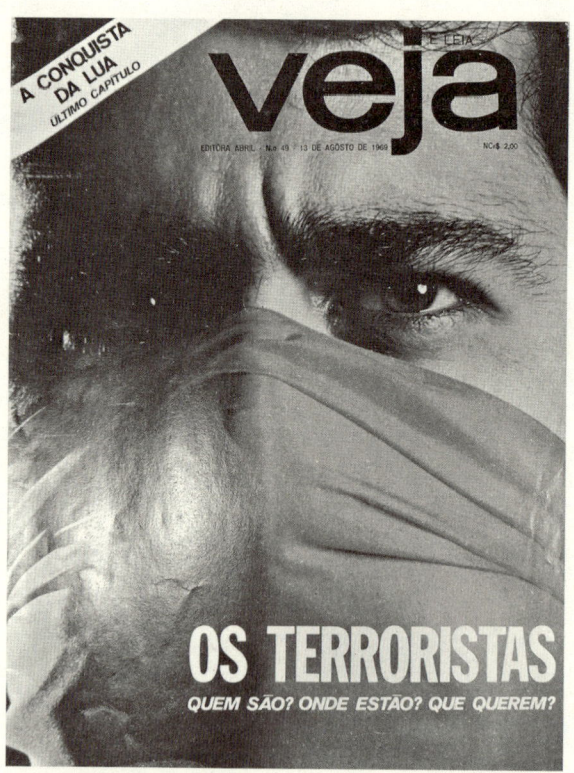

Sob a ditadura, a propaganda do regime e a abordagem da imprensa estavam demasiado próximas

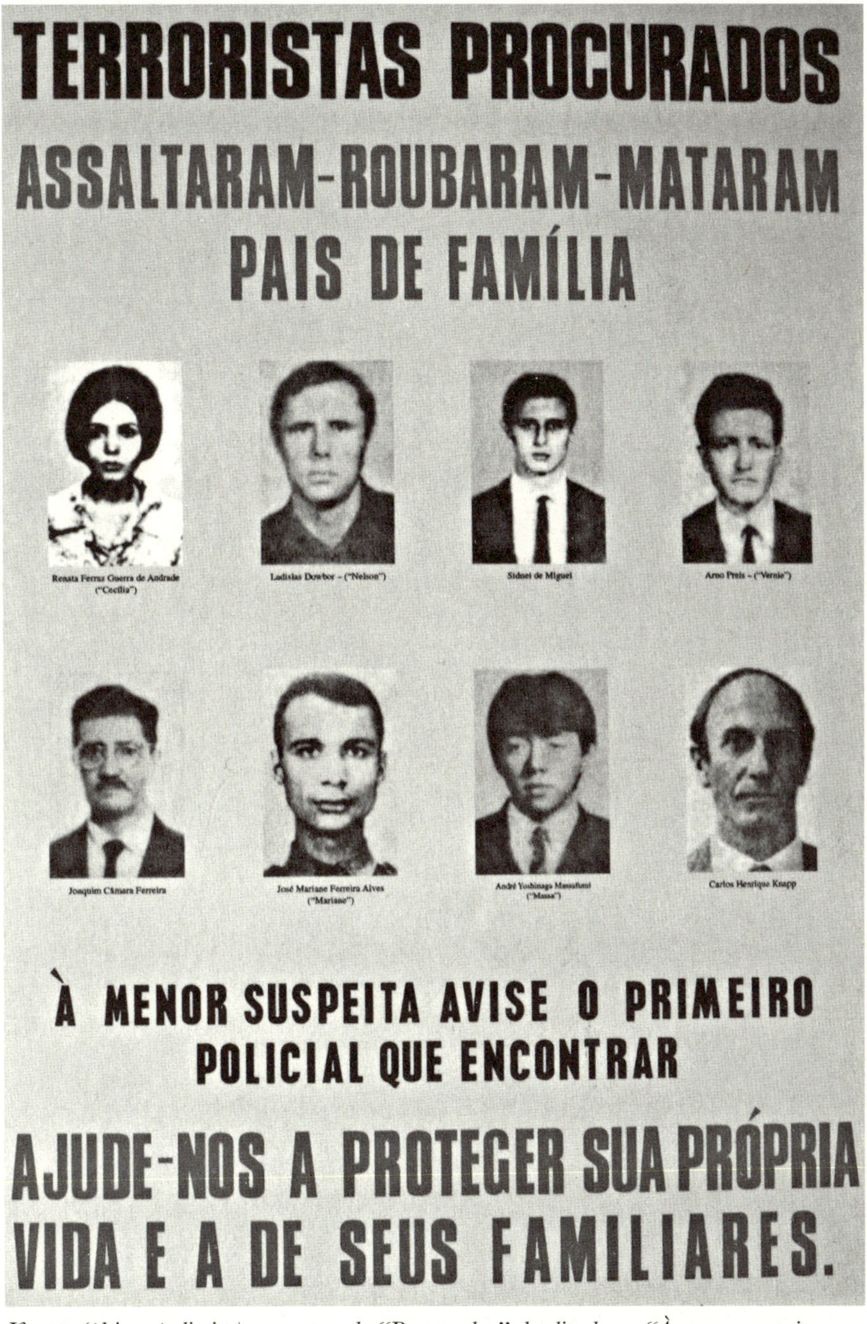

OS VENCEDORES

TERRORISTAS PROCURADOS
ASSALTARAM-ROUBARAM-MATARAM
PAIS DE FAMÍLIA

Renata Ferraz Guerra de Andrade ("Cecília") — Ladislau Dowbor ("Nelson") — Sidnei de Miguel — Arno Preis ("Vernie")

Joaquim Câmara Ferreira — José Mariane Ferreira Alves ("Mariano") — André Yoshinaga Masafumi ("Massa") — Carlos Henrique Knapp

À MENOR SUSPEITA AVISE O PRIMEIRO POLICIAL QUE ENCONTRAR

AJUDE-NOS A PROTEGER SUA PRÓPRIA VIDA E A DE SEUS FAMILIARES.

Knapp (último à direita) no cartaz de "Procurados" da ditadura: "À menor suspeita, avise o primeiro policial que encontrar"

Gorender, quadro histórico da esquerda que rompeu com o Partidão, fundou o PCBR e rumou para a luta armada arrastado "pelo fascínio das armas"

CAPÍTULO 22

Parabéns. Você está preso

Na cela das mulheres do Deops, imediações da estação da Luz, centrão paulistano, as presas políticas escutaram um som metálico. Era um homem miúdo, franzino, de cabelos e bigode grisalhos, que batia na janelinha da cela com uma caneca. Queria saber o nome das prisioneiras. Tinha apenas quarenta e sete anos, mas, do ponto de vista delas, a maioria na casa dos vinte, parecia um ancião. Corria o ano de 1970, o Brasil vivia sob a gestão Médici e o prisioneiro havia sido muito maltratado. Uma das presas, de vinte e dois anos, que também sofrera torturas severas, condoeu-se:

"Fizeram barbaridades com ele e passamos a cuidar dele. Lavávamos sua roupa, amassávamos abacate, botávamos açúcar, limãozinho. Ficamos amicíssimas dele[1]."

A moça e o "velho" haviam sido presos naquele mesmo janeiro de 1970. Pertenciam às esquerdas que haviam afrontado a ditadura. Ela, através da VAR, ele integrando a direção do Partido Comunista Brasileiro Revolucionário, o PCBR. Sobrevivendo à prisão, os dois iriam se tornar bastante conhecidos. Ela, na sua carreira de secretária de Estado, depois ministra e por fim presidente da República. Ele, como o autor de *O escravismo colonial*, que palmilha a formação histórica do Brasil, obra concebida na própria prisão, pesquisada e escrita na clandestinidade.

Jacob Gorender não lembrava bem de muitos companheiros que estavam no Deops naquela época. Mas lembrou-se de Dilma. "Não nos víamos muito, a comunicação era difícil. As mulheres estavam em uma cela à parte, embora muito perto de onde eu estava sozinho", rememorou o historiador em 2012. Autor e protagonista de *Combate nas trevas*, obra em que debulha com método, rigor e sem nenhuma contemplação, o nascimento, ascensão, apogeu e ruína das organizações que tiveram o desplante de desacatar o poderio do regime.

Dilma Rousseff vinha de Minas, vivera no Rio e fora capturada em São Paulo, encerrando uma trajetória revolucionária cujos anos eram contados nos dedos de uma só mão. Gorender vinha de bem mais longe. Seus pais, Nathan e Anna, eram judeus pobres da Bessarábia, na Europa Oriental, território hoje partilhado entre a Ucrânia e a Moldávia. Durante a Revolução de 1905, Nathan morava em Odessa, porto ucraniano no mar Negro, e foi testemunha ocular de uma cena épica: a chegada ao cais do encouraçado Potemkin. Sua tripulação, recusando-se a comer carne podre, amotinara-se tomando o controle do navio — um acontecimento retratado no clássico *Encouraçado Potemkin*, de Sergei Eisenstein. Com o malogro da rebelião contra o monarca e o desencadear dos *pogroms* contra a população judia, o vendedor de rua Nathan emigrou para a Argentina. Depois, seguiu para Salvador, no Brasil, mesmo destino de Anna, anos mais tarde.

Nascido em 1923 em Salvador, Jacob, "através dos livros e das amizades", seguiu seu rumo à esquerda. "Tomei conhecimento de Marx cedo, primeiro em panfletos, depois lendo suas obras, principalmente *O capital*, de leitura árdua, mas uma gigantesca construção intelectual."

Porém, antes disso, aos onze anos, começou a dar aulas particulares. Aos doze, descobriu a teoria evolucionista de Charles Darwin, que expurgou a religião do seu horizonte e aplainou o caminho para o marxismo. Aos dezessete, virou jornalista. Adolescente, militava na União de Estudantes da Bahia, enquanto estudava na Faculdade de Direito de Salvador. Convencido por Mário Alves, colega de curso e militante do partido, ingressou no PCB. Durante a 2ª Guerra, tornou-se propagandista da entrada do Brasil na guerra contra os países do Eixo. Alistou-se como voluntário da Força Expedicionária Brasileira (FEB) e, em setembro de 1944, desembarcou em Nápoles num contingente de 10 mil soldados. Tinha vinte e um anos. À noite, sob a dureza do inverno europeu, estenderia linhas de comunicação na terra de ninguém. Participaria do ataque a Monte Castelo, na cordilheira dos Apeninos, desfechado no final do mesmo ano.

Terminado o conflito, retomou o contato com o PCB. Em 1955, integrava a segunda turma do Partidão na escola superior de formação de quadros do PC soviético, em Moscou. É quando começa a namorar Idealina Fernandes, filha do eletricista Hermogênio da Silva Fernandes, um dos fundadores do PCB. A exemplo de Jacob, a namorada madrugou na militância: aos quinze anos fora presa pela primeira vez. E, por coincidência, com o codinome *Vanda*, um dos avatares usados por Dilma Rousseff. Idealina também encarnou *Antônia, Elza, Toni e Haydée*[2]. O batismo veio da imaginação revolucionária do pai, entusiasmado com as novas ideias que empolgavam o mundo após a Revolução Russa. Filho de um anarquista espanhol casado com uma mulata carioca, Hermogênio traduzia sua admiração por fatos e personagens através do batismo da prole, tradição inaugurada com a filha mais velha, Liberta, assim chamada em tributo a Tiradentes e continuada com Mayo Uruguai, alusivo à ampliação das liberdades democráticas no país vizinho; Socialina, enaltecendo o socialismo; Paz, saudando o final da 1ª Grande Guerra; e Marat, evocando a Revolução Francesa[3].

Em 1957, os namorados resolveram morar juntos. Jacob Gorender trabalhava como dirigente e jornalista para o PCB. A filha Ethel — homenagem a Ethel Rosemberg, militante comunista condenada à morte nos Estados Unidos — nasceu em 1961. Três anos depois, o golpe de 1964 veio a separar o casal. Idealina perdeu completamente o contato com o companheiro que, no 31 de março, estava em Goiânia para fazer palestras. Chegou a pensar que fora morto. Somente no ano seguinte descobriu que Jacob estava vivo e escondido no sul do país.

O casal reencontrou-se em 1965 para morar em Porto Alegre. Um assassinato político, porém, provocou mudança de planos. Em 1966, o corpo do sargento Manuel Raimundo Soares aparece boiando nas águas do estuário do rio Jacuí, próximo ao cais, em um dia aziago, crivado de tenebrosas lembranças: 24 de agosto[4]. Como o cadáver tinha os pulsos atados, o homicídio torna-se "O caso das mãos amarradas". Militar nacionalista, Soares fora trucidado nas dependências do Dops após detenção por distribuir panfletos contra a visita do general Castello Branco à capital gaúcha. O evento costuma ser citado como a primeira execução documentada de um dissidente no país pós-1964. Interpretando o assassinato como uma advertência, os Gorender decidiram fugir para o Rio.

Crítico da cúpula nacional do PCB, a quem acusava de ter andado a reboque do governo Goulart e de negligenciar a iminência de um golpe de direita, Gorender entrou em rota de colisão com Prestes e a direção do partido. A estratégia pré-1964 do PCB — anti-imperialista, mas desorganizado no item luta de classes — confiava na aliança com a burguesia nacional. Mas resultaria, na expressão mordaz de Roberto Schwarz[5], numa "espécie desdentada e parlamentar de marxismo patriótico".

Na luta interna, começavam as punições e as dissensões. Antes de 1967 exalar o último suspiro, a chamada oposição de esquerda foi expulsa do PCB. Gorender com outros dissidentes, entre eles Mário Alves — que o levara ao partido — e Apolônio de Carvalho, articulou a fundação do PCBR. "É apenas a palavra "revolucionário" adicionada ao final da sigla tradicional do partido", comentou. É apenas isso mas, ao mesmo tempo, uma observação cáustica sobre a condição "não revolucionária" do velho Partidão.

OS VENCEDORES

Na diáspora do comunismo brasileiro pós-1964, o PCBR seria uma das tantas frações em que o PCB se estilhaçaria. Espoucavam desavenças em vários estados. Marighella criaria o Agrupamento Comunista de São Paulo que, também em 1968, trocaria a designação para ALN[6]. No Rio, os universitários romperam com o Partidão e rumaram para a Dissidência do Rio de Janeiro (DI-RJ) e a Dissidência da Guanabara (DI-GB).

Gorender, então, animou-se com a expectativa do advento de uma agremiação tão poderosa quanto o velho PCB. Uma reunião em 1967, em Niterói, reuniu dissidências de sete estados. Mas aquele núcleo não municiaria de quadros apenas uma organização, mas várias. Alguns rumam para o PCBR, outros para o Partido Operário Comunista (POC), houve aqueles que preferiram juntar-se a Marighella na ALN, à VPR ou ainda aos comunistas que abraçaram a linha maoísta do PCdoB.

O PCBR surgiu em abril de 1968. No interior do novo partido, também havia confronto. Sintonizado com as bases, Mário Alves defendia as ações armadas imediatas. Gorender e Apolônio de Carvalho — este com experiência de combate aos nazistas na França e aos franquistas durante a revolução espanhola — eram contrários. Mas o apelo às armas era difícil de resistir numa época em que os vietnamitas vergavam a maior potência da Terra, quando havia os exemplos vitoriosos de Cuba, Argélia e China. "Embora quiséssemos construir um partido, ligarmo-nos às massas — o que era muito difícil naquela época —, fomos arrastados pelo turbilhão do fascínio das armas. Havia uma certa posição de revanchismo diante da vitória da repressão", já dissera[7].

No dia 20 de janeiro de 1970, Gorender foi preso em São Paulo, uma das experiências cruciais da sua vida de militante. Noite de chuva, apesar disso fora visitar um companheiro do partido. Ignorava que, na semana anterior, iniciara-se uma sucessão de quedas que incluíam as prisões de Mário Alves e Apolônio. Percebeu que a janela da casa, ao contrário do habitual, estava fechada. Desconsiderando o que a cautela recomendava, bateu no vidro. A resposta veio sob a forma de uma carabina, um revólver 38 e uma metralhadora apontados para ele. Chegou a imaginar que pudesse ser um assalto, mas, na fração de segundo seguinte, concluiu obviamente que era a polícia política. Algemado, foi levado ao Deops. Um tira leu sua ficha e observou: "Hoje é o dia do aniversário dele. Quarenta e sete anos".

Seria, como o prisioneiro registrou[8], o "menos esquecível dos aniversários". Foi comemorado primeiro com uma salva de choques elétricos. Nu, encostado a uma parede, o aniversariante era homenageado com "telefones" (tapas nos ouvidos) e pontapés. A festa prosseguiu com o aniversariante suspenso no pau de arara. E mais descargas elétricas. Derramada sobre o corpo, a água se associava à eletricidade para amplificar a dor. A tudo isso, juntou-se o afogamento, água despejada por um funil nas narinas do supliciado, causando sensação de asfixia.

Após seis horas de sessão, mandaram que se vestisse e seguisse até uma sala ampla com uma grande vidraça no terceiro andar do Deops, no largo General Osório. Eram três da manhã e o resto da noite seria de pressão psicológica. Ouviu insultos, tudo "vil e nojento", e pensou que não valeria a pena aguentar aquilo e o que viria pela frente. Levantou-se e se atirou contra a vidraça. Cortou os pulsos na tentativa, mas os policiais foram mais rápidos. Fracassado no intuito de acabar com a vida, Gorender[9] ouviu dizer um de seus captores: "Reparei que ele se mexia e desconfiei. Você queria se livrar da gente, seu filho da puta?".

Em *Combate nas trevas*, o autor, também na pele de protagonista, faz questão de não se apresentar como herói ou exemplo. Quarenta e dois anos mais tarde, relembrou o quase suicídio para comentá-lo com certo humor. "Quis me matar me jogando por uma janela. Ainda bem que me impediram..."

Do Deops, Gorender foi para o presídio Tiradentes, uma construção de 1852 que servira como depósito de escravos no século XIX. Idealina também estava no Tiradentes, porém na *Torre das Donzelas*.

OS VENCEDORES

Sem saber da prisão do companheiro, fora capturada quando estava a sua procura.

Na cela 3 do Tiradentes, os companheiros de Gorender eram, na maioria, das Forças Armadas de Libertação Nacional. Raro caso de núcleo de resistência armada à ditadura nascido no interior do país — em Ribeirão Preto/SP — a FALN tinha todos seus integrantes muito jovens, o que levou o colega de cárcere quase cinquentão a defini-la como "o jardim de infância das organizações de esquerda do pós-64".

No presídio, o veterano militante registrou uma "data memorável" — o 21 de maio de 1970. Neste dia, seis presos da cela 6 do segundo pavilhão deixaram o presídio trajados com suas melhores roupas. Se era inusitado sair do Tiradentes, ainda mais era fazê-lo trajados com roupa de dia de visita. À noite, a população do presídio descobriu o motivo do passeio. Os cinco[10] apareceram na televisão dizendo-se frustrados com a militância revolucionária e exaltando a ditadura Médici. Era o início de um processo no qual os que fraquejavam eram cooptados para renegar seu passado e declarar seu amor pelo governo militar ao vivo, na televisão, para todo o Brasil. Eram os primeiros *arrependidos*, uma atração a mais que o regime passaria a oferecer ao distinto público telespectador.

"Traidores! Traidores! Fora! Fora! Abaixo a ditadura!" Este foi o coro que ecoou nos tímpanos dos cinco ao retornarem ao cárcere propositadamente bem tarde, às duas horas da manhã. A gritaria dos presos políticos ganhou logo a adesão dos presos comuns. E surgiu o impasse: os internos da cela 6 não admitiam a entrada dos execrados. Irritado, o carcereiro-chefe tentava um acordo, como pincelou Gorender com picardia[11]. "Magricela e baixote, a cabeleira engomada de brilhantina, sempre com um par de algemas dependuradas do cinturão, *Italianinho* parou diante das aberturas gradeadas de cada cela e, afinal, conseguiu a cessação do protesto. Foi a sua vez de soltar um berro histórico": "Foda-se a ditadura! Eu quero paz no meu plantão!".

Gorender transformou sua cela em sala de aula. Nas segundas à noite, valendo-se da complacência de um carcereiro mais flexível, passou a ministrar seu curso de formação histórica do Brasil, embrião de *O escravismo colonial* ao qual se dedicaria ao deixar a prisão em outubro de 1971.

Dos tempos de Tiradentes, ficaram recordações marcantes. Entre comuns e políticos, o presídio reunia mais de 400 apenados e, ali, conheceu gente de todas as organizações, que foram à luta armada ou não, cristãos ou ateus, e de todas as raízes sociais: trabalhadores braçais, estudantes, intelectuais. Sua vida já transitara por muitos ambientes: a campanha da FEB na Itália, a clandestinidade no PCB, a juventude na Bahia, a comunidade judaica, a turma de estudos na URSS, mas a vivência no Tiradentes foi "sem paralelo". Descreveu-a como "uma experiência tremenda", uma das mais pungentes da sua vida, "talvez mais do que a própria participação na campanha da FEB, ou pelo menos comparável[12]".

Em liberdade, ele passou a se dividir então entre trabalhos esporádicos de tradução — nominalmente assumidos por Idealina, já que os contratantes temiam ser associados a um inimigo do regime —, e a grande jornada teórica e analítica concebida atrás das barras da cela. Que conseguiu finalizar, graças ao apoio financeiro de amigos como o empresário francês Jacques Breyton, seu companheiro de prisão. Publicado em 1978, essa obra ingressaria na condição de cânone da historiografia do país.

Em 1987, lança *Combate nas trevas*, dedicado a Mário Alves, "à memória de sua vida e de sua morte". Sua morte, de uma brutalidade chocante mesmo na ditadura, é contada no livro. Capturado no bairro carioca de Cascadura por agentes do I Exército, foi arrastado ao quartel da rua Barão de Mesquita, na Tijuca, e atormentado durante oito horas por espancamentos, choques, pau de arara e afogamentos. Enfurecidos com as respostas "desafiadoras e sarcásticas" do preso, os torturadores o empalaram. Enfiaram-lhe um cassetete de madeira com estrias de aço no ânus que lhe perfurou os intestinos.

OS VENCEDORES

Implacável com generais e torturadores, em sua obra Gorender não livrou os erros da esquerda. Descreve as vacilações do PCB, os equívocos de Prestes, as incoerências do PCdoB, os conflitos dentro do seu próprio PCBR, a gênese das organizações armadas e seus desvios vanguardistas. Confronta a interpretação de Frei Betto sobre a responsabilidade dos frades dominicanos — após serem presos e torturados — na emboscada e assassinato de Marighella, critica a ausência de autocrítica entre os grupos armados e aborda a espinhosa questão dos justiçamentos. Separa os justiçamentos de inimigos, vítimas combatentes, daqueles processados dentro das próprias fileiras da esquerda, onde companheiros são julgados por traição. Sopesou cada um dos quatro casos — três de membros da ALN e um do seu PCBR — para concluir que todos foram injustos. "A justiça revolucionária não se confunde com vingança", escreveu.

Permaneceu marxista "mas não aceito tudo ilimitadamente", ressalvou em 2012. "A realidade é mais difícil (de ser modificada) do que Marx supunha. Ele queria a revolução socialista em vida." Recomendou que, na democracia, a esquerda busque o espaço legal para fazer seu combate.

O PCB ao qual dedicou muitos anos de sua militância definhou gradativamente pós-1964, minado primeiro pelas dissidências e, depois, pela debacle da União Soviética. Mas, no imediato pós-guerra, fez jus à alcunha de Partidão. Obteve 10% dos votos nas eleições de 1945, "um coeficiente que o PT só veio a atingir, no plano nacional, nas eleições de 1986, seis anos depois de fundado!"[13]. Elegeu uma bancada de catorze deputados federais e um senador. Intelectuais e artistas como Cândido Portinari, Oscar Niemeyer, Graciliano Ramos e Jorge Amado eram militantes do PCB, enquanto Carlos Drummond de Andrade e Monteiro Lobato orbitavam na sua área de influência. Hoje, no entanto, "virou um elemento histórico. Desapareceu". Agora — sublinhou — "o partido é o PT".

Aos noventa anos, o historiador sentia a ausência dos caminhantes da mesma jornada, como Mário Alves e Apolônio, este descrito como "sem medo e sem mácula", como acentuou no adeus[14] ao amigo que morreu aos noventa e três anos em 2005. Mas lamentava, sobretudo, a falta de Idealina, a companheira de quase meio século de convivência e militância.

Olhava os rumos do país com cautela. "Aprendi o que é o Brasil, reconheço seus méritos e a capacidade de luta dos brasileiros, mas nunca idealizei. A transformação de um povo leva muito tempo." Mas admitia que o país, mesmo para quem o conhecia há tanto tempo, não cessava de surpreendê-lo. "Nunca pensei em ver um operário presidente da República. Lula fez dois mandatos brilhantes. É um homem extremamente atilado e inteligente. Sua eleição foi um fato singular na história do Brasil e do mundo", qualificou.

Outro espanto foi o fato de uma mulher, sua ex-colega de cárcere, ocupar agora o lugar de Lula. "Dilma usou o que aprendeu na sua formação política para governar o Brasil. Eu a admiro. Ela honra o seu passado e a perspectiva que ela tem", dizia.

Lula e Dilma foram, para Gorender, uma evidência de que o distanciamento dos fatos permite melhor analisar as voltas da história. Ex-presos políticos sob a ditadura, tornaram-se presidentes da República. Outros adversários do regime tornaram-se ministros, deputados, senadores, prefeitos, governadores, enquanto aqueles que os prenderam, humilharam e, com frequência, torturaram hoje perderam poder. Treze anos atrás, antes de Lula conquistar o primeiro mandato presidencial, Gorender escreveu que a esquerda foi derrotada ao objetivar a tomada do poder pela via armada. Mas, reparou, fez autocrítica, deu a volta por cima e impulsionou a redemocratização do país. "Hoje, os militantes da esquerda armada que sobreviveram exercem as mais variadas profissões, e não poucos deles são intelectuais e líderes políticos prestigiados[15]." Agregou que ninguém se envergonha de assinalar, no seu currículo, o fato de ter pertencido à ALN, à VPR ou ao PCBR. "Do ponto de vista do curso histórico, os militantes de esquerda se situam entre os vencedores. Já os algozes do Dops e

OS VENCEDORES

do DOI-Codi estão definitivamente enlameados diante da imensa maioria do povo brasileiro[16]."

Mais de quatro décadas após os acontecimentos, ele reiterou seu ponto de vista com uma frase sucinta: "Os que perderam ontem, são hoje os vencedores". E arrematou: "O Brasil de hoje é muito melhor do que aquele da minha geração. A humanidade avança sempre".

Companheiro de Gorender no PCBR, Theodomiro estava muito menos otimista quanto à vitória dos perdedores e os avanços da humanidade naquele março antigo, quando o verão agonizava.

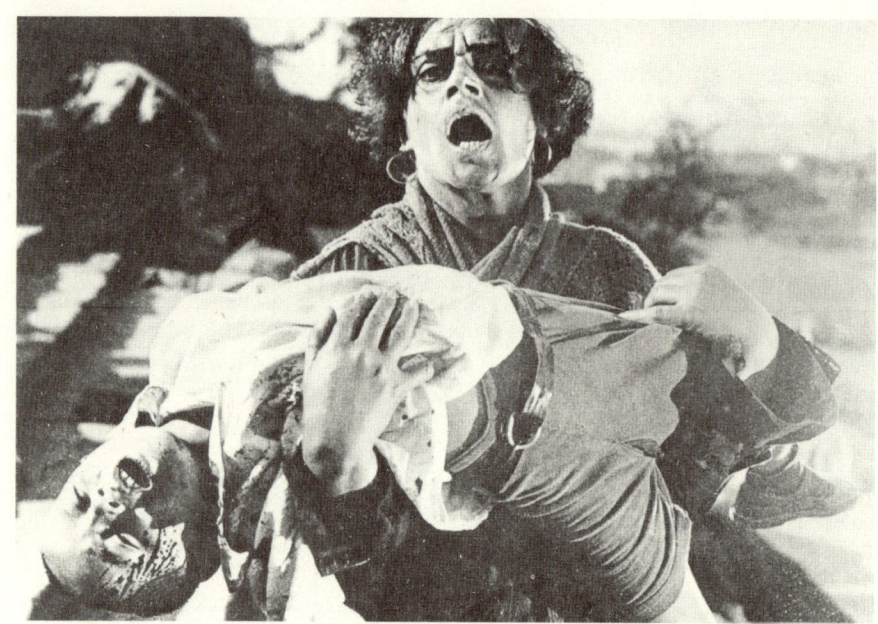

A cena clássica de Encouraçado Potemkim, *de Eisenstein. Nathan Gorender, pai de Jacob, estava no porto quando o amotinado* Potemkim *chegou à Odessa, em 1905. Com a rebelião contra o czar derrotada e o aguçamento da perseguição aos judeus, ele fugiu para a América do Sul*

Aos 12 anos, Jacob Gorender descobriu a teoria evolucionista de Charles Darwin (foto), expurgou a religião do seu horizonte e aplainou o caminho para o marxismo

Gorender chegou a Marx primeiro através de panfletos e depois enfrentando O Capital, *"de leitura árdua, mas uma gigantesca construção intelectual"*

OS VENCEDORES

Soldados em cidade bombardeada na II Guerra Mundial. Jacob Gorender engajou-se como voluntário da FEB e desembarcou em Nápoles em 1944

Mário Alves (foto) o colega de curso de direito que convenceu Gorender a entrar no PCB e que, depois, seria seu companheiro de PCBR

Apolônio de Carvalho, que Gorender descreveu como "sem medo e sem mácula"

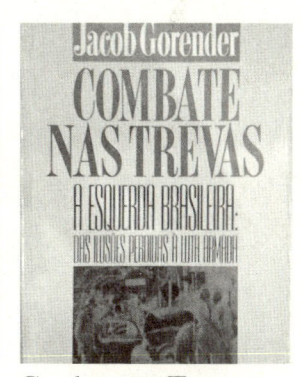

Combate nas Trevas, *o livro em que o autor é também protagonista: análise sem contemplação sobre a ascensão, apogeu e ruína da luta armada*

Theodomiro no tribunal militar: sua condenação inaugurou a pena de morte no Brasil republicano

CAPÍTULO 23

A gente corre e a gente morre na BR-3

Naquela manhã de quinta-feira, 18 de março, cinco homens se reuniram para cometer uma extravagância. Os cinco eram os tenentes-coronéis aviadores Vicente Magalhães Morais e Adail Coaraci Aquino, o tenente-coronel intendente Armando Taboada, o major aviador Eros Afonso Franco e o promotor militar Antonio Brandão de Andrade. Este começou assim:

"Na salvaguarda do nosso regime democrático e na intransigente defesa das nossas sagradas instituições livres e cristãs, o governo através de seus órgãos de segurança, objetivando reprimir as constantes e agressivas ações de maus brasileiros que, filiados a organizações de caráter internacional, se dispõem a bolchevizar nosso país..."

Apesar do tom grandiloquente e bizarro, eram montadas nesse tipo de arrazoado que galopavam as mais graves consequências. Afinal, corria o ano de 1971, o segundo do mandato Médici. Hoje, ninguém lembra dos cinco personagens. Mas o que deliberaram naquele dia no Conselho Especial de Justiça da Aeronáutica, reunido na Auditoria da 6ª Circunscrição Judiciária Militar, no bairro de Água dos Meninos, em Salvador, entrou para a história. Afinal, percorridos oitenta e um anos, sete meses, três semanas e seis dias de instituição da República advinda da quartelada conduzida pelo marechal Manuel Deodoro da Fonseca, ninguém havia tomado decisão similar.

"Auditoria inaugura pena de morte no Brasil republicano" foi a manchete da página sete do *Jornal do Brasil* no dia seguinte.

O condenado à morte por fuzilamento foi o estudante Theodomiro Romeiro dos Santos, de dezenove anos. Seu companheiro Paulo Pontes da Silva, vinte e seis, teve melhor sorte: prisão perpétua.

A pena capital era uma contribuição ao Brasil emanada do notável saber jurídico da Junta Militar. Formada pelos ministros Aurélio de Lira Tavares, do Exército, Augusto Rademaker, da Marinha, e Márcio de Sousa e Melo, da Aeronáutica, ocupara o centro do poder após o impedimento de Costa e Silva. Ignorando as próprias regras do regime, usou o impedimento do titular para também impedir o vice, o civil Pedro Aleixo, de ocupar a vaga.

Até então, o Código Penal Militar, de 1944, previa a punição extrema somente em caso de guerra externa. Em 27 de setembro de 1969, antes mesmo de aquecerem seus assentos, os três integrantes da Junta editaram o Ato Institucional número 14. Por meio dele, a penalidade tornou-se passível de aplicação contra civis ou militares acusados de praticar atos de guerra revolucionária, subversiva ou psicológica. Theodomiro era o primeiro freguês da novidade.

O julgamento foi relativamente rápido, notadamente se for considerado o ineditismo e o peso das duas punições. Antes, os fotógrafos foram impedidos por ordem do tenente-coronel Vicente Magalhães Morais, presidente do conselho, de fotografar os juízes militares até mesmo de costas. Os trabalhos começaram às 10h05 com a leitura do auto da prisão em flagrante e dos laudos periciais. Ao entrar na sala, o promotor, católico praticante, quarenta e cinco anos, fez o sinal da cruz. A acusação usou uma hora e meia para seu discurso inflamado. Garantiu que "a arma dos fracos é a traição e a arma dos fortes é a Lei de Segurança Nacional, nossa bússola, nosso catecismo"[1].

OS VENCEDORES

Após a interrupção para o almoço, a retomada ocorreu às 14h45. O advogado de ofício — a família de Theodomiro explicou que nenhum dos advogados procurados em Salvador aceitou a defesa — Luiz Alberto Agle pediu a desclassificação da Lei de Segurança Nacional para homicídio a ser julgado pelo Código Penal Militar ou mesmo Civil, onde a pena máxima é de trinta anos. Isto no caso de Theodomiro. Para Paulo pediu a absolvição.

Às 17h05, foi lida a sentença. Por unanimidade, Theodomiro foi sentenciado à morte diante do pelotão de fuzilamento. O fato de ser menor de idade — na época, a maioridade penal era de vinte e um anos — e réu primário não contou a seu favor. A pena de prisão perpétua para Paulo também recebeu os quatro votos. Ao ouvir a sentença, a mãe do preso, Georgina Romeiro dos Santos, cinquenta e dois anos, chorou, consolada por uma das filhas. Duas irmãs de Paulo também se comoveram. Ao saber do veredito, o promotor exclamou: "Modéstia à parte, minha acusação foi excelente, talvez a melhor de toda a minha vida[2]".

Aos jornalistas, Paulo contou que "nos dez primeiros dias (de prisão) desejei morrer. Sofrer um enfarte ou outra coisa. Depois, porém, fui me acostumando" (...), disse mostrando cicatrizes nos pulsos. Mas advertiu: "Comunista eu disse que era e vou continuar a ser até morrer, mesmo que isso aconteça daqui a oito dias ou oitenta anos"[3]. Classificou como "precipitada" a reação de Theodomiro no episódio que os levou à cadeia. Informou que ambos foram torturados na Polícia Federal e, depois, novamente no Forte do Barbalho[4].

O condenado à morte[5] não estava na sala quando a sentença foi lida — adoentado, pedira para voltar à sua cela na penitenciária Lemos de Brito. Mas o veredito não foi novidade para ele, que soube da condenação antes mesmo de ser apresentado à Auditoria Militar, quando ainda estava no Forte do Barbalho. "O capitão Hemetério chegou em frente das nossas celas e comunicou que eu ia ser condenado à morte e Paulo Pontes à prisão perpétua, o que de fato ocorreu."

Theodomiro conheceu o capitão Hemetério Chaves Filho em circunstâncias ingratas. Quando ia participar de uma sessão de tortura, o capitão vestia-se como se fosse malhar numa academia. E depois da tortura, apreciava ficar conversando com a vítima, a respeito do sadismo...

Também preso da Galeria F, da Lemos de Brito, o jornalista e deputado federal (PT) Emiliano José guardou algumas lembranças dessas sessões. Registrou que Hemetério gostava de citar o marquês de Sade e ele próprio pôde vê-lo "em quase êxtase quando me colocava no pau de arara". No dia em que comandou a tortura de Theodomiro, "tomou o cuidado de preparar-se: vestiu um calçãozinho azul, uma camiseta branca, fez aquecimento, várias flexões...[6]"

O percurso de Theodomiro até Hemetério começou a ser traçado um ano e cinco meses antes. No dia 27 de outubro, Theodomiro tinha um encontro com três militantes do PCBR: Paulo Pontes da Silva, Dirceu Régis e Getúlio D' Oliveira Cabral. Conversariam, na rua, junto ao dique do Tororó, norte da Cidade Alta. Dirceu foi embora logo, enquanto os três restantes continuaram a prosa. Único dos três que estava de frente para a rua, Getúlio percebeu que um jipe aproximava-se lentamente. Puxou a arma e saiu correndo e atirando. Sem tempo para reagir, os dois restantes foram dominados rapidamente. Theodomiro teve seu pulso direito algemado ao esquerdo de Paulo. Uma pasta preta, de Theodomiro, e um pacote de roupas, de Paulo, foram apreendidos. Em poucos instantes, a dupla foi empurrada para o interior do jipe, que partiu atrás do fugitivo.

Getúlio escapou ao atravessar uma ponte estreita que o veículo não poderia transpor. No tumulto, a pasta preta — que não fora examinada — voltou às mãos do dono. Num segundo, Theodomiro vislumbrou a oportunidade de fugir. Enfiou a mão esquerda na pasta e dela saiu com um revólver 38. Errou o primeiro tiro. Mas o disparo seguinte, mesmo não sendo canhoto, acertou a cabeça do sargento da aeronáutica, Walder Xavier de Lima. O terceiro foi parar no teto do jipe e um outro atingiu uma das pernas do agente federal Hamilton

OS VENCEDORES

Nonato Borges. Outro agente da PF, José Freire Felipe Junior, e o cabo do exército Odilon Costa, logo o dominaram.

Ao longo dos seis quilômetros entre o dique e a sede da PF, na Cidade Baixa, os dois presos receberam coronhadas. Os agentes estavam completamente fora de si. Dentro do carro e algemados um ao outro os garotos tinham pouca possibilidade de defesa. Chegaram com as cabeças ensanguentadas. Na PF, as coronhas continuaram ativas.

Na carceragem da delegacia, os agentes, informados da morte do sargento, organizaram uma roda e começaram a espancar a dupla com chutes, cassetetes e coronhadas de fuzil. As paredes da cela e o chão ficaram cobertos de sangue. "Minha camisa, que já tinha perdido todos os botões, e minha calça, cuja costura interna foi inteiramente rasgada, ficando parecida com uma saia longa, estavam, literalmente, ensopadas." O comandante das torturas era o chefe do DOI-Codi e superintendente da PF da Bahia e Sergipe, coronel do exército Luís Arthur de Carvalho.

Mas o coronel, vendo que o preso perdera tanto sangue que poderia morrer em suas mãos, mandou buscar um enfermeiro do 2º Distrito Naval, que funcionava junto à sede dos federais. Não foi propriamente um socorro. O enfermeiro examinou Theodomiro e diagnosticou que o preso "estava bem". Não corria risco de morte. Tateou uma seringa na valise mas não achou nenhuma. Então, lamentou não poder aplicar uma injeção de éter nos testículos da vítima. "Derramou todo o éter na minha cabeça e boa parte dele escorreu para meus olhos. A sensação que se tem é a de que os olhos estão em chamas."

Naquela noite e durante a madrugada do dia seguinte, Theodomiro apanhou tanto, especialmente nos rins, que desmaiou. Socos e cassetetes buscavam especialmente os rins. Vinte e quatro horas após voltou a si. Na manhã do dia 29, vendaram-lhe os olhos, ataram seus pulsos e o obrigaram, sentado, a abraçar os joelhos. Entre os pulsos e os joelhos, introduziram um cano de ferro. Ergueram o prisioneiro completamente nu e apoiaram as extremidades da barra em dois cavaletes. Estava sendo apresentado ao pau de arara. Mas a tecnologia do porão não poderia prescindir da eletricidade que chegava através de dois fios, um amarrado a sua genitália e outro percorria todo seu corpo. "Conectados a um telefone de campanha, os fios transmitiam choques, que faziam estremecer o corpo inteiro e davam a impressão de que os órgãos genitais iam explodir[7]."

Em certo momento, os agentes descobriram que Theodomiro pertencia ao PCBR, apelidado "BR". A partir de então, o tormento no pau de arara ganhou trilha sonora: "A gente corre/ E a gente morre/ Na BR-3..."[8]

À noite, foi removido para o Forte do Barbalho. As sessões prosseguiram. Além dos choques e do pau de arara, afogamentos. Ficou três dias sem água e sem comida, doze sem dormir e trinta e três sem direito a banho. No dia 27 de novembro, um mês após a captura, o cabo Dagmar Caribé, lutador de caratê, integrante da 4ª Companhia de Guardas e personagem que surpreenderia e mataria um Lamarca deitado e doente com disparos de metralhadora em 1971, entrou na cela de Theodomiro. Acompanhado de quatro soldados, promoveu mais uma sessão de espancamento. "Eles não queriam mais nenhuma informação. Nada. Simplesmente estavam com vontade de me espancar", interpreta.

O porão não estava sozinho nesse sentimento. Veja-se, por exemplo, o que ia na mente do general Abdon Senna. Comandante da 6ª Região Militar, o general jactava-se da escalada política da caserna — "Montamos na crista da onda e não desceremos mais", gabou-se[9] — e não se vexava diante daquilo que se passava nos desvãos do regime. Em visita ao Forte do Barbalho, o general estacou defronte à cela do militante do PCBR e informou que, se dependesse apenas dele, "você já estaria morto".

Senna falou sobre seu desejo e, no dia seguinte, as grades das celas foram cobertas com grandes pedaços de lona. "E eu fiquei pensando que realmente ia ser morto", testemunha. Mas não era nada disso. Haveria uma solenidade no quartel e os militares não queriam que um grupo de estudantes visse os prisioneiros.

OS VENCEDORES

Depois do dia 27 de novembro de 1970, a repressão esqueceu os dois militantes do PCBR surpreendidos no dique do Tororó. Mas não se esqueceu da vingança, cozida em fogo baixo durante dois anos.

Getúlio D' Oliveira Cabral escapou dos tiros e da prisão. Já na agonia das organizações armadas, protagonizaria, ao lado de companheiros da ALN e da VAR, uma ação desatinada e brutal: o assassinato do marinheiro inglês David A. Cuthberg. Uma força-tarefa da marinha inglesa chegara ao Brasil para participar das comemorações do sesquicentenário da independência do país e Cuthberg, de dezenove anos, era um dos seus integrantes. O consórcio tomara a decisão de executar um oficial britânico como expressão de solidariedade ao Exército Republicano Irlandês (IRA), em conflito com os ingleses pela independência da Irlanda. Cuthberg foi metralhado no dia 5 de fevereiro de 1972.

Mas para Getúlio estava reservado um destino pior do que aquele dos amigos presos e condenados. Na noite de 17 de janeiro de 1973, o *Jornal Nacional* da TV Globo noticiou que seis "terroristas" do PCBR haviam morrido após "tiroteio" com a polícia no Rio[10]. Getúlio, trinta anos, mineiro de Espera Feliz, era um deles.

Na literatura oficial, Getúlio morreu quando um companheiro, Fernando Augusto Valente da Fonseca, o *Fernando Sandália*, depois de preso no Recife, levou os agentes a um ponto do PCBR no Grajaú, zona norte do Rio. Ao chegarem ao local combinado, encontraram um fusca ocupado por quatro homens. Quando o delator se aproximou do carro, os tripulantes abriram fogo. Os policiais responderam e, na refrega, o fusca pegou fogo e três dos ocupantes morreram carbonizados. O quarto fugiu. Além de Getúlio, foram mortos José Bartolomeu Rodrigues de Souza, o *Tropicalista*, e José Silton Pinheiro, codinome *Soares*, ambos de vinte e três anos. Morreu também *Fernando Sandália* que, junto com Getúlio, integrava o secretariado nacional do PCBR. Ignora-se a sua idade na época.

No aparelho do PCBR, situado na rua Sargento Walder Xavier de Lima, número doze, fundos, subúrbio de Bento Ribeiro, também no Rio, morreram mais dois militantes: Lourdes Maria Wanderley Pontes e Valdir Sales Sabóia. Lourdes era mulher de Paulo Pontes da Silva. Na descrição policial, a dupla estaria sitiada no aparelho e resolveu abrir caminho à bala.

Era uma falcatrua. Aqui, uma infâmia servia de abre-alas para a mentira. A primeira vítima foi *Fernando Sandália*, exposto como um traidor que levara seus companheiros ao extermínio. José Adeildo Ramos, também do PCBR, viu *Fernando* sendo torturado no dia 26 de dezembro no DOI-Codi de Recife. Estava algemado na cela e urinava sangue[11]. Ao depor à justiça federal, José Adeildo afirmou que *Fernando* expirou sob tortura e foi levado para o Rio onde encenaria, morto, a cena do combate que nunca houve.

Getúlio, José Bartolomeu e José Silton morreram no DOI-Codi carioca igualmente sob suplício. E também foram transportados para compor o cenário da fraude, segundo apurou a Comissão Especial de Mortos e Desaparecidos Políticos[12]. Não se sabe onde Lourdes e Valdir morreram, mas certamente não foi na rua Sargento Wálder Xavier de Lima. Há informações de que Lourdes, em dezembro de 1972, estava presa no Rio. Ela recebeu sete tiros, o que a faria perder muito sangue mas, no local em que estava o cadáver, não havia sinais dessa perda. Há indícios de que o cadáver foi arrastado e um dos projéteis atingiu seu pulso, o que denota, geralmente, um gesto de defesa da vítima diante da proximidade do agressor.

Para a Comissão, as cinco mortes ocorreram no mesmo local e a de *Fernando Sandália*, em Recife. Embora a imprensa tenha noticiado as mortes somente no dia 17 de janeiro de 1973, elas aconteceram, segundo a própria polícia, no dia 29 de dezembro do ano anterior[13]. Seria estranho guardar essa revelação por vinte dias. A menos que fosse necessário ganhar tempo para montar as duas cenas e tentar organizar algo minimamente plausível. Colocar todos os cadáveres no fusca do Grajaú pareceria uma excentricidade. Inventou-se, então, o aparelho da rua Sargento Walder Xavier de Lima que, por esplêndida intervenção do acaso, é o mesmo militar morto com um disparo na cabeça no dique do Tororó. E a data das mortes, 29 de dezembro, é a mesma do aniversário de Theodomiro. O temor de escancarar a fraude foi menor do que a sofreguidão para assinar, com estilo, os seis assassinatos.

Outra possível encenação, também com o "BR" na condição de protagonista e vítima, aconteceu na noite chuvosa de 27 de outubro de 1973. Naquele sábado, um fusca vermelho foi cercado por oito carros da polícia e metralhado. Jogou-se ainda uma granada no seu interior e as chamas que se seguiram à explosão incineraram os cadáveres. Passado um mês, nota do Ministério do Exército informou que "após cerrado tiroteio" quatro terroristas haviam sido mortos, dois deles identificados como Ranúsia Alves Rodrigues e Almir Custódio de Lima. Os demais ainda não haviam sido reconhecidos. Era mentira.

Pelo menos quatro órgãos oficiais, o próprio CIE, o DOI-Codi, o Dops e o CISA sabiam das identidades de Ramirez Maranhão do Vale e de Vitorino Alves Moitinho. Mais: um documento do CIE atestava que Ranúsia fora presa na manhã daquele sábado. O que estaria fazendo dentro de um fusca na noite do mesmo dia? Seria uma casualidade os médicos-legistas — Helder Machado Paupério e Roberto Blanco dos Santos — e o declarante José Severino Pereira serem os mesmos do episódio do Grajaú no final de 1972 e que também envolvia o PCBR? Os corpos foram negados às famílias e os quatro enterrados como indigentes para ocultar evidências passíveis de colisão com a versão da caserna? Seria um mero acaso os corpos, novamente, estarem carbonizados, do mesmo modo que ocorreu com aqueles do Grajaú? Como observam Nilmário Miranda e Carlos Tibúrcio, são coincidências e lacunas demais[14]. A chacina marcou o fim da linha para o PCBR.

Filho do capitão do exército Modesto Ferreira dos Santos e da professora Georgina Romeiro, Theodomiro entrou cedo para o PCBR. Nem o pai, nem a mãe tiveram qualquer influência na decisão. Muito antes pelo contrário. Seu pai tinha posições políticas de extrema direita. "Ele morreu no final de 1960, sem ver realizado o seu sonho de implantação de uma ditadura militar no país."

A exemplo de boa parte da esquerda armada, Theodomiro descobriu o mundo e tomou partido dentro dos projetos de assistência social da Igreja Católica e na escola marista onde estudou. Depois do Concílio Vaticano II, a aproximação dos pobres tornou-se mais evidente. "Na época, até um conservador extremado como dom Eugênio Sales[15] era defensor da fundação de sindicatos de trabalhadores rurais, naturalmente sob o controle da igreja." Os irmãos maristas promoviam assistência social e educação fundamental nos bairros mais pobres de Natal, e Theodomiro engajou-se com eles na tarefa.

Amigos que militavam no movimento estudantil de Natal o aproximaram da Corrente Revolucionária, uma dissidência do PCB. Em 1968, a Corrente daria origem ao PCBR.

No começo de 1970, em Salvador, o secundarista Theodomiro recebeu o codinome *Marcos* e entrou no PCBR. Ao ingressar, pediu para ser alocado nos grupos de frente. Seu batismo de fogo não demorou muito. Em 25 de maio de 1970, aos dezoito anos, participou do assalto a uma agência do Banco da Bahia no bairro da Liberdade. O objetivo era levantar fundos para montar a infraestrutura da luta armada no campo. Mas houve alguns percalços. A começar pela chuva. Como o alvo ficava em uma área comercial, a chuva espantou a clientela e deixou os vendedores sem ter o que fazer, apenas observando o movimento. Um deles percebeu algo estranho no banco e chamou a polícia. Houve tiroteio. O grupo de fogo do PCBR escapou ileso, mas a maior parte do dinheiro, num grande saco de aniagem, ficou na calçada. "Era", diz, "um saco muito pesado para transportar, naquelas condições, até um dos carros".

Embora condenado à morte, Theodomiro não temeu ser fuzilado. Apostou que os militares não fariam tal coisa, oficialmente, com um menor de vinte e um anos, sem antecedentes de qualquer espécie.

OS VENCEDORES

Ademais, quando quiseram, sempre executaram, informalmente, os presos políticos. Outro motivo para o otimismo foi a campanha contra a pena de morte, "a maior depois do AI-5", movida pela OAB, a CNBB, a Associação Brasileira de Imprensa (ABI) e a Sociedade Brasileira para o Progresso da Ciência (SBPC), com repercussão e adesões fora do Brasil, especialmente na Europa. Fuzilar um dissidente teria um custo político exorbitante para o governo.

Assim, ainda em 1971, a pena de morte foi transformada em perpétua. Mais tarde, passou a ser de trinta anos e, por fim, de dezesseis anos, seis meses e vinte e cinco dias. Com quase nove anos de cadeia, ele solicitou liberdade condicional. Atendia às exigências do Código Penal Militar: cumprira mais de um terço da pena e era menor de idade quando ocorreu sua prisão. Obteve parecer favorável do diretor e do chefe de segurança do presídio, do psiquiatra e, por unanimidade, do Conselho Penitenciário. Apesar disso, o juiz auditor indeferiu o pedido, com o fundamento de que "não poderia arcar, sozinho, com a responsabilidade de me devolver ao convívio social".

Soube então de algo que o inquietou. Governador nomeado da Bahia e figura sempre próxima da caserna, Antônio Carlos Magalhães dissera em conversa reservada com jornalistas que o tema Theodomiro era "muito complicado", como conta Emiliano José, reproduzindo as palavras de ACM. "Vocês sabem, pode ocorrer uma briga com os presos e acontecer alguma coisa com ele...[16]" Apesar do bom relacionamento com os presos comuns, ficou com medo. "Por isso, não tive alternativa senão a da fuga."

Fugir era o menos complicado. Ao longo dos anos, ganhara a confiança dos carcereiros. Saía diariamente da penitenciária e ia para um matagal nos fundos. Demorava-se ali coletando mudas para o canteiro que cultivava em frente à cela. Mais difícil do que escapar era permanecer livre. Nestas saídas alongadas e frequentes apelou à rede de contatos dentro e fora do PCBR para garantir o respaldo para a fuga. No clarear do dia 17 de agosto de 1979, deslizou para o mato, procurou e achou o embrulho que escondera ali no dia anterior. Dentro, a nova roupa que usaria, um barbeador, sapatos e óculos. "Fez a barba e o bigode, trocou de roupa, guardou todo o resto num saco que levaria consigo, penteou o cabelo, que passou a ser liso, e olhou-se no espelho. Alegrou-se: estava muito diferente"[17].

Cruzou o mato, chegou à rua e tomou um táxi. Encontrou-se com o primeiro contato no bairro da Federação, perto do centro de Salvador. No mesmo dia, à noite, acompanhado por três militantes do PCBR, viajou de carro para Ilhéus, distante 464 quilômetros da capital. Um segundo veículo acompanhava o primeiro como medida de segurança. Todos, menos Theodomiro, estavam armados com escopetas e revólveres para a eventualidade de um enfrentamento. O PCBR acreditava que o fugitivo estava sendo procurado não para retornar à cela, mas para ser morto. O plano de Theodomiro era sair logo do Brasil. Mas o partido entendia que o episódio deveria servir para expor a ditadura. Isto só se conseguiria se o fugitivo, em vez de cruzar a fronteira, obtivesse asilo em uma embaixada.

Escondeu-se alguns dias numa fazenda de cacau. Cúmplice, o dono disse aos empregados que se tratava de um empresário interessado conhecer e, talvez, comprar a propriedade. Mas tremeu quando a notícia da fuga apareceu no *Fantástico*. "Foi horroroso. Estava numa tensão enorme", rememora. A chamada de abertura do programa: "Fugiu da penitenciária Lemos Brito, Theodomiro Romeiro dos Santos". Procurou um lugar para se enterrar e não achava. Mas, como estava com a fisionomia muito diferente, ninguém o reconheceu.

Teve que sair de Ilhéus e seguir para outra fazenda, em Itapebi, agora a 597 quilômetros de Salvador. Aos poucos, a segurança ficou cada vez mais debilitada. Transferiu-se para o mosteiro Rainha da Paz, em Vitória da Conquista, das monjas medianeiras da paz. Contatado, o bispo local, dom Climério Almeida de Andrade, incumbiu-se da mediação assumindo a responsabilidade do gesto perante as monjas. Nos bastidores, a Igreja Católica integrava-se à rede de proteção. Vinte dias mais tarde, seria preciso mudar de esconderijo novamente. Foi removido para outro refúgio em Bom Jesus da Lapa, no vale do

OS VENCEDORES

São Francisco, também com o apoio do bispo local, dom José Grossi. E seguiu para Arraial do Cabo, no Rio, onde se encontrou com Bruno Maranhão, dirigente do PCBR. No dia 29 de outubro, sempre de carro, rumou para Brasília. A ideia era obter asilo na Nunciatura Apostólica, a representação diplomática do Vaticano no país, sugestão de mais um nome que se juntou ao grupo, o deputado baiano Francisco Pinto, da chamada ala autêntica do PMDB. A Chico Pinto uniram-se mais dois deputados, Airton Soares, também advogado de presos políticos, e Freitas Nobre, outro autêntico[18].

No início da tarde do dia 30 de outubro, dá-se a seguinte cena. Um homem trajando um paletó branco adornado com uma discreta cruz na lapela e carregando uma *Bíblia* nas mãos apresenta-se à irmã Zélia, secretária do núncio apostólico, dom Carmine Rocco. "Estou querendo falar com dom Carmine", anuncia. "O senhor é religioso?", quer saber a freira. Assente. Ela explica que o núncio está repousando e que o atenderá um pouco mais tarde[19].

Enquanto aguarda que dom Carmine desperte da sesta, surgem Chico Pinto e Airton Soares. Estão ali porque "foram chamados pelo núncio". Mas não há nenhuma audiência agendada.

A secretária suspeita que está no meio de um rosário de acontecimentos esquisitos e manda chamar o primeiro-secretário da Nunciatura. Theodomiro se apresenta e o monsenhor Renato Martino indigna-se. Manda-o sair e ele se recusa. Chico Pinto aciona os setoristas da Câmara Federal e os repórteres invadem a Nunciatura atrás da notícia. Aparece, enfim, dom Carmine. Irado, avisa que mandará colocar o intruso porta afora. Chico Pinto tenta acalmar o núncio, dizendo que sempre ouviu que a Igreja Católica abrigava os perseguidos.

— Não. Ele terá que sair!

Irritado, o deputado replica:

— Então nós o denunciaremos como corresponsável pelo assassinato de Theodomiro!

O núncio olha para os dois, respira fundo e diz:

— Está bem, ele fica. Só Deus sabe os problemas que vou enfrentar[20].

Dom Carmine pensava provavelmente em problemas com seus superiores na Santa Sé. Dom Martino — que, após o primeiro momento, manifestou-se contra a expulsão — constatou que havia outro e mais sério tipo de problema. Três dias após a entrada de Theodomiro, a Nunciatura recebeu um pacote grande e pardo endereçado ao seu mais novo morador. Como era sua obrigação conferir toda correspondência enviada ao hóspede, ao abri-lo encontrou um segundo envelope e um emaranhado de fios. Pediu auxílio à embaixada dos Estados Unidos e um funcionário da CIA desativou o que seria uma carta-bomba.

Sem possuir tratado de asilo com o Brasil, o Vaticano não poderia concedê-lo. A Nunciatura consultou o México que concordou em receber o ex-prisioneiro. Um mês e dezoito dias após seu ingresso na Nunciatura, Theodomiro partiu para o exílio. A fuga durara quatro meses.

Do México rumou para a França. Ali, após intermediação da Anistia Internacional, conseguiu ficar. Empregou-se como pintor de paredes. Fez curso de fresador, estagiou na montadora Renault e trabalhou durante cinco anos em uma empresa de mecânica de precisão. Foi faxineiro e deu aulas de português. "A vida era muito boa. Como fui preso aos dezoito anos, vivi minha "adolescência" na França e lá meus filhos mais novos foram criados".

A história de Theodomiro, cronologicamente, vai na contramão da maior parte dos exilados. Enquanto a maioria deles retornou ao país em 1979 com a aprovação da anistia, este foi o ano em que o primeiro condenado à morte no Brasil republicano partiu. Ele só voltou no final de 1985, quando sua pena prescreveu.

Tanto tempo depois, reexamina sua resposta à prisão. "A reação ocorreu por convicção pessoal e por dever político." Nota que Mário Alves foi preso sem reagir e, na sequência, assassinado na tortura de forma indescritivelmente cruel. Decidiu-se, então, que era dever de todo militante reagir à prisão. "Seja porque a morte em combate é menos dolorosa, seja porque, não havendo tortura, o risco potencial do partido sofrer prejuízos através da delação é bastante reduzido."

OS VENCEDORES

E a cena da morte do sargento quando e como o revisita hoje? "Minha prisão ocorreu há quarenta e três anos e é natural que, com o passar do tempo, a memória se torne suave. Isso ocorre com tudo." Traumas, perdas de pessoas queridas, nascimento de filhos e netos, tudo adota "uma forma serena" de se fazer presente na vida. "Não tenho nenhuma marca psicológica consciente da minha militância e da minha prisão. Nenhum tormento, nenhuma angústia, nem pesadelos de qualquer tipo."

No retorno ao Brasil, estudou e formou-se em Direito. Foi funcionário da Companhia Energética de Pernambuco (Celpe) e da Justiça Federal. Tornou-se juiz do trabalho e presidente da Associação dos Magistrados da Justiça do Trabalho da Sexta Região (Amatra). Aposentou-se em 2012, aos sessenta anos, como titular da 9ª Vara do Trabalho do Recife. Para tanto, pôde contar o tempo em que esteve preso e exilado. Anistiado, recebeu o pedido de perdão do Estado pelas torturas que sofreu. Nunca reencontrou nenhum dos seus torturadores.

Com Rosa seria diferente.

O tratamento padrão dos porões que Theodomiro provou: afogamento, espancamento, choques elétricos e pau de arara

OS VENCEDORES

Nas manchetes, o primeiro condenado à morte no Brasil do século 20. A pena capital fora uma invenção da junta militar

Sentenciado à morte por fuzilamento aos 19 anos, decisão do Conselho Especial de Justiça da Aeronáutica, Theodomiro teria a pena comutada e fugiria da prisão

Bete, que era Renata, aqui quando ainda tinha o codinome Rosa na VAR-Palmares.

CAPÍTULO 24

Gaspar, Rosa, Renato e os brancaleones

Gaspar tem um orgulho: jura que foi ele quem batizou a organização guerrilheira de Dilma Rousseff, Carlos Lamarca e tantos mais como "Vanguarda Armada Revolucionária-Palmares". Uma expressão que conduz em seu bojo os conceitos essenciais da agitação social nos anos 1960: vanguarda, revolução, a força e o caminho das armas. Há um respiro depois da rajada das três palavras urgentes, para evocar e homenagear — e estabelecer uma analogia atrevida — com um levante de negros escravos no Brasil do século XVII que afrontaram outra opressão. A pausa antes de "Palmares" é a ponte histórica que os revolucionários construíram para se autointerpretarem e se colocarem diante do país naquele momento em que só um lado — o outro — falava e era ouvido. Deve ser o mais inovador e bonito nome que a imaginação do *marketing* carbonário gestou para se contrapor à ditadura.

"É sonoro, remete a uma ideia de libertação", entende. Conta que Carlos Araújo e Carlos Brasil, dois gaúchos da organização, foram ao encontro de Mongaguá, no litoral paulista, que decidiu a fusão da VPR com o Colina. Era abril de 1969 e a dupla levou a proposta do nome VAR-Palmares. Na volta, disseram a *Gaspar* que o nome que propusera fora aprovado. Entre as alternativas derrotadas, havia uma que defendia a permanência do nome VPR e outra queria que o novo grupo se designasse "Vanguarda da Esquerda Revolucionária". Porém, para azar do seu autodeclarado criador, ninguém confirma sua autoria, geralmente perdida na memória nebulosa e imprecisa das assembleias clandestinas. O que ninguém nega é o que se segue:

Adeus morena, eu vou partir pra serra/
Vou lutar na guerra da libertação/
Adeus morena, eu vou subir a serra/
Pra livrar a terra da exploração...

E que prossegue assim:

Eu vou na pista de dois ordinários/
o capitalista e o latifundiário/
Contra a injustiça destes dois "patrão"/
eu trago a justiça da revolução (...)

O que ninguém nega, a começar por seu companheiro de armas, Antonio Roberto Espinosa[1], é que *Gaspar* escreveu o hino da VAR. Espinosa detalha que o xote "Adeus Morena" nasceu do violão e voz de *Gaspar* na estrada de São Paulo para Teresópolis, onde acontecia o tenso congresso da organização. Dois companheiros, também músicos, secundavam o autor na hora de puxar a canção nas rodas do encontro: o baiano José Campos Barreto, o *Zequinha*, e o goiano Rafton Leão, o *Gordo*[2]. E todo mundo cantava junto. Mas o autor não vê motivo de maior orgulho. "Era apenas uma cantiga. Aí começaram a chamar de hino na falta de uma designação melhor. É ingênuo."

A paixão pela música sempre habitou a vida de *Gaspar*. Antes, durante e depois da revolução. Quando chegou a época dos festivais, participou como compositor e intérprete. No II Festival de Música Popular Brasileira, da TV Excelsior, em 1968, teve o topete de escrever, inscrever e cantar "O gaúcho", que, a par de enaltecer a vocação libertária do homem dos pampas, trazia versos assim:

> Pelo amigo dou um braço/
> Pra mulher um doce abraço/
> Pros milicos trago estrago/
> Pro inimigo outro balaço.

Afinal, recém era julho e o AI-5, cria teratológica do regime, ainda se arrastava para nascer em dezembro e era tolerada certa audácia poética...

Antes de entrar de cabeça na oposição armada ao regime que se impôs pelas armas, *Gaspar* esteve na trincheira oposta. Egresso da classe média alta, família de origem alemã com comércio forte em Porto Alegre[3], cursou o Centro de Preparação de Oficiais da Reserva, ao mesmo tempo em que ajudava nos negócios da família e frequentava a faculdade de Direito na PUC local. No final das contas, renunciaria aos três caminhos. No quartel, encontrou "gente destreinada" e "um ambiente de traições e fofoquinhas". Delineava-se um quadro que, se o Brasil tivesse que enfrentar uma guerra, esfacelaria qualquer pretensão. No 18º RI, maior quartel da cidade, quando chegava o sábado, alguém apontava para o estagiário do CPOR e, sem mais nem menos, ordenava: "Tu vais ser o oficial de dia". E lá ficava *Gaspar* — que ainda não ganhara esse codinome — como responsável por um paiol abarrotado de armamentos. "E eu tinha só dezoito anos..."

Dividido entre o Direito e o violão, em 1969 foi trabalhar como estagiário do advogado Afrânio Araújo, homem do PCB, pai de Carlos e futuro sogro de Dilma. Especializado em causas trabalhistas, o escritório de Araújo representava sindicatos poderosos — como o dos mineiros de Criciúma/SC — e os metalúrgicos dos estaleiros

Só e Mabilde e de grandes indústrias gaúchas, como Zivi Hércules e Wallig. O estaleiro acabou se transformando no ponto de convergência da esquerda, incluindo desde os dissidentes do PCB até os secundaristas das passeatas de 1968, passando pelos brizolistas desiludidos com o recuo de seu líder que, após o fracasso de Caparaó, desistira do projeto de guerrilha. A proximidade com os trabalhadores, no futuro, ajudaria a inserir a VAR no operariado. "Chegamos a ter células dentro do estaleiro Só", diz *Gaspar*.

Bem nos seus primórdios, a organização nascente atrairia ainda, no Sul, também alguns militantes do Incrível Exército Brancaleone[4]. Mas isso só no começo, porque depois este ente informal, de batismo estapafúrdio e irreverente, nascido em 1968, se dissiparia entre muitos outros rumos. Mesmo assim, sua existência impõe um parêntese. "Quem nos apelidou de *brancaleones* foi o Flávio Koutzii[5]. No começo, não gostamos, mas depois achamos aquilo engraçado e o nome acabou pegando." Quem faz a síntese é o ex-*brancaleone*, hoje economista, Calino Ferreira Pacheco Filho.

Koutzii e um punhado de *brancaleones* encontraram-se na saída do cinema Moinhos de Vento, após a projeção da comédia de Mário Monicelli. "No início ficamos furiosos e comparamos o Koutzii ao Abacuc, personagem do filme que, quando apareciam situações perigosas, se escondia num baú de rodinhas", confirma e amplia[6] outro *brancaleone*, Cláudio Gutiérrez. Mas reconhece que o visgo da canção-tema conquistou o grupo: "'Branca, branca/leone, leone, leone' se transformou em nosso grito de guerra".

O ativismo *brancaleone* deitava suas raízes no movimento secundarista — efervescente de modo notável no colégio estadual Júlio de Castilhos, de apelido "Julinho", em Porto Alegre. Era uma esquerda adolescente que ganhara o comando da União Gaúcha dos Estudantes Secundaristas, a UGES — e protagonizava todas as passeatas contra a ditadura. Já em 1968, com mais de quarenta rapazes e moças, o agrupamento entendeu que as formas mais moderadas de oposição estavam superadas. "O Flávio e o Raul Pont[7] eram do POC", explica

Calino. Se discordava do velho PCB, o POC não referendava a opção pela luta armada. "Tínhamos muita pressa. Achávamos que o POC era um negócio bunda-mole..." A hora era de agir. Duas ações ajudaram a forjar a fama e o nome dos guerrilheiros do "Julinho".

Na primeira, os *brancaleones* assaltam a casa de um coronel do exército. A filha do oficial era *brancaleone* e segredou aos demais que o pai guardava uma metralhadora no apartamento. Com a cumplicidade filial e a ausência paterna, o Incrível Exército invade a residência, expropria a arma e, de quebra, uma pistola Luger. Mas não foi tão simples assim. A noite era escura e a chave geral havia sido desligada — o coronel estava na praia. Para enxergar, improvisaram-se tochas que provocaram um princípio de incêndio. Outro percalço contribuiu para empanar o brilho da ação: a metralhadora, uma Stein MKO, com pente lateral usada na 2ª Guerra Mundial, não tinha cano... E a Luger, imprestável, virou brinquedo de uma criança de sete anos...

Mas os guerrilheiros iniciantes não se intimidaram com o malogro. Torneou-se um cano novo para a Stein MKO e ela voltou à ativa na condição de semiautomática, ou seja, um tiro de cada vez. Teve carreira curta que acabou em outro *imbróglio*. Resolveu-se que a joia mais fulgurante do arsenal *brancaleone* seria transportada em ônibus de Viamão, na região metropolitana de Porto Alegre, para a capital. Viajaria dentro de uma mala e sob vigilância de um militante. Por segurança, um carro seguiria o coletivo. Assim, cada vez que o ônibus parava, a escolta parava atrás. Intrigado e suspeitando de que seria assaltado, o motorista do ônibus fez o óbvio: chamou a polícia. E a metralhadora, abandonada, encerrou sua prestação de serviços à revolução.

Outra ação e outra metralhadora — "a gente tinha obsessão por metralhadora...", reconhece Calino — envolveram a tentativa de expropriar a arma do sentinela da casa do comandante da 5ª Zona Aérea. "Chegamos lá, anunciamos a ação, o guarda se agarrou na metralhadora e, em vez de entregar a arma pra gente, começou a berrar." Criou-se uma situação paradoxal em que os guerrilheiros calouros tiveram que bater em retirada, embora em maior número. A despeito do vexame, foi a opção mais sensata. "Ou a gente saía correndo ou teria que dar um tiro no cara."

O advento do AI-5 somado à procura de novas formas de combate à ditadura determinaram a diáspora dos *brancaleones*. No começo, quase todos tinham contato com a Ó Pontinho, designação transitória da fusão do Colina com a VPR que depois, com dissidências do PCB, seria VAR. Quando houve o *racha* na recém-criada VAR, parte encaminhou-se principalmente para a recriada VPR e também a ALN. Com o codinome *Artur Mangabeira*, Calino seria um dos raros a permanecer na VAR. Em 1970, foi preso e torturado. Pegou dois anos de prisão.

Dos rapazes do "Julinho" que saíram às ruas para encarar o arbítrio em 1968, três deles se converteriam em mártires dessa luta. Cada um morreu em um país do Cone Sul. Ex-*brancaleone*, Luiz Eurico Tejera Lisboa, o *Ico*, quadro da ALN, foi assassinado em 1972. Seu corpo somente seria localizado sete anos mais tarde, clandestinamente enterrado na vala de Perus, em São Paulo. Primeiro desaparecido político cujos restos foram descobertos, tornou-se símbolo da luta pela anistia. Jorge Bastos desapareceu em Buenos Aires em 1976 e Nilton Rosa da Silva foi morto no Chile em 1973.

No começo de 1970, *Gaspar* mudou de ares. Mudou-se para São Paulo. Não podia ficar mais em Porto Alegre. Partiu assim que dois agentes da polícia política, Pedro Seelig e Átila Rohrsetzer[8], visitaram sua casa. Morava com os pais num dos endereços mais nobres de Porto Alegre — a esquina das ruas Mostardeiro e Quintino Bocaiúva, no bairro Moinhos de Vento —, mas a dupla não se intimidou e ameaçou sua família.

Em São Paulo, compôs o quadrunvirato que administrava a organização, ao lado de Araújo, Maria Celeste Martins e Adilson Ferreira dos Santos. Morava com Araújo nos fundos de um pátio na Vila Maria. "Chamar aquilo de *aparelho* seria um excesso..."

OS VENCEDORES

Resumia-se a uma peça com banheiro coletivo no corredor. De qualquer modo, aos vinte e três anos, era um dos comandantes da VAR na capital paulista. Ao comando, subordinava-se um grupo ainda mais jovem que se aproximara da organização. "Pessoal do Colégio de Aplicação, na faixa dos dezoito anos, muitas meninas, gente bonita de classe média alta, vários de origem judaica, filhos de imigrantes. Eram os *brancaleones* de lá", abrevia. Dois desses estudantes eram *Renato* e *Rosa*.

Elizabete Mendes de Oliveira era Renata, a grã-fina, para os milhões de telespectadores que a viam todas as noites na TV Tupi, estrelando *Beto Rockefeller*, a novela de Bráulio Pedroso que alcançava picos de audiência e deflagrava um processo de renovação da teledramaturgia nacional. Na ficção, Renata era interpretada por Bete, que vivia outro e desconhecido personagem nos desvãos da resistência. Na VAR, Renata/Bete atendia somente por *Rosa*, codinome que ela própria adotou insuflada pela leitura dos livros da revolucionária polonesa Rosa Luxemburgo. A transmutação de Bete em *Rosa* ocorreu através de um longo processo, iniciado bem antes da atriz tornar-se uma espécie de namoradinha do Brasil.

Filha de suboficial da aeronáutica e dona de casa, a menina de Santos, miúda e baixinha — 1,55m — com fama de encrenqueira na escola, mas também de aluna aplicada, aos catorze anos imergiu nos livros e nas canções do CPC da UNE. Não demorou e orbitava na área de influência do PCB. No Rio, já um tanto *Rosa*, rompeu com a Igreja, logo ela que, ainda Bete, fizera a primeira comunhão com uma roupa de fustão branco, e sentia-se tão enlevada pela liturgia da missa e a harmonia dos corais.

Na adolescência e antes da fama, comeu o pão do diabo. Estudante e sem dinheiro, retornou a Santos para ser datilógrafa do sindicato dos motoristas de guindastes do porto local. Largou o emprego e partiu para São Paulo. Morava em uma espelunca na rua Marquês de Itu, centrão da capital. "Eram cinco camas por quarto, e minhas colegas de quarto eram empregadas domésticas, prostitutas, mulheres separadas, alcoólatras", detalhou ao biógrafo Rogério Menezes[9], sem deixar de acrescentar que muito aprendeu ali sobre a vida e suas vicissitudes.

A roda do tempo andou, chegou 1968, e Bete foi fazer teatro: *A cozinha*, de Arnold Wesker, dirigida por Antunes Filho. Era um papel minúsculo, mas estava no palco com Juca de Oliveira e Irene Ravache. Mudou-se para um apartamento ao lado do teatro Oficina e cumpria uma tripla jornada: a peça, os estudos para o vestibular de sociologia na USP e, nesta altura dos acontecimentos, a VAR.

Quando o dinheiro da TV começou a entrar, alugou um apartamento nos Jardins. Como o endereço também sediava reuniões da direção estadual da VAR, serviu de palco para um choque de dois mundos. Bete, embora *Rosa*, encantava-se com a música clássica. Ocorreu que uma dessas assembleias sub-reptícias da organização teve como trilha sonora *As quatro estações*, de Vivaldi. Ao final, um de seus camaradas assombrou-se: "Nossa, como você é fina!"[10].

Beto Rockefeller transmutara Bete em celebridade instantânea, mas a própria custou a perceber. Até o momento em que, ao entrar numa loja de discos na rua Augusta, ouviu uma melodia familiar e seus primeiros versos:

> Elle est éclose un beau matin/
> Au jardin triste de mon cœur/
> Elle avait les yeux du destin/
> Ressemblait-elle à mon bonheur?/
> Oh, ressemblait-elle à mon âme?/
> Je l'ai cueillie, elle était femme/
> Femme avec un F rose, F comme fleur…[11].

Bete tomou um susto. Estourando nas rádios do país afora, *"F comme femme"*, na voz de Adamo, era o tema de Renata na novela. Virou-se para sair imediatamente dali, mas o balconista a conteve: "Não vá embora. Esta música é em sua homenagem". E Bete: "Minha cabeça pirou, porque eu, a guerrilheira clandestina, eu, a atriz, não tinha noção do alcance que a minha participação na novela começava a ter em todo o país"[12].

A primeira prisão veio logo. Quatro dias de solitária. Sofreu uma acareação com sua companheira de apartamento, a moça nada falou e Bete foi libertada. Destruiu documentos da organização e preparou-se para fugir. O Chile seria seu destino. Abriu o jogo para Walter Avancini, seu diretor na novela *Simplesmente Maria*, que então estava gravando. Avancini emprestou-lhe dinheiro e Bete/*Rosa* submergiu na clandestinidade, entrando e saindo vendada de *aparelhos*. Não adiantou: ao checar um ponto, foi capturada. Era 1970 e o Brasil vivia o período Médici. Na prisão, foi torturada de tal modo que, ainda hoje, prefere não falar sobre isso. Diz apenas que, ao recuperar a liberdade, estava "completamente AR-RE-BEN-TA-DA! AR-RE-BEN-TA-DA!"[13] sem detalhar o que sofreu, mas escandindo, repetindo e encorpando cada sílaba para permitir às palavras gritarem. Tinha vinte e um anos.

Ao deixar a cadeia, declarando-se "um trapo", sofreu um baque quando voltou ao seu apartamento. Fora assaltada. Havia sumido livros, discos, documentos pessoais, calçados, roupas. "Eles pegaram meu dinheiro, pegaram tudo. Desde perfume até outros bens[14]."

Fragilizada, recebeu outro golpe: a Tupi vetou sua escalação para a novela *Meu pé de laranja lima*. Mas o diretor Carlos Zara conseguiu demover a direção da emissora e Bete foi aceita. Em certa tomada, porém, apareceu um problema: a personagem precisava chorar, mas a atriz não conseguia. "No DOI-Codi, onde fiquei presa, a coisa foi tão violenta que eu sequei. Não saía uma lágrima sequer dos meus olhos", descreveu[15]. Sua colega Eva Wilma pediu um tempo, ajoelhou-se ao lado dela e falou baixinho no seu ouvido: "Pensa na tortura, Bete, pensa na tortura...". As lágrimas jorraram com tal ímpeto que a atriz teve que ser amparada e a gravação, interrompida.

Bete afastou-se da luta armada e retomou a carreira. Mas catorze novelas, cinco filmes e seis peças de teatro depois, o passado a visitou no dia 12 de agosto de 1985. Despontou sob o feitio do adido militar da embaixada do Brasil no Uruguai. Deputada federal do PMDB, ela integrava a comitiva do presidente José Sarney em viagem a Montevidéu. Foi quando reconheceu naquele coronel do exército que vinha cumprimentá-la na pista do aeroporto, que leva o expressivo nome de Carrasco, a fisionomia inconfundível do *Doutor Tibiriçá*. Além das masmorras do DOI-Codi, *Tibiriçá* atendia pelo nome de Carlos Alberto Brilhante Ustra, um de seus torturadores. Ficou paralisada ao vê-lo. "Morri de medo, muito medo, mas muito medo mesmo. Voltou tudo na minha cabeça, tudo, tudo, tudo." Não dormiu por três dias. Contou que tomava banho gelado para não cair no sono, receando que Ustra a atacasse. "Ou seja, voltaram os fantasmas todos[16]."

Em carta, Bete apontou Ustra a Sarney. Nela, relatou a reabertura de "uma dolorosa ferida", citando o coronel como "personagem famoso" por sua disposição de comandar e de participar de sessões de tortura. "Digo-o, presidente, com conhecimento de causa: fui torturada por ele." Na Câmara, fez um discurso reafirmando a denúncia.

Chefe do DOI-Codi do II Exército entre setembro de 1970 e janeiro de 1974, o militar sempre negou tê-la torturado. O embate provocou uma crise entre Sarney e o ministro do Exército Leônidas Pires Gonçalves, que tomou o partido do acusado. Escudado na Lei de Anistia, Ustra escapou de qualquer julgamento. Mas teve sua carreira militar truncada e não conseguiu ascender ao generalato. Reagindo ao epíteto de torturador, escreveu o livro *Rompendo o silêncio*, onde defende as ações repressivas do governo militar. Nos últimos anos, sofreu sucessivas derrotas na Justiça. Numa das sentenças, de 2008 e confirmada em 2012, foi declarado responsável pelas torturas sofridas por três presos políticos[17]. Em junho de 2012 foi condenado em primeira instância a indenizar em R$ 100 mil a família do jornalista Luiz Eduardo da Rocha Merlino. Arrastado para os escaninhos do DOI-Codi em julho de 1971, quatro dias depois Merlino estava morto. A sentença foi a primeira a determinar que o agente e não o Estado arcasse com a reparação financeira a familiares de uma vítima de tortura. Bete Mendes abandonou a política partidária após cumprir mandatos pelo PT e pelo PMDB. Continua trabalhando como atriz.

Renato, por sinal *Daniel*, que poderia ser *Abel*, mas que, de fato, era Persio também cruzou na vida com o *Doutor Tibiriçá* que, a propósito, era Ustra. Antes deste encontro, estudava no Colégio de Aplicação da USP. Tinha dezoito anos quando ingressou no que se chamava Movimento Estudantil da VAR. Segundo narrou em longo e confessional artigo à revista *Piauí*[18] recheado de dores e, apesar disso, matizado aqui e ali com tintas de comédia, foi uma resolução tomada em parte por escolha, em parte por conveniência. Para contrastar a ditadura, o veículo não poderia ser o decrépito PCB, refúgio "de gente velha e frouxa". Como a VAR foi a única organização de luta armada que se aproximou do grupo, acabou sendo a adotada. Ao saber que seu nome caíra em mãos da polícia e era questão de horas que seu próprio dono caísse também, reuniu o pai e a mãe. Explicou a situação e o pai, atarantado com a notícia de que o filho era "terrorista" e de que estava para ser preso, mandou às favas os pruridos morais e sugeriu que se escondesse na sua *garçonière*. A revelação de que o pai mantinha um ninho de amores clandestinos desatou imediatamente uma discussão paralela com a esposa, mandando pelos ares a paz doméstica, enquanto Persio aguardava uma solução.

Antes de rumar para a *garçonière* paterna, empanturrou uma mala com livros de Lênin e panfletos contra o regime e foi jogá-la no rio Pinheiros. Nem o refúgio na alcova paterna, nem o afogamento da literatura revolucionária iria poupá-lo da repressão. Sua grande e solitária ação na VAR fora participar do ato de pendurar uma faixa com os dizeres "Luta armada contra a ditadura dos patrões" sobre o túnel da avenida Nove de Julho, em São Paulo. Além disso, conforme conta, abrigou em sua casa, durante uma noite, um guerrilheiro da linha de frente da organização[19]. E só.

Foi o suficiente para despachá-lo para a prisão e a tortura. Apanhado perto das esquinas das ruas Frei Caneca e Marquês de Paranaguá, foi conduzido à rua Tutoia, endereço tétrico da Operação Bandeirante. Jogado na cela, adormeceu sobre um colchão com manchas secas de sangue "imundo, com cheiro de urina, nauseante. Lembrava o cheiro dos mendigos de rua". Dali, ouvia "os gritos de dor vindos da sala de torturas e da cadeira do dragão".

Persio, *Daniel* ou *Abel* sabia que a revolução armada não tinha futuro. Não abandonara a organização antes por falta de coragem. Ou, nas suas palavras, "falta de coragem para ser covarde". Ou ainda: "Tinha vergonha de ter medo e mais vergonha ainda de ser chamado de medroso, de medíocre, pequeno-burguês egoísta buscando salvar a própria pele". No primeiro dia de xadrez, relembrou uma conversa com um militante. Este pretendia abandonar a VAR e Persio procurava demovê-lo. Lá pelas tantas, o companheiro que estava para deixar de sê-lo interrompeu sua retórica e perguntou-lhe:

— Persio, você tem cu?

Ante o espanto do companheiro, seguiu:

— Pois, Persio, eu tenho. E quem tem cu tem medo — esclareceu.

Na oportunidade, aquele futuro ex-militante admitiu ter "um medo do caralho que me arranquem as unhas a frio e me deem choques no saco". Não queria abrir mão de sua cervejinha com bolinho de bacalhau, conversando sobre futebol. "Persio, estou fora. Torço por você e por todos. Mas não me leve a mal, não. Sou pequeno-burguês, cagão, o que você quiser (...). O mar não está para peixe e, porra, eu quero viver[20]."

Da rua Tutoia, o pendurador de faixa da VAR foi transferido para o Rio. Encapuçado, viajou no chão do carro. Ao chegar, logo que o capuz foi removido, recebeu o primeiro soco na barriga. Depois, os choques no corpo despido e os desmaios. E a voz do médico dizendo: "Nada grave, é só aguardar um pouco até que ele retorne. A voz irônica do torturador: e então, pronto para outra?".

Quando um homem mais velho, assustado, aparentemente fora do seu juízo, foi transferido para sua cela não acreditou no que ouvia.

OS VENCEDORES

O recém-chegado dizia que naquele quartel havia "uma geladeira na qual os corpos são imersos em água gelada e afogados. Celas com ratazanas e cobras que te atacam se você não falar". Achou fantasia. Muito mais tarde, leu depoimentos de outros presos políticos confirmando a existência da "geladeira" e o uso de animais como acessórios de tortura.

Na OBAN, outro preso o impressionou por motivo diferente. Todos o respeitavam como uma lenda da revolução e de estoicismo diante do suplício, que lhe rendera uma perna avariada. "Olhos grandes e claros, tinha o apelido de *Bacuri*[21]."

Bacuri, com quem Persio cruzou tão fugazmente, inspirava, mais do que respeito, medo à matilha dos porões. Homem da linha de frente da VPR, da Rede e depois da ALN, participara de dois sequestros de diplomatas. Quando sua companheira, Denise Crispim, foi presa grávida, *Bacuri* prometeu matar o comandante do II Exército, general José Canavarro Pereira, se a mulher ou a criança que estava por nascer fossem maltratadas. Seu assassinato foi precedido de uma farsa. O Dops "informou" que *Bacuri* escapulira ao ser levado a um ponto com o comandante da ALN, Joaquim Câmara Ferreira, o *Toledo*. A imprensa comprou o peixe da repressão e o vendeu aos leitores. *Bacuri*, três dias depois de sua "fuga" sensacional, permanecia trancafiado e sob tortura. Dali foi removido, sob os gritos dos demais presos, que sabiam o que ia acontecer, e enfiado num depósito de munições do forte dos Andradas, na praia do Guarujá, em Santos. O governo intuía que, em caso de novo sequestro, os guerrilheiros poriam *Bacuri* na lista dos libertados. Um dia depois da VPR sequestrar o embaixador da Suíça, *Bacuri* foi executado com quatro tiros, um deles no olho direito. Seu corpo foi desovado em um cemitério. Continha escoriações, hematomas e queimaduras.

A reverência que um guerrilheiro como *Bacuri* era capaz de despertar não alterou a convicção do jovem militante da VAR: inexistia escapatória para a guerrilha. Prisões maciças, assassinatos, deserções e conflitos internos minavam o que restava. Ali encontrou "a inveja, a intriga e a maledicência". Avaliou que aquele material não poderia forjar nenhum homem novo, como Ernesto Che Guevara pretendia.

Algo, porém, permaneceu. *Renato, Daniel* ou *Abel* esvaneceram e Persio ficaria mais conhecido como Persio Arida, um dos formuladores do Plano Real no governo FHC. Julgado pela justiça militar e absolvido, abandonou a militância e partiu para os Estados Unidos, de onde retornou com um doutorado em economia no Massachusetts Institute of Technology (MIT). No Brasil, tornou-se banqueiro. Ele percebe que, a despeito dos caminhos distintos, quarenta anos depois sobrevive uma identidade comum. Reconhece que é difícil expressar esta percepção. "Talvez se possa dizer de uma atitude de vida que desconfia do individualismo, do sentimento nocivo de que cada um cuida de si (e os outros que se danem), que tão frequentemente apequena as pessoas e tolhe sua humanidade", escreveu em *Piauí*.

Suas memórias do cárcere aborreceram Ustra que, com base no processo da justiça militar do período, o acusou de omitir dados e fantasiar a realidade[22]. Arida treplicou[23], considerando "uma afronta à razão e à história" atribuir tal valor a um tribunal de exceção. Reiterando sua condição de ex-socialista, garantiu que, se tivesse que optar entre ser um "jovem idealista, mas equivocado" e o chefe da OBAN, escolheria ser quem foi, mesmo se tivesse que ser preso novamente. "Eu não suportaria a vergonha de ter comandado uma casa de torturas."

1970 foi um ano ruim para a VAR. Sucessivas quedas — as de Dilma e Araújo entre muitas — destroçaram seu arcabouço. E *Gaspar* ficou em São Paulo, equilibrando-se entre duas realidades paralelas.

Na primeira delas, estava no comando local, depois da sequência de prisões, de uma das organizações guerrilheiras que desafiavam o governo militar. Nessa condição, chegou a representar a VAR num encontro com *Toledo*. "Foi pouco antes dele ser morto. Era normal a direção da VAR encontrar-se com a da ALN, mas, no meu caso, era como uma criança conversar com um desembargador... Era um mundo de tensão, você tem que possuir uma estrutura mental tremenda. Era muita gente jovem. Havia muitas quedas e as direções regionais mudavam muito. Um xadrez muito brusco."

Na segunda, com o esfacelamento de sua rede de apoio, dormia em ônibus e passava fome. Sua sorte foi ter encontrado, na praça da Sé, antigos parceiros de futebol que faziam faculdade em São Paulo. Pagavam-lhe o almoço. Ainda hoje, prefere omitir o nome deles. Sabiam o que ele fazia e, para não serem vistos juntos, quando acabavam de almoçar, deixavam dinheiro embaixo do prato. Assim que se levantavam, *Gaspar* sentava-se àquela mesa porque sabia que haveria dinheiro ali.

Gaspar estava exausto da clandestinidade. Havia outras razões para isso. Alguém lhe dera dois pontos onde pegaria dinheiro para pagar um lugar para dormir. Os dois eram armadilhas. Num dos pontos, viu um sujeito com marcas de tortura. No outro, na alameda São Gabriel, encontrou um ambiente estranho. Havia uma camionete C-14 e um motorista de cabelo escovinha dormindo na direção.

Encontrou-se com Maria Celeste e abriu o jogo. Pretendia cruzar a fronteira. E vaticinou: "Tu não vais durar dez dias". E ela seria presa dez dias depois. Também chamou o coordenador dos estudantes, identificado apenas como "Paulo" — "até hoje não sei quem era o cara" — e o informou da decisão. "Sou um fio desencapado", disse. Reparou que seria fácil alguém da turma mais nova cair e entregá-lo. E, se caísse, aumentaria a densidade do olhar sobre a VAR. Falou que não conhecia ninguém mais na cidade e sairia do Brasil. Naquele mês, quarenta pessoas foram presas em São Paulo.

Com a roupa do corpo, apanhou um ônibus para Curitiba. E outro para Foz do Iguaçu. Seguiu até Porto Meira e daí para *Puerto Iguazu*, na Argentina. Tomou a direção de Santiago e, dali, para o sul do Chile até *Concepción*. Lá havia um contato: o cientista social brasileiro e exilado Ruy Mauro Marini. Contou a Marini que quem lhe dera seu contato fora Carlos Alberto Soares de Freitas, o *Breno* ou *Beto* da VAR, que conhecia Marini dos tempos de Polop. Quinze dias depois, veio a resposta: "Vamos dar guarida a você".

Mas o começo não foi fácil. No início, foi rechaçado pelos brasileiros de *Concepción*. Era estranha a sua história e foi penalizado. Conseguiu uma entrevista com o reitor da universidade local, Edgardo Enríquez — pai de Miguel Enríquez, fundador e secretário-geral do MIR[24]. Edgardo Enríquez fez questão de vê-lo porque queria olhar o forasteiro nos olhos. "Era o critério dele para aprovar ou rejeitar alguém."

Admitido no curso de sociologia, mudou-se para uma cabana dentro do *campus*. Morava com mais quinze estudantes pobres, filhos de mineiros e de camponeses. A cabana se chamava *Ho Chi Minh*. Gaspar, que também foi *Juca* e ainda *João Cândido* e que é Raul Ellwanger na realidade, viveu oito anos de exílio. Virou parceiro do poeta e também exilado Ferreira Gullar, que lhe deu uma letra, "Te procuro lá", para musicar:

> Te procuro, eu te procuro. Eu te procuro lá/
> Você pode ir se embora/
> Pra bem longe daqui/
> Pode ir pro Maranhão/
> Pode parar de falar. Pode mudar de país/
> Pode mudar de planeta/
> Pode mudar de nariz/
> Pode ir pro fundo do mar/
> Te procuro, eu te procuro/
> Eu te procuro lá (...).

Ao retornar, retomou sua carreira. Cantou com Sílvio Rodriguez e Pablo Milanez. Gravou com Elis Regina e Mercedez Sosa. Lançou quinze discos, o último deles *País da Liberdade*, de 2011, com versões do *cantautor* argentino León Gieco. Cantor, compositor, arranjador, versionista, poeta e regente, trocou de armas, mas

OS VENCEDORES

permanece ativo e ativista. Seja na militância da memória dos anos de chumbo, seja no *front* dos palcos. Uma das canções de *País da Liberdade* traz versos assim:

> Eu só peço a Deus
> que a dor não me seja indiferente
> que a morte não me encontre um dia
> solitário sem ter feito o que devia.
> Eu só peço a Deus
> Que a injustiça não me seja indiferente
> Pois não posso dar a outra face
> Se já fui machucado brutalmente.

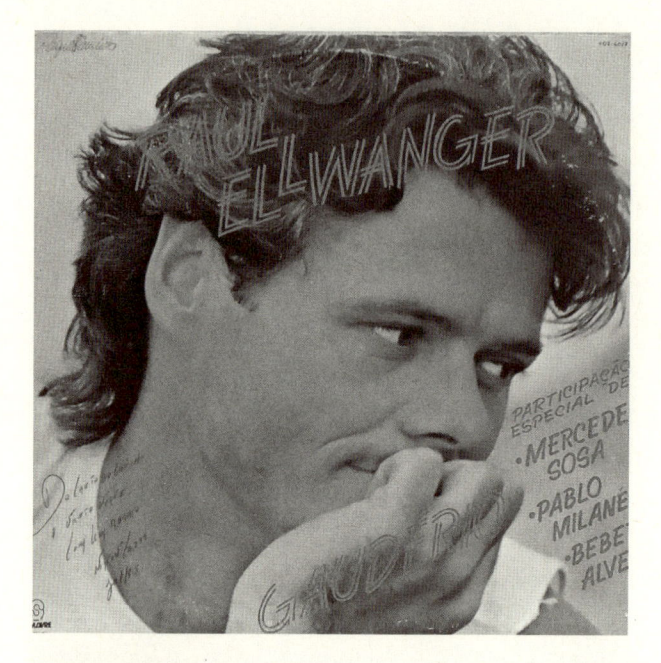

Gaspar, já Raul, em dois momentos após a luta armada e o exílio no Chile. Na capa de um de seus 15 discos e debatendo a memória da resistência no Cone Sul

OS VENCEDORES

Rosa, aqui como Bete, estrelando capas de O Pasquim, Manchete *e* Sétimo Céu *nos anos 1970.*

Ayrton Centeno

rioinvestorsday

Renato, Daniel ou Abel, na verdade Persio, participando de encontro empresarial: prisão e tortura por pendurar faixa a favor da luta armada e "contra a ditadura dos patrões"

Cena e cartaz de O Incrível Exército Brancaleone, *de Mário Monicelli, que inspiraram a brincadeira com os carbonários juvenis de Porto Alegre*

OS VENCEDORES

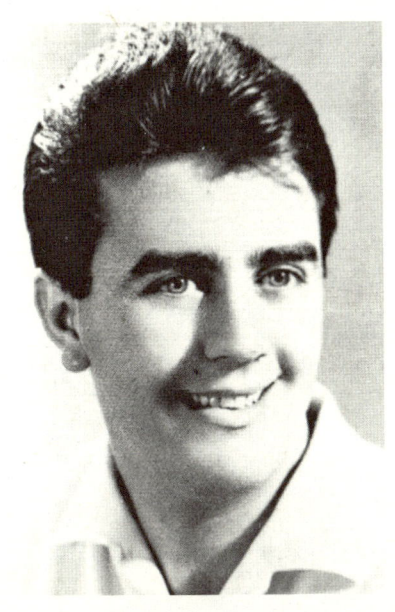

Bacuri, com dois sequestros no currículo, mais do que respeito, inspirava medo aos porões. Foi destroçado na tortura, mutilado e assassinado.

Prédio do DOI-Codi em São Paulo. Nas suas masmorras, Bete disse que "secou" ao ponto de não poder sequer chorar. Atualmente parte do local é utilizado como delegacia policial.

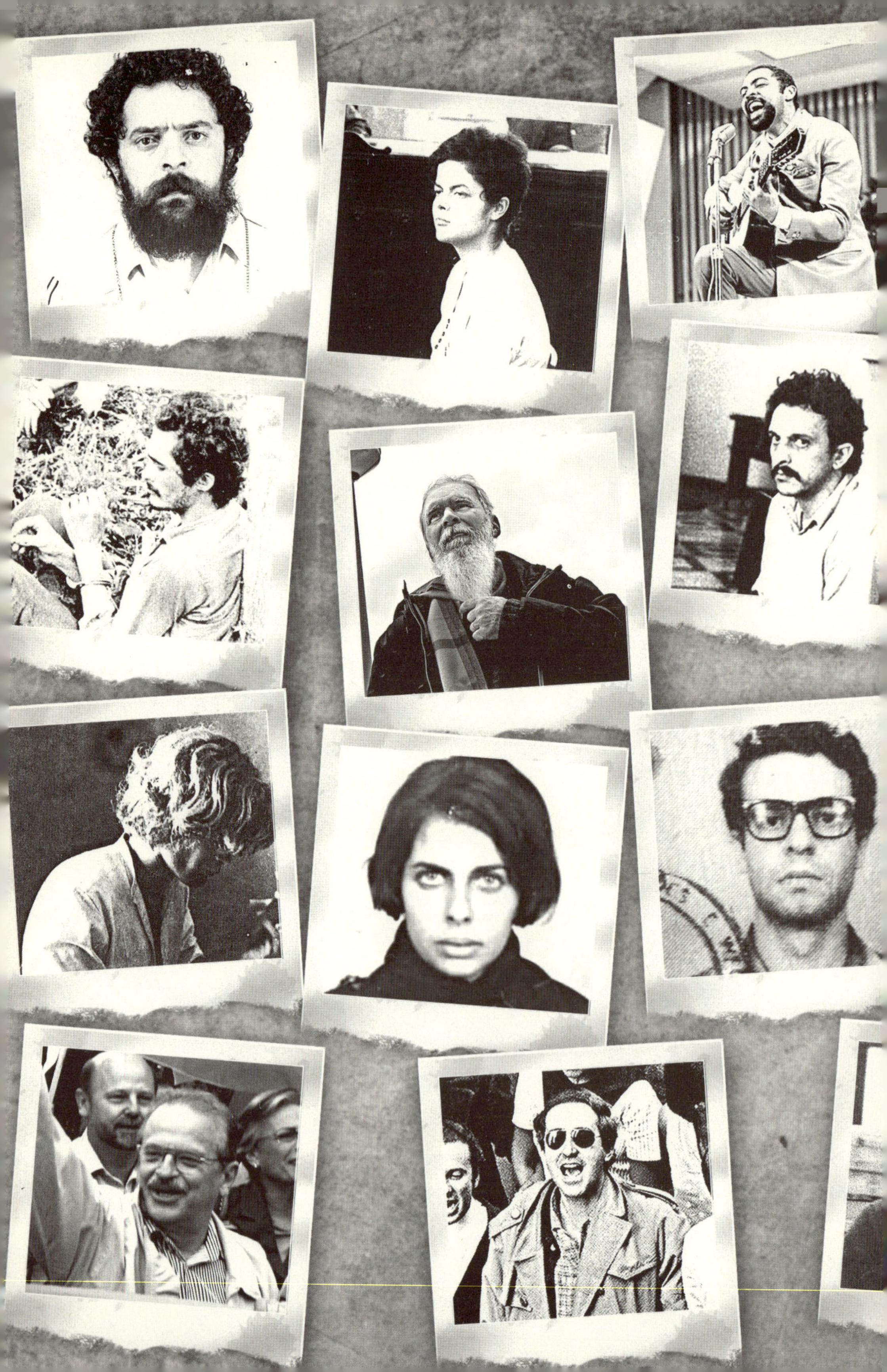

CAPÍTULO 25

Na correnteza da vida

Parece mesmo que os versos que canta servem de rumo a Raul. Com cantores e músicos de oito países da América Latina, Raul Ellwanger, sessenta e seis, lança mais um disco em 2014: *Afluências*. Outra tarefa, a par da música, é a criação do Centro de Memória Ico Lisboa. Trabalha também no apoio à Comissão Nacional da Verdade e na organização da Rede Memória-Verdade-Justiça. E faz palestras musicalizadas sobre a Operação Condor, transnacional de assassinato e tortura das ditaduras do Cone Sul.

A questão interessa a Bete Mendes, sessenta e quatro. Ela integra o Movimento Humanos Direitos, junto com Marcos Winter, Osmar Prado, Camila Pitanga, Wagner Moura, Dira Paes e muito mais gente. Erradicação do trabalho escravo e da exploração sexual infantil e defesa da demarcação das terras indígenas e quilombolas, além da proteção do meio ambiente são as prioridades do movimento.

Um dos formuladores do Plano Real, o economista Pérsio Arida, sessenta e dois, é sócio-proprietário do banco de investimentos BTG Pactual, com escritórios em quatro continentes. Antes, Persio associou--se ao também banqueiro Daniel Dantas e, ao seu lado e de Verônica

Dantas, dirigiu o Opportunity Fund. Em 1995, no primeiro governo FHC, presidiu o Banco Central.

Companheiro de VAR dos três, Helvécio Ratton, sessenta e quatro anos, retorna em 2014 aos subterrâneos da loucura, foco de seu documentário *Em nome da razão*, de 1979. Nele, escancarou as misérias do hospital psiquiátrico de Barbacena/MG, depósito de gente onde sucumbiram 60 mil pessoas. Reingressa no assunto a partir de *Holocausto brasileiro*, livro de Daniela Arbex. Também é o ano de *O segredo dos diamantes*, filme para o público infantojuvenil, e de *O mágico Rubião*, híbrido de documentário e ficção sobre vida e obra do escritor de literatura fantástica Murilo Rubião.

Dona de filmografia que revisita frequentemente os anos de chumbo, Lúcia Murat, hoje com sessenta e cinco anos, entra 2014 absorvida por três projetos, nenhum deles referente ao período. Dois são documentários: *Quatro histórias e meia*, reenfocando os índios kadiweus retratados no seu *Brava gente brasileira*, de 2000, e outro, mesclado com ficção, sobre o ciclo da vida a partir de textos de Simone de Beauvoir, estrelado por Angel Vianna, bailarina de oitenta e cinco anos. Também cuida do roteiro de *Um outro mundo*, sobre as transformações do Rio de Janeiro dos anos 1920. José de Abreu, sessenta e nove, com cinquenta telenovelas, especiais e séries e vinte e seis filmes no currículo, encarnou Carlos Lacerda na TV e Juscelino Kubitschek no cinema, além de um agente da repressão na cinebiografia de *Carlos Lamarca*. Em 2014, planeja rodar um filme sobre a Ação 470.

Os olhos cegos dos cavalos loucos é a promessa de Ignácio de Loyola Brandão para 2014. "É um livro sobre o meu avô, pai do meu pai." Ao longo de sessenta anos, o romancista manteve um segredo: foi ele quem deu sumiço nas bolinhas de gude que serviam como olhos dos cavalos do carrossel que o avô levava de parquinho em parquinho no interior paulista. No final de 2013, Brandão, atualmente com setenta e sete anos, lançou *Mel de Ocara*, livro estradeiro e brasileiro, narrando suas viagens por quarenta e seis cidades do país, conversando sobre literatura e aprendendo sobre falares, cheiros, comidas e pessoas.

OS VENCEDORES

Do *front* das utopias, um descrente Brandão recuou para a defesa das microutopias. Exemplo: a luta, sua e dos vizinhos, contra a verticalização no Jardim América. Um *shopping center* está a caminho. "Se fizerem isso, acaba tudo. É complicado porque resistimos contra o dinheiro."

Dos anos pré-AI-5, quando o país viveu um momento especial da sua cultura, sobrou pouco. Entende que o que restou foi "a mediocridade", não só aqui, mas no mundo. Sob seu olhar, não existe nada mais espantoso do que, num restaurante, as pessoas não prestarem atenção nas outras pessoas e nem na comida: estão *tuitando*, enviando e recebendo mensagens. "A cada dia, aparecem carros mais velozes, trens mais velozes, aviões mais velozes. Para quê? Para sair do nada para lugar nenhum..."

Não faltará tarefa para seu conterrâneo de Araraquara, José Celso Martinez Correia, hoje com setenta e seis anos, acostumado a peitar o poder e a burocracia. É o que fez e fará para defender o território do Oficina, ameaçado de sufocamento pela edificação de "torres assassinas" no Bexiga. É ali que quer inventar o AnhangaBaú da Feliz Cidade, termo que descolou de uma canção de José Miguel Wisnik — "a minha casa é o céu e o chão caroço bruto/catado no vão do viaduto/dando pro Anhangabaú/da felicidade"[1]. Embutida no pacote a Universidade Antropófaga — que formará atores e atuadores, tributo ao grande deglutidor Oswald de Andrade, antigo morador das redondezas — um teatro de estádio para 5 mil pessoas, a ágora, praça e feira de tudo sob o Minhocão, e ainda a área verde ou Oficina de Florestas, que se expandirá pelo Bexiga. Tudo isso e mais a Torre da Memória do Teatro Paulista e Brasileiro.

Depois do Oficina, da guerrilha, da cadeia, da tortura e do exílio, Dulce Maia de Souza, agora aos setenta e cinco anos, retornou ao Brasil com a anistia e viveu onze anos em Florianópolis. Na lagoa da Conceição levantou uma escola para filhos de pescadores. Voltou a São Paulo, instalando-se em Cunha, no vale do Paraíba. Seu ativismo resultou na Casa Abrigo para a infância em situação de risco. Adotou três crianças, hoje adolescentes ou adultos. Obra sua também é a Oscip[2] SerrAcima, que defende o meio ambiente e apoia agricultores familiares na produção de alimentos orgânicos vendidos em feiras e para a merenda escolar. E milita na proteção dos parques nacionais da Serra da Bocaina e do Itatiaia. Sua religião, diz, é a solidariedade.

Toca ainda o projeto da escola que leva o nome do publicitário e seu irmão Carlito Maia. A proposta é atuar em duas frentes, a da qualificação profissional e a da formação integral e humanista. "Chico Buarque é patrono de todo o meu trabalho."

Atriz de Chico em *Roda Viva*, Marília Pêra tem "uma presença que lembra a de Anna Magnani, horripilante e sensacional",[3] escreveu a mais incensada das críticas de cinema, a norte-americana Pauline Kael, após ver *Pixote, a lei do mais fraco*, de Hector Babenco. Em 2014, Marília, aos setenta anos, fará televisão na Globo e formará o elenco de *A atriz*, peça com direção de Bibi Ferreira. E, pode-se dizer, revisitará os anos 1970, reencenando (...) *Joana Martini e Baby Stompanatto*, justamente aquele texto que representava quando foi capturada e conduzida à delegacia no fusca em que morreu Marighella.

Ex-assistente de direção no Oficina e parceiro de ofício de Brandão, Frei Betto, aos sessenta e oito anos, prepara um volume de "ensaios sociais e políticos" ainda sem título. Será o 56º livro de sua carreira iniciada numa cela da ditadura, com tradução em vinte e quatro idiomas e trinta e quatro países. Passado o tempo de coordenador do programa Fome Zero, escreve, faz conferências e assessora movimentos populares e pastorais. E faz prognósticos. Aposta que, como aconteceu com Tiradentes, personagens espezinhados e mortos pela ditadura serão acolhidos pela mesma história oficial que os ocultou. "Não há menor dúvida: Marighella será um nome honrado no Brasil assim como Lamarca."

É uma convicção que outros personagens da luta armada compartilham, como José Dirceu. "O papel que a história reservará para Marighella e Lamarca será o de heróis. Está nos filmes, nos documentários, nos livros", descreve.

Nos anos 1970, no seu livro-calvário *Das catacumbas*, Betto escreveu: "Em nenhum momento considerei que o passado foi em vão e que o futuro está perdido". E hoje? "É uma bênção ter tido vinte anos na

OS VENCEDORES

década de 1960, tempo da Revolução Cubana, da guerra do Vietnã, da Revolução Sexual, da renovação da Igreja no Concílio Vaticano, da criação da Teologia da Libertação, das comunidades eclesiais de base, dos Beatles." Acentua que, então, o principal adjetivo do país era *novo*. "O cinema era *novo*, a bossa era *nova*, a literatura era *nova*."

Apesar dos entraves, continua otimista em relação ao futuro. Analisa que a questão da opção pelo socialismo não é mais nem ideológica, mas aritmética. Repara que um norte-americano gasta por ano a mesma quantidade de energia elétrica que 500 indianos. "Com dez bilhões de pessoas numa nave espacial equivocadamente chamada Terra, com recursos muito limitados, tem que haver partilha ou vamos para a barbárie", avisa.

É uma preocupação que também sensibiliza Alex Polari de Alverga, sessenta e três anos. Para ele, na raiz de tudo reside a noção de que estamos separados do mundo e de tudo o mais que existe, "o que causa a maior parte dos nossos problemas". Advoga uma visão mais altruísta e preconiza a consciência como o novo motor da história. Entende que expandir e iluminar a consciência ajudará a encontrar uma saída. Mas o tempo é escasso para unificar estes valores, condutas, agendas e estratégias. "Daí que o atalho das plantas enteógenas, juntamente com as demais tradições religiosas, pode ajudar a melhorar a compreensão dos seres humanos." Receita o envolvimento em experiências comunitárias e de cooperação solidária. "Estude e ouse ser mais independente em relação ao sistema", aconselha. "Junte-se com os que pensam como você e procure formas de viver (e sobreviver) dentro destes valores."

Alex lida com agricultura às margens dos grandes rios da Amazônia e com sistemas agroflorestais. Em Brasília, batalha por projetos sociais e ambientais na calha do rio Purus. Na sua visão, é a solução para produzir alimentos de forma sustentável mantendo a mata em pé. Reivindica "boas políticas públicas que nos ajudem aqui no interior da Amazônia" e que incentivem a preservação das florestas. "Este é o meu recado para a ex-companheira e presidenta Dilma."

Seu parceiro de VPR, Alfredo Sirkis, de sessenta e três anos, saiu do PV e ingressou no PSB, seguindo o rumo da ex-senadora Marina

Silva. Deputado federal, neste ano, disputará outro mandato. Voltou a cogitar da transposição de *Os carbonários* para o cinema. Mas pessoalmente, entre os idos de 1960 e a pauta de 2014, escolhe a última. "Estou em outra. Mais preocupado com a crise climática, com o projeto socioambiental, com o futuro."

Também próximo de Marina e da agenda verde, o ex-ministro da Cultura de Lula, Gilberto Gil, tendo completado setenta e um anos, já foi mais otimista em relação ao mundo. Percebe ser "muito difícil" convencer a humanidade de que os princípios da Revolução Francesa de liberdade, igualdade e fraternidade deveriam ser restaurados. "São mais atuais hoje do que nunca."

Continua admirando o Marx dos primeiros escritos. E brinca: "Quanto mais velho mais marxista jovem". Considera-se socialista. "O socialismo é um horizonte. Vai continuar sendo. Qualquer veleidade de aperfeiçoamento da sociedade humana leva pra esse horizonte." Em 2014, lançou um novo disco: Gilbertos Samba.

Já Ziraldo, aos oitenta e um anos, quase fez outra viagem em outubro de 2013. "Se fosse um pouco mais forte, eu tinha ido", falou depois do susto na Feira do Livro de Frankfurt. Tivera um "pequeno infarto", disse-lhe o médico. Brincou com a desgraça: "Isso foi um truque para chamar a atenção", sem deixar de se lastimar: "Velho com pressão alta é uma merda"[4]. Ziraldo não se foi, contudo *O Pasquim* virá. Em termos, ao menos. Dá-se que a série *As grandes entrevistas do Pasquim* estará no Canal Brasil. Serão treze episódios, misturando leitura de entrevistas e depoimentos, incluindo os remanescentes do semanário como Jaguar, Luis Carlos Maciel, Sérgio Cabral e o próprio Ziraldo.

O desmatamento da Amazônia é o tema das fotos de Nair Benedicto na coleção do Smithsonian Institution, de Washington/DC. As imagens que Nair, hoje com setenta e três anos, captou dos migrantes nordestinos — "quando começaram a incomodar a elite paulistana, que apreciava e usava seus serviços, mas não gostava de encontrá-los por aí" — estão no acervo do Museum of Modern Art (MoMA), de Nova

Iorque. Fotografou cultura popular — como os forrós — manifestações, trabalhadores sem terra, índios, operários, mulheres. Terá um 2014 cheio, a começar pela exposição de personagens de Paraty/RJ nos anos 1980. "Da prostituta iniciadora de quase todos os rapazes até o prefeito, estão todos lá", adianta. Envolve-se também na produção de um livro com um time de onze fotógrafas lidando com uma paixão nacional: como as mulheres veem o futebol.

Prisão, guerrilha, fuga e exílio marcaram a trajetória do ex-juiz titular da 9ª Vara do Trabalho de Recife, Theodomiro Romeiro dos Santos. Na sua despedida em março de 2013, foi homenageado e aplaudido de pé pelos colegas da associação dos magistrados. Cultiva orquídeas na pequena área de seu apartamento no Recife.

Carlos Henrique Knapp, aos oitenta e quatro, cultiva uma certeza: é o único ser humano na face da Terra que lamenta a morte do delegado Sérgio Paranhos Fleury. "Se ele estivesse vivo, eu poderia processá-lo por apropriação indébita", explica.

Knapp atribui a Fleury a rapina de seus bens, quando policiais invadiram sua casa na rua Sofia, Jardim Europa. Expropriada pela polícia, sua Mercedes continuou circulando tanto em operações policiais quanto em momentos de lazer. *Minha vida de terrorista*, lançado no final de 2013, em que transita pelo país e o exílio, contando bons e maus pedaços, é o balanço dessa aventura.

Mateando na sala da casa com vista para o jardim, no bairro Santa Maria Goretti, zona norte de Porto Alegre, Avelino Capitani, aos setenta e três, lembra pouco seu codinome, adquirido quando os militares tomaram o poder e ele se enfiou na clandestinidade. *Charles* era o nome de guerra, ao qual o cabelo louro agregou *Anjo* e o calibre de sua pistola o arremate "45". Coincidentemente, em 1969, Jorge Benjor narrou as façanhas de um tal "Charles, Anjo 45/ Protetor dos fracos/ E dos oprimidos/ Robin Hood dos morros" que, por "marcar bobeira", foi "tirar férias numa colônia penal"[5].

Capitani não dá a mínima se o compositor se inspirou ou não nas suas desventuras ao fugir da polícia pelas favelas cariocas. Quer mesmo é aquilo que seus torturadores já ganharam: o posto de capitão de fragata. Aposentou-se na condição de segundo-tenente. Mais de 400 antigos marinheiros aguardam uma decisão judicial sobre um litígio que se arrasta há bem mais de dez anos. É algo, julga, em que o Executivo poderia ceder para dar fim à espera interminável. Em 2012, escapou de um infarto e, agora, anseia por um desfecho breve e favorável para a questão. Em último caso, até abriria mão do soldo de capitão. "O importante é a patente. *Tamos* peleando, *tá* na mão da Dilma."

José Dirceu vive há nove anos um inverno nuclear midiático. As trombetas do apocalipse estrugiram em 2005 e, desde então, o fragor não cessou. Perdeu seu posto de ministro-chefe da Casa Civil, o mandato de deputado federal e a chance de emplacar uma candidatura à Presidência em 2010. Perdeu a lide no STF e ganhou nomeada de chefe de quadrilha. Enquanto o *armageddon* sobrepaira os céus prometendo o fim dos tempos caso os réus do Mensalão não sejam rigorosamente castigados, ele aguarda seu destino. "Vou lutar dentro da prisão ou no semiaberto pela revisão." Está preparado para mais cinco anos de briga. Considera-se o alvo da campanha do Mensalão por representar, depois de Lula, o alvo mais próximo. "A oposição pegou esse assunto para tentar derrotar o Lula, o governo Dilma, o PT, e eu sempre fui o símbolo disso." No final de junho de 2014, uma vitória. Por goleada, 9x1, o pleno do STF derrotou Barbosa e autorizou o acesso do sentenciado ao trabalho externo.

Mantém seu blogue atualizado[6]. "Vou fazer tudo o que a legislação me permitir." E como é viver sendo olhado como inimigo número um do país? Julga que a agressividade da qual é vítima decorre da estimulação pela mídia. Reconhece que as administrações petistas deveriam ter incentivado a TV pública, as rádios comunitárias, a concorrência e o pluralismo, "coisa que não fizemos e erramos". Seria possível, ao menos, "redistribuir a verba publicitária com apoio na Constituição e no apoio à pequena e a microempresa". Mas o governo não enfrenta, porque a maioria do congresso não vai apoiar. "Então existe regulação da mídia no mundo inteiro e no Brasil não..."

OS VENCEDORES

Avisa que está preparado para o que der e vier. "Sou uma pessoa do planejamento a longo prazo. Está tudo organizado." E pressagia: "Eu ainda vou dar muito trabalho pra eles..."

Dono de escritório de advocacia em Porto Alegre, e com setenta e seis anos, Carlos Franklin Paixão de Araújo confia que, cedo ou tarde, a Lei da Anistia será revista. Até mesmo, justifica, porque as cortes internacionais consideram a tortura crime imprescritível. Torturado, não sente ódio de quem o torturou. Gente que, para fazer o que fazia, tinha que ter "um problema mental ou estar drogado". Mas quer justiça. "Eu fui julgado, fui condenado, e os meus companheiros da esquerda também. Agora por que os torturadores não podem ser julgados?"

Em 2013, Araújo retornou ao PDT, partido no qual construiu sua jornada pós-redemocratização. Ex-companheiro de Dilma na VAR, na Fundação de Economia e Estatística (FEE), na Lista de Frota e no PDT, o economista Calino Pacheco Filho, com sessenta e cinco anos, aposentou-se. Mas continua militante. O senador Aloysio Nunes Ferreira, sessenta e oito, concorre à vice-presidência na chapa de Aécio Neves (PSDB). Depois de correr mundo, recebendo homenagens e fazendo palestras em 2013, Luiz Inácio Lula da Silva, aos sessenta e oito, foca sua agenda de 2014 na campanha eleitoral. Aos sessenta e seis, Dilma Rousseff concorre a mais quatro anos na Presidência da República.

Mas dizer que os perdedores de ontem são os vencedores de hoje não significa que a matéria está vencida e as pendências extintas. Falar de uma ditadura que acabou há vinte e oito anos é falar, ainda e paradoxalmente, do agora. Do que sobrou, do entulho, das marcas, da recusa em morrer. Ou da recusa de quem detém o poder, nas três esferas, de abrir o sepulcro, deixar o sol iluminar o passado, vibrar o martelo e cravar a estaca no coração dessas trevas. É o que falta fazer. Basta olhar para o lado e ver o exemplo.

Videla: morte sem glória na cadeia cumprindo pena de prisão perpétua e mais 50 anos por assassinatos e rapto de bebês

CAPÍTULO 26
Meio século de silêncio

"Sem eufemismos, digo claramente: delinque quem ataca a Constituição Nacional. Delinque quem dá ordens imorais. Delinque quem cumpre ordens imorais. Delinque quem, para cumprir um fim que acredita justo, emprega meios injustos e imorais."

Usando todas as suas insígnias, o general fala. Coloca os óculos e percorre as 1.437 palavras que alinhou, dividindo o olhar entre as laudas e o telespectador. Arrola os tempos de violência, a luta fratricida, os erros dos dois lados, o abandono da constitucionalidade pelos militares, a infâmia. É um testemunho assombroso.

"Acredito que alguns de seus integrantes (das forças armadas), desonram um uniforme que era digno de vestir."

O general está ali, como disse, para "prestar contas". É uma conversa que nunca houve e que "se agita como um fantasma sobre a consciência coletiva". Meditou muito antes de falar. Adianta que deixará muitos setores inconformados. Mas assume o custo como uma obrigação que o posto lhe impõe.

"A compreensão destes aspectos essenciais faz a vida republicana de um Estado, e quando este Estado está sob ameaça, não é o exército a única reserva da pátria, palavras ditas aos ouvidos militares por muitos, muitas vezes. (...) Assumo toda a responsabilidade do presente e toda a responsabilidade institucional do passado."

As palavras foram lidas há quase vinte anos anos. É a primeira autocrítica do papel das três armas na repressão. Desde então, os comandantes responsáveis por tortura, assassinatos e desaparecimentos têm sido julgados e punidos. O general chama-se Martín Balza. Era, então, comandante em chefe do exército da Argentina e leu seu pronunciamento no dia 25 de abril de 1995, no programa *Tiempo Nuevo*, no canal Telefe.

Duas décadas depois, as forças armadas ainda devem um Balza ao Brasil. Não há *mea culpa*, apenas um silêncio feito pedra. Que não se rompeu nem mesmo em 2011, quando Dilma Rousseff interditou a fanfarra do 31 de Março nos quartéis. Da caserna, não vieram sequer muxoxos. Apenas as legiões de pantufas providenciaram o destampatório de praxe. Foi um gesto necessário, mas tardio: demorou cinco presidentes civis para acontecer. No país de Balza também houve um presidente, um gesto e um impacto. No aniversário de 28 anos do golpe de 1976, a alta oficialidade argentina pasmou-se com o topete de Néstor Kirchner. Em 24 de março de 2004, ao visitar o Colégio Militar da Nação, o presidente se deparou com os retratos dos ditadores Jorge Rafael Videla e Reynaldo Bignone. Mandou o comandante do exército, general Roberto Bendini, removê-los imediatamente da parede. Sob o olhar de vinte e sete generais e cinco coronéis, Bendini incumbiu-se pessoalmente da tarefa. E Kirchner advertiu: "Que fique bem claro: o terrorismo de Estado é uma das coisas mais sangrentas que podem acontecer a uma sociedade. Não há nada que justifique o terrorismo de Estado, e muito menos a utilização das forças armadas[1]".

Videla e Bignone sobreviveriam a Kirchner, fulminado por ataque cardíaco em 2010. Bignone cumpria prisão perpétua, enquanto Videla sucumbiu sem glória, sentado no vaso sanitário de sua cela na prisão de Marcos Paz, na Grande Buenos Aires. Em 2013, aos oitenta e sete anos, cumpria duas condenações: prisão perpétua e mais cinquenta anos. A primeira por uma série de assassinatos, a segunda pelo rapto de trinta e cinco bebês, cujas mães, prisioneiras políticas, foram chacinadas e seus corpos *desaparecidos*. Repousaria em Mercedes, seu torrão natal, mas a cidade repudiou seus restos e recusou-lhe a terra. Acabou sepultado em cemitério privado, na periferia da capital, uma semana após o óbito, sem honras militares. Não virou rua, avenida, praça, ponte ou município. Não se conhece beco ou bueiro com seu nome. No Brasil, teria outro tratamento.

Chamar os idos de março de *Revolução* — como a cultuaram os quartéis e a mídia acatou — soa como impostura em 2014, mas sua autoria permanece sendo levada a sério no cotidiano. Naturalizou-se sob a forma de inumeráveis ruas. E de avenidas, praças, viadutos, pontes, escolas, ginásios, estádios, estradas, rodoviárias, usinas, aeroportos e até municipios. Castello Branco ressuscitou como cidade em Santa Catarina, Médici em Rondônia e Figueiredo, no Amazonas[2]. Quem nasce no primeiro é, para o resto da vida, castelinense, no segundo, medicense, e no último, figueirense.

Costa e Silva e Geisel ficaram sem este rapapé, mas jamais sem adulação. O primeiro batiza avenidas em capitais como Salvador, Vitória, Manaus, Campo Grande e Porto Velho. O segundo tornou-se inspiração para o mesmo fim em São Luis e Campo Grande. Médici evoca avenidas, pelo menos, em Natal, Osasco/SP, Rondonópolis/RO, Itaboraí/RJ, Timon/MA, Catalão/GO e Pirassununga/SP. No Rio, a avenida Castello Branco leva ao Maracanã. Em Porto Alegre, é uma das portas de entrada da capital. Por sinal, um projeto do PSOL para extirpar o ditador da via pública e chamá-la Avenida da Legalidade, evocando o episódio da vitoriosa resistência gaúcha ao arreganho do golpe em 1961, foi derrubado em 2011 pelos vereadores do PMDB, PSDB, PP, PSD, PPS e DEM. Notavelmente, o PDT, partido de Leonel Brizola e ícone da Legalidade, acoelhou-se. Pingou apenas um voto favorável, refugiando-se em ausências e abstenções.

Mesmo que os vereadores de Porto Alegre fizessem o que não fizeram, Castello Branco prosseguiria avenida em São Paulo, Goiânia e São Luis. Figueiredo, mais humilde, ornamenta placas no tráfego de Caldas Novas/GO, Remanso/BA, Aparecida de Goiânia/GO, Theobroma/RO e São

Miguel do Guaporé/RO. Também é o único que não virou rodovia. Mas é aeroporto em Sinop/MT. Médici igualmente, mas em Rio Branco/AC, enquanto Geisel despacha e recebe aviões em Umuarama/PR e Castello faz o mesmo em São João del-Rey/MG. A bola rola no estádio Médici, de Itabaiana/SE, e no Castelo Branco, de São Bernardo/SP. Todos são pontes mas, nesta modalidade, nenhum serve de páreo para Costa e Silva. É a denominação oficial da travessia Rio-Niterói, a maior do Brasil. O caso de Figueiredo é mais esdrúxulo. Na democracia, o governo do estado do Rio tencionava embelezar com sua graça a ponte que está construindo, ao custo de R$ 137 milhões, para ligar os municípios de São João da Barra e São Francisco de Itabapoana. Oportunamente, um projeto de lei, aprovado em junho de 2014, mudou o nome para "Ponte da Integração".

Se ruas são incontáveis, o país está crivado de escolas Castello Branco — com ou sem o "L" dobrado — Costa e Silva, Médici, Geisel e Figueiredo. Uma pesquisa no Google indica 65,8 mil resultados apenas para o termo "escola presidente Castelo Branco". É quatro vezes o que aponta para "escola presidente João Goulart". Supera, com folga, a soma dos resultados de Goulart, Juscelino, Jânio e Itamar, os presidentes constitucionalmente eleitos falecidos nos últimos cinquenta anos. Existe até uma universidade Castelo Branco, a UCB, no bairro carioca do Realengo. Porém, mesmo Castello se amiúda diante de Médici com seus 96,3 mil resultados e patrono de escolas Brasil afora, inclusive no Rio, onde, em 2013, o prefeito Eduardo Paes, do PMDB, inaugurou-lhe um novo prédio, mantendo o velho nome.

E quanto ao 31 de março? No Chile de Pinochet, a avenida *Nueva Providencia*, uma das principais de Santiago, tornou-se *desaparecida* em 1980. Em honra à deposição do presidente constitucional Salvador Allende, passou a chamar-se 11 de Setembro. Em 2013, porém, a comunidade reverteu o sequestro e resgatou o nome anterior. No Brasil, a sabujice cismou que batizar escolas, ruas, praças, viadutos, avenidas e outras criações humanas seria insuficiente para se alçar à altura da gesta dos generais e invadiu a natureza: o segundo pico mais alto do Brasil, com 2.972 metros, no Amazonas, chama-se 31 de Março.

OS VENCEDORES

Mais adequado e interativo foi o tributo prestado à efeméride pelo empresário Joaquim Rodrigues Fagundes. Fã do delegado Sérgio Fleury, rebatizou seu sítio em Parelheiros, zona sul de São Paulo, como 31 de Março. Nele foram martirizados até a morte o líder estudantil e dirigente do Molipo, Antonio Benetazzo, mais Antônio Bicalho Lana e sua companheira Sônia Moraes, ambos da ALN. O 31 de Março de Fagundes compunha a constelação de antros clandestinos de tortura, assassinato e subtração de pessoas nos anos 1970.

A prodigalidade de vereadores e prefeitos não esqueceu os coadjuvantes. São Paulo mimoseou o almirante Augusto Rademaker com uma praça no Itaim Bibi. Membro da junta militar que burilou o golpe dentro do golpe e vice de Médici, Rademaker cunhou sua passagem pelo Planalto com duas inovações de gosto discutível: a adoção da pena de morte e a criação da bandeira vice-presidencial. Outra praça paulistana coube ao general Milton Tavares de Souza que, no CIE, comandou uma política de extermínio. Farol do 31 de Março, o general Golbery do Couto e Silva foi brindado com uma avenida na metrópole. Na terra de Golbery, Rio Grande/RS, os vereadores e o prefeito do PMDB entenderam de enfeitar a praça principal com uma estátua do filho ilustre porém mal-afamado. A ideia não prosperou. São Paulo ainda acolhe uma inimaginável rua Dr. Sérgio Fleury, no bairro de Vila Leopoldina. A população de São Carlos/SP, que sofria do mesmo mal, extirpou o torturador de seu mapa, rebatizando a torturada via que lhe coube como Dom Hélder Câmara.

De todas as reverências aos Anos de Chumbo nenhuma é tão precisa ao espelhar o espírito da época do que o Elevado Presidente Costa e Silva. E nem tão justa pela sintonia fina entre obra e louvor. Exemplo de brutalismo na arquitetura de São Paulo é uma leitura atroz da vida na cidade. Menos mal que o humor dos paulistanos reagiu ao insulto, apelidando de Minhocão seus 3,4 quilômetros de opressiva feiura.

No *front* semântico desta batalha real pela memória, o passado não passou. Mesmo batida politicamente, sofrendo a revisão implacável da história, percebida como uma antigualha da guerra fria, a ditadura espalhou suas digitais na democracia imperfeita, *work in progress*, do

Brasil contemporâneo. A começar pela ocultação de sua natureza. Denominou a si própria *Revolução Democrática* elaborando um paradoxo no qual *revolução* é o nome do golpe e ditadura atende por *democracia*. Durante anos a fio, mesmo logo após o período autocrático, talvez por inércia, o idioma foi submetido a esta mordaça, que o impediu de atribuir às coisas a sua verdadeira identidade.

Esporadicamente, uma voz emerge das sombras, ainda hoje, para reiterar a toada, como a do general Luiz Cesário Silveira Filho, ao despedir-se do Comando Militar do Leste, em 2009: "Participei ativamente da revolução democrática de 31 de março de 64 (...)" sob "a incontestável liderança do general de brigada Emílio Garrastazu Médici, de patriótica atuação postcriormente na Presidência"[3]. Pitorescamente, Médici deu nome à turma de aspirantes a oficial da Academia Militar das Agulhas Negras, em 2010.

Chamar a ditadura de ditadura é, não se deve subestimar, um triunfo. Mas um segundo passo, consequência imperativa deste primeiro, ainda está suspenso no ar. É uma imposição da lógica que, uma vez havendo ditadura, deve haver ditador. Não no Brasil. Graças a esta anomalia, o país pariu uma ditadura sem ditadores. Todos são *presidentes*. Quase três décadas de democracia transcorreram e isto não se alterou. No enfoque da imprensa, um dos campos deste confronto pela memória, é comovente observar como uma ciência insuspeita, a geografia, interfere e condiciona esta questão.

Décadas atrás, os jornais brasileiros tratavam presidencialmente os militares que, no Brasil ou nos países vizinhos, golpeavam as instituições. Hoje, os antigos *presidentes* partejados do ventre da caserna são páginas viradas e referidos, sem embaraço, como ditadores. Mas isto vale apenas para além-fronteiras. Embora a natureza dos regimes tenha sido a mesma, e os governos das diferentes nações bastante afinados política e ideologicamente e ainda colaborativos uns com os outros — a Operação Condor, de caça e chacina de dissidentes no Cone Sul, dissipa dúvidas a respeito — do lado de cá da linha demarcatória os cinco generais permanecem como *presidentes*.

OS VENCEDORES

É lícito supor que à mídia corporativa — que implorou a queda de Goulart e, na sua avassaladora maioria, alinhou-se com o regime — não interessa substituir o tratamento obsequioso pela verdade rombuda dos fatos. Não há fotos, abraços e sorrisos dos *publishers* com a ditadura. É mais confortável dizer que as fotos, os abraços e os sorrisos deram-se com os *presidentes*. Cogitar o contrário os tornaria afins de ditadores e não de uma cinquentenária instituição autoritária, casca sem fruto, continente sem conteúdo, obra sem autor, que vai evanescendo na treva dos tempos. Enfim, uma vez violentada a Constituição em favor do supremo interesse nacional por que não fazer o mesmo hoje com a lógica e por outra boa causa como a reescritura do passado?

Assumir os feitos e fatos desembocaria num *mea culpa* embaraçoso. A afinidade permitiu o ingresso ilegal de capital estrangeiro para o setor, farta publicidade governamental, respaldo tecnológico, renúncia de tributos. E, especialmente, copiosa distribuição de concessões de rádio e televisão. Em quatro anos apenas, a Rede Globo passou de três para onze estações de TV[4]. Grata, confeccionou um país de fantasia.

"Sinto-me feliz, todas as noites, quando ligo a televisão para assistir ao jornal. Enquanto as notícias dão conta de greves, agitações, atentados e conflitos em várias partes do mundo, o Brasil marcha em paz, rumo ao desenvolvimento. É como se eu tomasse um tranquilizante, após um dia de trabalho"[5], descreveu um bocejante Médici em 1973.

Seu relax — e o dos demais *presidentes* — custou a exasperação da concentração midiática, elevada à categoria de metástase. Alavancada no período militar, mas generosamente aquinhoada pós-ditadura, a Rede Globo, com suas afiliadas, possui hoje 105 emissoras de TV. Somando-se estações de rádio, jornais e revistas, controla 340 veículos[6]. Relações carnais entre poder concedente e concessionários permitiram ainda que 271 políticos sejam, atualmente, sócios ou diretores de 324 TVs, rádios, jornais e revistas[7]. No jornalismo impresso, seis famílias dão as cartas, dominando 55% da circulação de notícias. Dez conglomerados detêm o poder de decidir o que 200 milhões de brasileiros devem ler, ver e ouvir.

Pobre de quem se atrevesse a perturbar o sono induzido. Bastou dom Hélder Câmara, solista na Igreja das malfeitorias nos porões, largar como favorito ao Prêmio Nobel da Paz de 1970, para levantar-se uma bateria de agressões. No bufê de imputações contra aquele que poderia ser o primeiro Nobel da história do país[8], desencavou-se desde sua mocidade integralista, passando pela tolerância à violência revolucionária até a pecha de caluniador do Brasil Grande no estrangeiro. Um dossiê contra o candidato brasileiro foi montado pelo *Estadão* para alimentar a imprensa de direita na Escandinávia. O jornal da família Mesquita, aliás, publicou a matéria/pergunta "Prêmio Nobel à violência?" em outubro de 1970. Em *O Globo*, o dramaturgo Nélson Rodrigues chamava Dom Hélder de "arcebispo vermelho" e "Drácula".

Para sabotar dom Hélder, valia qualquer coisa. Até mesmo peitar a popularidade dos Beatles. Quando o arcebispo sugeriu à juventude seguir o exemplo dos quatro de Liverpool e questionar "a forma monstruosa em que vivemos hoje com nossos falsos valores, contra a ridícula mecanização de tudo, inclusive do dinheiro", o jornal dos Marinho partiu para cima. "Dom Hélder: estudantes devem imitar Beatles" dizia a chamada de capa da edição de 11 de abril de 1969. Não era ilustrada pela foto do arcebispo como seria de se imaginar, mas sim por outra, de George Harrison e sua mulher Patty Boyd na saída de um tribunal com a legenda: "O beatle Harrison e sua loura: entorpecentes". E, logo abaixo da chamada, vibrou seu tacape editorial: apontou que Harrison fora multado por posse de maconha, enquanto John Lennon e Yoko Ono haviam posado em Amsterdã numa "experiência de amor público". Beatles, Rolling Stones e outros faziam "propaganda aberta da depravação" e do emprego de "drogas entorpecentes". Tratavam-se de "fantásticas agências a serviço da corrupção de menores", escandalizou-se. Exaltar os Beatles era exaltar seus vícios. Afinadíssimo com o imaginário da caserna, *O Globo* detectava "um caráter político-ideológico" no apelo às drogas. Escandalizava-se notando que nem Herbert Marcuse, "o profeta do anarquismo", ousara recomendar os modelos de dom Hélder[9].

OS VENCEDORES

Difícil discordar de Leonel Brizola que descreveu Roberto Marinho como "uma espécie de Stalin das comunicações". Para o caudilho gaúcho, o presidente das Organizações Globo valia-se de seu poder imperial para remeter "à Sibéria do gelo e do esquecimento" quem ousasse atrapalhar seu caminho. Também despachado para a tundra siberiana nos anos 1970, Chico Buarque definiu como "assustador" o poderio do empresário[10].

Seria salutar para o futuro de uma sociedade democrática que a imprensa entregasse a autocrítica que sonega ao Brasil. Fugindo à regra, *O Globo* publicou seu *mea culpa* em agosto de 2013. Veio na cola das manifestações de rua que alvejaram também a mídia e suas ligações perigosas. E com muitas ressalvas, entre elas a de que, em 1964, parecia que a deposição do presidente visava "o bem do país". Outros jornais, lembrou o matutino dos Marinho, fizeram o mesmo. E jogou a batata quente no colo da *Folha de S.Paulo*, *Estadão* e *Jornal do Brasil* citados expressamente. Se alguém imaginava uma procissão de penitentes escarmentando as costas com chicotadas, frustrou-se. Apenas silêncio.

Oito meses depois, nos 50 anos da ditadura, o *Estadão* mostrou-se melindrado em chamar o golpe de golpe. Usou a expressão "movimento cívico-militar". E optou por atribuir à vítima, Goulart, a responsabilidade pelo crime, aliás praticado com a ajuda do próprio Estadão. Através de editorial untado de esquivas, a Folha de S. Paulo não se saiu melhor. Admite que errou mas não pediu desculpas a leitores ou eleitores.

Mesmo que muitas corporações de mídia tenham engordado à sombra das baionetas, agem hoje como se nada tivessem a ver com a ruptura da ordem constitucional e a usurpação do poder legal e legítimo. Que frutificaram numa ditadura de vinte e um anos, a mais longeva da história nacional e a segunda da América do Sul, atrás apenas do reinado do generalíssimo Alfredo Stroessner, *El Jefe*, e seus trinta e cinco anos de opressão no Paraguai. Stroessner, aliás, antecedeu seus confrades brasileiros de 1964 ao enaltecer os préstimos de uma boa ditadura para salvaguardar a democracia[11].

Quase três décadas após o fim do arbítrio, tampouco o empresariado demonstra interesse em abrir seu baú de cumplicidades. Muito mais celeremente abriu seus cofres para a Operação Bandeirante. Houve um convescote em Higienópolis, no antigo casarão do São Paulo Clube[12], onde a nata do capital nacional e transnacional verteu, *per capita*, o equivalente a US$ 110 mil para a OBAN praticar sua pedagogia civilizatória. São reiteradamente citadas as montadoras Ford[13] e Volkswagen, os bancos Mercantil de São Paulo e Bradesco, e empresas como Ultra e Camargo Correia, entre outros. O ex-governador nomeado de São Paulo, Paulo Egydio Martins, afirmou que "todos os grandes grupos comerciais e industriais do estado contribuíram para o início da OBAN"[14]. Para o ex-presidente Fernando Henrique Cardoso, o apoio do empresariado paulista "foi importante politicamente... porque solidarizou setores empresariais com o regime: *vocês também estão com a mão aqui*. Esse foi o simbólico, não por causa do dinheiro em si. Dinheiro o governo tinha. Foi o apoio político que foi selado com o dinheiro"[15].

Uma solidariedade que extravasou o financiamento da máquina de matar da OBAN. No dia 11 de novembro de 1969, um grupo de executivos da Volks, General Motors, Chrysler, Firestone, Philips e Constanta sentou-se com o chefe do Dops no ABC paulista, Israel Alves dos Santos Sobrinho, e com o major Vicente de Albuquerque, do IV Regimento de Infantaria do Exército[16]. Fazia uma semana que Marighella fora emboscado e morto e os prepostos das transnacionais estavam interessados em lapidar a cooperação com a polícia política. Queriam monitorar a região de suas fábricas e o que se passava dentro delas. Há denúncias de que o pacote de maldades abarcou arapongagem nos sindicatos e alimentação dos órgãos de segurança com fichas funcionais dos trabalhadores. "Algumas empresas de São Bernardo tornaram-se verdadeiros quartéis", acusou o sindicalista e ex-deputado Djalma Bom. "Havia agentes da Polícia Federal infiltrados no movimento com carteiras de trabalho assinadas, 'esquentadas' pelas empresas', detalhou[17]. "Estávamos defendendo nossas empresas dos terroristas, da subversão", alegou Synésio de Oliveira, que representou a Constanta[18], no encontro de 1969.

OS VENCEDORES

Betto pensa que o lapso de autocrítica por parte dos grandes grupos de mídia, de empresários e de militares acontece por constrangimento. "Eles têm consciência de como isso foi cruel e ficam, no mínimo, constrangidos em admitir a gravidade do erro que cometeram." No caso dos militares, torna-se mais grave o silêncio. "Ainda exibem uma cumplicidade corporativista muito forte, o que faz com que não queiram separar o joio do trigo", interpreta.

Se mídia, forças armadas e empresariado se omitem sobre o papel interpretado em 1964, a Igreja Católica, um dos pilares do golpe, após o apoio inicial repensou sua percepção do evento. O que lhe foi cobrado, inclusive, em mártires, sendo o padre Antonio Henrique Pereira Neto o primeiro. Em maio de 1969, seu corpo foi encontrado nos arredores de Recife pendendo de uma árvore, de cabeça para baixo, depois de espancado, queimado, castrado e executado com três tiros na cabeça[19].

A partir de 1968, o alarido das vozes mais conservadoras da Igreja brasileira perde muitos decibéis. Assoma outro coro, ao qual se juntará o próprio Papa. Embora com a tradicional cautela do trono de Pedro, Paulo VI cita "um grande país" no qual ocorrem situações graves, singulares e reiteradas, entre elas "por exemplo, as torturas"[20], o que lhe parece degenerescência moral. Na Semana Santa de 1970, a igreja de Saint Germain des Prés, erguida no século XII e a mais antiga de Paris, exibiu um Cristo algemado, com um tubo na boca e um magneto na cruz. Acima da cabeça, os dizeres "Ordem e Progresso". Cinquenta e sete cidades da França, Bélgica e Alemanha organizaram protestos contra a tortura no Brasil[21].

Frações da classe média igualmente se desencantaram com aquilo que haviam festejado ao verem os próprios filhos tragados pelas incertezas da clandestinidade.

Na falta deste olhar introspectivo e franco, um ambiente viscoso de temores e segredos entorpece o debate. Que passa ao largo, para exemplificar, do artigo 142 da Constituição de 1988, espada pendente sobre o pescoço da democracia. Nele, as forças armadas, por solicitação de qualquer dos poderes constituídos, podem intervir para defender "a lei e a ordem". Persiste a ideia dos militares como "única reserva da pátria", de que diverge o general Balza:

"Estou firmemente convencido de que as reservas de uma nação nascem dos núcleos dirigentes de todas as suas instituições, das suas universidades, da sua cultura, de seu povo, de suas instituições políticas, religiosas, sindicais, empresariais e também de seus comandos militares[22]", disse.

Para ele, é necessário que os quartéis compreendam a questão para "abandonar definitivamente a visão apocalíptica, a soberba, aceitar o dissenso e respeitar a vontade soberana (...)".

Quando se recrimina tanto a degradação moral da política e dos políticos, não custa lembrar que 1964 teve no mote do combate à corrupção um de seus aríetes. Fala-se menos dos resultados da refrega. No alvorecer da autocracia, Castello Branco implantou a Comissão Geral de Investigações (CGI). Pilotada por oficiais e livre das artimanhas dos políticos, a comissão deveria passar o rodo no Brasil. Valeu-se dos IPMs para lancetar aqueles abcessos morais. Entre 1968 e 1973, a CGI empilhou 1.153 processos. Foi um fiasco. Somente cinquenta e oito se converteram em propostas de confisco de bens por enriquecimento ilícito e, destes, quarenta e um foram alvo de decreto presidencial. Cerca de mil foram arquivados[23]. Acabou extinta em 1978.

Apesar do fracasso, persiste certo banzo dos militares que, nesta mitologia nostálgica, teriam destituído a corrupção, erva daninha que refloresceu na democracia. O que ceva a visão de 19% dos paulistanos. Eles supõem que, "em certas circunstâncias, é melhor uma ditadura do que um regime democrático". Outros 20% dão de ombros: acham que "tanto faz se o governo é uma democracia ou uma ditadura". Foi o que apurou pesquisa do instituto Datafolha em maio de 2013.

É uma construção mental que os generais devem aos seus censores. O período 1964-1985 conviveu com turbilhões de dinheiro público desviados tanto para rasgar a inacabada rodovia Transamazônica quanto para erguer a ponte Rio-Niterói. Explodiu uma tropelia de fraudes, com o rol de malfeitos abrangendo os casos da Caixa de Pecúlio dos

OS VENCEDORES

Militares (Capemi), Coroa-Brastel, Lutfalla, Abdalla, Halles, Grupo Delfim, Econômico, o Escândalo da Mandioca, das Polonetas, do Trigo-Papel, do Adubo-Papel, entre outros. Na imprensa, nenhum deles, por razões óbvias, ganhou musculatura de campanha em favor da moralidade da coisa pública.

A ditadura subsiste também nas omissões do Estado, que ainda sonega a verdade sobre as chacinas e nega os despojos das vítimas às suas famílias. Não investiga, processa e pune quem torturou ou matou — o que fez violando leis em vigor durante o próprio regime. Sequer removeu os responsáveis da estrutura estatal.

Nos anos 1980, o filósofo francês Paul Virilio[24] descreveu as ditaduras sul-americanas como laboratórios de um novo tipo de sociedade: a sociedade do desaparecimento. Nelas, sumiam não apenas as pessoas, mas a sua história, o seu nome, a sua tumba. Apagar a vida e apagar a lembrança desta vida.

A tecnologia das desaparições, apropriada pela repressão militar, veio do repertório do Esquadrão da Morte, que a aperfeiçoara às custas de sua clientela da periferia paulistana e carioca. Uma das suas fórmulas consistia em desmembrar a vítima e descartar os pedaços pela cidade[25], produzindo um quebra-cabeças macabro cujas peças jamais se uniriam. Com os presos políticos, a técnica foi reproduzida na Casa da Morte, centro informal de extermínio em Petrópolis/RJ. Não era uma exceção, antes um paradigma. No Rio, havia mais doze abismos do gênero. No Brasil, eram oitenta e dois. Foi o que apurou, preliminarmente, estudo da Universidade Federal de Minas Gerais[26]. No covil de Petrópolis, operava um açougue humano, onde os presos eram martirizados, executados, e seus cadáveres, picotados. O objetivo era novo — a ocultação —, mas o processo existia desde sempre.

O esquartejamento ou "a morte atroz", que negava à família um corpo para sepultar, possuía respaldo no Brasil-Colônia regrado pelas Ordenações Filipinas. Coube uma morte destas ao alferes e preso político José Joaquim da Silva Xavier, o Tiradentes, por coincidência o conspirador de mais baixa extração social na Inconfidência Mineira. Quanto mais pobre, pior a punição. No livro V das Ordenações excetuava-se das *penas vis*, entre muitos, os fidalgos, juízes, vereadores e outros cavaleiros de linhagem. Com a permissão do rei e da Igreja, desde sempre índios, negros e mestiços — as *classes infames* — estiveram submetidos ao martírio, à mutilação e à morte. Depois do açoite, o corpo lacerado por faca mais sal, sumo de limão e urina nas feridas; retalhamento dos glúteos com navalha seguido da cauterização dos cortes com cera quente; uso de tenazes em brasa; submissão ao baraço — laço que aperta a garganta; amputação de mãos ou braços. Após o chicote de couro cru, da palmatória, do pelourinho e dos demais tormentos vinham as mortes, que eram muitas e várias: a "morte natural no fogo" (queima do condenado ainda vivo), a "morte cruel" (com direito a ser esquartejado em vida), a "morte na forca para sempre" (quando o cadáver deveria apodrecer dependurado) entre outras opções.

A tortura se confunde com a saga da conquista e ocupação do Brasil, mas pode-se atribuir aos vinte e um anos de arbítrio seu aprimoramento e socialização. Um tempo, como escreveu Jacob Gorender, no qual a vida pública decaiu "ao ponto mais baixo na história nacional". Com o adendo de que, desta vez, o delito restaria encoberto. Um exemplo entre muitos: na data do sesquicentenário da independência — 7 de setembro de 1972 — a Anistia Internacional publicou relatório sobre o Brasil. Nele, documentava as torturas e pedia que o governo respondesse às alegações. Não houve resposta. Apenas a proibição da imprensa mencionar o relatório. Denúncias do gênero habitavam uma espécie de universo paralelo. "Eu considero a Anistia Internacional um bando de vigaristas", pontificou o general José Luiz Coelho Neto, ex-homem do CIE e do SNI[27]. A química oficial de dissolução das realidades deveria borrar a tortura, o torturado, o torturador, o mandante, o local, dia e hora do procedimento e qualquer notícia que viesse a dizer que aquilo alguma vez tivesse existido. Com todo o poder de criar e desfazer evidências, a ditadura almejava o crime perfeito.

Na democracia de 2013, a desaparição do ajudante de pedreiro e morador da favela da Rocinha, Amarildo de Souza, quarenta e dois anos e seis filhos, ilustra um mecanismo que, na ditadura, movera-se das populações marginalizadas para engolfar os filhos da classe média. Detido para "verificação" pela polícia carioca no dia 14 de julho — ironicamente, data da Revolução Francesa, matriz da Declaração Universal dos Direitos do Homem e do Cidadão de 1793 — Amarildo *desapareceu* no subsolo do regime legal e legítimo, impermeável ao direito que rege a superfície e onde a inviolabilidade da vida é só um termo impronunciável[28].

Perduram as notícias de maus-tratos e violência ilegal em operações policiais, delegacias e prisões. E nos quartéis. Sessenta recrutas da Aeronáutica foram flagrados em abril de 1997, durante treinamento na Base Aérea de Santa Maria/RS, entoando o refrão:

Tortura é uma coisa /
muito fácil de fazer /
Pega o inimigo /
e maltrata até morrer[29]

É algo que parece não tocar no nervo das maiorias. O que levou a professora de filosofia Jeanne Maria Gagnebin[30] a deduzir que "o silêncio sobre os mortos e torturados do passado, da ditadura, acostuma a silenciar sobre os mortos e torturados de hoje".

Um silêncio que a decisão do Supremo Tribunal Federal (STF) aprofundou ao repelir a revisão de Lei de Anistia aprovada sob o período discricionário[31]. Graças ao Supremo, o Brasil é o único país do continente que sofreu uma ditadura e não puniu os crimes cometidos por militares e policiais. O que lhe custou condenação pela Corte Interamericana de Direitos Humanos (CIDH), da Organização dos Estados Americanos (OEA). Na sentença, a CIDH, integrada por trinta e dois países signatários, afirma que a autoanistia tem dispositivos "incompatíveis com a Convenção Americana, carecem de efeitos jurídicos e não podem continuar representando um obstáculo para a investigação dos fatos".

Perante uma cultura de glorificação da violência policial, o desenlace no STF pode ser apreendido até mesmo como alento à tortura, método que São Tomás de Aquino considerava mais grave do que o homicídio, "pois convoca a vítima a ser testemunha de seu opróbrio", relembra frei Betto.

Pesquisa nacional realizada pelo Núcleo de Estudos da Violência (NEV), da Universidade de São Paulo (USP), entre 1999 e 2010, apontou que quase a metade dos entrevistados — 47% — aceitava o uso de tortura contra suspeitos em determinadas circunstâncias. Um terço do universo pesquisado propôs a aplicação de choques elétricos, espancamento, queimadura com cigarros e ameaça a parentes[32]. De fevereiro de 2011 ao mesmo mês de 2012, a Secretaria de Direitos Humanos da Presidência da República recebeu 1.007 denúncias de tortura.

"No Brasil, a tortura e a morte de cidadãos das classes populares jamais emocionaram a consciência cívica", lastima o cientista político Paulo Sérgio Pinheiro[33], um dos sete integrantes da Comissão Nacional da Verdade (CNV), instituída em 2012. "Em todas as delegacias policiais do país há tortura", reconheceu em 2009. "Todo mundo sabe. E por que não acaba? É a impunidade da classe dominante, dos agentes do Estado (...)", entende. Ele detecta algo como "um regime de exceção paralelo por trás dos organismos e aparatos republicanos. Não dá. Ou você tem democracia ou tem tortura[34]".

Do mesmo modo que a tortura, o fosso entre classes é multissecular, mas a intervenção armada, que veio para abortar as *reformas de base* — administrativa, bancária, fiscal, universitária e, notadamente, agrária — a exacerbou. Em 1964, a conspiração civil-militar contra o governo usou a imprensa para espargir o medo e a rejeição às transformações pretendidas. Na retórica golpista, o fazendeiro e reformista João Goulart era um "lacaio de Moscou" que estava "a serviço da hidra vermelha" e joias similares extraídas do folclore da Guerra Fria. Nutridas pelos vinte e um anos de ditadura, mais de uma geração cresceu ouvindo advertências sobre os inimigos externos e internos da pátria, que visavam expropriar-lhe os bens e roubar-lhe a liberdade. Aprendeu a odiar aquele que não sou eu, o outro, o diferente.

OS VENCEDORES

Na volta à democracia — especialmente com o ascenso neoliberal que se seguiu ao colapso da União Soviética — este contingente, sobretudo nas classes médias, desenvolveu aversão profunda às políticas de redução das desigualdades que, mesmo timidamente, ousam confrontar um desequilíbrio que, em alguns casos, ressoa os tempos da escravidão. Espicaçada por uma mídia que, de um lado, escandaliza a ação política e, de outro, denuncia o favorecimento aos mais desprotegidos — Bolsa Família, cotas sociais e raciais, reajuste do salário mínimo, demarcação de terras indígenas e quilombolas, empréstimos para pequenos agricultores, perdão de dívidas de nações miseráveis, defesa dos direitos dos homossexuais, legislação que protege as empregadas domésticas, acesso dos trabalhadores a bens de consumo — sente-se emparedada, ameaçada e injustiçada entre o andar de cima, para onde quer subir, e o térreo, para onde não quer cair. Na cata dos culpados pelo infortúnio, contabiliza o povo "que não sabe votar", os políticos, os nordestinos, os partidos de esquerda, os *gays*, os defensores dos direitos humanos, os sem-terra e os sem-teto, os favelados, os índios, os negros e os pobres e desvalidos em geral. E explode num ressentimento que conclama até o assassinato.

Inundadas de fel e frustração, as redes sociais se convulsionam a cada contrariedade. Na posse de Dilma Rousseff, uma internauta suplicou por um atirador de elite que desse fim "àquela mulher". Quando a então chefe da Casa Civil e, depois, Lula foram diagnosticados com câncer, os filhos e netos da ditadura exultaram. "Tenho dó do câncer ter que comer carniça petralha", postou um cidadão. Outros praguejaram, rogando a morte ao ex-presidente e chamando-o de "verme", "imundo", "bandido", "crápula", "ladrão", "nove dedos", "desprezível". Quando José Genoíno foi internado às pressas para uma cirurgia cardíaca, um internauta perguntou no Facebook: "É hospital ou casa veterinária que trata da saúde de porcos?". E logo outro comentário descartou a necessidade daqueles cuidados: "Quanta mentira. Desde quando terrorista tem coração?". Em seguida, no Twitter, mais um postou: "Morte ao petista chamado Genoíno". Não foram observações isoladas, mas acompanhadas de caras e nomes, reiteradas e cúmplices na secreção dessa miséria moral.

Os vinte e um anos de chumbo mais os vinte e nove de transição infindável num país que, desde a primeira escola, não conta a si mesmo o que aconteceu, deixaram este legado. "Os países sem memória são anêmicos, não se movem, são conformistas, e caem numa espécie de cultura de sofá, gente que está sentada no sofá assistindo à televisão... E não se movem", notou o cineasta chileno Patrício Guzmán[35]. Para o autor de *A batalha do Chile*, documentário crucial que acompanha o crepúsculo de Allende e a alvorada de Pinochet, "memória é um conceito tão importante quanto a circulação do sangue". No seu vácuo, repete-se o errado que se fez. Discute-se até que ponto a CNV romperá o lacre do passado.

Ao instalar a Comissão, Dilma Rousseff afirmou que "não nos move o revanchismo, o ódio ou a vontade de reescrever a História, mas a necessidade de ter acesso à verdade sem vetos e sem proibição. "As famílias têm o direito de chorar e sepultar seus mortos e desaparecidos no regime autoritário", discursou. "A Comissão deveria ter mais tempo para trabalhar e estar respaldada por uma legislação que obrigasse os convocados a depor. E deveria ser não só da Verdade, mas da Justiça, e que os responsáveis fossem punidos", pondera Frei Betto. Tarso Genro conclui que a transição conciliada engendrou este tipo de anistia, trazendo consigo "o demérito que protegeu os condutores do regime". Confessa ter, quanto à Comissão, "uma expectativa moderada, mas positiva".

Aloysio Nunes Ferreira não quer rever a lei da anistia. José Genoíno também não. Este propõe soluções como as da África do Sul. "A memória e a verdade são inegociáveis. São revolucionárias por si sós", argumenta. Percebe que, passadas de geração a geração através da escola, serão mais decisivas do que "botar esse ou aquele na cadeia". Quer saber quem torturou, onde, quando, como, tudo. "Quem será punido será o Estado que terá que se desculpar ante suas vítimas." Alfredo Sirkis concorda. "Não há dúvida de que o torturador é o mal absoluto. Mas, se olharmos a questão à luz da política atual, do que é melhor para o país, o mais interessante seria uma comissão da verdade como a da África do Sul." Prevê que seria "uma catarse", com os dois lados admitindo seus erros e exorcizando a intolerância. Crítico da proposta de revisão, entende que a CNV oferece aos militares um "enorme palco" para tentarem de novo emplacar sua narrativa derrotada, com os reflexos negativos sobrepujando os positivos. "Quando você reabre essa discussão, dentro da lei das consequências inesperadas, você reabre a Caixa de Pandora."

Betto pensa diferente. Avalia que o Brasil "não pode continuar como uma exceção na América Latina e não punir os responsáveis". Até para separar o joio do trigo nas forças armadas e "não confundir os que participaram das atrocidades com os que hoje abraçam a causa da democracia". Afirma-se sem ódio, mas com muita sede de justiça. "O mais grave não é o esbirro que vai lá e liga a máquina do choque elétrico. É a autoridade superior montar o centro de torturas e, ao arrepio da lei e dos direitos humanos, autorizar a tortura (...) E isso deve ser apurado."

O 2º tenente Marcelo Paixão de Araújo, do 12º Regimento de Infantaria do Exército, centro de tormentos em Belo Horizonte, foi o primeiro torturador a assumir publicamente o ofício[36]. Com seu nome em quatro listagens do projeto Brasil Nunca Mais, o ex-tenente também relembrou a cadeia de comando. "Quem assinou o AI-5? Não fui eu. Ao suspender garantias constitucionais, permitiu-se tudo o que aconteceu nos porões", alegou[37].

Gilberto Gil nota que a ditadura agravou o passivo de "um Brasil assimétrico" refratário à democracia e basicamente apropriado pelas elites do império e da república. "Os governos democráticos têm tentado dar conta, mas isto permanece."

Lúcia Murat se anima com outra iniciativa: a proibição das comemorações do 31 de março. "A gente fala no exterior que, até 2011, havia a comemoração e as pessoas não acreditam: 'Mentira', dizem." Quanto à Comissão ela reconhece os seus limites. "É uma negociação."

Se a Comissão fracassar, se o Parlamento se omitir, se o Judiciário não quiser e se o Executivo não tiver a força necessária, o edifício democrático brasileiro prosseguirá sendo erguido sobre solo instável, de matéria moral em putrefação, de mentiras oficiais, crimes inconfessos, culpas não redimidas, segredos escabrosos e mortos sem sepultura. Se a resposta não vier dos gabinetes terá que vir das ruas. Como aconteceu em outros países que viveram ditaduras, uma nova geração já assumiu a tarefa.

Num domingo ensolarado do Rio, a estátua do marechal Castello Branco, no Leme, surgiu adornada com uma faixa presidencial dourada. Nela, em letras vermelhas, estava escrito "Ditador do Brasil — 1964". Depois, o monumento foi banhado em tinta vermelho-sangue. "Estamos aqui para denunciar todo e qualquer monumento público que tenha o nome de ditador (...) Por isso estamos 'empossando' Castello Branco e dizendo: este não é presidente, este é ditador do Brasil!", escrachou Larissa Cabral, do Levante Popular da Juventude.

Castello Branco fora, oficialmente, escrachado, ou seja, repudiado em público como violador dos direitos humanos. Naquele 29 de julho de 2012, cerca de 300 militantes da Articulação Estadual pela Memória, Verdade e Justiça/RJ, marcharam conduzindo cartazes com fotos de torturados e assassinados pela repressão. Escrachos ou esculachos pipocaram em São Paulo, Porto Alegre, Belo Horizonte, Aracaju, Salvador, Natal, João Pessoa, Fortaleza, Belém, Brasília, Curitiba, Campina Grande, Vitória e Recife, seja com cartazes, seja com vigílias defronte às casas dos acusados de tortura e assassinatos. Em São Paulo, a ponte estaiada Otávio Frias de Oliveira, proprietário de empresa suspeita de colaborar com a repressão, devidamente adesivada, virou ponte Jornalista Vladimir Herzog. Em Brasília, outra ponte, a Costa e Silva, foi rebatizada como Honestino Guimarães, ex-presidente da UNE e morto pela repressão. As ruas prometem.

"Nunca pensamos que esta bandeira fosse tomada por esta geração", surpreende-se Lúcia. "Pensávamos que a bandeira era nossa, dos velhos combatentes", justifica. "Mas, de repente, vem uma nova geração, de outra maneira, mais performática. E a gente sabe que essas denúncias vão ser levadas adiante."

OS VENCEDORES

Dois ângulos do Elevado Costa e Silva, atrocidade urbana que recebeu o apelido apropriado de "Minhocão"

Golbery: rapapé provinciano pretendia erguer busto para a eminência parda do regime na sua terra natal. Ficou só na intenção

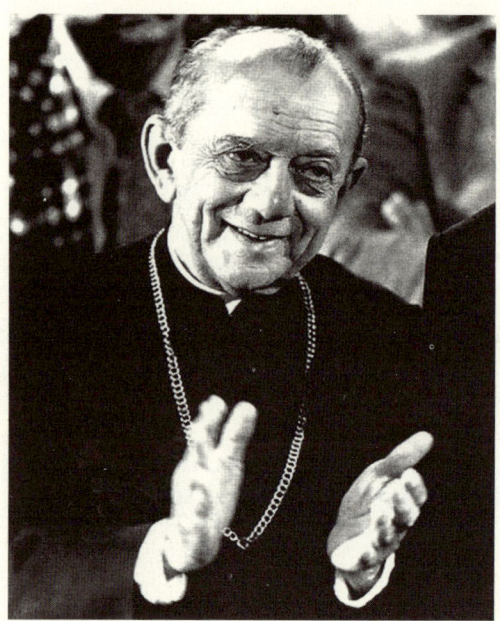

Dom Hélder Câmara seria o primeiro Prêmio Nobel da história do Brasil. Sintonizada com o regime, a mídia bombardeou sua candidatura, acusando-o de caluniador do país no estrangeiro

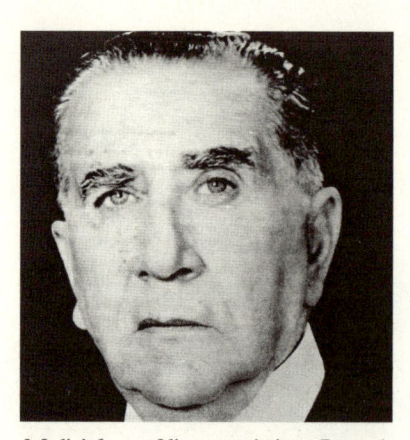

Médici ficava feliz ao assistir ao Jornal Nacional *onde o Brasil era descrito como uma ilha de paz e prosperidade: "É como se eu tomasse um tranquilizante, após um dia de trabalho"*

Cid Moreira, nos tempos em que ministrava a Médici sua dose diária de tranquilidade através do JN

OS VENCEDORES

Correio da Manhã
MAZZILLI É O NÔVO PRESIDENTE

Correio da Manhã
ADEMAR DESAFIA O CONGRESSO
Terrorismo, não!

Correio da Manhã
JG ESCOLHE URUGUAI PARA EXÍLIO

JORNAL DO BRASIL
GOULART TOMA RUMO DESCONHECIDO E O BRASIL VOLTA À NORMALIDADE

JORNAL DO BRASIL
GOULART RESISTE NO SUL E O CONGRESSO EMPOSSA MAZZILLI

JORNAL DO BRASIL
Mazzilli forma Govêrno e Congresso pensa em apressar escolha do nôvo Presidente
Líderes contra cassações

Nas manchetes no entorno do golpe destaca-se a do JB: o país "volta à normalidade" quando seu presidente legal é deposto

Ayrton Centeno

Os títulos transitam do arroubo do Estadão – "Democratas dominam toda a nação" – à admissão, por O Globo e com meio século de atraso, do erro cometido e reiterado durante 21 anos

OS VENCEDORES

Juscelino, Jango e Jânio, os três últimos presidentes eleitos pelo voto pré-1964 — dois deles mortos em circunstâncias suspeitas — receberam menos homenagens do que os generais no poder

Castello Branco em foto oficial: escracho banhou sua estátua no Rio com tinta vermelho-sangue

Dilma na instalação da Comissão Nacional da Verdade, em 2012, ao lado de quatro ex-presidentes: "se existem filhos sem pais, se existem pais sem túmulo, se existem túmulos sem corpos, nunca, nunca mesmo, pode existir uma história sem voz"

Notas

1 — A VITÓRIA DOS VENCIDOS

1) No artigo "Fleury — torturador e assassino em nome da lei" (in Reportagem, São Paulo, Ed. Manifesto, 2001), Jacob Gorender aborda criticamente o tratamento dado à biografia do delegado Sérgio Fleury (*Autópsia do medo*). Discordando do autor, Percival de Souza diz que "a esquerda, com efeito, foi derrotada ao objetivar a tomada do poder pela via armada, mas fez autocrítica, deu a volta por cima e impulsionou a redemocratização vitoriosa no país. Hoje, os militantes da esquerda armada sobreviveram, exercem as mais variadas profissões e não poucos deles são intelectuais e líderes políticos prestigiados". Historiador marxista, membro histórico do Partido Comunista Brasileiro (PCB) do qual se tornou crítico pós-1964 e se afastou em atrito com o comitê nacional, convertendo-se num dos fundadores do Partido Comunista Brasileiro Revolucionário (PCBR), Gorender foi preso político e torturado. Morreu aos noventa anos, em junho de 2013.

2) Os sete ex-ministros com ativismo na luta armada e que sofreram prisões durante a ditadura: Dilma Rousseff e Carlos Minc (ambos VAR-Palmares) Franklin Martins (MR-8), José Dirceu (Molipo), Paulo Vanucchi (ALN), Nilmário Miranda (POC) e Tarso Genro (Ala Vermelha). Os dois presos por

liderar paralisações de trabalhadores: Olívio Dutra (Bancários-RS) e Luiz Dulci (Professores-MG). Ministro da Cultura, Gilberto Gil também padeceu o cárcere. Ministros nos governos Lula e militantes clandestinos de grupos marxistas entre 1964 e 1985: Marina Silva (PRC), Antonio Palocci e Luiz Gushiken (ambos Libelu), Cristovam Buarque (AP), José Gomes Temporão (PCB), Agnelo Queiroz (PCdoB), Roberto Amaral (PCBR), Luiz Dulci (MEP) e Miguel Rossetto (DS). Ex-sindicalistas chefiando pastas: Miguel Rossetto (Petroleiros-RS), Jaques Wagner (Petroquímicos-BA), Agnelo Queiroz (Médicos-DF), Antonio Palocci (Médicos-SP), Luiz Gushiken (Bancários-SP), Humberto Costa (Médicos-PE), José Fritsch (Trabalhadores Rurais-SC), Olívio Dutra (Bancários-RS), Marina Silva (Seringueiros-AC), Luiz Dulci (Professores-MG) e Ricardo Berzoini (Bancários-SP).

3) Do mandato FHC, participaram os ex-militantes de organizações clandestinas Sérgio Motta e José Serra (ambos AP), Aloysio Nunes (ALN) e Artur Virgílio (PCB). Os três primeiros ex-exilados.

4) Os quatro ministros de Dilma Rousseff que passaram pela prisão sob a ditadura: Fernando Pimentel, Eleonora Menicucci, Manoel Dias e Moreira Franco. Pertenceram a associações clandestinas: Antonio Palocci, Aldo Rebelo e Ana de Hollanda. Entre outros, tiveram iniciação política na militância estudantil: Aloizio Mercadante, Gleisi Hoffmann, Pepe Vargas, Fernando Haddad, Orlando Silva e Alexandre Padilha.

5) Emílio Garrastazu Médici e João Baptista Figueiredo chefiaram o SNI. Principal ideólogo e eminência parda do regime, o general Golbery do Couto e Silva idealizou o órgão e foi seu primeiro chefe. Carta do general Silveira Filho ao então ministro da Defesa, Nélson Jobim, em que também reclama que, ao contrário de agora, desde a Independência, sempre houve "um cidadão fardado na mesa onde se tomam as mais importantes decisões do país".

6) Alfred Stepan, *Os militares na política.* Artenova, 1975.

7) Conforme o sítio Memória da Censura no Cinema Brasileiro — 1964--1988 (www.memoriacinebr.com.br)

8) Deonísio da Silva, *Nos bastidores da censura — Sexualidade, literatura e repressão pós-1964.*

9) Yan Michalski, *O palco amordaçado: 15 anos de censura teatral no Brasil.* Avenir, 1979.

OS VENCEDORES

10) Pronunciamento oficial do general Emílio Garrastazu Médici em cadeia nacional de televisão, no dia 31 de março de 1970.

11) Ordem do Dia do ministro do exército, Orlando Geisel, referente ao "6º Aniversário da Revolução", conforme publicada no *Jornal do Brasil*, edição de 31/03/1970.

12) Gaúcho de Cachoeira do Sul, Carlos Alberto da Fontoura morreu em 1997. O testemunho do general foi colhido em 1993 e consta do livro *Os anos de chumbo — A memória militar sobre a repressão*, de Maria Celina D'Araújo, Gláucio Ary Dillon Soares e Celso Castro.

13) Depoimento do general Octávio Costa, *Os anos de chumbo — A memória militar sobre a repressão*.

14) Entrevista de Ernane Galvêas a Cláudia Safatle, em *Valor Econômico*, edição de 10/08/2012.

15) Idem.

16) A campanha das Diretas Já começou em 1983 e alcançou seu auge em 1984 quando um comício, em São Paulo, juntou mais de 1,5 milhão de pessoas. Com apoio de partidos do centro à esquerda, colocou no mesmo palanque personagens como Luiz Inácio Lula da Silva, Tancredo Neves, Leonel Brizola, Ulysses Guimarães, Fernando Henrique Cardoso e Mário Covas. Na época, pesquisas de opinião indicaram que 84% dos brasileiros eram favoráveis às eleições diretas para a Presidência da República. Mesmo assim, a proposta de emenda constitucional do deputado Dante de Oliveira (PMDB), que devolvia ao eleitor a prerrogativa de escolher o presidente pelo voto, foi derrotada. No dia 25 de abril de 1984, os deputados federais favoráveis à emenda foram 295, enquanto sessenta e cinco se manifestaram contrários, 113 se ausentaram e três se abstiveram. Como não foram atingidos os dois terços necessários para mudar a Constituição, as eleições de 1985 ocorreram por meio do colégio eleitoral.

17) Quando os militares tomaram o poder, havia eleições presidenciais com voto direto marcadas para 1965. Os prováveis candidatos seriam o ex-presidente Juscelino Kubitscheck, o ex-governador gaúcho e deputado federal Leonel Brizola, o governador do estado da Guanabara, Carlos Lacerda, e o ex-presidente Jânio Quadros. Dez dias após o golpe, os três integrantes da junta militar — o general Arthur da Costa e Silva, o almirante Augusto Rademacker e o brigadeiro Francisco Correia de Melo assinaram o Ato

Institucional n° 1, impondo as eleições indiretas, realizadas por meio da submissão dos nomes apresentados pelas forças armadas ao Congresso onde, após fugas, prisões, cassações e adesões, o novo governo gozava de maioria.

18) Crônica "Eleitor: nada a declarar" publicada por Drummond no *Jornal do Brasil* e reproduzida pelo *Coojornal*, edição de janeiro de 1978.

19) Segundo levantamentos do instituto Datafolha em janeiro de 1990 e setembro de 1992.

20) Depoimento do general Octávio Costa em *Os anos de chumbo — A memória militar sobre a repressão*.

21) Depoimentos dos generais Leônidas Pires Gonçalves e Carlos Alberto da Fontoura em *Os anos de chumbo — A memória militar sobre a repressão*.

22) Entrevista de Franklin Martins no documentário *Tempo de resistência*, de André Ristum.

23) Percival de Souza em *Autópsia do medo — Vida e morte do delegado Sérgio Paranhos Fleury*.

24) Idem.

25) Depoimento do general Octávio Costa, *Os anos de chumbo — A memória militar sobre a repressão*.

2 — ENCARANDO A MORTE E A SOLIDÃO

1) Inaugurada em julho de 1969, a OBAN foi concebida para operar à margem do aparato oficial da repressão e, portanto, com maior agilidade e liberdade de ação. No mesmo organismo, juntou-se pessoal das forças armadas, da Polícia Federal e das polícias civil e militar de São Paulo, todos com a finalidade de perseguir e destroçar as organizações de esquerda que contestavam a ditadura. Como trabalhavam na informalidade, dispensando a lei, seus agentes praticamente não tinham limites na sua atuação, empregando a violência e a tortura metodicamente. Para se manter, a OBAN recebia recursos de grandes banqueiros, industriais e comerciantes de São Paulo. Um dos empresários mais frequentemente vinculados à OBAN foi Henning Albert Boilesen, dinamarquês naturalizado brasileiro, diretor do Grupo Ultra. A ele chegou a ser atribuída a invenção de um instrumento de tortura, a pianola Boilesen, teclado que provocava choques elétricos. Boilesen foi emboscado e morto em abril de 1971, em

São Paulo, por um grupo de fogo da Vanguarda Popular Revolucionária (VPR). Mais tarde, a OBAN seria substituída pelos Destacamentos de Operações de Informação — Centros de Operações de Defesa Interna (DOI-Codi).

2) Lyuben-Kamen Rousseff era engenheiro elétrico e morreu em 2008, aos setenta e sete anos, doente e com dificuldades financeiras. Nos anos 1950, através de carta, pediu auxílio a Pedro Rousseff, que o ajudou com dinheiro. Dilma assegura que o pai também remeteu pedras preciosas para o filho. Uma versão sobre o relacionamento familiar indica que Lyuben queria a ajuda do pai para deixar a Bulgária, o que nunca pôde fazer. Já Dilma afirmou que, em certa ocasião, os Rousseff ofereceram dinheiro a Lyuben para viajar ao Brasil, mas ele recusou. Quando Pedro Rousseff morreu, Lyuben reivindicou parcela da herança, entretanto só conseguiu obter US$ 1,5 mil. Dilma relatou que, sabendo da situação precária, especialmente após o fim dos regimes comunistas do Leste Europeu, quando houve um sucateamento dos sistemas públicos de saúde e de previdência social, também enviou "bastante dinheiro" para o meio-irmão que não chegou a conhecer. Segundo ela, os dois chegaram a marcar um encontro em Paris mas, na última hora, Lyuben não pôde comparecer.

3) Pertenceram à Polop, entre outros intelectuais, os irmãos Emir e Eder Sader, o sociólogo e economista mineiro Ruy Mauro Marini, o economista e também mineiro Theotonio dos Santos, o historiador baiano Luiz Alberto de Vianna Moniz Bandeira e o economista brasileiro de origem austríaca Paul Singer. A organização foi fundada pelo austríaco Eric Sachs, influenciado pelas teses da revolucionária polonesa Rosa Luxemburgo.

4) A Polop tem nas suas raízes os Comandos de Libertação Nacional (Colina), a Vanguarda Popular Revolucionária (VPR), a Vanguarda Armada Revolucionária Palmares (VAR-Palmares), o Partido Operário Comunista (POC), a OCML-PO ou Nova Polop, o Movimento de Emancipação do Proletariado (MEP), o Movimento Comunista Revolucionário (MCR) e o Coletivo Marxista.

5) Fernando Rodrigues, matéria "Ilusões Armadas", em *Folha de S.Paulo*, edição de 21/02/2010.

6) O rompimento interno da Polop daria origem inicialmente não ao Colina, mas a uma organização autodenominada simplesmente O. (Ó pontinho). No decorrer de 1968, o setor mineiro da organização realizaria várias ações armadas e, posteriormente, adotaria a denominação de Colina.

7) Pretextando debelar um golpe de Estado articulado pelo Partido Comunista da Indonésia (PKI) contra o então presidente Kusno Sukarno, o general indonésio Hadji Suharto deflagrou um processo de genocídio tão vasto em setembro de 1965 cujo número exato de vítimas não se sabe até hoje. Calcula-se que oscile entre 500 mil e um milhão. Tomou o poder de Sukarno e tornou-se o todo-poderoso do país. Como Sukarno pertencia a um campo nacionalista com matizes de esquerda, sua deposição foi bem-vista pelos Estados Unidos e o Japão. A *Central Inteligency Agency* (CIA) teria atuado ao lado de Suharto, que ficaria três décadas no poder. Em 1975, invadiu e anexou o Timor Leste, depois que Portugal se retirou do território e rebeldes tomaram o poder. A invasão custou a vida de dezenas de milhares de timorenses. Além do desprezo pelos direitos humanos, Suharto e sua família tornaram-se célebres pela corrupção. O Banco Mundial estimou que o clã desviou, no mínimo, US$ 15 bilhões, no assalto aos cofres públicos. As propinas deram à esposa de Suharto, madame Tien, o apelido de "Madame ten percent".

8) Depoimentos de Antonio Roberto Espinosa para Alex Solnik em *O cofre do Adhemar — A iniciação política de Dilma Rousseff e outros segredos da luta armada.*

9) O termo foi tomado por empréstimo da ativista socialista Rosa Luxemburgo (1871-1919). Nos primórdios da 1ª Guerra Mundial, ela o usou para se referir à tendência de centro do Partido Social Democrata alemão, comandado por Karl Kaustky, a quem apelidou de "líder do pântano".

10) Depoimentos de Antonio Roberto Espinosa para Alex Solnik em *O cofre do Adhemar.*

11) Herbert Daniel retornou ao Brasil em 1981. Filiou-se ao PT e participou, depois, da fundação do Partido Verde. Tornou-se ativista ambiental e militante da defesa dos direitos dos homossexuais. Morreu de Aids em 1992.

12) *Mulheres que foram à luta armada*, de Luiz Maklouf Carvalho.

13) Benoni de Arruda Albernaz foi transferido para a reserva em 1977. Segundo *O Globo* — "Albernaz, o capitão que socou o rosto de Dilma Rousseff, em 1970", matéria de Thiago Herdy na edição 30/06/2012 — ele passou a coagir pessoas a comprarem terrenos. Usaria farda de coronel e apresentava-se como membro do SNI, o que o levou a ser condenado por falsidade ideológica. Para intimidar os possíveis clientes, dizia-se, conforme o jornal, "amigo íntimo" do presidente da república, situando-se como "o número 2" na lista de torturadores. Morreu de infarto em 1992.

14) *Mulheres que foram à luta armada*, de Luiz Maklouf Carvalho.

15) "Albernaz, o capitão que socou o rosto de Dilma Rousseff, em 1970", matéria de Thiago Herdy em *O Globo*, edição de 30/06/2012.

16) *Mulheres que foram à luta armada*, de Luiz Maklouf Carvalho.

17) "A mulher do presidente", entrevista a Carla Gullo e Maria Laura Neves em *Marie Claire*, edição de abril de 2009.

18) *Mulheres que foram à luta armada*, de Luiz Maklouf Carvalho.

19) Em 27 de fevereiro de 1933, o Reichstag, sede do parlamento alemão, foi incendiado. O fogo teria sido ateado por um dissidente do partido comunista alemão. Porém, ainda hoje, suspeita-se que os próprios nazistas provocaram o sinistro. De qualquer forma, o incidente serviu de pretexto para a decretação do estado de emergência e da suspensão da constituição. Cerca de 100 mil pessoas foram presas, com foco especialmente nos comunistas. Um deles foi o dirigente búlgaro da Internacional Comunista, George Dimitrov, que vivia clandestinamente na Alemanha.

20) A guerra da Argélia (1954-1962) serviria de laboratório para o aprimoramento de meios extralegais de enfrentamento de guerrilhas urbanas. O general Paul Aussaresses, que promoveu o emprego da tortura na Argélia, seria um dos elos entre as práticas desenvolvidas no norte da África pelos franceses, e sua exportação para as ditaduras da América Latina nas décadas de 1960 e 1970. No Brasil, Aussaresses foi instrutor no Centro de Instrução de Guerra na Selva (CIGS), em Manaus. Lá foram treinados oficiais brasileiros, argentinos e venezuelanos. Outro defensor do combate à margem da lei, o coronel francês Roger Trinquier, é tido como responsável pela disseminação, além dos métodos violentos de interrogatório, das prisões extraoficiais e dos desaparecimentos.

21) *Mulheres que foram à luta armada*, de Luiz Maklouf Carvalho. Na matéria "Dilma na luta armada", de Leandro Loyola, Eumano Silva e Leonel Rocha em *Época*, edição 20/08/2010, é citado um depoimento de dezenove páginas, prestado no Dops paulista em 26/02/1970, no qual consta que Dilma, "acuada pela tortura", teria dado informações através das quais a polícia política chegou a quatro companheiros de organização: João Ruaro, Maria Joana Teles Cubas, Carlos Savério Ferrante e José Vicente Correa. Nos demais depoimentos perante à Justiça Militar, Dilma negou a maior parte do que afirmara no Dops depois de ser submetida à tortura.

22) Conforme Sandra Kiefer em *Correio Braziliense*, edição de 17/06/2012.

23) Kátia Mello em *Época*, edição de 20/08/2010.

24) Ex-deputado estadual pelo PMDB, Cézar Busatto foi secretário da fazenda durante a administração Antonio Britto (1995-1998) e chefe da casa civil no mandato da tucana Yeda Crusius (2007-2010). Atualmente é secretário de governança na prefeitura de Porto Alegre.

25) Os outros três são Helius Puig Gonzalez, Marinês Zandavali Grando e Walter Meuci Nique. A listagem se completa com três funcionários da Assembleia Legislativa/RS — Paulo de Tarso Loguércio Vieira, Paulo Roberto Ziulkoski e Carlos da Cunha Contursi — e com um servidor da Secretaria de Saúde/RS, Carlos Avelino Fonseca Brasil. Paulo Roberto Ziulkoski é hoje presidente da Confederação Nacional de Municípios. Carlos Tejera da Ré, também ex-FEE e ex-VAR, fora demitido antes do aparecimento da lista.

26) Ricardo Batista Amaral, em *A vida quer é coragem — A trajetória de Dilma Roussef, a primeira presidenta do Brasil.*

27) Idem.

28) *Mulheres que foram à luta armada*, de Luiz Maklouf Carvalho.

29) Idem.

30) Depoimentos de Antonio Roberto Espinosa para Alex Solnik em *O Cofre do Adhemar.*

31) Idem.

3 — FUGINDO DE ALGO PIOR DO QUE A MORTE

1) Pedro Marcondes de Moura na reportagem "O homem que se recusou a matar o marido de Dilma". *IstoÉ*, edição de 14/06/2013.

2) Partido Revolucionário dos Trabalhadores (PRT), dissidência da Ação Popular (AP). Afastou-se por discordar da adoção do maoísmo pela AP.

3) Conforme Frei Tito de Alencar Lima, em *Batismo de sangue*, de Frei Betto.

4) Movimento guerrilheiro desbaratado no nascedouro em 1967, respaldado por Leonel Brizola, apoiado por Cuba e situado na serra de Caparaó, entre Minas Gerais e o Espírito Santo.

5) Cf. Fábio Gonçalves das Chagas em "A luta armada gaúcha contra a ditadura militar nos anos 1960/1970", tese de doutorado apresentada à Universidade Federal Fluminense (UFF).

6) *Beto* ou *Breno* eram codinomes de Carlos Alberto Soares de Freitas, um dos principais quadros da Colina e da VAR-Palmares.

7) Herbert Eustáquio de Carvalho (1947-1992), o Herbert Daniel.

8) Cf. depoimento de Espinosa para Alex Solnik em *O cofre do Adhemar*. Da reunião participavam, Carlos Lamarca, os ex-sargentos Darcy Rodrigues e José Araújo de Nóbrega, mais *Mário Japa*, Celso Lungaretti, José Raimundo da Costa e Cláudio de Souza Ribeiro.

9) Idem.

10) Ibidem.

11) Cf. Tom Cardoso. *O cofre do Dr. Rui*.

12) Idem.

13) Ibidem.

14) Alex Polari de Alverga, *Em busca do tesouro*.

15) Em *O cofre do Dr. Rui*, Tom Cardoso sustenta que a VPR ficou com os US$ 1,2 milhão entregues por Juarez Brito à embaixada da Argélia, mais os US$ 300 mil escondidos por Inês Etienne Romeu que, no racha, preferiu a VPR. O trunfo da VAR eram as armas roubadas por Lamarca do quartel de Quitaúna. Seu guardião era o cabo José Mariane Ferreira Alves. Ele desertara junto com Lamarca, mas optara pela VAR. Na negociação ríspida que se seguiu, a VAR embolsou US$ 200 mil dos US$ 300 mil de Inês e reteve mais dez fuzis.

16) Antonio Roberto Espinosa em entrevista a Alex Solnik, na revista *Brasileiros*.

4 — TATURANA VAI AO PARAÍSO

1) Entrevista de Lula para Camilo Vanucchi. Vídeo para *Época* em 2009. E entrevista de Marisa Letícia da Silva na revista da Fundação Perseu Abramo em dezembro de 2002.

2) Fundada para representar os interesses da ditadura, a Aliança Renovadora Nacional (Arena) chegou a ser, na avaliação de seu então presidente, o senador Francelino Pereira, "o maior partido do ocidente". As crescentes derrotas eleitorais, apesar do arbítrio, levaram a sua dissolução no final dos anos 1970, sucedida pelo Partido Democrático Social (PDS).

O PDS sofreu a dissidência de um grupo de ex-arenistas que formariam o Partido da Frente Liberal (PFL). Sucessivamente, enquanto definhava, o PDS foi trocando de nome: PPR, PPB e atualmente PP. O outro ramo da antiga Arena, ex-PFL, hoje é o DEM.

3) *Jornal do Brasil*, edição de 20/04/1980.

4) Juliana Lopes, Fábio Farah e Jonas Furtado na matéria "À frente das greves históricas do ABC" em *IstoÉ Gente*, 04/11/ 2002.

5) Idem.

6) Percival de Souza em *Autópsia do medo*.

7) Idem.

8) Luiz Inácio Lula da Silva, testemunho para o sítio ABC de luta — Memória dos metalúrgicos do ABC.

9) Júlio de Grammont em "Memória: os Subversivos de 1978", publicado no sítio Teoria e Debate, edição de fevereiro/março/abril de 1998.

10) Luiz Inácio Lula da Silva, testemunho para o sítio ABC de luta — Memória dos metalúrgicos do ABC.

11) Idem.

12) Luiz Inácio Lula da Silva, depoimento para Denise Paraná em *A história de Lula: o filho do Brasil*.

13) Idem.

14) José Ferreira de Melo, Frei Chico, em depoimento para Denise Paraná em *A história de Lula: o filho do Brasil*.

15) Luiz Inácio Lula da Silva, testemunho para o sítio ABC de luta — Memória dos Metalúrgicos do ABC.

16) Idem.

17) Genival Inácio da Silva, Vavá, em depoimento para Denise Paraná em *A história de Lula: o filho do Brasil*.

18) Luiz Inácio Lula da Silva, testemunho para o sítio ABC de luta — Memória dos Metalúrgicos do ABC.

19) Idem.

20) Ibidem.

21) O Instituto de Aposentadorias e Pensões dos Industriários (IAPI), assim como outros organismos de previdência social que congregavam trabalhadores conforme os setores da economia, foi absorvido pelo Instituto Nacional de Seguro Social (INSS).

22) Luiz Inácio Lula da Silva, depoimento para Denise Paraná em *A história de Lula: o filho do Brasil*.

23) Luiz Inácio Lula da Silva, testemunho para o sítio ABC de luta — Memória dos Metalúrgicos do ABC.

24) Idem.

25) Após negociação com a direção de campanha de Fernando Collor de Mello, Míriam Cordeiro aceitou aparecer no programa eleitoral do candidato do PRN acusando Lula de tê-la abandonado grávida e ter-lhe sugerido que abortasse. Lula, que preferiu não responder às acusações, abalou-se. Mas ganhou o apoio da mãe de Míriam e de Lurian, a filha que teve com a ex-namorada.

26) José Ferreira de Melo, Frei Chico, em depoimento para Denise Paraná em *A história de Lula: o filho do Brasil*.

27) Luiz Inácio Lula da Silva, testemunho para o sítio ABC de luta — Memória dos Metalúrgicos do ABC.

28) Idem.

29) Almir Pazzianotto Pinto foi deputado estadual pelo MDB, secretário paulista do Trabalho e ministro do Trabalho no período 1985-1988 durante o governo José Sarney. Foi também presidente do Tribunal Superior do Trabalho (TST).

30) José Ferreira de Melo, Frei Chico, em depoimento para *A história de Lula: o filho do Brasil*.

31) Luiz Inácio Lula da Silva, testemunho para o sítio ABC de luta — Memória dos Metalúrgicos do ABC.

32) Idem.

33) Karen Camacho, em *Folha de S.Paulo*, 12/05/2008.

34) Luiz Inácio Lula da Silva, depoimento para Denise Paraná em *A história de Lula: o filho do Brasil*.

35) Gilson Menezes, testemunho à Fundação Perseu Abramo em abril de 2006. Em 1982, Menezes foi o primeiro prefeito do PT no país, elegendo-se em Diadema.

36) Idem.

37) Junto com Lula foram presos os sindicalistas do ABC Djalma Bom, Gilson Menezes, José Cicote, Wagner Lino, Enilson Simões de Moura, Rubens Teodoro de Arruda, Juraci Batista Magalhães, Manuel

Anísio Gomes, Osmar Santos de Mendonça, José Timóteo da Silva e José Maria de Almeida. No mesmo período foram detidos Ernesto Sencini, Isaias Urbano da Cunha, Orlando Francelino Mota, José Ferreira de Melo (Frei Chico), Expedito Soares, Nelson Campanholo e João Batista dos Santos. Décadas mais tarde, este último, militante do Movimento de Emancipação do Proletariado (MEP), seria transformado em pivô de um quase escândalo por conta de um texto do ativista ex-PT e ex-PSOL, César Benjamin. Em artigo de 2009 para a *Folha de S.Paulo*, Benjamin disse ter ouvido de Lula durante a campanha eleitoral de 1994 que, durante a prisão, teria vontade de estuprar João Batista. Nenhum dos presos, inclusive a vítima presumida, confirmou a versão. José Maria de Almeida, o Zé Maria do PSTU, hoje adversário político de Lula, opinou que Benjamin interpretou equivocadamente a história. O cineasta Sílvio Tendler, que estava com Benjamin no momento em que Lula fez a revelação, disse a Bob Fernandes, do portal Terra, que o então candidato narrou a história durante uma reunião para chocar um marqueteiro norte-americano presente. Foi, para ele, "uma evidente brincadeira" que "ouvimos às gargalhadas".

38) Luiz Inácio Lula da Silva, testemunho para o sítio ABC de luta — Memória dos metalúrgicos do ABC.

39) Idem.

40) Entrevista de Lula a Augusto Nunes, em *Veja TV*, em 1997.

41) Percival de Souza, *Autópsia do medo*.

42) Idem.

43) Luiz Inácio Lula da Silva, testemunho para o sítio ABC de luta — Memória dos metalúrgicos do ABC.

44) Também foram denunciados os sindicalistas Jacó Bittar, então secretário nacional do PT, José Francisco da Silva, presidente regional da Confederação Nacional dos Trabalhadores na Agricultura, a Contag, e João Maia da Silva Filho. A morte de Wilson de Souza Pinheiro nunca foi esclarecida.

45) Luiz Inácio Lula da Silva, testemunho para o sítio ABC de luta — Memória dos metalúrgicos do ABC.

46) Idem.

47) Ibidem.

OS VENCEDORES

5 — Vítor e os muitos caminhos para o exílio

1) Jânio da Silva Quadros (1917-1992) chegou à Presidência da República pela coligação PTN-PDC-UDN-PR-PL ao bater o marechal Henrique Teixeira Lott, da aliança PTB-PSD, em outubro de 1960. Obteve 5,6 milhões de votos, então a maior votação registrada por um candidato à Presidência. As regras eleitorais em vigor permitiam que as candidaturas de presidente e vice fossem votadas separadamente. Assim, o representante conservador foi eleito, mas não o seu vice, Milton Campos, do mesmo bloco político-ideológico. O vice vencedor foi Goulart, da chapa do derrotado Lott. Venceu a dupla apelidada de *Jan-Jan*. João *Jango* Goulart havia sido ministro do Trabalho de Getúlio Vargas (1951-1954) e também vice-presidente de Juscelino Kubitschek (1956-1961) na dobradinha PTB-PSD. A renúncia devolveu o governo ao grupo que lá estava desde 1950. A renúncia surpreendente seria um ardil de Jânio. Ele queria mobilizar seus aliados e eleitores e retornar imediatamente ao comando do país com maiores poderes, mas o lance de ousadia teve resultado oposto àquele que imaginara.

2) Também estavam vinculadas à Ação Católica a Juventude Operária Católica (JOC), a Juventude Universitária Católica (JUC), a Juventude Agrária Católica (JAC) e a Juventude Independente Católica (JIC). A Ação Popular (AP), uma das organizações de esquerda que atuava no meio estudantil e que chegou à luta armada, teve origem na JUC. A tendência de esquerda da Ação Católica era influenciada pelo arcebispo de Olinda e Recife, dom Hélder Câmara, a figura da cúpula da igreja brasileira que mais abertamente enfrentou e denunciou a ditadura militar.

3) Como relatado por Frei Betto em *Batismo de sangue — A luta clandestina contra a ditadura militar — Dossiês Carlos Marighella e Frei Tito*.

4) Conforme Beatriz Kushnir em *Cães de guarda — Jornalistas e censores, do AI-5 à Constituição de 1988*.

5) Frei Betto em *Batismo de sangue*.

6) Luiz Merlino foi preso no dia 15 de julho de 1971 e, depois de torturado horas a fio no pau de arara, morreu de gangrena generalizada e sem assistência médica. A imprensa foi proibida de noticiar a morte. Somente no dia 26 de agosto o *Estado de S. Paulo* publicou um convite fúnebre para a missa de 30º dia de falecimento. Um grande aparato policial cercou a cerimônia, com policiais

armados de metralhadoras até mesmo no coro, segundo Nilmário Miranda e Carlos Tibúrcio em *Dos filhos deste solo*. Apesar dos receios, mais de 700 jornalistas compareceram ao culto na Catedral da Sé.

7) Exemplos pinçados por Beatriz Kushnir em *Cães de guarda — Jornalistas e censores, do AI-5 à Constituição de 1988*.

8) João Batista de Abreu em *As manobras da informação*.

9) "As vozes das mulheres torturadas na ditadura", depoimento de Ieda Seixas à Comissão da Verdade de São Paulo. Matéria de Tatiana Merlino na página da Comissão na internet. Em entrevista a Luiz Maklouf Carvalho, publicada em *Mulheres que foram à luta armada*, o *Capitão Lisboa* negou ter alguma vez ter interrogado mulheres. Negou também a existência de tortura durante o regime militar.

10) Na matéria "Militares ameaçam suspender circulação", publicada pela *Folha de S.Paulo* em 2001, por ocasião dos oitenta anos de fundação do jornal, Frias observa que, se carros da empresa foram emprestados para a repressão, tal aconteceu à sua revelia. No texto, de Mário Magalhães, o empresário acrescenta que nunca houve colaboração (do grupo) com o Deops (Departamento Estadual de Ordem Política e Social) ou o II Exército. Na agonia da ditadura, a *Folha de S.Paulo*, carro-chefe do grupo e antes simpática ao governo militar, transformou-se no veículo da chamada grande imprensa que mais se engajou na campanha pelas eleições diretas. Bem mais tarde, a visão do diário paulistano sobre o período de exceção tornou-se novamente nebulosa. Em 17 de fevereiro de 2009, publicou que o regime militar brasileiro não havia sido uma ditadura mas "uma ditabranda". Desafortunadamente, a mesma expressão — *"dictablanda"* — fora usada em 1983 pelo ditador chileno Augusto Pinochet, um dos mais sanguinários do continente, para se referir a sua própria ditadura.

11) Frei Betto em *Diário de Fernando — Nos cárceres da ditadura militar brasileira*. A cena foi descrita pelo frade dominicano Fernando de Brito, que registrou num diário secreto, escrito com letra microscópica, os seus anos de prisão. Usando uma esferográfica Bic opaca escrevia em papel de seda. Ao fim da escrita, retirava a carga, cortava o tubo ao meio e alojava o rolinho dentro da caneta. Quando recebia a visita dos frades, entregava a caneta com o diário a um deles e recebia uma nova exatamente igual. O diário foi recuperado, trabalhado por frei Betto e transformado em livro em 2008.

12) Idem.
13) Frei Betto em *Batismo de sangue*.
14) Idem.
15) Mais tarde, o major e depois tenente-coronel da infantaria do Exército, Attila Rohrsetzer, seria apontado em listas elaboradas por presos políticos como torturador. Conforme o grupo Tortura Nunca Mais/RJ, seu nome foi arrolado com mais vinte policiais e militares no inquérito sobre o assassinato do sargento Manoel Raimundo Soares. O corpo do sargento apareceu boiando no rio Jacuí, em Porto Alegre, com as mãos amarradas nas costas no dia 24 de agosto de 1966. Em 2007, a justiça da Itália pediu a extradição de Rohrsetzer, ex-diretor da Divisão Central de Informações (DCI). Ele seria um dos 146 militares e civis participantes da Operação Condor, realizada conjuntamente pelos governos ditatoriais da América do Sul dos anos 1960 aos 1980 e que teria sequestrado e assassinado vinte e cinco cidadãos de nacionalidade italiana.
16) Frei Betto em *Batismo de sangue*.
17) Mário Magalhães, *Marighella, o guerrilheiro que incendiou o mundo*.
18) Idem.
19) Ben Strik em *Morrer para viver — A luta de frei Tito de Alencar Lima contra a ditadura brasileira*.
20) Idem.
21) Ibidem.
22) Frei Betto em *Das catacumbas*.
23) *Bella Ciao* difundiu-se nos anos 1960, especialmente através das mobilizações de maio de 1968. A versão *partigiana* tem diversas interpretações, entre as quais a do cantor francês Yves Montand. Mais recentemente, tem animado movimentos de resistência em todo o mundo, como o dos indígenas de Chiapas, no México. Libertado em 1971, frei Giorgio Callegari foi expulso do Brasil em 1975. Trabalhou na Nicarágua, Peru, México, Panamá e Costa Rica. Após a redemocratização, retornou ao Brasil para atuar nas favelas de São Paulo. Fundou o Centro Ecumênico de Publicações e Estudos, o CEPE, para apoiar meninos de rua, trabalhadores sem terra e populações quilombolas. Morreu em 2003.
24) O relatório de Tito descrevendo as torturas que sofreu foi publicado pela revista norte-americana *Look*, na edição de 7 de abril de 1970, sob o título *"Brazil: Government by Torture"*.

25) Projeto Brasil Nunca Mais.

26) Haskell Wexler & Saul Landau rodaram, somando suas carreiras, mais de cinquenta documentários, especialmente com temática social e política. Juntos, trataram de energia nuclear, peste suína, espionagem, guerra civil na Nicarágua, governo Allende e levante zapatista. O documentário *Medium Cool*, de Wexler, sobre a brutalidade da polícia contra os ativistas na convenção do Partido Democrata realizada em 1969, em Chicago, lhe valeu a designação de "perigoso" pelo FBI.

Também cinegrafista, Wexler trabalhou em filmes como *Um estranho no ninho*, de Milos Forman, *Loucuras de verão*, de George Lucas, e *Quem tem medo de Virgínia Woolf*, de Mike Nichols, drama pelo qual recebeu o Oscar de melhor fotografia.

27) Márcio Moreira Alves (1936-2009) foi jornalista e deputado federal. Seu discurso na Câmara dos Deputados tornou-se o pretexto para o golpe dentro do golpe em dezembro de 1968. Na sua fala, ele pregou o boicote às comemorações da Semana da Pátria e sugeriu que as moças não namorassem militares. O governo pediu autorização para processá-lo e a Câmara rejeitou o pedido com o apoio, inclusive, de vários integrantes da Arena, o partido governista. Dois dias após a recusa, foi editado o AI-5 e fechado o Congresso. Perseguido, Márcio Moreira Alves exilou-se em Paris.

28) Ben Strik em *Morrer para viver — A luta de frei Tito de Alencar Lima contra a ditadura brasileira*.

29) Idem.

30) Hélio Bicudo em *Meu depoimento sobre o Esquadrão da Morte*. A expressão "carro-chefe" foi usada pelo general em conversa com o procurador Hélio Bicudo que desejava ver Fleury na cadeia. Octávio Pereira da Costa dizia que não era possível prender Fleury devido a sua importância para a "Revolução", termo usado pela propaganda oficial para designar o movimento de 1964. No governo Médici, Costa foi diretor da Assessoria Especial de Relações Públicas, a AERP, responsável pela construção da imagem do "Brasil Grande".

31) Com base em projeto de lei apresentado pelo deputado Cantídio Sampaio, líder da Arena, a lei foi votada e aprovada rapidamente pela Câmara Federal. O próprio João Figueiredo, depois presidente, mas, na época, ministro-chefe da Casa Militar, envolveu-se pessoalmente na aprovação.

OS VENCEDORES

Promulgada em novembro de 1973 pelo general Médici, a Lei Fleury garante ao réu primário o direito de aguardar o julgamento em liberdade. Antes, a legislação estabelecia que o denunciado cujo destino fosse ser decidido pelo tribunal do juri deveria ficar preso até a data do julgamento. Em 1974, o delegado foi julgado, absolvido e condecorado como "Policial do Ano".

32) Hélio Bicudo, *Meu depoimento sobre o Esquadrão da Morte*.

33) Percival de Souza, em *Autópsia do Medo — Vida e Morte do Delegado Sérgio Paranhos Fleury*.

34) Idem.

35) Ibidem.

36) Frei Betto em *Batismo de sangue*.

37) Jean-Claude Rolland, artigo "Tratar, Testemunhar. A tortura de frei Tito segundo seu psiquiatra". Página na web do Instituto Humanitas — Unisinos. Tradução de Xavier Plassat.

38) Idem.

39) Frei Betto em *Cartas da prisão*.

40) Idem.

41) Jean-Claude Rolland, artigo "Um homem torturado", originalmente publicado na *Nouvelle Revue de Psychanalyse*, número 23, de 1986, sob o título *L'Amour de la Haine*. Traduzido por Xavier Plassat e republicado em Frei Tito: Memorial *On-line*.

6 — O 11 DE SETEMBRO CHEGOU NA VÉSPERA

1) Carlos Prats González (1915-1974), comandante em chefe das forças armadas durante o governo Salvador Allende. Depois de renunciar ao seu posto, foi assassinado em Buenos Aires com sua esposa Sofia Cuthbert em atentado à bomba atribuído à Dina, o serviço secreto da ditadura de Augusto Pinochet.

2) Socióloga de formação marxista, discípula do filósofo francês Louis Althusser e autora de dezenas de livros entre os quais o mais conhecido é *Conceitos elementares do materialismo histórico*.

3) Cassado pelo AI-5, Aluísio Pimenta exilou-se e trabalhou dezessete anos no exterior. Na redemocratização, foi ministro da cultura durante o governo José Sarney no período 1985-1986.

4) José Aníbal Peres de Pontes, ex-deputado federal pelo PSDB, partido do qual foi também presidente nacional.

5) Depois de alijar concorrentes, o Capitão Guimarães tornou-se banqueiro do jogo do bicho, controlando a atividade em Niterói/RJ. Em seguida, estendeu seus domínios até o Espírito Santo. Seguindo o modelo dos chefões da contravenção, transformou-se em patrocinador das escolas de samba Unidos de Vila Isabel e Viradouro e chegou à presidência da Liga das Escolas de Samba/RJ. Em 2012, foi preso como resultado da Operação Hurricane, da Polícia Federal. Sentença da 6ª Vara Federal Criminal, do Rio, condenou Guimarães a quarenta e oito anos e oito meses de prisão por formação de quadrilha, corrupção e contrabando. Em maio do mesmo ano, o Supremo Tribunal Federal (STF), através do ministro Marco Aurélio Mello, mandou soltar Guimarães e mais dezesseis réus.

6) Depoimento à 4ª Região Militar/Circunscrição da Justiça Militar, reproduzido no tomo V, volume 3, "As Torturas", em *Brasil nunca mais*.

7) Entrevista ao *Jornal do Brasil*, edição de 07/10/89, sob o título "Capitão Guimarães foi professor de tortura", de autoria de Maurício Lara.

8) Lançado em 1972, *Estado de Sítio* foi proibido pela censura brasileira. A ação se passa no Uruguai e está centrada no sequestro, pela guerrilha tupamara, do funcionário da Central Intelligence Agency (CIA), Daniel (Dan) Mitrione, que operava sob a fachada da Agency for International Development (AID). Mitrione agiu no Brasil de 1960 até 1967, supostamente ministrando aulas de interrogatório e tortura à polícia brasileira. Suas cobaias seriam mendigos recolhidos nas ruas da capital mineira. Em 1969, foi transferido para o Uruguai, onde teria a mesma função. Os Tupamaros pediam a libertação de 150 presos políticos em troca da vida de Mitrione. Diante da negativa do governo uruguaio, o agente foi executado. Em Richmond, cidade natal de Mitrione, Frank Sinatra promoveu um espetáculo para arrecadar fundos para a família do funcionário da CIA. Antes de cantar *"My Way"* e encerrar o *show*, Sinatra citou Mitrione como "meu irmão" e "um homem digno de ser lembrado".

9) Conforme declarações de Baiardi para Lucas Pretti na matéria "Brasileiro lamenta não ter sido o 'vingador de Che'", em *O Estado de S. Paulo*, edição de 09/10/2007.

10) O filme de Lindsay Anderson (1923-1994) venceu o Festival de Cinema de Cannes, em 1969. *Se...* foi seu título literal no Brasil.

11) Cf. Pablo Vilaça no livro *O cinema além das montanhas*, Imprensa Oficial/SP. 2005.
12) Depoimento de Nivaldo Ornelas ao sítio Museu Clube da Esquina.
13) Idem.
14) Cf. Alfredo Sirkis, em *Roleta chilena*.
15) Do livro *O cinema além das montanhas*.
16) Idem.

7 — DA VPR À PORTOBELLO ROAD

1) Roberto Schwarz, "Cultura e Política, 1964-1969: alguns esquemas".
2) O acordo MEC-USAID foi firmado no primeiro governo da ditadura durante a gestão de Flávio Suplicy de Lacerda (1903-1983) no Ministério da Educação. Reuniu, de um lado o MEC e, de outro, a *United States Agency for International Development*. Com o objetivo declarado de reformar o ensino, o convênio visava também reduzir o potencial crítico da universidade brasileira, percebida pelo regime de 1964 como estimuladora da subversão. Assessores norte-americanos trabalharam na implantação das transformações, que reduziram o peso de disciplinas como história ou eliminaram outras da área de ciências humanas e sociais, ao mesmo tempo em que valorizaram a formação técnica. Uma das mudanças foi a extinção do curso Clássico e de disciplinas como Filosofia, Latim e Sociologia. Faixas, cartazes e palavras de ordem atacando o acordo MEC-USAID eram recorrentes nas passeatas estudantis. Durante o mandato Suplicy de Lacerda, a UNE e todas as UEEs (Uniões Estaduais dos Estudantes) foram colocadas na ilegalidade.
3) Estudante de economia, Paulo de Tarso Venceslau era um dos responsáveis pelo esquema de segurança do congresso de Ibiúna. No período pós-AI-5, militando na Ação Libertadora Nacional (ALN), foi um dos participantes do sequestro do embaixador norte-americano Charles Burke Elbrick em 4 de setembro de 1969. Preso em 1º de outubro do mesmo ano, foi torturado na sede da OBAN, em São Paulo.
4) Chael Charles Schreier, aluno de Medicina em São Paulo, integrava a comissão executiva da UEE. Começou sua militância na dissidência do PCB paulista, migrando para a VAR-Palmares. Em 21 de novembro de 1969 foi

preso no Rio e torturado até a morte. Seus dois companheiros de VAR e de prisão, Antonio Roberto Espinosa e Maria Auxiliadora Lara Barcellos, denunciaram à auditoria militar que Chael foi torturado por uma equipe de oficiais e sub-oficiais comandada pelo tenente Lauria. Com chutes e pontapés, o capitão Airton Guimarães também tomou parte na pancadaria.

5) Jacob Gorender repara que, "até 1968, policiais e juízes eram muito mais severos com trabalhadores do que com estudantes, os quais raramente sofriam torturas. O pistolão e o suborno continuavam eficientes, de acordo com a praxe nacional". A partir de 1969, depois do AI-5, pertencer à classe média ou ostentar outro tipo de *status* passou a ter influência muito reduzida no diálogo com a repressão. O enfrentamento às organizações de esquerda ganhou a condição de guerra interna.

6) Rua londrina da região de *Notting Hill* que abriga, todos os sábados, um tradicional mercado onde se misturam frutas, roupas, joias, antiguidades e atrai moradores e turistas.

8 — DAS TECLAS DA IBM AOS BRAÇOS DO PCDOB

1) *Entre o sonho e o poder — A trajetória da esquerda brasileira através das memórias de José Genoíno*. Depoimento a Denise Paraná.

2) Idem.

3) *José Genoíno — Escolhas políticas*. Maria Francisca Pinheiro Coelho.

4) Preso e assassinado pela ditadura militar em 1973, Honestino Guimarães assumira a presidência da UNE depois da prisão de Jean Marc von der Weid. A União somente admitiu seu assassinato em 1996. Vice--presidente da UNE, Helenira Rezende de Souza Nazareth, a *Nega* ou a *Fátima* do PCdoB, foi morta na guerrilha do Araguaia.

5) Gaúcho de Porto Alegre, José Humberto Bronca, o *Zeca Fogoió*, era mecânico de profissão e militante comunista já antes de 1964. Foi um dos primeiros homens do PCdoB a se estabelecer no Araguaia. Vice-comandante do destacamento B da guerrilha, foi capturado e executado. Seu corpo está desaparecido.

6) Osvaldão foi morto em 1974. Decapitado, teve seu cadáver içado por um helicóptero que sobrevoou a região, como forma de demonstrar à população local que o guerrilheiro supostamente dono de poderes

sobrenaturais havia sucumbido. Seu corpo nunca foi recuperado pelos familiares. Secretário-geral do PCdoB, João Amazonas ingressou e saiu várias vezes do território da guerrilha. Quando os guerrilheiros foram aniquilados, seguiu para o exílio. Retornou com a redemocratização e morreu de causas naturais em 2002 aos 90 anos.

7) Cf. *Guerra popular — Caminho da Luta Armada no Brasil*, de Wladimir Pomar, citado por Maria Francisca Pinheiro Coelho em *José Genoíno — Escolhas políticas*.

8) *Entre o sonho e o poder — A trajetória da esquerda brasileira através das memórias de José Genoíno*.

9) A guerrilha do Araguaia — História Imediata I, de Palmério Dória, Vicent Carelli, Sérgio Buarque e Jaime Sautchuck. Idalísio Soares Aranha Filho, o Aparício, era mineiro e ex-presidente do diretório acadêmico da Faculdade de Filosofia e Ciências Humanas da UFMG. Antes, a exemplo de Dilma Rousseff, cursou o colégio Estadual Central, em Belo Horizonte. Foi emboscado e morto em julho de 1972.

10) *Entre o sonho e o poder — A trajetória da esquerda brasileira através das memórias de José Genoíno*.

11) Um dos principais estrategistas da conquista do poder pelos comunistas na China em 1949, o marechal Lin Piao foi ministro da defesa e vice-presidente sob Mao Tsé-Tung Nomeado sucessor de Mao pelo PC, caiu em desgraça e nunca assumiu. Morreu em 1971 em um acidente de avião.

12) *José Genoíno — Escolhas políticas*.

13) "Relatório sobre a luta no Araguaia", de Ângelo Arroyo. O autor afirma igualmente que, ao chegar o exército, a guerrilha estava estruturada, embora ainda faltassem treze combatentes. Arroyo sobreviveu ao Araguaia, mas foi assassinado por agentes da polícia política em São Paulo em 16 de dezembro de 1976. O episódio ficou conhecido como Chacina da Lapa. Na ação morreram também Pedro Pomar e João Batista Franco Drummond.

14) Depoimento de Regilena da Silva Carvalho a Luiz Maklouf Carvalho em *Mulheres que foram à luta armada*.

15) Elio Gaspari em *A ditadura escancarada*.

16) Xambioá é uma cidadezinha situada, hoje, no território de Tocantins, à margem direita do Araguaia. Bate-pau é a alcunha dada aos moradores da região que foram aliciados pelos militares: dedos-duros.

17) Pedro Dias Leite em *Folha de S.Paulo*, edição de 27/07/2009.
18) Idem.
19) *José Genoíno — Escolhas políticas*.
20) No Brasil, a U.S. Steel atuava por meio de uma subsidiária, a Companhia Meridional de Mineração. A Meridional começara a operar na prospecção de minérios em 1967 e já descobrira manganês e minério de ferro na serra de Carajás, no Pará. Em 1970, a U.S. Steel e a Companhia Vale do Rio Doce criaram a Amazônia Mineração S.A. para explorarem conjuntamente a região. Em 1977, a Vale adquiriu direitos exclusivos de operação em Carajás.
21) *José Genoíno — Escolhas políticas*.
22) Sérgio Torres em *Folha de S.Paulo*, 28/10/2008.
23) Idem.
24) Lucas Figueiredo em *Olho por olho — Os livros secretos da ditadura*.
25) Idem.
26) Relatório da Operação de Informações realizada pelo CIE no Sudeste do Pará — Operação Sucuri, de 24 de maio de 1974, e Relatório Especial de Informações número 2/12, este referido no *Jornal do Brasil*, edição de 22/03/1992, ambos citados por Elio Gaspari em *A ditadura escancarada*.
27) Elza Monnerat em depoimento a Romualdo Pessoa Campos Filho em abril de 1993 e citado por Elio Gaspari em *A ditadura escancarada*.
28) *José Genoíno — Escolhas políticas*.
29) Depoimento de José Augusto Aranza em *O Globo*, edição de 28/04/1996, matéria de Ascânio Seleme, citada por Elio Gaspari em *A ditadura escancarada*.
30) Depoimento de Roberto de Valicourt a Romualdo Pessoa Campos Filho e Gilvane Felipe em 16/01/1994, citado por Elio Gaspari em *A ditadura escancarada*.
31) Rogério Almeida, "Dossiê de Sebastião Rodrigues de Moura — Major Curió", 18/10/2000, sítio Tortura Nunca Mais/RJ.
32) Depoimento de Roberto de Valicourt a Romualdo Pessoa Campos Filho e Gilvane Felipe em 16/01/1994, citado por Gaspari.
33) Rosa Maria Cardoso da Cunha, a partir de 1969, dedicou-se à defesa de dezenas de presos políticos. Foi, inclusive, advogada de Dilma Rousseff e de Carlos Araújo. Hoje, é uma das integrantes da Comissão da Verdade.

OS VENCEDORES

34) *Entre o sonho e o poder — A trajetória da esquerda brasileira através das memórias de José Genoíno.*

35) *José Genoíno — Escolhas políticas.*

36) Além de Genoíno, outros trinta e cinco presos políticos teriam levantado a nominata e organizado a lista. São eles: Paulo Vanucchi (mais tarde, ministro da Secretaria Nacional de Direitos Humanos), Hamilton Pereira da Silva (o poeta Pedro Tierra), Alberto Henrique Becker, Altino Souza Dantas Júnior, André Ota, Antonio André Camargo Guerra, Antonio Neto Barbosa, Antonio Pinheiro Salles, Artur Machado Scavone, Ariston Oliveira Lucena, Aton Fon Filho, Carlos Victor Alves Delamonica, Celso Antunes Horta, César Augusto Teles, Diógenes Sobrosa, Elio Cabral de Souza, Fabio Oscar Marenco dos Santos, Francisco Carlos de Andrade, Francisco Gomes da Silva, Gilberto Berloque, Gilney Amorim Viana, Gregório Mendonça, Jair Borin, Jesus Paredes Soto, José Carlos Giannini, Luiz Vergatti, Manoel Cyrillo de Oliveira Netto, Manoel Porfirio de Souza, Nei Jansen Ferreira Jr., Osvaldo Rocha, Ozeas Duarte de Oliveira, Paulo Radke, Pedro Rocha Filho, Reinaldo Moreno Filho e Roberto Ribeiro Martins. No arquivo de Prestes, o documento aparece identificado como Relatório da IV Reunião Anual do Comitê de Solidariedade aos Revolucionários do Brasil, de fevereiro de 1976.

37) Após pesquisar centenas de processos que transitaram pelo Superior Tribunal Militar de 1964 a 1979, o projeto Brasil: Nunca Mais, da Arquidiocese de São Paulo, ampliou a lista para 444 torturadores. A atualização ocorreu em 1985.

38) Relatório sobre a Luta no Araguaia, de Ângelo Arroyo.

39) Elio Gaspari em *A ditadura escancarada*.

40) Depoimento de Regilena da Silva Carvalho a Luiz Maklouf Carvalho em *Mulheres que foram à luta armada*.

41) Elio Gaspari em *A ditadura escancarada*.

42) Nilmário Miranda e Carlos Tibúrcio em *Dos filhos deste solo*.

43) Idem. O Relatório Arroyo sustenta o mesmo desfecho para Helenira. Baseando-se em outros testemunhos, Leonêncio Nossa no livro *Mata! — O major Curió e as guerrilhas no Araguaia* registra que Helenira teria ferido possivelmente o militar Cláudio Roberto da Cunha. Observa que tanto a arma de Helenira quanto a do guerrilheiro Lauro, que a acompanhava, falharam no momento do combate.

44) Elio Gaspari em *A ditadura escancarada*.

45) Idem.

46) Ibidem.

47) Depoimento do coronel Pedro Corrêa Cabral à Comissão Externa dos Desaparecidos Políticos da Câmara Federal, em 20 de outubro de 1993, citado por Nilmário Miranda e Carlos Tibúrcio em *Dos filhos deste solo*.

48) Relatório sobre a Luta no Araguaia, de Ângelo Arroyo.

49) Myriam Luiz Alves, em "A Guerrilha do Araguaia e as Mulheres do Brasil", no sítio *Rebelión*.

50) Conforme Leonêncio Nossa em *Mata!* Outra versão atribui o disparo ao sargento do exército Joaquim Arthur Lopes de Souza, de codinome *Ivan*.

51) Relatório sobre a Luta no Araguaia, de Ângelo Arroyo.

52) Elio Gaspari em *A ditadura escancarada*.

53) Entrevista de Manuel Leal Lima, o *Vanu*, a *O Globo*, em 02/05/1996, citada por Elio Gaspari em *A ditadura escancarada*.

54) Leonêncio Nossa em *Mata!*

55) Idem.

56) Nilmário Miranda e Carlos Tibúrcio em *Dos filhos deste solo*.

57) Leonêncio Nossa em *Mata!*

58) Idem.

59) Atacado pela primeira vez em 1896, o arraial de Canudos, no sertão baiano, resistiu até outubro de 1897. Caiu após derrotar três expedições militares. Nem a morte antes da queda poupou o líder messiânico Antonio Conselheiro. Seu cadáver foi desenterrado e sua cabeça decepada à faca. Parte da população ergueu a bandeira branca, o que não serviu para salvá-la da degola. As estimativas apontam para 20 mil mortes e mais de 5 mil casebres incendiados. No Contestado, região situada entre Santa Catarina e Paraná, a raiz do conflito foi a concessão ao financista norte-americano Percival Farquhar de 15 km de cada lado da ferrovia São Paulo-Rio Grande, terras cobertas de mata de araucária e de madeiras nobres. Supõe-se que a empresa madeireira de Farquhar, a Southern Brazil Lumber & Colonization Company, tenha derrubado 2 milhões de árvores. Também no Contestado, a rebelião de fortes tintas econômicas, sociais e políticas assumiu uma fachada de luta messiânica por conta da arraigada religiosidade popular e da presença de monges no papel de lideranças.

OS VENCEDORES

60) *Entre o sonho e o poder — A trajetória da esquerda brasileira através das memórias de José Genoíno*. Depoimento a Denise Paraná.

61) Elio Gaspari observa (*A ditadura escancarada*) que seis lavradores e três jovens recrutados pela guerrilha foram poupados.

62) Leonêncio Nossa em *Mata!*

63) Idem. *Dina* é Dinalva Oliveira Teixeira e *Tuca*, Luiza Augusta Garlippe, que foi enfermeira-chefe do departamento de doenças tropicais do Hospital de Clínicas de São Paulo. Substituiu João Carlos Haas Sobrinho como comandante-médica da guerrilha. Ambas, segundo *Curió*, presas por ele e "entregues às autoridades competentes". As duas foram executadas.

64) Nilmário Miranda e Carlos Tibúrcio em *Dos filhos deste solo*.

65) Taís Morais em *Sem vestígios — Revelações de um agente secreto da ditadura militar brasileira*. *Carioca*, que usaria também o codinome *Ivan*, seria Joaquim Arthur Lopes de Souza, vinculado ao Centro de Informações do Exército (CIE). Suely Yumiko Kamayana, vinte e cinco anos, era paulista e aluna de licenciatura em língua portuguesa e alemã na USP. Estava no Araguaia desde o final de 1971. Situada no município de São Geraldo do Araguaia, sul do Pará, hoje a Serra das Andorinhas, é também chamada Serra dos Martírios devido às execuções, enterros e cremações clandestinamente praticados pelas forças armadas. A região foi tombada em 1989 pelo governo do Pará e transformada no parque estadual da Serra dos Martírios/Andorinhas e área de proteção ambiental.

66) Idem.

67) Percival de Souza em *Autópsia do medo*.

68) Elio Gaspari em *A ditadura escancarada*.

69) Jacob Gorender em *Combate nas trevas — A esquerda brasileira: das ilusões perdidas à luta armada*.

70) A matéria que rompeu o cerco da censura foi "Em Xambioá, a luta é contra guerrilheiros e atraso", de autoria do repórter Henrique Gonzaga Júnior, que viajara à região para cobrir as ações sociais do exército em Xambioá. O jornalista percebeu a movimentação das tropas com outro objetivo. A reportagem, com meia página, foi publicada no dia 24 de setembro de 1972 e, para proteger o autor, não foi assinada.

71) Jacob Gorender em *Combate nas trevas*.

72) *José Genoíno — Escolhas políticas*.

73) Empate era o nome que receberam os protestos não violentos dos seringueiros e de suas famílias em defesa da floresta nos anos 1970 e 1980. Acusado de subverter a ordem, Chico Mendes foi preso, torturado e enquadrado na Lei de Segurança Nacional. Ameaçado de morte, sempre atribuiu as intimidações à União Democrática Ruralista (UDR). Seu combate em favor dos seringueiros, índios, quebradoras de coco babaçu, castanheiros, pequenos pescadores e ribeirinhos e contra o desmatamento, rendeu-lhe vários prêmios internacionais, entre eles o Global 500, da Organização das Nações Unidas (ONU). Foi assassinado com tiros de escopeta em 22 de dezembro de 1988. Tinha quarenta e quatro anos. Os fazendeiros Darly Alves da Silva e Darcy Alves Ferreira, responsáveis por sua morte, foram condenados a dezenove anos de prisão.

74) Fernando Portela transformou a reportagem no livro *Guerra de guerrilhas no Brasil* (Editora Global, 1979).

75) *José Genoíno — Escolhas Políticas*.

76) Idem.

77) Bete Mendes, Airton Soares e José Eudes foram expulsos do partido em 1985 e a bancada recuou para cinco integrantes. Os três desobedeceram a deliberação partidária de não participar do colégio eleitoral que, em 15 de janeiro daquele ano e de forma indireta, elegeu Tancredo Neves presidente do Brasil.

78) Democracia Socialista, tendência do PT originada da fusão dos grupos políticos que orbitavam a publicação do jornal alternativo durante a ditadura.

9 — AS MUITAS VOLTAS DA VIDA

1) Benedito Valadares Ribeiro (1892-1973) fez carreira no Partido Social Democrático (PSD). Governou Minas Gerais por doze anos. Foi deputado federal eleito em 1946 e 1950. Chegou ao Senado em 1954, sendo reeleito em 1962. Depois da extinção dos partidos políticos em 1965, filiou-se à Arena. Morreu no exercício do mandato.

2) Marcos Roberto Dias Cardoso (1941-2012) morreu de falência múltipla de órgãos em Osasco/SP. Cantor e compositor da Jovem Guarda nos anos 1960, teve como seu principal parceiro Dori Edson (1947-2008). Na década de 1980, chegou às paradas com "A última carta", que vendeu mais de 2 milhões de discos.

OS VENCEDORES

3) João Gabriel de Lima e Thaís Oyama em "O homem que faz a cabeça de Lula". *Veja*, edição de 25/09/2002.

4) Idem. *À prova de fogo*, escrita em 1968, embora proibida, acabou premiada seis anos depois. Sob o nome *A invasão dos bárbaros*, recebeu distinção do Serviço Nacional de Teatro (SNT).

5) José Dirceu/Vladimir Palmeira, em *Abaixo a ditadura — O movimento de 68 contado por seus líderes*. 2003.

6) Na matéria "O fruto proibido", de Tom Cardoso, na revista *Alfa* (dezembro de 2012), um dos coordenadores da ocupação na Maria Antônia, Vicente Roig afirma que foi ao apartamento de Heloísa na praça Roosevelt e só encontrou um formulário com o nome da moradora e seu codinome *Maçã Dourada*.

7) Tom Cardoso, "O fruto proibido", revista *Alfa*, edição de dezembro de 2012.

8) Entrevista de João Paulo Bonchristiano ("Conversas com Mr. Dops") a Marina Amaral, do sítio Publica (www.apublica.org) em 09/02/2012.

9) Tom Cardoso, "O fruto proibido", revista *Alfa*, edição de dezembro de 2012.

10) Idem.

11) Militante da ALN, José Wilson Lessa Sabag foi morto em 3 de setembro de 1969, em São Paulo, por agentes do Dops e do CENIMAR. Teria resistido à prisão e sido baleado. O laudo médico de 1969 confirmou a hipótese do tiroteio mas, para a Comissão Especial de Mortos e Desaparecidos Políticos, é um caso ainda a ser melhor esclarecido.

12) Universidade Mackenzie, originada do Instituto Presbiteriano Mackenzie, fundado pelos missionários americanos George e Mary Ann Annesley Chamberlain em 1870.

13) Marcelo Ridenti em *O fantasma da revolução brasileira*. Em 1966, havia 58.782 vagas e 64.627 excedentes.

14) José de Souza Martins, em "Os movimentos divididos e as ilusões mescladas", *O Estado de S. Paulo* (Caderno Cultura),11/05/2008.

15) Gilberto Amendola, "A guerra da Maria Antonia", na revista *Leituras da história*. 2008.

16) "Destruição e morte por quê?", em *Veja*, edição de 09/10/1968.

17) Raul Careca exerceu cargo de delegado do Deops-SP, passando à Operação Bandeirante e ao DOI-Codi. Foi quem matou o primeiro

comandante do grupo tático armado da ALN, Marco Antonio Braz de Carvalho, o *Marquito*, em 28/01/1969. Marquito foi fuzilado pelas costas, segundo Nilmário Miranda e Carlos Tibúrcio em *Dos filhos deste solo.*

18) "Morri um pouco hoje", texto de Antonio Carlos Fon, publicado em 30/01/2013, em Luis Nassif *On-line* (www.advivo.com.br).

19) Gama e Silva é apontado como inspirador da leva de demissões nas universidades. A razia na USP levaria ao afastamento, entre outros, de Fernando Henrique Cardoso, Florestan Fernandes, Otávio Ianni, Caio Prado Junior, Luiz Hildebrando Pereira da Silva, Mário Schemberg e Paul Singer. Octávio Moreira Gonçalves Junior, também apelidado *Varejeira*, delegado do Deops-SP, a exemplo de *Raul Careca* seguiu para a Operação Bandeirante e o DOI-Codi. Foi fuzilado na zona sul do Rio em 1973 por um comando integrado por militantes da ALN, VAR-Palmares e PCBR.

20) Esther de Figueiredo Ferraz (1915-2008) chegou ao Ministério da Educação no governo João Figueiredo. Foi a primeira mulher ministra de Estado no Brasil.

21) José Dirceu/Vladimir Palmeira, em *Abaixo a Ditadura.*

22) Idem.

23) O IPM-CRUSP, conduzido pelo coronel Sebastião Alvim, foi instaurado pelo Comando do II Exército cinco dias após a decretação do AI-5, em 18 de dezembro de 1968. Ao final das averiguações, pediu a prisão preventiva de quarenta e sete estudantes, listagem reduzida para quarenta e quatro devido ao fato de um dos acusados estar preso e de outros dois, Dirceu e Travassos, banidos. O sequestro de Parisi resultaria numa pena de um ano e seis meses de reclusão a Dirceu que, então, já fora banido do país.

24) Gilberto Amendola, "A guerra da Maria Antonia", revista *Leituras da História.* 2008.

25) Os secundaristas Ivan Rocha Aguiar e Jonas José Albuquerque Barros foram mortos em Recife durante manifestação de rua contra o golpe militar no dia 1º de abril de 1964. Quando Edson Luiz foi assassinado na invasão do Calabouço, também foi atingido Benedito Frazão Dutra, que morreu logo depois. Estudante de medicina na Faculdade de Ciências Médicas da Universidade do Estado da Guanabara, Jorge Aprígio de Paula faleceu em 1º de abril de 1968 durante repressão de passeata pela Polícia do Exército no Rio. Dois disparos atingiram a cabeça de Manoel Rodrigues Ferreira,

universitário e comerciário, no decorrer de manifestação em 21 de junho de 1968 na avenida Rio Branco, centro do Rio. A estudante Maria Ângela Ribeiro foi assassinada por policiais cariocas em 21 de junho de 1968, quando participava de protesto no Rio. O oitavo assassinato de estudante no ano vitimou Luiz Paulo da Cruz Nunes, estagiário de patologia da Faculdade de Ciências Médicas da Universidade Estadual do Rio de Janeiro, igualmente alvejado e morto em manifestação, no Rio, em 22 de outubro de 1968. Com o fechamento total do regime e avanço da luta armada, as mortes de estudantes atingiriam números muito mais impactantes nos anos seguintes.

26) Roberto Costa de Abreu Sodré (1917-1999), governador paulista (1967-1971) nomeado pelo regime militar.

27) *Veja*, em 09/10/1968.

28) Idem.

29) José Dirceu/Vladimir Palmeira, em *Abaixo a ditadura*.

30) Idem.

31) Ibidem.

32) Projetado em 1896, o forte começou a ser construído em 1902, durante o governo Rodrigues Alves, para proteger a barra de São Vicente, acesso ao porto de Santos.

33) José Dirceu/Vladimir Palmeira, em *Abaixo a ditadura*.

34) Idem.

35) Antonio Guilherme Ribeiro Ribas permaneceu dezoito meses na prisão, passando por sete prisões. Foi libertado no presídio Tiradentes. Sobre a ausência de seu nome na lista de Elbrick, a versão mais difundida é que ele seria solto dentro de pouco tempo e por isso não foi relacionado. Juntou-se à guerrilha do PCdoB no Araguaia e, desde 1973, é considerado desaparecido político.

36) Depoimento de Adyr Fiúza de Castro para Maria Celina D'Araújo, Gláucio Ary Dillon Soares e Celso Castro em *Os anos de chumbo — A memória militar sobre a repressão*.

37) *Jornal do Brasil*, 17/09/1989, referido por Elio Gaspari em *A ditadura escancarada*.

38) José Mitchell, em "A rebelião militar que o trânsito abortou", em *Jornal do Brasil*, edição de 21/05/1995. Os chefes insurgentes foram, além de Máximo, os oficiais Adalto Barreiros e José Aurélio Valporto de Sá. Na noite

do dia 6, ao retornarem do Galeão, eles invadiram a estação transmissora da Rádio Nacional em Parada de Lucas. Leram um manifesto contra a junta militar, acusando-a de "covardia". Sofreram penas leves que não os impediram de serem promovidos ao coronelato.

39) Flávio Tavares em *Memórias do esquecimento*.

40) Depoimento de Carlos Eugênio Sarmento Coelho da Paz a Denise Rollemberg em *O apoio de Cuba à luta armada no Brasil: o treinamento guerrilheiro*.

41) Documento do Centro de Informações da Polícia Federal citado por Denise Rollemberg em *O apoio de Cuba à luta armada no Brasil*.

42) *Folha de S.Paulo*, matéria "O lado 'dark' da resistência", de Lucas Ferraz em 17/06/2012.

43) Idem.

44) A matéria da *Folha de S.Paulo*, de 17/06/2012, cita documentação em poder da Agência Brasileira de Inteligência, a Abin, datada de 2004, assinalando que, depois da prisão, Cardoso foi transferido para o Cenimar, onde "concordou em passar a trabalhar para os órgãos de segurança".

45) Jacob Gorender, *Combate nas trevas*.

46) A Comissão Especial de Mortos e Desaparecidos Políticos reconheceu a responsabilidade do Estado na morte de Boanerges de Souza Massa.

47) *Cachorro* era o apelido dos ex-guerrilheiros que traíram e passaram a colaborar com a repressão, contribuindo para a prisão, tortura e assassinato de muitos ex-companheiros. Percival de Souza (*Autópsia do medo*) relata que o delegado Sérgio Fleury disse à sua amante Leonora Rodrigues de Oliveira que Anselmo "não foi o único". Haveria outro *cachorro* que fizera cirurgia plástica e, na vida civil, tocava uma oficina mecânica nos arredores da estação da Luz, na capital paulista.

48) Denise Rollemberg em *O apoio de Cuba à luta armada no Brasil*.

49) Documentação do CIE e do Deops trazia títulos reveladores como "Terroristas com curso em Cuba/situação em 21 de junho de 1972", conforme Nilmário Miranda e Carlos Tibúrcio em *Dos filhos deste solo*.

50) Nilmário Miranda e Carlos Tibúrcio em *Dos filhos deste Solo*.

51) Além de Dirceu, entre os sobreviventes do Molipo, estão Ana Corbisier, Sílvio Vasconcelos Mota, Vinícius Medeiros Caldevilla, Sérgio Capozzi, Otávio Angelo, Artur Machado Scavone, André Tsutomu Ota, Sylvia Peroba Carneiro Pontes, José Carlos Giannini e Pedro Rocha Filho.

OS VENCEDORES

52) Maria Augusta Thomaz foi morta em 17 de maio de 1973, no município de Rio Verde/GO, junto com Márcio Beck Machado, também do Molipo. Seus corpos foram enterrados sem comunicação às famílias no mesmo local das mortes. Nos anos 1980, quando se iniciavam as primeiras buscas pelos restos mortais das vítimas da ditadura, homens que se identificaram como agentes da Polícia Federal violaram as covas e levaram seus despojos.

53) João Gabriel de Lima e Thaís Oyama em "O homem que faz a cabeça de Lula", *Veja*, edição de 25/09/2002. Vale acrescentar que o advogado Ivo Shizuo Sooma, que morreu em 2009, dedicou muitos anos ao esclarecimento da morte de Arno Preis, outro integrante do Molipo. Descobriu que Preis foi assassinado em 15 de fevereiro de 1972, em Paraíso do Norte/GO, e sepultado sem atestado de óbito ou guia de sepultamento. "Enterra de qualquer jeito. Isto é um porco", disseram os policiais ao coveiro Milton Gomes, segundo o levantamento de Sooma publicado em *Dos filhos deste solo*, de Nilmário Miranda e Carlos Tibúrcio.

54) José Carlos Becker de Oliveira e Silva, de apelido *Zeca Dirceu*, elegeu-se prefeito de Cruzeiro do Oeste, pelo PT, em 2004. Em 2010, disputou e conquistou uma cadeira na Câmara Federal.

55) João Gabriel de Lima e Thaís Oyama em "O homem que faz a cabeça de Lula".

56) Carlinhos Cachoeira ganharia maior notoriedade em fevereiro de 2012 ao ser preso pela Polícia Federal durante a Operação Monte Carlo. Investigando a exploração de máquinas caça-níqueis em Goiás, os policiais acabaram descobrindo as ligações do empresário com políticos, donos de empreiteiras e jornalistas. As escutas telefônicas apontaram a existência de uma rede de corrupção, além da intimidade entre Cachoeira e o senador Demóstenes Torres (DEM/GO), que perdeu o mandato. Os governos de Goiás e do Distrito Federal também foram salpicados pelas acusações. Respondendo pelos crimes de peculato, corrupção, violação de sigilo e formação de quadrilha, Cachoeira foi condenado a trinta e nove anos e oito meses de prisão pela justiça federal. Seu nome figura ainda na Operação Saint Michel, desdobramento da operação Monte Carlo. Em 2013, ele respondia aos processos em liberdade.

57) Dos quarenta réus iniciais do chamado processo do Mensalão, vinte e cinco foram condenados em dezembro de 2012. A saber: José Dirceu,

o empresário Marcos Valério, o ex-tesoureiro do PT, Delúbio Soares, os deputados ou ex-deputados José Genoíno (PT), João Paulo Cunha (PT), Valdemar Costa Neto (PL), Romeu Queiroz (PSB), Pedro Henry (PP), José Borba (PMDB), Bispo Rodrigues (PL), Pedro Correia (PP), Roberto Jefferson (PTB), os publicitários Marcos Valério, Cristiano Paz, Rogério Tolentino, Simone Vasconcelos e Ramon Hollerbach, os dirigentes do Banco Rural, Kátia Rabello, José Roberto Salgado e Vinícius Samarame, o dirigente do Banco do Brasil, Henrique Pizzolatto, o ex-tesoureiro do PL, Jacinto Lamas, os ex-sócios da corretora Bônus-Banval, Enivaldo Quadrado e Breno Fishberg e o assessor do PP, João Cláudio Genu.

58) Empresa de cartões de pagamento, hoje denominada Cielo. A Visanet Brasil foi fundada em 1995 conjuntamente pelos bancos Bradesco, do Brasil, Real (hoje Santander) e o extinto Nacional.

10 — Sartre, Glauber e Bertolucci na guerrilha

1) Conforme Cliff Welch em *The Seed was Planting — The São Paulo Roots of Brazil`s Rural Labor Movement, 1924-1964*.

2) *Presença de Anita* inspirou a minissérie homônima da TV Globo exibida em 2001. Em 1951, o livro recebeu uma versão cinematográfica dirigida por Ruggero Jaccobi. Autor de várias obras, Donato recebeu o Prêmio Jabuti em 1978 pelo romance *Partidas dobradas*. Morreu em 1992.

3) O levante de Porecatu começou no final dos anos 1940 e se prolongou até o começo da década seguinte. Ocorreu depois que o governador paranaense Moisés Lupion, do Partido Social Democrático, distribuiu títulos de propriedade das terras do Pontal do Paranapanema para grandes fazendeiros. Mas as 1,5 mil famílias de caboclos que já ocupavam a região não aceitaram ser expulsas e se armaram para resistir. Como resposta, os beneficiados pelo governador formaram milícias para arrancar os posseiros à força. Lupion enviou tropas policiais para ajudar na remoção, enquanto o PCB entrou no Pontal para articular a resistência. Houve mortes dos dois lados. O líder dos posseiros, Francisco Bernardo dos Santos, o *Bernardão*, foi capturado, torturado, castrado e executado a mando dos latifundiários. O conflito terminou em setembro de 1951.

OS VENCEDORES

4) *Gaúcho* romperia com a ALN para formar o M3G (Mao, Marx, Marighella e Guevara) em Porto Alegre. Capturado em Buenos Aires, no aeroporto de Ezeiza, foi extraditado em 1971 e está desaparecido desde então.

5) Conforme Mário Magalhães em *Marighella, o guerrilheiro que incendiou o mundo*.

6) Idem.

7) Integrada por políticos contrários ao regime militar, a Frente Ampla teve Carlos Lacerda — antes um dos principais conspiradores civis do golpe de 1964 — como seu líder e conseguiu o respaldo dos ex-presidentes Juscelino Kubitschek e João Goulart. Nascida em 1966, durou até que a ditadura, em abril de 1968, proibisse suas atividades.

8) O nome tem origem no Prêmio Nobel de Literatura Bertrand Russell (1872-1970). Filósofo e matemático britânico, foi um crítico constante da intervenção dos Estados Unidos no Vietnã e um ativista contra a disseminação de armas nucleares. Recorrendo a mesma argumentação norte-americana usada para realizar o julgamento de Nuremberg, que tratou dos crimes nazistas na II Guerra Mundial, ele e Jean-Paul Sartre organizaram o Tribunal Russell.

9) Sylvio Frota em *Ideais traídos*. Jorge Zahar Ed.

10) Luis Mir em *A revolução impossível — A esquerda e a luta armada no Brasil*.

11) Valle granjeou fama de personagem estravagante no exílio. Teria operado, segundo Luís Mir, como pombo-correio para cabeças coroadas do regime, transportando fortunas para a Suíça. Ainda de acordo com Mir, tinha planos mirabolantes, entre os quais o de sequestrar o ministro Delfim Netto para saber o que a ditadura estava tramando na economia, na área de comércio exterior e as transações escusas dentro do Brasil; um assalto ao Banco Central em Brasília com o uso de helicópteros e a fuga pelo terraço; e a libertação dos prisioneiros políticos da ilha das Flores, no Rio, onde uma lancha com dez combatentes tomaria a prisão. Sua trajetória inspirou o filme *O bom burguês*, de Oswaldo Caldeira, lançado em 1982, cabendo o papel central a José Wilker.

12) Mário Magalhães em *Marighella, o guerrilheiro que incendiou o mundo*.

13) Anísio Teixeira (1900–1971), um dos principais nomes na história da educação no Brasil, defendeu o ensino público laico, gratuito e obrigatório. Foi um dos signatários do Manifesto dos Pioneiros da Educação Nova, firmado

em 1932. Combateu a pedagogia calcada, como ocorria, na memorização e a imposição de profissões subalternas aos estudantes pobres. Em Salvador, criou a Escola Parque, modelo para suas congêneres em tempo integral. Foi conselheiro da Organização das Nações Unidas para a Educação, a Ciência e a Cultura (Unesco), dirigiu o Instituto Nacional de Estudos Pedagógicos INEP), lecionou nas universidades norte-americanas de Columbia e da Califórnia. Criou e foi o primeiro diretor da Campanha Nacional de Aperfeiçoamento de Pessoal de Nível Superior (hoje CAPES), cargo que perdeu com a ascensão dos militares aos poder. Anísio Teixeira desapareceu no dia 11 de março de 1971. Foi encontrado no fundo de um poço de elevador no Rio. Em 2012, em depoimento na UnB, o professor João Augusto de Lima Rocha, da Universidade Federal da Bahia, afirmou ter ouvido do governador baiano pela situacionista Arena, Luiz Viana Filho (1967-1971), que o educador na data em que desapareceu havia sido preso e conduzido a um quartel da Aeronáutica. Segundo ele, dois médicos, Afrânio Coutinho e Clementino Fraga Filho, examinaram o corpo na época e constataram que os ferimentos sofridos por Teixeira jamais poderiam ter ocorrido na queda. Em 2013, a Comissão Nacional da Verdade investigava o assunto.

14) Citado por Mário Magalhães em *Marighella, o guerrilheiro que incendiou o mundo.*

15) Juracy Magalhães (1905-2001) governou a Bahia em dois períodos, primeiro nomeado e, depois, eleito. Inicialmente foi aliado de Getúlio Vargas — que o nomeara — mas posteriormente passou a conspirar contra sua permanência à testa do governo. Foi igualmente um dos conspiradores do golpe de 1964. Além de embaixador nos Estados Unidos, ocupou os ministérios das Relações Exteriores e da Justiça no período Castello Branco. Presidiu ainda a Petrobras e a Companhia Vale do Rio Doce. Seu filho, Jutahy Magalhães Nascimento, foi deputado federal pela Arena e senador pelo PDS. Seu neto, Jutahy Magalhães Junior, é deputado federal pelo PSDB.

16) Mário Magalhães em *Marighella, o guerrilheiro que incendiou o mundo.*

17) Idem.

18) Ibidem.

19) Entrevista de Clara Charf a Nina Lemos na revista *TPM*, em janeiro de 2013.

20) Cf. Carlos Marighella em *Porque resisti à prisão*.

21) Mário Magalhães em *Marighella, o guerrilheiro que incendiou o mundo*.

22) Zero Hora, Caderno de Cultura, entrevista de Sebastião Salgado a Francisco Dalcol em 15/02/2014. A Frente Democrática Revolucionária do Povo Etíope – dentro da qual a TPFL é a força predominante – venceu as eleições legislativas de 2010 com ampla maioria.

23) Em 2011, o general José Elito Carvalho Siqueira, ministro-chefe do Gabinete de Segurança Institucional da Presidência da República teve sua atenção chamada pela presidente Dilma Rousseff depois de afirmar que a existência de desaparecidos políticos não era uma vergonha para o país. Posteriormente, ele afirmou que fora mal-interpretado.

11 — Ouviu? Estamos torturando o seu filho...

1) Raul Ferreira, o *Raul Pudim*, trabalhou na PF lotado no Dops paulista em 1969 e 1970. Foi acusado de pertencer ao Esquadrão da Morte. Fábio Lessa de Souza Camargo foi delegado no Dops paulista no período 1969/1971. Ambos tiveram seus nomes citados na chamada "lista de Prestes", a primeira relação de torturadores produzida por presos políticos e publicada no Brasil.

2) Lauriberto José Reys, estudante da Universidade de São Paulo (USP) militou na ALN e no Movimento de Libertação Popular (MOLIPO). Foi morto em 1972, supostamente em um tiroteio com policiais na capital paulista.

3) Conforme Mário Magalhães em *Marighella, o guerrilheiro que incendiou o mundo*.

4) Klaus Barbie recebeu a Cruz de Ferro pelos serviços prestados ao nazismo. Ao final da guerra, fugiu para a Bolívia onde viveu, de 1945 a 1955, sob o respaldo dos serviços de inteligência da Inglaterra e dos Estados Unidos, atraídos pelo seu ardor anticomunista e sua *expertise*. Protegido também pelas autoridades bolivianas, ganhou a identidade de *Klaus Altmann* e passou a trabalhar para a polícia no governo de ultradireita do general Luiz Garcia Meza. Descoberto em 1971, somente foi deportado para a França em 1983. Durante o julgamento, afirmou que não se arrependia de nada e que deveria ser considerado inocente por ter salvo a França do socialismo.

Foi julgado e condenado à prisão perpétua. Em 1991, morreu de leucemia com a idade de setenta e oito anos.

5) Na sociedade do futuro descrita por George Orwell, pseudônimo do escritor inglês Eric Arthur Blair (1903-1950), a opressão estende seu domínio sobre o idioma, transformando as palavras no seu contrário. Assim, a tarefa do Ministério da Paz é promover a guerra, enquanto a do Ministério da Verdade é manipular os fatos.

6) Edgar Morin também condenou a política colonial francesa da Argélia. Judeu sefardita, criticou as ações de Israel na Palestina, acusando o Estado judaico de promover contra os palestinos a mesma perseguição de que os judeus foram vítimas perante o nazismo. Com dezenas de livros publicados, aos noventa e dois anos é considerado um dos pensadores mais importantes dos séculos XX e XXI.

7) Os demais fundadores da F4 foram Juca e Delfim Martins e Ricardo Malta.

8) Para muitos o maior de todos os fotojornalistas, Henri Cartier-Bresson (1908-2004) fundou, em 1947, a agência Magnum, ao lado de Robert Capa, David Seymour e George Rodger. Durante a ocupação da França pelas tropas de Hitler, Cartier-Bresson, que se unira à Resistência Francesa, foi prisioneiro de guerra.

12 — Hormônio, radicalidade e felicidade

1) Conforme depoimento a Luiz Maklouf Carvalho em *Mulheres que foram à luta armada*.

2) "Companheiras de armas", matéria de Luiza Villaméa, em *IstoÉ*, edição de 25/06/2005.

3) *O que é isso, companheiro?*, de Fernando Gabeira.

4) *O sequestro dia a dia*, de Alberto Berquó.

5) Luiz Maklouf Carvalho em *Mulheres que foram à luta armada*.

6) Elio Gaspari, em *A ditadura escancarada*.

7) Nilmário Miranda e Carlos Tibúrcio em *Dos filhos deste solo*.

8) Conforme Cláudio Guerra em depoimento a Marcello Netto e Rogério Medeiros em *Memórias de uma guerra suja*.

9) Idem.

10) No *show* do Cebrade, a ação da ultradireita militar visava criar um fato para travar o processo de abertura política em andamento, espalhando pistas falsas no Riocentro e acusando a guerrilha — há muito aniquilada como o responsável pelo crime. Cláudio Guerra afirma que que, além dele mesmo e de Perdição, teriam participado da articulação do atentado o "comandante Veira" e o coronel Carlos Alberto Brilhante Ustra. A ordem de retirar a polícia do evento teria partido do comandante da PM, coronel do exército Newton Cerqueira, ex-SNI e chefe da Operação Pajuçara que culminou com a execução de Carlos Lamarca. Guerra atribuiu a explosão antes da hora ao fato de Machado, motorista do Puma, ter estacionado sob um poste de alta tensão, o que teria ativado os explosivos. Dois meses após o fracasso da ultradireita militar, uma investigação que contrariava depoimentos e indícios foi apresentada pelo condutor do inquérito policial militar, coronel Job Santana, atribuindo a ação à Vanguarda Popular Revolucionária (VPR), aniquilada em 1972. Atemorizada pelo alcance de uma averiguação honesta cujas revelações implicariam altos chefes militares, a oposição se calou diante da farsa. Rosário foi sepultado com honras militares e Machado nunca foi punido. Mas, em fevereiro de 2014, o Ministério Público Federal (MPF) denunciou cinco militares e um delegado pelo caso. Foram denunciados por homicídio doloso duplamente qualificado, associação criminosa armada e transporte de explosivos os generais reformados Newton Cruz e Nilton Cerqueira, o coronel reformado Wilson Machado e o ex-delegado Claudio Guerra. Completam o rol o genreal reformado Edson Sá Rocha, denunciado por associação criminosa, e o major reformado Divany Carvalho Barros, por fraude processual.

11) Lucas Figueiredo em *Ministério do silêncio*.

12) Cláudio Guerra — depoimento a Marcello Netto e Rogério Medeiros em *Memórias de uma guerra suja*.

13) Entrevista de Marcelo Paixão de Araújo a Alexandre Oltramari, em *Veja*, edição de 09/12/1998, conforme citada por Elio Gaspari em *A ditadura escancarada*.

14) Depoimento de José Luiz Coelho Neto a Celso Castro, Gláucio Ary Dillon Soares e Maria Celina D'Araujo em *Anos de Chumbo — Memória militar sobre a repressão*.

15) Entrevista de Adyr Fiúza de Castro a Hélio Contreiras e Chico Otávio em *O Estado de S. Paulo*, edição de 31/05/1993, citada por Elio Gaspari em *A ditadura escancarada*.

16) Luiz Maklouf Carvalho em *Mulheres que foram à luta armada*.

17) Marcelo Ridenti em "As mulheres na política brasileira: os anos de chumbo". Revista *Tempo Social*, Faculdade de Sociologia da USP, segundo semestre de 1990.

18) Luiz Maklouf Carvalho em *Mulheres que foram à luta armada*.

19) Os outros dois eram o tenente Ailton Joaquim e o cabo Marco Antonio Povoreli, segundo o Relatório sobre as Acusações de Tortura no Brasil, citado por Gaspari.

20) Josué Montello, *Diário do entardecer*, citado por Elio Gaspari.

21) *Época*, edição de 06/05/2002, no artigo "Musa da guerrilha", Martha Mendonça, conta que Vera Sílvia Magalhães consegue indenização pelas torturas da ditadura. A concessão, no valor de vinte salários mínimos, foi definida pela 23ª Vara Federal do Rio, em 22 de abril do mesmo ano.

22) Marcelo Ridenti em *As mulheres na política brasileira*.

23) Idem.

24) Ibidem.

25) Marcelo Ridenti, *O fantasma da revolução brasileira*. 2010.

26) Idem.

27) Depoimento do brigadeiro José Paulo Moreira Burnier a Celso Castro, Gláucio Ary Dillon Soares e Maria Celina D'Araujo em *Anos de chumbo*. Burnier se refere ao "padre Debret" quando provavelmente deseja citar o padre francês Louis-Joseph Lebret, da Ordem dos Dominicanos. Herbert Marcuse é o filósofo alemão, de formação marxista, tido como a grande influência sobre as rebeliões estudantis nos Estados Unidos e na Europa durante a década de 1960.

28) Idem.

29) Depoimento de Maria Beatriz Abramides, professora de Serviço Social na PUC-SP, publicado no sítio do Centro Acadêmico de Serviço Social da PUC-SP, em 21/03/ 2010.

30) Depoimento do brigadeiro José Paulo Moreira Burnier a Celso Castro, Gláucio Ary Dillon Soares e Maria Celina D'Araujo em *Anos de chumbo*.

31) Organização Social e Política Brasileira, disciplina que, juntamente com Educação Moral e Cívica, tornou-se obrigatória no currículo escolar

a partir de 1969. O decreto lei 869/68 impôs a adoção das duas matérias e a exclusão de filosofia e sociologia. Assim, a catequese e o aliciamento tornaram-se mais relevantes do que disciplinas que instigam à reflexão. Em 1996, tanto EMC quanto OSPB foram condenadas como instrumento de doutrinamento usado pela ditadura.

32) G. Galache, F. Zanuy e M.T. Pimentel em *Construindo o Brasil — Educação Moral e Cívica — Organização Social e Política*.

33) Dom Geraldo de Proença Sigaud, *Catecismo anticomunista*. Editora Vera Cruz. 1963. Dom Sigaud (1909-1999) foi um dos fundadores da Sociedade Brasileira de Defesa da Tradição, Família e Propriedade (TFP).

34) *Jornal do Brasil*, edição de 03/10/1976, matéria "General alerta para comunismo", sobre conferência de Milton Tavares de Souza.

35) General Moacir Araújo Lopes na conferência Política Nacional para a Defesa dos Valores Espirituais, Morais e Culturais Brasileiros Face à Luta Ideológica, pronunciada na Escola de Comando e Estado-Maior do Exército em 27/08/1974 e publicada em Valores Espirituais e Morais da Nacionalidade.

36) *Jornal do Brasil*, edição de 15/06/1977, matéria "Gen. Bethlem mostra que a ideologia comunista busca corromper jovem com tóxico. Sobre Mondim, Gláucio Ary Dillon Soares em "Censura durante o regime autoritário".

37) Ferdinando de Carvalho, *Os sete matizes do rosa*. Biblioteca do Exército. 1978.

38) Depoimento a Celso Castro, Gláucio Ary Dillon Soares e Maria Celina D'Araujo em *Anos de chumbo*.

13 — DO BANGUE-BANGUE AO *BIG BANG*

1) Alex Polari de Alverga, *Em busca do tesouro*. O relato sobre os falsos telefonemas também pertence ao livro.

2) Idem.

3) Ibidem.

4) Luiz Maklouf Carvalho em *Mulheres que foram à luta armada*. Depoimento de Sônia Lafoz.

5) Alex Polari de Alverga, *Em busca do tesouro*.

6) Idem.

7) Alfredo Sirkis, em *Os carbonários*.

8) Idem.

9) "Para dentro, por favor. É uma viagem bem curta. Logo chegaremos à casa. Você será bem tratado."

10) Alfredo Sirkis, em *Os carbonários*.

11) "Eu não aprovo a tortura. Tenho escrito relatórios para o meu governo sobre os direitos humanos no seu país."

12) Alfredo Sirkis, em *Os carbonários*.

13) Idem.

14) "Porque ele não está usando máscara? Eu não quero ver rostos! Sem rostos, por favor!"

15) Alfredo Sirkis, em *Os carbonários*.

16) "Que falta de organização! É escandaloso!"

17) "Pensei que vocês estivessem melhor organizados!"

18) Alfredo Sirkis em *Os carbonários*.

19) Idem.

20) Alex Polari de Alverga, *Em busca do tesouro*.

21) Segundo listagem de torturadores elaborada por sobreviventes da ditadura e com a colaboração de entidades de defesa dos direitos humanos, Abílio Alcântara era tenente-coronel aviador e serviu no Centro de Informações da Aeronáutica em 1971.

22) Alex Polari de Alverga, *Em busca do tesouro*.

23) Idem.

24) *Doutor Roberto* é, na mesma lista citada acima, João Alfredo Poeck, capitão de fragata e integrante do Cenimar. Também apelidado *Doutor Flávio*.

25) Alex Polari de Alverga, estrofe inicial de "Trilogia Macabra (I- O Torturador)", do livro *Inventário de cicatrizes*.

26) Alex Polari de Alverga, segunda estrofe de "Trilogia Macabra (II — O Analista de Informações)", do livro *Inventário de cicatrizes*.

27) Alex Polari de Alverga, *Em busca do tesouro*.

28) Eduardo Febbro, em "O general francês que veio ensinar a torturar no Brasil", no sítio Carta Maior, edição de 22/07/2012.

29) Luiz Cláudio Cunha, em "Operação Condor: Universindo, mi Hermano", sítio Quem tem medo da democracia, edição de 20/09/2012.

30) Percival de Souza, em *Autópsia do medo*.

OS VENCEDORES

31) Helena Salém, em *Versões e ficções: o sequestro da história*.

32) Maurício Paiva no livro *O sonho exilado*.

33) Hélio Pellegrino em "O tesouro encontrado", prefácio de *Em busca do tesouro*, de Alex Polari de Alverga.

34) Idem.

35) Depoimento de Henri Alleg em *A hora obscura — Testemunhos da repressão política*, de Alleg, Victor Serge e Julius Fucik.

36) Alex Polari de Alverga, *Em busca do tesouro*.

37) Idem.

38) A carta de Alex foi publicada pela primeira vez pelo historiador Hélio Silva, no livro *Os governos militares –1969-1974*. Reinaldo Cabral e Ronaldo Lapa, autores de *Desaparecidos políticos*, registram que, após a reprodução da carta, o historiador recebeu ameaças de morte e passou a andar armado. Temendo ser sequestrado, deixou com seu advogado uma lista de pessoas que deveriam ser avisadas caso desaparecesse. As ameaças não foram cumpridas e Hélio Silva sobreviveu à ditadura. Morreu de causas naturais em 1995 como monge beneditino, condição que assumiu no começo da década de 1990.

39) Idem.

40) Ibidem.

41) Reinaldo Cabral e Ronaldo Lapa, em *Desaparecidos políticos*.

42) Ao lado de Burnier e Dellamora, os autores Cabral e Lapa citam mais militares e policiais que estariam envolvidos no episódio como o coronel Muniz (*Doutor Luiz*), os capitães Lúcio Valle Barroso (*Doutor Celso*) e João Alfredo Poeck (*Doutor Flávio* ou *Doutor Roberto*), o subtenente Abílio Alcântara ou Abílio José da Silva (*Doutor Pascoal*), e os agentes do Dops Mário Borges (*Capitão Bob*), Jair Gonçalves da Motta (*Capitão*) e Eduardo (*Norminha*). Alex menciona, além dos referidos, mais os capitães João Gomes Carneiro (*Magafa* ou *João Cocô*), Freedman — que poderia ser Freddie Perdigão Pereira (*Doutor Nagib*) Celso Lauria e Roberto Augusto Duque Estrada, e o major Francisco Demiurgo Santos Cardoso, todos do exército, o agente Solimar ou Solimão Aragão (*Doutor Cláudio*), do Cenimar, e o policial Vasconcellos, do Dops, e o alcaguete Marreco.

43) Zuenir Ventura, *1968 — O ano que não terminou*.

44) Idem.

45) Ibidem. Na reportagem "O caso Para-Sar", publicada no mensário alternativo *Coojornal,* edição de março de 1978, o diálogo entre *Sérgio Macaco* e Burnier tem ligeiras alterações sem perder seu conteúdo. No texto, o brigadeiro teria afirmado em sua explanação que militar que nunca matou "é um frustrado". Que, em ação, jamais faria prisioneiros. Indagado por *Macaco* se já teria matado, Burnier retrucou que não, mas que era uma "questão de tempo" para isto mudar. E advertiu: "Isto tudo que estou dizendo aqui não deve jamais extravasar, em hipótese alguma".

46) Militares legalistas. Preso e cassado, o brigadeiro Francisco Teixeira foi comandante da III Zona Aérea, no Rio, durante o governo Goulart. Em 1971, Burnier comandaria a mesma unidade. O brigadeiro Fortunato Oliveira foi o criador do "Senta a Pua", símbolo da Força Aérea Brasileira (FAB). Também são citados os tenentes-coronéis da Aeronáutica, Paulo Malta Rezende e Hélio Anísio.

47) Zuenir Ventura, *1968-O ano que não terminou.*

48) Idem.

49) Ibidem.

50) Carta de Eduardo Gomes a Ernesto Geisel reproduzida por Jacob Gorender, em *Combate nas trevas*.

51) Depoimento de João Paulo Moreira Burnier, em 1993, a Celso Castro e Maria Celina D'Araujo, do Centro de Pesquisa e Documentação de História Contemporânea do Brasil (CPDOC), da Fundação Getúlio Vargas (FGV).

52) Idem.

53) Nilmário Miranda e Carlos Tibúrcio, em *Dos filhos deste solo.*

54) João Luiz de Moraes em *O calvário de Sonia Angel* (narrativa a Aziz Ahmed).

55) Nilmário Miranda e Carlos Tibúrcio, em *Dos filhos deste solo*. Em 1998, a Comissão Especial de Mortos e Desaparecidos, por quatro votos a três, concluiu que Zuzu Angel foi vítima de atentado político. Da janela de sua casa, uma das testemunhas viu o carro de Zuzu ser atingido por outro veículo e correu até o local. Ao chegar, se surpreendeu porque, apesar do choque ter ocorrido havia apenas três minutos, o local já estava isolado e coalhado de carros de polícia, algo totalmente estranho. A União foi condenada a indenizar a família em R$ 100 mil.

56) Regina Zappa, na biografia *Chico Buarque: para todos*.

57) *Inventário de cicatrizes* recebeu o apoio do Comitê Brasileiro pela Anistia, seção Rio de Janeiro, e do Teatro Ruth Escobar. Os valores apurados com sua venda foram direcionados para a campanha em favor da anistia. E as poesias de Alex Polari de Alverga traduzidas e publicadas em livros, revistas, jornais ou simplesmente mimeografadas e distribuídas na Suécia, Alemanha, França e Itália.

58) Alex Polari de Alverga, *Em busca do tesouro*.

59) Idem.

60) Ibidem.

61) "Você diz que vai mudar a Constituição/ Bem, você sabe/ Nós gostaríamos de mudar sua cabeça/ Você me diz que é a instituição/ Bem, você sabe/ Seria melhor que libertasse sua mente." "Revolution" pertence ao *Álbum branco*, lançado em novembro de 1968.

62) Alex Polari de Alverga, em *O livro das mirações*.

63) Idem.

64) Bruno Torturra Nogueira, entrevista com Alex Polari de Alverga na revista *Trip*, edição de maio de 2012.

65) Na nomenclatura botânica, o cipó jagube chama-se *Banisteriopsis caapi*, enquanto o arbusto chacrona é denominado *Psychotria viridis*. A *ayahuasca* também é ingerida com propósitos médicos e xamânicos.

66) Alex Polari de Alverga, *Inventário de cicatrizes*.

14 — O GUERRILHEIRO QUE VEIO DA UDN E O ÚLTIMO DOS TENENTES

1) Filho do tribuno comunista Maurício Paiva de Lacerda, o jornalista Carlos Frederico Werneck de Lacerda (1914-1977) recebeu seus prenomes como homenagens a Karl Marx e Friedrich Engels. Seus tios, Paulo e Fernando, eram dirigentes do PCB. Igualmente vinculado ao partido, Carlos Lacerda rompeu com o comunismo em 1939, movendo-se para a direita do espectro político. Além de anticomunista, tornou-se o mais ferrenho opositor do trabalhismo nos governos Getúlio Vargas e João Goulart. Militou também na oposição a Jânio Quadros e Juscelino Kubitschek. Envolveu-se em tentativas de golpe contra Vargas, Juscelino e Goulart, esta

bem-sucedida. Governador do estado da Guanabara, era a aposta da União Democrática Nacional (UDN) para chegar ao Palácio do Planalto. Com a extinção de todos os partidos políticos sob a ditadura, boa parte dos udenistas rumou para a sigla oficial de apoio ao regime, a Aliança Renovadora Nacional (ARENA). A carreira política de Lacerda acabou em 1968 quando foi preso e teve os direitos políticos cassados por dez anos.

2) Cândido da Costa Aragão (1907-1998) chefiou o Corpo de Fuzileiros Navais no governo Goulart. Próximo ao presidente, participou de comícios discursando em favor das reformas de base. Removido do comando e preso por ordem do ministro da Marinha, Sílvio Mota, foi libertado e reconduzido ao posto, sendo carregado nos ombros por marinheiros e fuzileiros. O episódio alimentou as restrições da cúpula militar a Goulart. Depois do golpe, Aragão foi preso e mantido incomunicável por quatro meses. Como consequência de maus-tratos, ficou cego de um olho. Solto, seguiu para o exílio, onde permaneceu por quinze anos.

3) O economista Roberto Campos (1917-2001) apoiou o golpe desferido contra João Goulart que o fizera embaixador do Brasil em Washington. Na ditadura, tornou-se ministro do Planejamento. Facilitou a remessa de lucros das empresas estrangeiras e tomou medidas para controle da inflação. Adversário do monopólio estatal do petróleo e arauto do estado mínimo, propôs a privatização de estatais e a flexibilização das leis trabalhistas. A esquerda deu-lhe o apelido de *Bob Fields* por sua apregoada subordinação aos Estados Unidos. Foi deputado federal constituinte e senador pelo PDS.

4) Alfredo Sirkis em *Os carbonários*.

5) Idem.

6) Desfechada pelo Vietnã do Norte e seus aliados vietcongues em 30 de janeiro de 1968, a Ofensiva do Tet — referência ao ano novo vietnamita — surpreendeu e desgastou as tropas norte-americanas. Mesmo ao custo de baixas pesadas, mudou a opinião de que os Estados Unidos, calcados em seu poderio militar imensamente superior, estavam na iminência de uma vitória no Sudeste da Ásia. Levou também ao crescimento dos protestos, dentro dos EUA, que pediam o fim da guerra.

7) O dia 21 de junho de 1968 ficou conhecido como *Sexta-Feira Sangrenta* devido à batalha campal entre a população e a polícia no centro do Rio de Janeiro. Na tarde daquele dia, armados com paus e pedras, estudantes

e populares se juntaram contra os batalhões de choque e a cavalaria. Os policiais dispararam suas armas na multidão aglomerada na avenida Rio Branco. Das janelas dos edifícios, moradores jogavam vasos, cinzeiros, garrafas e outros objetos nas tropas. Segundo o Jornal do Brasil (22/06/1968) três pessoas morreram, oitenta ficaram feridas e cerca de mil foram presas. No mesmo dia, estudantes enfrentavam a polícia nas ruas de Montevidéu, Tóquio, Oxford e Bangcoc. Realizada no dia 26 de junho, a Passeata dos Cem Mil seria a mais importante manifestação pública contra a ditadura nos anos 1960. Aos estudantes juntaram-se padres e freiras da ala progressista da Igreja Católica, mais artistas e intelectuais, entre eles Paulo Autran, Tônia Carrero, Chico Buarque, Gilberto Gil, Grande Otelo, Milton Nascimento, Hélio Pellegrino e Norma Benguel. No final de 1968, a edição do AI-5 inviabilizaria os protestos de rua.

8) Juarez Guimarães de Brito suicidou-se com um tiro no ouvido ao ser cercado pela repressão em 18 de abril de 1970, numa rua da Gávea. Ele e sua mulher, Maria do Carmo Brito, a *Lia*, tinham um pacto de morte. Na iminência da prisão, da tortura e de revelações importantes da organização, deveriam matar-se. Integrante do triunvirato dirigente da VPR na época — os demais eram Ladislas Dowbor e Carlos Lamarca — Maria do Carmo sobreviveu, foi presa, torturada durante dois meses, submetida ao pentotal ou soro da verdade e acabou *abrindo* informações importantes que levaram outros companheiros à prisão. Libertada em julho de 1970 em troca do embaixador Von Holleben, da Alemanha, seguiu com mais trinta e nove banidos para a Argélia. Viúva, tornou-se companheira de Angelo Pezzuti, ex-Colina. O casal teve um filho que recebeu o nome de Juarez. Posteriormente, rompida a relação, casou-se com Chizuo Osawa, o *Mário Japa*, também ex- integrante da VPR.

9) Alex Polari de Alverga, *Em busca do tesouro*.

10) Idem.

11) Formado por dissidentes da Ação Popular, o PRT, além do Rio, chegou a atuar em quatro estados.

12) Alfredo Sirkis em *Os carbonários*.

13) *Jornal do Brasil*, 08/12/1970, em "Governo decide não falar sobre o sequestro até situação se aclarar".

14) Alex Polari de Alverga, *Em busca do tesouro*.

15) Idem.

16) *Jornal do Brasil*, 08/12/1970, em "Família o julga um aventureiro".

17) Alfredo Sirkis em *Os carbonários*.

18) Idem.

19) Além de Sirkis e Herbert Daniel, Gerson Theodoro de Oliveira (*Ivan*) e Tereza Angelo (*Helga*). Gerson, vinte e um anos, foi morto supostamente em tiroteio com a polícia no dia 22 de maio de 1971, no Rio. No mesmo confronto morreu Maurício Guilherme da Silveira (*Honório*), dezenove anos, motorista da Kombi de transbordo no sequestro de Van Holleben. Há suspeitas de que, como ocorreu em situações similares, tenha inexistido confronto e que as mortes tenham ocorrido após prisão e tortura. Em 2013, dos seis ocupantes do aparelho da rua Tacaratu apenas sobreviviam Sirkis e Tereza.

20) Alfredo Sirkis em *Os carbonários*.

21) *Jornal do Brasil*, 07/01/1971, e *Folha de S.Paulo*, 13/05/2004, reproduzindo nota da AFP.

22) Ariston Oliveira Lucena cumpriu pena de dez anos e somente deixou a prisão após a promulgação da lei da anistia. Morreu em 25 de maio de 2013, aos sessenta e dois anos.

23) José Roberto Rezende, o *Ronaldo* da VPR, pertenceu antes aos Colina e a VAR-Palmares. Preso, foi condenado a duas penas de prisão perpétua e mais sessenta e nove anos. Cumpriu oito anos e meio de cadeia. Formou-se em direito, atuou em movimentos de apoio aos sem-teto e foi ouvidor da polícia de Minas Gerais. Morreu de infarto em 2000.

24) Cinco vezes primeiro-ministro da Itália, Aldo Moro foi sequestrado pelo grupo Brigadas Vermelhas em 16 de março de 1978 e assassinado após cinquenta e cinco dias de cativeiro. O governo italiano não aceitou negociar com os sequestradores que pediam a libertação de presos em troca da vida de Moro que, na época, mostrava-se favorável a um acordo entre seu partido, a Democracia-Cristã e o Partido Comunista. Há muitas versões sobre as responsabilidades envolvidas no destino de Moro. Por ter sido inflexível nas negociações, o ministro do Interior da época, Francesco Cossiga (1928--2010), da Democracia Cristã, levantou a suspeita de que estaria interessado na morte do refém, o que sempre negou. O grupo secreto Gladio, constituído pelos serviços de informação da Itália e da Organização do Tratado do

Atlântico Norte (OTAN) e só reconhecido como oficialmente existente em 1990, também teria envolvimento no episódio.

25) Alex Polari de Alverga, *Em busca do tesouro*.

26) Alfredo Sirkis em *Os carbonários*.

27) Rodrigo Patto Sá Motta, no artigo "A figura caricatural do gorila nos discursos da esquerda". Motta repara que o gorila como representação da direita militar foi importado da Argentina. A expressão foi criada na década de 1950 por um humorista ao mencionar a iminência de um golpe militar contra Juan Domingo Perón. "Os gorilas estão chegando", teria dito o autor em esquete/paródia do filme *Mogambo*, com Clark Gable e Ava Gardner. Na película, que se passa na selva africana, um dos personagens, ao ouvir qualquer barulho na floresta, repete, alarmado: "devem ser os gorilas, devem ser".

28) Alfredo Sirkis em *Os carbonários*.

29) Idem.

30) Ibidem.

31) *Jornal do Brasil*, edições de 19/01/1971 e 20/01/1971, matérias "Cativeiro de Bucher foi em dois locais", "Entrevista de Bucher não obedeceu às formalidades" e "Pistas de Bucher ajudam bem pouco".

32) Idem.

33) Alfredo Sirkis em *Os carbonários*.

34) Idem.

35) Em janeiro de 2013, a favela do Rato Molhado foi ocupada por policiais do Batalhão de Operações Especiais, o Bope. Sediaria uma Unidade de Polícia Pacificadora (UPP).

36) Carta de Lamarca a Sirkis em 2 de maio de 1971, reproduzida em *Os carbonários*.

37) Medida portuguesa de origem árabe, o alqueire no Brasil tem tamanhos diferentes conforme o estado da federação e inclusive dentro do mesmo estado. São Paulo, por exemplo, possui — ou possuía então — quatro dimensões para alqueire, desde 1,21 hectare até 4,84 hectares. Pode-se dizer que a área adquirida pela VPR poderia ter desde 98 até 387 hectares.

38) Emiliano José e Oldack Miranda em *Lamarca, o capitão da guerrilha*.

39) *Folha de S.Paulo*, em 28/07/1979, matéria "Erasmo conforma ação contra guerrilha no Ribeira em 1970".

40) Relatório da Operação Registro, do II Exército, e depoimento de Ariston Lucena, citados por Elio Gaspari em *A ditadura escancarada*. Lamarca menciona números diversos, a saber: rendição de dezesseis soldados, ferimentos em quatro e fuga de um.

41) Descrição de Carlos Lamarca, citada por Emiliano José e Oldack Miranda em *Lamarca, o capitão da guerrilha*.

42) Perdidos, o ex-sargento José Araújo Nóbrega e Edmauro Gopfert acabariam capturados pelas tropas chefiadas pelo coronel Antônio Erasmo Dias. À *Folha de S.Paulo* (28/08/1970) o coronel confirmaria que, nos interrogatórios, encostou ambos em uma parede e disparou tiros ao lado do rosto de cada um. Na mesma matéria, Erasmo esquivou-se de responsabilidade nas torturas infligidas ao ex-prefeito de Jacupiranga, Manuel de Lima, e ao militante Celso Lungaretti, da VPR. Disse aos repórteres que aquilo era de responsabilidade do Centro de Informações do Exército (CIEx).

43) Alfredo Sirkis em *Os carbonários*.

44) A Comissão Especial de Mortos e Desaparecidos Políticos concluiu, por seis votos contra um, que Fujimori (1944-1970) foi baleado após sua rendição e conduzido à Operação Bandeirantes, onde faleceu. Na versão oficial, ele e Edson Neves Quaresma (1936-1970) morreram no dia 5 de dezembro de 1970 ao trocarem tiros com a polícia na praça Santa Rita de Cássia, bairro da Saúde, em São Paulo. No caso de Quaresma, a relatora do caso na Comissão Especial, Suzana Keniger Lisbôa, notou ser praticamente impossível alguém morrer com quatro tiros na cabeça durante um tiroteio como supostamente aconteceu. A perícia demonstrou que Fujimori recebeu, quando caído, três tiros na face. O caminho até o guerrilheiro teria sido aberto pelo cabo José Anselmo dos Santos que, *virado* pela repressão, atuava como delator na VPR. Segundo a relatora, as duas mortes estariam associadas ao empenho da repressão para facilitar a ascensão do cabo Anselmo à direção da VPR. Quaresma era o contato mais próximo de Anselmo, que nega vinculação com as mortes.

45) Jacob Gorender, *Combate nas trevas*. No mesmo capítulo, o autor critica outras mortes produzidas pela luta armada, como a do marinheiro inglês David Cuthberg, executado em 1972 por um comando integrado pela ALN, VAR e PCBR, que classificou como "assassinato puro e simples".

46) Emiliano José e Oldack Miranda em *Lamarca, o Capitão da guerrilha*.

47) Idem.

48) Em junho de 2013, através de depoimento à Comissão da Verdade de São Paulo, o irmão de Solange, Gilberto Lourenço Gomes, relatou que ela, à época, estava traumatizada com a prisão de seu companheiro e do suicídio da irmã mais velha. Afirmou que Solange se entregou durante surto psicótico ocorrido durante corre-corre no estádio da Fonte Nova, em Salvador, provocado pela queda de arquibancadas e onde ela fazia panfletagem. Após a prisão, ela desenvolveu delírio no qual seus companheiros seriam sósias implantados pelo regime militar. Do mesmo modo, passou a ver seus familiares. Em junho de 1972, foi julgada inimputável, mas permaneceu na prisão, pois seu advogado avaliou que o manicômio seria pior para sua cliente. Em liberdade, formou-se médica, casou-se, mas não conseguiu superar a doença. Solange se suicidou em 1982.

49) Durante décadas, vigorou a versão oficial de suicídio de Iara, que preferira matar-se com um tiro no tórax a morrer na tortura. Judia, fora enterrada como suicida no cemitério israelita. O advogado da família Iavelberg, Luiz Eduardo Greenhalgh, declarou à Comissão da Verdade de São Paulo que foi "extremamente difícil" obter a autorização para a exumação do cadáver, já que "toda a comunidade judaica foi contrária ao procedimento". Obtida a autorização, o médico legista Daniel Munhoz concluiu que a bala que vitimou Iara não poderia ter sido disparada pela arma da vítima, o chamado "tiro de contato" pela proximidade da arma com o corpo. O disparo foi feito, segundo o laudo, de uma distância incompatível com a versão de suicídio.

50) Emiliano José e Oldack Miranda em *Lamarca, o Capitão da guerrilha*.

51) Idem.

52) *Veja*, edição de 25/04/1979. O valor representava o equivalente a noventa salários mínimos na época.

53) Emiliano José e Oldack Miranda em *Lamarca, o capitão da guerrilha*.

54) *Jornal do Brasil*, matéria de Ricardo Kotscho "Barreto conta sua saga de tortura e morte", em 15/09/1991.

55) Idem.

56) Ibidem.

57) *Veja*, edição de 25/04/1979.

58) Emiliano José e Oldack Miranda em *Lamarca, o capitão da guerrilha*.

59) Idem.

60) À revista *Veja* (30/09/2009), dom Cappio disse que usou valores de prêmios internacionais que recebeu para custear parte da obra. O memorial é também dedicado ao trabalhador rural Manoel Dias e ao agente de pastoral Josael de Lima, o *Jota*, assassinados na década de 1980. Recuperando o jargão da ditadura, a revista criticou a proposta de construir "um santuário" para "um terrorista". Título da matéria: "Essa Deus não perdoa".

61) Com o marinheiro negro João Cândido Felisberto à frente, a Revolta da Chibata ocorreu em 1910, como protesto pelos maus-tratos — chibatadas — impostos na armada aos escalões inferiores, na maioria compostos por negros. Amotinados tomaram dois encouraçados, um cruzador e mais quatro navios menores, ameaçando bombardear o Rio de Janeiro caso não fosse banida a chibata. O governo do marechal Hermes da Fonseca aceitou as condições e anistiou os revoltosos mas, pressionado pela oficialidade e pela imprensa, recuou e começou a fazer prisões. Ocorreu, então, a chamada "segunda revolta", então entre os fuzileiros navais, na ilha das Cobras. A ilha foi bombardeada e o número de mortos nunca foi devidamente computado. Calcula-se em 200 — dezesseis deles por asfixia com cal virgem e vários por fuzilamento mesmo após rendição — além da expulsão de 2 mil marinheiros.

62) Avelino Capitani em *A Revolta dos Marinheiros*.

63) Márcio Moreira Alves em *Tortura e torturados*.

64) Organizado pelo Movimento Nacionalista Revolucionário (MNR), o levante guerrilheiro na serra de Caparaó foi abortado antes de começar. Tinha o apoio do ex-governador Leonel Brizola e ajuda financeira de Cuba. Em abril de 1967, enquanto faziam treinamento militar e procuravam se adaptar à região, vinte guerrilheiros foram surpreendidos pela Polícia Militar de Minas e capturados sem resistência. Estavam mal instalados e alimentados e alguns deles haviam contraído peste bubônica.

65) Nove presos políticos fugiram pela porta da frente da penitenciária, seguindo para um embrião de base guerrilheira em Angra dos Reis/RJ.

66) Avelino Capitani em *A Revolta dos Marinheiros*.

67) A série original teve 120 episódios e foi um dos maiores êxitos da história do gênero. Kimble foi interpretado por David Jansen. Em 1993, a Warner lançou o filme, com Harrison Ford no papel principal. Em 2000, a rede CBS produziu uma nova versão de *O fugitivo*.

OS VENCEDORES

68) Urariano Mota refere, em *Soledad no Recife*, a existência de um acordo entre a repressão e a imprensa para acertar uma só data para os assassinatos, no caso 8 de janeiro de 1973. Embora nem todas as mortes tenham ocorrido no mesmo dia e local. Manter a data única respaldaria a versão do tiroteio.

69) *"Con tu imagen segura, con tu pinta muchacha, pudiste ser modelo, actriz, miss Paraguay, carátula almanaque, quién sabe, quántas cosas"* escreveu Benedetti (1920-2009) em *Muerte de Soledad Barrett*. *"Una cosa aprendí junto a Soledad: que el llanto hay que empuñarlo, darlo a cantar"*, canta Viglietti em "Soledad Barret". Com livros traduzidos para vinte idiomas, Benedetti viveu parte de sua vida no exílio após a implantação da ditadura militar no Uruguai. Famoso pelas letras de conteúdo político, Viglietti foi interpretado por Mercedez Sosa e Victor Jara. Preso durante a ditadura, personagens como Jean-Paul Sartre, François Mitterrand e Julio Cortázar lideraram uma campanha pela sua libertação.

70) Alfredo Sirkis, pós-prefácio de *Os carbonários*, de 1998.

71) Novela de Gilberto Braga, *Anos Rebeldes*, com vinte capítulos, foi exibida em 1992. João Alfredo é encarnado por Cássio Gabus Mendes. A heroína Maria Lúcia está a cargo de Malu Mader. Bucher, com o nome de Rolf Haguenauer, é interpretado por Odilon Wagner. Na trilha sonora dos anos 1960, músicas como "Baby", "Soy Loco por ti America", "*Monday Monday*", "Alegria, Alegria" e "Guantanamera".

72) Alfredo Sirkis, pós-prefácio de *Os carbonários*, de 1998.

73) Alex Polari de Alverga, *Em busca do tesouro*.

74) Alfredo Sirkis, entrevista a Mario Augusto Resende (Unicamp). Sítio Arquivo 68.2005.

15 — Os amores na mente, as flores no chão

1) *Jornal do Brasil*, em 14/12/1968.

2) Em outubro de 1964, comissão nomeada pelo reitor indicou quarenta e quatro professores da USP para suspensão, acusados de doutrinação marxista. Segundo *O Livro Negro da USP*, muitos deles, entretanto, lecionavam disciplinas técnicas, como física ou bioquímica, nas quais seria impossível inserir referências ideológicas. Logo, a razão para removê-los seria outra. Na

primeira lista de Gama e Silva figurava a fina flor do corpo docente, como o físico Mário Schemberg, os parasitologistas Luiz Hildebrando Pereira da Silva e Samuel Barnley Pessoa, o bioquímico Isaías Raw, além de Florestan Fernandes e Caio Prado Junior.

3) Roberto Schwarz, "Cultura e Política, 1964-1969: alguns esquemas", em *O pai de família e outros estudos*. 1978.

4) Idem.

5) Com Belina de Aguiar, depois Gil Moreira. Em 1966, o casal terá duas filhas, Nara e Marília. Irá se separar em 1967, quando Gil passa a viver com a cantora Nana Caymmi. O relacionamento termina em 1968. No ano seguinte, ele se casa com Sandra Gadelha. Onze anos depois, o casamento acaba. Ainda em 1980, casa-se com Flora Giordano. Das quatro uniões, nasceram oito filhos: além de Nara e Marília, Pedro — morto em um acidente de carro em 1990 — Preta, Maria, Bem, Isabela e José.

6) Compositor de frevo e natural de Caruaru, Carlos Fernando misturou o ritmo à MPB, ao forró e ao *jazz*. Compôs também trilhas-sonoras para programas de TV e telenovelas. Morreu em 2013, aos setenta e cinco anos.

7) Entrevista a Geneton Moraes Neto. 1997.

8) Caetano Veloso em *Verdade tropical*.

9) George Martin, produtor musical e arranjador dos Beatles. Também trabalhou com outros grupos e cantores ingleses dos anos 1960/1970, como Gerry and the Pacemakers, Elton John e America, além dos norte-americanos Kenny Rogers e Earth, Wind & Fire.

10) Depoimentos de Chico Buarque, Edu Lobo e Caetano Veloso para Renato Terra e Ricardo Calil no livro de entrevistas *Uma noite em 67*.

11) Caetano Veloso em *Verdade tropical*.

12) Depoimento de José Genoíno no seminário Tropicalismo: a explosão e seus estilhaços, realizado em 1997, na Universidade de Brasília. Conforme reprodução em *José Genoíno — Escolhas políticas*.

13) Idem.

14) Roberto Schwarz, "Cultura e Política, 1964-1969: alguns esquemas", em *O pai de família e outros estudos*. 1978.

15) Idem.

16) Com peças como *Eles não usam black-tie*, de Gianfrancisco Guarnieri, e os musicais *Arena conta Zumbi* e *Arena conta Tiradentes*, ambos de Augusto

OS VENCEDORES

Boal, o Teatro de Arena revolucionou a cena teatral em São Paulo no final dos anos 1950 e durante a década seguinte. Bertold Brecht e Augusto Boal foram os autores mais encenados.

17) Roberto Schwarz, "Cultura e Política, 1964-1969: alguns esquemas", em *O pai de família e outros estudos*. 1978.

18) Depoimento de Gal Costa ao sítio Tropicália, de Ana de Oliveira (http://tropicalia.com.br).

19) Caetano Veloso em *Verdade tropical*.

20) *Dicionário Cravo Albin da MPB* (www.dicionáriompb.com.br)

21) "Samba em Prelúdio" foi interpretada, além dos autores, mais Vandré e Ana Lúcia, também por Chico Buarque, Sérgio Endrigo, Patrick Bruel, Agostinho dos Santos, Maysa, Toquinho, Maria Creuza, Angela Maria, Fafá de Belém e, mais recentemente, pela contrabaixista e cantora de *jazz* norte-americana Esperanza Spalding.

22) Ao saber que "A banda" venceria o festival, Chico Buarque procurou Paulo Machado de Carvalho, um dos diretores da Record e do festival, e disse a ele "Vê se dá um jeito nesse negócio aí". Ou seja, uma solução que não colocasse sua composição como única vitoriosa. Chico também admirava "Disparada" e preferia um empate. Foi o testemunho do autor para Renato Terra e Ricardo Calil no livro *Uma noite em 67*. O pesquisador Zuza Homem de Mello, que trabalhou no festival, no livro *A era dos festivais — Uma parábola*, já sustentava esta versão.

23) Caetano Veloso em *Verdade tropical*.

24) Informe do II Exército referido por Marcos Napolitano em "A MPB sob suspeita: a censura musical vista pela ótica dos serviços de vigilância política (1968-1981). Em *Revista Brasileira de História*, número 47. 2004.

25) Depoimento para Renato Terra e Ricardo Calil no livro de entrevistas *Uma noite em 67*.

26) Caetano Veloso em *Verdade tropical*.

27) Depoimento para Renato Terra e Ricardo Calil em *Uma noite em 67*.

28) Preso em 12 de setembro de 1973, Victor Jara foi conduzido ao Estádio Nacional, em Santiago, torturado e, três dias depois, executado. Em 2012, um juiz decretou a prisão de sete ex-militares, entre eles o ex-tenente Pedro Pablo Barrientos Nunez, residente na Florida, EUA, desde 1989. Um soldado que presenciou o assassinato declarou que Nunez, jogando

roleta-russa, girou o cilindro de seu revólver, encostou o cano na nuca de Jara e disparou. Quando ele tombou, outros oficiais sacaram suas armas e também dispararam contra o prisioneiro caído. O corpo de Jara, quarenta anos, foi atirado na rua.

29) "Ventania", "O plantador", "João e Maria" e "Guerrilheira", todas gravadas por Vandré no álbum *Canto geral*.

30) Além de Djavan e do compositor Wagner Tiso. A versão principal foi gravada com dezenas de cantores, cantoras e artistas.

31) Há, pelo menos, duas versões sobre a concepção de "Caminhando". Uma delas indica que Vandré a compôs depois do conflito do 1º de Maio de 1968, na Praça da Sé, em São Paulo, entre militantes e policiais. Outra registra que os versos teriam surgido quando Vandré acompanhava do alto de um edifício a Passeata dos Cem Mil, no Rio e no mesmo ano.

32) É o que registra na sua autobiografia, *O campeão de audiência*, escrita em parceria com o jornalista Gabriel Priolli e lançada em 1991. Contou que recebeu o comunicado do ajudante de ordens do general Sizeno Sarmento, comandante do I Exército.

33) Vítor Nuzzi em *Uma noite em 68*, Rede Brasil Atual, outubro 2013.

34) Segundo o *Jornal do Brasil*, edição de 09/09/1966, a canção foi vetada pela censura e impedida de integrar o *show Meu refrão*, de Chico, Odete Lara e o MPB-4. Na letra, alguém acha uma nota de um cruzeiro, com reduzido poder de compra, e dialoga com o marquês de Tamandaré, cuja efígie ilustra a cédula, dizendo-lhe que "a maré não tá boa/vai virar a canoa".

35) Chico Buarque em depoimento para Renato Terra e Ricardo Calil em *Uma noite em 67*.

36) Idem.

37) Regina Zappa e Ernesto Soto em 1968, *Eles só queriam mudar o mundo*.

38) Idem.

39) "Ai, esta terra ainda vai cumprir seu ideal/Ainda vai tornar-se um imenso Portugal!", em "Fado Tropical", de 1973. Censurada, a canção teve proibido um trecho declamado por Ruy Guerra quando diz "além da sífilis, é claro", relacionando a doença como herança portuguesa.

40) Depoimento para Regina Zappa e Ernesto Soto em 1968, *Eles só queriam mudar o mundo*.

41) Depoimento para Renato Terra e Ricardo Calil em *Uma noite em 67*.

OS VENCEDORES

42) Testemunho de Caetano Veloso para o documentário *As canções do exílio — A labareda que lambeu ludo*, de Geneton Moraes Neto, série de três capítulos, Canal Brasil. 2011.

43) Regina Zappa, em *Chico Buarque*. 1999.

44) Segunda esposa de João Guimarães Rosa, Aracy Moebius de Carvalho Guimarães Rosa (1908-2011) é uma das personalidades reverenciadas no Museu do Holocausto, em Washington/DC, e teve seu nome escrito no Jardim dos Justos, em Israel — onde também está o do empresário alemão Oskar Schindler que inspirou o filme *A lista de Schindler* — devido a sua atuação no consulado de Hamburgo para assegurar o ingresso de judeus foragidos no Brasil.

45) Oduvaldo Vianna Filho ou Vianninha (1936-1974), autor, ator e diretor de teatro e também militante do PCB. Escreveu peças como *Rasga coração, Papa Highirte* e *Allegro Desbum*. Na televisão, criou e escreveu *A grande família*, ainda hoje apresentada pela TV Globo.

46) Ferreira Gullar em depoimento para Renato Terra e Ricardo Calil em *Uma noite em 67*.

47) Caetano Veloso em *Verdade tropical*.

48) O Circo Voador foi concebido como espaço de vanguarda para acolher todas as artes no Rio. Na sua criação, além de Fortuna, tomaram parte também os atores e cantores Evandro Mesquita, Patrícia Travassos, Regina Casé e Luis Fernando Guimarães, todos do grupo teatral Asbrúbal Trouxe o Trombone.

49) Caetano Veloso em *Verdade tropical*.

50) Proposta bancada pela multinacional Rhodia, com sede na França, *Momento 68* foi uma estratégia da empresa para agregar brasilidade aos seus produtos. Escrito por Millôr Fernandes, o espetáculo excursionou pela Europa. Dele faziam parte, além de Gil, Caetano, Lennie Dale, Walmor Chagas, Mila Moreira e Eliana Pitmann.

51) Manuel Moreira, o *Cara de Cavalo* (1941-1964) era um pequeno marginal, que vivia de cafetinagem e arrecadação do jogo de bicho. Achando que estava sendo iludido por *Cara de Cavalo*, um bicheiro encarregou o detetive Milton Le Cocq, da polícia civil carioca, de eliminá-lo. Com mais três policiais, Le Cocq encurralou o bandido mas *Cara de Cavalo* reagiu e matou seu perseguidor. Para vingar Le Cocq, 2 mil policiais em quatro estados encararam a execução do malfeitor como prioridade máxima. Em Cabo Frio, ele foi cercado e morto.

52) Randal Juliano (1925-2006) dirigia o programa *Guerra é guerra*, da TV Record, em 1968. Segundo o apresentador, ele apenas leu uma notícia de jornal onde se afirmava que Caetano e Gil haviam adulterado o "Hino Nacional". Nos anos 1990, em entrevista no programa *Jô Soares onze e meia*, Juliano pediu desculpas aos dois, dizendo que não queria prejudicá-los.

53) Carlos Lamarca carregou uma Kombi com armamentos e deixou o quartel de Quitaúna/SP em 24 de janeiro de 1969 para se juntar à guerrilha.

54) Caetano Veloso em *Verdade tropical*.

55) Idem.

56) Do álbum *Abraçaço*, de 2012. O guerrilheiro também foi o assunto do rap "Carlos Marighella", dos Racionais Mc`s, do filme *Marighella*, de Isa Grinspum Ferraz.

57) Chico Buarque em depoimento para Renato Terra e Ricardo Calil em *Uma noite em 67*.

58) Depoimento do compositor à Regina Zappa em *Chico Buarque*. Relume Dumará. 2000.

59) Idem.

60) Ibidem.

61) "O samba duplex e pragmático de Julinho da Adelaide", *Última Hora* em 07/09/1974.

62) Chico Buarque em depoimento para Renato Terra e Ricardo Calil em *Uma noite em 67*.

63) Idem.

64) Caetano Veloso em *Verdade tropical*.

65) Depoimento para Renato Terra e Ricardo Calil em *Uma noite em 67*.

66) Idem.

67) No documento de número 71/S-103.2 do CIE da Guanabara, com cópias direcionadas ao SNI e ao MPF, são ainda referidos como colaboradores do governo o crítico musical José Fernandes, integrante do júri no *Show de calouros*, do programa Sílvio Santos, o produtor de TV Alcino Diniz, o jogador Jairzinho, o maestro Erlon Chaves, os cantores Agnaldo Timóteo, Clara Nunes e João Dias, o conjunto Brazuca, o comediante Lilico, o empresário Marcos Lázaro "e outros". Documentação disponível no sítio www.documentosrevelados.com.br. Em sentido contrário, Roberto e Erasmo Carlos compuseram "Debaixo dos caracóis dos teus cabelos", música que a dupla dedicou a Caetano, então perseguido e exilado.

68) Entrevista de Raul Seixas para revista *Bizz*, março de 1987.

69) Crowley também foi citado por Led Zeppelin, Rolling Stones, Ozzy Osborne e Iron Maiden entre outras bandas.

70) Entrevista de Raul Seixas para revista *Bizz*, março de 1987.

71) Conferência do general de divisão R/1 Moacir Araújo Lopes na Escola de Comando e Estado Maior do Exército em 27/08/1974, veiculada na publicação Valores Espirituais e Morais da Nacionalidade – Fortalecimento do Homem Brasileiro e da Democracia Brasileira. 1975.

72) Revista *O Globo*, em 19/08/2007, conforme citação de Paulo Coelho no sítio da Academia Brasileira de Letras (www.academia.org)

73) Fernando Morais, em *O mago*. Planeta. 2008.

74) Idem.

75) Ibidem.

76) Revista *O Globo*, em 19/08/2007.

16 — Quem é vivo sempre desaparece

1) Norma Pereira Rego, em *Pasquim: gargalhantes pelejas*, Relume Dumará.

2) Zuenir Ventura, *1968 – O ano que não terminou.*

3) Idem.

4) Norma Pereira Rego, em *Pasquim: gargalhantes pelejas.*

5) Zuza Homem de Mello em *A era dos festivais: uma parábola*, Editora 34.

6) Norma Pereira Rego, em *Pasquim: gargalhantes pelejas.*

7) Norma Pereira Rego, em *Pasquim: gargalhantes pelejas.*

8) A resposta de Buzaid foi dada ao então presidente da Comissão de Liberdade de Imprensa da Associação Interamericana de Imprensa (AII), Júlio de Mesquita Neto, que visitara o ministro solicitando a libertação dos jornalistas de O Pasquim. O também diretor de *O Estado de S. Paulo* procurou convencer Buzaid de que o relaxamento das prisões ajudaria a melhorar a imagem do Brasil no exterior. Conforme a matéria "Apelo de Diretor da AII a Buzaid" em *O Estado de S. Paulo*, edição de 08/12/1970.

9) Depoimento de Sérgio Cabral no documentário *O Pasquim — a subversão do humor*, de Roberto Stefanelli/TV Câmara.

10) Depoimento de Luiz Carlos Maciel em *O Pasquim — a subversão do humor.*

11) Depoimento de Sérgio Cabral no documentário *O Pasquim — a subversão do humor*.

12) João Baptista M. Vargens, em *Nos bastidores de O Pasquim*. GMS Editora.

13) Stanislaw Ponte Preta em *Febeapá 1, 2 e 3*. Denner Pamplona de Abreu era o estilista de moda mais celebrado do país na década de 1960. Ibrahim Sued, cronista social de *O Globo* e simpatizante da ditadura, tinha fama de ignorante. O próprio Pasquim criaria a expressão "*horse*-concours" para dizer que, em matéria de burrice, não havia páreo para o colunista.

14) Conforme Emilio Mira y Lopez em "Febeapá da Ditadura", artigo do compêndio *68, a geração que queria mudar o mundo: relatos*, organizado por Eliete Ferrer. Ministério da Justiça, Comissão de Anistia. 2011

15) Luiz Carlos Maciel no documentário *O Pasquim — a subversão do humor*.

16) João Baptista M. Vargens. *Nos bastidores de O Pasquim*.

17) Jornais de postura liberal que, inclusive, haviam apoiado o golpe de 1964 mas que reverteram a postura para a oposição à ditadura, caso do *Correio da Manhã*, tiveram suprimida a publicidade oficial, carreada para os apoiadores incondicionais dos militares, e faliram. Sua redação foi invadida e a proprietária Niomar Muniz Sodré Bittencourt presa. Diretor da *Tribuna da Imprensa*, outro jornal que se opusera ao governo constitucional e incitara sua derrubada, Hélio Fernandes, foi preso mais de uma vez. Duzentos telegramas foram remetidos a estatais, ministérios e empresas privadas simpáticas ao regime — conforme Gláucio Ary Dillon Soares em Censura durante o Regime Autoritário — advertindo para não programarem publicidade no *Jornal do Brasil*. Ameaçado, o jornal negociou e cedeu aos militares.

18) Depoimento a José A. Argolo, Kátia Ribeiro e Luiz Alberto M. Fortunato em *A direita explosiva no Brasil*.

19) Coronel Dickson M. Grael. *Aventura, corrupção e terrorismo — À sombra da impunidade*. 1985.

17 — Vomitando o pecado, o medo e tudo mais

1) Antonio Tabucchi (1943-2012) tem seus livros traduzidos em dezoito países. De sua obra, o título mais conhecido no Brasil é *Afirma Pereira*, que virou filme interpretado por Marcelo Mastronianni em 1996.

2) João Antonio Ferreira Filho (1937-1996), autor de *Malagueta, Perus e Bacanaço, Malhação de Judas Carioca, Leão de Chácara*, jornalista e escritor.

3) Segundo levantamento de Deonísio da Silva, em *Nos bastidores da censura — Sexualidade, literatura e repressão Pós-1964*. Ed. Amarylis. 2009.

4) Idem.

5) General Moacir Araújo Lopes na conferência Política Nacional para a Defesa dos Valores Espirituais, Morais e Culturais Brasileiros Face à Luta Ideológica, pronunciada na Escola de Comando e Estado-Maior do Exército em 27/08/1974 e publicada em Valores Espirituais e Morais da Nacionalidade.

18 — DA RUA VÊM OS GRITOS: VAMOS TE MATAR!

1) Declaração de Margot Baird ao *Jornal da Tarde*, em 19/07/1968.
2) *Folha de S.Paulo*, em 19/07/1968.
3) Idem
4) *O Estado de S. Paulo*, edição de 19/06/1968.
5) "IHG defende a moralização", matéria de *O Estado de S. Paulo*, em 19/06/1968.
6) "Chico não volta atrás", em *O Estado de S. Paulo*, 19/06/1968.
7) O *Jornal da Tarde* (19/07/1968) ouviu um agente do Deops, Modesto Ramone Junior, que, em razão de várias ameaças telefônicas contra *Roda Viva*, fora destacado para vigiar a porta do teatro. Ele deteve Flávio Ettore, que se identificou como segundo-tenente do Exército, entregando-o para uma radiopatrulha. Com o suspeito, Ramone Junior encontrou um martelo e um cassetete.
8) Entrevista de Flaquer a Luís Antônio Giron, publicada na *Folha de S.Paulo*, em 17/07/1993.
9) Idem
10) Entrevista do delegado José Paulo Bonchristiano a Marina Amaral, no sítio Pública, em 09/02/2012.
11) Depoimento de Paulo Antônio, um dos atores da peça, conforme leitura do texto "Elenco de *Roda Viva* apanha de cassetete" pelo deputado estadual Pedro Simon (MDB), em 07/10/1968, na Assembleia Legislativa/RS. Citado por Clarissa Brasil (UFRGS –CAPES) em "As ações do Comando de Caça aos Comunistas (1968-1969)".

12) Zuenir Ventura, em *1968, o ano que não terminou.*

13) Idem.

14) Universidade Presbiteriana Mackenzie onde, nos anos 1960, surgiram grupos de ultradireita, apoiadores da ditadura, como o CCC, a Frente Anticomunista (FAC) e o Movimento Anticomunista (MAC).

15) Uma das grandes divas do palco brasileiro, Maria Della Costa, junto com seu marido Sandro Polônio, criou sua companhia e seu próprio teatro já em 1954, em São Paulo. Encenou obras de Jean-Paul Sartre, Tennessee Williams, Nélson Rodrigues, Bertold Brecht, Plínio Marcos, Edward Albee e Arthur Miller. Sob a ditadura, protegeu a classe teatral da perseguição policial.

16) Conforme depoimento de Inês Etienne Romeu, uma das poucas pessoas que esteve presa na Casa da Morte e sobreviveu.

17) O psicanalista Eduardo Requião de Mello e Silva foi superintendente da Administração dos Portos de Paranaguá e Antonina (Appa) e representante do escritório do Paraná em Brasília, no governo de seu irmão, o hoje senador Roberto Requião (PMDB/PR).

19 — A CONTRIBUIÇÃO MILIONÁRIA DE TODOS OS ERROS

1) Entrevista a *O Liberal*, Belém do Pará, 05/09/1971, publicada em *Zé Celso Martinez Corrêa — Primeiro Ato — Cadernos, depoimentos, entrevistas.* Seleção e organização de Ana Helena Camargo de Staal. Editora 34.

2) Trechos de depoimentos de José Celso Martinez Corrêa gravados no teatro Eugênio Kusnet/SP e no Museu da Imagem e do Som/PR, em 1980 e 1981, e reproduzidos em *Zé Celso Martinez Corrêa — Primeiro Ato.*

3) Idem.

4) Entrevista a Otávio Dias, revista *Trip*, em 24/10/2011.

5) Trechos de depoimentos de José Celso Martinez Corrêa gravados no teatro Eugênio Kusnet/SP e no Museu da Imagem e do Som/PR, em 1980 e 1981.

6) Idem.

7) Ligado ao Ministério de Educação e Cultura, o ISEB foi instituído em 1955, defendendo o nacionalismo desenvolvimentista. Por ele, passaram

intelectuais como Sérgio Buarque de Hollanda, Nélson Werneck Sodré, Miguel Reale, Antônio Cândido, Celso Furtado e Ignácio Rangel.

8) O Oficina surge com seis sócios: José Celso, Renato Borghi, Moracy do Val, Ronaldo Daniel, Jairo Arco e Flexa e Paulo de Tarso. Em seguida, a disputa interna reduziu os sócios para apenas três: José Celso, Renato Borghi e Ronaldo Daniel. O Arena teve em Augusto Boal a sua figura mais importante. Entre suas montagens figuram *Arena conta Zumbi* (1965), *Arena conta Tiradentes* (1967) e *Arena conta Bolívar* (1971), esta proibida de ser representada no Brasil.

9) Depoimento de Etty Fraser em *Zé Celso Martinez Corrêa — Primeiro Ato*.

10 *Zé Celso Martinez Corrêa — Primeiro Ato*.

11) Idem.

12) Manifesto do Oficina, ensaios de *O rei da vela*, 04/09/1967, reproduzido em *Zé Celso Martinez Corrêa — Primeiro Ato*.

13) Aimar Labaki, em *José Celso Martinez Corrêa*. Publifolha.

14) Entrevista a *O Pasquim*, 1975.

15) Armando Sérgio da Silva em *Oficina: do teatro ao Te-ato*, Perspectiva. 1981. Citado por Aimar Labaki.

16) Yan Michalski no *Jornal do Brasil*, Rio de Janeiro, edição de 18/01/1968.

17) Entrevista de Chico Buarque publicada em folheto da montagem paulista de *Roda Viva*.

18) *O Pasquim*. Na entrevista, descobriu-se que Mané/Peréio, além do entrevistado, havia xingado meio *Pasquim*: Ivan Lessa, Paulo Francis, Jaguar e Flávio Rangel.

19) *O Estado de S. Paulo*, Pedro Alexandre Sanches, em 02/02/2012.

20) Anais da Assembleia Legislativa/SP em 20/06/1968, citados em *Zé Celso Martinez Corrêa — Primeiro Ato*.

21) *Folha da Tarde*/SP, edição de 21-06-1968.

22) No atentado contra o quartel do II Exército, no Ibirapuera, morreu o soldado Mário Kozel Filho. Foi uma resposta ao desafio lançado pelo general Manoel Rodrigues Carvalho de Lisboa, comandante do II Exército. Quando a VPR roubou armas do Hospital Militar do Cambuci, em São Paulo, o general disse que não houve nenhum heroísmo na ação e que gostaria de ver se os guerrilheiros teriam coragem de atacar um de seus quartéis. A VPR aceitou a provocação, colocou cinquenta quilos de dinamite numa perua e rumou para o QG de Lisboa na madrugada de 26 de junho de 1968.

O motorista acelerou e saltou da camionete, largando-a na direção do prédio. Kozel, de dezoito anos, ao ver o carro se aproximando, correu na sua direção, embora — segundo Dulce em depoimento a Luiz Maklouf Carvalho — houvesse um cartaz na perua dizendo "Não se aproxime. Explosivos". Também em depoimento a Carvalho, duas guerrilheiras consideraram a ação um erro. Dulce sustentou que o atentado não visava matar ninguém e, sim, responder à fanfarronada do general. Observou que, se a intenção fosse matar, teria sido executado de dia e não de madrugada. Renata Guerra de Andrade, a Cecília, também da VPR, disse que a ação "não serviu para nada" e que a organização fez sua autocrítica sobre o episódio.

23) Depoimento a Luiz Maklouf Carvalho em *Mulheres que foram à luta armada*.

24) Tatiana Merlino e Igor Ojeda. Depoimento de Dulce Maia de Souza em *Luta, substantivo feminino — Mulheres torturadas, desaparecidas e mortas na resistência à ditadura*.

25) Idem.

26) *Zé Celso Martinez Corrêa — Primeiro ato*.

27) Diário de Judith Malina, publicado como "O Living Theatre em Minas Gerais" (Secretaria do Estado de Cultura/MG, 2008) citado por Alexandra Vanucchi em *Revista Artefilosofia* (IFAC-UFOP).

28) *Correio da Manhã*/RJ, em 28/08/1971.

29) *Milagre no Brasil*. Augusto Boal. Civilização Brasileira. 1979.

30) Stanislaw Ponte Preta. *O festival da besteira que assola o país*. 2006

31) Yan Michalski, *O palco amordaçado*. 1979.

32) A instauração do inquérito foi requerida pelo Ministério Público baseado no artigo 208, do Código Penal: "Escarnecer de alguém publicamente, por motivo de crença ou função religiosa; impedir ou perturbar cerimônia ou prática de culto religioso; vilipendiar publicamente ato ou objeto de culto religioso".

33) Revista *Trip*, Otávio Dias, em 24/10/2011.

34) Referência a dom Pero Fernandes Sardinha, bispo de Salvador, que teria sido devorado pelos indios caetés em 1556 quando o barco em que viajava naufragou no litoral de Alagoas. Em 1928, no primeiro número da *Revista de Antropofagia*, Oswald de Andrade citou o acontecido, utilizando-o para assinar o "Manifesto Antropófago" com os termos "Em Piratininga Ano 374 da Deglutição do Bispo Sardinha".

35) Revista *Trip*, Otávio Dias, em 24/10/2011.

OS VENCEDORES

20 — MANDA ELE PRO ITAMARAPAU!

1) Nome pelo qual também era conhecido o professor e diretor Oscar Mombach.

2) Conforme Daniel Cassol, em "Um brasileiro na guerrilha boliviana" (sítio Pública, em 13/08/2012), Luiz Renato Pires Almeida, o *Dippy*, desapareceu em Teoponte, ao norte de La Paz, em setembro de 1970, quando tentava retomar a tarefa guerrilheira de Ernesto Che Guevara.

3) A ditadura que não poderia ser chamada de ditadura rendeu uma tirada sarcástica ao semanário comunista *Marcha*, de Montevidéu. Na edição seguinte ao golpe, ele mancheteou: "Não é ditadura"...

4) A ex-senadora e candidata à presidência da República pelo PV Marina Silva e a ex-prefeita de Fortaleza, Maria Luiza Fontenelle, tiveram também passagens pelo PRC. Além da esquerda do PCdoB, o partido recebeu adesões da Ação Popular Marxista-Leninista (APML) e do Movimento pela Emancipação do Proletariado (MEP). Durante os cinco anos de clandestinidade e existência do PRC, seus integrantes igualmente militavam no PT e no PMDB.

21 — COM A AJUDA DE KAFKA E MARIGHELLA

1) Américo Lourenço Masset Lacombe é advogado, professor universitário e juiz federal aposentado. Em 2012, foi nomeado para a Comissão de Ética Pública da Presidência da República.

2) Pintor, designer e programador visual, Antonio Maluf (1926-2005) foi o vencedor do concurso para o cartaz da 1ª Bienal Internacional de São Paulo, em 1951, tido como um marco do *design* gráfico no país.

3) Luís Mir, em *A revolução impossível*.

4) Segundo *Minha vida de terrorista*, de Carlos Henrique Knapp.

22 — PARABÉNS. VOCÊ ESTÁ PRESO

1) Conforme texto de Dilma Rousseff para *Época* em 2009, citado em reportagem da revista em 20/08/2010.

2) Cf. entrevista de Idealina Fernandes a Alipio Freire, Carlos Eduardo Carvalho e Rose Nogueira, em *Teoria e Debate*, edição de 15/04/2006.

3) Idem.

4) 24 de agosto é a data do suicídio de Getúlio Vargas. A morte do presidente em 1954 causou grande comoção popular e fez abortar o golpe que militares, oposição e mídia preparavam para apeá-lo do poder.

5) Roberto Schwarz, "Cultura e Política, 1964-1969: alguns esquemas".

6) Integrada por setores da centro-esquerda à esquerda, a Aliança Nacional Libertadora foi uma frente antifascista formada durante do Estado Novo. Em abril de 1935, Getúlio Vargas ordenou o fechamento da organização. No mesmo ano e na clandestinidade, dominada pelo PCB e por jovens oficiais, a ANL promoveu sem sucesso um levante militar contra Vargas.

7) Entrevista em *Teoria e Debate* para Alípio Freire e Paulo de Tarso Venceslau em 01/07/1990.

8) Cf. *Combate nas trevas*.

9) Idem.

10) Os cinco eram Marcos Vinícios Fernandes dos Santos, Rômulo Augusto Romero Fontes, Gilson Teodoro de Oliveira, Marcos Alberto Martini e Osmar de Oliveira Rodello Filho (Gorender, em *Combate nas trevas*).

11) *Combate nas trevas*.

12) Entrevista em *Teoria e Debate* para Alípio Freire e Paulo de Tarso Venceslau em 01/07/1990.

13) Idem.

14) Gorender comparou Apolônio ao cavaleiro Pierre Terrail, Senhor de Bayard, um dos heróis da França, descrito como *sans peur et sans reproche* (sem medo e sem mácula). Artigo para *Teoria e Debate*, edição 01/11/2005.

15) "Fleury — torturador e assassino em nome da lei" (in *Reportagem*, São Paulo, Ed. Manifesto, 2001). Crítica de Gorender ao livro *Autópsia do Medo*, de Percival de Souza.

16) Idem.

23 — A GENTE CORRE E A GENTE MORRE NA BR-3

1) *Jornal do Brasil*, edição de 19/03/1971.

2) Idem.

3) Ibidem.

4) Também conhecido pelo nome de Nossa Senhora do Monte do Carmo, o forte do Barbalho foi construído em Salvador no século XVII. Durante sua história, abrigou os soldados que participaram da campanha de Canudos e que combateram depois a Coluna Prestes. Após 1964, serviu como prisão política.

5) Depois de Theodomiro, três militantes da VPR — Ariston Lucena, Diógenes Sobrosa de Souza e Gilberto Faria Lima — também foram condenados à morte. Lima, foragido, foi réu revel. Foram julgados e sentenciados pelo Conselho da 2ª. Auditoria do Exército, em São Paulo, no dia 29 de novembro de 1971. Os três foram condenados pelo assassinato do tenente Alberto Mendes Jr.

Carlos Lamarca e Yoshitane Fujimori, acusados no mesmo processo, já haviam morrido. (Conforme Jacob Gorender em *Combate nas trevas*). As penas foram comutadas pelo Superior Tribunal Militar (STM) para prisão perpétua.

6) *Galeria F, lembranças do mar cinzento (Segunda parte)*, de Emiliano José. Casa Amarela. 2004.

7) Idem.

8) "BR-3" é o nome da música de Antonio Adolfo e Tibério Gaspar que, interpretada por Tony Tornado, venceu a fase nacional do 5º Festival Internacional da Canção (FIC), edição de 1970, promovido pela TV Globo. Conforme citação de Emiliano José em *Galeria F, lembranças do mar cinzento*.

9) Citado por Elio Gaspari em *A ditadura escancarada*.

10) *Dos filhos deste solo*, de Nilmário Miranda e Carlos Tibúrcio.

11) Idem.

12) Ibidem.

13) Segundo a alegação dos órgãos de repressão, a data das mortes foi mantida em sigilo por período tão longo "devido ao sigilo das investigações". Nota oficial citada pelo *Jornal do Brasil*, edição de 17/01/1973.

14) Nilmário Miranda e Carlos Tibúrcio em *Dos filhos deste solo*.

15) Dom Eugênio de Araújo Sales (1920-2012) foi bispo de Natal, arcebispo de Salvador e primaz do Brasil, cardeal e arcebispo do Rio. Manteve uma relação pendular com o regime. De um lado, atacou a Teologia da Libertação e a militância política das Comunidades Eclesiais de Base, de outro, quando arcebispo de Salvador, negou-se a rezar uma missa pelo aniversário do AI-5 como lhe pedira o general Abdon Sena, comandante da 6ª. Região Militar.

16) *Galeria F,* de Emiliano José.
17) Idem.
18) Os autênticos do PMDB compunham agrupamento situado à esquerda do partido e que tinham uma tradição de maior combate à ditadura de 1964.
19) Diálogo reproduzido por Emiliano José em *Galeria F.*
20) Idem.

24 — Gaspar, Rosa, Renato e os brancaleones

1) Conforme depoimento de Espinosa para Alex Solnik em *O Cofre do Adhemar.*
2) Ex-seminarista, José Campos Barreto, o *Barretão* ou *Zequinha,* foi um dos líderes da greve de Osasco/SP em 1968. Na desocupação da fábrica da Cobrasma, foi preso e torturado. Militou na VPR, na VAR-Palmares e, por fim, no MR-8, sempre acompanhando o capitão Carlos Lamarca. Foi executado por tropas militares no dia 17 de setembro de 1971 no sertão da Bahia, ao lado de Lamarca. Tinha vinte e seis anos. Dirigente do Partido Socialista Brasileiro (PSB), no Rio, o publicitário e músico Rafton Nascimento Leão exilou-se durante a ditadura, passando por Chile, Moçambique e Suécia. Morreu de câncer, em 2012, aos sessenta e seis anos.
3) A farmácia da família está na origem da rede Panvel de drogarias, uma das maiores do Sul do país.
4) Filme italiano, de 1966, dirigido por Mário Monicelli (1915-2010). Na sátira de Monicelli, um nobre arruinado, Brancaleone da Nórcia, reúne um punhado de andarilhos e, na sua megalomania, converte-os no seu exército, ao qual estariam reservadas grandes conquistas, mas que só se envolve em trapalhadas.
5) Ex-preso político da ditadura argentina, Flávio Koutzii foi deputado estadual pelo PT em várias legislaturas e chefe da casa civil do governo do Rio Grande do Sul durante o mandato de Olívio Dutra (1999-2002).
6) Segundo Cláudio Antonio Weyne Gutiérrez em *A guerrilha brancaleone.* Editora Proletra. 1999.
7) Raul Pont foi preso político, posteriormente elegeu-se deputado estadual e, mais tarde, vice-prefeito e prefeito de Porto Alegre pelo PT.

OS VENCEDORES

Atualmente, cumpre mais um mandato na Assembleia Legislativa gaúcha. O Partido Operário Comunista (POC) foi o resultado da fusão de parcela dos quadros da Organização Revolucionária Marxista Política Operária, mais conhecida como Polop, com a Dissidência Leninista do PCB.

8) O delegado Pedro Seelig ganharia fama sobretudo ao ser acusado, em 1978, de participar do sequestro dos refugiados uruguaios Lilian Celiberti e Universindo Diaz e dos dois filhos de Lilian, Francesca, de três anos, e Camilo, de oito. Era uma operação conjunta com a repressão do país vizinho que foi flagrada e denunciada pelos repórteres Luiz Cláudio Cunha e João Batista Scalco, de *Veja*. Átila Rohrsetzer, ex-diretor da Divisão Central de Informações (DCI), teve seu nome incluído em uma lista de 146 policiais, militares e civis sul-americanos cuja extradição foi solicitada pela justiça da Itália em 2007. Os treze brasileiros citados seriam co-responsáveis pelo desaparecimento no Brasil de dois cidadãos ítalo-argentinos, militantes do grupo Montoneros.

9) Depoimento a Rogério Menezes em *Bete Mendes: O cão e a rosa*, Coleção Aplauso, Imprensa Oficial do Estado de São Paulo (2004)

10) Idem.

11) "Ela desabrochou numa bela manhã/ No jardim triste de meu coração/ Tinha os olhos do destino/ Parecia a minha felicidade?/ Oh, ela se parecia com minha alma?/ Eu a colhi, ela era mulher/ "Femme" como um "f" rosa, como flor (...)". Escrita e interpretada pelo italiano Salvatore Adamo, "F comme femme" foi lançada em 1968, alcançando imensa popularidade, em boa parte impulsionada pelo êxito de *Beto Rockefeller*. Era a primeira vez que uma novela de TV abria mão das trilhas apenas orquestradas em favor das músicas que frequentavam as paradas de sucesso.

12) Rogério Menezes em *Bete Mendes: O cão e a rosa*.

13) Idem. Em depoimento à Eleonora de Lucena, da *Folha de S.Paulo*, em 26/05/2013, Bete negou-se novamente a detalhar as torturas que sofreu. Admitiu somente que conserva sequelas na audição.

14) Conforme depoimento à Adair Rocha, Bruno Cattoni, Priscila Camargo, Ricardo Rezende, Salete Hallack e Virginia Berriel, do Movimento Humanos Direitos, e publicado na coletânea "Uma História de Luta Coletiva", da Secretaria de Direitos Humanos da Presidência da República. 2010.

15) Rogério Menezes em *Bete Mendes: O cão e a rosa*.

16) Idem.

17) Os três são Maria Amélia Teles, o marido César Augusto Teles e a irmã Crimeia de Almeida. Todos foram presos em 1972 e torturados no DOI-Codi. Em agosto de 2012, o Tribunal de Justiça de São Paulo (TJSP) manteve decisão de 2008, da 23ª Vara Cível de São Paulo. A sentença de 2008 apontou o coronel como torturador. O TJSP negou o recurso de Ustra por três votos a zero. A decisão condenando Ustra no caso Merlino foi proferida pela juíza Cláudia de Lima Menge, da 20ª Vara Cível de São Paulo. Em matéria da *Folha de S.Paulo*, em 25/06/2013, o advogado de Ustra, Paulo Alves Esteves, reiterou que seu cliente não praticou ou comandou torturas. Conforme Esteves, seu representado diz que "essas pessoas se conluiam contra ele e que é tudo mentira".

18) Rakudianai, em *Piauí*, edição de maio de 2011.

19) O guerrilheiro era Massafumi Yoshinaga que, mais tarde, Arida reencontrou na prisão como integrante da turma de "arrependidos". Foi a denominação dada àqueles que, para fugir da repressão, fecharam acordos com seus algozes e aceitaram ir à TV declarar seu "arrependimento", condenar a luta contra a ditadura e exaltar os feitos do governo. Perturbado psiquicamente por conta da pecha de traidor que passou a carregar, Yoshinaga enforcou-se em 1976.

20) Rakudianai, em *Piauí*, maio de 2011

21) Idem.

22) "O delírio de Persio Arida", em *Folha de S.Paulo*, seção "Tendências/Debates", em 27/05/2011.

23) "O coronel e a tortura", tréplica de Arida foi publicada na *Folha de S.Paulo* em 02/06/2011.

24) Movimiento de Izquierda Revolucionária. Miguel Enríquez Espinoza foi morto pela polícia chilena após a derrubada do presidente constitucional Salvador Allende e a ascensão do general Augusto Pinochet ao poder em 1973.

25 — NA CORRENTEZA DA VIDA

1) "Inverno", canção de José Miguel Wisnik.

2) Organização da Sociedade Civil de Interesse Público ou Oscip é uma espécie de ONG criada por iniciativa privada e com reconhecimento do poder público, com o qual pode celebrar parcerias.

3) Anna Magnani (1908-1973), principal atriz do neorrealismo italiano e uma das maiores da história do cinema.

4) *Folha de S.Paulo*, edição de 10/10/2013.

5) Em entrevista à *Veja*, em 27/05/1970, Jorge Benjor — então ainda "Ben" — afirmou que o personagem da canção fora inspirado por um amigo de infância. Charles Antonio Sodré teria tomado o caminho da contravenção.

6) Zé Dirceu, um Espaço para a Discussão do Brasil (www.zedirceu.com.br).

26 — MEIO SÉCULO DE SILÊNCIO

1) *La Nacion on-line*, 24 de março de 2004.

2) Figueiredo, ao saber que seria nome de cidade, recusou a homenagem. As autoridades locais mesmo assim mantiveram sua decisão debido à existência de um antigo presidente provincial de sobrenome Figueiredo.

3) *Folha de S.Paulo*, edição de 12/03/2009.

4) Elio Gaspari em *A ditadura escancarada*.

5) Elizabeth Carvalho, "A década do Jornal da Tranquilidade", em Anos 70 Televisão, citada por Laurindo Leal Filho em "Quarenta anos depois a TV brasileira ainda guarda as marcas da ditadura", *Revista USP*, março/maio de 2004.

6) Levantamento do Projeto Donos da Mídia (www.donosdamidia.com.br).

7) Idem. De acordo com a pesquisa, o DEM é o partido com maior número (cinquenta e doito) de políticos sócios ou diretores de veículos de comunicação, seguido pelo PMDB (quarenta e oito) e o PSDB (quarenta e três).

8) Com a campanha movida pelo governo brasileiro na Europa, inclusive com o apoio de jornais conservadores, dom Hélder perdeu para o norte-americano Norman Borlaug, que desenvolveu as sementes híbridas de milho.

9) *O Globo*, edição de 11/04/1969, matéria "Dom Hélder quer que jovens sigam exemplo dos Beatles". Dentro da edição, mais pancadaria. Outras fotos, de George e Patty e John e Yoko repisavam a questão dos processos por drogas, ao lado da imagem de dom Hélder. O arcebispo fizera conferência em Manchester perante um congresso de 1,2 mil jovens de trinta e dois países.

10) Depoimentos de Brizola e Chico Buarque no documentário Muito Além do Cidadão Kane, de Simon Hartog, de 1994.

11) Stroessner (1912-2006) estabeleceu, em 1955, a Lei de Defesa da Democracia, que castigava a todos que, aos olhos do regime, fossem seus adversários, armados ou desarmados, reais ou imaginários. Contra a lei, não prosperaram *habeas corpus* ou outros recursos judiciais. A legislação somente foi derrogada com a queda do mandatário em 1989.

12) Elio Gaspari em *A ditadura escancarada*.

13) A aproximação da Ford de regimes de direita iniciou-se através de seu fundador, Henry Ford (1863-1947). Segundo o Museu do Holocausto dos Estados Unidos, o magnata norte-americano comprou um jornal, o *Dearborn Independent*, para publicar artigos calcados no livro *Os protocolos dos sábios do Sião*, bíblia do antissemitismo forjada na Rússia czarista e que refugiados anticomunistas haviam contrabandeado para o Ocidente após a Revolução de Outubro de 1917. Com base nesses artigos, Ford lançou *O judeu internacional*, traduzido para dezesseis idiomas e lido, citado e elogiado por Adolf Hitler. Ford seria condecorado pelo nazismo, em 1938, com a Grande Cruz da Ordem Suprema da Águia Alemã, comenda enfeitada com suásticas também dada a Benito Mussolini.

14) Elio Gaspari em *A ditadura escancarada*. No livro *Memórias de uma guerra suja*, de Marcelo Netto e Rogério Medeiros, o ex-delegado Cláudio Guerra reitera que a polícia política recebia dinheiro de empresários.

15) Entrevista de Fernando Henrique Cardoso a Pedro Asbeg, citada por Jorge José de Melo na dissertação "Boilesen, um empresário da ditadura: a questão do apoio do empresariado paulista à Operação Bandeirantes/OBAN, 1969-1971.

16) José Casado, em *O Globo*, edição de 15/05/2005.

17) Vitor Nuzzi em "Centrais Querem Punições a Empresas que Foram 'Quartéis' durante a Ditadura", em Rede Brasil Atual, edição de 03/02/2014.

18) José Casado, em *O Globo*, edição de 15/05/2005. Empresa do ramo eletro-eletrônico, a Constanta havia sido adquirida pela Philips em outubro de 1969. Em 1998, a Philips negociou o capital social da indústria.

19) Em 2013, através de documentos do SNI e do Ministério da Justiça, a Comissão da Estadual da Memória e Verdade, de Pernambuco,

apontou dois investigadores de polícia e dois estudantes como os responsáveis pelo trucidamento do padre. Pertenciam ao Comando de Caça aos Comunistas (CCC). Confirmou ainda que o crime teve motivação política, visando a atingir o arcebispo de Olinda e Recife, dom Helder Câmara. A comissão também acusou como cúmplices o então ministro da Justiça, Alfredo Buzaid, dois assessores jurídicos do Ministério e o Ministério Público de Pernambuco (MPPE).

20) *O Globo*, edição de 02/07/1970, citado por Elio Gaspari em *A ditadura escancarada*.

21) *L`Europeo*, citado por Elio Gaspari.

22) Pronunciamento de Martin Balza em 25 de abril de 1995, no programa *Tiempo Nuevo*, canal Telefe.

23) Heloísa Starling, em "Corrupção: moralismo capenga", artigo publicado pela *Revista de História da Biblioteca Nacional*, março de 2009.

24) Citado por Paulo Eduardo Arantes, em *1964, o ano que não terminou*, texto "O que resta da ditadura", de Edson Telles e Vladimir Safatle.

25) Percival de Souza, *Autópsia do medo*.

26) Jornal *Hoje em Dia*, em 14/08/2012, matéria "Minas Gerais abrigou oito centros de tortura durante a ditadura". O levantamento foi produzido pelo Projeto República, do Núcleo de Pesquisa, Documentação e Memória da UFMG.

27) Depoimento de José Luiz Coelho Netto para *Os Anos de Chumbo*.

28) Vinte e cinco policiais militares haviam sido denunciados pela morte de Amarildo de Souza no final de outubro de 2013. Quatro PM femininas disseram ter ouvido gritos e gemidos atrás da UPP durante quarenta minutos. Entre os denunciados pelo Ministério Público estavam o comandante e o subcomandante da UPP, major Edson Santos e tenente Luis Felipe de Medeiros, suspeitos de tortura, ocultação de cadáver, formação de quadrilha e fraude processual. Em fevereiro de 2014, por decisão unânime, a 5ª Câmara Cível do Tribunal de Justiça do Rio (TJRJ), declarou a morte presumida de Amarildo.

29) Reportagem Band TV, citada por Maria Victória Benevides em *Fé na luta: a Comissão Justiça e Paz da ditadura à democratização*.

30) Jeanne Marie Gagnebin, "O preço de uma reconciliação extorquida", em *O que resta da ditadura*, de Edson Telles e Vladimir Safatle.

31) Em 29 de abril de 2010, o STF rejeitou revisão da Lei de Anistia por 7x2. Votaram contra a revisão os ministros Eros Grau (relator), Gilmar Mendes, Carmen Lúcia, Ellen Gracie, Marco Aurélio Melo, Celso de Mello e Cézar Peluso. Votaram pela revisão Ricardo Lewandovsky e Aires Britto. Dos onze ministros, dois não participaram do julgamento: Joaquim Barbosa, em licença médica, e Dias Toffoli, que se declarou impedido. Toffoli fora advogado-geral da União e dera parecer contrário à revisão. A ação derrotada fora proposta pela Ordem dos Advogados do Brasil (OAB). Em 2012, um dos ministros, Marco Aurélio Mello, declararia que a ditadura foi "um mal necessário".

32) Realizado em onze capitais, o levantamento também mostrou que 50% das punições mais lembradas pelos entrevistados estão fora do Código Penal, como a pena de morte e a prisão perpétua. Trinta e seis por cento admitiram que a polícia possa invadir uma casa e 31% concordaram com a decisão de atirar num suspeito. Em 27/10/2013, o jornal *Zero Hora* publicou, na sua edição impressa, o editorial "O espírito da tortura", em que condenou a prática abordando o caso de Amarildo de Souza. Antes, o texto fora submetido à opinião de seus leitores na edição virtual. Boa parte daqueles que participaram da interação, aprovaram a tortura como método para extorquir confissões.

33) *Folha de S.Paulo*, em 30/03/1983.

34) *Revista de História da Biblioteca Nacional*, edição de 09/06/2009.

35) *Carta Maior* (www.cartamaior.com.br), em 17/07/2012.

36) *Veja*, matéria "Torturei uns trinta", de Alexandre Oltramari, edição de 09/12/1998. Marcelo Paixão de Araújo morreu em 2009, aos sessenta e um anos.

37) Idem.

OS VENCEDORES

Entrevistas
(pela ordem de realização)

Dilma Rousseff
Carlos Araújo
Calino Pacheco Filho
Raul Ellwanger
Tarso Genro
José de Abreu
Lúcia Murat
Avelino Capitani
Frei Betto
Ignácio de Loyola Brandão
Jacob Gorender
Nair Benedicto
Marília Pêra
José Celso Martinez Correia
Theodomiro Romeiro dos Santos
Helvécio Ratton
José Genoíno
Alex Polari de Alverga
Dulce Maia de Souza
José Dirceu de Oliveira e Silva
Carlos Henrique Knapp
Aloysio Nunes Ferreira Filho
Nelson Campagnolo
Alfredo Hélio Sirkis
Gilberto Gil

(Todas entrevistas presenciais, realizadas em 2010, 2012 e 2013, com exceção das de Theodomiro Romeiro dos Santos, Dulce Maia de Souza, Nelson Campagnolo e Alex Polari de Alverga, feitas através de *e-mail* ou telefone)

Siglas

ABERT — Associação Brasileira de Empresas de Rádio e Televisão
AERP — Assessoria Especial de Relações Públicas
AIB — Ação Integralista Brasileira
AI-5 — Ato Institucional 5
Ala Vermelha — Ala Vermelha do Partido Comunista do Brasil
ALN — Ação Libertadora Nacional
AMES — Associação Metropolitana dos Estudantes Secundaristas
AMFNB — Associação dos Marinheiros e Fuzileiros Navais do Brasil
AP — Ação Popular
APML — Ação Popular Marxista-Leninista
ARENA — Aliança Renovadora Nacional
BNM — Brasil Nunca Mais
CCC — Comando de Caça aos Comunistas
CEBs — Comunidades Eclesiais de Base
CENIMAR — Centro de Informações da Marinha
CIE — Centro de Informações do Exército
CIGS — Centro de Instrução de Guerra na Selva
CISA — Centro de Informações da Aeronáutica
CIDH — Corte Interamericana de Direitos Humanos
CGI — Comissão Geral de Investigações
CNBB — Conferência Nacional dos Bispos do Brasil
CNV — Comissão Nacional da Verdade
COLINA — Comandos de Libertação Nacional
Conad — Conselho Nacional de Políticas sobre Drogas
CRUSP — Conjunto Residencial da USP
DCE — Diretório Central de Estudantes
DEM — Democratas
DEOPS — Departamento Estadual de Ordem Política e Social de São Paulo
DCI — Divisão Central de Informações
DOPS — Departamento de Ordem Política e Social
DI-GB — Dissidência Comunista da Guanabara
DOI-CODI — Destacamento de Operações de Informações — Centro de Operações de Defesa Interna

OS VENCEDORES

FAB — Força Aérea Brasileira
FAC — Frente Anticomunista
FAL — Fuzil Automático Leve
FALN — Forças Armadas de Libertação Nacional
FBI — Frente Brasileira de Informação
FEE — Fundação de Economia e Estatística
FIESP — Federação das Indústrias do Estado de São Paulo
GTA — Grupo Tático Armado
ICEFLU — Igreja do Culto Eclético da Fluente Luz Universal
IPM — Inquérito Policial-Militar
JEC — Juventude Estudantil Católica
JIC — Juventude Independente Católica
JOC — Juventude Operária Católica
JUC — Juventude Universitária Católica
MAC — Movimento Anticomunista
MAR — Movimento Armado Revolucionário
MDB — Movimento Democrático Brasileiro
ME — Movimento Estudantil
MEP — Movimento de Emancipação do Proletariado
MNR — Movimento Nacional Revolucionário
MOLIPO — Movimento de Libertação Popular
MR-8 — Movimento Revolucionário 8 de Outubro
MRT — Movimento Revolucionário Tiradentes
OBAN — Operação Bandeirante
ORM-Polop ou Polop — Organização Revolucionária Marxista — Política Operária
PCB — Partido Comunista Brasileiro
PCdoB — Partido Comunista do Brasil
PCBR — Partido Comunista Brasileiro Revolucionário
PCR — Partido Comunista Revolucionário
PDC — Partido Democrata Cristão
PDS — Partido Democrático Social
PDT — Partido Democrático Trabalhista
PFL — Partido da Frente Liberal
PMDB — Partido do Movimento Democrático Brasileiro

POC — Partido Operário Comunista
PPB — Partido Progressista Brasileiro
PP — Partido Progressista
PPR — Partido Progressista Renovador
PRC — Partido Revolucionário Comunista
PRN — Partido da Reconstrução Nacional
PRT — Partido Revolucionário dos Trabalhadores
PSB — Partido Socialista Brasileiro
PSDB — Partido da Social Democracia Brasileira
PT — Partido dos Trabalhadores
PTB — Partido Trabalhista Brasileiro
RAN — Resistência Armada Nacional
REDE — Resistência Democrática
SNI — Serviço Nacional de Informações
STM — Superior Tribunal Militar
TFP — Sociedade Tradição, Família e Propriedade
TUCA — Teatro da Universidade Católica – PUC-SP
UBES — União Brasileira dos Estudantes Secundaristas
UDN — União Democrática Nacional
UEE — União Estadual dos Estudantes
UGES — União Gaúcha dos Estudantes Secundaristas
UNE — União Nacional dos Estudantes
ULDP — União pela Liberdade e os Direitos do Povo
UPES — União Paulista dos Estudantes Secundaristas
USP — Universidade de São Paulo
VAR-Palmares — Vanguarda Armada Revolucionária-Palmares
VPR — Vanguarda Popular Revolucionária

OS VENCEDORES

Filmografia/Videografia

A batalha de Argel. Gillo Pontecorvo. 1966.
A batalha do Chile. Patrício Guzman. 1979.
A memória que me contam. Lúcia Murat. 2012.
Araguaya, a conspiração do silêncio. Ronaldo Duque. 2004.
Batismo de sangue. Helvécio Ratton. 2006.
Brazil: Report on Torture. Haskell Wexler e Saul Landau. 1971.
Cabra-cega. Toni Venturi. 2005.
Canções do exílio: a labareda que lambeu tudo. Geneton Moraes Neto. Canal Brasil. 2011.
Cidadão Boilesen. Chaim Litewski. 2009.
Desaparecido, um grande mistério (Missing). Costa-Gavras. 1982.
Estado de sítio (État to Siège). Costa-Gavras. 1972.
Hércules 56. Sílvio Da Rin. 2006.
Jango. Sílvio Tendler. 1984.
Lamarca. Sérgio Rezende. 1994.
Lula, o filho do Brasil. Fábio Barreto. 2009.
Marighella. Isa Grinspum Ferraz. 2012.
Muito além do cidadão Kane (Beyond Citizem Kane). Simon Hortog. 1994.
Nunca fomos tão felizes. Murilo Salles. 1984.
O ano em que meus pais saíram de férias. Cao Hamburger. 2006.
O homem de Kiev (The Fixer). John Frankenheimer. 1968.
O Pasquim — a subversão do humor. Roberto Stefanelli/TV Câmara. 2004.
O que é isso, companheiro. Bruno Barreto. 1997.
Peões. Eduardo Coutinho. 2004.
Quase dois irmãos. Lúcia Murat. 2004.
Que bom te ver viva. Lúcia Murat. 1989.
15 filhos. Maria Oliveira e Marta Nehring. 1996.
Tempo de resistência. André Ristum. 2003.
Uma noite em 67. Renato Terra e Ricardo Calil. 2010.
Zuzu Angel. Sérgio Rezende. 2006.

Jornais/Revistas/Sítios

Arquivo Ana Lagôa (www.arqanalagoa.ufscar.br)
Arquivo Estado São Paulo (www.arquivoestado.sp.gov.br)
Arquivo Público Mineiro (www.siapm.cultura.mg.gov.br)
Arquivo68 (josekuller.wordpress.com)
Associação Nacional de História (www.anpuh.org)
A Verdade Sufocada (www.averdadesufocada.com)
Brasil247 (www.brasil247.com)
Brasil de Fato
Brasileiros
Carta Maior (www.cartamaior.com.br)
Coojornal
Correio Braziliense
Correio do Povo
Desaparecidos (www.desaparecidos.org)
Dicionário Político (www.marxists.org)
Dicionário Cravo Albin da MPB (www.dicionariompb.com.br)
Documentando a Ditadura (www.dituraverdadesomitidas.blogspot.br)
Documentos Revelados (www.documentosrevelados.com.br)
Dossiê Mortos e Desaparecidos (www.docvirt.com)
Época
Folha de S.Paulo
Folha da Tarde
Fundação Getúlio Vargas/CPDOC (www.fgv.br/cpdoc)
Hemeroteca Digital Brasileira (www.hemerotecadigital.bn.br)
IstoÉ
Jornal do Brasil
Jornal da Tarde
Luis Nassif *On-line* (jornalggn.com.br/luisnassif)
Manchete
Memória da Censura no Cinema Brasileiro – 1964-1988
   (www.memóriacinebr.com.br)
Memórias Reveladas (www.portalmemoriasreveladas.arquivonacional.gov.br)
O Dia

OS VENCEDORES

O Globo
O Estado de Minas
O Estado de S. Paulo
O Pasquim
Perseu
Piauí
Rede Brasil Atual (www.redebrasilatual.com.br)
Repórter Três
Rolling Stone Brasil
Revista Brasileira de História
Revista de História da Biblioteca Nacional
Teoria e Debate
Tribuna da Imprensa
Trip
Veja
Zero Hora

BIBLIOGRAFIA

ABREU, João Batista de. *As manobras da informação: Análise da cobertura jornalística da luta armada no Brasil (1965-1979)*. Mauad-Eduff. 2000.
ADUSP. *O Livro Negro da USP — O controle ideológico na Universidade*. 1979.
ALBANO, Celina. *Cine Pathé – BH – A Cidade de Cada Um*. Editora Conceito. 2008.
ALMEIDA FILHO, Hamilton. *A sangue quente — A morte do jornalista Vladimir Herzog*. Alfa-Ômega. 1978.
ALVERGA, Alex Polari de. *Em busca do tesouro*. Codecri. 1982.
_____. *Camarim de prisioneiro*. Global. 1980.
_____. *Inventário de cicatrizes*. Global. 1978.
_____. *O livro das mirações*. Record. 1995.
ALVES, Márcio Moreira. *Tortura e torturados*. Editora Idade Nova. 1966.
AMARAL, Ricardo Batista. *A Vida Quer é Coragem – A Trajetória de Dilma Rousseff*. Editora Primeira Pessoa. 2011.
ARGOLO, José A. e outros. *A Direita Explosiva no Brasil*. Editora Mauad. 1996.
ARQUIDIOCESE DE SÃO PAULO. *Brasil Nunca Mais – Um Relato para a História*. Vozes. 1985.
ARQUIDIOCESE DE SÃO PAULO. *Perfil dos Atingidos – Projeto Brasil Nunca Mais*. Vozes. 1987.
BETTO, Frei. *Batismo de sangue — A luta clandestina contra a ditadura militar*. Casa Amarela. 2000.
BETTO, Frei. *Cartas da prisão*. Civilização Brasileira. 1981.
_____. *Das catacumbas*. Civilização Brasileira. 1978.
_____. *Diário de Fernando*. Rocco. 2009.
BICUDO, Hélio Pereira. *Meu depoimento sobre o Esquadrão da Morte*. Pontifícia Comissão de Justiça e Paz de São Paulo. 1977.
BRANDÃO, Ignácio de Loyola. *Zero*. Clube do Livro. 1986.
CABRAL, Reinaldo e LAPA, Ronaldo. *Desaparecidos políticos*. Edições Opção. Comitê Brasileiro pela Anistia/RJ. 1979.
CAPITANI, Avelino Bioen. *A Rebelião dos Marinheiros*. Expressão Popular. 2005.
CARDOSO, Tom. *O cofre do Dr. Rui*. Civilização Brasileira. 2011

OS VENCEDORES

CARVALHO, Ferdinando de. *Os sete matizes do vermelho*. Biblioteca Militar. 1971.

_____. *Os sete matizes do rosa*. Biblioteca Militar. 1972.

CARVALHO, Luiz Maklouf. *Mulheres que foram à luta armada*. Globo. 1998.

CASTRO, Consuelo de. *À prova de fogo*. Hucitec. 1977.

CHACEL, Cristina. *Seu amigo esteve aqui — A história do desaparecido político Carlos Alberto Soares de Freitas, assassinado na Casa da Morte*. Zahar. 2012.

CHADE, Jamil e INDJOV, Momchil. *Rousseff — A história de uma família búlgara marcada por um abandono, o comunismo e a presidência do Brasil*. Virgiliae. 2011.

CHAGAS, Carlos. *113 dias de angústia: impedimento e morte de um presidente*. LP&M. 1979.

CIPRIANO, Perly. *Pequenas histórias de cadeia*. Edição do autor. 2002.

DA-RIN, Sílvio. *Hércules 56 — O sequestro do embaixador americano em 1969*. Jorge Zahar Editores. 2007.

D'ARAÚJO, Maria Celina, SOARES, Gláucio Ary Dillon e CASTRO, Celso. *Os anos de chumbo — A memória militar sobre a repressão*. Relume Dumará. 1994.

DIAS, Luzimar Nogueira (org.). *Esquerda armada — Testemunho dos presos políticos do presídio Milton Dias Moreira*. Edições do Leitor. 1979.

DIRCEU, José e PALMEIRA, Vladimir. *Abaixo a ditadura*. Espaço e Tempo. 1998.

DÓRIA, Palmério, BUARQUE, Sérgio, CARELLI, Vincent e SAUTCHUK, Jaime. *A guerrilha do Araguaia — História imediata I*. Alfa-Ômega. 1978.

ESPINOSA, Antonio Roberto. *Abraços que Sufocam e Outros Ensaios sobre a Liberdade*. Viramundo. 2000.

FERNANDES, Millôr e RANGEL, Flávio. *Liberdade, liberdade*. LP&M. 1997.

FERNANDES JUNIOR, Ottoni. *O baú do guerrilheiro*. Record. 2004.

FERRER, Eliete (Org.). *68, a geração que queria mudar o mundo: relatos*. Ministério da Justiça, Comissão de Anistia. 2011.

FICO, Carlos. *Como eles agiam — Os subterrâneos da ditadura militar: Espionagem e Polícia Política*. Record. 2001.

FIGUEIREDO, Lucas. *Olho por olho — Os livros secretos da ditadura*. Record. 2009.

FILHO, Murilo Melo. *O Milagre Brasileiro*. Editora Bloch. 1972.

FON, Antonio Carlos. *Tortura — A história da repressão política no Brasil*. 1979.
FORTES, Luiz Roberto Salinas. *Retrato calado*. Marco Zero. 1988.
FREIRE, Alípio, ALMADA, Izaías, e PONCE, J.A. de Granville (organizadores). *Tiradentes, um presídio da ditadura — Memórias de presos políticos*. Scipione Cultural. 1997.
FROTA, Sylvio. *Ideais traídos*. Zahar. 2006.
FUCIK, Julius, ALLEG, Henri e SERGE, Victor. *A hora obscura — Testemunhos da repressão política*. Expressão Popular. 2001.
GABEIRA, Fernando. *O que é isso, companheiro*. Codecri. 1980.
GALACHE. G., ZANUY, F. e PIMENTEL, M.T. *Construindo o Brasil. Educação, Moral, Cívica e Política*. Edições Loyola. 1970.
GASPARI, Elio. *A ditadura escancarada — As ilusões armadas*. Companhia das Letras. 2002.
_____. *A ditadura envergonhada — As ilusões armadas*. Companhia das Letras. 2002.
_____. *A ditadura derrotada — As ilusões armadas*. Companhia das Letras. 2002.
_____. *A ditadura encurralada — As ilusões armadas*. Companhia das Letras. 2002.
GORENDER, Jacob. *Combate nas trevas — A esquerda brasileira: das ilusões perdidas à luta armada*. Ática. 1987.
GÓES, Fred de, GÓES, Lauro e MOTTA, Nelson. *Gilberto Gil — Literatura comentada*. Abril Educação. 1982.
GRAEL, Dickson. *Aventura, corrupção e terrorismo*. Vozes. 1985.
GUARANY, Reinaldo. *A fuga — Autobiografia de um fugitivo*. Brasiliense. 1984.
GUIMARÃES, Rafael, CENTENO, Ayrton e BONES, Elmar. *Coojornal — Um jornal de jornalistas sob o regime militar*. Libretos. 2011.
GUTIÉRREZ, Cláudio Antonio Weyne. *A guerrilha brancaleone*. Editora Proletra. 1999.
HABERT, Nadine. *A década de 70 — Apogeu e crise da ditadura militar brasileira*. Editora Ática. 2004.
HOLLANDA, Heloisa Buarque de. *Impressões de viagem — CPC, vanguarda e desbunde: 1960/70*. Rocco. 1980.
_____ e GONÇALVES, Marcos Augusto. *Cultura e participação nos anos 60*. Editora Brasiliense. 1982.

OS VENCEDORES

HOMEM, Wagner. *Histórias de canções: Chico Buarque*. Editora Leya. 2009.
IPM — CRUSP. Coronel Sebastião Alvim. II Exército. 1968.
JOSÉ, Emiliano e MIRANDA, Oldack. *Lamarca, o capitão da guerrilha*. Global. 1981.
JOSÉ, Emiliano. *Galeria F — lembranças do mar cinzento*. Casa Amarela. 2000.
KNAPP, Carlos Henrique. *Minha Vida de Terrorista*. Prumo. 2013.
KUSHNIR, Beatriz (org.). *Perfis cruzados — Trajetórias e militância política no Brasil*. Imago. 2001.
_____. *Cães de Guarda — jornalistas e censores, do AI-5 à Constituição de 1988*. Boitempo Editorial. 2004.
_____. *Perfis cruzados*. Imago. 2002.
LABAKI, Amir. *José Celso Martinez Corrêa*. Publifolha. 2002.
LANGGUTH, A. J. *A face oculta do terror*. Círculo do Livro. 1978.
LOPES, Moacir Araújo, PAUPÉRIO, Arthur Machado e MENEZES, Geraldo Montedonio Bezerra de. Valores Espirituais e Morais da Nacionalidade — *Fortalecimento do Homem Brasileiro e da Democracia Brasileira*. Seis Conferências. Gráfica Capemi. 1975.
MAGALHÃES, Mário. *Marighella, o guerrilheiro que incendiou o mundo*. Companhia das Letras. 2012.
MALAMUD, Bernard. *O faz-tudo*. Editora Record. 2006.
MALTA, Márcio. *Henfil, o humor subversivo*. Expressão Popular. 2011.
MARIGHELLA, Carlos. *Porque resisti à prisão*. Brasiliense. 1994.
MATOS, Olgária C.F. *Paris 1968-As barricadas do desejo*. Brasiliense. 1981.
MÉDICI, Emílio Garrastazu. *Tarefa de Todos Nós*. Departamento de Imprensa Nacional, Secretaria de Imprensa da Presidência da República. 1971.
MENEZES, Rogério. *Bete Mendes: O cão e a rosa*. Coleção Aplauso. Imprensa Oficial do Estado de São Paulo. 2004.
MENEGHELLO, Rachel. *PT–A formação de um partido — 1979-1982*. Paz e Terra. 1989.
MERLINO, Tatiana e OJEDA, Igor — *Luta, substantivo feminino — Mulheres torturadas, desaparecidas e mortas na resistência à ditadura*. Secretaria Especial dos Direitos Humanos da Presidência da República. 2010.
MICHALSKI, Yan. *O palco amordaçado: 15 anos de censura teatral no Brasil*. Avenir, 1979.
MIR, Luís. *A revolução impossível*. Best Seller. 1994.
MIRANDA, Nilmário e TIBÚRCIO, Carlos. *Dos filhos deste solo — Mortos e

desaparecidos políticos durante a ditadura militar: a responsabilidade do Estado. Boitempo/Perseu Abramo. 2008.

MORAES, Fernando. *O Mago — A incrível história de Paulo Coelho*. Planeta. 2008.

MORAES, José Luiz de. *O calvário de Sônia Angel (Uma história do terror nos porões da ditadura)*. Narrativa a Aziz Ahmed. Gráfica MEC Editora. 1994.

MOTA, Urariano. *Soledad no Recife*. Boitempo. 2009.

MOTTA, Rodrigo Patto Sá. *Em guarda contra o perigo vermelho*. Editora Perspectiva. 2002.

_____. "A figura caricatural do gorila nos discursos da esquerda". *ArtCultura*, número 15, julho-dezembro. 2007.

NOSSA, Leonencio. *Mata! O major Curió e as guerrilhas do Araguaia*. Companhia das Letras. 2012.

OLIVA, Aloízio Mercadante (coord.), Luiz Flávio Rainho e outros. *Imagens da Luta – 1905-1985*. Sindicato dos Trabalhadores nas Indústrias Metalúrgicas, Mecânicas e de Material Elétrico de São Bernardo do Campo. 1987.

OLIVEIRA, Márcio Amêndola de. *Zequinha Barreto*. Expressão Popular. 2010.

PAIVA, Maurício. *O sonho exilado*. Mauad Editora. 2004.

PARANÁ, Denise. *A história de Lula: o filho do Brasil*. Editora Fundação Perseu Abramo. 2002.

PATARRA, Judith. *Iara — Reportagem biográfica*. Rosa dos Tempos. 1991.

PAZ, Carlos Eugênio. *Viagem à luta armada*. Civilização Brasileira. 1996.

_____. *Nas trilhas da ALN — Memórias romanceadas*. Bertrand Brasil. 1997.

PRETA, Stanislaw Ponte. *Febeapá 1, 2 e 3*. Agir Editora. 2006.

REGO, Norma Pereira. *Pasquim Gargalhantes Pelejas*. Relume Dumará. 1996.

REIS FILHO, Daniel Aarão e SÁ, Jair Ferreira (orgs.). *Imagens da revolução — Documentos políticos das organizações de esquerda dos anos 1961-1971*. Expressão Popular. 2006.

_____. e outros. *Versões e ficções — O sequestro da história*. Editora Fundação Perseu Abramo. 1997.

REZENDE, Ricardo, HALLACK, Salete e SALLES, Marcelo (organizadores). *Movimento Humanos Direitos: Uma História de Luta Coletiva*. Secretaria de Direitos Humanos da Presidência da República. 2010.

RIBEIRO, Maria Cláudia Badan. "Experiência de Luta na Emancipação Feminina: Mulheres da ALN". Tese de doutorado da Faculdade de Filosofia, Letras e Ciências Humanas da Universidade de São Paulo (USP). 2011.

RIDENTI, Marcelo. "As mulheres na política brasileira: os anos de chumbo". *Revista Tempo Social*, Faculdade de Sociologia da USP, segundo semestre de 1990.

_____. *Brasilidade revolucionária*. Editora Unesp. 2010.

_____. *O fantasma da revolução brasileira*. Editora Unesp. 2010.

RIMBAUD, Arthur. *Iluminações*. Biblioteca Virtual.

ROLLEMBERG, Denise. *O apoio de Cuba à luta armada no Brasil: o treinamento guerrilheiro*. Editora Mauad. 2001.

SACCHETTA, Vladimir (coord.). *Habeas Corpus — Que se apresente o corpo*. Secretaria de Direitos Humanos da Presidência da República. 2010.

SALÉM, Helena e outros. *Versões e ficções: o sequestro da história*. Editora Fundação Perseu Abramo. 1997.

SAUTCHUK, Jaime. *Luta Armada no Brasil dos Anos 60 e 70*. Editora Anita Garibaldi. 1995.

SCHWARZ, Roberto. "Cultura e Política, 1964-1969: alguns esquemas", em *O pai de família e outros estudos*. Paz e Terra, 1978.

SECRETARIA ESPECIAL DOS DIREITOS HUMANOS. Comissão Especial de Mortos e Desaparecidos Políticos. "Direito à verdade e à memória". 2007.

SECRETARIA ESPECIAL DOS DIREITOS HUMANOS. Coordenação Geral de Combate à Tortura (Org.). "Tortura". 2010.

SIGAUD, Dom Geraldo de Proença. *Catecismo anticomunista*, Editora Vera Cruz. 1963.

SILVA, Deonísio da. *Nos Bastidores da Censura*. Estação Liberdade. 1989.

SILVA, Fernando Barros. *Chico Buarque*. Publifolha. 2004.

SILVA, Hélio. *Os governos militares – 1969-1974*. Editora Três. 1998.

SIRKIS, Alfredo. *Os carbonários — Memórias da guerrilha perdida*. Global. 1980.

_____. *Roleta chilena*. Editora Record. 1981.

_____. *Silicone 21*. Círculo do Livro. 1985.

SOUZA, Daniel e CHAVES, Gilmar (orgs.). *Nossa paixão era inventar um novo tempo*. Editora Rosa dos Ventos. 1999.

SOUZA, Percival de. *Autópsia do Medo — Vida e morte do delegado Sérgio Paranhos Fleury*. Editora Globo. 2000.

SOLNIK, Alex. *O cofre do Adhemar — A iniciação política de Dilma Rousseff e outros segredos da luta armada* (com depoimentos de Antonio Roberto Espinosa). Jaboticaba. 2011.

STAAL, Ana Helena Camargo de (organizadora). *Zé Celso Martinez Correia — Primeiro Ato: Cadernos, Depoimentos, Entrevistas (1958-1974)*. Editora 34. 1998.

STRIK, Ben. *Morrer para Viver — A Luta de Frei Tito de Alencar Lima contra a Ditadura Brasileira*. Brasilhoeve. 2009.

STUDART, Hugo. *A Lei da Selva — Estratégias, Imaginário e Discurso dos Militares sobre a Guerrilha do Araguaia*. Geração Editorial. 2006.

TAPAJÓS, Renato. *Em câmara lenta*. Alfa-Omega. 1979.

TAVARES, Flávio. *Memórias do esquecimento*. LP&M. 2012.

TELLES, Edson e SAFATLE, Vladimir (organizadores). *O que resta da ditadura*. Boitempo Editorial. 2010.

TERRA, Renato e CALIL, Ricardo. *Uma noite em 67*. Editora Planeta. 2013.

VARGENS, João Baptista M. *Nos bastidores d'O Pasquim*. Editora GMS. 1999.

VÁRIOS. *O melhor do Pasquim 1969/1971*. Codecri.

VASCONCELOS, José Gerardo. *Memórias do silêncio: Militantes de esquerda no Brasil autoritário*. UFC Edições. 1998.

VELOSO, Caetano. *Verdade tropical*. Companhia das Letras. 2008.

VENTURA, Zuenir. *1968, o ano que não terminou*. Nova Fronteira. 1989.

_____. *1968, o que fizemos de nós*. Planeta. 2008.

VIANNA, Martha. *Uma tempestade como a sua memória — A história de Lia, Maria do Carmo Brito*. Record. 2003.

VILAÇA, Pablo. *O cinema além das montanhas*. Coleção Aplauso, Imprensa Oficial do Estado de São Paulo. 2005.

VILLALOBOS, Marco Antonio. *Tiranos, tremei! — Ditadura e resistência popular no Uruguai — 1968-1985*. Edipucrs. 2006.

WELCH, Cliff. *The Seed was Planted: The São Paulo Roots of Brazil's Rural Labour Movement – 1924-1964*. Universidade da Pensilvânia. 1998.

WISNIK, Guilherme. *Caetano Veloso*. Publifolha. 2005.

ZAPPA, Regina e SOTO, Ernesto. *1968 — Eles só queriam mudar o mundo*. Jorge Zahar Editor. 2008.

Índice Onomástico

Aarão 88
Abel 679, 680, 682, 688
Abelardo 263
Abelardo I 576
Abi-Eçab, João Antonio 317
Abramides, Maria Beatriz 770
Abramides, Maria Beatriz Costa 376, 743
Abreu 140, 186, 193, 194, 195, 196, 197, 198, 199, 200, 201, 202, 204, 205, 206, 211, 277
Abreu, Antonio Pereira de 190
Abreu, Denner Pamplona de 790
Abreu, João Batista de 140, 746
Abreu, José de 5, 190, 191, 192, 201, 211, 276, 694, 805
Abreu, José Pereira de 190
Accioly, Hilton 487
Açougue, Luiz do 27
Acuña, Eudósia 554
Adalgisa 503
Adamo 676
Adelaide, Julinho da 497, 788
Adelmo 241, 601, 602
Adhemar 87, 90, 92, 190, 436, 738
Adolfo, Antonio 797
Adriana 621, 622
Adriani, Jerry 500
Affonso, Almino 119
Afrânio 91
Agle, Luiz Alberto 651
Agnelo (dom) 149
Agripino 62
Aguiar, Belina de 784
Aguiar, Ivan Rocha 760
Ahmed, Aziz 774
Airton 290
Albee, Edward 792
Albernaz 61, 152, 154, 738
Albernaz, Benoni de Arruda 58, 82, 151, 274, 738
Albernaz, Tomás 58
Alberto, Carlos 130, 133, 143
Albuquerque, Mércia de 459
Albuquerque, Pedro 223
Albuquerque, Vicente de 714

821

Alcântara, Abílio 396, 772, 773
Aleixo, Pedro 650
Alemão 101
Alencar, José 129
Alencar, Martha 520
Alencar, Tito de 158, 747
Alex 395, 396, 397, 398, 399, 400, 401, 402, 409, 411, 412, 413, 416, 417, 418, 419, 420, 427, 431, 435, 436, 438, 442, 446, 448, 460, 461
Alex, Padrinho 417
Alfredo 431, 432, 434
Alfredo, João 460, 783
Alighieri, Dante 159
Alleg, Henri 401, 773
Allende 153, 168, 178, 182, 722, 748
Allende, Salvador 168, 177, 459, 708, 749, 800
Almada, Izaías 139
Almeida, Abílio Pereira de 535
Almeida, Crimeia de 800
Almeida, José Maria de 117, 744
Almeida, José Maria de (Zé Maria) 744
Almeida, José Roberto Arantes de 199
Almeida, Luiz Renato Pires (Dippy) 795
Almeida, Luiz Renato Pires de 604
Almeida, Nelson José de (Escoteiro) 331
Almeida, Rogério 754
Aloysio 153, 317, 318, 319, 320, 321, 329, 330, 334
Althusser, Louis 749
Altman, Klaus 767
Alvarenga, Francisco Jacques 289
Alverga, Alex Polari 89, 189, 395, 697, 741 771, 772, 773, 775, 777, 779, 783, 805
Alves, Castro 322, 324, 494
Alves, João Lucas 84, 172, 434, 435
Alves, José Mariane Ferreira 741
Alves, Lucas 435
Alves, Márcio Moreira 153, 278, 782
Alves, Mário 289, 635, 636, 637, 640, 641, 645, 662

Alves, Mário Moreira 748
Alves, Myriam Luiz 756
Alves, Osvino Ferreira 602
Alves, Rodrigues 620, 761
Alves, Wagner Lino 104, 117
Alvim, Sebastião 760
Amado, Jorge 44, 193, 216, 325, 540, 641
Amália, Lucy 498
Amaral, Marina 759
Amaral, Ricardo Batista 740
Amaral, Roberto 734
Amaral, Rubens Teodoro do (o Rubão) 112
Amaral, Sérgio 623
Amazonas, João 239, 252, 325, 753
Amendola, Gilberto 759, 760
Américo, Pedro (pintor) 515
Amico, Gianni 319
Amílcar 173
Ana 374
Anderson, Lindsay 173, 750
Andrade, Antonio Brandão de 649
Andrade, Carlos Drummond de 27, 49, 158, 641
Andrade, Climério Almeida de (dom) 660
Andrade, Francisco Carlos de 755
Andrade, Jeferson Ribeiro de 540
Andrade, Jorge de 538
Andrade, Mário de 585
Andrade, Oswald 137, 575, 593, 695, 794
Andrade, Oswald de 585, 586
Andrade, Renata Guerra de (Cecília) 794
André (Valli) 563
Andréa 372
Andreazza 28
Andreazza, Mário 26
Angel, Sonia 774
Angel, Sônia 425
Angel, Zuzu 402, 407, 425, 774
Ângelo 171

OS VENCEDORES

Angelo, Otávio 147
Angelo, Teresa (Helga) 393
Angelo, Tereza (Helga) 778
Aníbal, José 50, 170
Anísio 406
Anísio, Hélio 774
Anjo 699
Anka, Paul 264
Anna 634
Anselmo 290, 456, 457, 458, 459, 469
Antônia 635
Antonio, João 539
Antonio, Luiz 587
Antônio, Paulo 558, 791
Antonioni, Michelangelo 320
Apolônio 641, 796
Aquino, Adail Coaraci 649
Aracelli 549
Aragão 457
Aragão, Cândido 431
Aragão, Cândido da Costa 776
Arantes 198, 199, 288, 290
Arantes, José Roberto 142, 287
Arantes, Paulo Eduardo 803
Aranza, José Augusto 754
Araújo 54, 65, 66, 82, 84, 85, 88, 90, 91, 370, 671, 674, 682, 701
Araújo, Afrânio 83, 671
Araújo, Carlos 669, 754, 805
Araújo, Carlos Franklin Paixão 64
Araújo, Carlos Franklin Paixão de 53, 64, 82, 701
Araújo, Davi dos Santos 30, 140, 238
Araújo, Francisco Deógenes de 118
Araújo, Hélio Carvalho de 437
Araújo, José 554
Araújo, José Julio de 153
Araújo, Marcelo Paixão 804
Araújo, Marcelo Paixão de 723, 769
Araújo, Merival de 289
Araújo, Sérgio Rubens de 282
Arbex, Daniela 694
Archer, Renato 319

Arco e Flecha, Jairo 793
Arden, Dale 39
Argolo, José A. 790
Ari 235, 236
Ariane 345, 353
Arida, Persio 682
Arida, Pérsio 693, 800
Aristides 106, 107, 108
Arnaldo 506
Arns, Paulo Evaristo 30, 100, 149, 523
Arraes, Miguel 90, 110, 298, 319, 622
Arraes, Violeta 319
Arroyo 233, 755
Arroyo, Angelo 219, 235, 239, 253
Arroyo, Ângelo 753, 755, 756
Arruda, Rubens Teodoro de 117, 743
Artaud, Antonin 577
Asbeg, Pedro 802
Assis, Chico de 486
Auerbach 535
Auerbach, David 534
Augusto, Agnaldo Del Nero 223
Augusto, Carlos 326
Augusto, José 606
Aussaresses 399, 401
Aussaresses, Paul 398, 739
Autran, Paulo 590, 777
Avancini, Walter 677

Babenco, Hector 696
Bacuri 228, 391, 392, 393, 681, 688
Baez, Joan 445
Baiardi 750
Baiardi, Amilcar 172
Baird, Margot 554, 791
Baker, Josephine 496
Baleada, Coruja 435
Balza, Martin 706, 803
Balzac 44, 261
Bandeira, Antonio 230
Bandeira, Luiz Alberto de Vianna Moniz 737

Bandeira, Moniz 94
Banzer, Hugo 399
Baptista, Athos Teixeira 606
Barbie, Klaus 349, 767
Barbie, Nikolaus 348
Barbosa 299, 700
Barbosa, Adoniran 276
Barbosa, Antonio Neto 755
Barbosa, Joaquim 260, 804
Barbosa, José Milton 391
Barbosa, Mário Gibson 392, 439
Barcellos, Chaves 144
Barcelos, Joel 564
Barcelos, Maria Auxiliadora Lara 56, 89, 752
Bardi, Lina Bo 561, 562
Bardi, Pietro Maria 561
Barrault, Jean-Louis 587
Barreiros, Adalberto 761
Barreto 452, 454, 781
Barreto, José 454
Barreto, José Campos (Barretão) 798
Barreto, José Campos (Zequinha) 451, 670
Barros, Adhemar de 54, 86, 173, 193
Barros, Divany Carvalho 769
Barros, Jonas José Albuquerque 760
Barros, Théo de 483
Barroso, Lúcio Valle (doutor Celso) 773
Bartô 379, 384, 387, 388, 389, 390, 391, 395, 412, 416, 417, 419, 421, 436
Bartolomeu, José 656
Basaglia 181
Basaglia, Franco 180
Basso, Lelio 320
Bastos, Jorge 674
Bates, Alan 58
Batista, João 158, 744
Batista, Jorge 278
Beatles 153, 169, 264, 372, 413, 414, 470, 476, 500, 697, 712, 784, 801
Beauvoir, Simone de 47, 320, 352, 362, 694

Beck 584
Beck, Julian 583
Becker, Alberto Henrique 215, 587, 755
Becker, Clara 294
Beck-Malina 583
Beethoven 63
Belém, Fafá de 785
Belloque, Gilberto 328
Bem 784
Ben, Jorge 54, 506, 515
Benchimol, Aarão 87
Benchimol, Ana Capriglione 87
Bendini, Roberto 706
Benedetti 783
Benedetti, Mário 459
Benedicto 347
Benedicto, Nair 5, 62, 332, 346, 698, 805
Benetazzo, Antonio 290, 709
Benevides, Maria Victória 803
Benevides, Roberto 215
Benevides, Wagner 120
Benguel, Norma 563, 777
Benguell, Norma 566
Benjamin, César 744
Benjamin, Cid de Queiroz 282
Benjor 506
Benjor, Jorge 699, 801
Berbert, Ruy Carlos Vieira 290
Bergson 237
Berimbau 47
Berloque, Gilberto 755
Berquó, Alberto 768
Berriel, Virginia 799
Bertolucci 764
Bertolucci, Bernardo 320, 584
Berzoini, Ricardo 734
Bete 666, 675, 676, 677, 678, 687, 689
Bete/Maria 677
Bethânia 475, 482, 486
Bethânia, Maria 215, 474, 475, 521
Bethlem 771
Bethlem, Fernando Belfort 378

OS VENCEDORES

Betinho 136
Beto 46, 47, 48, 53, 54, 55, 56, 175, 176, 177, 683, 741
Betto 134, 135, 136, 137, 138, 139, 140, 141, 142, 143, 144, 145, 146, 147, 149, 150, 157, 158, 160, 162, 715, 723
Betto, Frei 5, 100, 156, 296, 333, 540, 641, 696, 720, 722, 740, 745, 746, 747, 749
Bezerra, Gregório 284, 300, 325
Bezerra, Gregório Lourenço 315
Bicho 86, 87
Bicudo, Hélio 154, 748, 749
Bierrenbach, Flávio 312
Bignone, Reynaldo 706
Bijou, Brigitte 542
Bittar, Jacó 120, 744
Bittencourt, Júlio 170
Bittencourt, Niomar Muniz Sodré 790
Bituca 47
Blair, Eric Arthur 768
Blanc, Aldir 136
Blood, Sweet & Tears 63
Boal 562, 586, 587, 596
Boal, Augusto 475, 560, 574, 585, 784, 785, 793, 794
Boanerges 616
Boilesen 802
Boilesesn, Henning Albert 736
Bok, Yakov 58
Bolão 435
Bollardière, Jacques Paris de 399
Bom, Djalma 116, 117, 244, 714, 743
Bonaparte, Napoleão 390
Bonchristiano 267
Bonchristiano, João Paulo 759
Bonchristiano, José Paulo 266, 557, 791
Bonumá, Eduardo 197
Bonzinho, João 538
Borba, José 764
Bordaberry, Juan Maria 605
Bordini, Paulo (Risadinha) 274

Borges, Hamilton Nonato 652, 653
Borges, Jorge Luis 201
Borges, Lô 176
Borges, Márcio 48
Borges, Mário (capitão Bob) 773
Borghi, Renato 580, 583, 585, 590, 793
Borin, Jair 755
Borlaugh, Norman 801
Bosco, João 136, 369
Boumédiène, Houari 622
Boyd, Patty 712
Boys, Beach 412
Braga, Gilberto 783
Braga, Rubem 520, 587
Brahms 63
Branco, Castello 27, 324, 432, 503, 636, 707, 708, 716, 724, 729, 766
Branco, Castelo 24, 708
Branco, Tales Castelo 572
Brandão 534, 535, 538, 539, 540, 543, 544, 545, 695, 696
Brandão, Ignácio de Loyola 5, 533, 694
Brando, Marlon 584
Brant, José Teixeira 233
Brasil, Assis 602
Brasil, Carlos 669
Brasil, Carlos Avelino Fonseca 740
Brasil, Clarissa 791
Brasil, Clarisse Índio do 524, 525
Brecht 586
Brecht, Bertold 579, 585, 588, 785, 792
Breno 46, 175, 683, 741
Bretas, Pedro Paulo 170, 171
Breyton 352, 356
Breyton, Jacques 346, 348, 349, 353, 640
Brickmann, Carlos 138
Brilhante, Carlos Alberto 678
Brito, Fernando (frei) 329
Brito, Fernando de 148, 746
Brito, Juarez 54, 741
Brito, Juarez Guimarães de 84, 57, 434, 435, 446, 777

Brito, Maria do Carmo 48, 54, 84, 375
Brito, Maria do Carmo (Lia) 777
Britto, Aires 804
Britto, Antonio 66, 740
Brizola 94, 110, 241, 432, 457, 801
Brizola, Leonel 66, 91, 102, 133, 298, 601, 602, 707, 713, 735, 740, 782
Bronca, José Humberto 215
Bronca, José Humberto (Zeca Fogoió) 752
Brossard, Paulo 65
Brothers, Marx 617
Bruel, Patrick 785
Buarque, Chico 63, 153, 201, 215, 368, 403, 408, 425, 474, 478, 483, 485, 498, 520, 555, 559, 566, 576, 580, 585, 696, 713, 775, 777, 784, 785, 786, 787, 788, 793, 802
Buarque, Cristovam 734
Buarque, Sérgio 753
Buarque, Yeda Seabra 87
Bucher 438, 439, 440, 441, 442, 443, 444, 445, 446, 462, 465, 779, 783
Bucher, Giovanni Enrico 437
Bueno, Juliana 264
Bueno, Marco 558
Burguesinha 54
Burke, Elbrick 350
Burnier 377, 379, 404, 405, 406, 407, 773, 774
Burnier, João Paulo Moreira 376, 403, 774
Burnier, José Paulo Moreira 770
Burroughs, Edgar Rice 502
Busatto, Cézar 65, 740
Buscapé 435
Buzaid 789
Buzaid, Alfredo 439, 517, 557, 803

Cabral 516, 517, 518, 519, 525
Cabral, Getúlio D'Oliveira 652, 655
Cabral, Larissa 724

Cabral, Pedro Corrêa 233, 237, 756
Cabral, Reinaldo 773
Cabral, Sérgio 515, 698, 789, 790
Cachoeira, Carlinhos 298, 763
Cacilda 587
Caetano 474, 476, 477, 478, 479, 480, 481, 482, 483, 485, 486, 490, 491, 492, 493, 494, 495, 496, 498, 503, 504, 506, 508, 562, 572
Calabar, Domingos Fernandes 497
Caldeira, Oswaldo 765
Caldevilla, Vinícius Medeiros 762
Calil, Ricardo 784, 785, 786, 787, 788
Calino 65, 673, 674
Callado, Antonio 492, 520
Callegari, Giorgio 149, 747
Calley, William 270
Camacho, Karen 743
Câmara, Hélder (dom) 135, 149, 406, 709, 711, 726, 745, 803
Camargo, Antônio Flávio Médici de 328
Camargo, Darcy Rocha 80
Camargo, Edmur Péricles (Gaúcho) 315
Camargo, Fábio Lessa de Souza 346, 767
Camargo, Priscila 799
Camilo 291, 799
Campagnolo, Nelson 805
Campanella 112
Campanholo 116
Campanholo, Nelson 744
Campanholo, Nélson 114, 117
Campos, Aurélio 579
Campos, Milton 745
Campos, Paulo Mendes 587
Campos, Roberto 228, 432, 503, 525, 776
Campos, Sérgio Emanuel Dias 176
Camus, Marcel 47
Cândido, Antonio 120, 541, 793
Cândido, João 684
Caneca, Raul 274

OS VENCEDORES

Canô 494, 498
Capa, Robert 768
Capinam 480
Capinam, José Carlos 476
Capitani 457, 458
Capitani, Avelino 456, 699, 782
Capozzi, Sérgio 762
Cappio (dom) 782
Cappio, Luiz (dom) 456
Capriglione, Ana 88
Cardin, Pierre 520
Cardoso 289, 762
Cardoso, Carlos Alberto Maciel 289
Cardoso, Fernando Henrique 19, 61, 104, 119, 245, 316, 374, 473, 588, 714, 735, 760, 802
Cardoso, Francisco Demiurgo Santos 773
Cardoso, Leônidas 105
Cardoso, Marcos Roberto Dias 758
Cardoso, Tom 741, 759
Cardoso, Wanderley 500
Careca 435
Careca, Raul 759, 760
Carelli, Vicent 753
Caribé, Dagmar 455
Caribé, Dagmar 654
Carlos 91
Carlos 259
Carlos 294, 295, 296, 322, 334
Carlos 671
Carlos (Araújo) 85
Carlos, Erasmo 444, 788
Carlos, José 295
Carlos, Roberto 154, 181, 264, 479, 485, 486, 500
Carmela 593
Carmen 326, 372
Carmine (dom) 662
Carmo, Maria do 54, 55, 84
Carneiro, João Gomes (Magafa ou João Cocô) 773
Carneiro, Maria Augusta 284, 300

Caroço, Pedro 294, 296, 297
Carolina 5
Carpeaux, Otto Maria 541
Carraro, Adelaide 542
Carrasco 678
Carrero, Tônia 566, 590, 777
Cartier-Bresson, Henri 354, 768
Carvalho 68
Carvalho, Anina Alcântara 318
Carvalho, Apolônio de 21, 120, 314, 393, 636, 637, 645
Carvalho, Carlos Eduardo 796
Carvalho, Elizabeth 801
Carvalho, Ferdinando 771
Carvalho, Ferdinando de 379
Carvalho, Herbert Eustáquio de 56, 391, 434, 741
Carvalho, Irene Mello 433
Carvalho, Luís Arthur de 653
Carvalho, Luiz Maklouf 738, 739, 740, 746, 753, 755, 768, 770, 771, 794
Carvalho, Marco Antonio Braz 316
Carvalho, Marco Antonio Braz de (Marquito) 331, 582, 618, 760
Carvalho, Paulo Machado de 785
Carvalho, Regilena da Silva 753, 755
Carvalho, Regilena da Silva (Lena) 219
Carvalho, Sérgio Ribeiro Miranda de (Sérgio Macaco) 404
Carvalo, Luiz Maklouf 58
Carvana, Hugo 490, 564
Casado, José 802
Casé, Regina 787
Cassol, Daniel 795
Castello 708
Castelo Branco, Maria Aparecida Sá de 262
Castilho, João Dutra de 285
Castorino 260, 261, 263, 268, 295
Castro, Adyr Fiúza de 285, 370, 408, 761, 770
Castro, Celso 407, 761, 769, 770, 771, 774

Castro, Consuelo de 264, 305
Castro, Fidel 120, 128, 142, 305
Castro, Fiúza de 374
Castro, Marina Guimarães Garcia de 37
Castro, Tarso de 515, 520
Cattoni, Bruno 799
Cavalcanti, Dower Morais 224
Cavalcanti, Jaime 313
Cavalheira, Marcelo 143
Cavignato, Osvaldo Rodrigues 112
Caymmi, Nana 479, 590, 784
Caymmi, Dorival 64
Celeste, Maria 683
Celiberti, Lilian 799
Celso 572
Celso, Afonso 171
Celso, José 479, 572, 793
Celso, Zé 535, 568, 573, 574, 575, 576, 577, 578, 579, 580, 583, 586, 587, 588, 590, 592, 593, 595
Cerqueira 455
Cerqueira, Newton 769
Cerqueira, Nilton 454, 769
César 448
César (doutor) 233, 236
Chacrinha (apresentador de TV) 499
Chael 196, 752
Chagas, Fábio Gonçalves das 740
Chagas, Walmor 215, 563, 787
Chaloult, Yves 144
Chamberlain, George e Mary Ann 759
Chandler 582
Chandler, Charley, Rodney 581
Charf, Clara 326, 332, 619, 626, 766
Charles 699
Charles, Chandler 619
Chateaubriand, Assis 326
Chaves, Aureliano 26
Chaves, Erlon 514, 788
Che 272
Chico 408, 409, 477, 479, 487, 488, 489, 490, 496, 497, 505, 540, 555, 556, 562, 576, 577, 579, 587

Chico (frei) 106, 108, 110, 111, 112, 742, 743
Chico e Marieta 426
Chico-Mané 496
Christo, Antonio Carlos Vieira 134
Christo, Carlos Alberto Libânio 134
Christo, José Carlos de Campos 145
Cicote, José 118, 743
Cid 448
Cida 63
Cíntia 262
Cirillo, Manuel 158
Cirilo 448, 453
Ciro 236
Clara 295, 296
Clark, Walter 489
Cláudia 466
Cláudio 436, 440, 447, 448, 460, 466
Clemente 164, 168, 174, 287, 289
Clóvis 190, 200
Coelho 153
Coelho, Manuel Luiz (Maneca) 605
Coelho, Maria Francisca Pereira 219
Coelho, Maria Francisca Pinheiro 752, 753
Coelho, Paulo 261, 502, 503, 789
Coelho, Waldir 58, 153
Cohn-Bendit, Daniel 320
Coioió 231
Coioió, João 230
Colassanti, Arduíno 590
Collares, Alceu 66, 119
Collor 119
Colon, Severino Viana 172, 434
Conceição, José Gonçalves da 315
Conselheiro, Antonio 236, 756
Consorte, Renato 560
Contreiras, Hélio 770
Contursi, Carlos da Cunha 740
Corbisier, Ana 293, 617, 762
Corbisier, Roland 617
Cordeiro, Lauro 134
Cordeiro, Míriam 111, 743

OS VENCEDORES

Corrales, Hilário José 524
Corrêa 572
Corrêa, Ana Maria 571
Corrêa, José Celso Martinez 535, 571, 572, 792, 793
Correa, José Vicente 739
Corrêa, Zé Celso Martinez 792, 793, 794
Correia, Camargo (empresa) 714
Correia, José Celso Martinez 805
Correia, José Celso Martinez 5, 137, 263, 461, 478, 555, 695
Correia, Pedro 764
Correia, Serzedelo 50
Cortázar, Julio 783
Cossiga, Francisco 778
Costa e Silva, Arthur da 365
Costa, Emília Viotti da 350
Costa, Gal 369, 785
Costa, Humberto 734
Costa, Jorge Carvalho da 395
Costa, José Raimundo da 741
Costa, Maria Aparecida da 63
Costa, Maria Della 562, 792
Costa, Octávio 25, 28, 30, 154, 735, 736
Costa, Octávio Pereira da 748
Costa, Odilon 653
Costa, Osvaldo Orlando da (Osvaldão) 216
Costa, Roberto Hipólito da 406
Costa, Walkiria Afosno (Walk) 237
Costa-Gavras (cineasta) 171, 172, 320, 403
Coutinho, Afrânio 766
Coutinho, Vicente de Paulo Dale 238
Covas, Mário 213, 245, 297, 735
Cover, Walter 278
Cozzella, Damiano 480
Crawford, Joan 403
Crespo, Aracelli 542
Creuza, Maria 785
Crispim, Denise 681
Cristo 156, 162, 715

Cristo, Jesus 158, 181, 322, 331, 399, 535, 559
Crowley 501, 502, 789
Crowley, Aleister 500
Crusius, Yeda 65, 740
Crusoé, Robinson 39
Cruz, Afonso Monteiro da 111
Cruz, Newton 769
Cubas, Maria Joana Teles 739
Cuia, Zé 108
Cunha, Cláudio Roberto da 755
Cunha, Esmeraldina 454
Cunha, Euclides da 217, 587
Cunha, Isaias Urbano da 744
Cunha, João Paulo 764
Cunha, Luiz Cláudio 772, 799
Cunha, Nilda Carvalho 453
Cunha, Rosa Maria Cardoso da 226, 754
Curió 237, 755, 757
Cuthberg, David 780
Cuthberg, David A. 655
Cuthbert, Sofia 749
Cynara e Ciybele 479, 488
Cyrillo 153
Cyrillo, Dalmo Lúcio Muniz 152

D'Araújo, Maria Celina 29, 407, 735, 761, 769, 770, 771, 774
D'Arc, Joana 19, 63, 158
Dadá 372
Dalcol, Francisco 767
Dale, Lennie 486, 787
Dallari, Dalmo Abreu 100
Dalmo (capitão) 152
Dalva 43
Dan 440
Dandurand, John 480
Daniel 259, 290, 291, 388, 391, 434, 435, 437, 438, 440, 458, 679, 680, 682, 688
Daniel (Dan) Mitrione 171

Daniel, Herbert 56, 85, 435, 459, 738, 741, 778
Daniel, Ronaldo 793
Danielle 345, 353
Danielli, Carlos Nicolau 153
Dantas, Daniel 693
Dantas, Renata Souza 201
Dantas, Verônica 693, 694
Danton 517
Darwin 377
Darwin, Charles 377, 634, 644
Davi 616
De Couesgnongle, Vincent 148
De Gaulle, Charles 144, 348
Debray, Regis 46
Debray, Régis 448
Dedé 494
Defoe, Daniel 39
Del Dongo, Fabrizio 390, 391
Delamonica, Carlos Victor Alves 755
Dellamora 407, 773
Dellamora, Carlos Afonso 403
Demaria 112
Demaria, Emílio Bonfante 111
Denner (costureiro) 521
Detrez, Conrad 321
Diana 500
Dias, Antonio Erasmo 449, 780
Dias, Carlos 482
Dias, Erasmo 102, 228, 280, 542
Dias, Fernão 146
Dias, Geraldo Pedrosa de Araújo 482
Dias, Gonçalves 218, 489
Dias, João 788
Dias, José Carlos 100
Dias, Manoel 734, 782
Dias, Otávio 792, 794
Dias, Tercina 448
Diaz, Universindo 799
Dico, Zé 315, 316
Diégues, Cacá 173
Dilma 20, 34, 39, 40, 41, 42, 43, 44, 45, 46, 47, 48, 49, 50, 51, 52, 53, 54, 55, 56, 57, 58, 59, 60, 61, 62, 63, 64, 65, 66, 67, 68, 69, 72, 74, 82, 84, 85, 175, 332, 353, 634, 642, 671, 682, 697, 700, 701, 730, 737, 739, 740
Dilma/Vanda 82, 84
Dilminha 40, 43, 67
Dimitrov, George 739
Dimitrov, Georgi 60
Dina 233, 237
Dines, Alberto 140
Diniz, Alcino 788
Diniz, Leila 566
Diniz, Waldomiro 298
Dinorah 563, 564
Diocleciano (imperador) 456
Dirceu 196, 197, 256, 262, 263, 264, 265, 266, 267, 268, 269, 270, 272, 273, 274, 275, 276, 278, 279, 280, 281, 282, 284, 285, 286, 287, 288, 289, 290, 291, 292, 293, 296, 297, 299, 305, 306, 313, 652, 760, 762
Dirceu (Ronie Von das Massas – apelido) 256, 264
Dirceu, José 5, 55, 67, 194, 195, 213, 259, 260, 288, 300, 313, 557, 563, 696, 700, 733, 759, 760, 761, 763
Dirceu, Zé 266, 276, 801
Dirceu, Zeca 763
Djavan 369, 786
Dodora 56
Dolce, Cardênio Jaime 318
Dolores, Maria 454
Donato 312
Donato, Mário 311
Donizetti 44
Dora 573
Dória, Palmério 753
Dostoiévski 37, 44, 261
Dowbor, Ladislas 777
Drummond 160
Drummond, João Baptista Franco 253
Drummond, João Batista Franco 753
Dualde, Vicente 554

OS VENCEDORES

Duarte, Edagar de Aquino 458
Dubceck, Alexander 272
Ducret, Roland (frei) 158
Dulce 351, 352, 581, 582, 583
Dulce/Judith 582
Dulci, Luiz 244, 734
Duprat, Rogério 461, 476, 480
Dutra, Benedito Frazão 760
Dutra, Eurico Gaspar 325
Dutra, Gaspar 372
Dutra, Olívio 66, 120, 734, 798
Dutschke, Rudi 320
Dylan, Bob 486, 584

Earth, Wind & Fire 784
Edson, Dori 758
Eduardo 177, 291, 387, 563, 621, 622
Eduardo (Norminha) 773
Einstein, Albert 500
Eisenstein 644
Eisenstein, Sergei 634
Elbrick 284, 285, 286, 372, 373, 761
Elbrick, Burke 303, 304, 371, 392
Elbrick, Charles Burke 751
Eliane 620, 621, 623
Elias 86
Elis 485, 486, 505
Elito, José 332
Elizabeth 559
Elizabeth II 51, 53
Ellbrick, Charles Burke 143, 265, 282, 365
Ellwanger, Raul 5 81, 84, 85, 175, 684, 693, 805
Elly 601
Elvis 379
Elza 635
Emediato, Luiz Fernando 5, 540
Emiliano, José 797
Emílio 179
Endrigo, Sérgio 785
Engels 228, 434, 436

Engels, Friedrich 775
Enríquez, Edgardo 684
Enríquez, Miguel 684
Erasmo 281, 779, 780
Ernest Von Westernhagen, Edward 172
Ernesto 329
Eron, Luiz 83
Escobar, Ruth 553, 555, 557, 560, 571
Espinosa 85, 86, 90, 189, 741, 798
Espinosa, Antonio Roberto 54, 69, 81, 84, 85, 670, 738, 740, 741, 752
Espinoza, Miguel Enríquez 800
Esteves, Paulo Alves 800
Estrada, George Duque 540
Estrada, Roiberto Augusto Duque 773
Ettore, Flávio 791
Eudes, José 244, 758
Eugênio 432
Eurídice 106, 107
Eurípedes 587
Evaristo 291

Fabiana 499
Façanha, Juvêncio 22
Fagundes, Joaquim Rodrigues 709
Fagundes, Yole Seabra 87
Fajardo, Adão 605
Falcão 541, 548
Falcão, Ruy 313
Fanny 140
Fanon, Franz 542
Farah, Fábio 742
Farias, Bergson Gurjão 224
Farias, Gurjão de 228
Febbro, Eduardo 772
Felipe 390, 391, 392, 416, 428, 433, 434, 436, 437, 439, 440, 441, 442, 443, 444, 445, 446, 447, 448, 456, 460, 466
Felipe, Gilvane 754
Felipe/Sirkis 440, 442, 444, 446
Felipe-Ivan 440

Felisberto, João Cândido 782
Felizardo, Joaquim 65
Fellini 573
Fellini, Federico 536, 548
Fernades, Hélio 790
Fernandes, Bob 744
Fernandes, Florestan 319, 760, 784
Fernandes, Hélio 432
Fernandes, Hermogênio da Silva 635
Fernandes, Idalina 350
Fernandes, Idealina 635, 796
Fernandes, José 788
Fernandes, Millôr 488, 520, 586, 787
Fernández, José Manuel Balmaceda 177
Fernandez, Lorenzo 623
Fernando 157, 158
Fernando, Carlos 476, 784
Fernando, Tarso 601
Ferrante, Carlos Savério 739
Ferraz, Esther de Figueiredo 274, 760
Ferraz, Isa Grinspum 788
Ferraz, Lucas 762
Ferreira Jr., Nei Jansen 755
Ferreira, Aloysio Nunes 701, 722
Ferreira, Bibi 696
Ferreira, Câmara 288, 314, 330, 332
Ferreira, Darly Alves da Silva 758
Ferreira, Joaquim Câmara 139, 265, 284, 314, 329, 347, 619, 681
Ferreira, José Antunes 171
Ferreira, Manoel Rodrigues 760
Ferreira, Raul 346, 767
Ferrer, Eliete 790
FHC 19, 104, 119, 121, 245, 588, 623, 682, 694, 734
Fidel 288
Fields, Bob 525, 776
Figueiredo 27, 29, 104, 119, 407, 708
Figueiredo, João 26, 65, 101, 103, 177, 398, 748, 760
Figueiredo, João Baptista 734
Figueiredo, João Batista 154
Figueiredo, Lucas 754, 769
Filho, Adelmo Genro 606
Filho, Aloysio Nunes Ferreira 153, 316, 805
Filho, Antunes 676
Filho, Aton Fon 755
Filho, Calino Ferreira Pacheco 672
Filho, Calino Pacheco 64, 701, 805
Filho, Clementino Fraga 766
Filho, Geraldo Siqueira 100
Filho, Hemetério Chaves 652
Filho, Idalísio Soares Aranha (Aparício) 753
Filho, Jacob Ellwanger 84
Filho, João Antonio Ferreira 791
Filho, João Maia da Silva 744
Filho, João Parisi 275
Filho, José Camargo Correia (Campeão) 399
Filho, José Júlio Toja Martinez 366
Filho, Laurindo Leal 801
Filho, Luiz Cesário da Silveira 20
Filho, Luiz Cesário Silveira 710
Filho, Luiz Viana 766
Filho, Mário Kozel 793
Filho, Mourão 30, 545
Filho, Oduvaldo Viana 585
Filho, Oduvaldo Vianna (Vianninha) 787
Filho, Olympio Mourão 22, 406, 532
Filho, Osmar de Oliveira Rodello 796
Filho, Pedro Rocha 755, 762
Filho, Reinaldo Moreno 755
Filho, Romualdo Pessoa Campos 754
Filho, Silveira 734
Fiorelli, Mário 179
Fishberg, Breno 764
Fitzgerald, F. Scott 535
Flaquer 557, 791
Flaquer, João Marcos Monteiro 556
Flávio 214, 517, 519, 672
Flávio (doutor) 412, 772
Fleury 103, 130, 146, 147, 148, 153,

OS VENCEDORES

154, 155, 162, 288, 290, 291, 330, 349, 357, 398, 453, 454, 455, 458, 469, 621, 709, 733, 748, 796
Fleury, Carlos Alberto Pires 287, 290
Fleury, Sérgio 80, 103, 585, 586, 709, 733, 762
Fleury, Sérgio Fernando Paranhos 154
Fleury, Sérgio Paranhos 145, 699, 736, 749
Fleurys 156
Floyd, Pink (banda musical) 388
Fon, Antonio Carlos 760
Fon, Antonio Carlos (jornalista) 274
Fonda, Jane 412, 584
Fonseca, Fernando Augusto Valente 655
Fonseca, Hermes da 782
Fonseca, Manuel Deodoro da (marechal) 650
Fonseca, Rubem 540, 541, 549
Fontenelle, Maria Luiza 795
Fontes, Rômulo Augusto Romero 796
Fontoura, Carlos Alberto da 25, 735, 736
Forch, Julio 179
Ford, Harrison 782
Ford, Henry 802
Fortuna 515, 516, 519, 787
Fortunato 406
Fortunato, Alberto Carlos Costa 524
Fortunato, Luiz Alberto M. 790
Foucault, Michel 584
Francesca 799
Francis 516, 519, 524
Francis, Paulo 492, 504, 515, 518, 793
Francisco 158
Franco 623
Franco, Eros Afonso 649
Franco, Itamar 65, 245
Franco, Moreira 734
Frankenheimer, John 57
Fraser, Etty 574, 793
Fratti, Rolando 284, 300

Frederic 345, 353
Freedman 773
Frei, Eduardo 179
Freire, Alipio 796
Freire, Paulo 311
Freire, Roberto 194
Freitas, Carlos Alberto de 84
Freitas, Carlos Alberto Soares 46, 56
Freitas, Carlos Alberto Soares de 175, 683, 741
Freitas, Zé 264, 265
Freud 156, 162, 377
Frias 139, 141, 746
Fritsch, José 734
Fritsch, Max 575
Frota, Sylvio 65, 320, 765
Fucik, Julius 773
Fujimori 451, 780
Fujimori, Yoshitane 450, 797
Fumeiro, Antonio 261
Furtado, Celso 46, 120, 319, 793
Furtado, Jonas 742

Gabeira, Fernando 284, 365, 374, 460, 525, 560, 768
Gable, Clark 779
Gabriela, Adiana 319
Gadelha, Dedé 492
Gadelha, Sandra 494, 784
Gaê 353
Gagnebin, Jeanne Maria 719
Gal (cantora) 474, 475, 480, 481, 482, 506
Galache, G. 771
Galeno 50, 52, 53
Galeno, Cláudio 84
Galhardo, Carlos 482
Galilei, Galileu 579
Galtieri, Leopoldo 399
Galvão, Patrícia 593
Galvão, Walnice Nogueira 538
Galvêas 26

Galvêas, Hernane 735
Gama e Silva 760
Gama, Maurício Loureiro 534
Gaminha 473
Gaminha 490, 509
Garcez 519
Garcez, Paulo 515
Garcia, Camilo 143
Gardner, Ava 779
Garlippe, Luiza Augusta (Tuca) 757
Garotinho, Anthony 298
Garrincha 496, 500
Gaspar 670, 671, 672, 674, 682, 683, 684, 686
Gaspar, Tibério 797
Gaspari 233
Gaspari, Elio 232, 753, 754, 755, 756, 757, 761, 768, 769, 770, 780, 797, 801, 802, 803
Gasparian, Fernando 623
Gasper, Elizabeth 557, 558, 595
Gato, Borba 146
Gaúcho 389, 390, 557, 765
Gaudêncio, Paulo 563
Geisa 40
Geisel 23, 27, 33, 103, 378, 399, 541, 548, 707, 708,
Geisel, Ernesto 24, 177, 237, 406, 498, 774
Geisel, Orlando 23, 735
Gelásio 603
Genet, Jean 587
Genoíno 215, 216, 217, 218, 220, 222, 223, 224, 225, 226, 227, 228, 229, 230, 231, 237, 239, 240, 241, 242, 243, 244, 245, 246, 248, 249, 250, 252, 253, 255, 299, 478, 721, 755
Genoíno, José 5, 213, 478, 607, 721, 722, 752, 753, 754, 755, 757, 758, 764, 784, 805,
Genoíno, José 764
Genro, Adelmo 603
Genro, Luciana 242

Genro, Tarso 73, 241, 721, 722, 733, 805
Genro, Tarso Fernando Herz 602
Genu, João Cláudio 764
George e Patty 801
Geraldinho 100
Geraldo 211, 214, 220, 222, 223, 242, 248, 252, 620
Geraldo (Gera ou Gê) 208, 212, 219
Geraldo, Hercílio 438
Gerchmann, Rubens 478
Gerry and the Pacemakers 784
Gervaiseau, Pierre 319
Getúlio 656
Giannini, José Carlos 755, 762
Gieco, León 684
Gil 470, 237, 475, 476, 477, 478, 480, 481, 482, 485, 486, 487, 490, 491, 492, 493, 494, 495, 496, 499, 503, 504, 506, 562, 572, 589, 787
Gil, Gilberto 403, 461, 474, 479, 485, 494, 496, 590, 698, 723, 734, 777, 805
Gilberto (Giba) 237
Gilda (dona) 191, 198
Gill, Gláucio 574
Gioia, Domingos 534
Giordano, Flora 784
Giron, Luís Antônio 791
Glauber 320
Glauber 764
Godard, Jean-Luc 48, 320, 584
Godard, Marcinho 48
Góis, Valdomira Ferreira de 107
Golbery 725
Gomes 283, 284
Gomes, Dias 541, 585
Gomes, Eduardo 406, 774
Gomes, Gilberto Lourenço 781
Gomes, Hilton 282
Gomes, Jeová Assis 287, 290
Gomes, Manoel Anísio 117
Gomes, Manuel Anísio 743, 744

OS VENCEDORES

Gomes, Milton 763
Gomes, Paulo Emílio Salles 541
Gomes, Solange Lourenço 452
Gonçalves, Josias (Jonas) 236
Gonçalves, Leônidas Pires 29, 223, 678, 736
Gonçalves, Nélson 519
Gontijo, Marina 49
Gonzaguinha 369
González, Carlos Prats 749
Gonzalez, Helius Puig 740
Gopfert, Edmauro 780
Gorender 630, 636, 637, 638, 639, 640, 641, 642, 643, 644, 645, 796
Gorender, Jacob 18, 238, 289, 314, 451, 501, 634, 635, 644, 645, 718, 733, 752, 757, 762, 774, 780, 797, 805
Gorender, Nathan 644
Gorki 575
Gorki, Maximo 574, 585
Goulart 24, 134, 135, 136, 192, 205, 263, 289, 456, 485, 531, 532, 541, 543, 546, 598, 601, 602, 609, 617, 636, 711, 713, 745, 776
Goulart, João 20, 26, 102, 111, 133, 269, 348, 361, 404, 432, 443, 708, 720, 765, 775, 776
Gouveia 296
Gouveia, Carlos 295
Gracie, Ellen 804
Grael, Dickson 285
Grael, Dickson M. 790
Grammont, Júlio de 742
Grando, Marinês Zandavali 740
Grau, Eros (relator) 804
Greenhalgh, Luiz Eduardo 781
Grossi, José 661
Grossi, José Gerardo 260
Grotowski, Jerzy 577
Guarnieri, Gianfrancesco 580, 784
Guazzelli, Eloar 606
Guedes, Fernão 227,
Gueriba, Heleny Telles 562

Guerra, Antonio André Camargo 755
Guerra, Cláudio 368, 768, 769, 802
Guerra, Ruy 497, 563, 786
Guevara 173, 387, 421, 427, 765
Guevara, Alfredo 288, 319
Guevara, Che 84, 172, 283, 328, 448, 457, 495
Guevara, Ernesto Che 139, 271, 434, 682, 795
Guia, João Batista dos Mares 170
Guimarães (capitão) 750
Guimarães, Airton 752
Guimarães, Alberto Passos 46
Guimarães, Honestino 215, 724
Guimarães, José 276, 277
Guimarães, José Carlos 275
Guimarães, Luis Fernando 787
Guimarães, Ulysses 56, 244, 735
Gullar 491
Gullar, Ferreira 490, 492, 684, 787
Gullo, Carla 739
Gushiken, Luiz 734
Gustavo 87, 88, 142
Gutiérrez, Cláudio 672
Gutiérrez, Cláudio Antonio Weyne 798
Guzmán, Patrício 722
Gyllensten, Lars 321

Haddad, Fernando 734
Hallack, Salete 799
Hallyday, Johnny 63
Harnecker, Marta 169
Harrison, George 712
Hartog, Simon 802
Haskell Wexler & Saul Landau 748
Hass 232
Hatun, Aristófanes (Tofinho) 295
Haydée 635
Hélder (dom) 801
Helenira 755
Heleny 317
Helga 439, 440, 444, 447

Heloísa 267, 759
Heluh, Wadih 555
Helvécio 164, 168, 169, 170, 173, 174, 175, 176, 177, 178, 179, 180, 181, 185, 189
Hemetério 651
Henfil 48, 136, 516, 520, 524, 541
Henrichsen 168
Henrichsen, Leonardo 167
Henrique 402
Henrique, Carlos 306
Henry, Pedro 764
Herbert 460
Hércules, Zivi (indústria) 672
Herdy, Thiago 738, 739
Herzog, Clarisse 533
Herzog, Vladimir 30, 540, 724
Hipólito, Adriano (dom) 368
Hiram 560
Hiroaki, Torigoe 290
Hirzmann, Leon 563
Hitler 348, 393, 459, 768
Hitler, Adolf 520, 617, 802
Hoffmann 290, 291
Hoffmann, Gleisi 734
Holanda, Sérgio Buarque de 540
Holiday, Billie 63
Hollanda, Ana de 734
Hollanda, Chico Buarque de 194, 488, 578, 793
Hollanda, Sérgio Buarque de 120, 473
Holleben 778
Holleben, Von 391, 392, 393, 394, 395, 422, 423, 445, 777
Hollerbach, Ramon 764
Honório 390, 392
Hood, Robin 699
Hope, Bob 326
Horácio 606
Horta, Celso Antunes 755
Horta, Toninho 176
Houaiss, Antonio 21, 541
Huberman, Leo 434, 542

Hugo 39
Hummes, Cláudio 100, 116
Huttl, Marinho 392

Ianni, Otávio 760
Iara 55, 56, 140, 448, 451, 453, 466,
Iavelberg, Iara 55, 265, 444, 781
Ibrahim, José 284, 300
Idalísio 218
Idealina 636, 640, 642
Ieda 140
Igor 40, 41, 43
Illich, Ivan 517
Imaculada, Maria 191
Império, Flávio 563, 577, 580
Inácio 106, 607
Inácio, José 108
Índio 435
Isa 554
Iscariotes, Judas 330
Isha 583
Italianinho 639
Itamar 708
Ivan 140, 440, 442, 444, 447, 757
Ivo, Pedro 227
Ivone 265, 266

Jaccobi, Ruggero 764
Jacob 636, 644
Jacobbi, Ruggero 575
Jacques 342, 345, 348, 349, 357
Jadiel 458
Jagger, Mick 584
Jaguar (cartunista) 515, 516, 517, 519, 520, 521, 522, 523, 524, 698, 793
Jaime 107, 108, 230, 231, 313, 314
Jairzinho 788
Jambert 54
Jane, Dilma 40, 41, 42, 43, 44, 45, 49
Jango 134, 192, 432, 602, 603, 729
Jânio 134, 708, 729

OS VENCEDORES

Jan-Jan 745
Jansen, David 782
Japa, Mário 54, 85, 147, 741, 777
Jappe, Rita 601
Jara 786
Jara, Victor 487, 783
Jean 348
Jefferson, Roberto 247, 764
Jeová 288
Jesus 416, 420
Jiménez, José Vargas 235
JK 260
João 158, 347, 477
Joãozinho 435, 436
Joaquim 61, 140, 219
Joaquim, Ailton 770
Jobim, Antonio Carlos 488, 498
Jobim, Ligia 539
Jobim, Nélson 734
Jobim, Tom 479, 488, 521, 541
Jocafi, Antonio Carlos e 411
John e Yoko 801
John, Elton 784
Jonas 284
Jônatas 458
Jones, Edgar Angel 402
Jones, Sônia Maria de Moraes Angel 407
Jones, Stuart Angel 452
Jordão, Miranda Jorge 138, 142
Jorge ou Alex 384
Jorge, Ailton Guimarães 171, 373
José 190, 259, 416, 420, 477, 494, 498, 535, 537, 572, 784
José Ferreira de Melo (Frei Chico) 744
José, Carlos 482
José, Emiliano 652, 659, 779, 780, 781, 798
José, Paulo 564
Jost, Nestor 65
Jr., Alberto Mendes 797
Jr., Antonio Aggio 139
Jr., Avalone 263

Jr., Nicola Avallone 261
Juarez 55, 492,
Juca 684, 768
Judith 581
Juliana 477
Juliano, Randal 494, 788
Julião, Francisco 83, 175
Julinho 498
Jung, Carl 500
Junior, Alberto Mendes 449
Júnior, Altino Souza Dantas 755
Junior, Caio Prado 46, 760, 784
Júnior, Henrique Gonzaga 757
Junior, Itoby Alves Correia 318, 320
Júnior, José de Abreu 206
Junior, José Freire Felipe 653
Junior, José Pereira de Abreu 189, 198
Junior, Jutahy Magalhães 766
Junior, Modesto Ramone 791
Junior, Octávio Gonçalves Moreira (Otavinho) 274
Junior, Octávio Moreira Gonçalves (Varejeira) 760
Juscelino 432, 708, 729
Juvenal 54, 87
Juvenal/Juarez 89

Kael, Pauline 696
Kafka 620, 625, 627
Kafka, Franz 615
Kahn, Fritz 537
Kaiano, Rioco 226, 241
Kamayana, Suely Yumiko 757
Kanayama, Suely Yumiko (Chica) 238
Karl 620
Kaustky, Karl 738
Keisermann, Nara 201
Kennedy 428, 434
Kennedy, Bob 271
Kennedy, John 144, 432
Kennedy, Ted 407
Keramane, Hafid 90

Kéti, Zé 47, 485
Kfouri, Juca 620
Kiefer, Sandra 739
Kimble, Richard 458
King, Martin Luther 144, 271
Kirchner, Néstor 706
Kissinger, Henry 408
Klaus 348
Knapp 333, 616, 617, 618, 619, 620, 621, 622, 623, 625, 626, 627, 629
Knapp, Carlos Henrique 332, 615, 699, 795, 805
Kolbe, Maximilian 158
Kostakis, Alik 533
Kotscho, Ricardo 781
Koutzii, Flávio 672, 798
Kozel 794
Kruel 533
Kruel, Amaury 532, 546
Krushev, Nikita 83
Kubitschek, Juscelino 348, 404, 406, 694, 735, 745, 765, 775
Kun, Bela 532
Kushnir, Beatriz 138, 140, 745, 746

La Femme, Camille 542
Labaki 579
Labaki, Aimar 576, 793
Lacerda 24, 405, 428, 432, 457, 485, 776
Lacerda, Carlos 368, 404, 431, 443, 694, 735, 765, 775
Lacerda, Carlos Frederico Werneck 775
Lacerda, Flávio Suplicy de 268, 751
Lacerda, Genival 294
Lacerda, Maurício Paiva de 775
Lacerda, Sônia 49
Lacerda, Suplicy de 751
Lacerdinha 475
Lacombe, Américo 616, 617
Lacombe, Américo Lourenço Masset 795

Lafoz, Sônia 391, 771
Lago, Mário 541, 564
Laino, Omar 194, 278
Laís 351, 352, 353
Lamarca 54, 55, 87, 94, 139, 228, 354, 396, 397, 441, 442, 443, 444, 447, 448, 449, 450, 451, 452, 453, 454, 455, 456, 465, 466, 467, 468, 481, 494, 497, 562, 654, 694, 696, 779, 780, 781, 809
Lamarca, Carlos 54, 81, 84, 265, 281, 402, 440, 448, 456, 561, 669, 694, 741, 767, 769, 777, 780, 788, 797, 798
Lamas, Jacinto 764
Lampião, Benedito 576
Lana, Antônio Bicalho 408, 709
Landau, Saul 152
Lanzetta, Luiz 5
Lanzmann, Claude 320
Lapa, Ronaldo 773
Lara, Maurício 750
Lara, Odete 520, 566, 786
Latorraca, Ney 564
Lauria 752
Lauria, Celso 773
Lauro 755
Lavecchia 449
Lavecchia, José 448
Lázaro 154
Lázaro, Marcos 788
Le Cocq, Milton 787
Leão, Nara 485
Leão, Rafton Nascimento 798
Lebauspin, Yves 148, 329
Lebret 376
Lebret, Louis-Joseph 144, 319, 770
Lee, Rita 506, 579
Leite, Afonso Celso Lana 170
Leite, Domingos (frei) 147
Leite, Eduardo Coleen 391
Leite, Eduardo Coleen (Bacuri) 155
Leite, Pedro Dias 754

OS VENCEDORES

Leme, Álvaro Paes 533
Lemmertz, Lilian 561
Lemos, Nina 766
Lena 230, 231
Lenin 85, 379, 387
Lênin 46, 54, 228, 229, 421, 436, 448, 679
Lennon, John 584, 712
Leonor 87, 193
Lesbos, Heloísa de 576
Lessa, Ivan 515, 524, 793
Lewandovsky, Ricardo 804
Lia 84
Liana 563
Liliana 447
Lilico 788
Lima, Almir Custódio de 657
Lima, Gilberto Faria 451
Lima, Gilberto Faria 797
Lima, João Gabriel de 759, 763
Lima, Jorge da Cunha 533
Lima, Josael de (Jota) 782
Lima, Manuel de 780
Lima, Manuel Leal 756
Lima, Manuel Leal (Vanu) 235
Lima, Maurício Lopes 58, 150
Lima, Raul Nogueira de (Raul Caneca) 273, 582
Lima, Tito de Alencar (frei) 147, 152, 181, 214, 740, 747, 748
Lima, Walder Xavier 652, 655, 656
Lindu 107, 108
Linguinha 58, 59
Linhares, Cláudio Galeno de Magalhães 49
Lino, Wagner 743
Lins, Ivan 369
Lisboa, Apolo Heringer 46, 170
Lisboa, Capitão 15, 30, 140, 238, 746
Lisboa, Manoel Rodrigues Carvalho de 793
Lisbôa, Suzana Keniger 780
Lisboa, Tejera (Ico) 674

Lívia, Zana 40, 65
Lobato, Monteiro 43, 44, 62, 641
Lobo, Edu 477, 485, 490, 784
Lona, Fernando 483
Lopes, Juliana 742
Lopes, Margarida Maria do Amaral 350
Lopes, Moacir Araújo 378, 502, 542, 771, 789, 791
Lopez, Emilio Mira y 790
Lot 190
Lot & Abreu 190
Lot, Gilda Thereza 190
Lott, Henrique Teixeira 745
Lourdes 656
Louzeiro 542
Louzeiro, José 541
Loyola, Leandro 739
Lucas 316
Lucas, Cantina do 47
Lucas, Fabio 540
Lucas, George 748
Lucena, Ariston 451, 780, 797
Lucena, Ariston Oliveira 441, 755, 778
Lucena, Damaris 147
Lucena, Eleonora de 799
Luchini, Marco Antonio 235
Lucia 367
Lúcia 358, 361, 362, 363, 364, 365, 366, 367, 369, 370, 371, 372, 374, 375, 376, 377, 379, 448, 724
Lúcia, Ana 483, 785
Lúcia, Carmen 804
Lúcia, Maria 783
Lúcifer 399
Lúcio 5
Luís, Edson 206, 270, 275, 434
Luiz Inácio 106, 112
Luiz, Edson 331, 760
Luíza, Maria 365
Lula 19, 61, 65, 66, 67, 69, 73, 96, 100, 101, 102, 103, 104, 105, 106, 107, 108, 109, 110, 112, 113, 114, 115,

116, 117, 118, 119, 120, 121, 122, 126, 128, 129, 242, 245, 246, 296, 297, 298, 332, 589, 608, 623, 642, 698, 700, 721, 734, 741, 744, 759, 763, 809
Lulu 334
Lulu 316
Lungaretti, Celso 741, 780
Lupion, Moisés 764
Lurdes, Maria de 111
Lurian 743
Luxemburgo, Rosa 46, 675, 737, 738
Luz, Estrôncio 460
Lyra, Carlos 482
Lyra, Fernando 119
Lyuben 42, 237

Maçã Dourada 267
Macaco, Sérgio 405, 406, 407, 774
Macedo 102
Macedo, Araripe 407
Macedo, Joaquim Manuel de 559
Macedo, Murilo 101, 105
Macedo, Nilo Menezes 170, 171
Machado, Antônio Joaquim 176
Machado, Homero César 150
Machado, Luís Raul 270, 277
Machado, Márcio Beck 290, 763
Machado, Márcio Beck (o Tiago) 142
Machado, Wilson 769
Machado, Wilson Chaves 369
Maciel 521, 522
Maciel, Lício 234
Maciel, Luis Carlos 575
Maciel, Luiz Carlos 515, 518, 698, 789, 790
Mader, Malu 783
Magalhães, Antonio Carlos 26, 298, 659
Magalhães, Heloísa Helena (Maçã Dourada) 266
Magalhães, Juraci Batista 117, 743

Magalhães, Juracy 324, 766
Magalhães, Mário 325, 348, 746, 747, 765, 766, 767
Magalhães, Vera Sílvia 399, 770
Magalhães, Vera Sílvia Araújo de 282, 363, 372
Magaly 516
Magnani, Anna 696, 801
Magro 435
Maia, Agripino 61
Maia, Carlito 696
Maiden, Iron 789
Malamud, Bernard 58
Malina 584
Malina, Judith 583, 584, 794
Malta 406
Malta, Ricardo 768
Maluf 26, 28
Maluf, Antonio 617, 795
Maluf, Paulo 145
Mamberti, Walkíria 554
Mané 578
Mané/Peréio 793
Mangabeira, Artur 64, 674
Manuel 563
Mao 387, 421, 448, 765
Maranhão, Bruno 661
Marat 635
Maravilha, Elke 564
Maravilha, Jorge 498
Marchetti, Ivens 284, 300
Márcia 178, 179
Márcio 289
Márcio (Borges) 176
Marcos 111, 658
Marcos, Antonio 500
Marcos, João (Flaquer) 557
Marcos, Plínio 555, 560, 585, 792
Marcuse 376, 377
Marcuse, Herbert 382, 712, 770
Margarida (Guida) 351
Margô 358, 362
Margot 351

OS VENCEDORES

Marguerite 348
Maria 212, 213, 214, 347, 416, 420, 562, 784
Maria (dona) 346
Maria, Angela 785
Maria, Filho de 406
Maria, José 535
Mariana 241
Mariath 144
Mariath, Jaime Miranda 143
Maricato 273
Maricato, Percival 264
Marieta, Afrânio 64
Marighella 142, 143, 147, 148, 228, 283, 286, 287, 288, 291, 314, 316, 319, 320, 321, 322, 324, 325, 326, 327, 328, 329, 330, 331, 332, 333, 334, 336, 338, 340, 346, 352, 354, 455, 466, 488, 494, 495, 561, 562, 604, 619, 620, 621, 626, 637, 641, 696, 714, 747, 765, 766, 767, 788, 795, 809
Marighella, Augusto 322
Marighella, Carlos 137, 162, 216, 314, 321, 481, 745, 767, 788
Marilena 366, 367, 382
Marilene 366
Marília 550, 553, 555, 559, 560, 561, 563, 564, 565, 571, 784
Marín, José Maria 555
Marina 698
Marinho 433, 712
Marinho, Roberto 713
Marini 684
Marini, Ruy Mauro 683, 737
Mário, Padrinho 415
Maris, Mona 39
Marisa 73, 111, 114
Mariz, Dinarte 541, 549
Marques, Jarbas Pereira 458
Márquez, Gabriel García 57
Marquito 317, 618, 619, 627
Marra, Carlos 220
Marreco 773
Marta 372
Martin, George 477, 784
Martini, Joana 696
Martini, Marcos Alberto 796
Martino (dom) 662
Martino, Renato 661
Martins, Delfim 768
Martins, Franklin 30, 67, 143, 213, 278, 280, 283, 733, 736
Martins, Franklin de Sousa 282
Martins, José de Souza 273, 759
Martins, Lúcia Regina de Souza (Regina) 223
Martins, Maria Celeste 674
Martins, Paulo Egydio 714
Marx 46, 156, 162, 228, 377, 387, 434, 436, 448, 475, 478, 634, 641, 644, 698, 765
Marx, Karl 144, 500, 617, 775
Massa, Boanerges 290
Massa, Boanerges de Souza 143, 289, 616, 762
Mastroianni, Marcelo 790
Mateus 299, 311, 312, 313, 314, 315, 316, 332, 334
Mathieu e Boris 47
Matogrosso, Ney 369
Matos, Gregório de 322
Maurício 173
Maurício (ex-frei) 148
Mauro 41, 42
Mautner, Jorge 580
Max 76, 79, 80, 81, 82, 84, 91, 94
Máximo 761
Máximo, Francimá de Luna 286
Mayr, Eduardo 290
Maysa 785
McCartney e Lennon 476
McQueen, Steve 522
Medaglia, Júlio 480
Medalha, Marília 564
Medeiros 61

Medeiros, Luis Felipe de 803
Medeiros, Marcos 278
Medeiros, Rogério 768, 769, 802
Médici 24, 25, 27, 33, 72, 141, 149, 179, 237, 238, 497, 498, 515, 517, 525, 526, 584, 633, 639, 649, 677, 707, 708, 709, 710, 711, 726, 748, 749
Médici, Emílio Garrastazu 23, 177, 710, 734, 735
Médici, Garrastazu 58, 315
Médici, Scila 179
Meirelles, Hely Lopes 556
Meirelles, Henrique 246
Meirelles, Roberto 192
Melhem, José Roberto 312
Mello, Carlos Henrique Gouveia de 293
Mello, Celso de 263, 804
Mello, Fernando Collor de 28, 121, 564, 743
Mello, Gouveia de 295
Mello, Humberto de Souza 238
Mello, Kátia 740
Mello, Márcio de Sousa 424
Mello, Marco Aurélio 750, 804
Mello, Osvaldo Aranha Bandeira de 267
Mello, Zuza Homem de 486, 499, 515, 785, 789
Melo, Eurídice Ferreira de 106
Melo, Francisco Correia de 735
Melo, Jorg José de 802
Melo, José Ferreira de 106, 742, 743
Melo, Márcio de Sousa 404
Melo, Márcio de Sousa e 650
Melo, Marco Aurélio 804
Melo, Reinaldo José de 173
Mendes, Bete 244, 679, 693, 758, 799
Mendes, Cássio Gabus 783
Mendes, Chico 118, 242, 758
Mendes, Gilmar 804
Mendonça, Gregório 755

Mendonça, Martha 770
Mendonça, Osmar 101
Mendonça, Osmar Santos de 117, 744
Meneghelli, Jair 120
Menezes 137, 162, 333
Menezes, Gilson 115, 117, 743
Menezes, Juvêncio de 392
Menezes, Rogério 676, 799
Menge, Cláudia de Lima 800
Menicucci, Eleonora 734
Mercadante, Aloizio 734
Merlino 800
Merlino, Luiz 745
Merlino, Luiz Eduardo da Rocha 139, 678
Merlino, Tatiana 746, 794
Mesquita 712
Mesquita, Cláudio 459
Mesquita, Evandro 787
Mesquita, Ruy 243
Meza, Luiz Garcia 767
Mica 41
Michalski, Yan 734, 793, 794
Mickey 41
Milanez, Paulo 684
Miller, Arthur 792
Millor 527
Millôr 516, 519, 521, 523, 524
Milos, Forman 748
Miltinho 409
Minc 434
Minc, Carlos 433, 460, 733
Minelli, Liza 403
Ming 39
Minh, Ho Chi 387, 421, 684
Mir, Luís 765, 795
Miranda, Carmen 589
Miranda, Leonel 318
Miranda, Nilmário 289, 657, 733, 746, 755, 756, 757, 760, 762, 763, 768, 774, 797
Miranda, Oldack 779, 780, 781
Miranda, Tavares de 533

OS VENCEDORES

Miró, Joan 320
Miruna 241
Mitchell, José 761
Mitrione 172
Mitrione, Daniel (Dan) 750
Mitterrand, François 783
Mocinha 107, 108
Moisés 388
Moitinho, Vitorino Alves 657
Molina, Flávio 290
Mombach, Oscar 795
Mondim 771
Mondim, Guido 378
Mônica 388, 390, 401
Monicelli, Mário 688, 798
Monnerat, Elza 231, 754
Monroe, Marilyn 500
Montand, Yves 320, 747
Monteiro, Dilermando 114
Monteiro, José Roberto 172
Montello, Josué 374, 770
Monticelli, Mário 672
Montoro, Franco 268
Moraes, João Luiz de 408, 774
Moraes, Sônia 709
Moraes, Vinicius de 475, 483, 497, 498, 522
Morais, Fernando 314, 789
Morais, José Carlos de (Tico-Tico) 534
Morais, Taís 238, 757
Morais, Vicente Magalhães 649, 650
Morato, Estela 329
Moreira, Airto 483
Moreira, Cid 726
Moreira, Gil 784
Moreira, Gilberto Gil Passos 474
Moreira, Manuel 787
Moreira, Mila 787
Moreira, Renato 144
Morin, Edgar 352, 356, 768
Moro, Aldo 442, 778
Morricone, Ennio 496
Mortatti, Adalberto 290

Mortatti, Aylton Adalberto (o Romualdo) 142
Mota, Orlando Francelino 744
Mota, Sebastião 417
Mota, Sílvio 776
Mota, Sílvio Vasconcelos 762
Mota, Urariano 783
Motta, Jair Gonçalves da (Capitão) 773
Motta, Rodrigo Patto Sá 779
Motta, Sérgio 734
Motta, Zezé 554, 560, 563, 564
Moulin, Jean 349
Moura, Enilson Simões de 101, 117, 743
Moura, José Sebastião Rios de 282
Moura, Pedro Marcondes de 740
Moura, Sebastião Alves de (Curió) 235
Moura, Sebastião Rodrigues de 754
Moura, Wagner 693
Mourão 533
Munhoz, Daniel 781
Muniz (doutor Luiz) 773
Murat, Lúcia 362, 694, 723
Murilo 171, 540
Mussolini 149
Mussolini, Benito 347, 802
Mussum 155

Nagib 367
Nahas, Jorge 170
Nahas, Maria José 170
Nair 63, 333, 342, 345, 346, 347, 348, 349, 350, 353, 355, 357, 698
Nandi, Ítala 535
Napolitano, Marcos 785
Nara 784
Nascimento, Jutahy Magalhães 766
Nascimento, Milton 47, 63, 153, 176, 541, 777
Nassif, Luis 760
Natália 395
Nathan 634

Nazareth, Helenira Rezende de Souza 231
Nazareth, Helenira Rezende de Souza (Nega ou Fátima) 752
Neguinha 453
Neto, Antonio Henrique Pereira 715
Neto, Coelho 370
Neto, Geneton Moraes 784, 787
Neto, João Cabral de Melo 194, 489, 585
Neto, João Salmito 211
Neto, José Genoíno 213
Neto, José Luiz Coelho 370, 718, 769
Neto, Júlio de Mesquita 789
Neto, Odilo Costa (grêmio) 433
Neto, Paulo Vidal 111
Neto, Prudente de Morais 541
Neto, Torquato 476, 480, 482
Neto, Valdemar Costa 764
Netto, Araújo 623
Netto, Delfim 765
Netto, José Luiz Coelho 803
Netto, Manoel Cyrillo de Oliveira 282, 755
Netto, Marcello 768, 769
Netto, Marcelo 802
Neusa 189
Neves, Aécio 701
Neves, Maria Laura 739
Neves, Tancredo 26, 735, 758
Nichols, Mike 748
Nicolau II 58, 72
Niemeyer 622
Niemeyer, Oscar 48, 368, 622, 641
Nietzsch, Friedrich 272
Nilda 454
Nildes 154
Nilo 190
Nique, Walter Meuci 740
Nixon, Richard 285
Nobre, Freitas 661
Nóbrega 88
Nóbrega, José Araújo 780

Nóbrega, José Araújo de 86, 741
Nogueira, Bruno Torturra 775
Nogueira, Rose 350, 796
Noriega, Manuel 399
Norminha 387, 388, 389, 390, 395, 417
Nossa, Leonêncio 236, 755, 756, 757
Novaes, Willian 5
Nunes, Aloysio 734
Nunes, Augusto 744
Nunes, Clara 788
Nunes, Francisco 47
Nunes, Luiz Paulo da Cruz 761
Nunez, Pedro Pablo Barrientos 785
Nuzzi, Víctor 786
Nuzzi, Vitor 802

Ohtake, Ricardo 562
Oiticica, Hélio 461, 478, 494
Ojeda, Igor 794
Okuchi, Nobuo 392
Okushi, Nobuo 147
Olderico 452, 454
Olga (mãe de Dirceu) 260, 268, 295
Oliveira, Ademar Augusto de (Fininho) 155
Oliveira, Ana de 785
Oliveira, Dante de 735
Oliveira, Dickson do Amaral 48
Oliveira, Diógenes de Carvalho 147
Oliveira, Diógenes José Carvalho de 583
Oliveira, Elizabete Mendes 675
Oliveira, Fortunato 774
Oliveira, Francisco José de 290
Oliveira, Genésio Homem de 148
Oliveira, Gerson Theodoro de (Ivan) 778
Oliveira, Gilson Teodoro de 796
Oliveira, José Reis de 171
Oliveira, Juca de 676
Oliveira, Juscelino Kubitschek de 260
Oliveira, Leonora Rodrigues de 762

OS VENCEDORES

Oliveira, Nilo Sérgio de (Nilão) 118
Oliveira, Octávio Frias de 138, 297, 724
Oliveira, Ozeas Duarte de 755
Oliveira, Synésio de 714
Oltramari, Alexandre 769, 804
Ono, Yoko 584, 712
Oppenheimer, Bárbara 520
Orlando 24
Ornelas, Nivaldo 175, 751
Orwell, George 146, 768
Osborne, Ozzy 789
Osmar 297
Osmarzinho 101
Osvaldão 217, 218, 220, 232, 233, 237, 752
Oswald 576
Ota, André 755
Ota, André Tsutomu 762
Otávio, Angelo 762
Otávio, Chico 770
Otelo, Grande 777
Otero, Jura 554
Otoniel 452, 454, 456
Oyama, Thaís 759, 763
Ozawa, Chizuo 85, 147, 777
Ozawa, Shizuo 54

Pacheco Filho, Calino 5
Pacheco, Arlette 621
Pacheco, Marcos 533
Padilha, Alexandre 734
Paes, Dira 693
Paes, Eduardo 708
Paiva, Maurício 170, 171, 773
Paiva, Miguel 520
Paixão, Marcelo Araújo 370
Palmeira, Vladimir 195, 213, 278, 279, 300, 563, 759, 761
Palocci, Antonio 734
Paraná, Denise 742, 743, 752, 757
Paraná, Luiz Carlos 562

Paris, Rosa de 319
Parisi 760
Pascoal (doutor) 396, 411
Pasolini, Pier Paolo 320, 584
Passoni, Irma 244
Patarra, Judith 265
Paula 65, 73, 414
Paula, Jorge Aprígio de 760
Paulino, Lourival Moura 225
Paulista 437, 440, 448
Paulista (ou Cláudio) 436
Paulo 83, 158, 402, 683
Paulo (dom) 117
Paulo e Fernando 775
Paulo VI 715
Paupério, Helder Machado 657
Paz, Carlos Eugênio Sarmento Coelho da 287, 762
Paz, Cristiano 764
Paz, Marcos 706
Pazzianotto, Almir 112
Pedro 40, 41, 42, 43, 44, 158, 259, 784
Pedro I (dom) 515
Pedro II (dom) 413
Pedrosa, Mário 120, 580
Pedroso, Bráulio 561, 675
Pedroso, João Amazonas de Souza 216
Pedrozo 237
Pedrozo, Germano Arnoldi 237
Peixinho 235
Pelé 152
Pellegrino, Hélio 400, 427, 773, 777
Pelou 441
Pelou, François 440
Peluso, Cézar 804
Penna, José Roberto 534
Pêra, Marília 554, 558, 559, 595, 696, 805
Perdigão 368, 369, 370
Peréio 563
Peréio, Paulo César 555, 578
Pereira, Argemiro 88
Pereira, Caio Mário da Silva 230

Pereira, Francelino 24, 741
Pereira, Freddie Perdigão 367
Pereira, Freddie Perdigão (Nagib) 773
Pereira, Jairo 222
Pereira, José Canavarro 620, 681
Pereira, José Severino 657
Pereira, Milton Corrêa 134
Pereira, Waldemar Henrique da Costa 482
Pereira, Zilda Xavier 326
Peres, Aurélio 103
Pereyron, Renan 601
Perícoli, Emílio 496
Perón, Juan Domingo 779
Perosa, Antonio 38
Perosa, Antonio de Pádua 200
Perrone, Henrique 155
Persio 679, 680, 681, 688
Person, Luis Sérgio 544
Pessoa, Samuel Barnley 784
Pessoa, Samuel Barnsley 141
Pestana, Augusto 372
Petit, Maria Lúcia 237
Pezzuti, Angelo 61, 777
Piao, Lin 218, 753
Picchio, Luciana Stegagno 538
Pimenta, Aluísio 170, 749
Pimentel, Fernando 170, 734
Pimentel, M.T. 771
Pimentel, Paulo 23
Pingo 41, 563
Pinheiro, Álvaro de Souza 224
Pinheiro, Ênio 224
Pinheiro, José Silton 655
Pinheiro, Paulo Sérgio 720
Pinheiro, Wilson de Souza 118, 744
Pinochet 182, 708, 722
Pinochet, Augusto 146, 746, 749, 800
Piñon, Nélida 540
Pinter, Harold 585
Pinto, Almir Pazzianotto 743
Pinto, Álvaro Vieira 491
Pinto, Chico 661

Pinto, Feliciano 366
Pinto, Francisco 119, 661
Pinto, Guilherme da Costa 194
Pinto, Heloísa Eneida Menezes Paes (Helô) 521
Pinto, Heráclito Fontoura Sobral 327
Pinto, Heráclito Sobral 177
Pinto, Juarez Paes 521
Pinto, Magalhães 33, 303
Pinto, Marilene Villas-Boas 365
Pinto, Onofre 284, 300
Pinto, Souza 190
Pinto, Ziraldo Alves 513
Pires, Luiz Carlos 179
Pires, Tito Vespasiano Augusto César 323
Pitanga, Camila 693
Píter 143
Píter, Carlos Alberto 142
Pitmann, Eliana 787
Pizzolatto, Henrique 764
Plassat, Xavier 153, 749
Poe, Edgar Allan 261
Poeck, João Alfredo 412, 772
Poeck, João Alfredo (doutor Flávio ou doutor Roberto) 773
Politi, Maurice 158
Polônio, Sandro 562, 792
Pomar, Pedro 239, 253, 753
Pomar, Wladimir 753
Pont, Raul 672, 798
Ponte Preta, Stanislaw 520, 790, 794
Ponte, Sylvia Peroba Carneiro 762
Pontes, José Aníbal Peres 50
Pontes, José Aníbal Peres de 750
Pontes, Lourdes Maria Wanderley 656
Pontes, Paulo 651
Popovic, Pedro Paulo 623
Portela, Fernando 243, 758
Portinari, Cândido 641
Porto, Sérgio 520
Povoreli, Marco Antonio 770
Powell, Baden 483

OS VENCEDORES

Pozzobon, Cris 5
Prado, Almeida 190
Prado, Décio de Almeida 541
Prado, Gary 172
Prado, Osmar 564, 693
Prata, Mário 366, 382, 498
Prata, Mário de Souza 363
Pratz, Rudi 64
Preis, Arno 290, 317, 318, 763
Presley, Elvis 264
Prestes 636, 755
Prestes, Carlos 229
Prestes, Luís Carlos 112
Prestes, Luiz Carlos 65, 229, 325, 327, 336
Preta 784
Pretti, Lucas 750
Priolli, Gabriel 786
Ptrats, Carlos 168
Pudim, Raul 767
Pudim, Raul 143, 346

Quadrado, Enivaldo 764
Quadros, Jânio 133, 269, 372, 406, 735, 775
Quadros, Jânio da Silva 745
Quaresma, Edson Neves 780
Queiroz, Agnelo 734
Queiroz, Romeu 764
Quintana 255
Quintana, Mário 248, 541

Rabello, Kátia 764
Rademacker, Augusto 735
Rademaker, Augusto 650, 709
Radke, Paulo 755
Rafton (Gordo) 670
Rakundianai 800
Ramalho, Elba 369
Ramos, Alberto (dom) 134
Ramos, Carlos Augusto 298

Ramos, Graciliano 641
Ramos, José Adeildo 656
Ramos, Rodrigo Octávio Jordão 177
Rangel, Flávio 515, 516, 517, 525, 793
Rangel, Ignácio 793
Raoni (cacique) 404
Raquel 5
Ratton 168, 170
Ratton, Antonio Carlos 169
Ratton, Helvécio 805
Ratton, Helvécio 48, 168, 694
Ratton, Luiz 169, 179
Ratton, Luiz Felipe 153
Raul 501, 502, 686
Ravache, Irene 560, 676
Raw, Isaías 784
Raymundo, Antonio 441
Ré, Carlos Alberto Tejera de 66
Ré, Carlos Tejera da 740
Reale, Miguel 793
Rebelo, Aldo 734
Regina, Elis 63, 136, 475, 485, 564, 565, 684
Regis 80
Régis, Dirceu 652
Régis, Irlando de Souza 391
Rego, Norma Pereira 516, 789
Rego, Ricardo Vilasboas Sá 300
Reich, Wilhelm 377
Reichstul, Pauline 458
Reis, João Pedro Rodrigues 604
Reis, José Carlos Cavalcanti 290
Renata 291, 666, 675, 676
Renata/Bete 675
Renato 675, 679, 682, 688
Requião, Roberto 563, 792
Resende, Mario Augusto 782
Reyes, Lauriberto José 290, 356
Reys, Lauriberto José 346, 767
Rezende, Helenira 215
Rezende, José Roberto 442
Rezende, José Roberto (Ronaldo) 778
Rezende, José Roberto Gonçalves de 391

Rezende, Osvaldo 153
Rezende, Paulo Malta 774
Rezende, Ricardo 799
Ribas 282
Ribas, Antonio Guilherme 278
Ribas, Antonio Guilherme Ribeiro 761
Ribeiro 87
Ribeiro, Benedito Valadares 758
Ribeiro, Cláudio 84
Ribeiro, Cláudio de Souza 741
Ribeiro, Darcy 323
Ribeiro, Kátia 790
Ribeiro, Marco Aurélio 278, 295
Ribeiro, Maria Ângela 761
Ribeiro, Roberto 755
Ribeiro, Sinésio Martins 236
Ribeiro, Vicente Bastos 86
Ricardo 560, 561
Ricardo, Osni 275
Ricardo, Sérgio 479
Ridenti 373, 375
Ridenti, Marcelo 364, 759, 770
Rimbaud, Arthur 7
Rioco 248
Rios, Adalgisa 502
Rios, Cassandra 542
Ristum, André 736
Roberto (cantor Roberto Carlos) 444, 788
Roberto (doutor) 396, 412, 772
Roberto, Marcos 263
Rocco e Casa 111
Rocco, Carmine (dom) 661
Rocha, Adair 799
Rocha, Edson Sá 769
Rocha, Glauber 47, 173, 320, 337, 478, 520, 576, 580
Rocha, Guido 50
Rocha, Itamar 406
Rocha, João Augusto de Lima 766
Rocha, João Leonardo da Silva 284, 290, 293, 300, 317
Rocha, Leonel 739

Rocha, Osvaldo 755
Rockfeller, Beto 675, 676, 799
Rodger, George 768
Rodrigues, Bispo 764
Rodrigues, Darcy 89, 449, 741
Rodrigues, Fernando 737
Rodrigues, Jair 483, 485
Rodrigues, Nélson 525, 585, 587, 712, 792
Rodrigues, Ranúsia Alves 657
Rodriguez, Sílvio 684
Rogério 477
Rogers, Kenny 784
Rohmann, Friedrich 329
Rohrsetzer, Átila 674, 746, 799
Rohrsetzer, Attila 144
Roig, Vicente 759
Roland, Gilbert 39
Rolim, Salatiel 289
Rolland, Jean-Claude 156, 749
Rollemberg, Denise 290, 762
Romário, José 558
Romeiro, Georgina 657
Romeu, Inês Etienne 55, 90, 176, 375, 442, 741, 792
Romilda 351
Ronan 241, 248
Ronnie, Von 265
Roque 140
Rosa 80, 535, 537, 663, 666, 675, 676, 687
Rosa, Aracy Moebius de Carvalho Guimarães 490
Rosa, Aracy Moebius de Carvalho Guimarães 787
Rosa, João Guimarães 787
Rosa, Maria Luíza Garcia 361
Rosário 769
Rosário, Guilherme Pereira 369
Rosemary 500
Rosemberg, Ethel 635
Rosmã, Messiê 622, 625
Rossetto, Miguel 734

OS VENCEDORES

Rossetto, Miguel 734
Rossi 149
Rossi, Agnelo 148
Rossi, Francisco 297
Rossmann 612, 620
Rossmann, Anne Marie 620
Rossmann, Henrique 608, 615, 623
Rossmann, Maria Jensen 620
Rossmann/Knapp 616
Rousseff 39, 40, 41, 43, 45, 48
Rousseff, Dilma 19, 20, 21, 28, 81, 89, 151, 170, 316, 350, 634, 635, 669, 701, 706, 721, 722, 733, 734, 738, 739, 740, 753, 754, 767, 795, 805,
Rousseff, Dilma Vana 66
Rousseff, Lyuben-Kamen 737
Rousseff, Pedro 42, 45, 737
Rousseff, Pétar 42
Ruaro, João 739
Rubens 107
Rubião, Murilo 540, 694
Rui 603
Rui (doutor) 87, 189, 741
Russell, Bertrand 320, 765
Russo 434, 436
Rutrh 107
Ruy 606

Sá, Glênio 232
Sá, José Aurélio Valporto de 761
Sabag, José Wilson Lessa 268, 291, 759
Sabino, Fernando 48
Sabóia, Valdir Sales 656
Sachs, Eric 737
Safatle, Cláudia 735
Safatle, Vladimir 803
Saillard, Michel 156
Salazar, Flávio de Oliveira 236
Saldanha, João Alves Jobim 315
Salém, Helena 773
Sales, Eugênio (dom) 658
Salgado, João Lopes 372

Salgado, José Lopes 282
Salgado, José Roberto 764
Salgado, Plínio 205, 573, 593
Salgado, Sebastião 331, 767
Salles, Antonio Pinheiro 755
Salles, Eugênio de Araújo (dom) 797
Samarame, Vinícius 764
Sampaio, Cantídio 748
Sampaio, Carlos 316
Sampaio, Luiz Antonio 391
Sampaio, Plínio de Arruda 20, 622
Sanches, Pedro Alexandre 793
Sandália, Fernando 655, 656
Sandra 560
Sandro 562
Santa Bárbara 454, 456
Santa Bárbara, Luiz Antonio 452
Santana, Job 769
Santiago, Rodrigo 554
Santo, Qorpo 585
Santos, Adilson Ferreira dos 674
Santos, Agostinho dos 785
Santos, Ângelo Oswaldo de Araújo 49
Santos, Demerval Ferreira dos 318
Santos, Edson 803
Santos, Fabio Oscar Marenco dos 755
Santos, Francisco Bernardo (Bernardão) 764
Santos, Georgina Romeiro dos 651
Santos, Jacinto Ribeiro dos (o Lambari) 111
Santos, João Batista dos 744
Santos, Joel Rufino dos 227
Santos, José Anselmo dos 289, 456, 780
Santos, Lucélia 564
Santos, Marcos Vinícios Fernandes dos 796
Santos, Maria Lúcia 37
Santos, Maria Rita dos 322
Santos, Modesto Ferreira dos 657
Santos, Nélson Pereira dos 541
Santos, Osmar 296
Santos, Paulo de Tarso 136

Santos, Roberto Blanco dos 657
Santos, Rui 52
Santos, Silvano Amânciodos 318
Santos, Sílvio 587, 788
Santos, Theodomiro dos 737
Santos, Theodomiro Romeiro dos 805
Santos, Theodomiro Romeiro dos 650, 660, 699
Santucho, Amílcar 459
Sapalding, Esperanza 785
Sardinha (bispo) 589
Sardinha, Pero Fernandes 794
Sarmento, Sizeno 786
Sarney 28, 29, 119, 297
Sarney, José 26, 28, 298, 678, 743, 749
Sartre 45, 321, 352, 399, 764
Sartre, Jean-Paul 47, 320, 337, 362, 574, 585, 587, 765, 783, 792
Sautchuck, Jaime 753
Savassi, José Guilherme 39
Scalco, João Batista 799
Scavone, Artur Machado 755, 762
Schemberg, Mário 760, 784
Schiller, Gustavo 86
Schiller, Sílvio 87
Schindler, Oskar 787
Schreier, Chael Charles 751
Schwartz 479
Schwartz, Roberto 474, 478, 636, 751, 784, 785, 796
Scliar, Moacir 520
Sebá 460
Sebastião 212, 213, 214
Sedaka, Neil 264
Sedova, Natalia Ivanovna 394
Seelig, Pedro 674, 799
Seixas, Ieda 746
Seixas, Joaquim 152
Seixas, Joaquim Alencar 140
Seixas, Raul 487, 500, 502, 503, 789
Seleme, Ascânio 754
Sencini, Ernesto 744
Senna, Abdon 23, 654

Senna, Abdon 797
Sento Sé, Elza 326
Serge, Victor 773
Sérgio 406, 506, 516, 518, 519
Serra, José 20, 269, 542, 734
Sesso, Vicente 262
Severino 435
Severo, Marieta 496, 558, 577, 595
Seymour, David 768
Sfat, Dina 564
Sganzerla, Rogério 581
Shakespeare 22, 587
Shakespeare, William 584
Shere, Hite 542
Sidarta 44
Sigaud (dom) 383
Sigaud, Geraldo de Proença (dom) 771
Sigaud, Jaime de Proença 377
Silton, José 656
Silva 106, 108, 109
Silva, Abel Custódio da 282
Silva, Abílio José da (doutor Pascoal) 773
Silva, Agonaldo Pacheco da 284
Silva, Agonalto Pacheco da 300
Silva, Aguinaldo 180
Silva, Angelo Pezzuti da 170, 171
Silva, Antonio Freitas da (Baiano) 284
Silva, Armando Sérgio da 793
Silva, Arthur da Costa e 735
Silva, Basílio Constâncio 220
Silva, Benedita da 298
Silva, Benedito 576
Silva, Cecildes Moreira da 171
Silva, Cláudio Torres da 282
Silva, Costa e 20, 27, 92, 285, 318, 650, 707, 708, 709, 724, 725
Silva, Deonísio da 734, 791
Silva, Dilma Jane Coimbra 42
Silva, Eduardo Requião de Mello 792
Silva, Eudaldo Gomes da 458
Silva, Eumano 739
Silva, Francisco Gomes da 755

OS VENCEDORES

Silva, Francisco Gomes da (Davi) 616
Silva, Gama e 784
Silva, Genival Inácio da (o Vavá) 107, 742
Silva, Golbery do Couto e 709, 734
Silva, Hamilton Pereira da 755
Silva, Hélio 540, 773
Silva, Ilda Martins da 350
Silva, Jaime Petit da 230
Silva, João Domingos da 86
Silva, José Banhares da 391
Silva, José Carlos Becker de Oliveira e 296, 763
Silva, José Dirceu de Oliveira e 259, 805
Silva, José Francisco da 744
Silva, José Manuel da 458
Silva, José Timóteo da 118, 744
Silva, Luiz Antonio Gama e 274, 473, 573
Silva, Luiz Gonzaga do Nascimento 503
Silva, Luiz Hildebrando Pereira da 760, 784
Silva, Luiz Inácio da 19, 100, 353
Silva, Luiz Inácio Lula da 66, 297, 588, 701, 735, 742, 743, 744
Silva, Luiz Renê Silveira da 236
Silva, Maria do Rosário Nascimento e 503
Silva, Maria Lúcia Petit da 230
Silva, Marina 20, 241, 242, 697, 698, 734, 795
Silva, Marisa Letícia da 741
Silva, Murilo Pezzuti da 170
Silva, Nilton Rosa e 674
Silva, Orlando 734
Silva, Paulo Pontes da 650, 652, 656
Silva, Virgílio Gomes da 152, 282, 350
Silveira, Ênio 518
Silveira, José 140
Silveira, Marina Borges da 147, 155
Silveira, Maurício Guilherme da 392

Silveira, Maurício Guilherme da (Honório) 778
Silver, Ben 576, 578
Sílvia, Vera 364, 380
Silvinho 88
Simas, Mário 158
Simon, Pedro 791
Simonal 486
Simonal, Wilson 485, 500
Simone 369
Sinatra, Frank 172, 750
Singer, Paul 737, 760
Siqueira, José Elito Carvalho 767
Sirkis 392, 393, 394, 435, 436, 440, 441, 443, 450, 453, 456, 457, 458, 459, 460, 461, 468
Sirkis, Alfredo 56, 391, 434, 447, 697, 722, 751, 772, 777, 778, 779, 780, 783
Sirkis, Alfredo Hélio 805
Sirkis, Eugênio 433
Soares 655
Soares, Airton 100, 244, 245, 661, 758
Soares, Delúbio 764
Soares, Edson 273
Soares, Elza 496
Soares, Expedito 744
Soares, Gláucio Ary Dillon 29, 735, 761, 769, 770, 771, 790
Soares, Jô 460, 788
Soares, Manuel Raimundo 636, 747
Soares, Márcia Ustra 606
Sobrinho, Israel Alves dos Santos 714
Sobrinho, João Carlos Haas 757
Sobrinho, João Carlos Haas (Juca) 231
Sobrosa, Diógenes 451, 755
Sodré 276
Sodré, Abreu 51, 580
Sodré, Charles Antonio 801
Sodré, Nélson Werneck 46, 793
Sodré, Roberto de Abreu 145, 556, 761
Sófocles 584
Solange 781

Soledad 459
Solimar ou Solimão Aragão (doutor Cláudio) 773
Solnik, Alex 738, 740, 741, 798
Sônia 234, 235, 408, 414
Sooma, Ivo Shizuo 293
Sooma, Ivo Shizuo 763
Sorrah, Renata 564
Sosa, Mercedez 684, 783
Soto, Ernesto 786
Soto, Jesus Paredes 88, 755
Sousa, Herbert José de 136
Souto, Edson Luis de Lima 195
Souza 459
Souza, Amarildo de 718
Souza, Amarildo 803
Souza, Amarildo de 804
Souza, Diógenes Sobrosa de 797
Souza, Dulce Maia de 350, 562, 580, 695, 794, 805
Souza, Elio Cabral de 755
Souza, Evaldo Ferreira de 458
Souza, João Belisário de 459
Souza, Joaquim Arthur Lopes de 756, 757
Souza, José Bartolomeu Rodrigues de 655
Souza, José Porfirio de 226
Souza, Lúcia Maria de 234
Souza, Manoel Porfirio de 755
Souza, Milton Tavares (Miltinho) 368, 378, 382
Souza, Milton Tavares de 709, 771
Souza, Paulo Coelho de 500
Souza, Percival 117, 736, 742, 744, 749, 757, 762, 772, 796, 803
Souza, Percival de 733
Souza, Vera Tude de 319
Spigner 364
Spigner, José Roberto 363, 372
Springsteen, Bruce 487
Staal, Ana Helena Camargo de 792
Stalin 228, 713

Starling, Heloísa 803
Stefanelli, Roberto 789
Stepan, Alfred 20, 734
Stoessner 802
Stompanatto, Baby 696
Strik, Ben 747, 748
Stroessner, Alfredo 713
Stuart 401, 402, 407, 408, 409, 424
Sued, Ibrahim 521, 790
Suharto, Hadji 738
Sukarno, Kusno 738
Suplicy, Eduardo 244
Sweezy, Paul 542

Taboada, Armando 649
Tabucchi, Antonio 538, 790
Tamandaré 786
Tamandaré (patrono da Marinha) 489
Tancredo 28
Tania 5
Tapajós, Laís Furtado 350
Tapajós, Renato 542
Tarso 242, 519, 598, 602, 603, 604, 605, 606, 607, 608, 609, 610
Tarso, Paulo de 793
Taturana 110, 111
Taunay, Visconde de 217
Tavares, Aurélio de Lira 650
Tavares, Aurélio de Lyra 285
Tavares, Edélsio 525
Tavares, Flávio 284, 286, 762
Tavares, Flávio 300
Tavares, Jorge 200
Tavares, José da Silva (Severino) 330
Tavares, Maria da Conceição 169
Tavares, Raposo 146
Tchecov, Anton 579
Teixeira, Anísio 323, 765, 766
Teixeira, Antonio Monteiro (Antonio da Dina) 233
Teixeira, Chico 406
Teixeira, Dinalva Conceição Oliveira 233

OS VENCEDORES

Teixeira, Dinalva Oliveira (Dina) 757
Teixeira, Eduardo Monteiro 226
Teixeira, Francisco 774
Teixeira, José Gomes 452
Teles, César Augusto 755, 800
Teles, Maria Amélia 800
Telles, Edson 803
Telles, Lígia Fagundes 540
Temer, Michel 74
Temporão, José Gomes 734
Tendler, Sílvio 744
Terra, Renato 784, 785, 786, 787, 788
Terrail, Pierre 796
Theodomiro 642, 646, 651, 652, 653, 654, 657, 658, 659, 660, 661, 662, 664, 665, 797
Thiago 414
Thomaz, Maria Augusta 290, 291, 763
Thomazzi, Luiz 534
Tiago 158
Tiago, Romualdo 142
Tiana 107, 191
Tibiriçá (doutor) 678, 679
Tibúrcio, Carlos 657, 746, 755, 756, 757, 760, 762, 763, 768, 774, 797
Tien [madame] (esposa de Suharto) 738
Tierra, Pedro 755
Timóteo, Agnaldo 788
Tiradentes 101
Tiradentes 635
Tiso, Wagner 786
Tito 147, 148, 149, 150, 151, 152, 153, 154, 155, 156, 158, 159, 162, 184, 197, 214
Tito (frei) 745, 749
Todor, Eva 566
Toffoli, Dias 804
Toledo 286, 329, 330, 336, 347, 619, 681, 682
Toledo, Márcio Leite de 288
Tolentino, Rogério 764
Toni 635
Toquinho 785

Torigoi, Hiroaki 153
Tornado, Tony 797
Torres, Cláudio 371
Torres, Demóstenes 763
Torres, Sérgio 754
Tostão 48
Tranjan, Nilce 544
Travassos 196, 273, 278, 281, 282, 284, 286, 287, 305, 760
Travassos, Luis 195, 213, 268, 270, 314
Travassos, Luiz 300
Trinquier, Roger 739
Tropicalista 655
Trotsky 46, 85, 394, 448
Truffaut, François 320
Trvassos, Patrícia 787
Tsé-Tung, Mao 46, 144, 217, 228, 417, 418, 434, 542, 605, 753
Tuca 237
Tucunduva, Rubens 329
Tuma 117
Tuma, Romeu 116, 586

Ulisses 562
Ulysses 247, 297, 317
Ungerer, Tomi 621
Ustra 678, 679, 682, 800
Ustra, Carlos Alberto Brilhante 606, 769
Ustra, Célio 606
Ustra, José Augusto Brilhante 606

Vadregísilo, José 482
Val, Moracy do 793
Valadão, Arildo 235
Valadares, Benedito 260
Vale, João do 47
Vale, Ramirez Maranhão do 657
Valença, Alceu 369
Valença, João 148
Valença, João Antonio Caldas 147

Valente, Assis 481
Valente, Manoel 143, 144
Valério, Marcos 764
Valicourt, Roberto de 225, 754
Valle 765
Valle, Jorge Medeiros do 321
Valli, André 560
Vanda 37, 38, 39, 68, 81, 82, 153, 635
Vandré 474, 478, 481, 482, 483, 484, 485, 486, 487, 488, 489, 490, 491, 499, 508, 785, 786
Vandré, Geraldo 474, 482, 485, 490, 499, 544, 562
Vandregésilo, José 499
Vanini, Jane 290
Vanucchi, Alexandra 794
Vanucchi, Camilo 741
Vanucchi, Paulo 733, 755
Vaquer, Gloria 503
Vargas 269, 432, 532
Vargas, Getúlio 48, 175, 177, 260, 324, 531, 586, 601, 609, 745, 766, 775, 796
Vargas, Pepe 734
Vargens, João Baptista M. 790
Vasconcellos 773
Vasconcellos, Gilberto 176
Vasconcellos, Jarbas 119
Vasconcellos, Lúcia Maria Murat 362
Vasconcellos, Miguel 362
Vasconcelos, Gilberto 60
Vasconcelos, Simone 764
Vavá 108
Veiga, Pimenta da 244
Velho (conhecido como Toledo) 284
Veloso, Caetano 63, 413, 461, 474, 476, 590, 784, 785, 787, 788
Venceslau, Paulo de Tarso 196, 197, 282, 620, 751, 796
Ventura, Zuenir 405, 460, 514, 773, 774, 789, 792

Vera 373, 374, 375
Verdi 44
Vergatti, Luiz 755
Verissimo, Luis Fernando 520
Veroes, Alexandre 290
Viana, Gilney Amorim 755
Vianna, Angel 694
Vianna, Cícero Silveira 315
Vianninha 491
Vidal 113
Videla 702
Videla, Jorge Rafael 706
Vidigal, Luiz Eulálio de Bueno 114
Viedma, Soledad Barret 458
Vieira, César Roldão 489
Vieira, Paulo de Tarso Loguércio 740
Viglietti 783
Viglietti, Daniel 459
Vilaça, Pablo 751
Villa, Pancho 435
Villaça, Paulo 560
Villaméa, Luiza 768
Villas-Boas (irmãos indigenistas) 404
Villasboas, Ricardo 284
Villela, Magno 153
Villela, Teotônio 117
Viola, Paulinho da 541
Viola, Roberto 399
Violeta 622
Virgílio (Jonas) 282
Virgílio, Artur 734
Virilio, Paul 717
Visconti, Luchino 320
Vítor 141
Vivaldi 63, 676
Vlad 5
Vladimir 196, 280, 281, 282, 284, 285, 286, 287
Voldi (major) 152, 153
Von der Weid, Jean Marc 195, 197, 213, 215, 278, 439, 445, 752

OS VENCEDORES

Von Holleben, Ehrenfried Anton Theodor Ludwig 390
Von, Ronnie 305

Wagner, Jaques 734
Wagner, Odilon 783
Wainer, Samuel 531, 534
Waldir 30, 656
Walesa, Lech 246
Walsh, Maria Elena 15
Weil, Kurt 579
Welch, Cliff 764
Wesker, Arnold 676
Wexler 748
Wexler, Haskell 152
Wilker, José 765
Williams, Tennessee 585, 792
Wilma, Eva 566, 677
Winter, Marcos 693
Wisnik, José Miguel 695, 800
Wolff, Sérgio Augusto Fausto 524

Xavier, Joaquim José da Silva 101
Xavier, José Joaquim da Silva (Tiradentes) 717

Yankova, Evdokia 42
Yoshinaga, Massafumi 800
Yves 157, 158

Zagallo 315
Zamiklowski, Eliane 616
Zana 40
Zanconato, Mário 284, 300
Zanuy, F. 771
Zapata, Emiliano 435
Zappa, Frank 486
Zappa, Regina 496, 775, 786, 787, 788
Zara, Carlos 677
Zaratini, Ricardo 100, 284, 300
Zé 190, 191, 535, 572, 573, 580
Zé, Tom 474, 480, 482
Zelão 557, 558
Zelda 535
Zélia 535, 661
Zequinha 454, 455, 456, 467, 798
Zerbini, Euryale de Jesus 150
Zerbini, Therezinha de Jesus 150
Zílio, Carlos 372
Ziraldo 489, 514, 515, 518, 519, 524, 525, 564, 698
Ziulkoski, Paulo Roberto 740
Zola 37, 44
Zuzima 492
Zuzu 403, 408, 426

Impressão e Acabamento
Prol

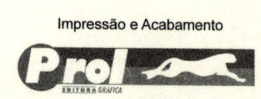